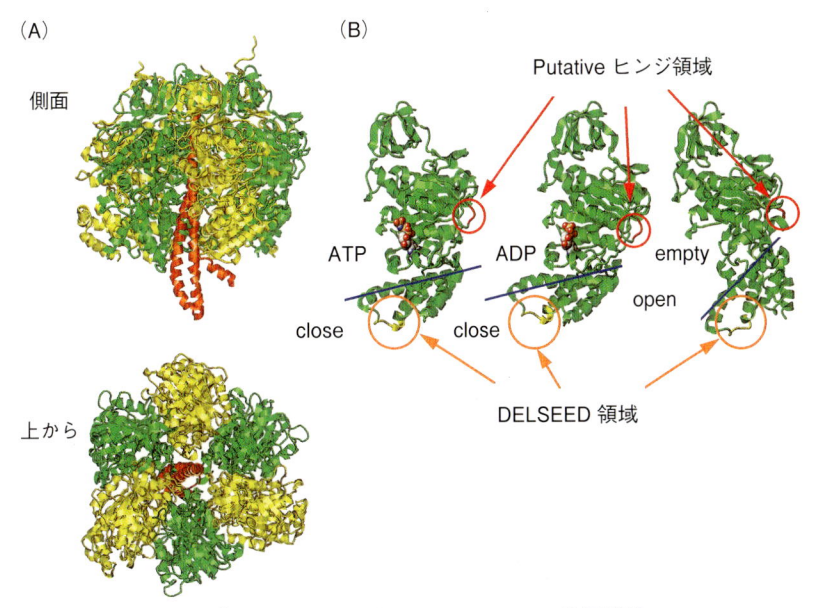

口絵1　ミトコンドリア F₁-ATPase の結晶構造

(A) 側面および上から見た図．3つの α サブユニット（黄色）と β サブユニット（緑色）が形成するミカンの房のようなシリンダー状の構造の中を γ サブユニット（赤色）が貫通している様子がわかる．(B) 3つの β サブユニット．ATP 結合型，ADP 結合型，ヌクレオチド非結合型（empty 型）を示す．ATP 結合型，ADP 結合型が close 型，empty 型が open 型であることがわかりやすいように青色の補助線を書き込んだ．好熱菌由来の酵素において変異導入が行われたヒンジ領域と DELSEED 領域をそれぞれ赤と黄色で示してある．(p.16 参照)

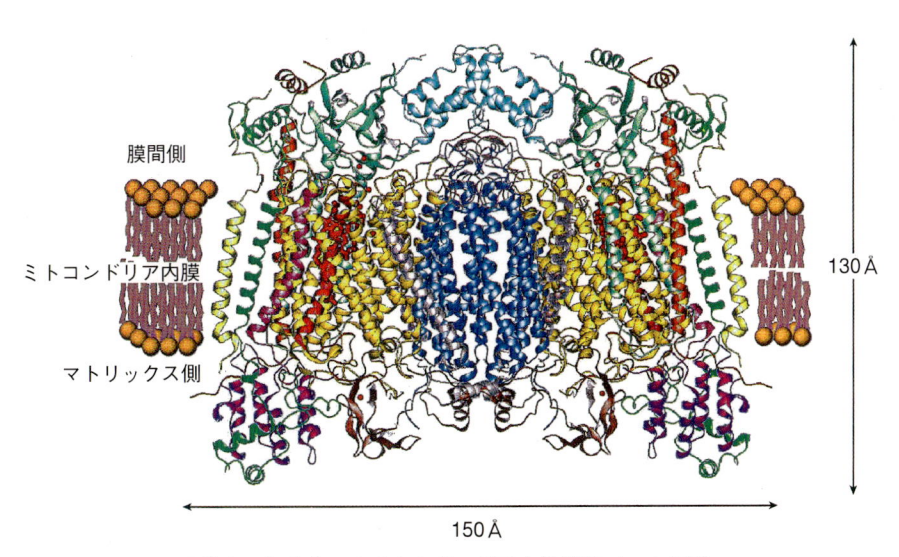

口絵2　シトクロムオキシダーゼの立体構造 (p.22 参照)

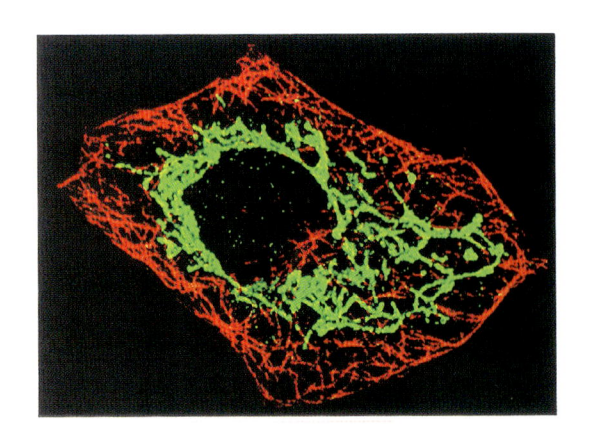

口絵3　哺乳動物フィブロブラストにおけるミトコンドリア[1]
COS-7細胞のミトコンドリア（緑色）と微小管（赤色）を蛍光抗体法を用いて共焦点顕微鏡により観察した．ミトコンドリアはATP合成酵素のβサブユニットに対する抗体とローダミン標識した2次抗体を用いて標識した．微小管はチューブリンに対する抗体とフルオレセインを結合した2次抗体を用いて蛍光標識した．スケール：1cm＝4μm（p.97参照）

口絵4　ニワトリ小脳ミトコンドリオンの3Dトモグラムから作製されたモデル[3]
（A）ミトコンドリア内の全体像．クリステ：黄色，内膜：ライトブルー，外膜：ダークブルー．（B）4種の代表的なクリステが異なった色で示されている．Quicktimeビデオがhttp://www.sci.sdsu.edu/TFrey/MitoMovie.htmで観察できる．（p.97参照）

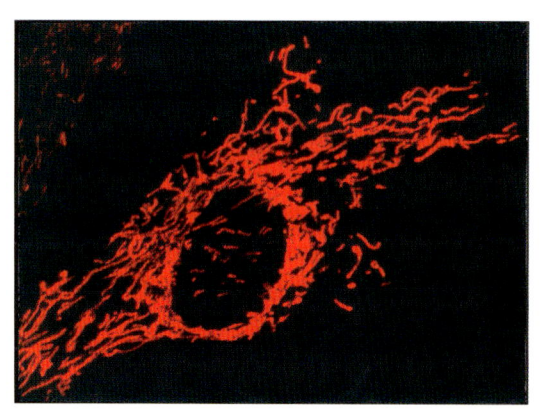

口絵5　蛍光タンパク質でラベルしたC2C12細胞内ミトコンドリアのイメージ
イソギンチャク由来の赤色蛍光タンパク質DsRed1とシトクロムc酸化酵素サブユニット8のミトコンドリア移行シグナルの融合タンパク質を発現するベクター（CLONTECH #6928-1）をサブコンフルエントのC2C12細胞にトランスフェクトさせた．選択的に染まったミトコンドリアが確認できる．タイムラプスデコンボリューションCCD蛍光顕微鏡による観察．（p.100参照）

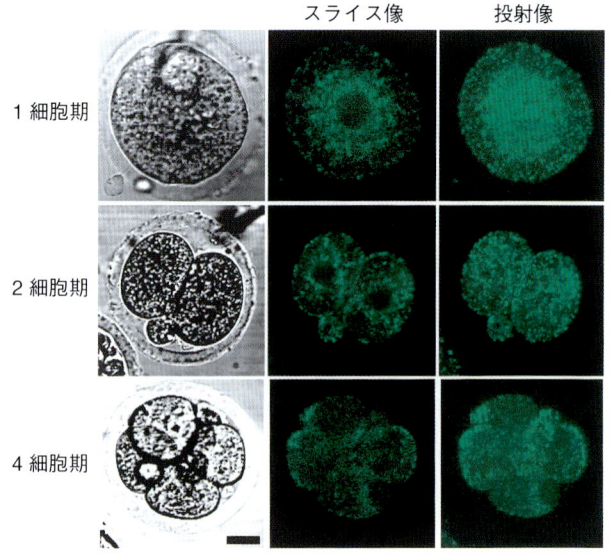

口絵6　マウス受精卵のミトコンドリアの分配
ミトコンドリアはローダミン123（Rh123）で染色し，共焦点レーザー顕微鏡でスライス像と投射像を観察した．1細胞期ではミトコンドリアは核周囲に局在するが，2細胞期以降は細胞質全体に分散する．（p.176参照）

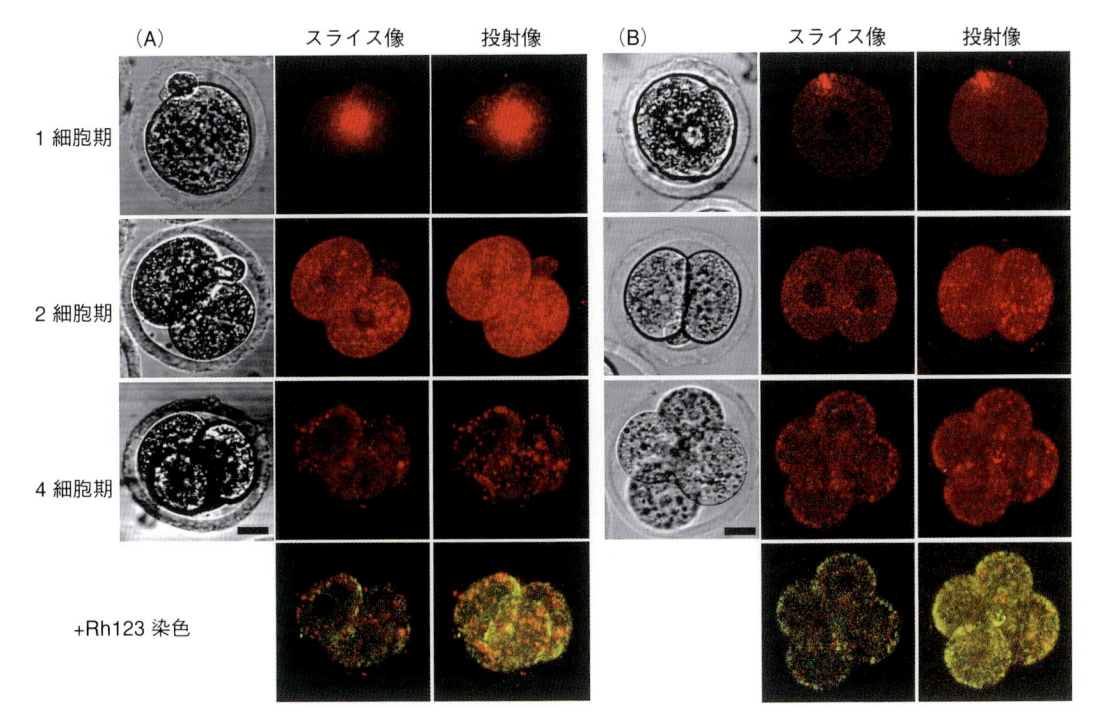

口絵7　マウス肝ミトコンドリア膜タンパク質を用いたリポソームとプロテオリポソームのマウス受精卵へのマイクロインジェクション

（A）リポソーム．アゾレクチンを用いて作製した合成リポソームを蛍光色素でラベルしたもの（赤）をマウス受精卵にマイクロインジェクションし，経時的に共焦点レーザー顕微鏡で観察した．4 細胞期にはローダミン123 でミトコンドリアを染色した．合成リポソームは斑点状に存在し，ミトコンドリアと局在をともにしない．

（B）プロテオリポソーム．肝ミトコンドリアの膜画分と蛍光ラベルした合成リポソームを用いてプロテオリポソームを作製し，マウス受精卵にマイクロインジェクションし，経時的に共焦点レーザー顕微鏡で観察した．プロテオリポソームはローダミン123で染色したミトコンドリアと局在をともにしている．　（p.177 参照）

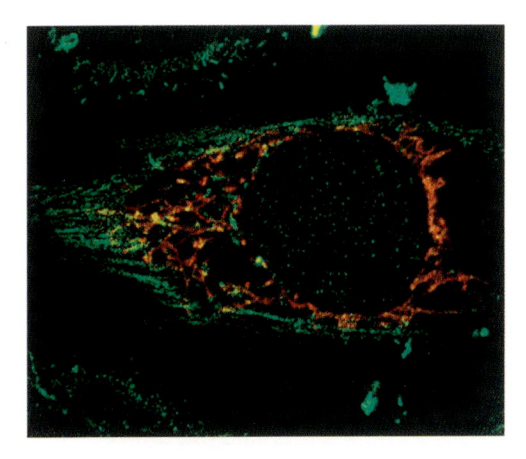

口絵8　HeLa 細胞におけるミトコンドリアネットワーク

DsRed1-Mito（Clontech）を遺伝子導入して染色したミトコンドリア（赤）と，抗アクチン抗体で免疫染色したアクチン線維（緑）を，共焦点レーザー顕微鏡にてスライス像として観察した．　（p.172 参照）

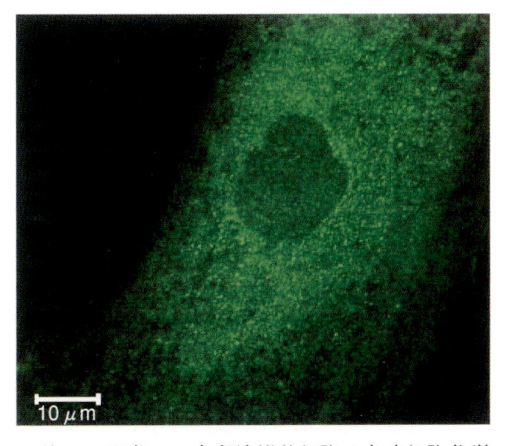

口絵9　正常ヒト皮膚線維芽細胞の免疫細胞化学

ヒト皮膚線維芽細胞内における Cu, Zn-SOD の局在性を免疫組織学的に検討した．細胞を4%パラホルムアルデヒド固定後，抗 Cu, Zn-SOD 抗体で免疫染色すると，Cu, Zn-SOD は緑の染色像を示す．Cu, Zn-SOD は細胞質に顆粒状で不均一な像として染色される．核（中央）内は染色されず，ここには存在しないことがわかる．　（p.233 参照）

口絵10 Cu, Zn-SOD と Mn-SOD の 2 重染色

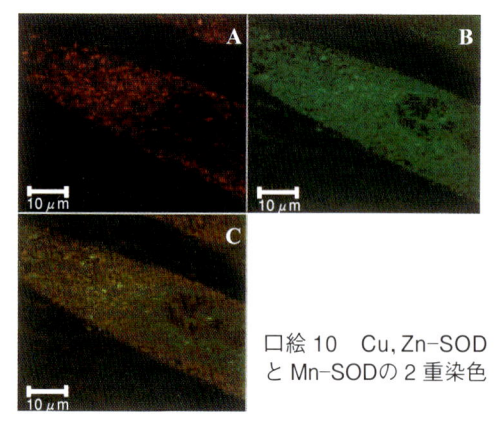

Cu, Zn-SOD とミトコンドリアマトリックスに局在する Mn-SOD を 2 重染色した Mn-SOD（赤）と Cu, Zn-SOD（緑）はいずれも顆粒状に染色されるが，両染色像を重ね合わせると両蛍光の大部分が消去しあって黄色になる．この所見は，両者が同じ局在性を示すことを意味する．(p.234 参照)

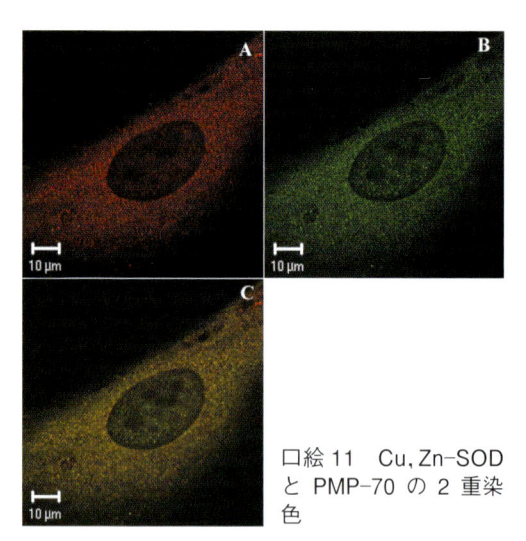

口絵11 Cu, Zn-SOD と PMP-70 の 2 重染色

ペルオキシソーム膜タンパク質である PMP-70 と Cu, Zn-SOD（緑）を 2 重染色した．両染色像を重ね合わせるとその一部が黄色に変化することから，Cu, Zn-SOD の一部は PMP-70 と同じ局在を示すことが示唆される．(p.234 参照)

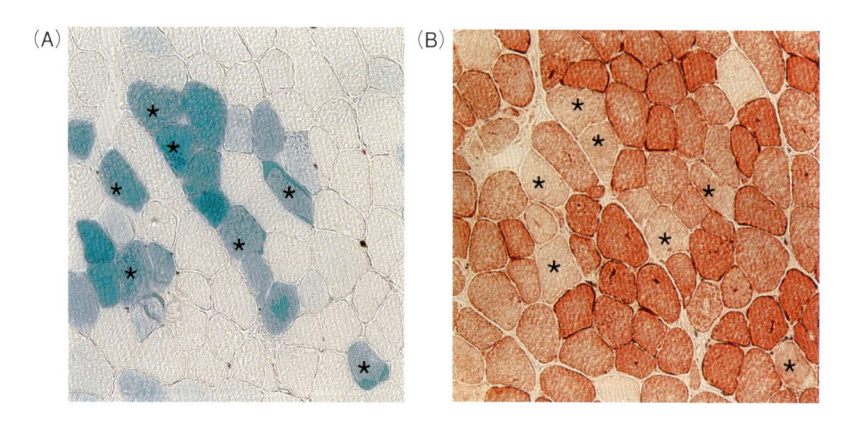

口絵12 ミトコンドリア標的 EcoR I 発現プラスミド導入後におけるシトクロム c 酸化酵素活性の減少

生体電気穿孔法によってプラスミド pMACSK^k II-pCox IV-EcoR I と pCAGGS-LacZ を 3.5 週齢ハムスターの前脛骨筋に遺伝子導入した．筋組織を生体電気穿孔の1カ月後に取り出し，凍結切片（8 μm）を作製した．組織切片についてβ-ガラクトシダーゼ活性染色 (A) あるいはシトクロム c 酸化酵素活性染色 (B) を行った．星印 (★) はシトクロム c 酸化酵素活性が減少したβ-ガラクトシダーゼ陽性筋線維を示す．(p.373 参照)

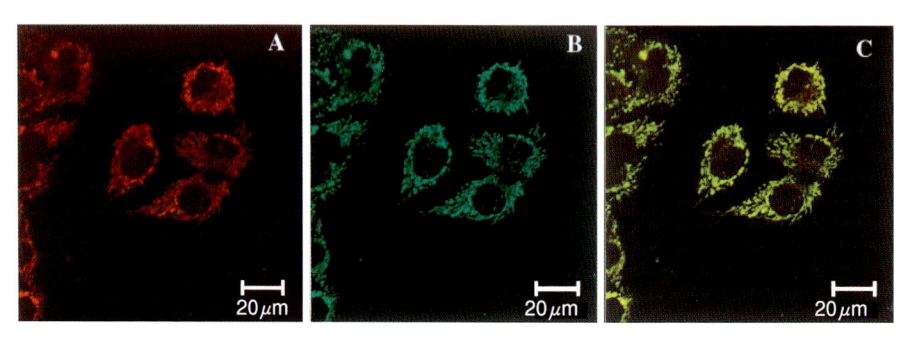

口絵13 マイトトラッカーおよび抗 Mn-SOD 抗体を用いたヒト肝癌細胞（HepG2）のミトコンドリア染色

(A) マイトトラッカーにより染色したミトコンドリア像，(B) 同領域をミトコンドリア型 Mn-SOD 抗体により染色した像，(C) (A) と (B) の重ね合わせ像．(p.420 参照)

新ミトコンドリア学

内海耕慥・井上正康　監修

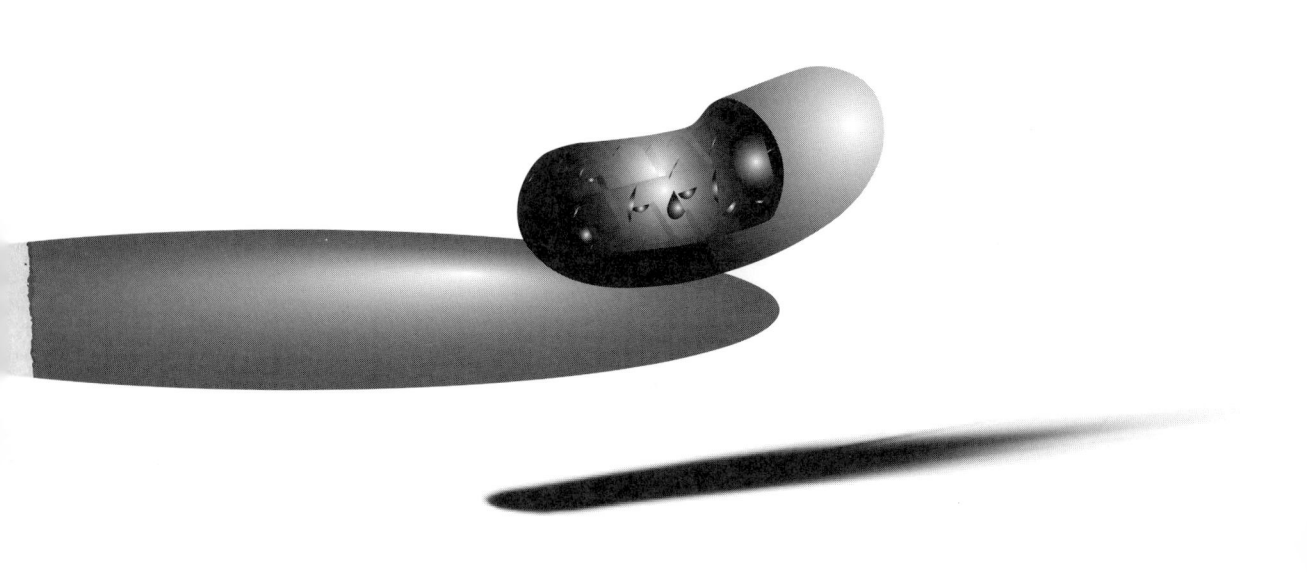

共立出版

ミトコンドリア研究の歴史と展望

　すべての自然現象は物質と情報とエネルギーの共役により支配されている．これは生物においても同様であるが，穏和な条件下でエネルギーを産生利用する生体系では，これが特殊化したシステムにより支えられている．好気性生物の細胞内にミトコンドリアが存在すること，およびこのオルガネラが酸素呼吸によりATPを産生していることが発見されたのはそれほど古いことではない．著名な細胞病理学者カウドリーは「誰がミトコンドリアの発見者であるかは定かではない」と記載している．

　一般には，1882年にフレミングが細胞内に特異な顆粒を認め，フィラがこれをミトコンドリアと命名したと考えられている．しかし，好気性生物のエネルギー獲得反応がおもにミトコンドリアに依存することおよびその機構が明らかにされたのは，1948年にロックフェラー研究所のグループが遠心分離法を確立してから以降のことである．

　イギリスの牧師プリーストリーは「空気中に酸素が存在すること」を発見し，フランスのラボアジェは「酸素が物質を酸化燃焼させる」と考えた．1788年，ブドウ糖と酸素から炭酸ガスと水が生ずることから，生物はこの燃焼過程で生ずるエネルギーを利用していると考えられた．それから約100年後の1896年になって，酵母による発酵がその抽出液でも起こることがブフナーにより発見された．1910年にはワールブルグが，擦り潰したウニ卵が酸素を消費することを自作の検圧計を用いて確認した．1925年にはマイヤーホーフが筋肉にもブドウ糖を乳酸に代謝する系が存在することを発見し，以後，1950年ごろまでには解糖系の全酵素が明らかにされた．

　このころレーマンにより，生体内でもATPが合成されること，およびこれが生体エネルギーとして利用されていることが明らかにされた．また，生体の呼吸に関しては，脱水素酵素の研究からウィーランドが水素活性化説を，ワールブルグが酸素活性化説を唱え，活発な論争が展開されていた．1935〜1945年にかけて，セントジョルジが脱水素酵素によるコハク酸からオキサロ酢酸への代謝を，そしてクレブスがクエン酸回路の全容を解明した．これとは別に，1923〜1925年にかけて，ケンブリッジ大学のケイリンによりシトクロムが発見され，柴田桂太，田宮博，薬師寺英次郎，奥貫一男らをはじめとする日本人研究者により，その分子特性がきわめて詳細に解析された．その結果，シトクロムが電子伝達や酸化還元反応を担うことが明らかになり，ミトコンドリアの構造と機能に関する知識が大きく発展した．

　当時，ミトコンドリアのエネルギー転換反応に関する研究報告はそれほど多くはなかったが，その重要性からこれらの研究テーマがNIHのInformation Exchange Groupの一部門として取り上げられた．これに世界中のミトコンドリア研究者が参加し，ミトコンドリア研究の主要な成果がフルペーパーとして次々に会員に配布された．情報の少なかった当時，これは何にも替えがたい情報源であった．これらの情報ネットワークを媒体として，ミトコンドリアやミクロソーム

の電子伝達に関する研究が多くの研究者に注目され，激しい競争が展開された．エネルギー転換反応やATP合成機構に関する多くの研究のなかでも，チャンスの化学説（chemical hypotesis）とミッチェルの化学浸透圧説（chemiosmotic hypotesis）に関する論争は有名なものであった．可溶性タンパク質の高エネルギー中間体が介在すると考えた多くの研究者は化学説を支持した．しかし，ATP合成にはオルガネラ膜で区画された物理化学的要因が介在することに気づいたミッチェルは，冷凍遠心器とpHメーターしかない自宅の研究室で膜電位などを測定しながら，プロトンの濃度勾配がATP合成に関与するという化学浸透圧説を提唱した．やがてバルチモアのヤーゲンドルが，コハク酸，ADPおよび無機リン存在下でクロロプラストの酸性懸濁液にNaOHを添加すると大量のATPが合成されることを発見した．これを期に，化学説を擁護する研究論文の数は減少していき，逆に化学浸透圧説を支持する研究論文が増加していった．

1967年，シカゴで開催されたFederation Proceedingsにおいて，ラッカーの司会のもとに化学説の巨頭チャンスと化学浸透圧説の巨頭ミッチェルが議論したときのエピソードは有名である．2本のボトルが組み合ったような［カバカバ］とよばれるウイスキーの瓶を取り出したラッカーは，「わたしはミトコンドリアのcoupling factor F1を発見しました．このカバカバもF1とよばれていますので，2人でこのボトルを開けて論議を共役させて下さい」と述べ，満場の拍手をうけた．たいへんな論戦の末に，ついに化学浸透圧説に軍杯があがり，ミッチェルが1978年にノーベル賞を受賞した．ミトコンドリアの電子伝達系やエネルギー転換機構が明らかにされ，その構成タンパク質が次々に分離同定されるに従い，多くの研究者の興味はその再構成実験に移行していった．とくに，香川靖雄を中心とした研究者らにより，人工膜を用いたエネルギー転換系の再構築実験が行われ，ミトコンドリア電子伝達系の機能構造に関する研究が完成した．これらを契機に，ミトコンドリアのエネルギー転換系に関する研究は一段落したといえる．

1970年前後の安保闘争を契機に，全国の大学では学園紛争がたけなわとなった．当時，岡山大学医学部に勤務していた内海は，名古屋大学の小沢高将と浅井淳平との共著で『ミトコンドリア：その分子構築と生理化学』を南山堂から出版した．やや遅れて，放射線医学総合研究所の中沢 透が東大出版会から小冊子『ミトコンドリア』を，自治医科大学の香川靖雄が岩波書店から『生体膜』を出版した．このころには，ミトコンドリアの構造と機能に関する詳細な知識が「ミトコンドリア学」として体系化され，多くの研究者に広く受け入れられていった．

同じころに，核DNAに由来するタンパク質がどのようにしてミトコンドリア内外の膜系に輸送局在化されるかという細胞内輸送機構が大きな興味の対象となっていた．また，ミトコンドリアにも環状DNAが存在することが発見され，その全構造が解析された．これにより，核の遺伝子に由来するタンパク質とミトコンドリアの遺伝子に由来するタンパク質の構造特性や両者が相互に協調して機能する機構，あるいはミトコンドリアの構成タンパク質とDNAとの関係などに関して盛んに研究されるようになった．これと並行し，ミトコンドリアのDNA変異と「ミトコンドリア病」との関係など，分子医学的な研究も著しく進展した．また，吉田賢右とそのグループによって「動く分子，ATP合成酵素」の概念が提唱され，分子モーターの研究も登場してきた．さらに，ミトコンドリアの機能障害やシトクロムcの細胞質への遊離などがアポトーシスにも重要な役割を果たすことが明らかになり始め，ミトコンドリアの研究は新たなパラダイムへとシフトしてきた．このことは，ミトコンドリア研究に関する分子生物学的研究に関する論文数が

年々うなぎ登りに増加していることなどにも反映されている．

　細胞を構成するさまざまな分子の特性はその生物機能と密接に関係しているが，両者を共役させて解析することがミトコンドリア研究ではとくに重要である．ミトコンドリアの機能解析法の多くは1970年代までにほぼ確立されており，それらは現在でも現役の役者として活躍している．事実，『ミトコンドリア：その分子構築と生理化学』はすでに絶版となっているが，ミトコンドリアを研究している研究室では現在でも多くの方々に利用されている．しかし，その後の約30年間に分子生物学的研究が大きく発展し，ミトコンドリアの構造と機能に関する詳細な知見とその分子生物学的解析法も飛躍的に進化してきた．残念ながら，この間の進歩や研究法に関する体系化された書籍がなく，多くの研究者が新しく体系化されたミトコンドリア学に関する本の出版を熱望していた．このような背景をもとに，近年のミトコンドリア研究の知的財産を現在の研究と未来への発展に伝承することをめざし，新たな観点から『新ミトコンドリア学』の編集を企画した．本書では，細胞とミトコンドリアの命運を支配する重要な新知見や各種のエネルギー代謝病態を左右するメカニズムを中心に，第一線で活躍されておられる方々に体系的な執筆を依頼した．また，第7章にはミトコンドリアの機能解析に有用な実験法プロトコールを収録した．若手研究者には大いに利用していただきたい．本書がミトコンドリア学の新たなパラダイムを開く鍵となり，生命科学における発掘作業や医療の発展に大きく寄与することを念願してやまない．

　平成13年10月吉日

内海耕慥・井上正康

目　　次

第1章　ミトコンドリアの構造と機能······················1
　1・1　ミトコンドリアの膜構造と組成·····················2
　1・2　電子伝達とエネルギー転換系·······················8
　1・3　エネルギー転換系と分子モーター··················14
　1・4　シトクロムオキシターゼの構造と機能··············22
　1・5　ミトコンドリア膜タンパク質のアセンブリー········28
　1・6　ミトコンドリアマトリックスタンパク質の輸送······35
　1・7　ミトコンドリアとポーリン························43
　1・8　ミトコンドリアとヘム・鉄代謝····················48
　1・9　ミトコンドリアとステロイド代謝··················56
　1・10　ミトコンドリアの細胞内移動機構と神経細胞傷害····62
　1・11　ミトコンドリア溶質輸送担体······················67

第2章　ミトコンドリアの分子生物学····················73
　2・1　ミトコンドリア核の特性··························74
　2・2　ミトコンドリアの遺伝子構造とその特徴············81
　2・3　ミトコンドリアDNAの複製と変異··················88
　2・4　ミトコンドリアのバイオジェネシス················97
　2・5　ミトコンドリアRNAとタンパク質の合成············102
　2・6　核とミトコンドリアゲノムの種特異的相互作用······107
　2・7　ミトコンドリアからみた日本人の起源··············114

第3章　ミトコンドリアの細胞生物学····················121
　3・1　高等動物のミトコンドリア特性····················122
　3・2　寄生虫のミトコンドリア特性······················127
　3・3　粘菌のミトコンドリア特性························133
　3・4　酵母ミトコンドリアの特性と形態制御··············141
　3・5　ミトコンドリアのATPaseインヒビターと遺伝子変異··147
　3・6　ρ^0細胞の細胞特性································154
　3・7　サイブリッドの細胞生物学························158
　3・8　ミトコンドリアの相互作用と物質交換··············163
　3・9　ミトコンドリアの相互作用と融合··················170
　3・10　生殖細胞形成におけるミトコンドリアの役割········179

- 3・11 有性生殖とミトコンドリア……………………………………………185
- 3・12 胎生期の発生分化とミトコンドリア…………………………………195
- 3・13 周産期の組織ミトコンドリア特性…………………………………202
- 3・14 褐色脂肪細胞のミトコンドリア—脱共役タンパク質の発現と脂質代謝の亢進……207

第4章 ミトコンドリアと抗酸化防御系……………………………………213
- 4・1 ミトコンドリアの活性酸素代謝と抗酸化防御系……………………214
- 4・2 ミトコンドリアの抗酸化酵素…………………………………………218
- 4・3 ミトコンドリアのリン脂質ヒドロペルオキシドグルタチオンペルオキシダーゼ……225
- 4・4 Cu, Zn-スーパーオキシドジスムターゼの細胞内超微局在…………231
- 4・5 ミトコンドリアとグルタチオン代謝…………………………………236
- 4・6 ミトコンドリアと脂質過酸化反応……………………………………242
- 4・7 カルニチン輸送病態と脂質代謝障害…………………………………248
- 4・8 カルニチンとミトコンドリア機能障害………………………………254
- 4・9 全身麻酔薬とミトコンドリア…………………………………………262

第5章 ミトコンドリアと細胞傷害…………………………………………269
- 5・1 活性酸素によるミトコンドリアDNAの変異発生……………………270
- 5・2 ミトコンドリア依存性アポトーシスと膜電位…………………………278
- 5・3 放射線障害における細胞内ミトコンドリアの役割……………………283
- 5・4 Bcl-2ファミリータンパク質によるアポトーシス時のミトコンドリア制御……289
- 5・5 *C. elegans* のミトコンドリア障害と老化……………………………297
- 5・6 抗癌剤の副作用とミトコンドリア障害…………………………………303
- 5・7 パラコート毒性とミトコンドリア障害…………………………………309
- 5・8 環境物質とミトコンドリア代謝…………………………………………317

第6章 ミトコンドリア関連病態……………………………………………325
- 6・1 ミトコンドリア病の病態特性と臨床診断………………………………326
- 6・2 ミトコンドリア脳筋症とDNA変異………………………………………332
- 6・3 ミトコンドリア電子伝達系の分子異常…………………………………339
- 6・4 ATP合成酵素と病態………………………………………………………349
- 6・5 糖尿病とミトコンドリア病態……………………………………………353
- 6・6 パーキンソン病とミトコンドリア障害…………………………………358
- 6・7 ミトコンドリア特性と長寿者……………………………………………364
- 6・8 ミトコンドリア病の遺伝子治療…………………………………………369
- 6・9 ミトコンドリア病の治療…………………………………………………376

第7章 ミトコンドリア研究法………………………………………………381
- 7・1 ラット肝ミトコンドリア分離法…………………………………………382
- 7・2 ラット脳ミトコンドリア分離法…………………………………………384

7・3	ラットとマウスの心筋ミトコンドリア分離法	387
7・4	ラット肝マイトプラスト，亜ミトコンドリア粒子，および巨大マイトプラストの調製法	389
7・5	ρ^0 細胞の作製法	391
7・6	サイブリッドの作製法と大量培養法	392
7・7	ミトコンドリア DNA の分離法	395
7・8	ミトコンドリア DNA 酸化産物の検出法	398
7・9	ミトコンドリアの活性酸素産生測定法	401
7・10	細胞内および単離ミトコンドリアの膜電位測定	403
7・11	ミトコンドリアの膨潤と MPT の解析法	408
7・12	電位依存性アニオンチャンネルの解析法	410
7・13	細胞質へのシトクロム c 遊離の測定	412
7・14	細胞質タンパク質のミトコンドリア膜結合解析法	414
7・15	ミトコンドリアタンパク輸送の解析法	417
7・16	マイトトラッカーと抗体による細胞内ミトコンドリアの解析	419
7・17	シグナルペプチド含有 GFP による細胞内ミトコンドリア解析法	421
7・18	蛍光タンパク質ベクターによる細胞内ミトコンドリア観察法	423
7・19	ミトコンドリアのエネルギー転換研究に用いられる阻害剤一覧	424

索　引　……………………………………………………………………427

執筆者一覧

監修・執筆者

内 海 耕 愽（3・13, 4・8, 5・2, 7・11, 7・19節）財団法人倉敷成人病センター医科学研究所
井 上 正 康（3・13, 4・1, 4・4, 4・8, 4・9, 5・6, 7・14, 7・16節）
　　　　　　　大阪市立大学大学院医学研究科・分子病態学

執 筆 者

寺 田　　弘（1・1, 1・7, 1・11, 3・1, 3・14, 4・6節）徳島大学薬学部・生物薬品化学
金 森　　崇（1・2節）日本医科大学老人病研究所・生化学
太 田 成 男（1・2, 2・5, 6・2, 7・6節）日本医科大学老人病研究所・生化学
宗 行 英 朗（1・3節）東京工業大学資源化学研究所・生物資源
吉 田 賢 右（1・3節）東京工業大学資源化学研究所・生物資源
水 島 恒 裕（1・4節）大阪大学蛋白質研究所
月 原 冨 武（1・4節）大阪大学蛋白質研究所
三 原 勝 芳（1・5節）九州大学大学院医学研究院・分子生命科学
森　　正 敬（1・6, 7・17節）熊本大学医学部・分子遺伝学
寺 田 和 豊（1・6, 7・15節）熊本大学医学部・分子遺伝学
篠 原 康 雄（1・7, 1・11, 3・1, 3・14節）徳島大学薬学部・生物薬品化学
竹 谷　　茂（1・8節）京都工芸繊維大学繊維学部・応用生物学
古 山 和 道（1・8節）東北大学大学院医学系研究科・分子生物学
藤 田 博 美（1・8節）北海道大学大学院医学研究科・環境医学
岡 本 光 弘（1・9節）大阪大学大学院医学系研究科・生化学・分子生物学
堀 家　なな緒（1・9節）大阪大学大学院医学系研究科・生化学・分子生物学
阿 部 康 二（1・10節）岡山大学医学部・神経内科
山 﨑 尚 志（1・11, 3・14節）徳島大学薬学部・生物薬品化学
佐々木 成 江（2・1節）お茶の水女子大学理学部・生物学科
黒 岩 常 祥（2・1節）東京大学大学院理学系研究科・生物科学
宝 来　　聰（2・2, 2・7節）総合研究大学院大学先導科学研究科・生命体科学
康　　東 天（2・3節）九州大学大学院医学研究院・臨床分子医学
姫 田 敏 樹（2・4節）金沢医科大学・微生物学
樋 口 富 彦（2・4, 6・4, 7・2〜4, 7・18節）徳島大学薬学部・微生物薬品化学
山 岡 万希子（2・6節）萬有製薬株式会社つくば研究所・生物医学研究所
磯 部　ことよ（2・6, 3・8節）三共株式会社・第二生物研究所
林　　純　一（2・6, 3・8節）筑波大学・生物科学系

執筆者一覧

北　　　潔（3·2 節）東京大学大学院医学系研究科・生物医化学
河野　重行（3·3, 3·11 節）東京大学大学院新領域創成科学研究科・先端生命科学
若林　　隆（3·4 節）名古屋大学名誉教授
橋本　忠雄（3·5 節）室蘭工業大学・応用化学科
米田　　誠（3·6, 3·7, 7·5 節）福井医科大学・第 2 内科
伊藤　清香（3·8 節）萬有製薬株式会社つくば研究所・生物医学研究所
遠藤　仁司（3·9 節）自治医科大学・生化学
樫川　真樹（3·10 節）理化学研究所発生・再生科学総合研究センター
小林　　悟（3·10 節）筑波大学・生物科学系
長尾　恭光（3·12 節）京都大学大学院農学研究科・応用生物科学
佐藤　英介（3·13, 4·1 節）大阪市立大学大学院医学研究科・分子病態学
吉岡　　保（3·13 節）財団法人倉敷成人病センター
梶本　和昭（3·14 節）徳島大学薬学部・生物薬品化学
藤井　順逸（4·2 節）山形大学医学部・第二生化学
中川　靖一（4·3 節）北里大学薬学部・衛生化学
吉良　幸美（4·4, 7·14, 7·16 節）大阪市立大学大学院医学研究科・分子病態学
井原　義人（4·5 節）長崎大学医学部原研・生化学
近藤　宇史（4·5 節）長崎大学医学部原研・生化学
小暮　健太朗（4·6 節）徳島大学薬学部・衛生化学
佐伯　武頼（4·7 節）鹿児島大学医学部・生化学
小林　圭子（4·7 節）鹿児島大学医学部・生化学
菅野　智子（4·8, 5·2, 7·11 節）財団法人倉敷成人病センター医科学研究所
有田　佳代（4·8 節）財団法人倉敷成人病センター医科学研究所
内海　俊彦（4·8 節）山口大学農学部生物機能科学科・生物機能化学
土屋　正彦（4·9 節）大阪市立大学大学院医学研究科麻酔・集中治療医学
浅田　　章（4·9 節）大阪市立大学大学院医学研究科麻酔・集中治療医学
田中　雅嗣（5·1, 6·7, 6·8 節）財団法人岐阜県国際バイオ研究所
石坂　瑠美（5·2, 7·11, 7·13 節）山口大学農学部・生物機能科学科
馬嶋　秀行（5·3 節）鹿児島大学歯学部・歯科放射線学
山口　千鶴（5·3 節）放射線医学総合研究所
柿沼　志津子（5·3 節）放射線医学総合研究所
本告　成淳（5·3 節）放射線医学総合研究所
平井　　太（5·3 節）放射線医学総合研究所
山口　洋子（5·3 節）日本大学歯学部・生化学
富田　和男（5·3 節）放射線医学総合研究所
小澤　俊彦（5·3 節）放射線医学総合研究所
清水　重臣（5·4, 7·12 節）大阪大学大学院医学系研究科・遺伝子学
辻本　賀英（5·4, 7·12 節）大阪大学大学院医学系研究科・遺伝子学
石井　直明（5·5 節）東海大学医学部・分子生命
西川　　学（5·6 節）大阪市立大学大学院医学研究科・分子病態学

平井 圭一（5·7節）金沢医科大学・解剖学
島田 ひろき（5·7節）金沢医科大学・解剖学
吉塚 光明（5·8節）久留米大学医学部・解剖学
後藤 雄一（6·1, 6·3, 6·9節）国立精神・神経センター・神経研究所
埜中 征哉（6·3節）国立精神・神経センター・武蔵病院
井出口 博（6·3節）田川市立病院・小児科
新垣 尚捷（6·4, 7·18節）徳島大学薬学部・微生物薬品化学
岡 芳知（6·5節）東北大学大学院医学系研究科・分子代謝病態学
池邊 紳一郎（6·6節）池辺クリニック
水野 美邦（6·6節）順天堂大学・脳神経内科
竹原 良記（7·1節）財団法人倉敷成人病センター医科学研究所
前田 好正（7·2節）旭化成工業株式会社
安川 武宏（7·6節）東京大学大学院工学系研究科・化学生命工学
平安 一成（7·7節）和光純薬工業株式会社・大阪研究所
川西 正祐（7·8節）三重大学医学部・衛生学
井上 純子（7·8節）京都大学大学院医学研究科社会健康医学系・健康政策管理学
竹重 公一朗（7·9節）九州大学大学院医学研究院・分子細胞生化学
甲斐 陽一郎（7·9節）九州大学大学院医学研究院・分子細胞生化学
小渕 浩嗣（7·10節）岡山大学大学院医歯学総合研究科・病態機構学
矢野 正人（7·17節）熊本大学医学部・分子遺伝学
末永 みどり（7·18節）徳島大学薬学部・微生物薬品化学
大脇 浩幸（7·18節）徳島大学薬学部・微生物薬品化学

第1章

ミトコンドリアの構造と機能

1·1

ミトコンドリアの膜構造と組成

寺田　弘

● はじめに

　ミトコンドリアのおもな生理的役割は，生体内におけるATP産生である．その反応が複雑な酸化還元反応からなるため，ミトコンドリアは他のオルガネラとは異なる構造や組成を有する．第1の特徴として，内膜，外膜とよばれる2層の膜構造を有することがあげられる．第2の特徴は，タンパク質の含量が非常に高いことであり，第3の特徴はその偏った脂質組成である．本稿では，これらの点に焦点を絞って解説する．

1. 内膜と外膜の膜構造

a. 全体像

　それぞれの膜構造に触れる前に，その全体像を眺めておきたい．ミトコンドリアのサイズはかなり多様であるが，典型的なミトコンドリアは直径が1μm程度であり，バクテリアと同じ大きさである．ミトコンドリアは，外膜，内膜という2層の膜構造を有するため（図1），これらの膜間のスペース（膜間スペースとかシュガースペースとよばれる）およびマトリックスとよばれる内膜の内側の2区画を有する．

　ラット肝のミトコンドリアを例にとると，マトリックスは1mgタンパク質当たりおよそ0.8μLの容積をもち，脂肪酸β酸化の諸酵素やTCA回路の酵素群など，多くのタンパク質を含む．一方，膜間スペースは，1mgタンパク質当たりの容積が1.5μL程度であり，ATPの代謝を担うアデニレートキナーゼやクレアチンキナーゼなどの限られたタンパク質を有する．

b. 内膜

　ATP合成のカギを握る電子伝達系のタンパク質やATP合成酵素はすべて内膜のタンパク質であり，呼吸基質の酸化とこれに伴ったADPの酸化的リン酸化反応は内膜上で行われる．また，ATP合成の駆動力として，膜を介したH^+の電気化学ポテンシャル差（$\Delta\mu H^+$）が形成されるため，溶質やイオンの透過性に対する内膜の抵抗性はきわめて高い．

c. 外膜

　内膜とは対称的に，溶質に対する外膜の透過性はきわめて高い．これは，外膜で物質輸送をコントロールしているポーリン（1·7節参照）が，1500Da程度までの小分子を非選択的に透過させるためである．したがって，タンパク質などの巨大分子を

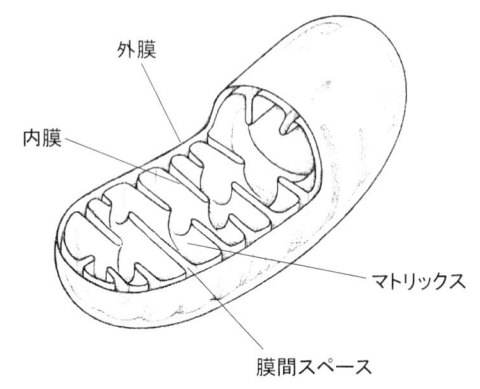

図1　ミトコンドリアの膜構造

除くと，膜間スペースは基本的に細胞質と同じ組成と考えられる．

d. 膜構造

外膜と内膜は多重層リポソームに見られるような単調な関係ではなく，内膜はクリステとよばれる複雑な折りたたみ構造をしている．この膜構造に関する研究の歴史は長く，1960年代の後半にはGreenらによって，ミトコンドリアの"状態変化"に伴った膜構造の変化が報告されている．Pedersenは癌細胞のミトコンドリアに関する総説の中で，その特徴的な膜構造について記載している[1]．また，特記すべきこととして，ミトコンドリア内膜のヌクレオチド輸送担体（ADP/ATPキャリヤー）の特異的阻害剤を添加するだけでも顕著な構造変化がひき起こされる（図2)[2,3]．このことは，単一のタンパク質の構造変化によって，ダイナミックな膜構造の変化がひき起こされることを意味している．しかし，このような膜構造の変化をひき起こす分子機構やその生理的意義については，ほとんど明らかにされていない．

最近の研究により，ミトコンドリアの膜構造変化がプログラム細胞死に密接に関与している可能性が明らかにされたので，ここではこの点についても簡単に紹介しておきたい．ミトコンドリアの懸濁液にCa^{2+}を添加すると，呼吸の促進など，脱共役剤を添加した場合に似た状態がひき起こされる（脱共役剤については3・1節参照）．この現象が何を意味しているのかは永らく不明であったが，最近の研究によりミトコンドリア内膜の透過性が著しく亢進していることが判明し，透過性遷移（permeability transition）と名付けられた[4〜6]．透過性遷移によりミトコンドリア膜は著しい構造変化を起こし，内膜構造はほとんど観察されない状態になる（図3)[7]．透過性遷移に関しては5・2節にも詳しいのでここでは詳細には触れないが，ミトコンドリアの膜間スペースに存在する（厳密には内膜の外側に結合した）シトクロムcが透過性遷移の誘導に伴ってミトコン

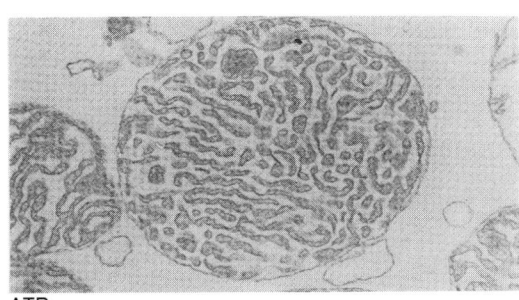

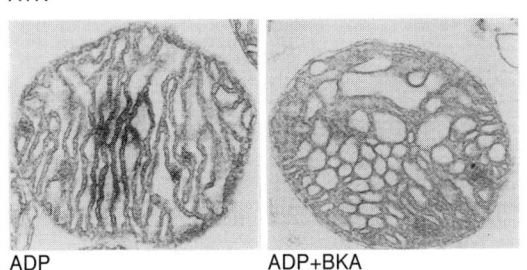

図2 ADP/ATPキャリヤーの阻害剤によってひき起こされるミトコンドリアの膜構造の変化[2]
ATRおよびBKAは，それぞれアトラクチロシド，ボンクレキン酸を示す．ATRのみ26,500倍，他は29,000倍での解析像．

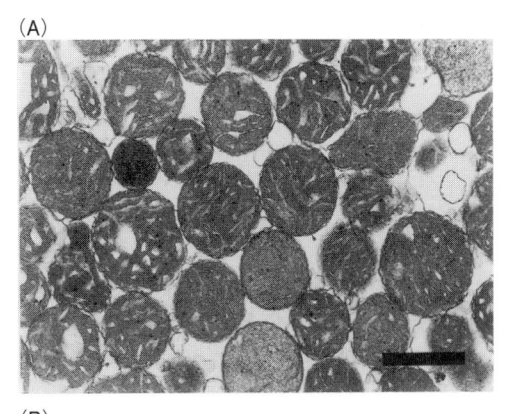

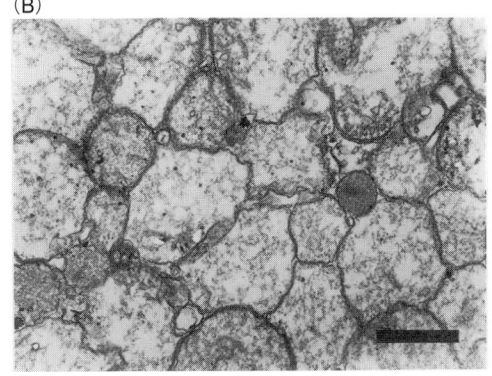

図3 透過性遷移の誘導に伴うミトコンドリアの膜構造の変化
(A)正常なミトコンドリア，(B)100μMのCa^{2+}で透過性遷移を惹起した状態のミトコンドリア．スケールバーは1μmを示す．

ドリアから放出され，これがアポトーシスの引き金を引くことが明らかにされた．したがって，ミトコンドリアの膜構造変化は，細胞の運命を制御する機能を有している．

2. 構成タンパク質

ミトコンドリアの主たる機能はATPの合成であり，ミトコンドリアにはATP合成に関与するすべてのタンパク質が存在する．すなわち，
(1) ATP合成酵素の各サブユニット
(2) 電子伝達系酵素のサブユニット
(3) 呼吸基質，ヌクレオチド，リン酸などの内膜輸送担体
(4) 脂肪酸のβ酸化に関連した諸酵素
(5) TCA回路の諸酵素
(6) 自己複製のマシナリー（DNA複製の諸酵素やタンパク質合成系）
(7) 核のDNAにより合成されたタンパク質をミトコンドリア内に取り込むデバイス

などが存在する．したがって，ミトコンドリアは"タンパク質だらけ"と考えられる．このことを裏付けるべく，ミトコンドリアの脂質/タンパク質重量比（乾燥状態）は，細胞内オルガネラの中でもっとも小さく，0.18〜0.2の値を示す[8]．また，ミトコンドリアのマトリックス内タンパク質濃度は実に400 mg/mLと見積もられており[9]，濃いスープ状と表現されている[10]．

では，具体的にどのようなタンパク質がミトコンドリアに存在するのであろうか．近年のタンパク質化学や分子生物学の発展に伴って，特定のタンパク質を取り扱うことが容易になったため，分子レベルでの議論が可能になってきた．しかし，個々のタンパク質が実際にミトコンドリアのみに局在するか否かの研究はまだ中途段階である．たとえば，ミトコンドリア外膜のポーリンは，最初に細胞膜のタンパク質として1次構造が決定された．最近でさえ，ミトコンドリア以外のオルガネラにも存在する可能性についての総説が出されている[11]．しかし，シトクロム酸化酵素など，いくつかのタンパク質はミトコンドリアにのみ存在することが知られており，細胞内オルガネラの分画を行う際のミトコンドリアのマーカーとして用いられている[12,13]．

一方，ミトコンドリアに存在するタンパク質については，その全貌がかなり明らかにされつつある．米国NIHのZulloらは，ミトコンドリアのタンパク質に関するデータベースを作成している[14]．個々のタンパク質の存在場所（内膜，外膜，膜間およびマトリックスの別）やEC（酵素番号），染色体上での遺伝子の局在部位まで網羅しており，圧巻である．Zulloに承諾を得て，そのごく一部を図4に引用させてもらった．まだ未知のタンパク質も存在するが，彼らのデータベースによると，ミトコンドリアには500種近くのタンパク質があることになる．

ただし，特定のタンパク質がミトコンドリアに実際に存在するか否かは組織によって異なる（1・7節参照）ので，すべての細胞に普遍的な事実として鵜呑みにしてはならない．正確な情報を得るには，調製したミトコンドリア中に目的とするタンパク質が含まれているか否かを特異抗体などを用いて解析することが必要である．

3. 脂質組成

ミトコンドリア膜の構造的特徴のひとつとして，その偏った脂質組成が挙げられる．表1に示すとおり[8]，ミトコンドリアも，他の細胞内オルガネラや細胞膜と同じく，ホスファチジルエタノールアミンとホスファチジルコリンをおもな構成リン脂質とする．しかし，4本の炭化水素鎖を有するカルジオリピンの含量が他の膜系よりも10〜20倍高い．ミトコンドリア膜におけるカルジオリピンの重要性はまだ十分に解明されたとは言い難く，その生理的役割の解明を目的とした2つの研究成果を以下に紹介する．

a. タンパク質の機能発現における役割

1つめはタンパク質の機能発現におけるカルジオリピンの重要性についてである．^{31}P-NMRによる

MitoDat ID Number	EC #	Protein Name	Organelle Compartment	Pathways/Enzyme
MD100001	1.6.2.2	NADH2:cytochrome b5 oxidoreductase	Outer membrane	DIA1
MD100005	1.99.1.5	Kynurenine 3-hydroxylase	Outer membrane	
MD100010	2.3.1.7	Acetyl-CoA:carnitine O-acetyltransferase	Outer membrane	CRAT carnitine
MD100015	2.3.1.15	Acyl-CoA:L-glycerol-3-phosphate O-acyltransferase	Outer membrane	
MD100020	2.3.1.23	Acyl-CoA:lysolecithin O-acyltransferase	Outer membrane	LCAT MD100021
MD100025	2.7.1.1	ATP:D-hexose-6-phosphotransferase (types I & II)	Outer membrane	GCK MD100030
MD100040	6.2.1.3	Acid:CoA ligase	Outer membrane	FACL1
MD100041	6.2.1.3	Acid:CoA ligase	Outer membrane	FACL2
MD100045		Porin; Voltage-dependent anion-selective channel (VDAC)	Outer membrane	VDAC2
MD100050	1.4.3.4	Monoamine oxidase A	Outer membrane	MAOA
MD100051	1.4.3.4	Monoamine oxidase B	Outer membrane	MAOB
MD100055		anterograde receptors	Outer membrane	
MD100065		retrograde receptors	Outer membrane	
MD100075		Cytochrome b5	Outer membrane	CYB5
MD100080		NADH-cytochrome b5 reductase	Outer membrane	DIA1
MD100085		OM cytochrome b	Outer membrane	MTCYB
MD100090		Long-chain fatty acyl-CoA synthetase	Outer membrane	CPS1
MD100091		Long-chain fatty acyl-CoA synthetase	Outer membrane	CAD
MD100095	2.3.1.21	"Carnitine O-Palmitoyltransferase (CPT I) (external, overt)"	Outer membrane	CPT1 carnitine
MD100100	2.3.1.15	Glycerol 3-phosphate O-acyltransferase (GPAT)	Outer membrane	GPD2 glycerol-3-
MD100101	2.3.1.15	Glycerol-phosphate acyltransferases	Outer membrane	
MD100105		CDP-diacylglycerol cytidyltransferase	Outer membrane	
MD100110	3.1.1.32	A1 Phospholipase	Outer membrane	
MD100115	3.1.1.4	A2 Phospholipase	Outer membrane	
MD100120	3.1.1.5	B Phospholipase	Outer membrane	
MD100125	3.1.4.3	C Phospholipase	Outer membrane	
MD100130	3.1.4.4	D Phospholipase	Outer membrane	
MD100135		Receptors for binding to cytosol	Outer membrane	
MD100140		Fatty acid elongation enzymes	Outer membrane	
MD100145	1.4.3.4	Amine oxidase (flavin-containing)	Outer membrane	ABP1 amiloride
MD100150		receptors for leader peptides	Outer membrane	
MD100160		"""Peripheral-type"" benzodiazepine receptors"	Outer membrane	BZRP
MD100165	2.4.1.1	Glucosyltransferase	Outer membrane	PTGB
MD100170	2.4.1.31	alpha-D-glucosyltransferase	Outer membrane	
MD100175		Mannosyltransferase	Outer membrane	
MD100177	2.4.1.1.132	Mannosyltransferase II	Outer membrane	
MD100185		MOM19	Outer membrane	
MD100190		MOM72	Outer membrane	
MD100195		"GIP, general insertion protein"	Outer membrane	
MD100200	4.4.1.17	Cytochrome c-heme lyase	Outer membrane	
MD100205	2.1.1.59	Cytochrome c-lysine methyltransferase	Outer membrane	
MD100210	1.9.3.1	Cytochrome C-oxidase	Outer membrane	
MD100225	2.3.1.15	glycerol-3-phosphate acyltransferase	Outer membrane	
MD100230	2.3.1.51	1-acylglycerol-3-phosphate acyltransferase	Outer membrane	
MD100235	2.7.7.41	CTP-phosphatidate cytidyiyltransferase	Outer membrane	
MD100290		Phosphatidyl-glycerolphosphate synthase	Outer membrane	
MD100291	3.1.3.27	Phosphatidylglycerol phosphatase	Outer membrane	
MD100295		Diphosphatidyl-glycerol synthase	Outer membrane	
MD200004	2.7.4.3	ATP:AMP phosphotransferase (iso)(& intracristal)	Intermembrane space	
MD200005	2.7.4.3	Adenylate kinase (isoenzyme III)	Intermembrane space	AK1
MD200006		Adenylate kinase (isoenzyme III)	Intermembrane space	AK2
MD200007	2.7.4.3	Adenylate kinase (isoenzyme III)	Intermembrane space	AK3
MD200007	2.7.4.3	Adenylate kinase III	Intermembrane space	AK3
MD200010	2.7.4.6	ATP:nucleoside diphosphate phosphotransferase	Intermembrane space	NME2
MD200010	2.7.4.6	Nucleoside diphosphate kinase	Intermembrane space	NME2
MD200015	4.4.1.17	Cytochrome c-heme lyase (membrane-bound)	Intermembrane space	
MD200020		Cytochrome c1-heme lyase (membrane-bound)	Intermembrane space	
MD200025	1.8.3.1	Sulfite oxidase (cytochrome c reacting group)	Intermembrane space	
MD200030	1.8.99.1	Sulfite-cytochrome c reductase	Intermembrane space	
MD200035	1.6.2.2	IS cytochrome b5 (aka molybdohemoprotein sulfite oxidase	Intermembrane space	
MD200040	1.11.1.5	Cytochrome c peroxidase (cytochrome c reacting group)	Intermembrane space	
MD200050	1.3.3.3	Coproporphyrinogen III oxidase	Intermembrane space	CPO
MD200105	2.7.4.3	adenylate kinase III	Intermembrane Space	
MD200115	2.7.4.3	Adenylate kinase	Intermembrane space	
MD300001	1.1.1.30	D-3-Hydroxybutyrate:NAD+ oxidoreductase (aka D3HBDH)	Inner membrane	BDH "3-
MD300005	1.1.1.37	L-Malate:NAD oxidoreductase (iso)	Inner membrane	MDH2 "malate 12414
MD300010	1.1.1.41	LS-Isocitrate:NAD oxidoreductase (decarboxylating)	Inner membrane	
MD300011	1.1.1.42	LS-Isocitrate:NADP oxidoreductase (decarboxylating)	Inner membrane	IDH2 "isocitrate
MD300015	1.1.99.5	Glycerol-3-phosphate dehydrogenase	Inner membrane	
MD300020	1.3.99.1	Succinate:(acceptor) oxidoreductase (aka s. dehydrogenase)	Inner membrane	SDH
MD300025	1.3.99.1	Succinate:(acceptor) oxidoreductase (aka s. dehydrogenase)	Inner membrane	
MD300030	1.5.1.2	L-Proline:NAD(P) 5-oxidoreductase	Inner membrane	PYCR1 pyrroline-5-
MD300035	1.6.1.1	NADPH2:NAD oxidoreductase	Inner membrane	
MD300040	1.9.3.1	Cytochrome c:O2 oxidoreductase	Inner membrane	
MD300045	2.1.3.3	Carbomyl phosphate:L-ornithine carbomyl transferase	Inner membrane	OTC ornithine
MD300050	2.3.1.7	Acetyl-CoA:carnitine O-acetyltransferase	Inner membrane	
MD300055	2.3.1.-???	Palmityl-CoA:carnitine palmityltransferase	Inner membrane	
MD300060	2.6.1.1	L-Aspartate:2-oxoglutarate aminotransferase (iso)	Inner membrane	GOT2
MD300065	2.7.1.1	ATP:D-hexose-6-phosphotransferase (types I & II)	Inner membrane	HK1 hexokinase 1
MD300066	2.7.1.1	ATP:D-hexose-6-phosphotransferase (types I & II)	Inner membrane	HK2 hexokinase 2
MD300070	3.6.1.1	Pyrophosphate phosphohydrolase	Inner membrane	PP
MD300075	4.1.3.7	Citrate oxaloacetate-lyase (CoA-acetylating)	Inner membrane	CS citrate
MD300080	4.2.1.17	L-3-Hydroxyacyl-CoA hydro-lyase	Inner membrane	EHHADH
MD300085	4.99.1.1	Protohaem ferrolyase	Inner membrane	FECH
MD300090	6.4.1.3	Propionyl-CoA:CO2 ligase (ADP)	Inner membrane	PCCA "propionyl
MD300095	6.4.1.3	Propionyl-CoA:CO2 ligase (ADP)	Inner membrane	PCCA "propionyl

図4　Zulloによるミトコンドリアのタンパク質のデータベースの一部

表1 各種の膜の組成（ラット肝）

	総リン脂質に占める割合（%）					
	ミトコンドリア	ミクロソーム	リソソーム	細胞膜	核膜	ゴルジ体
カルジオリピン	18	1	1	1	4	1
ホスファチジルエタノールアミン	35	22	14	23	13	20
ホスファチジルコリン	40	58	40	39	55	50
ホスファチジルイノシトール	5	10	5	8	10	12
ホスファチジルセリン	1	2	2	9	3	6
ホスファチジン酸	—	1	1	1	2	<1
リソホスホグリセリド	1	11	7	2	3	3
スフィンゴミエリン	1	1	20	16	3	8

解析から，ウシ心筋のミトコンドリアから調製したADP/ATPキャリヤーには多くのカルジオリピンが強固に結合しており，このタンパク質の活性制御にカルジオリピンが重要な役割を有することが示唆された[15]．さらに，酵母における変異タンパク質の解析により，ADP/ATPキャリヤーの機能発現におけるカルジオリピンの要求性は，より明確に示された．すなわち，酵母の*AAC2*遺伝子のCys73Ser変異体はグリセロールを単一炭素源とした条件下でも生育が可能であったが，これから精製したタンパク質をホスファチジルコリンだけで調製したリポソームに再構成してもまったく活性は観察されず，カルジオリピンを添加した場合においてのみ活性が観察された[16]．ADP/ATPキャリヤーの機能発現におけるカルジオリピン要求性の分子機構はまだ明らかにされていないが，この事実はカルジオリピンがミトコンドリアタンパク質の機能発現に重要な意味をもつことを明確に示している．

b. 膜の物理化学的性質に及ぼす影響

タンパク質を含まない膜の物性にもカルジオリピンが影響する可能性を解析した結果，ホスファチジルコリン単独の膜に比べ，少量のカルジオリピンを含有したリポソームでは，水の透過性が著しく低下していた．また，ゼータポテンシャルやIRスペクトルの解析の結果，膜安定性に重要と考えられている膜表面の水和相水分子も含めた分子間水素結合をカルジオリピンが安定化させていることが判明した[17]．上述のとおり，酸化的リン酸化反応は，電子伝達系によって形成される内膜を介したH^+の電気化学ポテンシャル差を駆動力としている．したがって，ミトコンドリアの内膜は，H^+をはじめとするさまざまなイオンや溶質の透過性に対して高い抵抗性を示す．ミトコンドリアがカルジオリピンを多く含むのは，その膜構造安定化のためかもしれない．

● おわりに

最近の研究の進展に伴ってミトコンドリアが分子レベルで理解されるようになってきたが，透過性遷移が起こるメカニズムやCa^{2+}輸送機構など，いまだまったく明らかにされていない謎も少なくない．これらの謎を解明する目的でも，ミトコンドリアのプロテオーム解析など（寺田ら，未発表），よりいっそうの研究が望まれる．

● 文 献

1) Pedersen, P.L. : *Prog. Exp. Tumor Res.*, **22** 190-274 (1978)
2) Klingenberg, M., Scherer, S., Stengel-Rutkowski, L., et al. : in "Mechanism in Bioenergetics", pp. 257-284, Academic Press, New York (1973)
3) Hashimoto, M., Majima, E., Hatanaka, T., et al. : *J. Biochem.*, **127**, 443-449 (2000)
4) Bernardi, P., Broekemeier, K.M., Pfeiffer, D.R. : *J. Bioenerg. Biomembr.*, **26**, 509-517 (1994)
5) Zoratti, M., Szabo, I. : *Biochim. Biophys. Acta*, **1241**, 139-176 (1995)
6) Crompton, M. : *Biochem. J.*, **341**, 233-249 (1999)
7) Shinohara, Y., Bandou, S., Kora, S., et al. : *FEBS Lett.*, **428**, 89-92 (1998)
8) Gennis, R.B. : in "Biomembranes", pp.20-34, Springer-Verlag, New York (1989)
9) Srere, P.A. : *Trends Biochem. Sci.*, **5**, 120-121 (1980)

10) スコープス，ロバート K.著，塚田欣司監訳：『タンパク質精製法―理論と実際―』，p.189, シュプリンガー・フェアラーク東京（1985）
11) Yu, W.H., Forte, M. : *J. Bioenerg. Biomembr.*, **28**, 93-100 (1996)
12) Storrie, B., Madden, E.A. : Methods in Enzymology, vol.182, pp.203-225, Academic Press, New York (1990)
13) Rice, J.E., Lindsay, J.G. : *in* "Subcellular fractionation : A practical approach", (Graham, J.M., Richwood, D., eds.), pp.107-142, Oxford University Press, Oxford (1997)
14) Zullo, S. : http://www-lecb.ncifcrf.gov/mitoDat/WebDB/mitoDat.txt
15) Beyer, K., Klingenberg, M. : *Biochemistry*, **24**, 3821-3826 (1985)
16) Hoffmann, B., Stockl, A., Schlame, M., *et al.* : *J. Biol. Chem.*, **269**, 1940-1944 (1994)
17) Shibata, A., Ikawa, K., Shimooka, T., Terada, H. : *Biochim. Biophys. Acta*, **1192**, 71-78 (1994)

電子伝達とエネルギー転換系

金森 崇・太田 成男

● はじめに

ATP合成経路には，酸素を必要としない嫌気的な解糖系と，酸素が必須な酸化的リン酸化がある．ミトコンドリアの第一義的な機能は酸化的リン酸化である．すなわち，酸素を用いることによって解糖系に比べ，格段と効率よくATPを合成している．ここでは，電子伝達系によるエネルギー転換系について概説する．

1. 電子伝達系と化学浸透圧説

嫌気性の原核生物では，おもに解糖系によってグルコースからATPを産生している．一方，ミトコンドリアをもつ真核生物では，酸素呼吸によりグルコースをCO_2とH_2Oにまで完全酸化することにより，効率よく多量のATPを産生する．ミトコンドリア内膜に存在する電子伝達系では，TCA回路で生じたNADH（$E_0' = -0.32\,V$）やコハク酸（$E_0' = +0.03\,V$）から電子を受け取り，いくつかの中間物質を経て最終的に酸素分子（$E_0' = +0.82\,V$）を還元する．ここで得られる自由エネルギーがATPの化学エネルギーの源となる．電子伝達には約60種のタンパク質が関与し，4つの複合体I，II，III，IVを形成している．電子伝達反応に関与する他の因子としては，ユビキノンやシトクロムcがある．脂溶

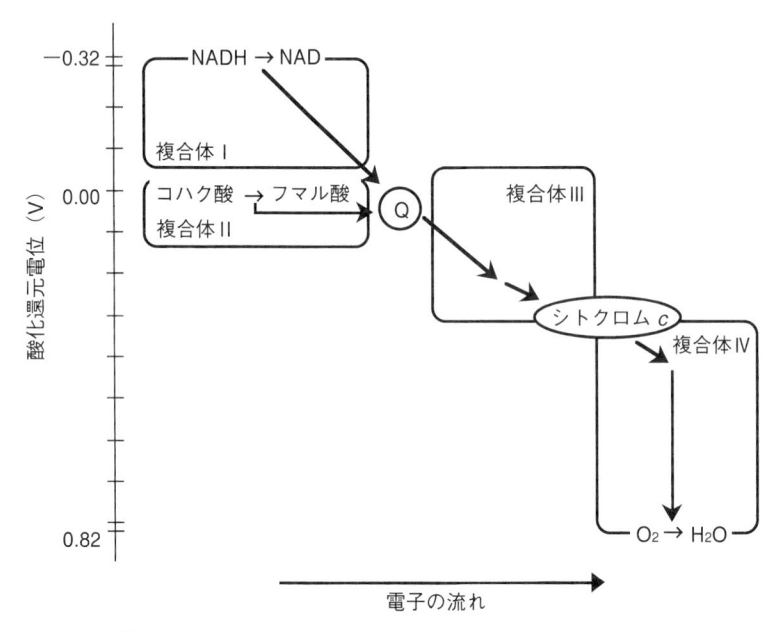

図1　ミトコンドリアの電子伝達系における酸化還元電位

図2 ユビキノンの分子構造

$R' = -(CH_2-CH=C(CH_3)-CH_2)_n-H$

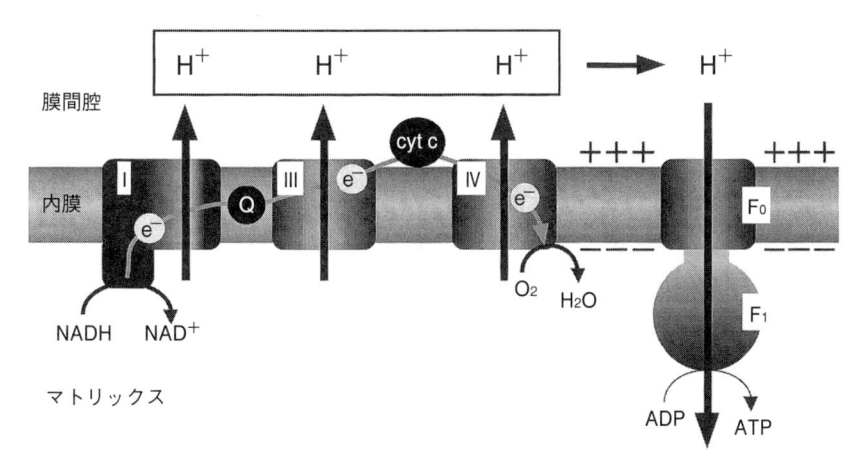

図3 ミトコンドリア電子伝達系におけるエネルギー変換モデル

性のユビキノンは複合体ⅠとⅢ，ⅡとⅢの間の電子伝達を，膜間腔のシトクロム c は複合体ⅢとⅣの間の電子伝達を行う（図1）．図2にユビキノンの構造を示す．イソプレノイド鎖をもつユビキノンは脂溶性であり，膜内を移動できる．哺乳類では，イソプレン単位は $n=10$ である．ユビキノンは電子を1つ受け取ると不安定なセミキノンになるが，細胞中ではタンパク質に結合することによって安定化されていると考えられる．セミキノンは，さらに電子を1つ受け取ると安定な還元型ユビキノンになる．この反応は可逆的であり，還元型ユビキノンは電子を放出してユビキノンになる．

電子伝達の過程で放出された自由エネルギーを化学エネルギーに変換してATPを産生する機構は化学浸透圧説として認められている．これは1960年代初頭に Peter Mitchell によって発表された説[1]であり，電子伝達（酸化）によって得られたエネルギーはプロトン濃度勾配によって生じる内膜の電気化学ポテンシャルに変換され，プロトンポンプと共役したATP合成酵素によってATPが合成される．彼は，この業績により1978年にノーベル化学賞を受賞した．化学浸透圧説は以下の4つの仮定に基づいている．

(1) 電気化学ポテンシャルを保持できる（イオンを自由に通過させない）膜構造が存在する．
(2) 膜に一定方向に配向した酵素が，電子伝達に伴って，プロトンをマトリックスから膜間腔に輸送する．
(3) ATP合成酵素はプロトン勾配を利用してATPを合成する．
(4) 膜にはイオンなどの低分子を輸送する担体が存在する．

ミトコンドリアの電子伝達系では，電子伝達に伴い複合体Ⅰ，Ⅲ，Ⅳがプロトンをマトリックスから

膜間腔にくみ出し，内膜に電気化学ポテンシャルを形成する．この電気化学ポテンシャルを利用してF$_o$F$_1$-ATPase が ATP を合成している．F$_o$F$_1$-ATPase は複合体Vともよばれる（図3）．

2. 複合体 I（NADH-ユビキノン酸化還元酵素）[2~4]

複合体 I は [NADH + Q + 5 H$_i^+$ → NAD$^+$ + QH$_2$ + 4 H$_o^+$] の反応を触媒する複合体である．ここで，Q と QH$_2$ は酸化型と還元型（ユビキノール）のユビキノンを示し，H$_i^+$ と H$_o^+$ はそれぞれマトリックスと膜間腔側のプロトンを示す．

この複合体は電子伝達系の最初の酵素複合体であり，TCA 回路の脱水素酵素などによって生じた NADH を酸化してユビキノンを還元する．この反応の過程でマトリックスから膜間腔側へプロトンをくみ出す．

哺乳類（ウシ心臓）のものは，少なくとも 42 本のポリペプチドからなる 900 kDa 以上の複合体である．面白いことに，出芽酵母や分裂酵母には哺乳類に見られる複合体 I のホモログは存在せず，まったく異なる酵素複合体が NADH からユビキノンへの電子伝達に関与している．このため，複合体 I の遺伝学的解析にはおもにアカパンカビが使われてきた．一方，大腸菌などの原核生物の形質膜に存在するホモログは，14 本のポリペプチドからなる 520 kDa の複合体である．この 14 種のポリペプチドのホモログはすべて哺乳類でも存在することから，これらのポリペプチドが最小限の構成因子と考えられている．哺乳類やアカパンカビでは，このうち 7 本のポリペプチドがミトコンドリアゲノム由来であり，残りは核ゲノム由来である．原核生物にはないサブユニットは，すべて核ゲノム由来である．それらのサブユニットの機能は不明であるが，複合体のアセンブリーなどに関与していると思われる．

近年，電子顕微鏡での観察から，複合体 I が L 字形の構造であることが明らかになった．L 字の長いほうが内膜に内存し，短いほうがマトリックスに突き出ている．マトリックスに突出している領域は 1 分子のフラビンモノヌクレオチド（FMN）と 3 個の鉄-硫黄クラスターを含み，NADH 脱水素酵素活性を有する．膜に内存している領域は，3～5 個の鉄-硫黄クラスターを含み，ユビキノンへの電子伝達を触媒する．ミトコンドリアゲノム由来の 7 ペプチドはすべてこの膜内在性領域の構成成分である．

ミトコンドリアの電子伝達系は，特異的阻害剤を用いて解析されてきた．複合体 I の阻害剤としては，ピエリシジン A やロテノンがある．ピエリシジン A はユビキノンと似た構造をもち，電子伝達を競争的に阻害する．ロテノンは膜内在性領域に結合し，鉄-硫黄クラスターからユビキノンへの電子伝達を阻害すると考えられている．なお，出芽酵母で複合体 I に相当する酵素はロテノンでは阻害されない．

3. 複合体 II（コハク酸-ユビキノン酸化還元酵素）[5]

複合体 II は，電子伝達系を構成する複合体の中でもっとも単純な構造であり，[コハク酸 + Q → フマル酸 + QH$_2$] の反応を触媒する．

本複合体は核ゲノムにコードされた 4 本のポリペプチドからなる．そのうち，マトリックス側の 2 本のポリペプチドからなるドメインは TCA 回路のコハク酸脱水素酵素そのものである．残り 2 本のポリペプチドは膜内在性であり，コハク酸の酸化によって生じた電子をユビキノンに伝達している．このように，本複合体は TCA 回路と電子伝達系を直接つないでいる．複合体 II の阻害剤としては，コハク酸に構造が似たマロン酸などが知られている．

約 70 kDa のもっとも大きなサブユニットはフラビン分子を共有結合したフラボプロテインであり，コハク酸が結合する部位である．27 kDa のサブユニットは酸化還元電位が異なる 3 つの鉄-硫黄クラスターを含んでいる．この両複合体でコハク酸脱水素酵素として機能し，約 15 kDa の 2 本のペプチドからなるアンカータンパク質に結合している．アン

カータンパク質はシトクロム b を含み，電子をユビキノンに伝達する．複合体IIの構成因子はすべて核ゲノムにコードされていると考えられてきたが，紅藻の一種ではいくつかの遺伝子がミトコンドリアゲノムにコードされている．

4. 複合体III（ユビキノール-シトクロム c 酸化還元酵素）[6,7]

複合体IIIは，別名，bc_1 複合体，シトクロム c 還元酵素ともよばれ，$[QH_2 + 2\,cyt.\,c^{3+} + 2\,H_i^+ \rightleftharpoons Q + 2\,cyt.\,c^{2+} + 4\,H_o^+]$ の反応を触媒する．

複合体IIIは約10本のペプチド（哺乳類では11本，出芽酵母では9本）からなり，そのうちの1本（シトクロム b）はミトコンドリアゲノムにコードされ，他は核ゲノムにコードされている．複合体Iおよび複合体IIで生じた還元型ユビキノン（ユビキノール）から電子を受け取り，シトクロム c に伝達する．この過程でマトリックスから膜間腔にプロトンを輸送している．これらの反応は3つのサブユニット，シトクロム b，シトクロム c_1，およびRieske鉄-硫黄タンパク質で起こる．シトクロム b は2つのヘム（b_{566} と b_{562}）を含み，シトクロム c_1 は1つのヘムを含む．また，鉄-硫黄タンパク質は，鉄-硫黄クラスターを一つ含んでいる．

X線結晶解析によって，1997～98年にかけて複合体IIIの詳細な立体構造が明らかにされた．これにより，複合体IIIが膜に垂直な軸に対して対称的な2量体構造を取っていることが示された．その単量体は，13カ所の膜貫通 α ヘリックスで膜に結合し，そのうち8本がシトクロム b 由来で，シトクロム c_1 と鉄-硫黄タンパク質がそれぞれ1本の α ヘリックスをもつ．また，コアIとコアIIとよばれるタンパク質のマトリックスドメインは，マトリックスプロセシングペプチダーゼと相同な領域を含む．複合体IIIは電子伝達とミトコンドリアタンパク質のミトコンドリアへの局在化に関する機能をもった複合体と考えられる．一方，膜間腔側には鉄-硫黄クラスターとシトクロム c_1 のヘムを含むドメインが存在

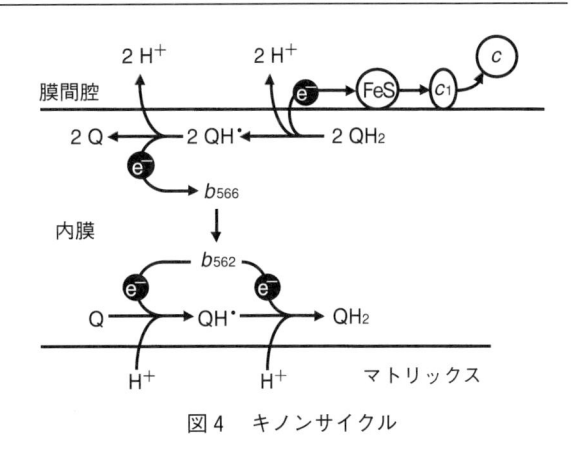

図4　キノンサイクル

する．

電子伝達に伴って複合体IIIがプロトンをマトリックスから膜間腔に駆動する機構としてはキノンサイクルが提唱されている（図4）．複合体IIIには2カ所のユビキノン反応部位，QP（内膜の膜間腔側）とQN（マトリックス側）が存在している．ユビキノール（還元型ユビキノン）はQP部位で酸化され，生じた電子の半分は鉄-硫黄クラスターとシトクロム c_1 を経てシトクロム c に伝達される．残りの半分は，まずヘム b_{566} に伝達され，ヘム b_{562} を経てQN部位でユビキノンの還元に使われる．このキノンサイクルの反応の際に，マトリックスから膜間腔にプロトンがくみ出される．複合体IIIの阻害剤であるアンチマイシンAはヘム b_{562} からユビキノンへの電子伝達を阻害する．また，ミクソチアゾールはQPで阻害する．

5. 複合体IV（シトクロム c 酸化酵素）[8,9]

電子伝達系の最後に位置して酸素分子を還元する複合体であり，$[4\,cyt.\,c^{2+} + 8\,H_i^+ + O_2 \rightarrow 4\,cyt.\,c^{3+} + 4\,H_o^+ + 2\,H_2O]$ の反応を触媒する．

哺乳類では13個のサブユニット，酵母では9個のサブユニットからなり，分子量の大きい3つのサブユニットはミトコンドリアゲノムに，他は核ゲノムにコードされている．ミトコンドリアゲノムにコードされた3つのサブユニットが本複合体における電子伝達の活性中心を担っていると考えられて

いる．サブユニットⅠはヘム a とヘム a_3，および銅中心 Cu_B 部位を，サブユニットⅡは Cu_A 部位を含む．また，サブユニットⅢはプロトンや電子の移動に関与し，他の核ゲノム由来のペプチドは機能の調節や複合体のアセンブリーなどにかかわっていると考えられている．X線構造解析により，電子伝達系の中で複合体Ⅳは詳細な立体構造がもっとも早く明らかにされた．それによると，28本の膜貫通 α ヘリックスがあり，それらは膜に対して垂直ではなく，互いに平行でもなかった．

複合体Ⅳの中での電子は，[cyt. c^{2+} → Cu_A/Cu_A → ヘム a → ヘム a_3/Cu_B → O_2]のように伝達される．複合体Ⅲからシトクロム c に伝達された電子は，まずサブユニットⅡの Cu_A 部位（2個の銅原子を含む）に伝達され，ヘム a を経てヘム a_3/Cu_B 部位での酸素分子の還元に使われる．電子伝達系の最後の反応であるヘム a_3/Cu_B 部位での酸素分子の還元は次のような過程で起こると考えられている．

(1) 伝達された2個の電子によってヘム a_3/Cu_B 部位の鉄原子と銅原子がそれぞれ2価と1価に還元される．
(2) 酸素分子が結合して電子を受け取り，過酸化物イオンを形成する．結果，鉄と銅原子は酸化され，それぞれ3価と2価になる．
(3) ヘム a から1個の電子を受け取り，また，2個のプロトンを受け取る．その結果，酸素原子間の結合が開裂し，$Fe(Ⅳ)=O$，$H_2O-Cu(Ⅱ)$ を形成する．
(4) さらに，ヘム a から電子1個を受け取り，また，プロトンが転移して，$Fe(Ⅲ)-OH$ および $Cu(Ⅱ)-OH$ を形成する．
(5) プロトンを2個受け取って H_2O となり，遊離する．

この反応過程で，サブユニットⅢのコンホメーションが変化してマトリックスから膜間腔へプロトンがくみ出されると考えられている．複合体Ⅳの阻害剤としてはシアン化物やアジ化ナトリウムがある．これらはヘム鉄や銅に結合して電子伝達を阻害する．

6. ATP合成酵素

電子伝達系でNADHから酸素分子に電子が伝達される過程で，複合体Ⅰ，ⅢおよびⅣがマトリックスから膜間腔へプロトンをくみ出すことにより，内膜の内と外にプロトン勾配が形成される．この勾配に従ってプロトンが膜間腔からマトリックス内に流入するときに，内膜に結合したATP合成酵素がADPと無機リン酸からATPを合成する．このATP合成酵素が F_oF_1-ATPase である．F_oF_1-ATPase は F_1 と F_o の2つのサブユニットからなる．F_1 サブユニットにATPaseの活性が存在し，F_o サブユニットは内膜中でプロトンチャンネルを形成している．F_oF_1-ATPase は，酸化的リン酸化の5番目の複合体であることから，複合体Ⅴともよばれる．F_oF_1-ATPase は5つのサブユニット，α，β，γ，δ，ε からなり，その存在比は3：3：1：1：1である．一方，哺乳類では F_o 部分は11個のサブユニットからなる．そのうち3個（a，b，c）は原核生物の複合体と相同であり，原核生物の F_o 部分はこの3個のサブユニットからのみなる．出芽酵母では3個とも，哺乳類では3個のうち a と c がミトコンドリアゲノムでコードされ，サブユニット6および8と命名されている．哺乳類での他のサブユニットは，複合体の調節や集合に関与していると考えられている．サブユニット a，b，c の存在比は1：2：9～12である．

F_oF_1-ATPase は，プロトンが F_o 部分を膜間腔からマトリックスへ流入すると F_1 部分が回転してATPを合成する．F_oF_1-ATPase の阻害剤であるオリゴマイシンは F_1 と F_o のつなぎ目部分に結合することにより，またDCCD（ジシクロヘキシルカルボジイミド）は F_o 部分のサブユニット c に結合することにより，ATPの合成を阻害する．これらの阻害剤の効果は，ATP合成にはプロトンの流入が必須であることを示している．

●おわりに

近年，酸化ストレスが細胞の老化やアポトシース

の原因のひとつであることが明らかとなってきている．ミトコンドリアの電子伝達系は，酸化還元反応を繰り返し，最後に酸素分子を還元する反応系であることから，この酸化ストレスの主要な発生源であると考えられる．このように，電子伝達系は，細胞が生存するために必須のエネルギーを産生する一方で，細胞の寿命を縮めているかもしれない．今後，このバランスをどうとっているのか，すなわち，電子伝達系の活性の制御はどのように行われているのかを解明していく必要がある．

● 文　献

1) Mitchell, P. : *Nature*, **191**, 144-148 (1961)
2) Brandt, U. : *Biochim. Biophys. Acta*, **1318.**, 79-91 (1997)
3) Guenebaut, V., Vincentelli, R., Mills, D., *et al.*: *J. Mol. Biol.*, **265**, 409-418 (1997)
4) Friedrich, T., van Heek, P., Leif, H., *et al.*: *Eur. J. Biochem.*, **219**, 691-698 (1994)
5) Scheffler, I.E. : *Prog. Nucl. Acid Res. Mol. Biol.*, **60**, 267-315 (1998)
6) Brandt, U.: *Biochim. Biophys. Acta*, **1365**, 261-268 (1998)
7) Xia, D., Yu, C.A., Kim, H., *et al.*: *Science*, **277**, 60-66 (1997)
8) Tsukihara, T., Aoyama, H., Yamashita, E., *et al.*: *Science*, **272**, 1136-1144 (1996)
9) Varotsis, C., Zhang, Y., Appelman, E. H. : *Proc. Natl. Acad. Sci. USA*, **90**, 237-241 (1993)

1·3

エネルギー転換系と分子モーター

宗行 英朗・吉田 賢右

● はじめに

ミトコンドリアのもっとも重要な生理機能のひとつは酸化的リン酸化,すなわち,電子伝達系による呼吸基質の酸化に伴うATP合成である.この電子伝達系とATP合成を行うATP合成酵素はともにプロトン(H^+)ポンプであり,前者がミトコンドリア内膜を隔ててプロトンの電気化学ポテンシャル差を形成し,後者はそのポテンシャル差に駆動されるプロトン流のエネルギーを利用してATPを合成する.このことはPeter Mitchellによる化学浸透圧説として定式化され,生体エネルギー転換の理解に新しい概念をもたらした.最近,一分子観察の技術により,このATP合成酵素はATP加水分解反応に伴い内部のサブユニットを回転する分子モーターであることが可視化,実証された[1～5].この発展により,1分子レベルでのエネルギー転換の理解に新しい考え方が要求されている.本稿では,ATP合成酵素の酵素学的性質,分子モーターとしての性質,酵素1分子によるエネルギー転換について,現在の知見を概説し,今後の問題について展望する.

1. ATP合成酵素の酵素学的性質

ATP合成酵素は,ミトコンドリア内膜だけでなく,植物の葉緑体や原核生物の細胞膜にも広く分布し,膜内外のプロトンの電気化学ポテンシャル差を利用してATP合成を行っている[*1].この酵素の構造は生物種によらず類似性があり,膜内在性のF_o部分と,これに結合して膜から突き出たF_1部分に大別される(図1).このため,本酵素はF_oF_1-ATP合成酵素,あるいはATPを加水分解してプロトン輸送をする逆反応も行うことからF_oF_1-ATPaseともよばれる.

F_oはプロトンが膜を通るときの透過路であり,大腸菌や好熱菌などの原核生物由来のものではa,b,cの3種類のサブユニットからなることが遺伝子配列から確定しており,その量論比は(おそら

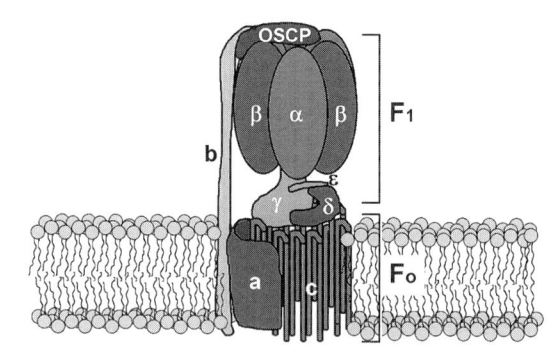

図1 ATP合成酵素の構造の模式図
ミトコンドリア由来の ATP 合成酵素のサブユニット構成は非常に複雑で,その位置が不明なサブユニットも多い.ここでは大腸菌由来の構造を基本に模式図を示した.ここでの OSCP と δ は大腸菌の δ と ε に相当する.ここでの ε に相当するサブユニットは大腸菌にはない.その他の不明なサブユニットに関しては書き込まれていない.

[*1] ATP合成酵素の中の一部には細胞内のpH調節を行うものもある.また,一部のものはプロトンよりもナトリウムイオンを生理的な共役イオンとして利用する.

く）1：2：10である．cサブユニットはリング状に並び，その外側にaサブユニットが結合し，2つのbサブユニットは外側からF_oとF_1を結びつけていると考えられている．ミトコンドリア由来のF_oでは1分子内に含まれるサブユニットのコピー数は異なっており，さらに多くの種類のサブユニットが付加されている．具体的には，原核生物由来のサブユニットa，b，cには真核生物のサブユニットa，b，cが対応するが，bの数は1，cの数は10という結果が結晶構造解析から得られている[*2]．そのほかにも，ウシ心筋ミトコンドリア由来のF_oには，サブユニットd，e，f，g，A6L，IF_1（コピー数2，F_1のサブユニットに分類されることもある），OSCP（oligomycin sensitivity conferring protein），F_6などが含まれる．酵母ミトコンドリア由来のものでは，さらにサブユニットh，i，j，15Kタンパク質などが加わり，ウシ心筋ミトコンドリアのA6Lは酵母ではaap1とよばれる．また，ウシ心筋でホモ2量体となっているIF_1は酵母では，IF_1と9Kタンパク質のヘテロ2量体である．F_6は酵母ではまだ確認されていない[6]．このように非常に複雑であるが，基本的には原核生物由来のものと似た構造になっていると考えられている．プロトンはcサブユニットの中央付近に存在するグルタミン酸（大腸菌ではアスパラギン酸）残基に結合してF_o内を透過する．原核生物のaサブユニットではプロトン透過に重要な役割を果たす残基がいくつか同定されているが，透過機構の詳細は不明である．

F_1は可溶性タンパク質として生体膜から容易に単離することが可能である．F_oに結合していない状態ではプロトン輸送に共役したATP合成を行うことはできないが，逆反応であるATP加水分解反応は触媒できる．そのため，F_1部分は一般にF_1-ATPaseとよばれている．F_1-ATPaseも多数のサブユニットが複雑な構成比で集合したタンパク質複合体である．原核生物由来の酵素では，その構成は$\alpha_3\beta_3\gamma_1\delta_1\varepsilon_1$となっている．ここでもミトコンドリア由来の酵素はサブユニットの命名が若干異なっており，原核生物のδサブユニットはミトコンドリア由来の酵素ではOSCPとよばれ，F_oのサブユニットとして分類されることが多い．原核生物のεサブユニットはミトコンドリアのδサブユニットに対応する．そのほか，ミトコンドリア由来のF_1は原核生物のものには対応するものがないεサブユニットをもつ．以上を表1にまとめた．

αとβサブユニットは構造上非常によく似ており，それぞれWalker配列とよばれるヌクレオチド結合モチーフをもっているが，触媒反応を行う部位はβサブユニット上のものであり，αサブユニット上の結合部位は加水分解反応を行わない結合部位である．このαとβサブユニットはミカンの房のような形状で交互に並んでいることが，1994年のAbrahamsらによるウシ心筋のミトコンドリアから

表1 大腸菌とミトコンドリア由来のF_oF_1合成酵素のサブユニット構成の比較

大腸菌		ミトコンドリア（ウシ心筋）		ミトコンドリア（酵母）	
F_1					
α	(3)	α	(3)	α	(3)
β	(3)	β	(3)	β	(3)
γ	(1)	γ	(1)	γ	(1)
δ	(1)	OSCP	(1)	OSCP	(1)
ε	(1)	δ	(1)	δ	(1)
		ε	(1)	ε	(1)
F_o					
a	1	a	(1)	a	(1)
b	2	b	(1)	b	(1)
c	(9〜12)	c	(9〜12)	c	(9〜12)
		d	(1)	d	(1)
		e	(1)	e	(1)
		f	(1)	f	(1)
		g	(1)	g	(1)
				h	(1)
				i	(1)
				j	(1)
		A6L	(1)	aap1	(1)
		IF_1	(2)	IF_1	(1)
				9Kタンパク質	(1)
				15Kタンパク質	(1)
		F_6	(1)		

（ ）内は1分子当たりのコピー数（一部推定を含む）．

[*2] cサブユニットの数は，いまだに諸説あり，ミトコンドリアでは10であるという結果，大腸菌では12であるという結果，葉緑体では14であるという結果などが報告されていて，生物種による違いなのか，実験方法による精度の違いなのかすらはっきりしないのが実状である．

単離したF_1-ATPase の X 線結晶構造解析によって明らかになった[7]（図2）．3つのαサブユニットはかなり似た形をしているが，3つのβサブユニットはAMP-PNP（ATPのアナログ）を結合したもの，ADPを結合したもの，そしてヌクレオチドを結合していないものになっており，ヌクレオチドの有無によって大きな構造の変化がある．具体的には，ヌクレオチドがないと上下に開いた形（open型）になっており，ヌクレオチドが結合しているとそれをくわえ込んで閉じたような形（close型）になっている．γサブユニットは$\alpha_3\beta_3$のつくるシリンダーの中を貫通し，このサブユニットがATPの加水分解反応に伴って回転する．OSCP（原核生物のδサブユニット）は$\alpha_3\beta_3$のてっぺんに位置し，F_oのbサブユニットと結合していると考えられている．δサブユニット（原核生物のεサブユニット）は，原核生物ではATPase反応を阻害するサブユニットでF_1とF_oの間にあり，γとともに回転することが示されている[8]．最近のX線結晶解析の結果から，ミトコンドリアF_1のεサブユニットの位置はδサブユニットの近傍に存在することがわかった．

F_oF_1-ATPaseによるATP合成の反応機構の研究は，亜ミトコンドリア粒子，葉緑体のチラコイド膜，細菌の膜小胞，再構成プロテオリポソームなどを用いて行われてきた．また，本来のATP合成反応とともに，測定が容易な逆反応（ATP加水分解反応）の解析がF_1-ATPaseを用いてさまざまな方法で詳細に行われてきた．その中で，Boyerはおもに酸素交換反応の解析研究を行い，F_oF_1-ATP合成酵素によるATP合成反応において，

(1) 酵素上で起こるATP合成反応（ADP＋Pi→ATP）にはエネルギーは必要ない．
(2) ADPとPiが酵素に結合するとき，および酵素からATPが遊離するときにH^+の流れのエネルギーが使われる．
(3) 3カ所の触媒部位が交互に反応に参加する．

という結論を導きだし，交代結合説（alternate binding change mechanism）としてまとめた[9,10]．この説によると，F_oF_1-ATP合成酵素（あるいは

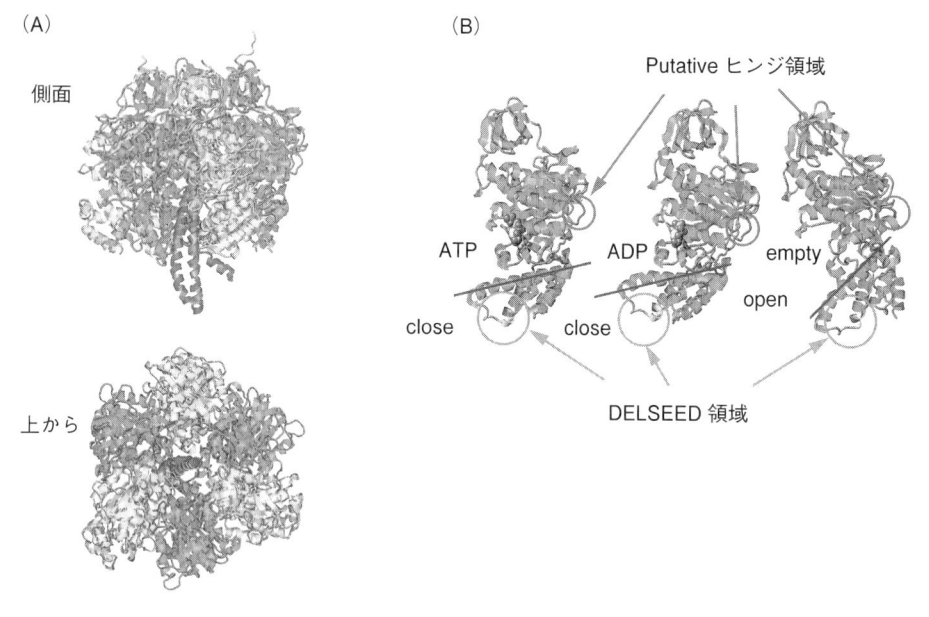

図2 ミトコンドリアF_1-ATPase の結晶構造
（A）側面および上から見た図．3つのαサブユニット（黄色）とβサブユニット（緑色）が形成するミカンの房のようなシリンダー状の構造の中をγサブユニット（赤色）が貫通している様子がわかる．（B）3つのβサブユニット．ATP結合型，ADP結合型，ヌクレオチド非結合型（empty型）を示す．ATP結合型，ADP結合型がclose型，empty型がopen型であることがわかりやすいように青色の補助線を書き込んだ．好熱菌由来の酵素において変異導入が行われたヒンジ領域とDELSEED領域をそれぞれ赤と黄色で示してある．（口絵1参照）

F_1-ATPase）上では後から結合した基質が，先に隣接する触媒部位に結合していた基質の反応を促進するようにはたらく．3カ所の触媒部位は，ATPを弱く結合した状態，ATPを強く結合した状態（このATPは強く結合されたままATP⇌ADP＋Piの平衡にある），およびADPとPiが弱く結合した状態を順番に入れ替わりながら移り，ATP合成のためのプロトンの電気化学ポテンシャルはこの結合状態の交替に使われると考えられた．AbrahamsらのX線結晶構造解析では，3つのβサブユニットのヌクレオチド結合状態が異なっており，この反応途中の段階を反映しているものと考えられた．このように交代結合説では，ある一瞬で見れば3つの触媒部位は異なった役割を果たしているが，長い時間で見ればすべて同じ役割を果たすことになる．そこで，この3カ所の触媒部位が平等に役割を交代するために，1つずつしかない$\gamma\delta\varepsilon$のサブユニットは酵素複合体の中で回転すると仮定された．この回転がF_oとF_1の間のエネルギーの伝達を担うと考えられた．これを回転触媒（rotational catalysis）説[9,10]という．交代結合説は，ATP加水分解反応にみられる協同性などをよく説明することから広く支持されたが，サブユニットが実際に回転するという回転触媒説に関しては実験的証拠に欠けていた．1994年のAbrahamsらによるウシ心筋のミトコンドリアから単離したF_1-ATPaseのX線結晶構造解析[7]はこの回転触媒説を強く支持したが，1997年の野地らによる実験[11]が決定的な証拠となった．

2. 直視された回転とその性質

Boyerは優れた直感と論理的な考察によって回転触媒説にたどり着いた．しかし，従来の生化学実験の範囲では，F_1-ATPase中に一つずつしかないサブユニットが一方向に連続して回転していることを証明するには至らなかった．1997年に野地らは，好熱菌由来のF_1-ATPase $\alpha_3\beta_3\gamma$部分複合体を用い，γサブユニットの回転を直接観察する（図3）ことに成功し[11]，さらに詳細な解析が安田らによって行われた[12]．

観察された持続的な回転の方向は視野の下（図1のF_o側から見た方向）で反時計回りであった．時折，逆方向に後戻りするようなステップがあるが，それは持続することはない．これはミトコンドリア由来のF_1-ATPaseの結晶構造から予想される方向（1つのβサブユニットがATP→ADP→結合ヌクレオチドなし，と変化する）と一致する．もちろん，ATPがなければ回転しないし，ATPがあってもF_1-ATPaseの特異的阻害剤であるアジド（N_3^-）が共存すれば回転は観察されない．

高濃度のATP存在下で観察された回転速度は，アクチン線維に対する粘性抵抗の影響を受け，ATPase活性から予想される速度よりずっと小さいものであった．しかし，ATPの濃度を下げるに従いATPの結合が遅くなり，溶液中で測定したアクチン線維を結合していない$\alpha_3\beta_3\gamma$複合体のATPase活性の値を3で割った値と回転速度が近づいてく

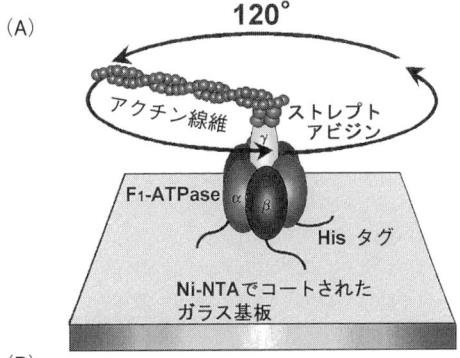

図3 （A）回転観察実験の模式図，（B）実際に観察された回転のこまどり写真

（A）γサブユニットが回転するとすれば固定子となる$\alpha_3\beta_3$の部分を，βサブユニットのC末端側にヒスチジンをいくつも数珠つなぎにしたHisタグをつけて，ガラス基板上にニッケルイオンを介して固定化した．γサブユニットには部位特異的変異でシステインを導入し，そこにビオチンを結合させて，ストレプトアビジンを介してビオチン化したアクチンを含むアクチン線維に結合した．アクチン線維はあらかじめ蛍光色素でラベルしておき，γサブユニットの回転を蛍光ラベルされたアクチン線維の回転として蛍光顕微鏡で直接観察した．（B）蛍光ラベルされたアクチン線維の像を33 msごとに撮ったもの．アクチン線維の長さは1.1 μm．ATPの濃度は20 nM．120°おきのステップが判別できる．

る．ATPの濃度が1μM以下になると，回転はステップ状になり，アクチン線維が立ち止まるところは120°ごとに分布していた（図4A，B）．このアクチン線維の停止位置は$\alpha_3\beta_3\gamma$複合体中の3つの$\alpha\beta$ペアに対応し，1つのステップ状の回転から次の回転までの待ち時間はATPが結合するまでの待ち時間と考えられる．統計解析の結果，この待ち時間は1次反応に従うことがわかった．種々のATP濃度で算出されたATPの結合の速度定数（2〜3×10^7 M^{-1} s^{-1}）は溶液系で生化学実験から得られた値（10^7 M^{-1} s^{-1}のオーダー）とよく一致し，120°のステップ状の回転が1分子のATPの結合による反応で起こっていることが裏付けられた（図4A〜C）．

以上より，120°ステップの回転は1分子のATPの反応により駆動されるアクチン線維の動きに対応していると考えられる．そこで，水から受ける粘性抵抗に基づき，この120°のステップの間にはたらくトルクが算出された（図4D）．それによると，トルクの値はアクチン線維の長さによらず約40 pN nmであり，120°のステップの間にまわりの溶液に散逸されるエネルギーは約80 pN nmとなる．この値

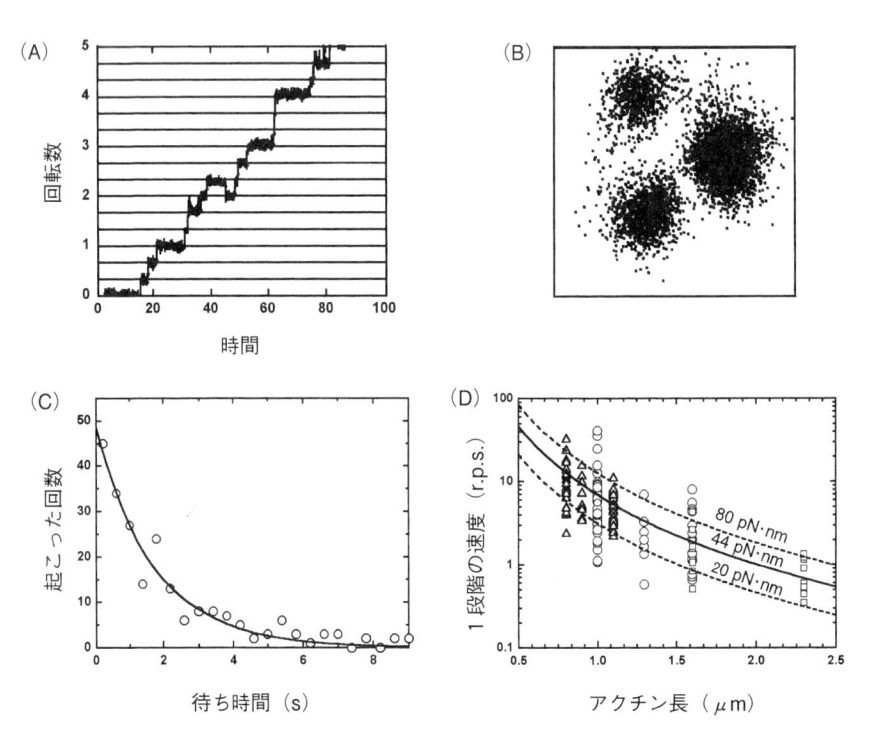

図4　ステップ状の回転の解析

（A）ATPが20 nMのときのアクチン線維の回転運動を横軸を時間，縦軸を反時計回り方向の回転数としてプロットした．ステップ状の回転が確率的に起こる．水平方向の補助線は120°おきに引いてある．回転のステップの幅が120°であることがわかる．（B）実際の顕微鏡の視野の中での蛍光アクチン繊維の輝度中心が各時間ごとにあった場所を点で表した．アクチン線維が120°おきに止まりやすいことがわかる．（C）ステップ間の待ち時間の解析．ATPが20 nM存在するときのアクチン線維のステップ状回転が起こるまでの待ち時間．ここに示す例では，各点は速度定数0.54 s^{-1}で表される1次反応の曲線によく一致し，そこからATPの結合速度定数は2.7×10^7 M^{-1} s^{-1}と算出される．（D）ステップの速さとアクチン線維の長さの関係．アクチン線維のステップ状回転のそれぞれの速度を線維の長さに対してプロットした．点が縦に並ぶ理由は，同じアクチン線維でもステップの速度には揺らぎがあるためである．三角は[ATP]＝600 nM，白丸は[ATP]＝200 nM，四角は[ATP]＝60 nMで観察されたステップを表す．実線はトルクが44 pN nmで一定の場合の回転速度とアクチン線維の長さの関係を，回転摩擦係数 $\xi=(4\pi/3)\eta L^3/[\ln(L/2r)-0.447]$の関係を用いて計算したもの．ただし，$L$：アクチン線維の長さ，$r$：アクチン線維の半径（5 nm），$\eta$：水の粘度（$10^{-3}$ N m s^{-2}）．破線はそれぞれ20 pN nm，80 pN nmで一定の場合の曲線．ばらつきは非常に大きいが，44 pN·nmの線を中心に分布していることがわかる．

は細胞内のATP，ADP，無機リン酸の濃度から計算されるATPの加水分解に伴う自由エネルギー変化にほぼ等しい[*3]．$\alpha_3\beta_3\gamma$複合体での力の発生が中心から1 nmのところ（βとγの界面付近）で起こっているとすると，発生している力は40 pNとなる．これは現在知られている他のモータータンパク質の発生する力の値（ミオシン/アクチン系：3～5 pN，キネシン/微小管系：5 pN，RNAポリメラーゼ/DNA系：14 pN）などと比較して，かなり大きな値となっている．また，ATP濃度の高い領域でみられる回転は，この120°ステップの回転が連続して起こっているものと考えられる．その速度から計算したトルクも，120°のステップから計算されたものとほぼ一致した．

このような運動はF_1-ATPase（あるいは$\alpha_3\beta_3\gamma$複合体）の中のどのようなアミノ酸残基の相互作用や立体構造の変化によってひき起こされているのであろうか．この点に関し，変異導入に基づいた研究が好熱菌由来の酵素を用いて始まっている．まず，ヌクレオチドの有無で大きなペプチド結合の二面角の変化を起こすβサブユニットの残基が結晶構造から割り出された．それによると，ミオシンATPaseでヒンジ領域といわれている部分に対応すると思われる残基番号177-179の列のH，G，G残基が大きな二面角の変化を起こすことがわかり，それをアラニンに変異させる実験が行われた[13]（図2B）．この変異によりβサブユニットのヌクレオチド結合型のコンホメーションの安定性が変化し，何らかの影響が回転に現れると期待された．しかし，その結果はF_1-ATPaseに特徴的なADP・Mgによる特異的な阻害状態に対する影響として現れ，回転の頻度を変化させたが，回転に伴うトルクなどには目立った影響を与えなかった．

結晶構造で観察されるβサブユニットのヌクレオチド結合型と非結合型の間でのもうひとつの大きな変化は，いわゆるDELSEED領域（残基番号394-400）とよばれる部分の変化である（図2B）．この領域では，βサブユニットのヌクレオチドの有無によって回転軸であるγサブユニットとの相対位置が大きく変化する．配列からもわかるように非常に負電荷に富んでおり，γサブユニットとの静電的相互作用が期待された．この負電荷をもつアミノ酸残基に対して徹底的な変異導入が行われた[14]が，回転トルクに顕著な影響を与える変異体は見つからず，この負電荷クラスターの静電的な相互作用の役割に対しては否定的な結果しか得られていない．トルク発生には静電的相互作用よりも立体障害に基づく相互作用が重要なのか，あるいは別の部位での相互作用が重要なのであろう．

3. $F_1(F_oF_1)$モーターによるエネルギー転換

回転機構の分子レベルでの詳細は現時点では明らかでない．しかし，βサブユニットの構造がヌクレオチドとの反応中にopen型とclose型の間を変化することは明らかなので，それにより$\alpha_3\beta_3$とγサブユニットとの相互作用が変化し，γサブユニットが元の位置から120°先の位置に動かされるというシナリオは確かであろう．$\alpha_3\beta_3$はATPase反応に伴いコンホメーション変化を起こし，γサブユニットとの相互作用が周期的に変化し，それに従ってγサブユニットが動く．一方，γサブユニットが動くことによって$\alpha_3\beta_3$の変化が促進され，両者が互いに促進しあいながら反応が進むと考えられる．したがって，回転に伴い散逸したエネルギーの80 pN nmという値は，γサブユニットが元の位置にいてATPase反応に伴い相互作用が不安定化したときと，120°先に進んで安定化したときの位置エネルギー（$\alpha_3\beta_3$とγサブユニットの相互作用のエネルギー）との差とみることができる．つまり，この値はF_1-ATPaseの物性によって決まってくる値であ

[*3] 生体内でのATP，ADP，Piの濃度は条件によって異なるが，大体ATP数mM，ADP 0.05 mM以下，Pi～1 mM以下に維持されていると考えられている．$\Delta G_0 = -30$ kJ mol^{-1}，$\Delta G = \Delta G_0 + RT\ln K$にこれを代入すると，$-30$ kJ mol^{-1} + 8.31 kJ mol^{-1} K^{-1} × 298 K × ln$\{(0.05\times 10^{-3})(1\times 10^{-3})/(1\times 10^{-3})\} = -54$ kJ mol^{-1} = 90 pN nm（1分子あたり）となる．

ろう．先にも述べたように，この回転を介してまわりの溶液に散逸されるエネルギー[*4]は他のモータータンパク質に比べてかなり大きく，生理的な条件でのATPの加水分解の自由エネルギーに近い値をもつ．おそらく，この値の一致は生理的条件でATP合成反応を効率よく素早く行うために，進化の過程で得られたものと考えられる．

次に，このエネルギーの起源について簡単に触れておく．ATPの加水分解に伴いγサブユニットが回転して仕事をするときには，当然，ATPの加水分解の自由エネルギー変化（$\Delta G = \Delta H - T \Delta S$）がそのエネルギーの供給源となる．これは生理的条件下で約50 kJ mol^{-1}程度であるが，このうち約20 kJ mol^{-1}がエンタルピー変化（ΔH，溶液反応では体積変化が小さいので内部エネルギー変化とほぼ等しい）であり，残りはエントロピー変化（$-T \Delta S$）に起因する．このエントロピー変化に起因する部分のエネルギーは，まわりの溶媒の熱揺らぎから吸収するものである．ATP合成時にもγサブユニットが回転することはほぼ確実と考えられるが，そのときはプロトンの電気化学ポテンシャル差（膜電位差と濃度勾配からなる）に駆動されるプロトンの動きで同じような大きさのトルクを発生するであろう．その場合，膜電位差が駆動力になっているときには膜の片側のプロトンは電位勾配によって明らかに一方向に動こうとする力をうけ，その力を利用して仕事をするものと考えられる．しかし，濃度勾配が駆動力になっているときには，個々のプロトンに着目すると，どちらか片方に動こうとする傾向はなく，膜の両側で1つのプロトンのもつ平均の運動エネルギーにも差はない[*5]．この場合はエネルギー源は100％熱揺らぎというべきものである．まわりの溶媒から熱を奪って仕事をすることによるエントロピー減少はプロトンの濃度差を解消することによるエントロピー増大に補償され，全体として熱力学第二法則との整合性が保たれている．このように，熱揺らぎのエネルギーを効率よく仕事に転換できることは，ATP合成酵素が人間のつくるような大きな機械ではなく，分子レベルの大きさであり，コンホメーションの違いによるエネルギー差が熱揺らぎのオーダーとさほど変わらないことによるためかも知れない．非常に小さくて絶えず熱揺らぎの影響を受けていることを逆手にとっているともいえよう．

● おわりに

タンパク分子の中でサブユニットが回転するという発見は，さまざまな角度からその機構を解明しようという興味をかき立てる．とくに，1分子の回転が顕微鏡で実際に見えるようになり，それが熱揺らぎと同じレベルの世界で起こっていることが実感できるようになった．1分子にとっての入力エネルギーや自由エネルギーをミクロな立場でとらえ直すことは，分子レベルの世界の出来事を理解する新しい視点を与える．

本稿をまとめるにあたり，科学技術振興事業団・戦略的基礎研究・特別研究員の野地博行博士，安田涼平博士には原図の掲載を許可いただき，内容についても議論いただいた．京都大学基礎物理学研究所の関本謙博士にも貴重なコメントをいただいた．ミトコンドリアのATP合成酵素のサブユニット組成については，大阪市立大学の市川直樹博士に教えていただくところが大であった．ここに謝意を表したい．

● 付 記

この原稿の脱稿後にF$_1$-ATPaseの反応機構の解明に寄与する重要な進展があったので付記する．

Yasudaらは，従来，回転観察で使われてきたアクチン線維を金の微粒子に置き換えることにより，回転に対する粘性抵抗の影響を無視できる程度まで減らすことに成功した[15]．高速ビデオカメラとの組合せによって，ATPの濃度が2 mMでもステッ

[*4] このアクチン線維の回転に伴い散逸されるエネルギーは保存さるものではないので，ここでの値をATP加水分解の自由エネルギーと比較しても，カルノーサイクルのエネルギー効率に相当するような物理量にはならないことに注意すべきである．実際，120°の単一のステップ状の回転に伴い散逸されるエネルギーはATP加水分解の自由エネルギーより大きくなることも理論的にありうる．

[*5] 水中のプロトンはきわめて希薄であるので理想気体のように考えると，膜電位・pH勾配がある場合もない場合も，温度が一定であれば，膜の両側で平均の運動エネルギーに差はない．

プ状の動きをすることの観察に成功し、さらにATPが低濃度のところでは、120°のステップが、ATPの結合に伴う90°のサブステップと、加水分解と生成物の遊離の後に起こると考えられる30°のサブステップに分けられることが明らかになった。

また、Menzらにより、3カ所の触媒部位のすべてについて、ヌクレオチドの結合した状態の構造がはじめて高分解能で得られた[16]。その状態では従来ヌクレオチドの結合していなかったβサブユニットはopen型とclosed型の中間的なコンホメーションをとっており、γサブユニットも今まで知られていた構造に比べてねじれていることが明らかになった。

● 文　献

1) Kinosita, K. Jr., Yasuda, R., Noji, H., *et al.* : *Cell*, **93**, 21-24 (1998)
2) Muneyuki, E., Noji, H., Amano, T., *et al.* : *Biochim. Biophys. Acta*, **1458**, 467-481 (2000)
3) 吉田 賢右，野地博行，宗行 英朗：蛋白質 核酸 酵素, **42**, 1396-1406 (1997)
4) 野地博行，吉田 賢右：生化学, **71**, 34-50 (1999)
5) 安田涼平，野地博行：生物物理, **39**, 361-366 (1999)
6) Vaillier, J., Arselin, G., Graves, P.V., *et al.* : *J. Biol. Chem.*, **274**, 543-548 (1999)
7) Abrahams, J. P., Leslie, A. G., Lutter, R., Walker, J. E. : *Nature*, **370**, 621-628 (1994)
8) Kato-Yamada, Y., Noji, H., Yasuda, R., *et al*, : *J. Biol. Chem.*, **273**, 19375-19377 (1998)
9) Boyer, P. D. : *Biochim. Biophys. Acta*, **1140**, 215-250 (1993)
10) Boyer, P. D. : *Annu. Rev. Biochem.*, **66**, 717-749 (1997)
11) Noji, H., Yasuda, R., Yoshida, M., Kinosita, K. Jr. : *Nature*, **386**, 299-302 (1997)
12) Yasuda, R., Noji, H., Kinosita, K.J., Yoshida, M., : *Cell*, **93**, 1117-1124 (1998)
13) Masaike, T., Noji, H., Muneyuki, E., *et al.* : *J. Exp. Biol.*, **203**, 1-8 (2000)
14) Hara, K. Y., Noji, H., Bald, D., *et al.* : *J. Biol. Chem.*, **275**, 14260-14263 (2000)
15) Yasuda, R., Noji, H., Yoshida, M., *et al.* : *Nature*, **410**, 898-904 (2001)
16) Menz, R.I., Walker, J.E., Leslie, A.G.W. : *Cell*, **106**, 331-341 (2001)

1・4 シトクロムオキシダーゼの構造と機能

水島 恒裕・月原 冨武

● はじめに

シトクロムオキシダーゼは電子伝達系の末端酸化酵素であり,シトクロム c より受け取った電子を用いて分子状酸素 (O_2) を水に還元する.この反応により得られる自由エネルギーによって水素イオンの能動輸送を行い,ミトコンドリア内膜を介した水素イオンの濃度勾配を形成する.この水素イオンの駆動力が ATP 合成に利用される.

この酵素はほとんどの好気性生物に存在する重要なタンパク質であるため,さまざまな研究がなされている[1].本酵素の組成は生物種により異なるが,ウシ心筋の酵素では 13 種類の異なるサブユニットから構成された複合体が 2 量体の状態で存在しており,その分子量は約 400 kDa である.また,13 本のポリペプチドは 3 種類のサブユニットがミトコンドリア,残り 10 種類のサブユニットが細胞質で合成され,ミトコンドリア内膜で複合体を形成するハイブリッドタンパク質である.本酵素にはヘム a,ヘム a_3 とよばれる 2 つのヘムと 2 つの銅原子で形成された Cu_A,1 つの銅原子からなる Cu_B という 4 つの酸化還元中心が含まれており,酵素分子内の電子移動反応は $Cu_A \rightarrow$ ヘム $a \rightarrow$ ヘム a_3 という経路であることが吸収スペクトルによる解析より明らかになっている.

1. シトクロムオキシダーゼの全体構造

シトクロムオキシダーゼの立体構造に関しては,ウシ心筋由来と細菌 (*Paracoccus Denitrificans*)

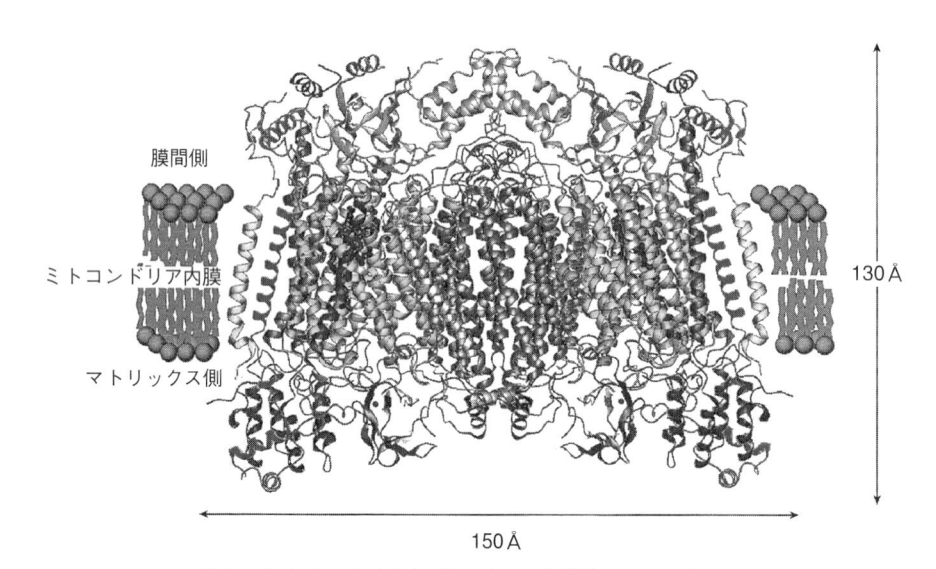

図1 シトクロムオキシダーゼの立体構造(口絵 2 参照)

の酵素が1995年に分解能2.8 Åで報告された[2,3]. その後, 菌由来の酵素で2.7 Å分解能酸化型と3.3 Å分解能還元型構造[4,5], ウシ心筋由来の酵素で2.3 Å分解能の完全酸化型構造, 完全還元型, 一酸化炭素結合型, アジド結合型の構造[6,7]などが報告された. ウシ心筋シトクロムオキシダーゼの形は膜面と平行に約150×90 Å, 膜面と垂直に約130 Åの大きさの楕円柱構造で, 単量体当たりに28本の膜貫通αヘリックスをもつ膜内在性タンパク質である(図1). このうちミトコンドリア由来のサブユニットIは12本, IIは2本, IIIは7本の膜貫通αヘリックスをもち, 10種類の核由来サブユニットのうち7種がそれぞれ1本ずつの膜貫通αヘリックスをもっている. 膜領域の中でαヘリックス構造を取っていない部位はサブユニットVIaのN末端領域とサブユニットIの一部の領域だけである.

サブユニットIの構造では12本のαヘリックスが4本を1組にして部分円を3個形成し, その1つはヘムa, 1つはヘムa_3とCu$_B$を含んでいる. このような構造は細菌由来の酵素においても同様に認められる. サブユニットIIとIIIはサブユニットIを挟んで配置し, サブユニットIIは膜外に10本のβバレル構造のドメインをもち, サブユニットIIIでは膜貫通αヘリックスが2本と7本に分かれてV字形になっている. このV字形の領域にはリン脂質が結合しており, 酵素反応に必要な酸素分子を疎水性の高い脂肪酸部位に貯蔵する役割をもつと考えられている. 本酵素は完全な活性を保持するために, ミトコンドリア内膜にとくに多く含まれるカルジオリピンが必要である[8]. X線結晶構造解析により, カルジオリピンを含む4種類のリン脂質の結合が確認されている. さらに, シトクロムオキシダーゼには核酸結合部位の存在が知られている[9]. 結晶構造中では核酸結合部位に酵素精製時の可溶化に使用した界面活性剤であるコール酸4分子の結合が見られた. これは, コール酸の形状と電荷分布が核酸とよく似ているためと考えられる. その結合部位の一つはサブユニットIとIIIの間, 他の3つはそれぞれサブユニットIII, VIa, VIIaに結合している.

核由来のサブユニットの特徴として, 膜貫通領域を含むものはすべてマトリックス側にN末端, 膜間側にC末端の状態で結合し, 複合体を形成していた. 膜貫通領域をまったくもたないサブユニットは3種類あり, サブユニットVa, Vbはミトコンドリアマトリックス側, サブユニットVIbは膜間側から結合し, 単量体構造を形成している. また, サブユニットVbは亜鉛原子を含み, それに4個のシステインが配位している.

ウシ心筋由来の酵素において, ミトコンドリア由来のサブユニットは金属中心を含んだコアを形成し, 直接酵素反応に関与している. 核由来のサブユニットの役割については, まだ解明されていない. しかし, その全体構造はミトコンドリア由来の3種のサブユニットがコアを形成し, 核由来の10種のサブユニットがそれを取り囲んでおり, 分子進化の過程が分子の4次構造形成の階層性に反映していることを示している[10]. また, ミトコンドリア由来サブユニットと核由来サブユニットの結合間隙にはリン脂質が見つかっており, 膜タンパク質複合体における4次構造形成を補助していると考えられる. リン脂質とタンパク質間の相互作用は脂肪酸領域と疎水性アミノ酸側鎖との疎水性相互作用が主で, 水素結合の形成はあまり見られなかった.

2. 金属中心の構造

酸化還元中心は図2のように配置しており, 2つのヘムおよびCu$_B$はサブユニットI, Cu$_A$はサブユニットII, マグネシウムはサブユニットIとIIの間に位置している. 電子供与体であるシトクロムcより電子を受け取るCu$_A$部位からヘムaとヘムa_3まではHis204, Arg438, Arg439を介した水素結合でつながっている. それ以外に, Cu$_A$からヘムa_3への直接電子伝達経路となりうる構造としてGlu198, マグネシウム, His368の構造も見つかっているが, 理論的にはCu$_A$→ヘムa→ヘムa_3経路の電子伝達のほうが効率よく起こることが報告されている[11].

それぞれの金属中心は, ヘムaではHis61,

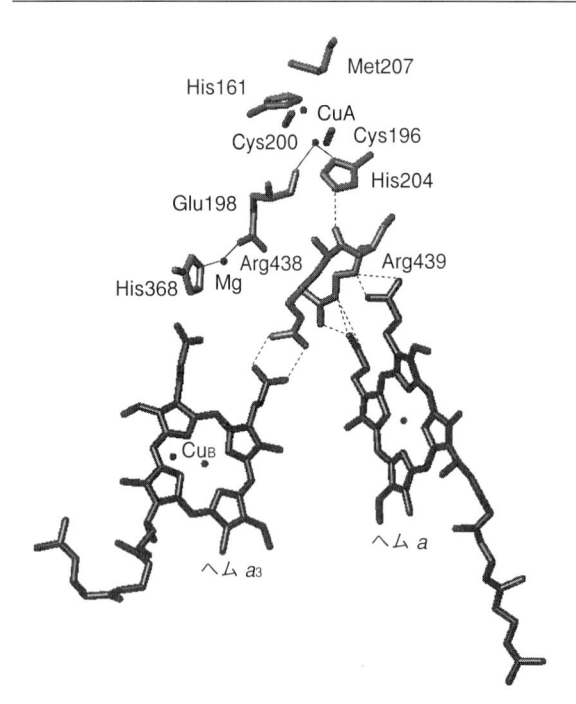

図2 シトクロムオキシダーゼ酸化還元中心の配置
点線は水素結合，実線は配位結合を示す．

His378，ヘムa_3 では His376，Cu_B では His240，His290，His291 が配位した構造をとる．ヘムa_3 の鉄と Cu_B の間には構造解析を行った状態に対応した配位子が結合しており，完全酸化型では過酸化物が架橋し，完全還元型では配位子の結合はなかった．したがって，Cu_B は完全酸化型では4配位，完全還元型では3配位となっている．平面3配位型のCu^+ 錯体はきわめて安定であることから，ヘムa_3 の鉄と Cu_B の間の距離は完全還元型では5.19 Åであり，O_2 が架橋するのに適当な距離となっているが，ここに容易に結合できるとは考えられない．これらの構造は，Cu_B^+ が電子供与体となって O_2 の還元が開始されるのではないことを示唆している．

一方，すべての配位子結合状態におけるシトクロムオキシダーゼの結晶構造解析より，Cu_B に配位しているイミダゾール(His204)の窒素原子のひとつと酸素還元中心に近接した位置に存在するチロシン残基(Tyr244)のオルト位置にある炭素原子が共有結合でつながっていることが明らかになった．この共有結合はチロシン残基の酸性度を高め，Cu_B からチロシン残基への電子伝達経路を設定する．チロ

シン残基はこの共有結合によってヘムa_3 近傍に固定され，ヘム鉄に配位結合した O_2 を水素結合により固定することができる．また，このチロシンのOHはヘムa_3 側鎖の長鎖アルキル基の基部にあるOHとも水素結合しているので，ヘム鉄に配位した O_2 の遠位側のO原子にヘムa_3 から電子を供与する経路ともなる．さらに，チロシン残基のOHはマトリックス側に水素結合のネットワークでつながっているので，水素イオンをマトリックス側から取り込むことができる．一方，本酵素の O_2 還元過程の速度論的解析によって，O_2 還元のための電子はヘムa から供与されることが知られている．結晶構造からもヘムa は酸化還元中心への有効な電子供与体となりうることから，以下のような O_2 から O_2^{2-} までの還元過程が示唆される(図3)．

まず，ヘム鉄に配位した O_2 は Tyr244 と水素結合を形成する．このとき，Cu_B^{1+} の状態でヘムa とヘムa_3 が酸化され，O_2 が O_2^{2-} のレベルまで還元されると考えられる．このとき，酸性度の高い Tyr244 は水素イオン供与体となり，$Fe^{3+}-OOH$ を生成すると考えられる(図3 iii)．$Fe^{3+}-OOH$ のような構造は非常に不安定であるため，H_2O を遊離して $Fe^{5+}=O$ を形成すると予想される．このことは，共鳴ラマン分光学的解析の結果[12]ともよく一致している．次いで，そこに水素イオンと電子が3つ供給されて完全な還元状態に戻る．

完全酸化型状態は Tyr244 の水素イオンが外れた状態をとり，そのため O_2 と水素結合を形成することができず，O_2 分子は Cu_B^{1+} との間に $Fe^{3+}-O-O-Cu_B^{2+}$ を形成していると考えられる(図3 vi)．

配位子結合型も含む4種類の構造解析より，Fe と Cu_B の間の距離は完全酸化型で4.9 Å，完全還元型で5.2 Å，完全酸化アジド結合型で5.3 Å，完全還元一酸化炭素結合型で5.3 Åである．このとき，Fe はほぼヘム平面状にあり，Cu_B の位置がそれぞれ移動していた．

他の金属結合部位では，マグネシウムにサブユニットⅠの His368 と Asp369，サブユニットⅡの Glu198，そして3個の水分子が配位していた．そのほか，ナトリウムイオンも酵素中に存在し，これ

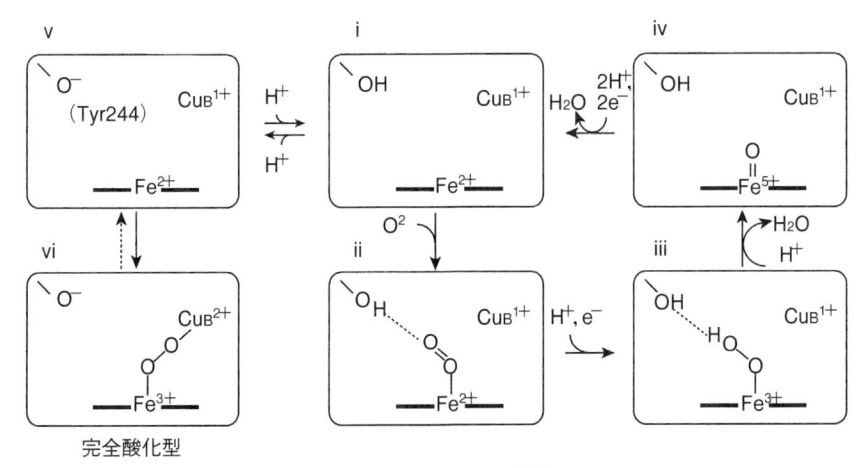

図3 酸素分子還元機構

にGlu40, Glu45, Ser441と1分子の水が四面体両錐構造をとって結合していた．

3. 水素イオンの能動輸送機構

シトクロムオキシダーゼの酵素活性は，金属中心より形成された酸化還元機能だけではなく，水素イオンを能動輸送する機能もある．これらの反応は共役して起こることから，さまざまなメカニズムが提唱されてきた．そのひとつの例としてヒスチジンサイクル[13]があげられる．このメカニズムは，Cu_Bの配位子である3個のヒスチジン残基中のひとつがCu_Bに配位した状態から近傍にあるアミノ酸残基と水素結合可能な状態へ構造変化することで，水素イオンを能動的に輸送させるものである．アジド結合型の細菌酵素の構造解析では，Cu_Bに配位しているヒスチジンのひとつの電子密度が消えていることからヒスチジンが動いていると考え，これがヒスチジンサイクルに関与していると提唱した[2]．しかし，筆者らのアジド結合型を含めたいずれの場合も，Cu_Bに配位した3つのヒスチジンは明瞭な電子密度をもっており，ヒスチジンが動いているとする根拠はどこにも見い出せなかった．ヒスチジンサイクル説では，能動輸送される水素イオンと水をつくるための水素イオンを区別する機構がないという欠点もある．筆者らは，完全酸化型および完全還元型の結晶構造を比較することにより，その構造変化を基にプロトンポンプの機構を考えた．

まず，酸化状態と還元状態における酵素の相違点をそれぞれの立体構造より検討した．その結果，酵素の膜間側にあたるサブユニットⅠのGly49からAsn55までのペプチド鎖が最大で4.5 Å程度離れた異なる状態の構造をとっていた．これは，酸化型から還元型になることで，これらのアミノ酸が分子の表面に近づいたものである．とくにAsp51は大きな構造変化を示し，完全酸化状態では分子内部に埋もれた状態で膜外の領域とはまったく接触しておらず，水素結合のネットワークを形成してマトリックス側にまでつながった状態をとっている（図4）．一方，完全還元状態ではカルボキシル基のひとつの酸素原子が膜間側の分子表面に露出した状態をとっている．この結果より，Asp51残基の構造変化が水素イオンの能動輸送部位であると考えた．

酸化型の状態におけるAsp51はマトリックス側からの水素結合ネットワークとTyr54, Tyr400を介して連結し，マトリックス側から水素イオンを取り込むことができる．言い換えれば，Asp51はマトリックス領域と接触していることになる．還元状態では，Asp51はマトリックス側までつながっている水素結合ネットワークから脱離し，マトリックス側への接触を失うと同時に膜間側の表面に大きく近づき，その一部を分子表面に露出した状態で水素イオンをマトリックス側から膜間領域に能動輸送し

ている（図4Bii）．完全酸化型では，Asp51のカルボキシル基は分子内部に埋もれた誘電率の低い環境にあるため，そのpK値はこの立体構造変化によって大きく低下すると推定される．なお，完全酸化状態におけるAsp51の水素結合ネットワークは，Arg38の位置でいったん途切れている（図4）．しかし，このArg38付近はタンパク質内部の大きな空洞部分であり，このような空洞の中には自由に動ける多数の水分子が存在していると考えられる．この空洞は，ヘムaの長鎖アルキル基に沿うように配置している水のチャンネルにより，マトリックス領域までつながっている．したがって，Asp51はマトリックス領域と水素結合ネットワークで結ばれている．

ペプチド結合は−CO−NH−と−C(OH)＝N−の平衡において前者が圧倒的に過剰であることから，この水素結合ネットワークにおける酸化型状態のAsp51の水素結合の相手はペプチド結合のNHであり，ペプチド結合のC＝OはTyr54と水素結合している．これは，水素イオンの伝達に方向性をもたせるために有効と考えられる．

ウシ心筋由来の酵素の構造解析から構造変化が見つかったAsp51は，動物では保存されているが，植物や細菌では保存性がない．しかし，ヒスチジンサイクル仮説と異なり，結晶構造解析より決定した水素イオン能動輸送経路はO_2還元部位を含んでいない．したがって，能動輸送される水素イオンと水をつくるための水素イオンを完全に分離している．このことから，Asp51を用いた輸送系は進化により獲得されたものと考えられる．

これらの酵素反応によって生成した水分子の排出経路も結晶構造より推定することができる．その経路は図5に示すように，活性部位であるヘムa_3からサブユニットⅠとⅡの境界領域を通って膜間側領域まで通じていくものである．この部分にはヘムa_3，サブユニットⅠのArg438, His368からなる親水性領域があり，そこからサブユニットⅠ，Ⅱの境界領域に沿って膜間領域まで親水性残基が配置している．これらの経路をつくるアミノ酸残基はほかの種においてもよく保存されており，水の排出機構は種間で共通の構造をとるものと考えられる．また，この経路の途中には水素イオンがもれないようにするための疎水性残基の関所と考えられる場所も見つかっている．

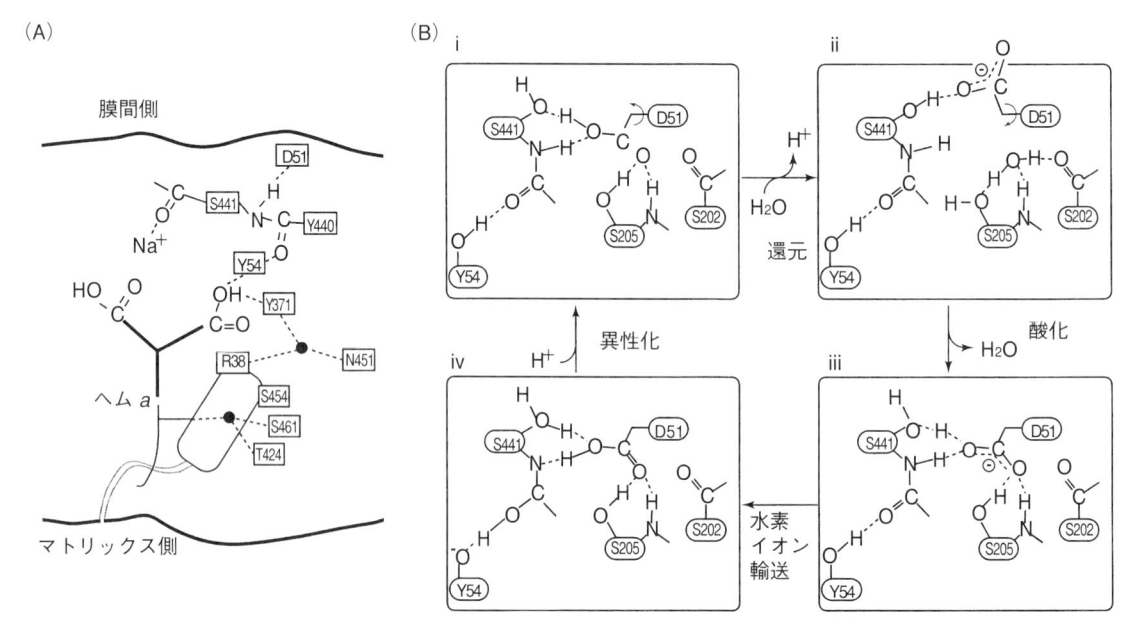

図4 完全酸化型と完全還元型の構造変化より考えられた，水素イオン能動輸送機構
(A) D51につながる水素イオンのネットワークの模式図．(B) 水素イオン能動輸送に伴うD51の構造変化モデル．

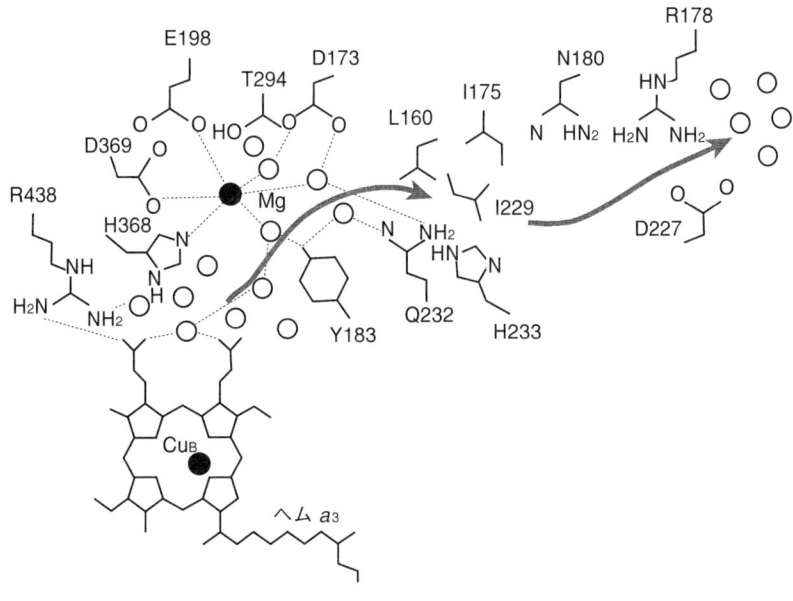

図5 水分子排出機構の模式図
白丸は水分子を示す．

●おわりに

　シトクロムオキシダーゼに関する研究は，その立体構造を知ることにより大きく進展した．とくに，ウシ心筋からの完全酸化型と完全還元型の立体構造比較から得られた結果により，今まで不明であった反応機構の理解を深めることができた．しかし，これらの構造解析は反応状態の一部をみただけであり，これだけで反応機構を十分に理解できたわけではない．今後，分光学やX線結晶構造解析などにより，この酵素の反応機構の理解が深まるものと期待される．

●文　献

1) Ferguson-Miller, S., Babcock, G. T.: *Chem. Rev.*, **96**, 2889-2907 (1996)
2) Iwata, S., Ostermeier, C., Ludwig, B., Michel, H.: *Nature*, **376**, 660-669 (1995)
3) Tsukihara, T., Aoyama, H., Yamashita, E., *et al.*: *Science*, **269**, 1069-1074 (1995)
4) Ostermeier, C., Harrenga, A., Ermler, U., Michel, H.: *Proc. Natl. Acad. Sci. USA*, **94**, 10547-10553 (1997)
5) Harrenga, A., Michel, H.: *J. Biol. Chem.*, **274**, 33296-33299 (1999)
6) Tsukihara, T., Aoyama, H., Yamashita, E., *et al.*: *Science*, **272**, 1136-1144 (1996)
7) Yoshikawa, S., Shinzawa-Itoh, K., Nakashima, R., *et al.*: *Science*, **280**, 1723-1729 (1998)
8) Vik, S. B., Georgevich, G., Capaldi, R.A.: *Proc. Natl. Acad. Sci. USA*, **78**, 1456-1460 (1981)
9) Anthony, G., Reiman, A., Kadenbach, B.: *Proc. Natl. Acad. Sci. USA*, **90**, 1652-1656 (1993)
10) Tomizaki, T., Yamashita, E., Yamaguchi, H., *et al.*: *Acta Cryst.*, **D55**, 31-45 (1999)
11) Regan, J. J., Ramirez, B. E., Winkler, J.R., *et al.*: *Bioenerg. Biomembr.*, **30**, 35-39 (1998)
12) Kitagawa, T., Ogura, T.: *Progr. Inorg. Chem.*, **45**, 431-479 (1997)
13) Wikstrom, M., Bagachev, A., Finel, M., *et al.*: *Biochim. Biophys. Acta*, **1187**, 106-111 (1994)

ミトコンドリア膜タンパク質のアセンブリー

三原 勝芳

● はじめに

　ミトコンドリアは外膜，内膜，膜間スペース，およびマトリックスの4つのコンパートメントからなる構造であり，真核細胞において好気的なATP産生のみならず，脂質，ヘム，アミノ酸，鉄-硫黄クラスターなどの生合成にも必須のオルガネラである．ミトコンドリアを構成するタンパク質の99%は核のDNAにコードされ，哺乳類では内膜の呼吸鎖を構成する13種類のタンパク質がミトコンドリアのDNAにコードされている．したがって，大半のミトコンドリアタンパク質は細胞質のリボソームで合成され，ミトコンドリア表面の受容体に運ばれた後に外膜と内膜のタンパク質輸送装置によって各コンパートメントに運ばれ，そこで機能を発現する．また，ミトコンドリアDNAにコードされているタンパク質はマトリックス側から内膜に挿入され，細胞質側から輸入されたタンパク質と協調して内膜の呼吸鎖を構築する．ここでは，ミトコンドリア外膜と内膜へのタンパク質のアセンブリーを中心に概説する．

1. ミトコンドリア輸送シグナル

　ミトコンドリアに輸送されるタンパク質の多くは，N末端に20〜80アミノ酸からなるプレ配列をもつ前駆体として合成される．プレ配列中には，塩基性の両親媒性αヘリックスを形成し，タンパク質をマトリックスに運ぶのに必要十分な情報をもつ配列（matrix-targeting signal：MTS）が存在する．このプレ配列は前駆体タンパク質のマトリックスへの輸送に伴って切断除去される．しかし，すべての外膜タンパク質，一部の膜間スペースと内膜のタンパク質〔膜間スペースのシトクロムc，ヘムリアーゼ，Tim 8, 9, 10, 12, 13など，内膜のATP/ADPキャリヤー（AAC）やリン酸輸送体（PiC）などの輸送体ファミリー，およびTim 17, 22, 23など〕のように，プレ配列をもたずに合成されるタンパク質も多い．これらは輸送に必要なシグナルを分子内にもつと考えられるが，そのシグナル特性と認識輸送システムの研究はおくれている．

2. 外膜輸送系

　ミトコンドリアの外膜と内膜には，約400 kDaよりなるTom（translocator of outer membrane）複合体と2種類のTim（translocator of inner membrane）複合体（90 kDaのTim 17-Tim 23系複合体と300 kDaのTim 22-Tim 54系複合体）というタンパク質輸送装置が存在する[1〜6]．Tim複合体に比べ，Tom複合体が過剰量存在する（Tim17-Tim23系複合体とTom複合体のモル比は約1：4）．外膜および膜間スペースタンパク質の輸送にはTom複合体が関与する．ただし，シトクロムcの輸送は独自のシステムによる．また，シトクロムb_2やシトクロムc_1など，2極性シグナル（MTSとその直後の小胞体ターゲティングシグナルに類似し

た疎水性領域よりなる）をプレ配列中にもつ前駆体タンパク質の膜間スペースへの輸送には，Tom複合体とTim 17-Tim 23系が関与する．マトリックスへの前駆体タンパク質の輸送にはTom複合体とTim 17-Tim 23系が，プレ配列をもたない代謝物輸送タンパク質ファミリーを主とする内膜タンパク質の挿入にはTom複合体とTim 22-Tim 54系が関与する．

a. Tom複合体とインポート受容体

Tom複合体は，酵母とアカパンカビでは少なくとも9種類のタンパク質からなり，細胞質で合成された前駆体タンパク質の受容体と輸送体を構成している[1〜5]（図1）．Tom 70, Tom 37（酵母のみ），Tom 22, Tom 20は受容体成分であり，Tom 70はTom 37と，Tom 22はTom 20とサブ複合体を形成している．Tom 20とTom 70は必須ではないが，両欠損で酵母の成育が障害されることから，両者の相互作用が考えられる．Tom 37は温度感受性のカルジオリピン合成系変異を相補する遺伝子産物として同定され，その欠損はTom 20あるいはTom 70の欠損と合成致死性を示す．Tom 22は外膜受容体の中で唯一の必須遺伝子産物である．Tom 20とは一部重複した受容体機能をもつことが報告されているが，チャンネルの主要成分であるTom 40と強く

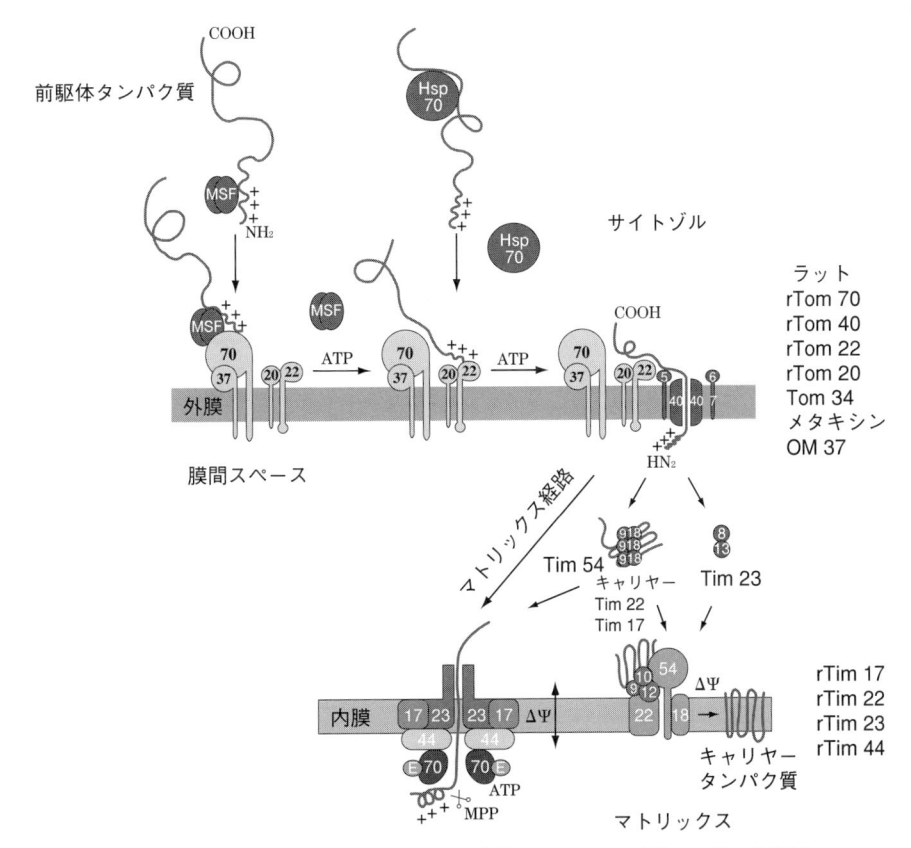

図1　ミトコンドリアマトリックスと内膜へのタンパク質インポート経路

細胞質でプレ配列をもつ前駆体タンパク質として合成されたタンパク質は，細胞質シャペロンによってミトコンドリア外膜のインポート受容体に運ばれた後に，Tom複合体とTim 17-Tim 23複合体系のはたらきによってマトリックスにまで輸送される．代謝物キャリヤータンパク質を主とするプレ配列をもたずに合成されるタンパク質は，Tom複合体とTim 22-Tim 54複合体系のはたらきによって内膜に挿入される．この際膜間スペースに存在する2種類の70 kDaのsmall Tim proteins複合体が分子シャペロンとして輸送中間体を認識し，外膜から内膜へのトランスファーを仲介する．それぞれの複合体は輸送するタンパク質に特異性をもつ．70はHsp 70を，EはMge1を示す．他の数字はすべてTomおよびTimタンパク質に対応する．MSF：ミトコンドリア輸送促進因子，MPP：mitochondrial processing peptidase，$\Delta\Psi$：膜電位．

結合してチャンネルのアセンブリーにも関与する．Tom 70-Tom 37 は AAC, F_1-ATPase β サブユニット，シトクロム c_1 など，限られた前駆体の受容体として，また Tom 20-Tom 22 はプレ配列をもつ前駆体タンパク質一般の受容体として機能すると考えられていた．その後，ミトコンドリア輸送にかかわる細胞質因子 MSF（ミトコンドリア輸送促進因子）に親和性の高い前駆体タンパク質は Tom 70-Tom 37 に運ばれ，Tom 20-Tom 22 を経由して外膜の輸送チャンネルに送られること，および Hsp 70 に親和性の高い前駆体タンパク質や高次構造のほぐれた前駆体タンパク質などは Tom 70-Tom 37 をバイパスして直接 Tom 20-Tom 22 に結合した後に Tom 40 チャンネルに運ばれる[4,7,8]（図1）．これらのインポート受容体のうち，Tom70 は非イオン結合を介して，Tom 20-Tom 22 はイオン結合を介して MTS に結合する[1〜5]．Tom 20, 37, 70, 71 はタンパク質-タンパク質間の相互作用に関与する tetra-tricopeptide repeat（TPR）モチーフをもつ．酵母 Tom 20 の TPR に対応する領域を除去したラット Tom 20 でも酵母 Tom 20 の機能を完全に相補できることから，Tom 20 に対する TPR の必要性は不明である[9]．

最近，Tom 20 の細胞質領域と合成プレ配列との複合体の構造が NMR によって明らかにされた．プレ配列は α ヘリックス構造をとり，その疎水面で Tom 20 の形成する疎水性の溝にはまりこんでいる[10]．予想に反し，この結合にはイオン結合がかかわっていなかった．MTS の正荷電がインポートに重要であることから，MTS の正荷電は Tom20 による認識以降のステップに必要と考えられる．あるいは，Tom 20 とそれに一部重複した受容体機能をもつ Tom 22 とによって形成される部位においてイオン結合が関与している可能性もある．Tom71（別名 Tom 72）は Tom 70 と 53％ の相同性を示す外膜タンパク質として酵母で同定され，Tom 70 と同様の機能が推定されている．Tom 37 は Tom 70 の機能を補助すると考えられている．

b. 膜透過チャンネル

酵母ミトコンドリア外膜の前駆体タンパク質透過チャンネル（general import pore：GIP．または Tom コア複合体）は Tom 40, 22, 7, 6, 5 より構成される（アカパンカビでは Tom 5 は見い出されていない）．Tom 40 は外膜輸送チャンネルの主成分であり，14 の逆並行 β シートよりなる β バレル構造をとって外膜に埋まり込んでいる．事実，組換え Tom 40 を埋め込んだ脂質膜は陽イオン選択性のチャネル活性を示す[11]．Tom 5 は，インポート受容体である Tom 70-Tom 37 および Tom 20-Tom 22 から前駆体タンパク質を Tom 40 に転送する必須タンパク質である[5]．Tom 6 と Tom 7 は前駆体と相互作用することなく Tom 複合体の解離-会合を調節する．Tom 6 はインポート受容体と Tom 40 の結合を促進し，Tom 7 は解離を促進する[5]．

ジギトニンで可溶化した酵母の膜タンパク質を Blue native ゲル（BN-ゲル）で電気泳動し，Tom 複合体の構成成分の解析が行われた．その結果，完全な Tom 複合体（ホロ複合体）は Tom 5, 6, 7, 20, 22, 40, 70 を含む 400 kDa の分子量であり，Tom ホロ複合体をドデシルマルトシドで処理すると受容体 Tom 20 と Tom 70 が除去されて Tom コア複合体が得られた．アカパンカビでは，精製コア複合体の分子構成は，Tom 40：Tom 22：Tom 7：Tom 6 で 8：4：2：2 のモル比であった[12]．

脂質膜上で再構築されたホロ型複合体は，陽イオン選択性のチャンネル活性を有し，膜電位依存的に opened, half-opened, closed の開閉状態を示す．この性質は，組換え Tom 40 での結果とほぼ一致する．この複合体を電子顕微鏡で観察すると，直径約 20 Å で 1〜3 個のリング構造が観察される．これを埋め込んだリポソームは外膜小胞と同様な前駆体の輸送活性を示した[12,13]．精製した Tom コア複合体でも，同様の性質と電子顕微鏡像が観察されている．

c. 哺乳類ミトコンドリア外膜の輸送装置

哺乳類ミトコンドリア外膜の輸送装置は，Tom 20[9,14]，Tom 22[15]，Tom 40，および Tom 70 を含み，酵母やアカパンカビのものと類似しているが，Tom34，メタキシンおよび OM37 のように，哺乳類独自の因子もある[14,16]．

ヒトの Tom 34 は，酵母の Tom に存在する TPR モチーフと相同性の高いタンパク質であり，その抗体は前駆体のミトコンドリア輸送を阻害する．

メタキシンは C 末端側で外膜に結合し，N 末端側をミトコンドリア外に出し，酵母の Tom 37 と弱い相同性配列を示すが，酵母の Tom 34 欠損株を相補できない．前駆体タンパク質の輸送がメタキシン抗体によって阻害される．

OM37 は N 末端に膜結合領域をもち，分子の大半をミトコンドリアの外に向けた外膜タンパク質であり，その抗体は MSF に依存した前駆体のラットミトコンドリアへの結合を阻害することから，インポート受容体を構成していると推定されている．

これら哺乳類ミトコンドリアにのみ存在するタンパク質の機能はまだ不明であるが，Tom コア複合体の構成が酵母とほぼ同じであることから，特異性の異なる受容体として機能していると思われる．

d. 外膜タンパク質のターゲティングとアセンブリー

(i) N 末端アンカータンパク質

Tom 71，Tom 70，および Tom 20 は N 末端に膜結合領域（TMD と省略）をもち，N_{in} - C_{out} の配向性で外膜に挿入される．Tom 20 と Tom 70 はインポート受容体を迂回し，Tom 40 を介して直接 Tom 複合体に組み込まれる[2, 16]．酵母の Tom 70 は N 末端の MTS 様配列によって輸送が開始され，それに続く非極性の領域（stop-transfer 配列）によってマトリックスへの輸送が停止し，外膜に挿入されると考えられていた．しかし，後に TMD だけで必要十分な外膜への挿入シグナルとなることが示された．ラットの Tom 20 の外膜挿入シグナルを解析した結果，中程度の疎水性をもつ TMD とその直後の 5 アミノ酸領域内に 1 個の正電荷が存在することがシグナルの必要十分条件であることが判明した[16]．TMD 直後の正電荷を除去するか TMD の疎水性を高めると，タンパク質はすべて小胞体に輸送される．この特徴は，すべての種の Tom 20，Tom 70，および OM37 に保存されており，N 末端アンカータンパク質のターゲティングに共通するシグナルと考えられる．タンパク合成が N 末端から始まるので，N 末端アンカータンパク質の TMD は SRP（シグナル認識粒子）によって認識されるはずである．TMD 直後の正電荷によって SRP の機能が阻害され，細胞質の輸送因子によってミトコンドリア外膜へターゲティングされると考えられる．

(ii) C 末端アンカータンパク質

外膜タンパク質には，C 末端に膜結合部位をもち，分子の大半を細胞質側（N_{out} - C_{in} の配向性）に出しているものがある[16]．Tom 5, Tom 6，メタキシン，ミトコンドリア外膜型シトクロム b_5（OMb），モノアミンオキシダーゼなどがその例である．C 末端アンカータンパク質がどのようにして外膜に運ばれて挿入されるかは不明である．

OMb の場合，TMD の C 末端側にある 10 残基の tail 内に存在する 2 つの塩基性アミノ酸が重要であり，これを他のアミノ酸に置換すると小胞体に輸送されることから，このシグナルを認識する因子が細胞質に存在すると思われる．

Tom 22 は分子の C 末端寄りに TMD をもち，N_{out} - C_{in} の配向をとる．ミトコンドリアへの挿入実験によると，TMD とその N 末端側（細胞質側）約 10 残基離れたところに存在する塩基性の両親媒性ヘリックス形成能をもつ領域がヘアピン構造をとることが必要と考えられている．GFP（グリーン蛍光タンパク質）をレポーターにしてターゲティングシグナルを解析した結果，TMD の N 末端側にある 13 残基が必要であった．この違いの理由はわからないが，外膜表面への輸送と外膜への挿入が別々のシグナルに依存している可能性もある．

(iii) ポリトピック膜タンパク質

Tom 複合体の中心成分である Tom 40 は疎水性の TMD をもたず，14 の逆並行 β シートからなる β バレル構造で外膜に挿入されている．この挿入は細胞質の因子と ATP に依存し，インポート受容体（Tom 70, 20，および 22）にも依存する．細胞質因子のはたらきによって新生タンパク質が高次構造をとり，その構造上に提示されたシグナル（シグナルパッチ）により受容体に運ばれる機構が考えられるが，その実態は不明である．

ミトコンドリア外膜のポーリン（別名 voltage-dependent anion-selective channel：VDAC）は 12

の逆並行βシートからなるβバレル構造をとり，Tom20を介して脂質膜に直接挿入されることが報告されている．Tom40同様，シグナルパッチが細胞質因子によって認識されている可能性がある[16]．

3. 内膜輸送系

内膜には2種類の輸送系（TIM複合体）が存在する[1~4,6]．そのひとつはプレ配列をもつ前駆体タンパク質を膜電位とATPに依存してマトリックス内に輸送する装置であり，Tim 23, 17, 44，駆動装置mHsp 70とその共役因子Mge1により構成される（Tim 17-Tim 23系）．他はAACやPiCなど30種類以上ある内膜の代謝物輸送体と一部の内膜タンパク質（いずれもプレ配列をもたない）を膜電位依存性に内膜へ挿入するシステムであり，Tim 18, 22, 54からなる内膜の複合体（Tim 22-Tim 54系）と膜間スペースにあって外膜から内膜への移行中間体を認識するsmall Tim proteins（Tim 8, 9, 10, 12, 13）から構成される（図1）．

a. Tim 17-Tim 23系

Tim 23はN末端側部分を膜間スペースに出し，C末端側で内膜に結合した4回膜貫通タンパク質であり，Tim 17はTom 23と相同性の高い膜貫通領域だけをもつ．両者は約90 kDaの複合体(Tim 17)$_2$/(Tim 23)$_2$を形成し，プレ配列をもつ前駆体タンパク質の輸送チャンネルとして機能する[6]．Tim23の膜間スペース領域はロイシンジッパー構造を介して膜電位依存的に2量体を形成し，これにMTSが結合すると2量体は解離する．このことから，Tim 23が膜電位に依存して2量体化して前駆体タンパク質の結合が起こり，その結果2量体が解離してチャンネルが開くと考えられている[6]．最近，Tim 23のN末端約20アミノ酸残基が外膜を突き抜けてミトコンドリア表面に露出し，外膜と内膜をつなぎ止めていることが示された．これがTom複合体とTim 17-Tim 23系の共役を容易にし，前駆体のマトリックスへの輸送効率を高めると推測されている[17]．

塩基性のMTSが膜電位に駆動されて内膜のチャンネルを通過すると，マトリックス内のmHsp 70（Ssc1p）がTim 44と協調してATP依存性に前駆体をマトリックスに輸送する．この際，マトリックスのMge1はmHsp 70と共同して機能する．mHsp 70が前駆体を駆動する方法についてはBrownラチェット（またはtrapping only）モデルとpulling motorモデルが提唱されてきた[2,3,6]．前者は前駆体がチャンネル内でBrown運動し，mHsp 70がマトリックス側に現れた前駆体部分に順次結合して前駆体をマトリックスへ輸送する説であり，後者はATP結合によって起こるmHsp 70の構造変化により前駆体をマトリックスに引き込むという説である．最近では，両機構が協調的にはたらくtrapping and pullingモデルが有力になっている[6,18]．

b. Tim 22-Tim 54系

Tim 22はC末端側の膜結合領域がTim 17, Tim 23と相同性をもつタンパク質として同定された．このタンパク質は内膜でTim 23-Tim 12複合体とは異なる300 kDaの複合体として存在する．Tim 22の発現量を抑制するとAACとPiCの内膜への挿入が障害されるが，プレ配列をもつ前駆体の輸送には影響しないことから，AACなど，代謝物輸送体の内膜への挿入にかかわるタンパク質であることが示された[6,19]．その後，Tim 22と相互作用のある遺伝子産物としてTim 54が，またTim 54と相互作用のある遺伝子産物としてTim 18が同定された．Tim 54はN$_{out}$-C$_{out}$の配向性をもつ2回膜貫通タンパク質であり，マトリックス側にcoiled-coil構造をもつ．Tim 18はプレ配列をもち，C末端側を膜間スペースに向けた3回膜貫通タンパク質である．Tim 18, 22, 54は内膜で300 kDaの複合体を形成している．

Tomチャンネルを通過したAACをTim 22-Tim 54に受け渡す際に必要な膜間スペースの因子として，Tim 10とTim 12が見い出された．Tim 10とTim 12はジンクフィンガーモチーフをもち，Tim 10は膜間スペースに可溶性タンパク質として局在し，Tim 12はTim 22-Tim 54複合体に緩く結合している．その後，類似のタンパク質とし

てTim 8, 9, 13が見出された．これらのうち，Tim 9, 10，およびTim 12は酵母の成育に必須である．膜間スペースでは70 kDaのTim 9-Tim 10および70 kDaのTim 8-Tim 9-Tim 13複合体（Tim 9は解離しやすく，図1ではTim 8-Tim 13と表示）として存在する．Tim 9とTim 10は一部がTim 12とともにTim 22-Tim 54複合体に結合している．Tim 9-Tim 10複合体は代謝物輸送体やTim 17, 22, 23, 54の輸送に，Tim 8-Tim 9-Tim 13複合体はTim 23の輸送にかかわる．このうち，Tim 17, 22, 23，および代謝物輸送体はTim 22-Tim 54系を介して内膜へ挿入される[6, 19]．

c. 内膜挿入シグナル

内膜挿入のシグナルについてはTim 23で詳細に解析されている．Tim 23は2カ所にシグナルをもち，N末端62アミノ酸残基の親水性ドメインが外膜挿入のシグナルアンカー（膜間スペースターゲティング配列）としてはたらき，C末端側の膜貫通領域3と4の間に存在するマトリックス側ループは外膜透過と膜電位依存性の内膜挿入シグナルとしてはたらく．AACはマトリックス側にループをもつ2つの膜貫通領域からなる類似したモジュール構造が3回繰り返した構造をとる．マトリックス側のループ構造の中に代謝物輸送体に共通の配列（carrier signature）が存在し，この領域をTim 9-Tim 10のジンクフィンガー領域が認識する[6, 19]．

Tim 17-Tim 23系とTim 22-Tim 54系の作動には膜電位を必要とするが，膜電位を介してプレ配列の膜透過および代謝物輸送体を膜内へ挿入する機構，およびプレ配列をもつ前駆体の内膜透過の際にmHsp 70が共役する機構は不明である．

4. マトリックス側からの内膜への挿入

酸化的リン酸化にかかわる酵素複合体は，核DNAとミトコンドリアDNAにコードされるタンパク質が協調して内膜に組み込まれることによって構築される．ミトコンドリアDNAにコードされるタンパク質はどのような機構で内膜に挿入される

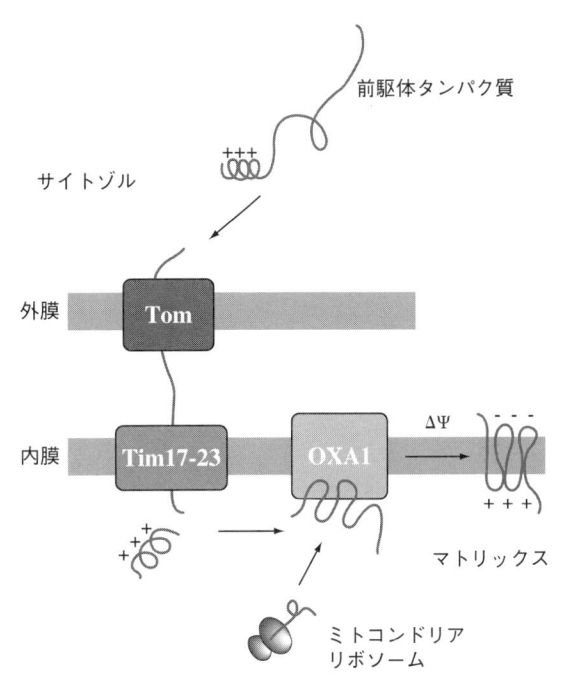

図2　Oxa1複合体を介したマトリックス側からの内膜へのタンパク質の挿入
プレ配列をもつ一部の内膜タンパク質とミトコンドリアDNAにコードされるCOX II, COX IIIはOXA1複合体によって膜電位依存的に内膜に挿入される．この際，タンパク質はマトリックス側が正荷電に，膜間スペース側が負荷電になるかたちでマトリックス内膜に挿入される．

のだろうか．BonnefoyらとBauerらは，酵母ミトコンドリアのシトクロム c オキシダーゼ（COX）のアセンブリーにかかわる核遺伝子 *OXA1*（Bonnefoyらの命名）を分離した．Oxa1pはプレ配列をもち，N末端を膜間スペースに，C末端をマトリックスに出した5回膜貫通性の複合体であり，マトリックスで合成されるCOXのサブユニットII（2回膜貫通）とIII（6回膜貫通）の内膜への挿入に必要な因子である（図2）[7, 19〜21]．これらの挿入は膜電位に依存する．核DNAにコードされたプレ配列をもつ内膜タンパク質（Oxa1自身およびF_oF_1-ATPaseのサブユニット9）も，いったんマトリックス内に輸送された後にOxa1pによって膜電位依存的に内膜に挿入される[21]．これらのタンパク質の輸送はTOM複合体，Tim 17-Tim 23複合体，およびOxa1複合体の3つの装置が共役して行う．Oxa1は，核DNAコード，ミトコンドリアDNAコードのいかんを問わず，マトリックス側か

らの膜タンパク質の内膜挿入に関与する．内膜タンパク質の膜間スペース側（トランス側）は酸性アミノ酸に，マトリックス側（シス側）は塩基性アミノ酸に富み，大腸菌の形質膜や真核細胞の小胞体膜のタンパク質のトポロジー形成における"positive inside rule"が当てはまるようである．ミトコンドリア DNA にコードされている COXⅡ や COXⅢ 以外のタンパク質が内膜に挿入される機構は不明である．

●おわりに

今後，MTS のようなあいまいな配列情報が輸送因子によって正しく認識され，それぞれの輸送因子の間を移送される機構，そのシグナルを介して外膜，膜間スペース，内膜およびマトリックスへと仕分けられる機構などの解明が重要と思われる．

従来の研究はプレ配列をもつ前駆体タンパク質の輸送が中心であり，プレ配列をもたないタンパク質についての研究は少なかった．これらの膜タンパク質が細胞質で合成された後にミトコンドリアに運ばれ，目的の膜に挿入され，膜上での配向性を決定され，Oxa1 複合体により内膜へ挿入される機構など，今後解決すべき問題が山積している．

●文　献

1) Schatz, G., Dobberstein, B.: *Science*, **271**, 1519-1526 (1996)
2) Neupert, W.: *Annu. Rev. Biochem.*, **66**, 863-917 (1997)
3) Pfanner, N., Craig, E.A., Honlinger, A.: *Annu. Rev. Cell Dev. Biol.* **13**, 25-51 (1997)
4) 小宮　徹，三原勝芳: 細胞工学，**17**, 1104-1111 (1998)
5) Ryan, M. T., Wagner, R., Pfanner, N.: *J. Biochem. Cell Biol.*, **32**: 13-21 (2000).
6) Bauer, M. F., Hofman, S., Neupeit, W., Brunner, M.: *Trends Biochem. Sci.*, **10**, 25-31 (2000)
7) Mihara, K., Omura, T.: *Trends Cell Biol.*, **6**, 104-108 (1996)
8) Omura, T.: *J. Biochem.*, **123**, 1010-1016 (1998)
9) Iwahashi, J., Yamagaki, S., Komiya, T., *et al.*: *J. Biol. Chem.*, **272**, 18467-18472 (1997)
10) Abe, Y., Shodai, T., Muto, T., *et al.*: *Cell*, **100**, 551-560 (2000)
11) Hill, K., Model, K., Ryan, M, T., *et al.*: *Nature*, **395**, 516-521 (1998)
12) Ahting, U., Thun, C., Hegerl, R., *et al.*: *J. Cell Biol.*, **147**, 959-968 (1999)
13) Künkele, K.-P., Heins, S., Dembowski, M., *et al.*: *Cell*, **93**, 1009-1019 (1998)
14) Mori, M., Terada, K.: *Biochim. Biophys. Acta*, **1403**, 12-27 (1998)
15) Saeki, K., Suzuki, H., Tsuneoka, M., *et al.*: *J. Biol. Chem.*, **275**, 31996-32002 (2000)
16) Mihara, K.: *BioEssays*, **22**, 364-371 (2000)
17) Donzea, M., Káldi, K., Adam, A., *et al.*: *Cell*, **101**, 401-412 (2000)
18) Voisine, C., Craig, E. A., Zufall, N., *et al.*: *Cell*, **97**, 565-574 (1999)
19) Tokatilidis, K., Schatz, G.: *J. Biol. Chem.*, **274**, 35285-35288 (1999)
20) He, S., Fox, T.D.: *Mol. Biol. Cell*, **8**, 1449-1460 (1997)
21) Hell, K., Herrmann, J. M., Pratje, E., *et al.*: *Proc. Natl. Acad. Sci. USA*, **95**, 2250-2255 (1998)

ミトコンドリアマトリックスタンパク質の輸送

森　正敬・寺田　和豊

●はじめに

ミトコンドリアの形成は，ミトコンドリアDNAと核DNAの両方の支配を受けている．ミトコンドリアは数千種類のタンパク質より構成されているが，ミトコンドリアDNAにコードされるのは内膜に存在し，呼吸鎖に関連する13種類のポリペプチドのみで，それ以外のすべてのタンパク質は核のゲノムにコードされている（図1）．核ゲノムにコードされたミトコンドリアタンパク質の遺伝情報はmRNAに転写され，サイトゾルの遊離リボソームで翻訳されて新生ポリペプチドとなる．この新生ポリペプチドがミトコンドリアタンパク質として生理活性をもった最終構造をとるには，サイトゾルからミトコンドリア内の各コンパートメントへ輸送され，規定の高次構造を形成する必要がある．この過程は新生ポリペプチドの1次構造上にプログラムされた情報に基づき，サイトゾルの分子シャペロンやミトコンドリア外内膜の輸送装置，そしてミトコンドリアマトリックスのペプチダーゼや分子シャペロンなど，さまざまな因子が輸送の各段階でミトコンドリアタンパク質を認識し，そのコンホメーションを適性に制御することにより成立している．本稿ではおもに高等動物におけるマトリックスタンパク質のミトコンドリア輸送の分子機構について述べる．

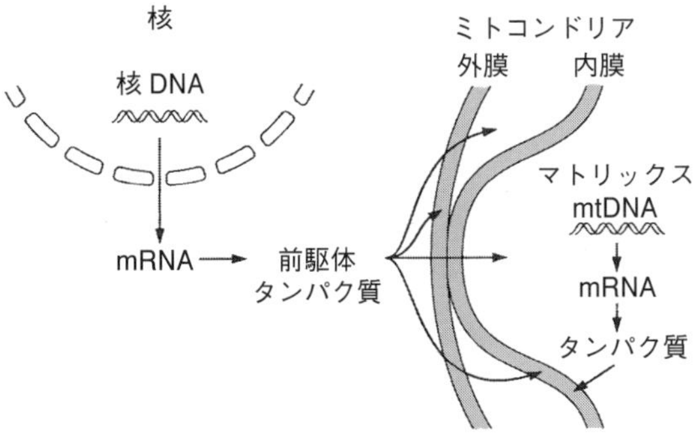

1. ミトコンドリアマトリックスタンパク質

ミトコンドリアは外膜と内膜の2枚の膜と，それに囲まれた2つの画分，すなわち膜間腔およびマトリックスの合計4つの画分より構成されている．マトリックスは内膜に囲まれているが，内膜がほとんどの物質に対して非透過性であることと輸送タンパク質のはたらきにより，サイトゾルとは異なる特異的な低分子物質の組成が保たれている．マトリックスにはミトコンドリア全タンパク質のおよそ3分の2が存在し，そのタンパク質濃度はたいへん高い．ミトコンドリアのもっとも大切なはたらきは内膜に存在する電子伝達系と酸化的リン酸化によるATP産生であるが，この電子伝達系に還元当量（−Hまたは電子）を与えるクエン酸回路（トリカルボン酸回路）の酵素群がマトリックスに存在する．脂肪酸β酸化系の酵素群もマトリックスに存在し，電子伝達系に還元当量を，クエン酸回路にアセチル

図1　ミトコンドリアの形成
ミトコンドリアDNAにコードされている13種の内膜タンパク質以外はすべて核DNAにコードされ，ミトコンドリアの外から輸送される．

CoAを供給している．解糖系とクエン酸回路を結ぶピルビン酸デヒドロゲナーゼ複合体もマトリックスに存在し，内膜にゆるく結合している．ミトコンドリアのマトリックスは活発なアミノ酸代謝を行っており，グルタミン酸デヒドロゲナーゼや多数のアミノトランスフェラーゼが存在する．肝細胞にある5種の尿素サイクル酵素のうち最初の2種がミトコンドリアのマトリックスに存在する．これらのタンパク質はすべてサイトゾルから輸送される．さらに，マトリックスにはミトコンドリアDNAの複製，転写，翻訳に関与する酵素やリボソームタンパク質が存在するが，これらもサイトゾルから運び込まれる．

2. 哺乳動物におけるマトリックスタンパク質輸送の分子機構

ミトコンドリアのタンパク質輸送研究は，最初は酵母やアカパンカビなどの下等真核生物で，やや遅れて高等動物で始まった．1970年代終わりころに酵母と哺乳動物の系で分子量の大きいミトコンドリアタンパク質前駆体が発見され，研究の口火が切られた．次いで，試験管内で合成した前駆体タンパク質を単離ミトコンドリアに取り込ませて成熟タンパク質に転換させる in vitro 輸送系が開発され，輸送系における前駆体タンパク質の特異性やエネルギー要求性などが明らかになるとともに，マトリックスにプロセシングペプチダーゼが同定された．さらに，分泌タンパク質が小胞体膜結合リボソーム上で合成されて co-translational に小胞体内腔へ輸送されるのに対し，ミトコンドリアタンパク質は遊離リボソーム上で前駆体として合成された後に post-translational にミトコンドリアへ輸送されることが示された．1980年代には，前駆体タンパク質のcDNAが次々とクローニングされ，N末端のプレ配列の構造が明らかになった．

次の段階は輸送にかかわる因子の同定であったが，分子遺伝学的手法を用いることができる酵母やアカパンカビで研究が進み，輸送異常を示す多くの変異株が単離され，サイトゾル，ミトコンドリア膜，およびマトリックスに存在する多くの輸送因子が同定された[1,2]．最近，動物においても同様の因子が次々と同定されつつある[3]．その結果，ミトコンドリアタンパク質輸送の基本的なしくみは酵母と哺乳動物でよく保存されているが，異なる部分もあることがわかってきた[3]．酵母と哺乳動物のミトコンドリアマトリックスタンパク質輸送にかかわる因子を表1に，また輸送のモデルを図2に示す．

サイトゾルの遊離リボソーム上で合成された前駆体タンパク質は，サイトゾルに存在するプレ配列特異的因子や分子シャペロンなどのはたらきによって，ミトコンドリア膜透過に適したほどけた状態に保持される．次いで，前駆体タンパク質はプレ配列を介して外膜表層の受容体と結合し，外膜および内膜のチャンネルを通過してマトリックスに引き込ま

表1 ミトコンドリアマトリックスタンパク質輸送に関与する因子

	酵母 (S. cerevisiae)	哺乳動物
サイトゾル	Ssa1-2p Ydj1p	Hsc70 dj2 (HSDJ/hdj-2) MSF[b] PBF[b]
サイトゾル/外膜		Tom34[b]
外膜	Tom20 Tom22 Tom71[a] Tom70 Tom37[a] Tom40 Tom7 Tom5 Tom6	Tom20 Tom22 Tom70 Tom40 メタキシン[b]
内膜	Tim44 Tim23 Tim17	Tim44 Tim23 Tim17
マトリックス	MPP MIP Ssc1p Mdj1p Mge1p/mGrpE Hsp60/cpn60 Hsp10/cpn10	MPP MIP mHsp70 Hsp60/cpn60 Hsp10/cpn10

哺乳動物因子のいくつかはまだ機能解析が行われていない．
a) ミトコンドリアタンパク質輸送における関与は確立していない．
b) 動物に特異的な因子と考えられる．

1・6 ミトコンドリアマトリックスタンパク質の輸送

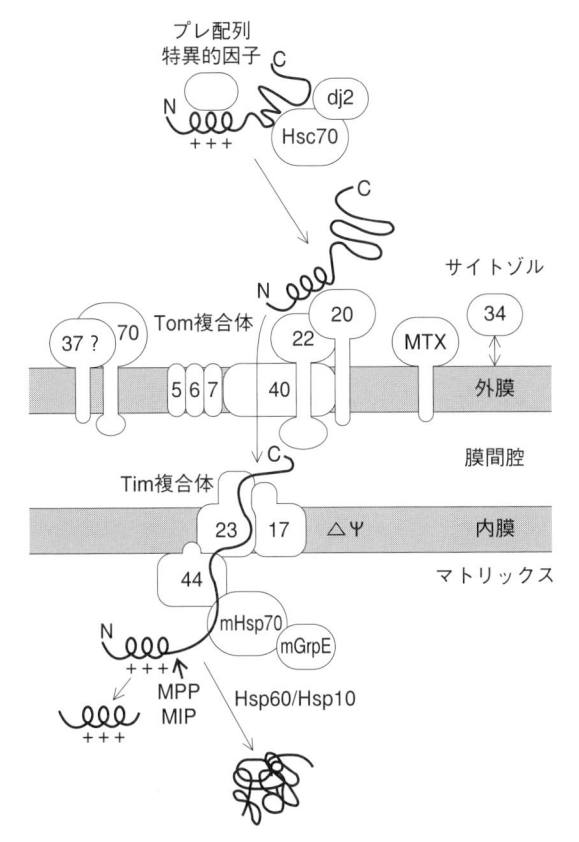

図2　哺乳動物におけるミトコンドリアマトリックスタンパク質輸送のモデル
Tom複合体，Tim複合体についてはおもに酵母の情報に基づいている．MPP：ミトコンドリアプロセシングペプチダーゼ，MIP：ミトコンドリア中間体ペプチダーゼ，MTX：メタキシン，cpn：シャペロニン．Tom37はアカパンカビではTom複合体中に含まれていない．メタキシンはTom37と弱い相同性がみられるが，オルソログではないらしい．

れ，プレ配列がプロセシングペプチダーゼにより切断される．プレ配列が除去された成熟タンパク質は，マトリックスに存在する分子シャペロンによって折りたたまれて作用を発揮する．

3. ミトコンドリア移行シグナル（MTS）[2]

　ミトコンドリアのマトリックスタンパク質のほとんどはN末端にプレ配列（presequence）またはリーダー配列（leader sequence）をもつ，分子量の大きい前駆体タンパク質の形で合成される．動物のマトリックスタンパク質のプレ配列のいくつかを図3に示す．プレ配列の長さは15～60残基と幅があるが，30残基前後のものが多い．共通のアミノ酸配列はみられないが，塩基性アミノ酸に富み酸性アミノ酸がほとんどないこと，疎水性アミノ酸のクラスターが存在しないこと，OH基をもつアミノ酸（セリン，トレオニン）に富むことなどの，共通した特徴がある．酵母や植物のミトコンドリアマトリックスタンパク質のプレ配列も同様の性質をもっている．

　Chou-Fasman法で予測したオルニチントランスカルバミラーゼ（ラット）のプレ配列の2次構造を図4に示す．アミノ酸残基9から21番目にかけてαヘリックス構造の存在が予想される．この部分をhelical wheelでみると，左半分は塩基性アミノ酸を含む親水性アミノ酸に富み，右半分は疎水性アミノ酸が多く，両親媒性の構造が予想される．他の多くのプレ配列についても同様の両親媒性αヘリックス構造が予想されている．いくつかのミトコンドリアタンパク質については，化学合成したプレ配列が適当な条件下でαヘリックス構造をとることが示されている．このような構造がミトコンドリア外膜上の受容体タンパク質との結合に重要と考えられる．

　プレ配列がミトコンドリア移行シグナル（またはミトコンドリアターゲッティングシグナル：MTS）としてはたらくのは次のような実験で示された．第1に，前駆体タンパク質からプレ配列を除去すると，ミトコンドリアへ移行する活性を失う．第2に，サイトゾルタンパク質のN末端にプレ配列を結合させた融合タンパク質はミトコンドリアマトリックスへ輸送される．

　GFP（グリーン蛍光タンパク質）にプレ配列を結合させた融合タンパク質は，ミトコンドリアマトリックスに移行して蛍光を発することより，ミトコンドリアの形態や運動を観察するのに用いられている[4]．

　一方，マトリックスタンパク質の一部は切断されるプレ配列をもたず，成熟タンパク質の中に非切断性のミトコンドリア移行シグナルをもつ．このうちのいくつかについては，成熟タンパク質のN末端

リンゴ酸デヒドロゲナーゼ（ラット）	` . +   ++. ...  ▼+   .` `MLSALARPVGAALRRSFSTSAQNNAKVAVLGASG...`
ピルビン酸デヒドロゲナーゼα（ヒト）	` ++     .+  . .+   .+    .-▼.   - +` `MRKMLAAVSRVLSGASQKPASRVLVASRNFANDATFEIK...`
ピルビン酸デヒドロゲナーゼβ（ヒト）	`          .    +++    .+▼-` `MAAVSGLVAETPSEVSGLLKRRFHWTAPAAVQVTVRDAIN...`
スクシニルCoAシンターゼα（ラット）	`. . .   +   .+.    +▼.   .++` `MVSGSSGLAAARLLSRTFLLQQNGIRHGSYTASRKNI...`
アルデヒドデヒドロゲナーゼ（ヒト）	`   +        .+.     .     ▼` `MLRAAAAWPAWAPPLVSRRHPGRAAPNQQPEVFCNQIFINNEWHD...`
オルニチンアミノトランスフェラーゼ（ラット）	` .+      ++  .  .   .▼.  .++.-` `MLSKLASLQTVAALRRGLRTSVASATSVATKKTEQ...`
アスパラギン酸アミノトランスフェラーゼ（ラット）	`     .+         .       .-  ▼    -` `MALLHSGRVLSGVASAFHPGLAAAASARASWWAHVEMGP...`
セリンピルビン酸アミノトランスフェラーゼ（ラット）	` +  .     .+    .   ▼.` `MFRMLAKASVTLGSRAASWVRNMGSHQLLVPPPE...`
オルニチントランスカルバミラーゼ（ラット）	` .     +      .+  ++   ++  + .     ++  +-` `MLSNLRILLNKAALRKAHTSMVRNFRYGKPVQSQVQLKGRDL...`
オルニチントランスカルバミラーゼ（ヒト）	` .+      +  .+     +        ▼ .+` `MLFNLRILLNNAAFRNGHNFMVRNFRCGQPLQNKVQLKGRDL...`
カルバミルリン酸シンターゼⅠ（ラット）	` .+       .  + +.     .++   .+       ▼ .+` `MTRILTACKVVKTLKSGFGLANVTSKRQWDFSRPGIRLLSVKAQTAHI...`
プロピオニルCoAカルボキシラーゼβ（ラット）	`  ++      .++      ...+.  ▼.     -+-` `MAAVIRIRAMAAGTRLRVLNCGLGTTIRSLCSQPVSVNERIE...`
中鎖アシルCoAデヒドロゲナーゼ（ラット）	` ++   + ++      .  +  ▼.+  -+` `MAAALRRGYKVLRSVSHFECRAQHTKPSLKQEPGL...`
アドレノドキシン（ウシ）	`  +        +   + +    +.+       .+. . . +▼...-+ .` `MAARLLRVASAALGDTAGRYRLLVRPRAGAGGLRGSRGPGLGGGAVATRTLSVSGRAQSSSEDKITVH...`
Mnスーパーオキシドジスムターゼ（ヒト）	`  .+    ..+    .▼+-` `MLSRAVCGTSRQLAPALGYLGSRQKHSLPDLPYD...`
Mnスーパーオキシドジスムターゼ（ラット）	`MLCRAACSAGRRLGPAASTAGSRHKHSLPDLPYD...`

図3　動物のミトコンドリアマトリックスタンパク質のプレ配列の構造

プラス電荷をもつアミノ酸残基（開始メチオニン，アルギニン，リジン）を＋で，マイナス電荷をもつアミノ酸（アスパラギン酸，グルタミン酸）を－で，OH基をもつアミノ酸を・で示した．▼はプレ配列の切断点を示す．

に塩基性アミノ酸残基に富んだミトコンドリア移行シグナルが存在し，やはり両親媒性のαヘリックスをとることが予測されている．

4. サイトゾル因子

サイトゾルのミトコンドリアタンパク質前駆体がミトコンドリア膜を通過するためには，ほどけた状態に保たれる必要がある．新しく合成された前駆体タンパク質は凝集しやすいが，サイトゾルに存在する分子シャペロンやプレ配列特異的因子が結合し，凝集を防いで膜透過に適した，ほどけた状態に保たれる．

a. Hsp70シャペロン系

動物細胞のサイトゾルにはHsp70（heat shock protein 70）とHsc70（heat shock cognate protein 70）とよばれる2つのHsp70ファミリーの分子シャペロンが存在する．このうちHsc70はすべての細胞に構成的に発現しており，ストレスによる誘導はほとんどみられない．一方，Hsp70は非ストレス条件下では発現がほとんどみられないが，ストレスによって著しい誘導を受ける．Hsp70とHsc70は相同性が高く，生理的条件下で新生タンパク質の凝集を防いだり，折りたたみや細胞内輸送を助けるのにはHsc70がはたらき，ストレスによってタンパク質が変性するような条件下ではHsp70が誘導され，Hsc70とともにはたらくと考えられる．

Hsp70ファミリーがミトコンドリアタンパク質の輸送に関与することは，まず酵母の遺伝学的研究で示された．酵母のサイトゾル型Hsp70の遺伝子を破壊するとミトコンドリアタンパク質前駆体の輸送が障害された．一方，動物の系で合成途上のポリペプチドにHsc70が結合していることが示された．ウサギ網状赤血球溶血液を用いて合成した前駆体タンパク質をミトコンドリアに取り込ませる in vitro 輸送系において，溶血液からHsc70を除去すると輸送は阻害され，精製したHsc70の再添加によっ

(A)

1　　　9　　　　　21
　　　　　　　　　　　32
　　　　　　　　　　　↑

(B)

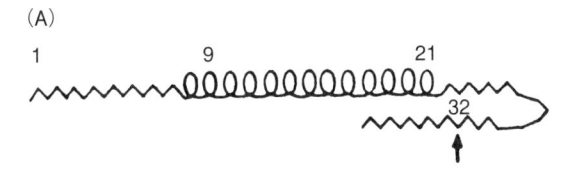

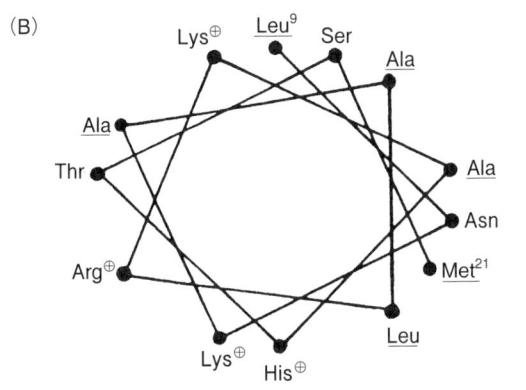

　　　　　Leu⁹
　Lys⊕　　　　Ser
　　　　　　　　　Ala
Ala
　　　　　　　　　　Ala
Thr
　　　　　　　　　　Asn
Arg⊕　　　　　　Met²¹
　　　Lys⊕　　Leu
　　　　　His⊕

図4　オルニチントランスカルバミラーゼ前駆体（ラット）のプレ配列の予測2次構造（A）とαヘリックス部分のhelical wheel（B）
2次構造予測はChou-Fasman法による．矢印はプレ配列切断部位．下線は疎水性アミノ酸を示す．

てこの阻害は消失する[5]．このことから，ミトコンドリアタンパク質の輸送にHsc70が関与することが証明された．しかし，Hsc70の要求性は前駆体タンパク質によって異なり，強く依存するものからほとんど依存しないものまである．Hsc70は一般に成熟タンパク質部分の特定の配列に結合すると考えられるが，プレ配列にも結合するという報告もある．

　Hsp70ファミリーは一般にDnaJファミリーをパートナーとしてシャペロン機能を発揮する．酵母のサイトゾルに存在するDnaJファミリーYdjp/Mas5pがミトコンドリアタンパク質の輸送に関与することが明らかにされ，動物のDnaJホモログも同じようなはたらきをすると推測されていた．哺乳動物細胞のサイトゾルには主としてdj1（Hsp40/Hdj-1）とdj2（HSDJ/Hdj-2）の2種のDnaJホモログが存在する．このうちdj2はC末端にCaaXボックスをもち，ファルネシル化を受ける．サイトゾルタンパク質の折りたたみについてはHsc70-dj1シャペロン系による詳細な研究が行われたが，Hsc70-dj2系のほうが重要であるとの結果が得られている[5]．一方，タンパク質のミトコンドリア輸送については，in vitro輸送系においてdj2は促進活性を示すがdj1は無効であることより，Hsc70-dj2シャペロン系がはたらいていると考えられる[5]．dj2はHsc70と前駆体タンパク質の両方に結合してHscシャペロン活性を促進すると考えられる．Hsc70シャペロン系がシャペロン活性を発揮するにはATPが必要である．

b．プレ配列特異的因子

　オルニチンアミノトランスフェラーゼ前駆体のプレ配列に結合する因子として，ウサギ網状赤血球から28 kDaのタンパク質が精製され，ターゲティングファクターと名付けられた．この因子は前駆体タンパク質のミトコンドリア表層への結合を促進すると考えられている．一方，オルニチントランスカルバミラーゼ前駆体のプレ配列に結合する因子としてウサギ網状赤血球から50 kDaのプレ配列結合因子（PBF）が精製された．PBFは複数の前駆体タンパク質のミトコンドリア輸送を促進する．しかし，ターゲティングファクターとPBFの詳細は不明である．

　ウサギ網状赤血球溶血液を用いて合成したミトコンドリアタンパク質前駆体は単離ミトコンドリアに効率よく取り込まれるのに対し，コムギ胚芽抽出液で合成した前駆体タンパク質はほとんど取り込まれない．このことから，動物細胞中には前駆体のミトコンドリア輸送を促進する因子が存在すると推測されていた．アドレノドキシン前駆体のミトコンドリア輸送を促進する因子としてラット肝サイトゾルよりミトコンドリア輸送促進因子（MSF）が単離された[6]．MSFは32 kDaと34 kDaのサブユニットからなるヘテロ2量体構造をもち，凝集したミトコンドリア前駆体タンパク質をATP依存的にほぐしてミトコンドリア外膜の受容体へ運ぶ．すなわち，MSFは前駆体タンパク質をミトコンドリアへ運ぶ標的化機能とタンパク質の凝集を防ぐシャペロン機能を併せもっている．興味深いことに，MSFは神経伝達物質やエキソサイトーシスなどにも関与することが知られている14-3-3タンパク質ファミリーに属している．ラットのMSFと酵母の受容体タンパク質を組み合わせた実験より，前駆体タンパク質のミトコンドリア標的化に次の2つの経路が

提唱されている[6]．そのひとつは前駆体タンパク質がMSFからTom70-Tom37を経由してTom20-Tom22へ受け渡される経路で，他のひとつはMSFを介せず，前駆体-Hsc70複合体が直接Tom20-Tom22に標的化される経路である．酵母にもMSFのホモログ（14-3-3タンパク質）が存在するが，ミトコンドリアタンパク質輸送にはたらいているか否かはわかっていない．

5. Tom複合体[7,8]

ミトコンドリアタンパク質前駆体はミトコンドリア外膜表層に存在する特異的な受容体に結合し，外膜のインポートチャンネルを通過する．ミトコンドリアのタンパク質輸送に関与するこれらの外膜タンパク質をTom（translocase of outer membrane of mitochondria）とよぶ．酵母では9個のサブユニットが同定されている．主要なサブユニットはTom70, Tom40, Tom22, Tom20, Tom7, Tom6, Tom5で，数字はサブユニットの大きさをkDaで表している．哺乳動物では酵母のTom70やTom22, Tom20などのホモログが次々と同定されつつあるのに加え，動物特異的と思われるメタキシンが報告されている．Tom複合体について研究が進んでいる酵母やアカパンカビを中心に述べ，動物についてもふれる．

a. 受容体

TomサブユニットのうちTom20, Tom22, Tom70は前駆体タンパク質の受容体としてはたらく．N末端にプレ配列をもつ前駆体タンパク質は主としてTom20に結合する．上に述べたように，前駆体タンパク質のプレ配列は正電荷をもつ両親媒性αヘリックス構造をとると推察されるが，Tom20との結合にはαヘリックス構造の正電荷と疎水性の側面がともに重要と思われる．ごく最近，ラットTom20のサイトゾル領域とプレ配列ペプチドとの複合体の3次元構造がNMR（核磁気共鳴法）を用いて解析され，プレ配列がTom20の表面にある溝に両親媒性αヘリックスの形で結合する様子が明らかになった[9]．しかし，前駆体タンパク質のプレ配列に加え，成熟タンパク質部分もTom20とTom22との結合に関与し，とくにTom22との結合に重要と思われる．前駆体タンパク質はまずTom20に結合し，ついでTom22に移される．哺乳類のTom20とTom22は詳細に研究されている．

一方，Tom70は主として非切断性のミトコンドリア移行シグナルをもつ前駆体タンパク質の受容体としてはたらく．ミトコンドリア内膜に局在するATP/ADP輸送体などの輸送タンパク質はこの系で輸送される．Tom70に結合したタンパク質は，Tom22に引き渡されて内部へ輸送される．Tom70と高い相同性を示すTom72が同定されているが，Tom72の欠損によってもタンパク質輸送は障害されず，その役割は不明である．また，Tom70のパートナーの候補としてTom37が報告されているが，Tom37が欠損してもATP/ADP輸送体による輸送は障害されず，その役割は不明である．哺乳動物でもTom70ホモログが同定されているが，その機能解析は行われていない．

哺乳動物では外膜の内在性タンパク質メタキシンが酵母のTom37と弱い相同性を示し，タンパク質輸送に関与すると報告されている．しかし，その外膜での局在様式はTom37とは明らかに異なり，今後の研究が必要である．動物に特異的と思われるもうひとつの因子としてはTom34が報告されている．Tom34は大部分がサイトゾルに，一部がミトコンドリア外膜に存在し，サイトゾルとミトコンドリアをシャトルしている可能性が考えられるが，その役割はわかっていない．

b. チャンネル

Tom20またはTom70に結合した前駆体タンパク質は外膜のTom40を含むGIP（general insertion pore）とよばれるチャンネルを通過して膜間腔，内膜，さらにマトリックスへと運ばれる．界面活性剤で可溶化した酵母ミトコンドリアをblue nativeゲル電気泳動で解析すると約400 kDaのTom複合体が得られる[10]．この複合体はTom40とTom22と小分子Toms（Tom7, Tom6, Tom5）よりなり，チャンネルを形成していると考えられる．

Tom70, Tom22, Tom20 が外膜を 1 回貫通し, その大部分をサイトゾル側に向けているのに対し, Tom40 は膜を数回貫通し, そのほとんどが膜に埋め込まれている.

His タグをつけた Tom22 を用い, アカパンカビミトコンドリアから Tom 複合体が単離された[11,12]. この複合体は, Tom22, Tom70, Tom20, Tom40, Tom7, Tom6 を含む. この複合体を電子顕微鏡で観察すると 2 個または 3 個の孔をもつリング様構造がみられ, これらの孔が前駆体タンパク質を通過させるチャンネルであると考えられる. チャンネルのコアタンパク質は Tom40 である. Tom40 は単独でも孔径約 22 Å のチャンネルを形成する. 小分子 Toms はチャンネルの形成または調節に関与していると考えられている.

6. Tim 複合体 (Tim23 複合体)[13]

ミトコンドリアタンパク質前駆体は, 外膜の Tom 複合体と内膜の Tim (translocase of inner membrane of mitochondoria) 複合体を介してマトリックスに輸送される. 酵母の Tim 複合体 (Tim23 複合体) は Tim17, Tim23 および Tim44 からなる. Tim17 と Tim23 はそれぞれ内膜を 4 回通過する内在性タンパク質であり, チャンネルを形成している. Tim23 の膜間腔領域は 2 量体を形成してプレ配列受容体としてはたらくと考えられる. 一方, Tim44 は表在性膜タンパク質であり, マトリックス側から Tim17 と Tim23 に結合している.

前駆体タンパク質の内膜輸送には内膜の膜電位 $\Delta\psi$ が必要である. $\Delta\psi$ は正電荷に富むプレ配列部分を通過させる電気的駆動力としてはたらく.

プレ配列に続く成熟タンパク質部分の輸送は Tim 複合体とマトリックスの分子シャペロンである mHsp70 (Ssc1p) との共同作業により行われる. mHsp70 は, Tim 複合体の Tim44 に結合するとともに, マトリックスに輸送されてきた前駆体タンパク質と結合し, ATP の加水分解を伴って前駆体をマトリックスへ引き込む. mHsp70 のはたらきには

パートナーシャペロンとして Mge1p (GrpE ホモログ) が必要である.

哺乳動物でも酵母の Tim 複合体のホモログや mHsp70, mGrpE (Mge1p のホモログ) が単離され, 酵母と同じような仕組みがはたらいていると考えられる.

酵母のミトコンドリア内膜には, Tim23 複合体に加え, Tim22 複合体が存在する. Tim22 複合体は Tim22, Tim9, Tim10, Tim12, Tim54 を含み, ATP/ADP 輸送体を含む内膜の輸送タンパク質などの輸送にはたらく.

7. マトリックスにおけるプロセシングと折りたたみ

前駆体タンパク質のプレ配列は輸送の途上または直後にマトリックスのミトコンドリアプロセシングペプチダーゼ (MPP) によって切断除去される. MPP はアカパンカビ, 酵母, 哺乳動物などから精製され, いずれの場合も 50〜57 kDa の類似した 2 つのサブユニットからなるヘテロ 2 量体を形成している[14]. MPP による切断には前駆体の切断部位の -2 位のアルギニンや +1 位の疎水性アミノ酸が重要であるが, これらの配列をもたない前駆体もあり, 切断点付近の高次構造を含めた認識が必要であると思われる.

マトリックスタンパク質の多くは MPP のはたらきで成熟タンパク質に転換されるが, いくつかのマトリックスタンパク質は MPP によって中間体まで切断され, 中間体はついでミトコンドリア中間体ペプチダーゼ (MIP) によって 8 残基が切断されて成熟タンパク質となる. この 2 段階プロセシングの生理的意義は不明である.

プレ配列が除去された成熟タンパク質はマトリックスの分子シャペロン系の助けを借りて折りたたまれる[2,3,5]. ここでは 2 つのシャペロン系がはたらいている. 酵母についてみると, 1 つは mHsp70 と Mdj1 (DnaJ ホモログ) および Mge1p (GrpE ホモログ) とからなるシャペロン系であり, 一部のタン

パク質はこの系で折りたたまれると考えられる．しかし，多くのタンパク質はHsp60（シャペロン60，cpn60）とHsp10（cpn10）よりなるシャペロン系を介して折りたたまれる．Hsp60とHsp10はそれぞれ大腸菌のGroES，GroELのホモログであり，折りたたみの仕組みは基本的には同じと考えられる．しかし，大腸菌のGroELは7量体のリングが2つ重なった2層のリングを形成するのに対し，ミトコンドリアのHsp60は1層のリングを形成する．

哺乳動物ではHsp60-Hsp10シャペロン系によるタンパク質の折りたたみがよく研究されている．一方，mHsp70とmGrpEが同定されているが，機能はあまり解析されていない．

● おわりに

ミトコンドリアタンパク質輸送の分子機構の概要がわかってきたが，今後は構造学的研究や精製因子による再構成実験などによってその全貌が明らかとなるであろう．輸送の分子機構に加え，興味がもたれるのは輸送の調節と異常の問題であろう．最近，動物における前駆体タンパク質の輸送が細胞の酸化還元状態により制御されるという報告が相次いでいる．一方，前駆体タンパク質の輸送の障害はいわゆるミトコンドリア病の一因となる[15]．前駆体タンパク質のプレ配列の変異や成熟タンパク質部分の変異による輸送異常の例が見つかっている．さらに，輸送因子の異常によると思われる例も報告されており，今後の研究が待たれる．

● 文　献

1) Schatz, G.: *J. Biol. Chem.*, **271**, 31763-31766 (1996)
2) Neupert, W.: *Annu. Rev. Biochem.*, **66**, 863-917 (1997)
3) Mori, M., Terada, K.: *Biochim. Biophys. Acta*, **1403**, 12-27 (1998)
4) Yano, M., Kanazawa, M., Terada, K., et al.: *J. Biol. Chem.*, **272**, 8459-8465 (1997)
5) Terada, K., Kanazawa, M., Bukau, B., Mori, M.: *J. Cell Biol.*, **139**, 1089-1095 (1997)
6) 小宮　徹，三原勝芳：細胞工学，**17**, 1104-1111 (1998)
7) Lill, R., Neupert, W.: *Trends Cell Biol.*, **6**, 56-61 (1996)
8) Ryan, M. T., Wagner, R., Pfanner, N.: *Int. J. Biochem. Cell Biol.*, **32**, 13-21 (2000)
9) Abe, Y., Shodai, T., Muto, T., et al.: *Cell*, **100**, 551-560 (2000)
10) van Wllpe, S., Ryan, M. T., Hill, K., et al.: *Nature*, **401**, 485-489 (1999)
11) Kunkele, K.-P., Heins, S., Dembowski, M., et al.: *Cell*, **93**, 1009-1019 (1998)
12) Verschoor, A., Lithgow, T.: *J. Cell Biol.*, **147**, 905-907 (1999)
13) Bauer, M.F., Hofmann, S., Neupert, W., Brunner, M.: *Trends Cell Biol.*, **10**, 25-31 (2000)
14) 伊藤明夫：生化学，**70**, 1401-1412 (1998)
15) 金澤正樹，森　正敬：臨床化学，**27**, 171-184 (1998)

1・7

ミトコンドリアとポーリン

篠原 康雄・寺田 弘

●はじめに

ミトコンドリアのポーリンは，ミトコンドリア外膜の多様な溶質の受動拡散を可能にする主要な"孔"として機能し，ミトコンドリアの溶質輸送において重要な役割を果たしている．同様の機能を有するタンパク質は細菌の細胞膜にも見い出されているが，1次構造の類似性は低く，両者はしばしば区別して取り扱われている．ミトコンドリアのポーリンは，その電気生理的な機能特性から電位依存性アニオンチャンネル（voltage dependent anion channel：VDAC）ともよばれている．

最近の研究によって，ミトコンドリアのポーリンは単なる"孔"として機能しているだけでなく，他のタンパク質との相互作用を介して細胞のエネルギー代謝や生死を制御していることが明らかにされてきた．本稿では，これまで知られていたミトコンドリアのポーリンの構造と機能，およびポーリンと他のタンパク質の相互作用に関する最近の知見を紹介したい．

1. 構 造

a. 1次構造

哺乳類ミトコンドリアのポーリンで最初に構造が決定されたのは，形質転換されたヒトリンパ球の細胞膜に存在するタンパク質としてであり，porin 31HLと命名された[1]．そのN末端はアセチル化されており，282アミノ酸からなる30.6 kDaの塩基性のタンパク質である．その後，cDNAのクローニングによって，このタンパク質と2つのアイソフォームのcDNAが相次いで単離され，それぞれVDAC1〜VDAC3とよばれるようになった（経緯と現状については文献2）に詳しい）．これら3種のポーリンと，後述する酵母の2つのポーリンアイソフォームの構造を図1に示す．

哺乳類のポーリンのアイソフォームは互いに高い構造類似性を示すが，2型アイソフォームは1型や

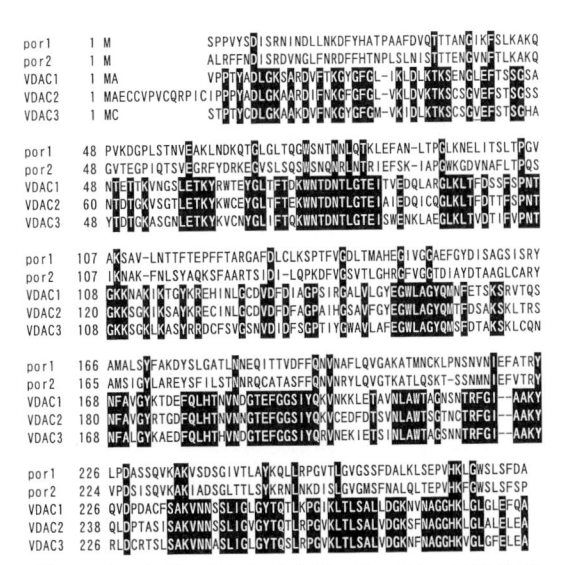

図1 酵母のポーリンと哺乳類のポーリンの構造比較
por1, por2は酵母の2つのポーリンを，またVDAC1〜VDAC3は，ラットの1〜3型のポーリンを示す．白抜きのアミノ酸は，ラットの3種のポーリン間，もしくは示したすべてのポーリン間で完全に保存されたアミノ酸を示す．構造はすべて，cDNAから推定されたものを示しており，アミノ酸番号もN末端のメチオニンを含めてつけている．

3型アイソフォームよりも10アミノ酸残基程度長いN末端を有し，ヒトの2型アイソフォームではさらに長いN末端を有するスプライス多型の存在が報告されている[3]．また，3型アイソフォームには，途中に1つだけ余分なメチオニン残基が挿入されたcDNAの存在が知られており[4,5]，遺伝子解析から，これはわずか3塩基からなるエクソンの択一的スプライシングによるものであることが明らかにされている[5]．また，第4のアイソフォームが存在する可能性も指摘されているが[6]，まだcDNAは同定されていないので，これが実際に発現しているか否かは定かでない．

b. トポロジー

高次構造の予測から，ポーリンではN末端に1つのαヘリックスが存在し，他の領域がβバレル構造をとっていることが示唆されている．βバレルの膜中での存在様式については，いくつかの可能性が示されている．

ポーリンのトポロジーに関する最初の報告はColombiniのグループによるものであり，部位特異的変異の導入がチャンネルとしてのタンパク質の機能にどのような影響を与えるかという実験から，N末端のαヘリックスと12個のβ構造として提唱された[7]．次いで，Palmieriのグループが，ポーリンに対する抗体とプロテアーゼの反応性からN端末のαヘリックス＋16回膜貫通モデルを提唱した[8]．これに対し，Colombiniのグループは，各種生物のミトコンドリアのポーリンに普遍的な折りたたみパターンから，16個のβ構造を否定した[9]．さらに，ビオチン修飾したポーリンのストレプトアビジンとの反応性からトポロジーを改訂し，N末端のαヘリックス＋13個のβ構造であると報告した[10]．

したがって，まだ完全なトポロジーの決定には至っていないが，いずれのトポロジーでも共通に認められる構造も明らかである．これらの知見はミトコンドリア外から結合する抗体の調製に有用であることが明らかになった（篠原ら，未発表）．

2. 酵母のポーリン

哺乳類のミトコンドリアのポーリンは，大腸菌のポーリンとは1次構造の類似性はほとんどない．一方，酵母のミトコンドリアのポーリンは哺乳類のポーリンと構造類似性も高く，機能相補の実験もよく行われているので，ここでは酵母のポーリンについて説明する．

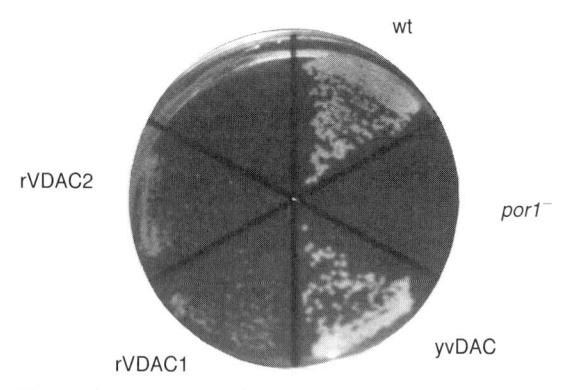

酵母のポーリン遺伝子$por1$を破壊すると，30℃での生育では野生株と差異が認められないが，37℃での生育は野生型と異なる表現型を示すことが明らかにされた．すなわち，野生株は37℃においても，グルコースとグリセロールのいずれを単一炭素源としても通常の生育が可能である．しかし，図2にも示すように，$por1^-$株は37℃ではグルコースを単一炭素源にした場合には正常に生育するのに対し，グリセロールを単一炭素源にした場合には生育しない[11]．$por1^-$株がこのような特徴的な温度感受性の酸化的リン酸化能の欠損という表現型を現す理由についてはまだ明らかにされていない．グリセロール培地での37℃における生育抑制は哺乳類ポーリンのcDNA導入によっても回復するため，ポーリンの機能発現の指標として用いられてい

図2　酵母のポーリン欠失株のグリセロール培地上での生育
wtは野生株，$por1^-$は1型のポーリン遺伝子欠失株を，またyVDAC, rVDAC1, rVDAC2は，それぞれ$por1^-$株に，酵母の1型ポーリンの発現ベクターあるいはラットの1型および2型ポーリンの発現ベクターを導入したものをそれぞれ示す．寒天培地は，2％のグリセロールを単一炭素源として含み，37℃で生育させた結果を示す．

る[3, 7, 12, 13].

最近，$por1^-$の生育を回復させる DNA として，酵母の第 2 のポーリン por2 がクローン化された[14]．por2 は por1 と 49% の相同性を示すが，$por2^-$でも酵母の表現型には変化が認められず，過剰発現させた場合にのみ $por1^-$ の生育を回復させる．por2 にはチャンネル活性も認められておらず，その生理的意義はまだ不明である．

3. 細胞内局在

ポーリンは基本的にはミトコンドリア外膜を主たる発現部位としている．事実，いずれのポーリンアイソフォームでも，強制発現させるとミトコンドリアに選択的に移行する．しかし，このタンパク質は細胞膜にも見い出されることがあり，厳密にミトコンドリアだけに存在しているのではないらしい．筋細胞では SR に認められるなど[15]，ミトコンドリア以外の膜系に存在する可能性が指摘されている（ミトコンドリア以外の膜系における発現は文献 16) に詳しい）．

もうひとつの問題点は，ミトコンドリア膜上に実存するのがどのアイソフォームなのかということである．この問題解明には，抗体を用いた解析が有効であると思われる．これまで，ポーリンの抗体でよくキャラクタライズされたものは 1 型アイソフォームの N 末端と反応する抗体だけであり，この問題に関する知見はほとんど得られていなかった．3 種のポーリンアイソフォームを均等に認識する抗ペプチド抗体を調製してこの問題を解明した結果，筆者らはミトコンドリアには 2 型アイソフォームがもっとも豊富に存在するということを明らかにした（篠原ら，未発表）．

4. アニオンチャンネルとしての特性

ポーリンのアニオンチャンネルとしての機能は，電気生理学的に解析されている．したがって，ミトコンドリアにおける機能と直接対応させて考えることはやや困難であるが，現在までに得られている知見を以下にまとめる．

(1) 非電解質であれば，分子量 3400 までのポリエチレングリコールやイヌリン，分子量 5000 程度までのデキストランなど，比較的大きな分子であってもポーリンを介して透過する．

(2) 空孔サイズはおよそ 3 nm と見積もられている．

(3) 印加電圧がないと開いた状態（high conducting open state）であり，負または正の電圧を 20〜30 mV かけると閉じた状態（lower conducting closed state）になる．

(4) 開孔状態ではカチオンよりもアニオンをよく透過させる．閉孔状態ではアニオンの透過性は著しく低下するが，カチオンの透過性は逆に高まる．

チャンネルとしての機能特性に関しては，最近の Colombini らの総説に詳しいので参照されたい[17]．

5. 他のタンパク質との相互作用

ポーリンは単なる孔として機能しているのではなく，ヘキソキナーゼやグリセロールキナーゼなどの酵素とも相互作用し，細胞のエネルギー代謝制御にも関与している．また，bax（後述）などと相互作用してシトクロム c の放出を制御し，細胞の運命を左右している可能性が示された．これらのタンパク質との相互作用について得られている知見を以下に紹介する．

a. ヘキソキナーゼ

ヘキソキナーゼは水溶性が高いタンパク質であり，通常はサイトゾルに存在する．しかし，脳や癌細胞など，ヘキソキナーゼ活性が高い細胞では，ミトコンドリアに結合した状態でも存在することが知られている．

哺乳類のヘキソキナーゼには 4 種のアイソザイムが存在するが，ミトコンドリアへの結合が観察されているのは I 型と II 型のアイソザイムである．こ

れら2種のタンパク質はN末端に疎水性のストレッチを有し、この領域を介してミトコンドリアに結合している[18,19]（ヘキソキナーゼに関する優れた総説は文献20）がある）．

ミトコンドリアにおけるヘキソキナーゼの結合部位タンパク質はFelgnerらによって単離され[21,22]，その後このタンパク質がポーリンと同一であることが明らかにされた[23,24]．また，ミトコンドリアを1.5 nmol/mgという低濃度のジシクロヘキシルカルボジイミド（DCCD）で処理するとヘキソキナーゼの結合能が消失すること[25]，この際に修飾をうけるアミノ酸残基はGln72であること[26]などが相次いで明らかにされた．ただし，これらの実験はすべてI型ヘキソキナーゼのポーリンに対する結合に関するものであり，II型ヘキソキナーゼとポーリンの相互作用についての知見はきわめて乏しい．また，現在ではポーリンにはアイソフォームが存在することが知られているが，これらの研究がなされたのはアイソフォームが存在することが明らかにされる以前のことであり，ヘキソキナーゼの結合におけるアイソフォーム間での違いは研究されていない．

b. グリセロールキナーゼ

ヘキソキナーゼのポーリンへの結合に比べ，グリセロールキナーゼとポーリンの相互作用に関する知見は少ない[27,28]．その生理的意義と相互作用の分子機構の解明が期待される．

c. bax

ミトコンドリアの透過性遷移の誘導に伴って放出されるシトクロム c は，アポトーシスの誘導に重要な役割を演じている．膜間スペースに存在するシトクロム c がミトコンドリアからどのようにして放出されるかは定かでなかったが，最近，ポーリンを介して放出されていることが判明した．すなわち，アポトーシスを誘導するbaxやbakがポーリンと直接相互作用し，シトクロム c の放出をひき起こしている[29]．また，これらのタンパク質を添加することにより，ポーリンのチャンネル機能が著しく亢進することも報告されている[30]．

●おわりに

これまでミトコンドリア外膜の単なる小孔とされてきたポーリンに，いくつかの新たな機能が見い出されてきた．しかし，本来の役割であるはずの小孔としての機能はまだ十分に解析されていない．外膜の透過性の制御という，酸化的リン酸化反応の新しい制御機構があるかもしれない．

●文　献

1) Kayser, H., Kratzin, H.D., Thinnes, F.P., et al.: Biol. Chem. Hoppe-Seyler, **370**, 1265-1278 (1989)
2) Shinohara, Y., Ishida, T., Hino, M., et al.: Eur. J. Biochem., **267**, 6067-6073 (2000)
3) Yu, W.H., Wolfgang, W., Forte, M.: J. Biol. Chem., **270**, 13998-14006 (1995)
4) Anflous, K., Blondel, O., Bernard, A., et al.: Biochim. Biophys. Acta, **1399**, 47-50 (1998)
5) Sampson, M.J., Ross, L., Decker, W.K., Craigen, W.J.: J. Biol. Chem., **273**, 30482-30486 (1998)
6) Blachly-Dyson, E., Baldini, A., Litt, M., et al.: Genomics, **20**, 62-67 (1994)
7) Blachly-Dyson, E., Peng, S., Colombini, M., Forte, M.: Science, **247**, 1233-1236 (1990)
8) De-Pinto, V., Prezioso, G., Thinnes, F., et al.: Biochemistry, **30**, 10191-10200 (1991)
9) Song, J., Colombini, M.: J. Bioenerg. Biomembr., **28**, 153-161 (1996)
10) Song, J., Midson, C., Blachly-Dyson, E., et al.: J. Biol. Chem., **273**, 24406-24413 (1998)
11) Dihanich, M., Suda, K., Schatz, G.: EMBO J., **6**, 723-728 (1987)
12) Blachly-Dyson, E., Zambronicz, E.B., Yu, W.H., et al.: channel. J. Biol. Chem., **268**, 1835-1841 (1993)
13) Sampson, M.J., Lovell, R.S., Craigen, W.J.: J. Biol. Chem., **272**, 18966-18973 (1997)
14) Blachly-Dyson, E., Song, J., Wolfgang, W.J., et al.: Mol. Cell Biol., **17**, 5727-5738 (1997)
15) Shoshan-Barmatz, V., Hadad, N., Feng, W., et al.: FEBS Lett., **386**, 205-210 (1996)
16) Yu, W.H., Forte, M.: J. Bioenerg. Biomembr., **28**, 93-100 (1996)
17) Colombini, M., Blachly-Dyson, E., Forte, M.: Ion Channels, **4**, 169-202 (1996)
18) Polakis, P.G., Wilson, J.E.: Arch. Biochem. Biophys., **236**, 328-337 (1985)
19) Gelb, B.D., Adams, V., Jones, S.N., et al.: Proc. Natl. Acad. Sci. USA, **89**, 202-206 (1992)
20) Wilson, J.E.: Rev. Physiol. Biochem. Pharmacol., **126**, 65-198 (1995)
21) Felgner, P.L., Messer, J.L., Wilson, J.E.: J. Biol. Chem., **254**, 4946-4949 (1979)

22) Wilson, J.E., Messer, J.L., Felgner, P.L.: Methods in Enzymology, vol. 97, 469-475, Academic Press, New York (1983)
23) Fiek, C., Benz, R., Roos, N., Brdiczka, D.: *Biochim. Biophys. Acta*, **688**, 429-440 (1982)
24) Linden, M., Gellerfors, P., Nelson, B.D.: *FEBS Lett.*, **141**, 189-192 (1982)
25) Nakashima, R.A., Mangan, P.S., Colombini, M., Pedersen, P.L.: *Biochemistry*, **25**, 1015-1021 (1986)
26) De-Pinto, V., al-Jamal, J.A., Palmieri, F.: *J. Biol. Chem.*, **268**, 12977-12982 (1993)
27) Ostlund, A.K., Gohring, U., Krause, J., Brdiczka, D.: *Biochem. Med.*, **30**, 231-245 (1983)
28) Adams, V., Griffin, L., Towbin, J., *et al.*: *Biochem. Med. Metab. Biol.*, **45**, 271-291 (1991)
29) Shimizu, S., Narita, M., Tsujimoto, Y.: *Nature*, **399**, 483-487 (1999)
30) Shimizu, S., Ide, T., Yanagida, T., Tsujimoto, Y.: *J. Biol. Chem.*, **275**, 12321-12325 (2000)

ミトコンドリアとヘム・鉄代謝

竹谷　茂・古山　和道・藤田　博美

●はじめに

ミトコンドリアの重要な機能のひとつである呼吸に必須の役割を果たしているヘムは，脊椎動物においては8種類の反応を経て合成される．その初発反応であるδ-アミノレブリン酸（ALA）の合成はミトコンドリア内で始まり，産物は細胞質に出て4段階の反応を経てコプロポルフィリノーゲンIIIとなったのち，ふたたびミトコンドリア内に移行し，3段階の終末反応を経由して鉄-プロトポルフィリン（ヘム）となる（図1）．

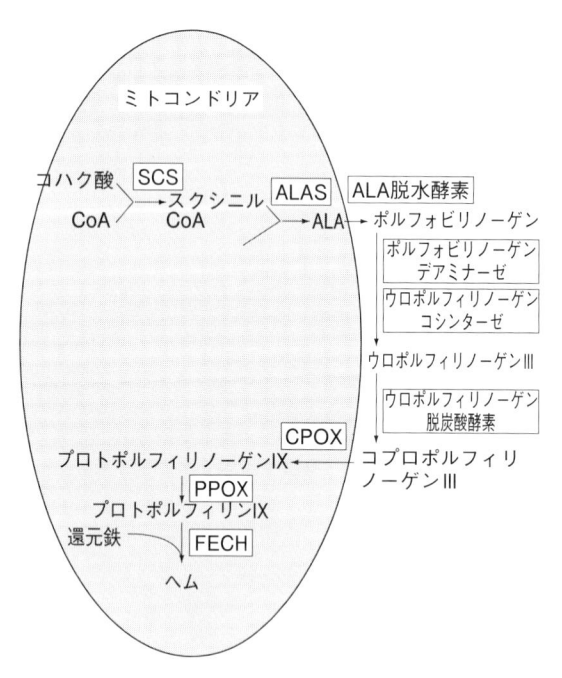

ヘム代謝系の8種類の酵素はすべて核の遺伝子によってコードされており，また哺乳類においてはヘムの過半は細胞質タンパク質（とくにヘモグロビン）の補欠分子族として利用されているにもかかわらず，なぜヘム合成の初発酵素と終末酵素群がミトコンドリアに移行し，合成経路はミトコンドリア膜を往復する複雑な過程を経るのだろうか．

一方，ヘムは体内最大の鉄のデポジットであり，ヘム合成の正常な調節にはミトコンドリアへの十分な鉄の輸送が前提となっている．さらに，ヘム合成系の律速酵素ALA合成酵素（ALAS）の造血型アイソザイム（ALAS-E）の翻訳が5′側に存在するiron responsive element（IRE）による調節を受けること，ALAS-Eの突然変異により鉄病態のひとつである鉄芽球性貧血がひき起こされること，また終末酵素であるフェロケラターゼ（FECH）のC末端に存在する鉄-硫黄クラスターを介して鉄がFECH機能を調節している可能性があることなど，ヘム代謝と鉄代謝はきわめて密接に関連している．本稿では，ヘム合成系酵素のミトコンドリア移行の一例としてのALAS-Eの輸送，終末酵素群の調節，およびミトコンドリアを巡る鉄動態について概説する．

図1　ヘム合成系
SCS：スクシニルCoA合成酵素，ALA：δ-アミノレブリン酸，ALAS：δ-アミノレブリン酸合成酵素，CPOX：コプロポルフィリノーゲンオキシダーゼ，PPOX：プロトポルフィリノーゲンオキシダーゼ，FECH：フェロキラターゼ

1. ミトコンドリアとヘム合成

a. ALA合成酵素（ALAS）

ヘム合成の初発反応であるグリシンとスクシニルCoAからALAへの律速段階を触媒するALASは，ミトコンドリアのマトリックスおよび内膜で機能している．本酵素には，X染色体上に存在して赤血球系特異的に発現するALAS-Eと第3染色体上に存在して造血組織を含むすべての細胞で発現している非特異的ALAS（ALAS-N）の2種類のアイソザイムが知られている[1]．この2種類のアイソザイムの発現調節機構には多くの差が存在するが，もっとも特徴的なものは，ALAS-Nは終末産物ヘムによる負のフィードバック制御を受けるのに対し，ALAS-Eは正に制御されていることである．言い換えれば，ALAS-Nはシトクロム P-450などのヘムタンパク質へ恒常的にヘムを供給し，ALAS-Eは赤血球分化に必要な大量のヘムをヘモグロビンの補欠分子族として一定期間に供給するという，各アイソザイム特有の生物学的合目的性に応じて調節されている．本節では，ALASのミトコンドリア移行機構，ALAS-Eの突然変異による鉄芽球性貧血の発症機構，さらにALASのミトコンドリア内での存在様式について記述する．

(i) ヘムによるALASのミトコンドリア移行の調節

ALASは，核内のゲノムDNAを鋳型として転写されたmRNAが細胞質において翻訳された前駆体として生成される．本前駆体は，細胞質からミトコンドリアへ移行し，さらにミトコンドリア外膜からマトリックスへ移行するために必要なプレ配列とよばれるシグナル配列をN末端にもっている．このプレ配列はミトコンドリアへ移行後に特異的ペプチダーゼにより除去され，成熟酵素ができる．

ラット肝や培養細胞にヘミンを投与するとALAS-N前駆体が細胞質に蓄積することが以前から知られており，これが負のフィードバック調節の重要な要素のひとつであると考えられていた．ALAS-EとALAS-NのcDNAがクローニングされてアミノ酸配列が明らかになり，これらのアイソザイムは酵素活性を担う成熟酵素の部分では非常に相同性が高いが，プレ配列の部分はかなり異なっていることが明らかにされた．Lathropら[2]は各アイソザイムのプレ配列のなかでも相同性を維持している部分に注目し，この部分にヘムが直接結合することによりALASのミトコンドリアへの移行が阻害されることを試験管内の実験系で示し，この部分を heme regulatory motif（HRM）と名付けた．しかし，彼らの実験系ではマウスのALAS-Eのプレ配列が用いられており，ALAS-Eがヘムによる発現抑制を受けないことと反するように考えられた．このため，ラットのALAS-EとALAS-Nの各cDNAをpCAG発現ベクターに組み込み，ウズラ線維芽細胞由来のQT6細胞にリン酸カルシウム法を用いて導入したのちにヘミンを培養液中に添加し，ミトコンドリアへの各アイソザイムの移行にヘムがどのように影響するかが検討された．その結果，両アイソザイムともヘミン添加により濃度依存性にミトコンドリアへの移行が抑制されたが，HRMの部分にアミノ酸変異を導入した場合にはヘミン添加による影響は軽減された．また，ヘミン添加によるミトコンドリアへの移行抑制は，ALAS-Nにおいて顕著に認められ，ALAS-Eでは軽度であった．以上の結果から，ALAS-Nに関してはヘムが負のフィードバック調節の一環としてのミトコンドリア移行調節に機能しているが，ALAS-Eではあまり重要な機能を果たしていないと考えられた．

(ii) 鉄芽球性貧血とALAS酵素活性の異常

鉄芽球性貧血はミトコンドリアに鉄が沈着する一群の貧血の総称であるが，遺伝性・家族性に発症するものと後天性に発症するものとに大別される．さらに，ALASの補酵素であるピリドキサールリン酸（PLP：薬剤としてはピリドキシン®）の投与で貧血が改善するピリドキシン反応性鉄芽球性貧血とピリドキシンの投与に応答しないピリドキシン不応性鉄芽球性貧血に分類される．遺伝性・後天性を問わず，ピリドキシン反応性の症例が少なからず存在すること，血中PLP濃度を低下させるような薬剤の投与により鉄芽球性貧血が発症すること，鉄芽球性貧血患者の骨髄ではALAS活性が低い場合が多

いことなどから，ALASの異常が鉄芽球性貧血の発症にかかわっているものと考えられた．とくに，ALAS-E遺伝子がX染色体上に存在することが知られてからは，伴性劣性遺伝の形式をとる遺伝性鉄芽球性貧血（X-linked sideroblastic anemia：XLSA）とALAS-E遺伝子の異常との関係が注目されてきた．

ALAS-E遺伝子に変異をもつピリドキシン反応性の症例および，家系が1992年，1994年にそれぞれ報告された．筆者らも，5種のミスセンス変異をわが国の鉄芽球性貧血患者ALAS-E遺伝子上に同定しており[3〜6]，現在までに20種類以上の変異が報告されている．これらのうちで詳細に解析されているピリドキシン反応性の症例では，ALAS-Eの変異により高次構造が変化してPLPが結合しにくくなるために酵素活性が低下するが，多量のPLP投与で活性低下から回復すると考えられている．

ピリドキシン不応性の患者では，現在までのところ筆者らの報告が唯一詳細に検討された症例であり，非常に興味深い表現型を有していた[3]．本例のALAS-E遺伝子にはA621T変異が存在し，この変異によりD190V置換が予想された．このアミノ酸置換をもつ酵素を大腸菌で発現させて精製酵素の比活性を測定したところ，野生型酵素とまったく変わらなかった．しかし，QT6細胞に変異遺伝子を発現させ，ミトコンドリア画分を部分精製した後にSDS-PAGE/イムノブロット法により変異酵素を検出したところ，前駆体の大きさは野生型酵素と同様であったが，野生型より約1 kDaおよび1.5 kDa大きな2種類の成熟型ALAS-Eが検出された．変異ALAS-E cDNAから in vitro 転写・翻訳系を用いて前駆体を合成し，マウス肝由来のミトコンドリアに移行させた場合も同様の現象が観察されるが，この系では成熟酵素は常にスメアー状のバンドを示した．このような実験結果と患者骨髄のALASタンパク量および活性がともに1/20まで減少していたことを考えあわせ，D190V置換は酵素活性を低下させないが，ミトコンドリア内でプレ配列が異常なプロセシングを受けるために不安定な成熟酵素となり，赤血球分化に必要なヘムが十分に供給されず，鉄芽球性貧血を発症すると考えられた．

(iii) ミトコンドリア内での酵素複合体の形成

上記の結果から，ミトコンドリア内に移行後のALAS-Eは，タンパク質間の結合により制御されている可能性がある．酵母ツーハイブリッド法により成熟型のALAS-Eをバイト（bait）としてヒト骨髄cDNAライブラリーをスクリーニングした結果，得られた陽性クローンはすべて，スクシニルCoA合成酵素（SCS）のATP特異的βサブユニット（SCS-βA）の一部をコードしていた[8]．

SCSはミトコンドリアにおいてコハク酸とCoAからスクシニルCoAを合成する酵素であり，反応を触媒する際に酵素がリン酸化される必要がある．リン酸化の基質によりATP特異的SCS（A-SCS）またはGTP特異的SCS（G-SCS）の2種類のアイソザイムが存在し，共通のαサブユニット（SCS-α）と基質を規定する特異的βサブユニット（SCS-βA，SCS-βG）で構成されている．大腸菌などではA-SCSがαとβサブユニットのヘテロ4量体として機能しており，哺乳類ではG-SCSのヘテロ2量体のみが機能していると考えられていた．ところが近年，哺乳類においてA-SCSとG-SCSの両者がヘテロ2量体（α/βAまたはα/βG）として機能しており，臓器によっておもなアイソザイムが異なることが明らかとなった[9,10]．一方，本酵素はTCA回路においてスクシニルCoAを分解してコハク酸とCoAを生成する反応を触媒し，その際にATPあるいはGTPがつくられる．

ALAS-EとSCS-βA以外のサブユニットとの結合やALAS-NとSCSの各サブユニットとの結合についても酵母ツーハイブリッド法により検討されたが，いずれも検出できず，ALAS-EとSCS-βAのみが特異的に結合するが，ALAS-Nはいずれの SCSサブユニットとも結合しないものと考えられた．したがって，ALAS-EとA-SCSはSCS-βAを介して酵素複合体を形成していると考えられる．この酵素複合体の形成により，赤血球系細胞においてスクシニルCoAがALASに効率よく供給され，大量のALA，ひいてはヘムの合成が可能と推測される．

XLSA 患者において同定された変異 ALAS-E と SCS-βA が結合するか否かについて酵母ツーハイブリッド法を用いて検討した結果，ピリドキシン反応性の2種類の変異酵素は野生型酵素と同様に SCS-βA と結合するのに対し，ピリドキシン不応性の変異酵素（D190V）は SCS-βA と結合できないことが判明した．すなわち，D190V 変異 ALAS-E は正常なプレ配列の切除を受けることができないだけでなく，A-SCS との酵素複合体も形成できなくなっている．SCS-βA と結合できないことが D190V 変異酵素の不安定さの原因となっている可能性もあるが，逆に ALAS-E と結合できない変異を有する SCS-βA が鉄芽球性貧血の原因となりうることも示唆され，ALAS-E 変異を有しないピリドキシン不応性鉄芽球性貧血の原因を探るうえで，非常に重要な所見である．

ALAS-E と SCS-βA が CHO（チャイニーズハムスター卵巣）細胞内でも結合することは，それぞれに異なるタグを付与して発現させ，一方のタグに対する抗体を用いて免疫沈降法により分離し，他方のタグに対する抗体で検出すること（免疫共沈法）により確認されている．それぞれの成熟型タンパク質が検出できることから，ミトコンドリア内での結合が確認され，同時にお互いの前駆体タンパク質も検出された．この結果は，前駆体どうしが細胞質またはミトコンドリアの外膜において結合し，SCS-βA と ALAS-E が相互にシャペロンとして機能している可能性も示唆する．この所見は，新たなヘム生合成系の調節機構の存在を予想させて興味深い．

b. ヘム合成の終末酵素群と鉄還元系

脊椎動物のヘム合成は第6番目の酵素コプロポルフィリノーゲンオキシダーゼ（CPOX）の階段でふたたびミトコンドリア内に移行する[11,12]（図1）．第5番目のウロポルフィリノーゲン脱炭酸酵素で合成されたコプロポルフィリノーゲンIIIのミトコンドリア外膜通過には，ミトコンドリア外膜表面に存在する末梢型ベンゾジアゼピン受容体が関与する可能性が高い．ミトコンドリア内にはいったコプロポルフィリノーゲンIIIはミトコンドリア内外膜空間に局在する CPOX で代謝される．動物の CPOX は分子量 37 kDa のサブユニットからなるホモ2量体の可溶性タンパク質である．酵母および植物の CPOX はそれぞれ細胞質とクロロプラストに局在し，動物の CPOX とは異なっている．CPOX によって産生されたプロトポルフィリノーゲンIIIは内膜外側に局在するプロトポルフィリノーゲンオキシダーゼ（PPOX）により酸化されてプロトポルフィリンIXとなる．PPOX は分子量 57 kDa のフラビン含有蛋白質である．PPOX は数種類の除草剤で顕著に阻害され，とくに植物ではポルフィリンが蓄積し，光酸化反応により多量のラジカルが生じて細胞死を招く．

PPOX によって生成したプロトポルフィリンIXはキャリヤーにより内膜を通過してマトリックス側に運ばれ，終末酵素フェロケラターゼ（FECH）によって2価鉄が導入されてヘムが合成される．FECH は分子量 42 kDa のペリフェラール型の膜タンパク質である．最近，動物の FECH の C 末端には 2Fe-2S のクラスター構造が含まれることが判明した[12]．本クラスター構造を破壊すると酵素が失活することから，その触媒活性への関与が確かめられているが，含有鉄は基質にはなりえず，その機能は不明である．酵母などの下等真核生物やバクテリアの FECH には本クラスター構造が存在しないことから，高等生物に特有の NO ガスや鉄イオンなどによる FECH レベルでのヘム合成調節も考えられる．

ヘム合成が最期にミトコンドリアに戻ってくることの合目的性として2価鉄の産生が考えられる．酸素存在下における2価鉄の寿命の短さから考え，鉄の還元系と FECH が近傍に局在もしくは会合していることが必要である．ミトコンドリア内で鉄を還元する分子としては NADH 脱水素酵素とコハク酸脱水素酵素があるが，とくに NADH 脱水素酵素依存性の鉄還元活性は強く，2価鉄の生成に関与すると考えられている．もちろん，ミトコンドリア内膜に特異的な鉄還元酵素が存在する可能性も否定できない[12]．

鉛中毒では赤血球にプロトポルフィリンや亜鉛プロトポルフィリンが蓄積することが知られている．

この原因として鉛によるFECHの阻害が考えられるが，さらに，鉄還元系が鉛によって阻害されて鉄欠乏状態に陥り，還元系とは無関係な亜鉛がポルフィリン環に挿入されて亜鉛プロトポルフィリンが蓄積すると考えられている．一方，還元されなかった鉄が沈着することにより鉄芽球が出現すると考えられる．

最近，シトクロム酸化酵素のサブユニットIに鉄還元活性があり，サブユニットIのアミノ酸変異と3価鉄の蓄積が関与する遺伝病があることが報告されている．ミトコンドリアにおける鉄還元機構の解明はミトコンドリア研究の中心的な課題のひとつであり，今後の発展が期待される．

2. ミトコンドリアの鉄含有タンパク質

a. ヘムタンパク質（シトクロム）

呼吸鎖の中心的存在であるシトクロムはヘム鉄を補欠分子族とするタンパク質であり，2価鉄と3価鉄の可逆的な変換により電子伝達を行っている．一般に，動物細胞のミトコンドリアには少なくとも5種類のシトクロムが存在する（シトクロムa, a_3, b, c_1, c）．a, b型はアポタンパク質の特定の位置でヘムと配位する．一方，c型はヘムがタンパク質と共有結合する．シトクロムc_1はbと複合体を形成する分子量53 kDaのタンパク質として内膜に埋め込まれており，シトクロムaとも相互作用する．

シトクロムcは内膜外側に局在する分子量12 kDaのタンパク質であり，103〜108個（生物種によって異なる）のアミノ酸からできており，14番と17番のCysにヘムが結合している．最近，アポトーシスにシトクロムcが関与することが明らかにされた．すなわち，ミトコンドリア外膜のタンパク質の変化によってシトクロムcが細胞質に遊離され，これが引き金になり一連のタンパク質分解酵素カスパーゼが活性化されてアポトーシスのシグナルが核内に伝えられて細胞死を起こす．

シトクロムbは分子量28 kDaのミトコンドリア内膜タンパク質であり，酸化的リン酸化に関与する．

シトクロム酸化酵素（ヘムa）は呼吸鎖の末端に位置し，13個のヘテロサブユニットから構成（分子量210 kDa）され，2分子のヘムaと3分子の銅，1分子のマグネシウムと亜鉛を含んでおり，シトクロムcから電子を受ける．各酵素複合体サブユニットの遺伝子は核とミトコンドリアのDNAに別々にコードされている．

腎皮質ミトコンドリアのマトリックスにはプロビタミンDのヒドロキシル化反応をつかさどる特殊なシトクロムP-450が存在しており，副腎皮質のミトコンドリアマトリックスにはコレステロールからステロイドホルモンを合成する律速酵素シトクロムP-450sccが局在している．

b. 非ヘム鉄タンパク質

ミトコンドリア呼吸鎖のシトクロムと並ぶ主要タンパク質は，非ヘム鉄が不安定な硫黄と結合するクラスター構造を有し，電子伝達を担っている．

TCA回路でクエン酸をcis-アコニット酸に変換するアコニターゼは4Fe-4Sを含む不安定な酵素である．細胞質にも同様なアイソザイムが存在し，細胞内鉄レベルでその活性が調節されるIRE結合タンパク質とよばれている．すなわち，ALAS-E，トランスフェリン受容体，フェリチンなどの鉄代謝に関与するタンパク質のmRNAに結合し，安定化や翻訳抑制を行う．ミトコンドリア内のアコニターゼにも同様のIRE結合タンパク質としての機能があると考えられているが，その標的mRNAは不明である．

ミトコンドリア呼吸鎖の複合体Iに相当するNADH脱水素酵素は，41個のサブユニットで構成され，2〜3個の4Fe-4Sと2〜3個の2Fe-2Sの非ヘム鉄タンパク質を含む．複合体II（コハク酸脱水素酵素）の4種類のサブユニットには4Fe-4S，3Fe-3Sおよび2Fe-2Sの非ヘム鉄タンパク質が含まれている．複合体IIIには1個の2Fe-2Sタンパク質が含まれており，各鉄−硫黄クラスターは酸素分子を介する電子伝達に関与している．

副腎皮質ミトコンドリアのマトリックスに局在する非ヘムタンパク質アドレノドキシンは，レドックスを調節してシトクロムP-450へ電子を伝達して

脂溶性基質への酸素添加反応を起こす．植物ミトコンドリアにも同様なレドキシンが存在する．

3. ミトコンドリアにおける鉄代謝調節

a. 概説

肝ミトコンドリアの鉄含量は平均5（3〜12）nmol/mg タンパク質であり，その30〜50％はヘム，50〜70％は非ヘム鉄である．非ヘム鉄の40％は非ヘム鉄タンパク質であり，残りの60％はヘムでも非ヘム鉄でもなく，この鉄分子がヘム合成に利用される．

この鉄プールはヘム合成の乱れによって変動する．たとえば，ヘム合成阻害剤であるグリセオフルビンの投与で肝にポルフィリンが蓄積すると同時に，ミトコンドリアに鉄が蓄積する．ヘモグロビン合成が非常に盛んな赤血球やヘム合成量の少ない組織のミトコンドリア鉄代謝と肝のそれとは大差ないと思われる．ミトコンドリアの鉄含有量は，鉄欠乏もしくは過剰状態で変動するといわれてきた．しかし，ミトコンドリアの単離技術の発達に伴い，鉄過剰時に鉄が蓄積するのはリソソームであり，ミトコンドリア鉄含量はあまり変化しないことが判明した．

ミトコンドリアへの鉄の取込みは，塩化鉄，クエン酸鉄，スクロース鉄，ピロリン酸鉄およびADP/ATP鉄など，種々の鉄リガンドやフェリチンあるいはトランスフェリンなどを用いて研究されてきた．しかし，試験管内では鉄が沈着するために明確な答えはまだ出ていない．生理的な鉄リガンドとしては，トランスフェリン鉄がフェリチンに移るときに生じるピロリン酸が考えられている．一方，低分子の鉄中間体はピロリン酸ではないことも報告されている．鉄代謝の様相は酵母の変異株やヒト遺伝病の研究から明らかになる場合が多いが，2価鉄の迅速な酸化，3価鉄の難溶性，非特異的な吸着などの問題があり，鉄を生体外で扱う研究の進展は遅い．

一般に，ミトコンドリアは鉄代謝の中心と考えられている．とくに，ヘモグロビン合成が盛んな赤血球系細胞において，鉄はミトコンドリアを中心に利用されている．すなわち，トランスフェリン鉄はトランスフェリン受容体を介するエンドサイトーシスによって細胞内に取り込まれる．エンドサイトーシス時にエンドソーム内のpHが酸性になり，鉄はトランスフェリンから遊離して細胞内へはいる．赤血球系ではトランスフェリン由来の大部分の鉄はミトコンドリア外膜および内膜を通過し，内膜マトリックス側に局在するFECHに達する[3]．ヘモグロビン産生細胞においては，フェロケラターゼのもうひとつの基質であるプロトポルフィリンの合成が停止しても，ミトコンドリアへの鉄供給は止まらない．

ミトコンドリア内の鉄の存在状態は不明であるが，フェリチンのように毒性を消失させる形では存在しないようである．酵母以外のほとんどの生物にはフェリチン様の鉄を無毒化するタンパク質が存在するが，ミトコンドリアでは蓄積した鉄がヘムとしてうまく利用される．また，合成されたヘムは素早く細胞質に輸送され，アポヘムタンパク質と会合する．その結果，赤芽球などではミトコンドリアにはいった遊離鉄のほとんどがヘムになってミトコンドリア外に出ることになる．赤血球系ではヘム合成を低下させてもミトコンドリア内およびフェリチン内に鉄の蓄積はまったく起こらないが，非赤血球系細胞では過剰な鉄はすべてフェリチン内に吸収され，赤血球系とは異なる調節機構が示唆されている．

b. 赤血球系のミトコンドリアは鉄の標的小器官である

銅欠乏動物で網状赤芽球のポルフィリン合成が抑制されると，ミトコンドリアへの鉄の取込みが極端に減少する．酵母の鉄の取込みには銅輸送系がカップリングしているのと同様に，高等動物でも銅代謝とミトコンドリアへの鉄の取込みやヘム代謝系が相互に関連している可能性がある．以下に，鉄を中心とした視点からヘム合成障害について述べる．

ALAS-E欠損に代表されるヘム合成障害では鉄芽球の出現を伴う鉄代謝異常が認められる．先天性鉄芽球性貧血の鉄沈着の原因として，(a) 赤芽球のミトコンドリアは鉄の標的器官として運命づけられている，(b) プロトポルフィリンが合成されて

こないのでヘムになれない，(c) 鉄取込みの負の調節因子ヘムが産生されないので鉄が蓄積する，(d) 鉄はヘムに変換されないとミトコンドリアから積極的に放出されない，などがあげられる．

一方，後天性鉄芽球性貧血ではプロトポルフィリンの合成が停止している証拠はない．さらに，Pearson症候群患者由来の鉄芽球細胞ではヘム合成異常はなく，先天性のミトコンドリアDNA異常による呼吸鎖の機能不全から，Fe(Ⅲ)の還元反応が低下するために鉄が沈着すると考えられている．原発性鉄芽球性貧血は幹細胞の異常分化と思われるが，老化によるDNAの欠落や変異などの2次的な異常にも原因があると考えられる[13]．

ヘモグロビン合成のために効率よく鉄が取り込まれることから，赤血球系のミトコンドリアは鉄の標的小器官であると考えられる．これらの細胞では細胞質における鉄の中間体やフェリチンへの移行がまったく認められないので，エンドソーム内に存在する鉄は直接ミトコンドリアへ運ばれ，直ちにFECHと会合してヘム合成に利用されると考えられる．しかし，このような鉄の運命を決定する機構は不明である．

c. 酵母ミトコンドリアでの鉄代謝と高等生物

最近，ミトコンドリアの鉄輸送を担っている興味ある数種類の遺伝子が単離された．骨髄性運動失調症として知られるFriedrich失調症は常染色体劣性に遺伝する．わが国ではあまり症例が知られていないが，ヨーロッパでは5,000人に1人の割合で発病している．ある種の遺伝子のGAAリピートが健常人では6〜42個であるのに対し，本患者では200〜1700個あることが明らかにされた．最近，その原因遺伝子がミトコンドリアタンパク質フラタキシン（frataxin）であることが判明した[14]．酵母にもフラタキシン様のミトコンドリアタンパク質が存在し，その変異株ではミトコンドリアに鉄が蓄積することから，本分子が鉄輸送に関与していることが示された．本変異株では鉄の取込みは正常であることから，フラタキシンはミトコンドリアからの鉄移出を促進していると考えられている．フラタキシンはミトコンドリアの鉄恒常性を直接支配するだけでなく，鉄により活性化されるmitochondrial intermediate peptidase（MIP）を介して鉄の取込みも増加させる．このようにしてミトコンドリア内に鉄がさらに蓄積する．この蓄積した鉄により生じるラジカルの攻撃で，アコニターゼをはじめとする非ヘム鉄酵素群の機能が低下し，ミトコンドリア機能異常を誘起すると考えられている．

酵母ミトコンドリアへの鉄の取込みに関与するMTFT1とMFT2が単離されている．両分子とも非ABC型ポンプタンパク質であり，そのアミノ酸配列は動物の亜鉛輸送担体と高い相同性を示す．動物にも同様の輸送体が存在し，これにより取込まれた鉄はヘム合成や鉄-硫黄クラスターの形成に利用されると考えられる．酵母では鉄-硫黄クラスターの形成を触媒するミトコンドリアタンパク質NifSも細胞全体の鉄代謝を調節している．

酵母のミトコンドリア内膜に局在するABC型ポンプタンパク質ATM1を変異させた株は，呼吸能力と増殖能が低く，酸化的ストレスに対して極端に感受性が高くなる．同変異株の細胞内異常として，ミトコンドリア内の鉄蓄積が認められた．ATM1はヘム合成，鉄利用，鉄輸送などには直接関与せず，ミトコンドリアからの非ヘム鉄クラスターの移出に携わる可能性があり，その変異は鉄の移出を低下させると考えられる．本ポンプのヒトホモログhABC7の変異による遺伝病はXLSAの鉄沈着症として知られており，動物においても同様の機能を担っていることが示された．また，数種類の植物のミトコンドリアにもABC型のヘム輸送タンパク質があることが知られている．その詳細な機能については不明であり，今後の研究が待たれる．

●おわりに

以上，ミトコンドリアを巡るヘム合成および鉄代謝調節機構について概説した．ヘムと鉄はきわめて密接な関係にあるにもかかわらず，それぞれが独自の研究テーマとして進行してきたため，本稿はいささか未整理な印象を与えると思われる．ことにALAS-Eと鉄芽球性貧血をめぐる話題はヘム合成と鉄代謝の双方に関連するため，現段階では重複せ

ざるをえなかったことをお詫びしたい.

　鉄とヘムを巡る最近の話題は必ずしもミトコンドリアに限られるわけではない．コーカサス人においては，遺伝性ヘモクロマトージスの原因遺伝子ヘモクロマトージス因子（HFE）のC282Y置換に基づく機能異常とヘム代謝異常が関連することが報告されている．しかし，日本人を対象とした筆者らの解析ではC282Y置換とヘム代謝異常を直接結び付ける結果は得られておらず[15]，人種差の問題を含め，今後さらなる解析が待たれる．

● 文　献

1) Yamamoto, M., Yew, N.S., Federspiel, M., et al., Proc. Natl. Acad. Sci. USA, **82**, 3702-3706 (1985)
2) Lathrop, J.T., Timko, M.P. : Science, **259**, 522-525 (1993)
3) Furuyama, K., Fujita, H., Nagai, T., et al., : Blood, **90**, 822-830 (1997)
4) Furuyama, K., Uno, R., Urabe, A., et al., : Br. J. Haematol., **103**, 839-841 (1998)
5) Harigae, H., Furuyama, K., Kimura, A., et al., : Br. J. Haematol., **106**, 175-177 (1999)
6) Harigae, H., Furuyama, K., Kudo, K., et al.: Am. J. Hematol., **62**, 112-114 (1999)
7) May, A., Bishop, D.F. : Haematologica, **83**, 56-70 (1998)
8) Furuyama, K. Sassa, S. : J. Clin. Invest., **105**, 757-764 (2000)
9) Johnson, J.D., Mehus, J.G., Tews, K., et al.: J. Biol. Chem., **273**, 27580-27586 (1998)
10) Johnson, J.D., Muhonen, W.W., Lambeth. D.O. : J. Biol. Chem., **273**, 27572-27579 (1998)
11) Dailey, H. A. : in "Biosynthesis of heme and chlorophylls" (Dailey, H. A., ed.), pp.123-161, McGraw-Hill, New York (1990)
12) Taketani, S. : in "Regulation of Heme Protein Synthesis" (Fujita, H., ed.), pp, 41-54, AlphaMed Press, Ohio (1994)
13) Ponka, P. : Am. J. Med. Sci., **318**, 241-256 (1999)
14) Rotig, A., de Lonlay, P., Chretien, D., et al.: **17**, 215-217 (1997)
15) Furuyama, K., Kondo, M., Hirata, K., et al.: Hepatology, **30**, 1532-1533 (1999)

ミトコンドリアとステロイド代謝

岡本 光弘・堀家 なな緒

●はじめに

さまざまな環境中で細胞が正常に活動できるには，環境変化に応じて細胞膜の物理化学的性状を柔軟に変動させて膜タンパク質の生理機能を十分に発揮させる必要がある．生物は，細胞膜のコレステロールとリン脂質の組成を環境に応じて変化させ，膜の生理的な流動性を保っている．したがって，コレステロールは生命維持に必須の脂質である．

コレステロールは，脊椎動物のいくつかの臓器において生理活性脂質を生合成する原料として使われている．肝ではコレステロールから胆汁酸が合成されて胆汁中に排泄される．胆汁酸は小腸で食物中の脂肪成分の消化を助ける．一方，副腎皮質や生殖腺ではコレステロールからステロイドホルモンが合成され，血液中に分泌される．ステロイドホルモンはその標的細胞の核内受容体に結合し，遺伝子発現を制御して細胞の生理機能を調節する．コレステロール生合成の前駆体7-デヒドロコレステロールから紫外線の作用で皮膚に生じたプレビタミンD_3は，肝と腎で代謝されて活性型ビタミンD_3に変換されて血液中に分泌される．ステロイドホルモンと同様に，活性型ビタミンD_3も核内受容体を活性化して生理機能を発現する．これらの生理活性脂質の生合成過程は数段階からなるが，各段階の反応はミトコンドリア膜と小胞体膜のいずれかの膜上で進行する．つまり，最終産物が生成するまでの生合成過程は，個々の反応の基質であるステロイドがミトコンドリアと小胞体の間を往復しながら進行する．ここでは，ミトコンドリアと小胞体膜間でのステロイドの移動に焦点を合わせてステロイドホルモンの生合成過程を概説する．

1. ステロイドホルモンの生合成と分泌にかかわるシグナル伝達系

副腎皮質や生殖腺は，下垂体から分泌されるペプチドホルモンである副腎皮質刺激ホルモン（adrenocorticotropic hormone：ACTH）や性腺刺激ホルモン（gonadotropic hormone）によって刺激されると，ステロイドホルモンを生合成して分泌する．細胞内でコレステロールから生合成されたステロイドホルモンは，貯蔵されることなくただちに分泌される．つまり，上位ホルモンが細胞膜の受容体に結合すると，短時間に（普通，1時間以内）ステロイドホルモンの生合成過程が活性化される．

図1はACTHによる副腎皮質細胞の刺激応答のシグナル伝達機構をまとめたものである．ステロイドホルモンの原料であるコレステロールはサイトゾルにエステル型で貯蔵されている．ACTHが表面膜にある受容体に結合するとGTP結合タンパク質-アデニル酸シクラーゼを介するシグナル伝達系が活性化され，細胞内でcAMPがセカンドメッセンジャーとして生じる．cAMPはプロテインキナーゼAを活性化し，コレステロールエステラーゼをリン酸化して活性化する．エステラーゼの作用によってサイトゾルで生成した遊離コレステロールは，ミトコンドリアに運ばれて内膜のシトクロム

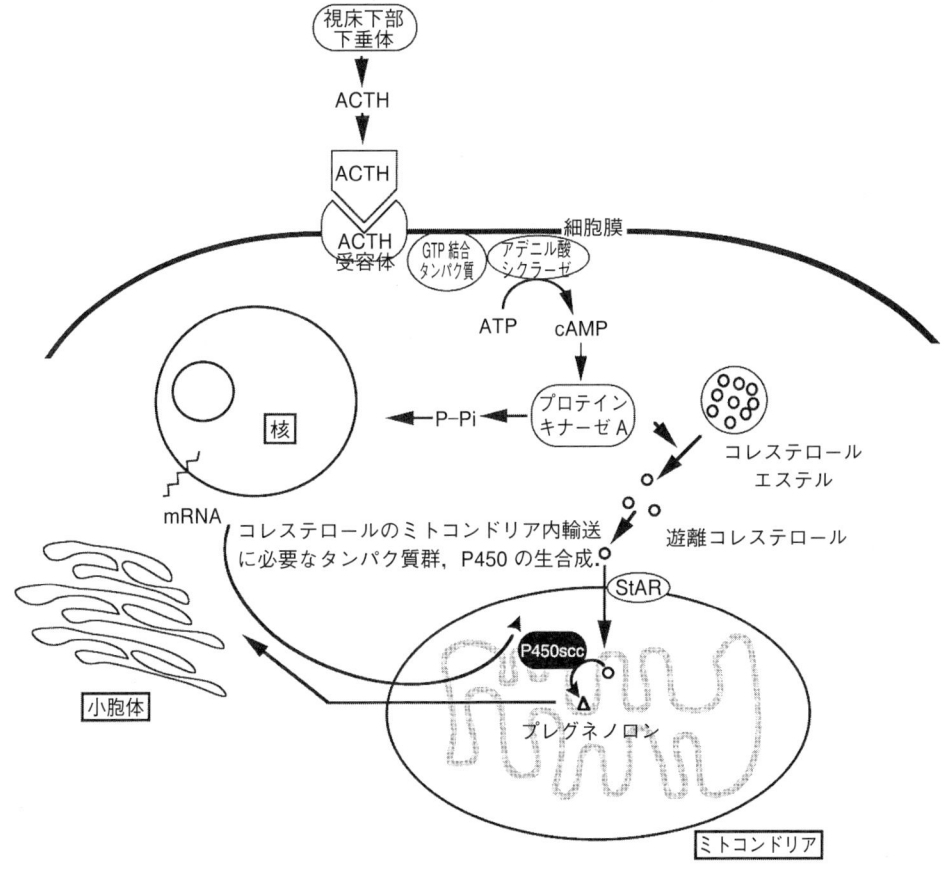

図1 ステロイドホルモン産生細胞の情報伝達機構
StAR：steroidogenic acute regulatory protein

P-450scc（CYP11A）で側鎖を切断される．コレステロールの側鎖切断反応はステロイドホルモン生合成過程の出発点であり，CYP11A活性の変動がステロイドホルモン分泌速度に大きく影響する．

ステロイドホルモン分泌のシグナル伝達機構はその詳細が明らかになりつつある．プロテインキナーゼAは，コレステロールエステラーゼのリン酸化以外に，細胞のシグナル伝達にかかわる他のタンパク質にも作用し，ステロイド産生関連遺伝子の転写を活性化すると考えられる．これらの遺伝子を明らかにし，cAMPを介するステロイド産生のシグナル伝達系における役割を明らかにすることが重要である．最近，疎水性のコレステロールがサイトゾルからミトコンドリアに運ばれ，内膜に存在するCYP11Aの活性中心に結合するまでの過程を補助する因子が明らかにされつつある．以下に，ステロイドホルモンの生合成過程を酵素化学的側面から解説する．

2. ステロイドホルモンの生合成経路

図2は哺乳動物の副腎皮質での糖質コルチコイド（コルチゾン）と鉱質コルチコイド（アルドステロン），精巣での男性ホルモン（テストステロン），卵巣での女性ホルモン（エストラジオール）の生合成経路をまとめたものである（文献1）を参照）．コレステロールは，まずミトコンドリアの内膜に存在するCYP11Aの作用で側鎖切断反応を受けてプレグネノロンになる．プレグネノロンは，ミトコンドリアから出て細胞質の小胞体膜に移動し，そこでさらに代謝される．プレグネノロン以降の代謝過程

はホルモン産生組織によって異なる．

　プレグネノロンは，副腎皮質では3β-ヒドロキシステロイドデヒドロゲナーゼ（3βHSD）の作用で脱水素反応と異性化反応を受けてプロゲステロンになる．プロゲステロンはシトクロム P-450c17（CYP17）とシトクロム P-450c21（CYP21），あるいは CYP21 単独の作用でデオキシコルチゾルあるいはデオキシコルチコステロンになる．これらのステロイドはふたたびミトコンドリアにはいり，シトクロム P-45011β（CYP11B1）あるいはシトクロム P-450aldo（CYP11B2）の作用によりコルチゾルとアルドステロンになり，副腎皮質から分泌される．

　プレグネノロンは，精巣では CYP17 によるヒドロキシル化と側鎖切断の2段階反応でデヒドロエピアンドロステロンになり，次に3βHSD と 17β-ヒドロキシステロイドデヒドロゲナーゼ（17βHSD）の作用でアンドロステンジオンからテストステロンへと変化する．これらの酵素はすべて小胞体膜に存在する．プレグネノロンは卵巣や精巣でテストステロンになり，さらに小胞体膜にあるシトクロム P-450arom（CYP19）の作用でエストラジオールになって分泌される．

　このように，副腎皮質ホルモンの生合成過程においてはステロイドがミトコンドリアと小胞体の間を1往復して最終産物に変換されるのに対し，性ホルモンの生合成過程ではミトコンドリア内で側鎖切断反応を受けたステロイドが小胞体に移り，以後の反応を受ける．

　ステロイドホルモン生合成過程の基質と生成物の構造を比べると，非常に複雑な化学反応が起こって

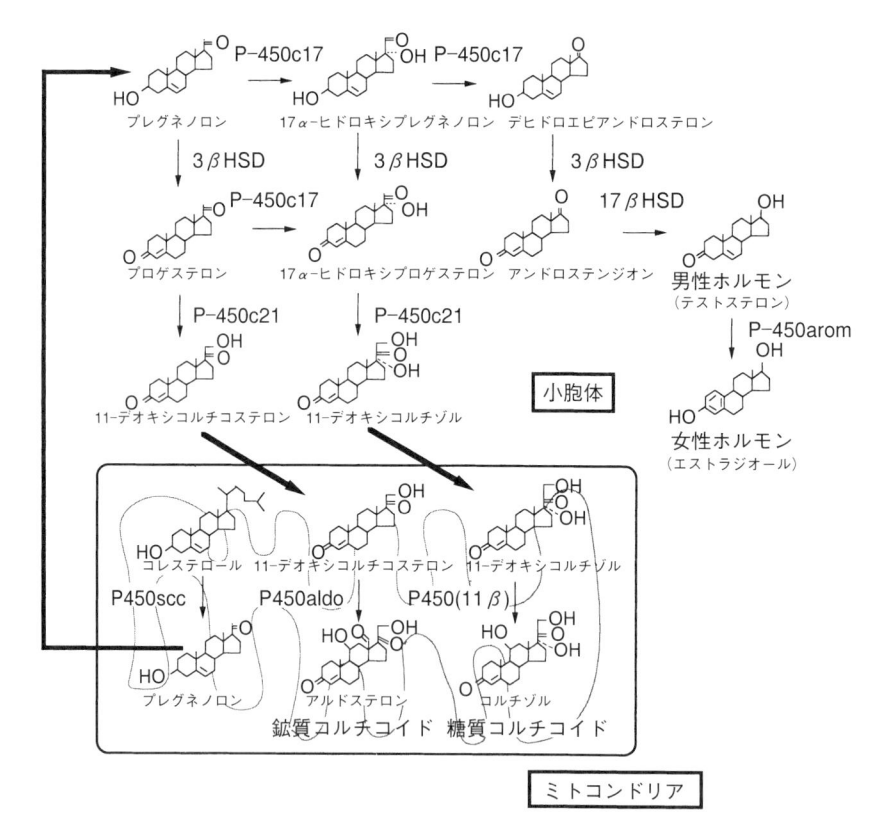

図2　ステロイドホルモン生合成代謝経路
太い矢印は小胞体，ミトコンドリア間の移動を示す．P-450scc：コレステロール側鎖切断酵素，3βHSD：3β-ヒドロキシステロイド脱水素・異性化酵素，P-450c17：17α-水酸化・開裂酵素，P-450c21：21-水酸化酵素，P-45011β：11β-水酸化酵素，P-450aldo：アルドステロン合成酵素，P-450arom：アロマターゼ，17βHSD：17β-ヒドロキシステロイド脱水素酵素．

いるように思える．しかし，その化学反応の種類は限られており，基質の炭素原子に酸素を添加してヒドロキシル基をつくる反応（P-450ファミリーによって触媒），ヒドロキシル基をカルボニル基に酸化する脱水素反応，および基質分子内の2重結合の位置を移動させる異性化反応の3種類である．反応が複雑に見えるのは，1つの酵素が数段階の反応を連続的に触媒する多機能酵素が多数関与するからである．たとえば，CYP11A，CYP11B1，CYP11B2，CYP17およびCYP19が触媒する反応は，1酸素添加の素反応が連続して数段階起こる反応である．3βHSDは脱水素と異性化の両反応を触媒する．

P-450による酸素添加反応では，まず活性中心で1分子の酸素を活性化して2原子の酸素に解裂させる．生じた酸素原子の一方を基質ステロイドに添加し（ヒドロキシル基が導入される），残る1原子を水に還元する．したがって，酸素添加反応にはP-450，基質ステロイド，酸素分子，および酸素原子を還元する還元剤が必要である．この還元のための電子は，NADPHから電子伝達タンパク質を経てP-450に供給される．NADPHからP-450への電子伝達系はミトコンドリアと小胞体で異なる（図3）．

3. ステロイドホルモン産生細胞のミトコンドリア

ステロイドホルモンの生合成にはミトコンドリアが重要な役割を演じる．ステロイド産生細胞のミトコンドリアは他組織のものと異なる特徴的構造を有する（図4，文献2）を参照）．ステロイド産生を行っていない静止期の副腎皮質細胞ミトコンドリアのクリステは他組織のミトコンドリアと同様の

図3 ミトコンドリアと小胞体（ミクロソーム）のシトクロム P-450 電子伝達系
(A) ミトコンドリア型，鉄-硫黄クラスターを活性中心にもつ非ヘム鉄タンパク質であるアドレノドキシンと NADPH-アドレノドキシン還元酵素が介在して NADPH から電子を P-450 に運ぶ．(B) ミクロソーム型，NADPH から電子は FAD，FMN を含むフラビンタンパク質を介して運ばれる．

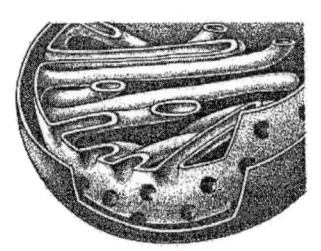

チューブ様クリステ
（静止状態）

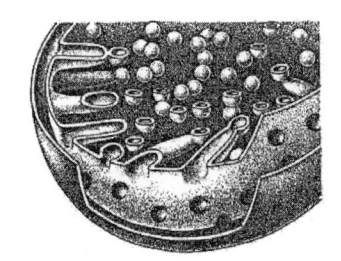

ベシクル様クリステ
（ステロイド産生活性が高い状態）

図4 副腎皮質細胞のミトコンドリア
文献2）を修正引用．

チューブ様構造であるが，ACTH 刺激によってステロイド産生が高まると小胞様の構造に変化する．この変化はクリステの表面積が増加したためである．

4. ミトコンドリアと小胞体間のステロイド移動

ステロイドホルモンの生合成過程は1つの細胞内小器官で起こるのではなく，中間代謝産物がミトコンドリアと小胞体の間を往復して進行する．生物進化で個体の生き残りに有利な代謝過程が形成されるとするならば，全代謝過程の途中に中間代謝産物の細胞内移動過程があることは代謝制御に便利であり，これが有利にはたらいたのかもしれない．

最近，コレステロールをサイトゾルからミトコンドリアの外膜に転送し，さらに内膜輸送する機構が明らかになった．古くから，上位のホルモンでステロイドホルモン産生細胞を刺激する際に，シクロヘキシミドなどのタンパク合成阻害剤で処理すると，ホルモン分泌が阻害されることが知られていた．このような細胞のミトコンドリアを分析すると，外膜にコレステロールが蓄積していた．シクロヘキシミドの代わりに CYP11A 阻害剤のアミノグルテチミドで処理しても同様の結果が得られる．さらに詳しい実験の結果，次のような機構が提唱された．すなわち，細胞を上位のホルモンで刺激すると，細胞内で新規のタンパク質が合成され，これがサイトゾルからミトコンドリア内膜への遊離コレステロールの輸送を助ける．この新規合成タンパク質の半減期がきわめて短いため，精製が困難であった．

1994年，精巣由来のライディッヒ細胞のステロイドホルモン産生能を活性化するタンパク質として steroidogenic acute regulatory protein (StAR) がクローニングされた[3]．常染色体性劣性遺伝疾患の先天性リポイド副腎過形成では，性腺と副腎のステロイドホルモン産生能が全面的にブロックされる疾患である．この患者では StAR 遺伝子に異常があることが明らかになった．StAR は 285 アミノ酸残基からなる 37 kDa のタンパク質であり，N末端に 33 アミノ酸残基からなるミトコンドリア移行シグナルをもっている．StAR はミトコンドリア外膜でプロセシングを受けて 30 kDa のタンパク質としてはたらくと考えられている．また，プロテインキナーゼ A によりリン酸化されると活性化することも知られている．StAR の生物活性は次のような実験で確かめられた．

ステロイド産生酵素のない COS-1 細胞に CYP11A，アドレノドキシン，アドレノドキシン還元酵素を発現させただけでは，そのプレグネノロン産生能は低い．これに StAR を共発現させるとプレグネノロン産生が高まる．この結果は，StAR がミトコンドリア内膜へのコレステロール輸送を助けることにより COS-1 細胞にステロイド産生能を与えたことを示唆する．

成熟型 StAR の N 末端側を 29 アミノ酸残基削った N-62 StAR もステロイド産生促進活性をもつ．N-62 StAR はミトコンドリア内への移行シグナルをもたないのでミトコンドリアに取り込まれずに外膜から内膜へのコレステロール輸送を促進できることが示唆される．StAR はミトコンドリア外膜の因子と協調して作用を発揮すると考えられる[4]．

ミトコンドリア内膜へのコレステロール輸送を助けるタンパク質としては，peripheral benzodiazepine receptor (PBR)，ポーリン，GTP 結合タ

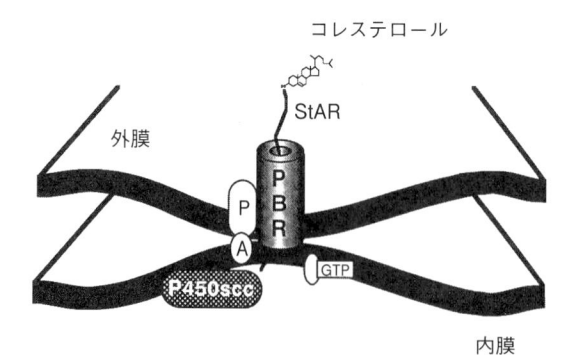

図5 コレステロールのミトコンドリア内膜への輸送モデル
StAR : steroidogenic acute regulatory protein, PBR : peripheral benzodiazepine receptor, A : ATP トランスロケーター，P : ポーリン；外膜と ATP トランスロケーターを結合させているタンパク質．文献5）から修正引用．

ンパク質なども知られている[5]．PBR は副腎皮質のミトコンドリア外膜に局在して内因性ベンゾジアゼピン（エンドゼピン）を結合する膜 5 回貫通性のタンパク質であり，StAR と同様にステロイドホルモン産生を活性化する．PBR はコレステロールが膜の外から内に通過するチャンネルである可能性がある．コレステロールがミトコンドリア膜を通過する際には，外膜と内膜の接触点が重要と考えられている．図 5 は StAR，PBR，GTP 結合タンパク質などが外膜と内膜の接触点で協力してコレステロールを輸送する機構を示す．

● おわりに

コレステロールのミトコンドリアへの取込みがステロイドホルモン分泌全体の律速段階であり，その分子機構に StAR や PBR などが関与している．しかし，ミトコンドリア内外膜の相互作用やコレステロール輸送機構などは想像の域を出ていない．胆汁酸の生合成過程やビタミン D_3 の活性化過程においても，ステロイド基質がミトコンドリアとサイトゾルを往復する過程があるが，その分子機構も不明である．近い将来，この分野が発展することを期待したい．

● 文　献

1) 武森重樹：『ステロイドホルモン』，未来の生物科学シリーズ 39，共立出版（1998）
2) Nussdorfer, G.G. : "Cytophysiology of the Adrenal Cortex, International Review of Cytology", vol. 98. p. 74, Academic Press, New York (1986)
3) Stocco, D.M. : *Bioessays*, **21**, 768-775 (1999)
4) Kallen, C.B., Arakane, F., Christenson, L.K., *et al.*: *Mol. Cell Endocrinol.*, **145**, 39-45 (1998)
5) Thomson, M.: *Horm. Metab. Res.*, **30**, 16-28 (1998)

ミトコンドリアの細胞内移動機構と神経細胞傷害

阿部 康二

●はじめに

　ミトコンドリアに存在するほとんどのタンパク質は核のDNAにコードされており，細胞質内のリボソームで合成された後，ミトコンドリア内に輸送され，機能する（図1）．他の細胞内小器官と異なり，ミトコンドリアは独自のDNAをもっており，いくつかのタンパク質はミトコンドリア内で合成されている．独自のDNAとタンパク合成システムをもてるとはいえ，ミトコンドリア遺伝子の発現は完全に核のシステムに統御されている．細胞の生存にとってきわめて重要なエネルギー生産のために，核とミトコンドリアのDNAシステムは相互に補完的に作用し，最終的なエネルギー産生システム（ミトコンドリア電子伝達系）を構築している．ミトコンドリアにおけるエネルギー産生のためのタンパク質を細胞内で輸送する機能は，細胞の生存上重要である．一方，ミトコンドリア自身の細胞内輸送も細胞の機能保持に重要である．神経細胞内におけるミトコンドリアの輸送障害が細胞死と深く関連していることが明らかにされつつある．生理的なミトコンドリア輸送と病的状態における輸送障害の理解は，病態の治療という観点からも重要である．本稿では，このようなミトコンドリア自身の細胞内輸送とその病態について，神経細胞傷害との関連で述べる．

1. ミトコンドリアDNAの特徴とミトコンドリア細胞内輸送

　ミトコンドリアDNA（mtDNA）は核DNAといくつかの点で異なる特徴をもっている．核DNAは長鎖らせん上DNAであるが，mtDNAは閉鎖円環状DNAであり，サイズは16.5 kbと核DNAの10^5分の1である．1個の細胞は100〜1000個のミトコンドリアをもっており，個々のミトコンドリアは数個のmtDNAをもっている．すなわち，細胞の

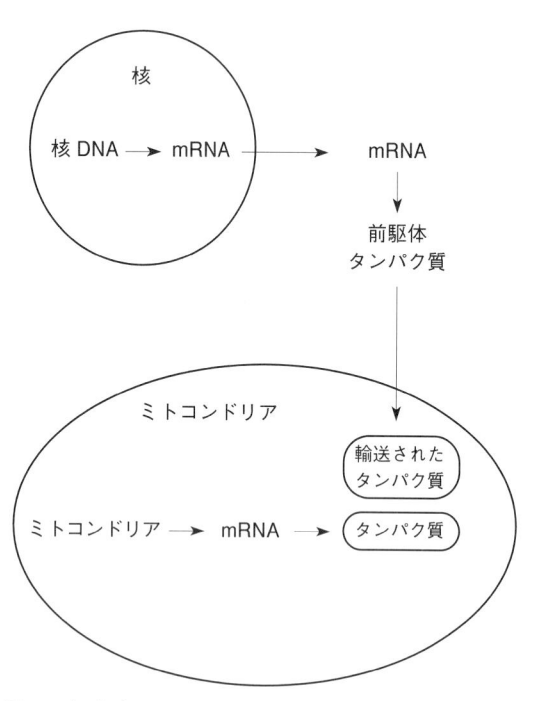

図1　細胞内における核DNAシステムとミトコンドリアDNAシステムの概念図
ミトコンドリアタンパク質の多くは，核DNAでコードされて細胞質内でタンパク質に翻訳され，ミトコンドリアに輸送される．ミトコンドリア内では3つのタンパク質が自前で合成される．

DNA の約 1% 程度がミトコンドリアの DNA 量である．mtDNA は，核 DNA のようにヒストン様タンパク質をもたず，ミトコンドリア内膜に結合した形でマトリックスに存在している．ミトコンドリアの DNA には修復酵素がなく，複製の正確性も核 DNA システムより低いため，正常のミトコンドリアの DNA 量は細胞の加齢とともに低下し，逆に変異 DNA は加齢とともに増加する．このような状況は，神経細胞や心筋細胞などの非分裂細胞において加齢などの影響を受けやすくしている．

mtDNA は 13 個の電子伝達系酵素，2 個の rRNA および 22 個の tRNA 遺伝子をコードしている．13 個のサブユニットから構成されるシトクロム c オキシダーゼ（COX）は電子伝達系の複合体 IV 型を形成している．そのうちの 3 個（COX-1, 2, 3）は mtDNA でコードされている．すなわち，COX-1 mRNA は mtDNA から転写され，ミトコンドリア内でタンパク質に翻訳される．COX タンパク質の活性は 13 個のサブユニットが統合して活性を発現する．このような mtDNA のうち，COX-1 DNA とその mRNA，および COX タンパク活性の分布をラット脳の海馬切片で検討し，興味深い結果が得られた（図 2）．すなわち，COX タンパク活性は海馬の CA1 細胞層のなかで oriens layer, stratum radiatum, lacunosum moleculare layer, および海馬歯状回の molecular layer で高い（図 2a）．COX-1 DNA も COX タンパク活性と同様の部位に多く存在する（図 2c）．驚くべきことに，COX-1 mRNA は海馬 CA1 をはじめとする錐体細胞層に濃厚に存在することがわかった（図 2b）．

COX タンパク質の活性，COX-1 mRNA, および COX-1 DNA はいずれも同じミトコンドリア内に存在しているので，通常はこの 3 者の濃度が同様になると考えられる．しかし，実際の分布は mRNA のみが，細胞質に多いことが明らかにされた．このような異なる分布から，ミトコンドリアが神経細胞内の末梢と細胞質中を往復移動（shuttle movement）し，細胞質にはいった段階で，ミトコンドリアの DNA 転写酵素，コハク酸デヒドロゲナーゼ（SDH），その他の 10 種の COX タンパク質などの，核 DNA にコードされたタンパク質を受け取っていることがわかった．ミトコンドリア DNA 転写酵素により細胞質で mRNA をタンパク質に翻訳したうえで，軸索や樹状突起などの神経細胞末梢に輸送しているものと考えられる．COX タンパク活性と COX-1 DNA の存在パターンより，ミトコンドリアの相対的な量としては，細胞質内よりも細胞末梢のほうが多いと考えられる（図 1, 2）．

2. 脳虚血におけるミトコンドリア細胞内輸送の障害

短時間（3.5〜10 分）の一過性脳虚血により，海馬の CA1 錐体細胞が選択的に細胞死を起こすことは有名な現象であるが[1]，いまだにその正確な機序

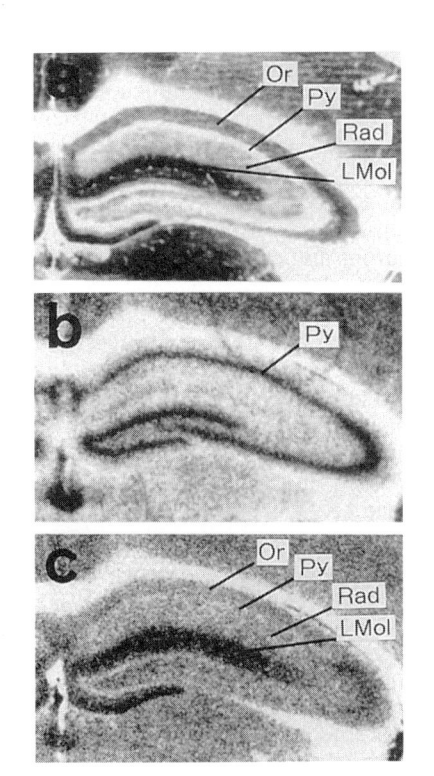

図 2 スナネズミ正常海馬におけるミトコンドリア酵素 COX タンパク質活性（a）と COX-1 mRNA（b）および COX-1 DNA（c）の分布
COX タンパク活性と COX-1 DNA の分布は近似しているが，COX-1 mRNA の分布が錐体細胞体部に多いことに注目．
Or : oriens layer, Py : pyramidal cell layer, Rad : strautum radiatum, LMol : lacunosum moleculare layer.

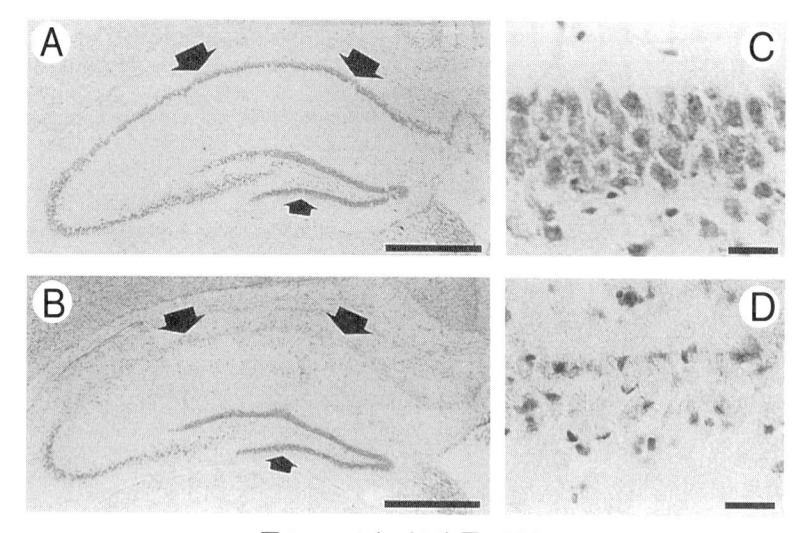

図3 スナネズミ海馬の写真
正常海馬（A）とCA1細胞層の拡大（C）．3.5分の一過性脳虚血後7日目では，海馬の中でもCA1細胞層のみが細胞脱落している（B, 大矢印）．拡大ではCA1細胞の脱落が明らかである（D）．

は解明されていない（図3）．このような実験モデルにおいて，ミトコンドリアの細胞内輸送障害と細胞死との関連が明らかにされ，注目されている[2〜4]．スナネズミに3.5分の一過性全脳虚血を負荷した後，海馬領域でCOXタンパク活性，COX-1 mRNA，COX-1 DNAの変動を経時的に観察すると，選択的に細胞死を起こすCA1細胞では虚血1〜3時間後の早期からCOX-1 mRNAレベルが進行性に低下し，7日目には完全に消失した（図4左）．CA3や歯状回のような虚血抵抗性の細胞ではこのような変化は認められない．一方，COX-1 DNAはCA1細胞層のoriens layerで2日目からわずかに低下しはじめ，7日目で顕著になり，比較的緩徐な変化を示す（図4右）．

COXタンパク活性はCOX-1 mRNAと同様に比較的速い変化を示し，虚血3時間後から低下し始める（図5左）．COXタンパク質の活性変化も海馬CA1領域のstratum radiatumで選択的に起こり，7日目まで進行性に低下する．このようなミトコンドリアでの進行性の活性低下は，ミトコンドリア機能が低下した神経細胞における解糖系の亢進とエネルギー産生維持の相補的努力を反映していると考えられる．同じミトコンドリアタンパク質でも，全サブユニットが核DNAでコードされるSDHの変化

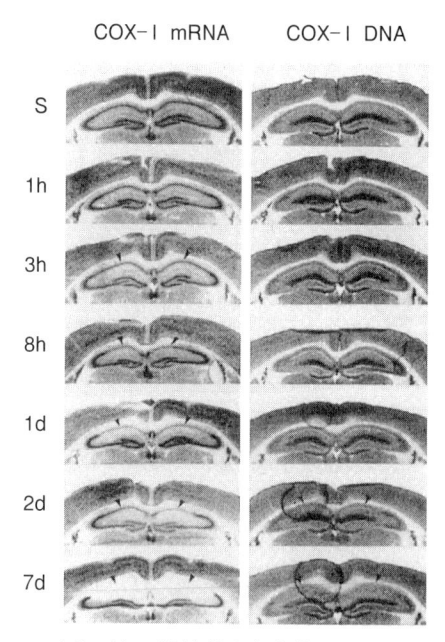

図4 スナネズミ一過性前脳虚血後のCOX-1 mRNA（左）およびCOX-1 DNA（右）の経時的変化
海馬CA1領域において，ミトコンドリアDNAの緩徐な低下に対して，ミトコンドリアmRNAの急速かつ進行性の低下（左，矢印）に注目．

を観察することにより，COX活性低下の特異性がより明らかとなる．すなわち，SDH活性は虚血2日目より海馬CA1細胞層のoriens layerで低下し始め，7日まで進行性に低下する（図5右）．7日

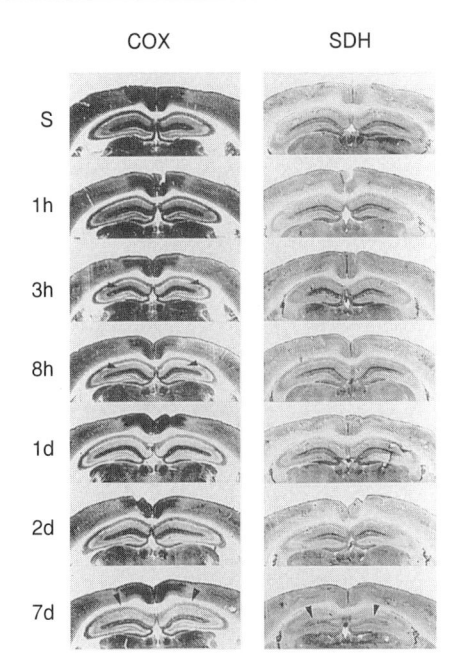

図5 スナネズミ一過性前脳虚血後のCOXタンパク活性（左）およびSDHタンパク活性（右）の経時的変化
海馬CA1領域において，SDHの緩徐な低下に対して，COXの急速かつ進行性の低下（左，矢印）に注目．

目ではとくにlacunosum moleculare layerでの低下が目立ち，SDH活性の低下は海馬CA1細胞の傷害に伴った2次的変化と考えられる．このように，同じミトコンドリアタンパク質でも，一部のサブユニットがミトコンドリアDNAでコードされているCOXのようなタンパク質に限り，虚血後の早期から活性が低下することが明らかにされた[2〜4]．

3. ミトコンドリア細胞内輸送タンパク質の異常

ミトコンドリアの細胞内輸送にかかわるタンパク質はモータータンパク質とよばれ，その機能が次第に明らかにされつつある（図6）．タンパク質を細胞体の中心部から軸索輸送を介し末梢まで運ぶ順行性輸送の主役はキネシンであり，逆行性輸送の主役はダイニン（cytoplasmic dynein：CD）といわれている．これらのタンパク質を免疫組織化学的に染色してみると，興味深い現象が観察される．すなわ

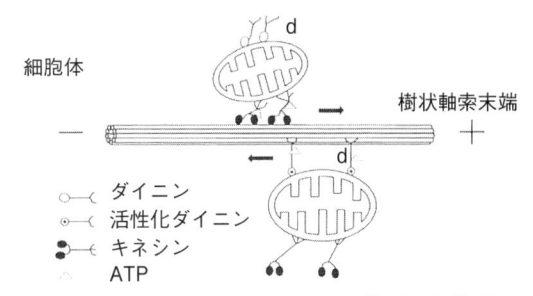

図6 微小管を介したミトコンドリア輸送の想像図
順行輸送はキネシンが担当し，逆行輸送はダイニン（CD）が担当すると考えられている．

ち，CDは正常ラットの海馬では歯状回を除く錐体細胞に広く認められるが，CA1細胞で一過性虚血後1時間の早期から同部位で，選択的かつ進行性に染色性が低下し始め，8時間目ではその染色性がほとんど失われていた（図7左，8h）．このような染色性変化はCA3細胞では認められない（図7左，CA3）．キネシンは虚血後8時間目より海馬CA1細胞で低下しはじめ，7日目には染色性がほとんど消失する（図7中）．

MAP2は神経細胞の樹状突起に多く存在する微小管関連タンパク質であるが，CDやキネシンのようなモータータンパク質ではない．従来の研究で，MAP2は虚血侵襲に際してチューブリンなどより変化を受けやすいと考えられてきた．MAP2の染色性は虚血後7日目には消失するが，少なくとも2日目まではよく保持されており（図7右），CDやキネシンのようなモータータンパク質のほうが変化を受けやすいことが明らかにされた．最近の研究によれば，ミトコンドリアの順行性輸送は新しいキネシンスーパーファミリーKIF1bによって実行されることがわかってきた[5]．今後，このような実験動物モデルでKIF1bの特異的変化を明らかにしていくことも重要であろう．

●おわりに

ミトコンドリア輸送をつかさどるモータータンパク質の組織染色性が虚血早期から傷害細胞で選択的かつ進行性に低下していくことは，虚血後早期からミトコンドリアの細胞内輸送が著しく障害されることを示唆している．ミトコンドリアの細胞内輸送が

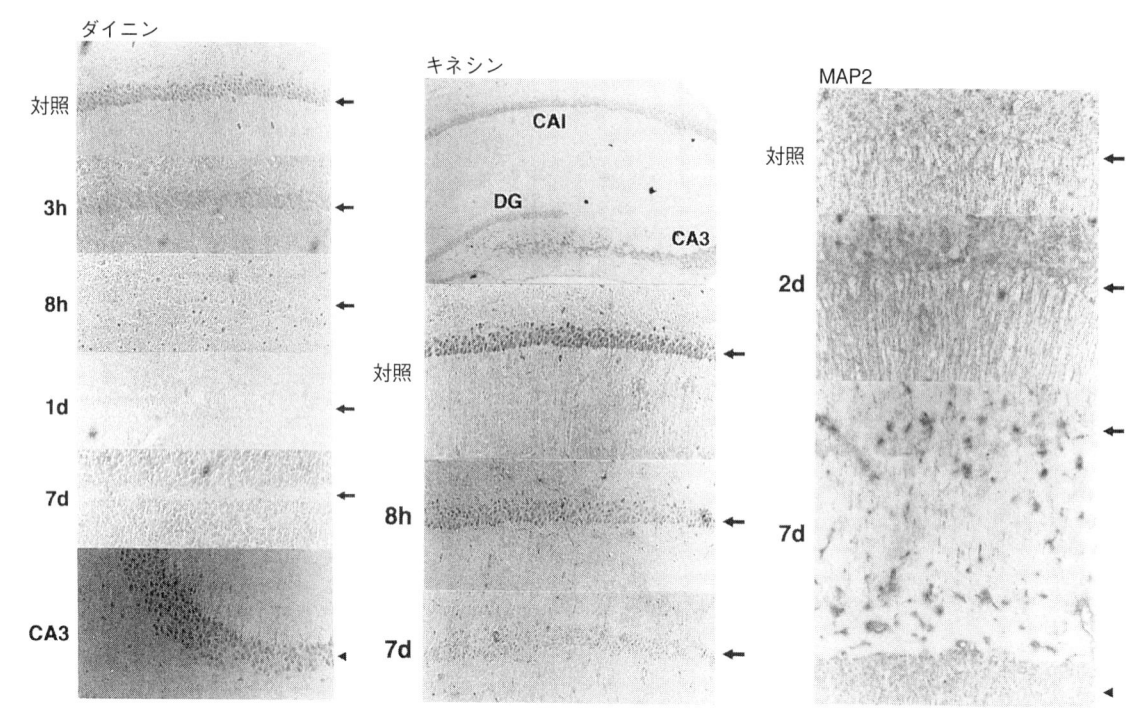

図7 ミトコンドリア細胞内輸送をつかさどるモータータンパク質（ダイニンとキネシン）の一過性脳虚血後変化
海馬CA1細胞層において，ダイニンの染色性は虚血後急速に低下するが，虚血抵抗性のCA3細胞層では低下しない（左）．キネシンはダイニンにやや遅れて低下する（中）．MAP2染色は虚血後2日まであまり変化せず，7日目になって消失している（右）．

障害されれば，電子伝達系酵素を維持できなくなり，細胞のエネルギー産生が障害されて細胞死を惹起するであろう．このような虚血後のミトコンドリア輸送障害に基づく緩徐な進行性の神経細胞傷害は「ミトコンドリア仮説」として提唱されている[6]．正常なミトコンドリアが，神経細胞内で自身の機能を維持するために，細胞体の中心部と軸索との間を行き来する様相は，将軍への忠誠を示すために江戸と所轄地を往来した大名に似ているため，筆者はこれを「ミトコンドリアの参勤交代」と名付けている[6]．

●文　献

1) Kirino, T.: *Brain Res.*, **239**, 57-69 (1982)
2) Abe, K., Kawagoe, J., Aoki, M., *et al.* : *Neurosci. Lett.* **153**, 173-176 (1993)
3) Abe, K., Kawagoe, J., Aoki, M., *et al.* : *Mol. Brain Res.*, **19**, 69-75 (1993)
4) Abe, K., Kawagoe J., Aoki, M., *et al.* : *J. Cereb. Blood Flow Metabol.*, **13**, 773-780 (1993)
5) Kondo, S., Sato-Yoshitake, R., Kimura, I., *et al.*: *J. Cell Biol.*, **125**: 1095-1107 (1994)
6) Abe, K., Aoki, M., Itoyama, Y., *et al.*: *Stroke*, **26**, 1478-1489 (1995)

ミトコンドリア溶質輸送担体

山﨑 尚志・篠原 康雄・寺田 弘

● はじめに

ミトコンドリアは2層の膜構造を有する細胞内小器官であり，酸化的リン酸化など，ミトコンドリアにおける代謝のほとんどは内膜の内側（マトリックス）で営まれている．したがって，ミトコンドリア外の溶質は2層の膜を通過してマトリックスに移行し，逆にミトコンドリア内で生じた溶質は内膜および外膜を通過してミトコンドリア外に輸送される必要がある[1]．ミトコンドリア外膜を介した溶質輸送はポーリンとよばれる小孔を介して非特異的に行われているのに対し，内膜を介した溶質輸送は溶質を特異的に認識するタンパク質（溶質輸送担体）によって行われている．したがって，ミトコンドリア内膜にはマトリックスでの代謝に必要な基質および生じた代謝産物に対応する溶質輸送担体が存在すると考えられている（図1）．本節では，これらのタンパク質について得られている知見をまとめる．

1. ミトコンドリアの溶質輸送担体の構造類似性

他の膜タンパク質の場合と同様に，ミトコンドリアの溶質輸送担体を同定するには，活性を保持した状態で膜タンパク質を精製し，リポソームなどを用いた再構成膜実験系により活性を測定する必要がある．1990年代前半に，ミトコンドリア内膜には少なくとも14種の溶質輸送担体が存在することが示されていた．しかし，膜タンパク質の機能同定は比

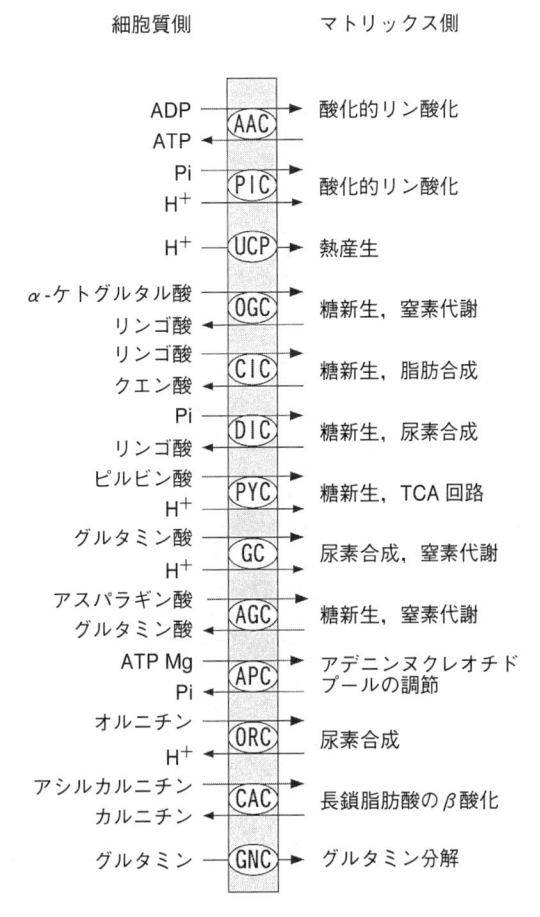

図1　ミトコンドリア内膜に存在する溶質輸送担体
おもな輸送担体を示した．
AAC：ADP/ATP carrier, PIC：phosphate carrier, UCP：uncoupling protein, OGC：oxoglutarate carrier, CIC：citrate carrier, DIC：dicarboxylate carrier, PYC：pyruvate carrier, GC：glutamate carrier, AGC：aspartate/glutamate carrier, APC：ATP-Mg/Pi carrier, ORC：ornithine carrier, CAC：carnitine carrier, GNC：glutamine carrier

較的困難であり，1次構造が決定されたものは5種だけであった（アイソフォームは含まない）[2]．しかし，決定された1次構造の比較から，溶質輸送担体が以下に述べるような共通の構造的特徴を有していることが明らかにされた[1〜5]．

(1) 約300アミノ酸からなる1本鎖ポリペプチドであり，28〜35 kDa程度の分子サイズを有する．
(2) 約100アミノ酸からなる構成単位が3回繰り返された構造をしている．1つの構成単位は2つの疎水性膜貫通領域とそれに挟まれた1つの親水性ループからなる．この構成単位は比較的短い親水性ループにより隣り合った構成単位と結合している（図2, 3）．したがって，輸送担体分子は6つの膜貫通領域と5つのループを有していると考えられる．また，膜中ではN末端およびC末端を細胞質側に，構成単位中の親水性ループをマトリックス側に向けた構造をとっていると推測される．
(3) 1つの構成単位中のN末端側の疎水性領域と親水性領域の境界部分には，PDKRモチーフとよばれる，よく保存されたアミノ酸が存在する（図3）．
(4) 特異的阻害剤との相互作用の定量的解析などから，内膜中では2量体を形成していると考えられている．
(5) 輸送タンパク質がミトコンドリア内膜に移行するために必要なアミノ酸配列を有する．ただし，この配列が内膜移行後も残存する場

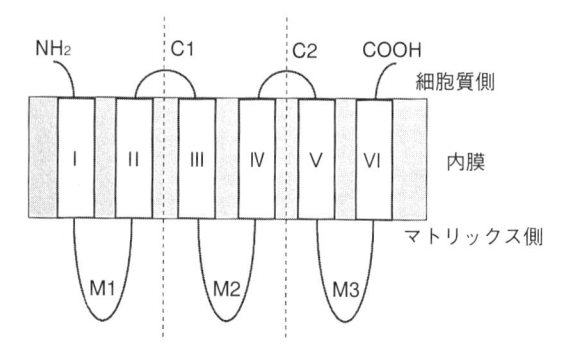

図2 ミトコンドリア内膜に存在する溶質輸送担体の構造的特徴
溶質輸送担体はおよそ100個のアミノ酸からなる構成単位が3回繰り返された構成をしている．1つの構成単位は，2つの疎水性膜貫通領域（IとII，IIIとIV，VとVI）とそれに挟まれた親水性ループ（M1, M2, M3）からなり，親水性ループはマトリックス側に突き出た構造をとっている．また構成単位の間には短い親水性ループ（C1, C2）が存在し，これらは細胞質側に存在する．図は1分子の溶質輸送担体を示しているが，膜中では2量体で存在していると考えられる．

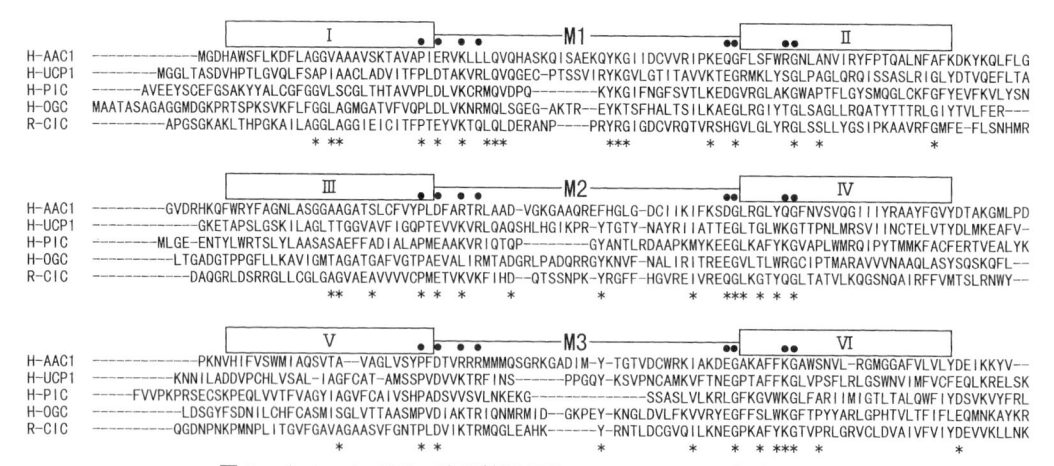

図3 ミトコンドリア溶質輸送担体ファミリーの1次構造比較
ヒトAAC1，ヒトUCP1，ヒトPIC，ヒトOGCおよびラットCICのアミノ酸配列を比較する．ただし，N末端およびC末端側のアミノ酸を一部省略してある．図2と同様，疎水性膜貫通領域および親水性ループは模式的に示してある．5つのタンパク質で完全に保存されているか保存性の高いアミノ酸は＊で示してある．疎水性膜貫通領域（I, III, V）と親水性ループ（M1, M2, M3）の境界付近からPDKRモチーフ（P-h-D/E-h-h-K/R-h-R/K-20〜30 残基-D/E-G-4 残基-a-K/R-G；h：疎水性アミノ酸，a：芳香族アミノ酸；●で示す）が認められる．（文献5）を一部改変）

合（AAC，UCP）と内膜移行後に酵素的に切断される場合（PIC，CIC）がある．

以上のような構造的特徴が溶質輸送担体の種類や生物種を越えて保存されていることから，これらのタンパク質は同一の祖先タンパク質から派生したファミリーであると考えられる．現在では，ミトコンドリア内膜に存在する分子サイズ30 kDa程度の輸送タンパク質はすべてこのファミリーに属すると考えられている．さらに，ミトコンドリア以外に存在する機能不明なタンパク質にも上記の特徴を有しているものがあり，これらも同一ファミリーとして扱われている．以下，遺伝子の単離などにより1次構造が決定された溶質輸送担体を中心に，その特徴を簡単に述べる．

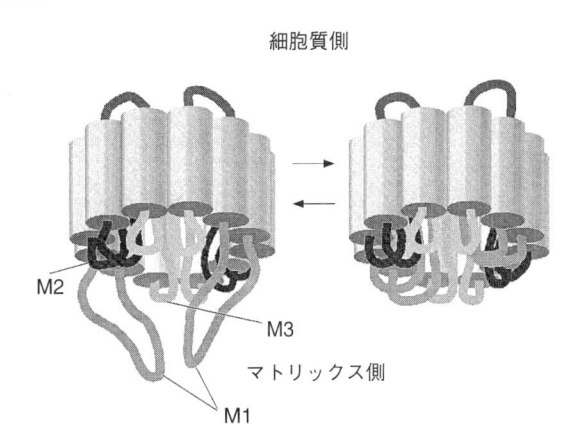

図4 AACの機能発現に伴うコンホメーション変化
マトリックスに面した親水性ループM1の存在位置の変化によって透過基質であるADPおよびATPは輸送される．すなわち図の2つのコンホメーションを繰り返すことにより基質の認識と輸送が行われる．なお，ボンクレキン酸はマトリックス側からAACに結合し，親水性ループがマトリックス側に露出した状態（モデル図左）に，カルボキシアトラクチロシドは細胞質側からAACに結合し，親水性ループが膜内に入り込んだ状態（モデル図右）にそれぞれAACを固定することで，その輸送活性を阻害する．

2. 構造と機能に関する研究が進展している溶質輸送担体

a. ADP/ATPキャリヤー

ADP/ATPキャリヤー（AAC）は，ATP合成酵素により合成されたATPと基質であるADPを交換輸送するタンパク質であり，ミトコンドリアにおける酸化的リン酸化反応において必須の役割を担っている[6]．AACは全輸送タンパク質のなかで最初に活性を保持した状態で精製され，1次構造が決定されたタンパク質である．したがって，ミトコンドリア溶質輸送担体のなかでも構造や機能に関する研究がもっとも進んでいる．このタンパク質の研究を容易にしたのは，ミトコンドリア膜中に多量に存在していることに加え，2種の特異的阻害剤が発見されたことによる．アザミの一種 *Atractylis gummifera* の毒成分カルボキシアトラクチロシドと *Pseudomonas cocovenenans* が産生するボンクレキン酸は，それぞれ細胞質側とマトリックス側からAACに強固に結合し，その輸送活性を強く阻害する．

AACは対向輸送を行うアンチポーターと解釈されがちであるが，これは膜の反対側で基質を遊離した「空のキャリヤー」がもとに戻る際のエネルギー障壁がきわめて高く，反対方向への輸送も余儀なくされているために，見かけ上対向輸送を行っているようにみえることによる．実際には，ADPとATPの輸送を繰り返して行う"ピンポン型"のユニポーターである．図4に示すように，ミトコンドリア内膜から突出した親水性ループの大幅な揺動がAACによるヌクレオチド輸送を担っていることが示唆されている[7]．

AACには異なる遺伝子によってコードされるアイソフォームが存在する．これまでに報告されているアイソフォームの数は生物種により異なる．酵母やヒトでは3種が同定されており，これらのアイソフォームがそれぞれの遺伝子の転写を介して使い分けられている．

b. リン酸キャリヤー

リン酸キャリヤー（phosphate carrier：PIC）は，ATP合成の基質として不可欠である無機リン酸をプロトンとともにミトコンドリアマトリックス内に共輸送するタンパク質である[8]．SH基修飾剤 N-エチルマレイミドや有機水銀化合物のメルサリルは本輸送タンパク質の阻害剤であるが，その作用機構は

不明である．cDNA の単離により 1987 年にウシ PIC の 1 次構造が決定され，その後，1 次転写 RNA の選択的スプライシングによって同一遺伝子から一部のアミノ酸配列が異なるアイソフォームが産生されることが報告された[9]．ヒト組織の RNA 解析から，一方のアイソフォームは心や骨格筋などに大量に存在し，他方のアイソフォームはさまざまな組織に幅広く存在することが示されている[10]．アイソフォーム間でリン酸に対する親和性や最大輸送速度が異なっている[11]．したがって，AAC アイソフォームが異なる遺伝子にコードされ，転写調節によって使い分けられているのに対し，PIC アイソフォームは同一遺伝子から転写された RNA が組織特異的なスプライシングを受けることにより使い分けられている．

c．脱共役タンパク質

脱共役タンパク質（uncoupling protein：UCP）（UCP1）は，哺乳動物の褐色脂肪細胞のミトコンドリアに特異的に存在するプロトン透過担体である（文献 6，12）および 3 章参照）．本タンパク質の機能により，ミトコンドリア内膜を介して形成されたプロトンの電気化学的ポテンシャル差は消失して，酸化的リン酸化が脱共役され，ATP 合成を伴わない呼吸基質の酸化が行われる．したがって，UCP1 の機能は褐色脂肪細胞に特異的な効率よい熱産生に不可欠である．UCP1 のプロトン透過活性は脂肪酸の結合により亢進し，ヌクレオチドの結合によって抑制される．また動物を寒冷条件下におくと，遺伝子の転写亢進によって mRNA が劇的に増加する．

褐色脂肪細胞以外の組織でもプロトン透過担体が存在する可能性が示唆されていた．1997 年に UCP2 の cDNA が単離されたのを皮切りに，UCP1 とは組織分布が異なるいくつかのアイソフォーム〔UCP3，4，BMCP1（brain mitochondorial carrier protein-1）〕が同定された．さらに，哺乳動物だけでなく，植物においても UCP が存在し，寒冷条件下で発現誘導されることも報告されている[13]．

d．オキソグルタル酸キャリヤー

オキソグルタル酸キャリヤー（oxoglutarate carrier：OGC）は，α-ケトグルタル酸などの 2-オキソグルタル酸をマトリックス側に，リンゴ酸などのジカルボン酸を細胞質側に交換輸送するタンパク質であり，DIC や AGC などのカルボン酸輸送タンパク質とともに糖新生や窒素代謝にかかわっている[14]．精製された OGC のアミノ酸配列をもとに，ウシ心から OGC をコードする cDNA が単離された．その後，ウシとヒトの OGC 遺伝子の比較により，ウシ遺伝子のエクソンⅢはヒト遺伝子のエクソンⅢ，Ⅳ，Ⅴが結合したような配列であることが示された．これらのエクソンはアミノ酸に翻訳される領域なので，もとの遺伝子にイントロンの挿入あるいは欠損が生じたと考えられる．なお，ヒトおよびウシにおいて異なる遺伝子にコードされたアイソフォームの存在は報告されていない．

e．クエン酸キャリヤー

クエン酸キャリヤー（citrate carrier：CIC）は，クエン酸を細胞質側に，リンゴ酸をマトリックス側に交換輸送するタンパク質であり，トリカルボン酸キャリヤー（tricarboxylate carrier）とよばれることもある．この輸送タンパク質により細胞質側に放出されたクエン酸はアセチル CoA に変換され，脂肪酸や脂質の生合成に利用される[15]．タンパク質の精製ならびに cDNA の単離により，CIC も 30 kDa 程度の分子サイズであること，ミトコンドリア内膜に存在する溶質輸送担体に共通した構造的特徴を有していること，および他の溶質輸送担体との相同性が認められることが示された．クエン酸透過活性を有する 37～38 kDa のタンパク質もミトコンドリア内膜から単離されたが，cDNA 解析の結果，このタンパク質には溶質輸送担体の構造的特徴が認められず，CIC との相同性も認められなかった[16]．以上のことから，この 37～38 kDa のタンパク質はミトコンドリア内膜以外の膜に存在するクエン酸輸送タンパク質，あるいは上記の溶質輸送担体ファミリーに属さないミトコンドリア内膜のクエン酸輸送タンパク質である可能性が考えられる．

f．カルニチンキャリヤー

カルニチンキャリヤー（carnitine carrier：CAC）は，ミトコンドリア内膜を介したカルニチン交換輸送を行うタンパク質である．さまざまな長さのアシ

ル基が付加されたアシルカルニチンをマトリックス側に，そして遊離のカルニチンを細胞質側に輸送する．活性化された脂肪酸（アシルCoA）はミトコンドリア内膜不透過性なので，カルニチンが付加された後にCACを介してマトリックスに移行して酸化分解される[17]．ラット肝より精製された32.5 kDaのCACは，その輸送様式が他の溶質輸送担体とは異なることから，本当にファミリーの一員であるか否かを知るために1次構造の決定が待たれていた[5]．1997年にラットのCACをコードするcDNAが単離され，CACも他のファミリータンパク質と同様の構造的特徴を有していることが示された[18]．さらに，酵母からもCACのcDNAが単離された[19]．酵母では脂肪酸のβ酸化はペルオキシソームに限定されているので，本輸送タンパク質はペルオキシソームで短鎖化されたアシル基をミトコンドリアマトリックスに輸送をしていると考えられる．

g. ジカルボン酸キャリヤー

ジカルボン酸キャリヤー（dicarboxylate carrier：DIC）は，マロン酸，リンゴ酸，コハク酸などのジカルボン酸をマトリックス側に，リン酸や硫酸塩などを細胞質側に交換輸送するタンパク質であり，とくに肝での糖新生，尿素の合成，および硫黄代謝にかかわる．DICをコードする遺伝子は，酵母のゲノム配列から，ミトコンドリア溶質輸送担体をコードしていると予想される遺伝子の検索により同定された[20]．同様の手法により，高等動物ではラットからcDNAが単離されている[21]．マウスではこの輸送タンパク質は白色脂肪細胞に多く存在する[22]．

3. その他のミトコンドリア溶質輸送担体ファミリー

上記の溶質輸送担体以外に，高等動物のミトコンドリア内膜にはピルビン酸キャリヤー（pyruvate carrier：PYC），アスパラギン酸/グルタミン酸キャリヤー（aspartate/glutamate carrier：AGC），オルニチンキャリヤー（ornithine carrier：ORC），グルタミンキャリヤー（glutamine carrier：GNC）などが存在する．これら輸送タンパク質の1次構造はまだ決定されていないが，電気泳動からPYC，AGC，ORCはそれぞれ34 kDa，31.5 kDaおよび33.5 kDaであることが示されている[23]．なお，ラット腎からGNCが精製されているが，その分子サイズは41.5 kDaであった[24]．これ以外にも，マトリックスのアデニンヌクレオチド（ATP，ADPおよびAMP）含量を調節する輸送タンパク質で，Ca^{2+}要求性のATP-Mg/Piキャリヤー（APC）[25]，尿素合成や窒素代謝にかかわるグルタミン酸キャリヤー（glutamate carrier：GC），GCとともにプロリン/グルタミン酸シャトルを形成するプロリン/グルタミン酸キャリヤー（proline/glutamate carrier），プロリンキャリヤー（proline carrier）[26]，およびプリンヌクレオチドサイクルの調節を行うフマル酸輸送タンパク質（フマル酸/リンゴ酸，フマル酸/Pi，フマル酸/アスパラギン酸）[27]の存在が示唆されているが，タンパク質は同定されていない．

ファミリータンパク質の同定は，タンパク質やDNAのデータベースに登録されているばく大な配列情報を検索する方法によっても行われている．たとえば，全ゲノムが決定された酵母の場合，コンピュータ解析により，ミトコンドリア溶質輸送担体の特徴を有するタンパク質が35種存在することが予想された[20]．それら候補遺伝子の発現実験の結果，酵母ORC[28]，コハク酸/フマル酸キャリヤー[29]，そしてオキサロ酢酸キャリヤー[30]をコードする遺伝子が同定された．また，ヒト心cDNAライブラリーからクローニングされたaralarは，約70 kDaのタンパク質であり，そのN末端側半分はカルシウム結合領域，C末端側半分はミトコンドリア溶質輸送担体と類似した構造をしており，ミトコンドリアに局在することが示されている[31]．Aralarも，酵母ゲノム配列からカルシウム結合タンパク質とミトコンドリア溶質輸送担体の両特性を有するタンパク質を検索することにより同定されたものである．

ミトコンドリア溶質輸送担体として単離されたタンパク質ではないが，cDNAから予想される1次構造が溶質輸送担体の特徴を有しているために同

ファミリーとして扱われているものもある[1,4,32]．このようなタンパク質として，バセドウ病患者の血清 IgG と特異的に結合するタンパク質（hGT-7），酵母ミトコンドリア RNA の自己スプライシングに関係する MRS（mitochondrial RNA splicing）3 および MRS4, トウモロコシ種子のデンプン形成体膜に存在する brittle-1, ペルオキシソーム膜で溶質輸送を行う PMP47（peroxisomal membrane protein 47），原生生物 *Oxytricha fallax* で見い出されたタンパク質などが知られている．Aralar と同様にカルシウム結合領域を有し，ペルオキシソームに移行する efinal もファミリータンパク質であると考えられている[33]．

● おわりに

溶質輸送担体の同定は，精製したタンパク質の部分的な1次構造の決定～cDNA の単離～完全な1次構造の決定という手順がとられてきた．しかしながら最近では，遺伝子バンクに登録された配列情報から溶質輸送担体をコードすると予想される遺伝子や cDNA を検索し，発現実験によりその機能を明らかにするという方法がとられるようになり，多くの輸送担体が同定されつつある[34]．近い将来，すべての溶質輸送担体が明らかとされ，ミトコンドリア内膜を介した物質輸送の詳細が明らかにされるものと思われる．

● 文　献

1) Kuan, J., Saier, M.H.Jr.: *Crit. Rev. Biochem. Mol. Biol.*, **28**, 209-233 (1993)
2) Pedersen, P.L.: *J. Bioenerg. Biomembr.*, **25**, 431-434 (1993)
3) Walker, J.E., Runswick, M.J.: *J.Bioenerg.Biomembr.*, **25**, 435-446 (1993)
4) Walker, J.E.: *Curr. Opin. Struct. Biol.*, **2**, 519-526 (1992)
5) Palmieri, F.: *FEBS Lett.*, **346**, 48-54 (1994)
6) Klingenberg, M.: *J. Bioenerg. Biomembr.*, **25**, 447-457 (1993)
7) Terada, H., Majima, E.: *Progr. Colloid Polym. Sci.*, **106**, 192-197 (1993)
8) Ferreira, G.C., Pedersen, P.L.: *J. Bioenerg. Biomembr.*, **25**, 483-492 (1993)
9) Dolce, V., Iacbazzi, V., Palmieri, F., Walker, J. E.: *J. Biol. Chem.*, **269**, 10451-10460 (1994)
10) Huizing, M., Ruitenbeek, W., van den Heuvel, L. P., *et al.*: *J. Bioenerg. Biomembr.*, **30**, 277-284 (1998)
11) Fiermonte, G., Dolce, V., Palmieri, F.: *J. Biol. Chem.*, **273**, 22782-22787 (1998)
12) Klingenberg, M., Huang, S.G.: *Biochim. Biophys. Acta*, **1415**, 271-296 (1999)
13) Laloi, M., Klein, M., Riesmeier, J. W., *et al.*: *Nature*, **389**, 135-136 (1997)
14) Palmieri, F., Bisaccia, F., Capobianco, L., *et al.*: *J. Bioenerg. Biomembr.*, **25**, 493-501 (1993)
15) Kaplan, R.S., Mayor, J.A.: *J. Bioenerg. Biomembr.*, **25**, 503-514 (1993)
16) Azzi, A., Glerum, M., Koller, R., *et al.*: *J. Bioenerg. Biomembr.*, **25**, 515-524 (1993)
17) Pande, S.V., Murthy, M.S.: *Biochim. Biophys. Acta*, **1226**, 269-276 (1994)
18) Indiveri, C., Iacobazzi, V., Giangregorio, N., Palmieri, F.: *Biochem. J.*, **321**, 713-719 (1997)
19) Palmieri, L., Lasorsa, F. M., Iacobazzi, V., *et al.*: *FEBS Lett.*, **462**, 472-476 (1999)
20) Palmieri, L., Palmieri, F., Runswick, M. J., Walker, J. E.: *FEBS Lett.*, **399**, 299-302 (1996)
21) Fiermonte, G., Palmieri, L., Dolce, V., *et al.*: *J. Biol. Chem.*, **273**, 24754-24759 (1998)
22) Das, K., Lewis, R.Y., Combatsiaris, T.P., *et al.*: *Biochem. J.*, **344**, 313-320 (1999)
23) Palmieri, F., Indiveri, C., Bisaccia, F., Kramer, R.: *J. Bioenerg. Biomembr.*, **25**, 525-535 (1993)
24) Indiveri, C., Abruzzo, G., Stipani, I., Palmieri, F.: *Biochem. J.*, **333**, 285-290 (1998)
25) Aprille, J.R.: *J. Bioenerg. Biomembr.*, **25**, 473-481 (1993)
26) Atlante, A., Passarella, S., Pierro, P., *et al.*: *Eur. J. Biochem.*, **241**, 171-177 (1996)
27) Atlante, A., Gagliardi, S., Passarella, S.: *Biochem. Biophys. Res. Commun.*, **243**, 711-718 (1998)
28) Palmieri, L., De Marco, V., Iacobazzi, V., *et al.*: *FEBS Lett.*, **410**, 447-451 (1997)
29) Palmieri, L., Lasorsa, F. M., De Palma, A., *et al.*: *FEBS Lett.*, **417**, 114-118 (1997)
30) Palmieri, L., Vozza, A., Agrimi, G., *et al.*: *J. Biol. Chem.*, **274**, 22184-22190 (1999)
31) del Arco, A., Satrustegui, J.: *J. Biol. Chem.*, **273**, 23327-23334 (1998)
32) 山﨑尚志，篠原康雄，寺田 弘：生体の化学，**46**, 605-607 (1995)
33) Weber, F.E., Minestrini, G., Dyer, J. H., *et al.*: *Proc. Natl. Acad. Sci. USA*, **94**, 8509-8514 (1997)
34) Dolce, V., Fiermonte, G., Runswick, M. J., *et al.*: *Proc. Natl. Acad. Sci. USA*, **98**, 2284-2288 (2001)

第2章

ミトコンドリアの分子生物学

2・1

ミトコンドリア核の特性

佐々木 成江・黒岩 常祥

● はじめに

　ミトコンドリアは，独自のDNAを含有し，細胞核の遺伝情報にかなりの部分を依存しつつも半自律的に増殖する細胞小器官である．ミトコンドリアにDNAが存在することが生化学的に証明されたのは1960年代はじめのことである．それ以来，ミトコンドリアDNA（mtDNA）は裸の状態で存在すると考えられてきた．しかし，次第にmtDNAはタンパク質によって高次に組織化された核構造をとっていることが明らかとなり，ミトコンドリア核（核様体）とよばれるようになった．現在では，数種のヒストン様タンパク質がミトコンドリア核から単離されており，ミトコンドリア核の高次構造が分子レベルで明らかになりつつある．ここでは，ミトコンドリア核の発見の経緯も含め，現在までに明らかにされている知見を紹介する．

1. ミトコンドリア核の発見

　高等真核生物のミトコンドリアは非常に少量のDNAしか含まない．ヒトの細胞核に含まれるDNAが約3000メガ塩基対であるのに対し，ミトコンドリアでは約17キロ塩基対のDNAが2～5分子含まれているにすぎない．そのため，mtDNA自体なかなか発見されなかった．

　ミトコンドリアにDNAが存在することをはじめて証明したのはNass夫妻（1962年）であった[1]．彼女らは透過型電子顕微鏡を用い，ニワトリの胚ミトコンドリア内にある繊維状の構造が，DNaseでは特異的に分解されるがRNaseやプロテアーゼでは分解されないことから，DNAであると報告した．その後，多くの生物のミトコンドリアで繊維様のDNAの存在が報告され，そのような観察像から，"mtDNAは裸で存在する"というモデルが広く浸透した．しかし，mtDNAの電子顕微鏡観察には問題点があった．それは，同じ生物であっても常にmtDNAが観察できるわけではなく，組織や細胞周期や固定法に大きく左右されるという点である．電子顕微鏡では，異常に膨潤したミトコンドリアや特定の時期のミトコンドリアのマトリックス中のタンパク質やリボソームは少なく，電子線をよく透過させる領域にのみmtDNAが観察される（図1A）．また，このときに観察されるDNA量は生化学的に算出されるDNA量と比較して非常に少ない．これらは，通常の固定・包埋条件下では，大部分のmtDNAは周辺の電子密度の高い領域に埋もれているか，観察不可能な状態になっているためである．

　一方，Schuster（1965年）とGuttes（1966年）は，それぞれ真正粘菌の*Didymium nigiripes*と*Physarum polycephalum*のミトコンドリアに電子密度の高い棒状のコンパクトなDNase感受性構造が存在することを観察した[2,3]（図1B）．このような電子顕微鏡観察における電子密度の差はおもにミトコンドリア核に含まれるmtDNA量が関係していると思われる．（他の生物と比較し，真正粘菌は数十倍のmtDNAを含んでいる．）筆者らは，真正粘菌の高電子密度のDNA構造体に対するRNase

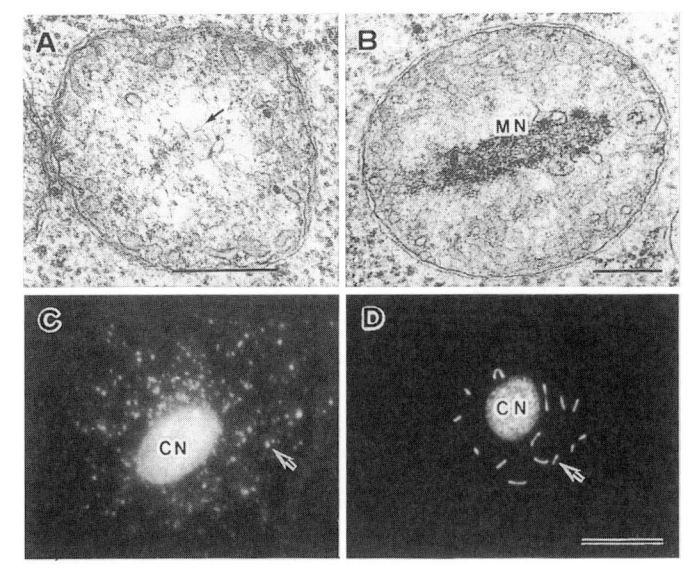

図1 電子顕微鏡法と DAPI 蛍光顕微鏡法によるミトコンドリア核の観察
(A, B) それぞれフタマタンポポ (*Crepis capillaris*) と真正粘菌のミトコンドリアの電子顕微鏡像(文献4)より転載).多くの真核生物の mtDNA は,電子密度の低い白く抜けた部分に繊維状に観察される (A の矢印).一方,真正粘菌ではミトコンドリアの中央部に電子密度の高いミトコンドリア核 (MN) として観察できる.スケールは 0.5 μm.(C, D) それぞれヒトと真正粘菌の DAPI 染色像.中央部に細胞核 (CN),その周辺にコンパクトなミトコンドリア核 (矢印) が観察できる.スケールバーは 10 μm.

やプロテアーゼの影響について調べ,「mtDNA は裸ではなく,タンパク質や RNA とともに高度に組織化された状態で存在する」という新しいモデルを提唱し,その構造体をミトコンドリア核とよんだ[4].

最近では,DAPI (4′,6-ジアミジノ-2-フェニルインドール) 蛍光顕微鏡法を利用し,すべての真核生物においてコンパクトなミトコンドリア核を観察することができるようになった(図1 C, D).DAPI は,2本鎖 DNA の A-T 塩基対に特異的に結合する蛍光色素であり,DNA と結合すると UV 照射下できわめて強力な青白い蛍光を発する.これを蛍光顕微鏡で観察すると,mtDNA のような微量な DNA も感度よく検出することができる.電子顕微鏡により観察された構造と比較し,DAPI 蛍光顕微鏡により観察されるコンパクトな核構造は mtDNA の全体を映し,その存在状態をより正確に表しているといえよう.

このような観察法の発達により,真正粘菌において発見されたミトコンドリア核という高次構造はすべての真核生物に存在することが明らかになった.しかし,非常に小さい構造のため,あまり解析が進んでいない.以下,発達したミトコンドリア核をもつ真正粘菌でわかった知見を中心に述べるが,それらの多くは他の生物にも適用できると考えている.

2. ミトコンドリア核の形態変化

ミトコンドリア核の形やサイズは生物種によって異なる.また,同一の生物であっても,ミトコンドリア核のサイズと含まれる DNA 分子数は,増殖や生活環の生物活性に応じて著しく変動する.真正粘菌のアメーバでは,細胞の植え継ぎ当初は短かったミトコンドリア核が細胞増殖に伴って次第に長く大きくなる[5](図2).ミトコンドリア核に含まれる mtDNA (86 キロ塩基対) の分子数は対数増殖期の中期でもっとも多くなり,平均して30分子になる.これは,植え継ぎ時の約3倍に相当する.しかし,その後は次第に短くなり,定常期ではふたたび植え継ぎ時の状態に戻る.これは,対数増殖期の初期にはミトコンドリアの分裂(ミトコンドリアキネシス)を伴わない DNA 合成が起こり,反対に対数増殖期の後期以降には DNA 合成を伴わないミトコンドリアキネシスが起こるからである.また,高等植物の根端分裂組織では,静止中心の直上部の細胞に含まれるミトコンドリア核は大きく,静止中心から離れている細胞のミトコンドリア核は小さい[6].これは,ミトコンドリアキネシスはすべての分裂組織細胞において起こるが,ミトコンドリアの DNA 合成は分裂組織のなかでも静止中心の近傍に限られているからである.そのため,ひとつのミトコンドリア核に

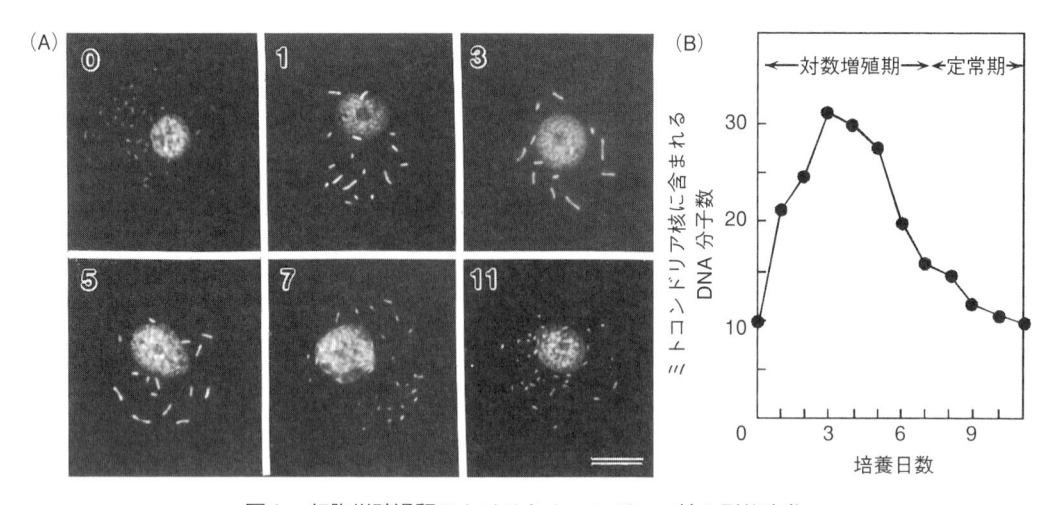

図2 細胞増殖過程におけるミトコンドリア核の形態変化
(A) 植え継ぎ後0, 1, 3, 5, 7, 11日目の真正粘菌アメーバのDAPI染色像．右隅の数字は培養日数を示す．スケールバーは5 μm．(B) ミトコンドリア核に含まれるmtDNA分子数の変化．

含まれるDNA量は，細胞分裂を伴うミトコンドリアキネシスごとに減少していく．こうしたミトコンドリア核のダイナミックな形態変化は，細胞増殖過程あるいは組織におけるミトコンドリアの機能変化と関係があるのかもしれない．

3. ミトコンドリア核分裂

ミトコンドリアキネシスに伴い，ミトコンドリア核は分裂する．真正粘菌では，1本の棒状のミトコンドリア核はミトコンドリアが分裂するときに長軸方向に伸長し，亜鈴形になって分裂する（図3A）．^{3}Hで放射能ラベルしたチミジンを細胞に取り込ませて電子顕微鏡オートラジオグラフィーで調べてみると，分裂期のミトコンドリアやその核上の銀粒子数は各娘ミトコンドリアで等しい[7]．このことは，ミトコンドリア核の分裂に伴い，mtDNA分子は娘ミトコンドリアに均等に分配されることを示している．

ほとんどの生物のミトコンドリアでは，まずミトコンドリア核の分裂が起こり，つづいてミトコンドリアキネシスが起こる．それらの現象は，サイトカラシンBや臭化エチジウムなどの阻害剤によって分離することができる[8,9]．真正粘菌の分裂前のミトコンドリアにサイトカラシンBを作用させると，ミトコンドリア核分裂は進行するが，ミトコンドリアキネシスは阻害される．一方，臭化エチジウムで処理するとミトコンドリア核分裂は阻害されるが，ミトコンドリアキネシスは起こる．その結果，一方のミトコンドリアは有核，他方は無核となる．以上のことから，ミトコンドリア核分裂とミトコンドリアキネシスはミトコンドリアの分裂の時期に連動して起こるが，それぞれは独自に制御されていることがわかる．また，臭化エチジウム処理で生じた有核ミトコンドリアは分裂を繰り返すが，無核ミトコンドリアは分裂できないことから，ミトコンドリアの増殖にはミトコンドリア核の正しい分裂が重要であることがわかる．

真核生物の細胞核の分裂では，一般に染色体を構成するDNAの一部に特別に分化した領域である動原体があり，その部分に1本の染色体当たり数十本の微小管が付着して，染色体を両極に牽引する．ミトコンドリア核の分裂には，微小管は見られないが，原核生物との類似性からmtDNAと膜との結合が重要であると考えられている．実際，mtDNAと膜が結合している像はいくつか報告されている（図3B）．唯一，真正粘菌においては，膜と特異的に結合しているDNA領域の塩基配列が決定されている[10]．このDNA領域は，非コード領域に存在す

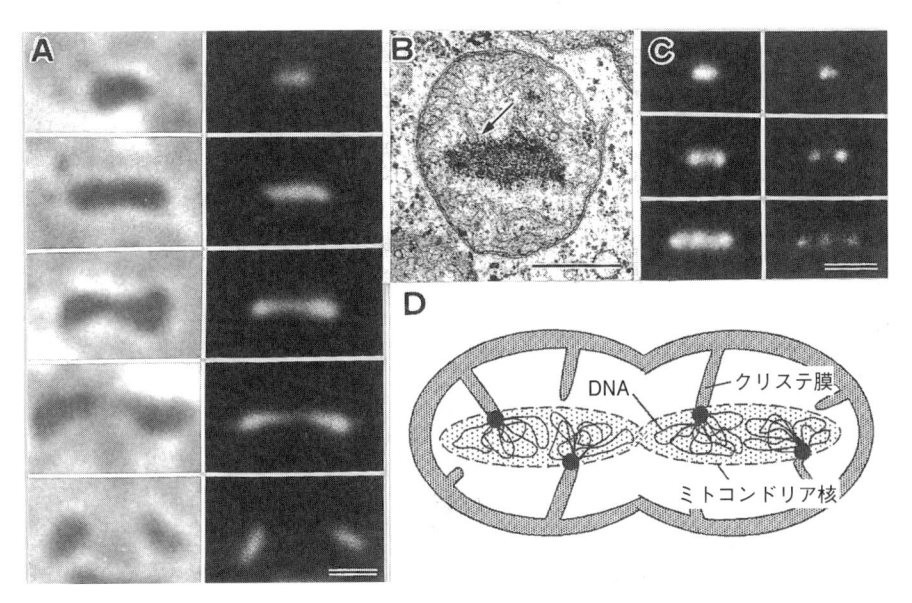

図3 ミトコンドリア核分裂の様式
(A) ミトコンドリア核の分裂過程の様子．ミトコンドリア（左段：位相差像）の分裂に伴ってミトコンドリア核（右段：DAPI 染色像）も分裂することがわかる．スケールは 1 μm．(B) ミトコンドリアの電子顕微鏡像．ミトコンドリア核とクリステ膜の一部が矢印のところで結合している．スケールバーは 0.5 μm．(C) ミトコンドリア核とクリステ膜との結合部位の局在．クリステ膜に結合する DNA 領域をプローブとした FISH を行った．膜結合部位の数は，ミトコンドリア核の長さ（長いミトコンドリア核ほど mtDNA 分子が多く含まれている）に比例して増加している．左段は DAPI 染色像，右段は FISH 像を示す．スケールバーは 1 μm．(D) ミトコンドリア核の分裂様式の模式図．

る約4キロ塩基対の断片であり，細胞核染色体の動原体と同様にきわめて AT に富んでいる（90％以上）．おそらく，この部分がミトコンドリアの動原体としてはたらいているのであろう．この膜に結合する DNA 領域がミトコンドリア核上のどの位置にあるかを，蛍光 in situ ハイブリッド形成法（fluorescence in situ hybridization：FISH）によって調べると，数箇所で観察される[11]（図3C）．このことは，ミトコンドリア核は数箇所で膜に結合していることを示している．結合部位の数は，ミトコンドリア核に含まれる DNA 分子の数に比例して増加し，約10分子の DNA が1カ所でまとまって結合している計算になる．したがって，ミトコンドリア核は数箇所でクリステ膜に付着し，膜の成長とともに反対の極に引っ張られることにより分裂すると考えられる（図3D）．

4. ミトコンドリア核内の DNA 複製

mtDNA 分子自身の複製機構は，かなり詳細に解析されてきた（2・3節参照）が，ミトコンドリア核内での DNA 複製様式はほとんど解析されていない．先に述べたように，ミトコンドリア核には数分子以上の mtDNA が含まれている．それらはどのようにミトコンドリア核内で複製されているのであろうか．真正粘菌にチミジンのアナログであるブロモデオキシウリジン（BrdU）を短時間取り込ませ，抗 BrdU 抗体とフルオレセインイソチオシアネート（FITC）標識した2次抗体を用いた抗体染色により DNA 複製が行われた部位を蛍光顕微鏡観察すると，約30分子含まれているミトコンドリア核においては3カ所の DNA 複製部位しか存在しない[12]（図4）．さらに，BrdU の取込み時間を延長すると，DNA 複製は3カ所において進行し，最終的にはすべての DNA が複製される．DNA 複製部位の数は，

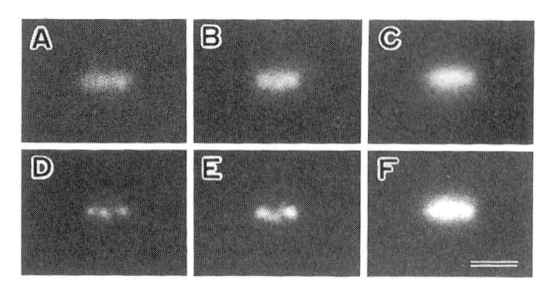

図4 ミトコンドリア核内のDNA複製様式
真正粘菌に，ブロモデオキシウリジンを30分 (A,D)，2時間 (B,E)，12時間 (C,F) 取り込ませ，抗体染色によりDNA合成部位を検出した．上段はDAPI染色像，下段はBrdU抗体染色像．スケールバーは1 μm.

ミトコンドリア核に含まれているDNA分子の数に比例して増加し，1カ所の部分では約10分子のDNA分子が複製されている計算になる．つまり，ミトコンドリア核内のDNA複製はバラバラに起こるのではなく，まとまったDNA分子ごとに制御されていると考えられる．この複製単位となる10分子のDNAのクラスターをミトコンドリアレプリコンクラスターとよぶ．このようなミトコンドリア核内での複製様式は，他の生物ではまだ報告されていないが，細胞核においては隣接した数十個のレプリコンがまとまって複製の制御を受けること（レプリコンクラスター）が知られている．また，真正粘菌では約10分子のmtDNAがまとまって1カ所で膜に結合してるが，その数とミトコンドリアレプリコンクラスター内に含まれるDNA分子数が等しい．このことから，ミトコンドリアレプリコンクラスターは，複製だけではなく，分配の単位ともなっている可能性が考えられる．

5. ミトコンドリア核の分子構造

ミトコンドリア核内のmtDNAは効率よく凝縮しており，真正粘菌では細胞核のヘテロクロマチン（凝縮クロマチン）と同じくらいパッキングされている．また，ゼラニウムの根端分裂組織においては，分裂中期の染色体よりも強くパッキングされている[13]．細胞核においては，このようなDNAが強く圧縮された状態は不活発な状態であり，DNA合成や遺伝子発現などの活性は低いと考えられている．しかし，ミトコンドリア核はDNAのパッキング率がきわめて高いにもかかわらず，活発にDNA合成やRNA合成を行っている．したがって，ミトコンドリア核は，ミトコンドリアゲノムの機能発現を妨げることなく，DNAを効率よく圧縮できる方法で組織化されていると考えられる．

このようなミトコンドリア核の高次構造は，DNAとタンパク質の相互作用により保たれている．それは，ミトコンドリア核を無傷に単離してプロテアーゼ処理することにより，多数のmtDNA分子が裸出してくることからも明らかである（図5）．また，単離したミトコンドリア核を高塩濃度（NaCl）で処理しても，コンパクトな核構造が解体されてDNA繊維が遊離してくる[14]．このことは，ミトコンドリア核の高次構造がDNAとタンパク質との静電気的な相互作用により保たれていることを示している．細胞核では，主要な構造タンパク質として，塩基性タンパク質ヒストンが挙げられる．ヒストンはDNAと非特異的に結合してヌクレオソームを形成する．ヌクレオソームは，ヒストン8量

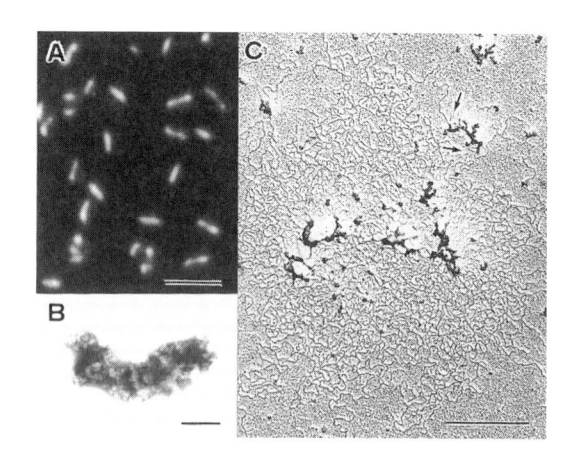

図5 単離したミトコンドリア核のプロテアーゼ処理
(A, B) それぞれ単離ミトコンドリア核のDAPI染色像とネガティブ染色像．ミトコンドリア核は，コンパクトな棒状の構造を保っており，無傷で単離されていることがわかる．スケールバーは1 μm (A) と 0.2 μm (B).
(C) 単離ミトコンドリア核をタンパク質分解酵素で処理し，回転シャドウイング染色したmtDNA像（文献4）より転載）．大量のDNA分子がミトコンドリア核から遊離してきている（矢印）．スケールバーは1 μm.

体（H2A, H2B, H3, H4）のまわりにDNA（147塩基対）が約2回巻き付いた構造体であり，DNAの高次構造の基本単位である．現在のところ，mtDNAがこのようなヌクレオソーム構造をとるか否かは不明である．

ミトコンドリア核にもヒストンと似たタンパク質があることが予想され，いろいろと探索されてきた．現在までに，DNAの高次構造に重要な役割を果たしているミトコンドリア核タンパク質として，アミノ酸配列的にヒストンH1に類似したタイプとHMG（high mobility group）タンパク質に類似したタイプが報告されている．細胞核のヒストンH1はリンカーヒストンともよばれ，ヌクレオソーム間の結合に重要であり，DNAの凝縮を促進する．また，HMGタンパク質はヒストンに続く主要な核タンパク質であり，そのDNAとの結合はヒストンと比較して弱く，可逆的である．HMGタンパク質1および2のDNA結合領域であるHMGボックスは，転写因子にも見い出されている．

ヒストンH1タイプとしては，トリパノソーマ（*Crithidia fasxiculata*）から見つかったKAP（kinetoplast-associated protein）4が挙げられる[15]．トリパノソーマは，キネトプラストとよばれる円盤状の発達したミトコンドリア核をもっており，その中には約5,000分子の小環状DNAと20〜30の大環状DNAが含まれている．KAPタンパク質は，20 kDa以下のタンパク質であり，リジンを多く含む塩基性タンパク質である．精製したKAPタンパク質をキネトプラストDNAに添加すると，DNAの凝縮がみられる．また，大腸菌のヒストン様タンパク質として知られているHUタンパク質を欠失させると核様体の分配異常が見られるようになるが，KAPタンパク質はこの変異を回復することができる．

HMGタンパク質タイプとしては，酵母（*Saccharomyces cerevisiae*）とヒトから見つかったAbf2（ARS-binding factor 2）（またはHM（histone-like protein of mitochondria）とmtTFA（mitochondrial transcription factor A）が挙げられる[16,17]．Abf2とmtTF1は2つのHMGボックスからなり，リジンを多く含む約20 kDaの塩基性タンパク質である．DNAと非特異的に結合し，DNAの凝縮を促進する．また，mtDNAの中でも転写開始点を含むプロモーター領域付近と親和性が強く，転写因子としてもはたらく．さらに，負の超らせん形成能も有する．負の超らせんは，ゲノムDNAの複製，組換え，転写の諸反応に必要であることが知られている．この負の超らせん形成能はHUタンパク質にもみられ，KAPタンパク質と同様に大腸菌のHUタンパク質欠失株の変異を回復させることができる．また，酵母で*Abf2*遺伝子を欠失させた場合，ミトコンドリアの呼吸機能を必要としないグルコース培地ではmtDNAの急速な消失がみられ，一方，ミトコンドリアの呼吸機能を必要とするグリセロール培地ではmtDNAの消失は生じないが，ミトコンドリア核の凝縮が見られなくなり，細胞の増殖阻害や組換えの減少がみられる．以上のことから，Abf2タンパク質はmtDNAの高次構造維持，DNAのメンテナンス，転写，組換えなどにも重要であることがわかる．つまり，mtDNAはタンパク質によって高次に組織化され，圧縮されてたたみこまれ，そのトポロジカルな配置構造をとることにより制御機能を発揮できるといえよう．

● おわりに

mtDNAや遺伝子についての知見は著しく増大している．しかし，mtDNAが生体内でタンパク質によって高度に組織化されたミトコンドリア核として存在し，機能している事実はあまり重視されていなかった．今後，生体内でのmtDNAの機能を考えるうえで，核構造の意義を問いただす必要がでてくるであろう．

● 文　献

1) Nass, M.M.K., Nass, S. : *Exp. Cell Res.*, **26**, 424-427 (1962)
2) Shuster, F. L. : *Exp. Cell Res.*, **39**, 329-345 (1965)
3) Guttes, S., Guttes, E., Hadek, R. : *Experimentia*, **22**, 452-454 (1966)
4) Kuroiwa, T. : *Int. Rev. Cytol.*, **75**, 1-59 (1982)
5) Sasaki, N., Suzuki, T., Ohta, T., *et al.* : *Protoplasma*,

182, 115-125 (1994)
6) Kuroiwa, T., Fujie, M., Kuroiwa, H. : *J. Cell Sci.*, **101**, 483-493 (1992)
7) Kawano, S., Kuroiwa, T. : *Cell Struct. Funct.*, **4**, 99-108 (1979)
8) Kuroiwa, T., Kuroiwa, H. : *Experientia*, **36**, 193-194 (1980)
9) Kawano, S., Kuroiwa, T. : *Exp. Cell Res.*, **161**, 460-472 (1985)
10) Kuroiwa, T., Ohta, T., Kuroiwa H., *et al.* : *Microscopy Res. Tech.*, **27**, 220-232 (1994)
11) Sasaki, N., Suzuki, T., Kawano, S. : *Cytologia*, **62**, 309-314 (1997)
12) Sasaki, N., Sakai, A., Kawano, S., *et al.* : *Protoplasma*, **203**, 221-231 (1998)
13) 酒井　敦，黒岩常祥：金属，**62**, 56-62 (1992)
14) Suzuki, T., Kawano, S., Kuroiwa, T. : *J. Cell Sci.*, **58**, 241-261 (1982)
15) Xu, C.W., Hines, J.C., Engel, M.L., *et al.* : *Mol. Cell. Biol.*, **16**, 564-576 (1996)
16) Diffley, J.F., Stillman, B. : *Proc. Natl. Acad. Sci. USA*, **88**, 7864-7868 (1991)
17) Parisi, M.A., Clayton, D.A. : *Science*, **252**, 965-969 (1991)

2·2 ミトコンドリアの遺伝子構造とその特徴

宝来　聰

●はじめに

　ミトコンドリアはほとんどの真核生物にある細胞小器官であり，内部に組み込まれた電子伝達系は酸化的リン酸化反応と共役して生命活動に必要なエネルギーの大部分を供給している．ミトコンドリアは独自の遺伝情報（ミトコンドリアDNA：mtDNA）とタンパク合成システムをもつ．mtDNAにはわずか37種類の遺伝子しかないが，それは長い生物進化の過程で機能の大部分を核DNAにゆだねた結果である．そのため，ミトコンドリアの大部分のタンパク質は核DNAの産物として細胞質で合成され，ミトコンドリア内に移行してくる．ミトコンドリアはこれらと協調しながら，独自にDNAの複製，転写，タンパク質の生合成を行っている．

1. ミトコンドリアDNAの遺伝子

　1981年にSangerのグループが，はじめてヒトmtDNAの全塩基配列を決定し，その長さが16,569塩基対（bp）であること，12Sと16Sの2つのリボソームRNA（rRNA）遺伝子，22種類の転移RNA（tRNA）遺伝子，電子伝達系構成サブユニットのうちの13種類のタンパク質遺伝子をコードしていることを明らかにした（図1）[1]．これらのサブユニットの内訳は，複合体Ⅰ（NADH-ユビキノン酸化還元酵素）が7種類（ND1, ND2, ND3, ND4L, ND4, ND5, ND6），複合体Ⅲ（ユビキノール-シトクロム c 酸化還元酵素）が1種類（cyt.b），複合体Ⅳ（シトクロム c 酸化酵素）が3種類（COⅠ，COⅡ，COⅢ），複合体Ⅴ（ATP合成酵素）が2種類（ATPase 6, ATPase 8）である．これらの産物はすべて酸化的リン酸化に関与している．このことは，ミトコンドリアに細胞質とは別の独自の翻訳機構が存在することを示すと同時に，mtDNAの複製，転写，mRNAの翻訳に必要な酵

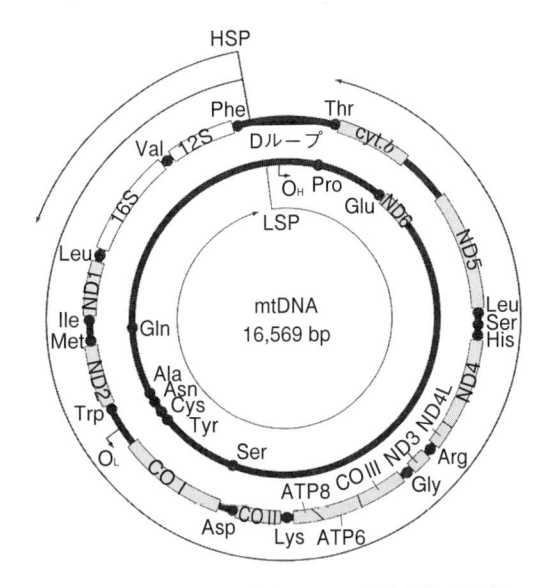

図1　ヒトミトコンドリアDNAの遺伝子の配置
ND1, ND2, ND3, ND4L, ND5, ND6は複合体Ⅰのサブユニット，cyt.bは複合体Ⅲのサブユニット，COⅠ，COⅡ，COⅢは複合体Ⅳ，ATPase6, ATPase8は複合体Ⅴのサブユニットを示す．12S rRNA, 16S rRNAはrRNA遺伝子であり，22種類のtRNA遺伝子は●で表し，それぞれ3文字表記のアミノ酸に対応する．ロイシン（Leu）とセリン（Ser）のtRNAだけは2種類ある．O_HおよびO_LはそれぞれH鎖およびL鎖の複製開始点である．外側はL鎖DNA，内側はH鎖DNAを示す．

素すべてとミトコンドリアの機能に必須なタンパク質のほとんどが核DNAにコードされており，それらのタンパク質は細胞質で合成されたのちにミトコンドリアへ運び込まれることを意味している．マウス，ウシ，ラットなど，他の哺乳類でもmtDNAの全塩基配列が決定され，これらすべての種で遺伝子の構成と配置が同じであり，遺伝暗号やtRNAの特徴を共有していることが明らかになった．

a. ミトコンドリアDNAの特徴

ヒトのmtDNAは16,569 bpよりなり，核の染色体DNAが約30億bpであるのに比べて非常に小さなゲノムである．以下にその特徴をまとめておく．

(1) 核の染色体DNAのようにヒストンで保護されたクロマチン構造はなく，裸の環状2本鎖DNAである．

(2) 遺伝様式は母系遺伝である[2,3]．母親のmtDNAのみが子に伝えられ，父親のmtDNAは次世代に関与しない．この特殊な遺伝様式の機構は，受精の際，卵が精子よりもはるかに多量の細胞質を提供するため，精子のmtDNAは増殖せずに消失すると考えられてきた．しかし最近，受精の際に卵にはいった精子のmtDNAが，初期発生の早い段階で特異的に除去されることが明らかにされた[4]．

(3) ミトコンドリアは細胞当たり1,000個ぐらい存在するため，1個体では膨大な数のmtDNA分子が存在していることになる．通常，健常人の個体内ではこれらすべてのmtDNAが同じ塩基配列より成り立っている[5]．これをホモプラスミーという．一方，病的状態（ミトコンドリア脳筋症など）では，変異型と正常型のmtDNAが混在するヘテロプラスミーであることが明らかにされている．

(4) mtDNAは突然変異を起こしやすく，DNAの修復機構も不完全である．そのため，塩基置換速度が核DNAに比べて5～10倍ぐらい速い[6]．たとえば，ヒトに一番近縁な生物と考えられているチンパンジーとヒトで核DNAの相同遺伝子の塩基配列を比較すると，塩基の違う割合はたかだか1%程度であるが，mtDNAでは10%近くになっている[7,8]．つまり，これら2種類は共通の祖先から分かれて進化してきたが，2種間に蓄積した塩基置換の量はmtDNAのほうが核DNAより10倍くらい多い．このmtDNAのもつ特徴は種内変異を調べる際にも適用できる．事実，ヒトのmtDNAは多型性に富んでおり，制限酵素切断型多型分析の結果では，ランダムに抽出した2名間での塩基の違いは平均して0.4%くらいある．

b. ミトコンドリアDNAの構造

わずか16,569 bpの配列の中に37種類の遺伝子をコードしているため，1,100 bpほどの長さのコントロール領域とよばれる部位を除くと，おのおのの遺伝子はmtDNA上にほとんど隙間なく並んでいる．コントロール領域には遺伝子はないが，H鎖の複製開始点（O_H），H鎖とL鎖の転写開始点（O_L）といったmtDNAの複製や転写を制御する部位があり，その名の由来となっている[9]．遺伝子の中にはイントロン（介在配列）はまったく存在しない．rRNA遺伝子とほとんどのタンパク質遺伝子の両端はtRNA遺伝子で区切られている．隣合ったtRNA遺伝子間では1 bpないし数 bpを共有している場合もある．ATPase 8遺伝子とATPase 6遺伝子は46 bpの領域で，ND4L遺伝子とND4遺伝子は7 bpの領域で，おのおのの異なる読み枠を使いながら重なりあっている．タンパク質遺伝子のうちND1, ND2, ND3, ND4, COⅢ, ATPase6, cyt.bは3′末端に終止コドンをもたず，TあるいはTAで配列が終わっている[1]．これらの遺伝子では転写後のポリA付加によってはじめてUAAという終止コドンをもつようになる．tRNAの種類について，核にコードされた細胞質での翻訳には少なくとも31種類が必要なのに対し，ミトコンドリアには22種類しか存在しない．tRNAのアミノ酸を受容する3′末端に共通してあるCCAという配列は，mtDNA上の遺伝子の配列には存在せず，これも転写後付加されると考えられる[1]．このように，ヒトmtDNAの遺伝子構成はきわめてコンパクトで，むだな部分が少ない．

c. 2本鎖間の非対称性

mtDNAを構成する2本のDNA鎖には，極端な塩基組成の違いがみられる．一方のDNA鎖はアデニン（A）が31%，シトシン（C）が31%，チミン（T）が25%，グアニン（G）が13%とG残基の数が極端に少なく，その相補鎖ではC残基の数が極端に少ない．G残基とC残基の分子量の違いのため，両鎖の比重が大きく異なるので，前者はL鎖（軽鎖），後者はH鎖（重鎖）とよばれている．同じような塩基組成の偏りは脊椎動物のmtDNAに共通の特徴である．コードしている遺伝子の数にも2本鎖間に大きな差がみられる．H鎖にはわずか8個のtRNA遺伝子と1個のタンパク質遺伝子（ND6）がコードされているにすぎず，残りの28個の遺伝子はL鎖にコードされている．

d. 独自の遺伝子暗号とコドンの使用頻度

表1にヒトmtDNAの遺伝暗号表を示した．ATAがイソロイシンでなくメチオニンをコードし，TGAが終止コドンでなくトリプトファンをコードし，AGAとAGGがアルギニンをコードする代わりに終止コドンである点で，核DNAの普遍的な暗号表と異なっている．この暗号表は哺乳類のmtDNAに特異的なもので，他の生物種は別な特異的暗号表をもっている[10]．開始コドンとして，ヒトのmtDNAではATGのほかにATAやATTも用いられ[1]，他の哺乳類ではATCやGTGも用いられている．開始コドンとして用いられた場合に限り，ATTはイソロイシンではなくメチオニンとして翻訳されることがタンパク質のアミノ酸配列の解析から明らかになっている．

表1には，おのおののコドンの使用頻度も示した．3番目の塩基がAまたはCのコドンが多く用いられ，3番目の塩基がGのコドンの使用頻度が極端に低い．タンパク質遺伝子のほとんどがL鎖にコードされていることから，このコドンの3番目の塩基組成の偏りがmtDNA鎖の塩基組成の差の大きな原因となっている．

2. RNA遺伝子の特徴

a. tRNAの特徴

mtDNAにコードされたtRNAのほとんどは，核にコードされた細胞質のtRNAと同じようにクローバーリーフ構造をとることが可能な1次構造をしている．細胞質tRNAには生物種を問わず共

表1 ヒトmtDNAの遺伝暗号とコドンの使用頻度

Phe (GAA)	UUU	77	Ser (UGA)	UCU	32	Tyr (GUA)	UAU	46	Cys (GCA)	UGU	5
	UUC	**141**		**UCC**	**99**		**UAC**	**89**		**UGC**	**17**
Leu (UAA)	UUA	73		UCA	83	終止	UAA		Trp (UCA)	**UGA**	**93**
	UUG	16		UCG	7		UAG			UGG	11
Leu (UAG)	CUU	65	Pro (UGG)	CCU	41	His (GUG)	CAU	18	Arg (UCG)	CGU	7
	CUC	167		**CCC**	**119**		**CAC**	**79**		CGC	25
	CUA	**276**		CCA	52	Gln (UUG)	**CAA**	**81**		**CGA**	**29**
	CUG	45		CCG	7		CAG	9		CGG	2
Ile (GAU)	AUU	125	Thr (UGU)	ACU	51	Asn (GUU)	AAU	33	Ser (GCU)	AGU	14
	AUC	**196**		**ACC**	**155**		**AAC**	**131**		AGC	39
Met (CAU)	**AUA**	**167**		ACA	133	Lys (UUU)	**AAA**	**85**	終止	AGA	
	AUG	40		ACG	10		AAG	10		AGG	
Val (UAC)	GUU	30	Ala (UGC)	GCU	43	Asp (GUC)	GAU	15	Gly (UCC)	GGU	24
	GUC	49		**GCC**	**124**		**GAC**	**51**		**GGC**	**88**
	GUA	**70**		GCA	80	Glu (UUC)	**GAA**	**64**		GGA	67
	GUG	18		GCG	8		GAG	24		GGG	34

アミノ酸は3文字略号で表記し，その下にtRNAのアンチコドンの配列を括弧に入れて示した．各アミノ酸に対応するコドンの中でもっとも多く用いられているものを太字で表した．

通してみられる特徴があるが，ミトコンドリアのtRNAはその特徴をもたないものが多い．とくに，AGYコドンに対応するセリンtRNAはDHUアームを欠き，典型的なクローバーリーフ構造をとることができない．そのほかのtRNAでも，DHUアームとTΨCアームのループの長さと配列には非常に変異が大きい．細胞質tRNAでは，3次構造の形成に必須でほぼ普遍的に保存されているDHUループ内のG18, G19, TΨCループのC56がほとんどのミトコンドリアtRNAではみられず，別の仕組みでtRNAを機能させていると考えられる．

ミトコンドリアにはおのおのの2重縮重コドンと4重縮重コドンに対してtRNA遺伝子は1つしか存在しない．2重縮重コドンに対応するtRNAの場合，tRNA-Metを除くと，アンチコドンの1番目の塩基はUかGである．したがって，この揺らぎ部位でのG-U揺らぎ結合によって2種類のコドンを認識していると考えられる．4重縮重コドンに対応するtRNAの揺らぎ部位にはすべてUがある．したがって，揺らぎ部位のUは4重縮重コドンの場合4種の塩基のすべてと，2重縮重コドンの場合はAあるいはGとのみ対合していることになる．アンチコドンループの塩基の修飾のされ方が4重縮重コドンに対応するtRNAと2重縮重コドンに対応するtRNAとで異なっていることが，ウシのミトコンドリアの塩基配列からわかっている．この観察事実から，4重縮重コドンと2重縮重コドンの認識の仕方の違いは，この修飾の違いによるとの説が出された．また，4重縮重コドンでは，揺らぎ部位を除く2つのコドン-アンチコドンの対合のみでtRNAがコドンを認識しているという説もある．CAUをアンチコドンの配列としてもつtRNA-Metの場合，これがAUAというコドンを認識するためにはA-C対合が起こらなければならない．さらに，ATT, ATC, GTGコドンが開始コドンとして用いられた場合，これらのコドンもtRNA-

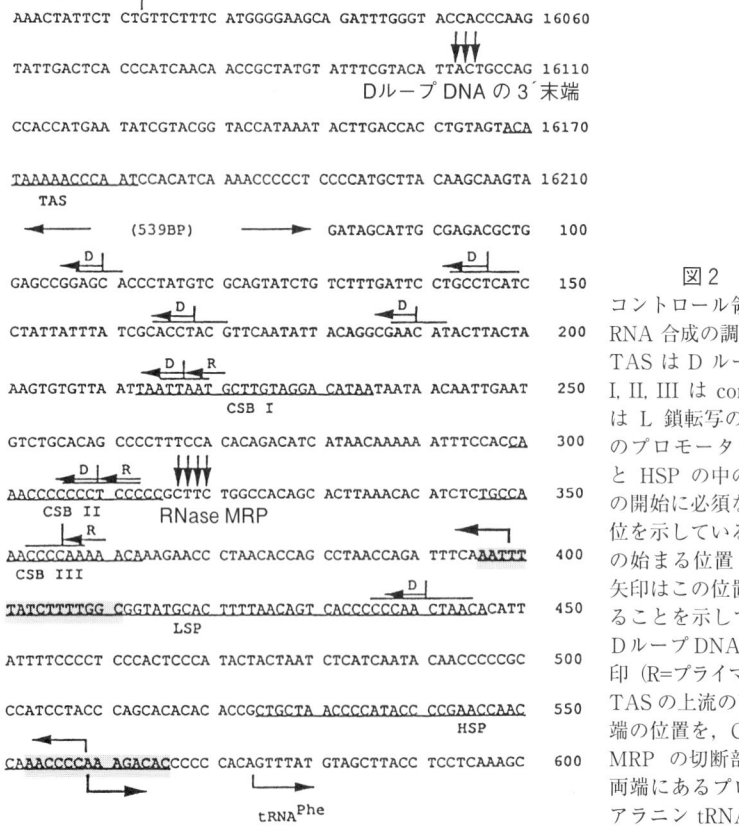

```
              tRNA^Pro
         ←
AAACTATTCT CTGTTCTTTC ATGGGGAAGCA GATTTGGGT ACCACCCAAG  16060
                                          ↓↓↓
TATTGACTCA CCCATCAACA ACCGTATGT ATTTCGTACA TTACTGCCAG   16110
                                  DループDNAの3'末端

CCACCATGAA TATCGTACGG TACCATAAAT ACTTGACCAC CTGTAGTACA  16170

TAAAAACCCA ATCCACATCA AAACCCCCT CCCCATGCTTA CAAGCAAGTA  16210
  TAS
         ←   (539BP)    →          GATAGCATTG CGAGACGCTG  100
              ← D↑                              ← D↑
GAGCCGGAGC ACCCTATGTC GCAGTATCTG TCTTTGATTC CTGCCTCATC  150
                  ← D↑          ← D↑
CTATTATTTA TCGCACCTAC GTTCAATATT ACAGGCGAAC ATACTTACTA  200
                  ← D↑ R↑
AAGTGTGTTA ATTAATTAAT GCTTGTAGGA CATAATAATA ACAATTGAAT  250
                       CSB I
GTCTGCACAG CCCCTTTCCA CACAGACATC ATAACAAAAA ATTTCCACCA  300
       ← D↑ R↑          ↓↓↓↓
AACCCCCCCT CCCCCGCTTC TGGCCACAGC ACTTAAACAC ATCTCTGCCA  350
  CSB II        RNase MRP
        ← R↑
AACCCCAAAA ACAAAGAACC CTAACACCAG CCTAACCAGA TTTCAAATTT  400
  CSB III
                                             ← D↑
TATCTTTTGG CGGTATGCAC TTTTAACAGT CACCCCCCAA CTAACACATT  450
  LSP

ATTTTCCCCT CCCACTCCCA TACTACTAAT CTCATCAATA CAACCCCCGC  500

CCATCCTACC CAGCACACAC ACCGCTGCTA ACCCCATACC CCGAACCAAC  550
                                                HSP
CAAACCCCAA AGACACCCC CACAGTTTAT GTAGCTTACC TCCTCAAAGC   600
       →
                            tRNA^Phe
```

図2 コントロール領域の塩基配列

コントロール領域のL鎖の塩基配列を示した．DNA, RNA合成の調節に関連する配列を下線で示してある．TASはDループDNAの合成の終始関連配列，CSB I, II, IIIはconserved sequence block I, II, III, LSPはL鎖転写のプロモーター領域，HSPはH鎖転写のプロモーター領域，をそれぞれ示している．LSPとHSPの中の陰をつけた部分は正しい位置での転写の開始に必須な配列を，他の部分は転写因子の結合部位を示している．LSPとHSPの中の太い矢印は転写の始まる位置と方向を示している．HSPの中の細い矢印はこの位置からわずかながらL鎖の転写が始まることを示している．プライマーRNAの3'末端とDループDNAの5'末端のおおまかな位置を上線と矢印（R=プライマーRNA, D=DループDNA）で示した．TASの上流の下向きの矢印はDループDNAの3'末端の位置を，CSB IIの下流の下向きの矢印はRNase MRPの切断部位を示している．コントロール領域の両端にあるプロリンtRNA（tRNA-Pro）とフェニルアラニンtRNA（tRNA-Phe）の位置も示してある．

Met によって認識されなければならない．この複雑なコドンの認識の仕組みについてはよくわかっていない．

b. rRNA 遺伝子

ミトコンドリアの 12S rRNA と 16S rRNA はそれぞれバクテリアの 16S rRNA と 23S rRNA に類似した 2 次構造をとることができる．さらに，バクテリアの rRNA で，tRNA との結合部位など，機能的に重要な場所にみられる塩基配列はミトコンドリアの rRNA でも保存されており，ミトコンドリアのリボソームがバクテリアのものと似た構造をしていることが想像される．ただし，バクテリアの 5S rRNA に相当する分子はミトコンドリアではみつかっていない．

c. コントロール領域

tRNA-Pro 遺伝子と tRNA-Phe 遺伝子に挟まれたコントロール領域（図 2）は，mtDNA のなかで種ごとに配列がもっとも違う場所であり，ヒト，マウス，ウシの配列に相同性はみられない．この領域の長さにも種ごとに差があり，種ごとのミトコンドリアゲノムの大きさの違いの大部分はこの差によるものである．しかし，ヒトとマウスの配列の比較から，このように変異に富むコントロール領域に例外的に高い相同性のみられる場所が 3 つ検出され，CSB（conserved sequence block）Ⅰ, Ⅱ, Ⅲ と名づけられた[11]．コントロール領域内の H 鎖複製開始点（O_H）と tRNA-Pro 遺伝子の間には，常に L 鎖に相補的な 600 bp ほどの短い DNA が L 鎖と結合し，H 鎖が 1 本鎖になったディスプレースメントループ（D ループ）を形成している場所がある．ヒトのミトコンドリアには長さの異なる数種類の D ループ DNA がある．いずれの D ループ DNA も，その 3′末端は tRNA-Pro 遺伝子の上流 81〜83 bp の部位，あるいは終始関連配列（termination associated sequence : TAS）とよばれる配列の下流 52〜54 bp のところに位置している．5′末端は，3 つある CSB の近くにそれぞれ位置している[12]．

3. ミトコンドリア DNA の複製

mtDNA の複製は，2 本の DNA 鎖について非対称的に起こる[13]．まず，コントロール領域にある H 鎖複製開始点（O_H）から，L 鎖を鋳型にして H 鎖複製が始まる．H 鎖の複製が全体の 2/3 ほど進んで L 鎖複製開始点（O_L）に至ってから，H 鎖を鋳型にして L 鎖複製が始まる．H 鎖の複製が O_L に至るまでの間，もとの H 鎖は 1 本鎖の状態にある（図 3）．

a. H 鎖の複製

H 鎖の複製に必要なプライマー RNA は L 鎖転写プロモーター（LSP）から転写される．したがって，H 鎖の複製と L 鎖の転写は同じ機構によって開始される．プライマー RNA から H 鎖 DNA の合成への移行には，RNase MRP（mitochondrial RNA processing）という RNA 成分を含んだ酵素が深くかかわっている[14]．この酵素は CSB Ⅱ と CSB Ⅲ の配列を認識してプライマー RNA を切断し，DNA 複製機構へと渡す．RNase MRP の RNA 成分は核 DNA にコードされたシングルコピーの遺伝子で，その長さはヒトで 265 bp，マウスで 275 bp であり，2 種の配列には 84% の相同性がみられる．

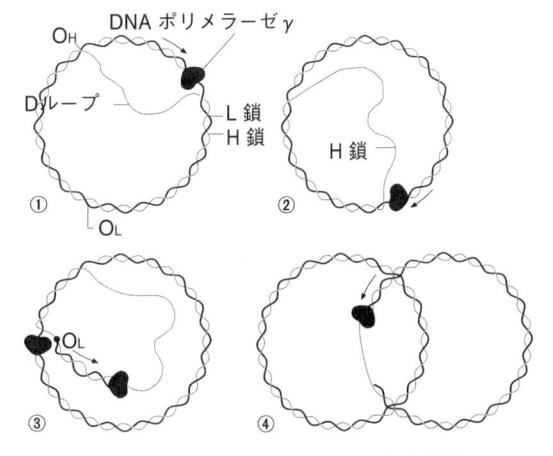

図 3 ミトコンドリア DNA の複製機構
ミトコンドリア DNA の複製は H 鎖から始まる．まず，O_H から①の矢印で示した方向に L 鎖を鋳型とした H 鎖の複製が起こり，2 本鎖 DNA と 1 本鎖 DNA が共存した状態ができる．

mtDNAの合成はDNAポリメラーゼγによって行われる．アフリカツメガエルとショウジョウバエのこの精製酵素は，少なくとも100kDa以上のポリペプチドと小さなポリペプチドからなり，後者には3′-5′エクソヌクレアーゼ活性がある．また，ブタのDNAポリメラーゼγにも3′-5′エクソヌクレアーゼ活性がある．複製中のH鎖DNAとDループDNAの5′末端は同じ位置にあるが，H鎖の複製がすでに存在しているDループDNAをさらに延長することによるのか，新たにプライマーRNAから合成されるのかはまだわかっていない．

b. L鎖の複製

O_LはtRNA-AspとtRNA-Cys遺伝子の間にあり，11bpからなるステムと12bpからなるループをもつ構造をとることのできる配列である．このステムループ構造は哺乳動物mtDNAのO_Lに共通してみられる特徴である．合成中のL鎖の5′末端はステムの根元に位置している．O_Lからの複製開始にはO_Hからのものとまったく別の因子が関与している．その1つがmtDNAプライマーゼであり，その活性には小分子のRNAが必須である．この酵素は，試験管内ではO_LのループのT残基の連続した箇所からプライマーRNAの合成を始め，DNA合成への転換にはステムの下流のtRNA-Cys遺伝子のなかにあるGCCGGという配列が必須である．

c. ミトコンドリアDNAの転写とタンパク合成

mtDNAのH鎖転写プロモーター（HSP）とL鎖転写プロモーター（LSP）は，おのおののDNA鎖について1つだけコントロール領域にある（図1，2）．したがって，同じDNA鎖上の遺伝子は，最初，一続きの長いRNAとして転写される．2つのプロモーターはO_HとtRNA-Phe遺伝子の間に約80bpほど離れて位置している．

おのおののプロモーターは50bpほどの長さであり，2つの機能的に異なった部位から構成されている．その1つは実際に転写が開始されるところに位置する短めの配列であり，もうひとつは上流に位置するミトコンドリア固有の転写促進因子mtTFA（mitochondrial transcription factor A）の結合する配列である．mtTFAの結合する配列はLSPとHSPで逆向きになっている．mtTFAはmtRNAポリメラーゼがなくても単独で結合部位に結合することができる．mtTFAはHSPよりLSPのほうに高い親和性をもつ．クローニングされたmtTFAの遺伝子の配列から，このタンパク質が2つのHMG（high mobility group）ボックスをもち，そのHMGボックスのアミノ酸配列がRNAポリメラーゼIによる転写に重要なhUBF（human upstream binding factor）と一番高い相同性を示すことがわかった．このことは，2つの転写機構が同一の機構から進化してきた可能性を示唆している．

L鎖からは長さの異なる2種類の1次転写物が合

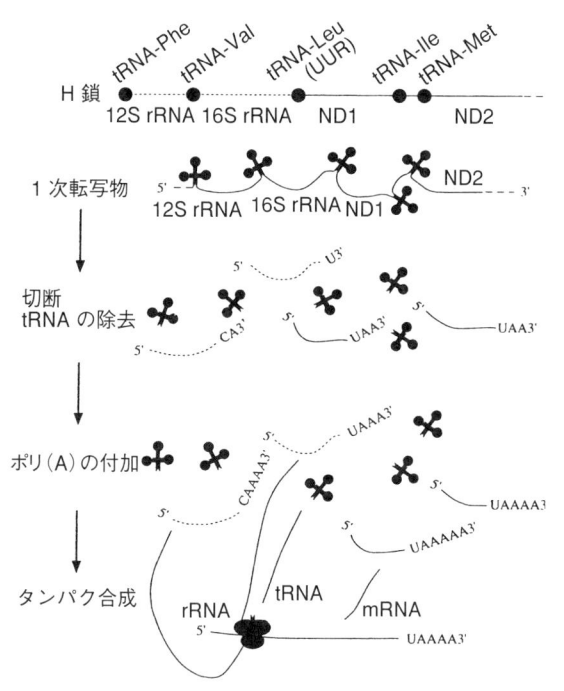

図4 ミトコンドリアDNAの転写とタンパク質の合成機構

図1のHSPとLSPの矢印で示したように，mtDNAでは2つのプロモーターからそれぞれ一続きの1次転写物が生産される．H鎖の1次転写物には長さの異なる2種類の転写物が生産されるが，rRNAの3′側のtRNA-Leu（UUR）に転写終結因子が結合すると短いほうの転写物ができ，転写終結因子が結合しないと長い方の転写物ができる仕組みになっている．このようにして，rRNAとmRNAの合成量が調節されていると考えられる．その後1次転写物は切断され，rRNA，tRNAとmRNAになる．rRNAとmRNAはポリアデニル酸添加酵素によってポリ（A）が付加され，ミトコンドリア内のタンパク合成が行われる．

成される（図4）．16S rRNA 遺伝子の下流のロイシン tRNA（UUR）遺伝子の中に"TGGCAGAGCCCGG"という転写終結因子の結合部位があり，その部位に分子量 34 kDa の転写終結因子が結合すると転写はそこで止まって短い1次転写物ができ，結合していないときには転写はさらに下流へと進んでタンパク質遺伝子の mRNA を含む長い転写物ができる[15]．この機構によってL鎖では rRNA と mRNA の合成量が調節されている．1次転写物はおのおのの遺伝子ごとに切断され，rRNA と mRNA の3′末端にはポリアデニル酸添加酵素によってポリAが付加され，tRNA の3′末端には CCA という配列が付加され，さらに rRNA と tRNA は修飾を受けて最終的な転写物となる（図4）．mRNA の5′末端には細胞質の mRNA にみられるキャップ構造は付加されない．RNase P のような機構が，rRNA やタンパク質遺伝子間に存在する tRNA の2次構造を認識し，1次転写物をおのおのの遺伝子ごとに切断しているとの説もあるが，この説を直接裏づける実験データは得られていない．

● おわりに

以上は，生物進化の過程でミトコンドリアが独自の遺伝情報を獲得し，核 DNA の遺伝情報との協調作用を達成した結果である．

● 文 献

1) Anderson, S., Bankier, A.T, Barrell, B.G. *et al.*: *Nature*, **290**, 457-465 (1981)
2) Giles, R. E., Blonc, H., Cann, H.H., *et al.*: *Proc. Natl. Acad. Sci. USA*, **77**, 6715-6719 (1980)
3) Hutchison, III C.A., Newbold, J. E., Potter, S.S., *et al.*: *Nature*, **251**, 536-538 (1974)
4) Kaneda, H., Hayashi, J., Takahama, S., *et al*: *Proc. Natl. Acad. Sci. USA*, **92**, 4542-4546 (1995)
5) Potter, S.S., Newbold, J.E., Hutchison, C.A.III, *et al.*: *Proc. Natl. Acad. Sci. USA*, **72**, 4496-4500 (1975)
6) Brown, W.M., Goorge, J.R.M., Wilson, A.C., *et al.*: *Proc. Natl. Acad. Sci. USA*, **76**, 1967-1971 (1979)
7) Horai, S., Satta, Y., Hayasaka, K., *et al.*: *J. Mol. Evol.*, **35**, 32-43 (1992)
8) Horai, S., Gojobori, T., Matsunaga, E.: *in* "Human Genetics, Proceedings of the 7th International Congress" (Vogel, F., Sperling, K., eds.), pp 177-181, Springer-Verlag, Heidelberg (1987)
9) Clayton, D. A.: "Ann. Rev. Cell Biol." Vol., 7. (Palade, G.E., Albert, B.M., Spudich, J.A. *et al.*, eds.), pp. 453-478, Annual Review, Palo Alto (1991)
10) Wolstenholme, D.R.: "International Review of Cytology Vol. 141, Mitochondrial Genomes", (Wolstenholme, D. R., Jeon, K.W., eds.), pp. 173-216, Academic, San Diego (1992)
11) Walberg, M.W., Clayton, D. A.: *Nucl. Acid. Res.*, **9**, 5411-5421 (1981)
12) Doda, J.N., Wright, C.T., Clayton, D.A.: *Proc. Natl. Acad. Sci. USA*, **78**, 6116-6120 (1981).
13) Clayton, D.A.: *Cell*, **28**, 693-705 (1982)
14) Chang, D.D., Clayton, D.A.: *Cell*, **56**, 131-139 (1989)
15) Kruse, B., Narasimhan, N, Attardi, G., *et al.*: *Cell*, **58**, 391-397 (1989)

ミトコンドリア DNA の複製と変異

康　東天

● はじめに

　ミトコンドリア DNA（mtDNA）でコードされる電子伝達系のサブユニットは好気的 ATP 産生に不可欠である．培養細胞系では mtDNA を失った ρ^0 細胞も特殊な環境下で生存可能であるが，mtDNA の維持は個体の生存にとっては必須である．ミトコンドリアゲノムは多数のコピーが存在し，そのコピー数は細胞のエネルギー需要とおおよそ並行している．つまり，細胞が要求するレベルのミトコンドリア機能を保持するのには，一定のコピー数のミトコンドリアゲノムが維持される必要がある．ミトコンドリアゲノムの維持という場合，遺伝情報そのものの維持に加え，遺伝情報量の維持も考える必要がある．

1. 活性酸素傷害と体細胞性変異，先天性変異[1]

　一般に，ミトコンドリアの電子伝達系は細胞の酸素消費の 90％ 以上を占め，そのうち 1〜5％ は活性酸素種に変換されるとされ，細胞内最大の活性酸素発生源である．このため，mtDNA は核 DNA より強い酸化傷害を受けていることが予想される．事実，mtDNA では酸化型グアニン塩基である 8-オキソグアニン（8-oxoG）が核に比べて十数倍多いと報告されている[2]．哺乳類のミトコンドリアでは，ヒストンタンパク質のようなヌクレオソーム構造をとるタンパク質も存在しないことから，傷害因子に対する防護も核 DNA に比べて弱い可能性がある．実際，化学物質による mtDNA の傷害は核 DNA に比べて数十倍高く起こる．さらに，ミトコンドリアの DNA 修復酵素は核に比べて不十分であるため，mtDNA の変異率が核に比べて高いことが想像される．これは，ミトコンドリアでは進化上での塩基置換速度が核に比べて 10 倍以上速いこと，および酵母ミトコンドリア電子伝達系の機能欠損株（いわゆるプチ変異）の発生率から考えられる mtDNA の変異率が核に比べて 10〜100 倍高いことなどからも間接的に支持される．

　このようにして，加齢に伴い体細胞の mtDNA に変異が蓄積し，これが老化におけるミトコンドリア機能低下の大きな原因のひとつと考えられている．実際，代表的なミトコンドリア病 MELAS（mitochondrial encephalomyopathy, lactic acidosis, and stroke-like episodes）の主要な原因であり，糖尿病や心筋症などの原因にもなる A3243G 変異は，健常人においても加齢に伴って増加する．ρ^0 細胞を用いて種々の程度の 3243 変異ヘテロプラスミーをもつサイブリッドを作製して継代すると 3243 変異が蓄積していくことから，本変異が複製上有利にはたらく replicative advantage をもっているとの説が提唱されている．ただし，この現象は別の細胞株では観察されないことから，3243 変異の蓄積は各細胞における核のバックグラウンドに依存していると考えられる．

a. 体細胞性変異

　mtDNA の変異率は長い間直接的に評価することができなかった．最近，PCR（polymerase chain

reaction）法と continuous denaturing gel electrophoresis（CDGE）法を用いて非常に低レベルのヘテロプラスミーを定量することが可能となり，直接的な評価が試みられている．Kharapko らはこの方法により mtDNA の 10,030-10,130 の領域での変異を調べ，mtDNA の変異率（$3×10^{-6}$/塩基対）は核DNA（$1×10^{-8}$/塩基対）に比べて100倍以上も高いことを報告している[3]．また，正常組織，腫瘍組織，培養細胞でも共通して特定の変異がホットスポットとして検出されることから，変異の原因は複製エラーか活性酸素などの内因性傷害物質に起因する自然突然変異によることが示唆される．この方法で検出された変異パターンは大部分が A/T⇌G/C トランジションであった．同様の方法でさまざまな年齢の組織の mtDNA の D ループ領域の変異が調べられた結果，65歳以上の高齢者のみに高頻度で高いヘテロプラスミーを示す変異が確かめられ[4]，mtDNA で体細胞性の変異が高率に起こり，これが加齢とともに蓄積することが強く示唆される．DNA ポリメラーゼγは 3′-5′ エクソヌクレアーゼ活性による校正機能をもち，DNA 合成におけるエラーの頻度は核DNAの複製DNAポリメラーゼと同程度であることから，mtDNA の高い変異率はミトコンドリアにおいて DNA 傷害頻度が高いか修復能が低いか，あるいはその両方が原因である可能性が高い．

mtDNAで特定の変異が高頻度に起こっているのか，あるいはさまざまな部位で起こっている変異が複製上の優越性（replicative advantage）により選択的にホットスポットとして検出されているのかはCDGE法では区別できない．複製上の優越性の機構は不明であるが，その存在は mtDNA 変異率の正確な評価を困難にしている．たとえば，大腸癌細胞が周囲の正常組織とは異なる mtDNA 変異をホモプラスミーでもつ例が報告されている．この場合，複製上の優越性により変異 DNA がクローナルな細胞増殖の過程で野生型と置き換わってしまった極端な例とも考えられる．いずれにしても，核DNAに比べ，mtDNA が非常に高い変異率を示すことは確かである．

b. 先天性変異

これまでに疾患に関連した数多くの mtDNA の変異が報告され，その数はさらに増え続けている．先天性変異のパターンをみると，A/T⇌G/C のトランジションがもっとも多く，A/T⇌C/G トランスバージョンは少ない．

2. 修復酵素と関連酵素

紫外線による代表的な DNA 傷害で生じるピリミジン2量体はミトコンドリアでは修復されないことが1974年に Clayton らにより報告[5]されて以来，ミトコンドリアには DNA 修復系がないと長い間信じられてきた．しかし，mtDNA 修復がある種の DNA 傷害に対して起こっていることが1980年代になって徐々に報告され始め，1990年代にはミトコンドリアにおける修復酵素の存在が証明された[6,7]．しかし，DNA のアルキル化や同一鎖内の架橋はミトコンドリアでは修復されないようである．

DNA 修復系は大きく4つに分類できる．すなわち，ヌクレオチド除去修復系，ミスマッチ修復系，塩基除去修復系，および組換え修復系である．紫外線による DNA 傷害は核ではおもにヌクレオチド除去修復系で修復されるが，ミトコンドリアでは修復されないとの Clayton らの報告どおり，ミトコンドリアにはヌクレオチド除去修復系は存在しない．酵母では MSH1 の存在とミトコンドリアゲノム維持におけるミスマッチ修復系の重要性が示されているが，哺乳類ではその活性も酵素も同定されておらず，この系は存在しないようである．塩基除去修復系は対応する酵素がミトコンドリアに存在し，その活性も測定されている．酵母においては組換え反応の存在がはっきりしているが，哺乳類ではまだ議論の分かれるところであり，たとえ存在しても非常に弱いというのが一致した見解であろう．現時点では，哺乳類ミトコンドリアにおける DNA 修復は塩基除去修復が主たる役割を果たしていると考えられる．

a. ミトコンドリア DNA 塩基除去修復系

塩基除去修復はおもに酸化や脱アミノ化などの修

飾塩基部位で起こっている．mtDNA は細胞内で最大の活性酸素産生部位に存在し，酸化傷害を受けやすいと考えられている．活性酸素によるおもな DNA 傷害は，8-oxoG に代表される塩基の酸化，塩基の脱落（無塩基部位，AP サイトの発生），DNA 鎖切断（おもに 1 本鎖切断）などであり，2 本鎖切断以外は塩基除去修復経路（図 1）で修復可能である．塩基除去修復系がミトコンドリアに残っていることは進化上も合理的である．

(i) DNA グリコシラーゼ

塩基除去修復はグリコシラーゼによる修飾塩基の切断によって始まる（図 1）．ミトコンドリアに存在することが最初に明らかにされたのはウラシル DNA グリコシラーゼであり，選択的スプライシング（alternative splicing）によって同一遺伝子から核移行型とミトコンドリア移行型が生じる．DNA 鎖上のウラシルは dUTP の取込みかシトシンの脱アミノ反応によって生じる．dUTP を加水分解してその DNA 鎖への取込みを防止するヒト dUTPase も，同一遺伝子に由来する核型とミトコンドリア型タンパク質がある．8-oxoG/C 塩基対を認識して 8-oxoG を切り出すヒトの 8-オキソグアニン DNA グリコシラーゼ（hOGG1）も 8-oxoG/A 塩基対を認識してアデニン塩基を切り出すヒトアデニン DNA グリコシラーゼ（hMYH）も，核型とミトコンドリア型が同一遺伝子から選択的スプライシングによって生じる．DNA 鎖上の 8-oxoG は，DNA 鎖上でのグアニン塩基の酸化に加え，ポリメラーゼ反応の基質 dGTP が酸化された 8-oxo-dGTP の取込みによっても生じる．8-oxoG はシトシンとアデニンに対してほぼ同じ効率で対合するため，A/T⇌C/G トランスバージョンをひき起こす．興味深いことに，8-oxo-dGTP を加水分解し，その DNA 鎖への取込みを防止するヒトの 8-oxo-dGTPase（hMTH1）も，同一遺伝子に由来するタンパク質が細胞質にもミトコンドリアにも存在する．

DNA グリコシラーゼは塩基と糖との間の N-グリコシド結合を切断する．単純な DNA グリコシラーゼ反応は塩基が失われた AP サイトをつくりだ

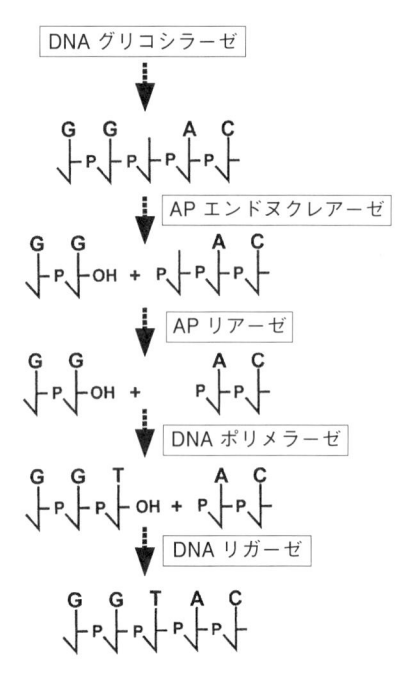

図 1 塩基除去修復の概要

す．上述の DNA グリコシラーゼはすべて AP サイトの 3′ 側を切断して 5′-P 遊離端をつくりだす AP リアーゼ（別名；クラス I，AP エンドヌクレアーゼ）活性も併せもっている．

(ii) AP エンドヌクレアーゼ（クラス II）

AP サイトは，単純な DNA グリコシラーゼ反応によってだけでなく，活性酸素などによる"自然な"加水分解作用で N-グリコシド結合が切断されることによっても生じる．いずれにしても，AP サイトが修復されるためには，AP エンドヌクレアーゼで AP サイトの 5′ 側が切断され，遊離端が 3′-OH の形になる必要がある．アフリカツメガエル，マウス，ヒト HeLa 細胞のミトコンドリアに AP エンドヌクレアーゼ活性が認められているが，いずれもまだクローニングされていない．AP リアーゼと AP エンドヌクレアーゼの作用で 3′-OH と 5′-P をもつ修復可能な 1 塩基ギャップがつくられる．

(iii) DNA ポリメラーゼ γ

現在，哺乳類のミトコンドリアで存在が確認されている DNA ポリメラーゼは DNA ポリメラーゼ γ だけである．それゆえ，DNA ポリメラーゼ γ は複製における DNA 合成だけでなく，修復反応におけ

るDNA合成にも関与していると考えられている．実際，DNAポリメラーゼγは上記の1塩基ギャップを埋めるDNA合成反応を行うことができる．また，核における修復DNAポリメラーゼであるDNAポリメラーゼβと同じく，DNAポリメラーゼγはAPリアーゼ活性を有している．ヒトのDNAポリメラーゼγは約150 kDaの大サブユニットと約53 kDaの小サブユニットから構成されている．DNAポリメラーゼ活性と3′-5′エキソヌクレアーゼ活性は大サブユニットに存在する．小サブユニットは2本鎖DNA結合活性をもち，ポリメラーゼ活性のプロセッシティビティを向上させる作用をもつ．

(iv) DNAリガーゼ

DNA合成によってギャップが埋められたあとで修復が完了するためには，DNAリガーゼによりDNA鎖が再結合されなければならない．アフリカツメガエルの卵母細胞より，約100 kDaの分子量のミトコンドリアDNAリガーゼが精製されている．また，ヒトDNAリガーゼⅢとⅣにはミトコンドリア移行シグナルが存在する可能性がDNA配列のデータベースから見い出され，リガーゼⅢのミトコンドリア移行シグナル配列をGFP (green fluorescence protein)のN末端に付けた融合タンパク質がミトコンドリアに移行することから，リガーゼⅢも選択的スプライシングによって核型とミトコンドリア型を生じる可能性がある．

b. 今後の問題

塩基除去修復系酵素が次々と精製クローニングされているが，その多くは核ではたらく酵素と同一の遺伝子に由来している．このことから，原始ミトコンドリアゲノムに存在した遺伝子が核染色体の中に組み込まれてミトコンドリアから失われたと考えるよりは，核でコードされている遺伝子がミトコンドリア移行シグナルを獲得した結果，同一機能をもつミトコンドリア遺伝子が失われていったと考えるのが自然である．DNA修復系の中で塩基除去修復系の酵素遺伝子だけがどのようにしてミトコンドリア移行シグナルを獲得していったのかは進化的に興味深い．

哺乳類ミトコンドリアにミスマッチ修復や組換え修復がまったく存在しないのか否かはまだ不明であるが，少なくとも塩基除去修復系がおもにはたらいているのは確かであろう．しかし，mtDNAは強い酸化ストレス下にあるにもかかわらず，hMTH1，hOGG1，hMYHのノックアウトマウスに，ミトコンドリアゲノム異常に起因するはっきりした表現型は見い出されていない．同一機能をもつ酵素がそれぞれ複数存在するのか，他の修復経路が存在するのかは不明である．

ミトコンドリアでは修復されないDNA傷害が明らかに存在する．ミトコンドリアゲノムの遺伝情報が守られ，これらの傷害DNAがどのように処理されているのかは，今後の重要な研究領域と思われる．

3. ミトコンドリアDNAの複製

a. ミトコンドリアDNA複製の全体像

mtDNAは環状2本鎖であり，比重の違いによってH鎖 (heavy strand) とL鎖 (light strand) と名付けられている．mtDNAでは，それぞれのDNA鎖に複製開始点が別個に存在し，O_H (H鎖複製開始点) と O_L (L鎖複製開始点) とよばれている．まず，O_H よりL鎖を鋳型として新生H鎖が合成され，もとの親H鎖を1本鎖として遊離しながら新生H鎖の合成が進む．合成が約2/3周進んで親H鎖上の O_L が1本鎖として露出されると，O_L 領域がプライマーゼによって認識されるステムループ (stem-loop) 様の2次構造をとり，プライマーRNAが合成されて新生L鎖の合成が開始される．このように，新生L鎖の合成は新生H鎖合成に依存しており，mtDNA全体の複製は新生H鎖合成開始によって制御されていると考えられている[8] (図2A)．

b. H鎖複製開始点

図2BにH鎖複製開始領域の構造を示してある．L鎖の転写プロモーター (light strand promoter : LSP) の下流に種を越えてよく保存されたアデニンとグアニンに富む領域が3カ所存在し conserved

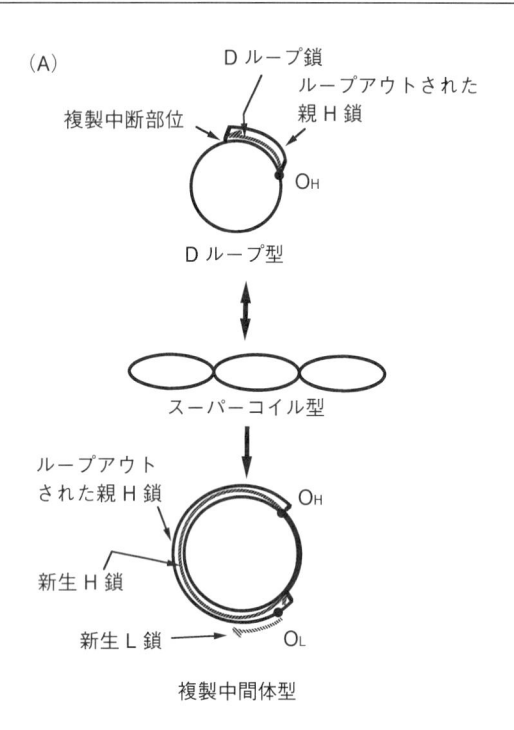

図2 (A) ミトコンドリ DNA 複製の全体像，(B) ミトコンドリア DNA の D ループ領域構造の模式図

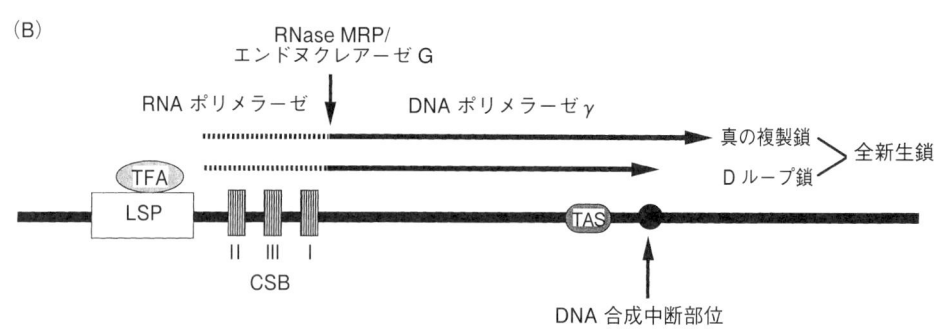

sequence block (CSB) Ⅲ,Ⅱ,Ⅰ とよばれる．Kang らは，ligation-mediated PCR (LMPCR) 法 (図 3A) を用いて新生 H 鎖の 5′末端を 1 塩基の解像度で決定し，DNA 合成の開始点が CSB Ⅰ の下流約 100 bp にわたって 4 カ所のクラスターを形成していることを報告した (図 3B)．

現在考えられている基本的な複製開始機構では，(1) 現在知られている唯一のミトコンドリア転写因子である mitochondrial transcription factor A (mtTFA) が LSP に結合し，その下流より通常の転写が始まり，(2) CSB 領域で安定な RNA-DNA ハイブリッド (R ループ) を形成し，(3) RNase H 様酵素で R ループ領域の RNA が切断されて DNA 合成のプライマーが形成され，(4) mtDNA 合成酵素である DNA ポリメラーゼγによって H 鎖複製が始まる．

転写産物が DNA 複製のプライマーとしてそのまま利用されることを示唆する証拠として，通常の転写開始点を 5′末端にもち，複製開始点付近に 3′末端をもつ遊離 RNA が見い出されること，および mtTFA を欠損すると mtDNA が失われることなどがあげられる．しかし，前述の遊離 RNA がプライマーとして利用されたものであることの証拠はない．mtTFA は HMG (high mobility group) タンパク質ファミリーで，mtDNA への結合はかなり非特異的であり，DNA 全周を覆って安定化しているとも考えられている．mtTFA 欠損による mtDNA の消失も複製が阻害された結果であるとの証拠はな

く，安定性が損なわれて分解が亢進したことによる可能性もある．mtTFAホモログ遺伝子をノックアウトした酵母では，ミトコンドリアの呼吸能が欠失し，全長mtDNAも消失する．しかし，大部分の領域が脱落し，oriとよばれる領域のみを残してミニサークル化したmtDNAは安定的に維持される．ヒトにおいても，O_HとO_Lの両者とも欠失したミニサークルDNAが多数存在するとの報告もある．このように，転写活性がmtDNAの複製に必須であるとの概念は，まだ統一的ではない．

Rループの形成も試験管内の転写系により実証されているが，生体内でも形成されていることや，RループがmtDNA複製に関与しているとの直接的証拠はない．

合成したRNA-DNAハイブリッドをCSB領域で切断することから，RNase MRP (mitochondrial RNA processing) やエンドヌクレアーゼGはプライマーを形成するRNase H様酵素として有力視されている．しかし，前者はほとんどが核に存在し，ミトコンドリアでの量は非常に少ない．後者はそもそも非特異的なヌクレアーゼである．これらも複製に関与している証拠はない．

このように，mtDNA複製に関する研究は長い歴史をもつにもかかわらず，その基本的な概念はほとんどが間接的な証拠によっている．

c. L鎖複製開始点

mtDNAはほとんどが遺伝子をコードしている領域でしめられており，非コード領域は前述のH鎖複製開始領域とこの約30 bpのL鎖複製開始領域だけである．この領域のH鎖1本鎖DNAを作製し，ミトコンドリア抽出液を用いてRNA合成とそれに引き続くDNAの合成を再構成できる．この実験系でのDNA合成開始点は，Kangらが生体内で決定したDNA合成開始点と一致することから，生

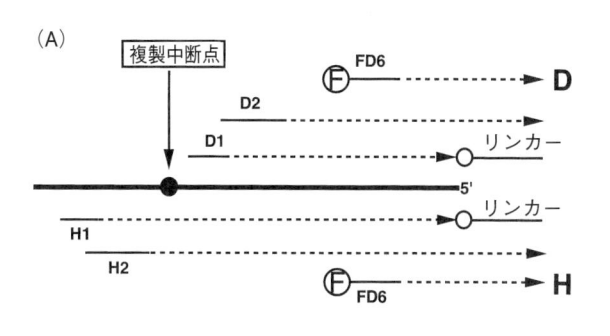

図3 (A) LMPCR法による真の新生鎖と全新生鎖の選択的増幅機構，(B) LMPCR法による真の新生鎖と全新生鎖の選択的増幅[9)]

(A) 新生鎖は5'末が遊離端になっている．この遊離5'末端に向けて配列特異的プライマー1を用いて，プライマー伸長反応を行った後，リンカープライマーを結合させる．プライマー1の内側にプライマー2を設定し，リンカープライマーとの間でPCR反応を行うことで，新生鎖を特異的に増幅できる．プライマー1とプライマー2を複製中断点の内側に設定すると（D1とD2），全新生鎖が増幅され，外側に設定すると（H1とH2），真の新生鎖のみが増幅される．

(B) このように増幅されたPCR産物をFITCで蛍光標識されたプライマーFD6で最後にもう一度伸長反応を行うことで蛍光標識する．シークエンスゲルで解析すると複製開始点を5'末端にもつ新生鎖のバンドが検出される（矢印）．レーン全はプライマーD1，D2を用いた全新生鎖を，レーン真はプライマーH1，H2を用いた真の新生鎖を表す．DNA配列はMaxam-Gilber法により化学切断したDNAを用いて，同様のLMPCRを行って決定した（レーンAGとCT）．

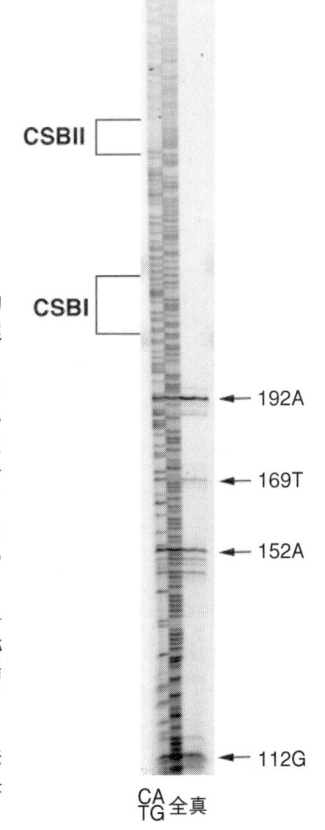

体内での反応を反映していると思われる．人工的変異鋳型 DNA を用いた実験より，L 鎖複製開始領域がステムループ様の 2 次構造をとることがプライマーゼの認識に重要であることがわかっている．哺乳類のミトコンドリアプライマーゼはまだ単離されていない．

d． D ループ

H 鎖複製における最大の特徴は，開始された H 鎖複製が約 700 bp ほど進んで中断することである．その結果，D ループ構造とよばれる 3 本鎖構造をとる環状 DNA が観察される（図 2A）．途中で合成が止まった新生 H 鎖は，7S DNA あるいは D ループ鎖とよばれる．複製の中断点を越えて合成が進行している新生鎖のみが真の複製鎖と考えられている．この D ループ構造をとる mtDNA の頻度は細胞によって大きく異なり，マウスの L 細胞では mtDNA の 90％ 以上が D ループ構造をとっている．H 鎖複製が中断する部位の数十 bp 手前に種を越えてよく保存された配列があり，termination associated sequence（TAS）とよばれている．フットプリンティングの実験から，この部位に結合するタンパク質の存在も想定されており，TAS が複製の中断に重要な役割を果たしていると思われる．この D ループ鎖から複製が再開されるか否かは不明である．少なくともマウスの L 細胞では，合成された D ループ鎖の大半は真の複製に利用されることなく放棄されると考えられている．Kang らは，複製開始点の違いが D ループ鎖をつくる複製の中断に関係するか否かを調べるために，D ループ鎖と真の複製新生鎖の開始点をそれぞれ決定した[9]（図 3）．その結果，D ループ鎖と真の複製新生鎖の開始点は，その部位と各開始点の頻度に差がなく，複製の中断は複製開始点には影響されない独立した現象であることが明らかになった．

複製の中断が真の複製の速度を決定しているか否かを調べるために，末梢血リンパ球をインターロイキン 2 で増殖刺激して細胞分裂を開始させた．増殖前後で細胞当たりの mtDNA 量は変化しないことから，増殖中の細胞の mtDNA 複製は促進されていなければならない．このとき，全新生鎖と複製中断点を越えた真の複製鎖の量を比較すると，増殖刺激前後で全新生鎖の量は変化せず，真の複製鎖の量のみが増加していた．このことは，mtDNA の複製開始反応は複製の必要性とは関係なく常に起こっており，必要ないときは大半が中断放棄されるが，必要性が増すと合成の中断が減少して真の複製が増すことを示している[10]．このように，少なくとも末梢血リンパ球増殖における複製速度は，その開始速度ではなく，複製の中断頻度によって制御されている．

e． ミトコンドリア DNA の複製異常と疾患

現在，mtDNA 複製異常が明らかな原因と思われるミトコンドリア病や遺伝子異常は知られていない．このことは，十分な mtDNA のコピー数を維持できない異常は致死的である可能性がある．しかし，ある種のミトコンドリア病では組織特異的に mtDNA が欠損しており，その細胞での mtTFA の減少および消失が観察されている．同様に，DNA ポリメラーゼγの組織特異的な活性低下例も報告されているが，その異常の本体は不明である．また，多様な欠失 mtDNA が蓄積していく例も報告されている．このような例では，適切な mtDNA 複製が障害されている可能性がある．

遺伝子異常ではないが，さまざまな薬剤により mtDNA の複製阻害が観察されている．抗 AIDS 治療薬であるジドブジンや肝炎治療薬のフィアロウリジンは，核酸のアナログとして DNA 合成を阻害するが，mtDNA 複製を強く阻害して DNA 量を減少させ，ミトコンドリアミオパチーを起こすことが知られている．

1-メチル-4-フェニルピリジニウムイオン（MPP$^+$）は黒質細胞に選択的に蓄積してパーキンソン病様の症状を起こすことが知られている．その作用機序として，ミトコンドリア電子伝達系の複合体 I を阻害して ATP 産生を障害すると考えられている．MPP$^+$ の新たな作用として，MPP$^+$ が核 DNA の合成は阻害せず，mtDNA 複製を選択的に阻害することが見い出されている[11]．この複製阻害が mtDNA を減少させ，ミトコンドリア機能異常をひき起こす可能性が考えられる．MPP$^+$ は新生 H

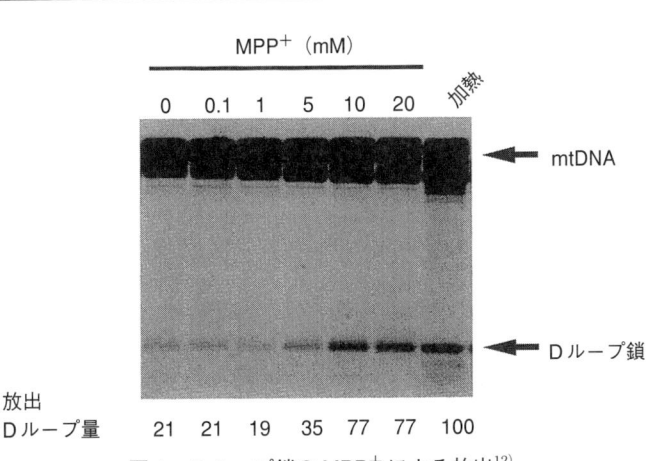

図4 Dループ鎖のMPP$^+$による放出[12]

Dループ鎖がMPP$^+$の濃度依存性に単離mtDNAから放出されている。このことはMPP$^+$が直接mtDNAに作用し，Dループ構造を不安定化していることを示している．

鎖の喪失をすみやかにひき起こし，複製開始の初期の反応に作用していると思われる．MPP$^+$はバキュロウイルスの系を用いて昆虫細胞に発現させたヒトDNAポリメラーゼγに対して阻害作用を示さないことから，新生H鎖の喪失はDNA合成の阻害ではなく，複製開始反応の阻害であることが示唆された．実際，MPP$^+$は複製開始の前駆体であるRループおよび複製中間体であるDループ構造を直接不安定化させ，新生RNAおよびDNAを放出させる作用があり（図4），これが複製阻害反応の本体である[12]．MPP$^+$はmtDNA複製に特徴的な3本鎖構造を不安定化するという新しい機構でmtDNAの複製を阻害していることがわかった．

● おわりに

これまでに報告されてきた疾患に見られるmtDNAの先天的変異の多くはA/T⇌G/Cトランジションである．体細胞性に観察された変異のパターンも組織を問わずよく一致し，多くはA/T⇌G/Cトランジションであることから，生殖細胞系における変異の発生も基本的には体細胞での変化が反映されていると思われる．ミトコンドリア電子伝達系が最大の活性酸素発生源であることから，mtDNAの活性酸素傷害とその修復が注目されている．ミトコンドリアに存在するおもなDNA修復系も活性酸素傷害に対する塩基除去修復であることは，生理的にも合目的的であるように思われる．核に比べてmtDNAに多く存在する代表的な活性酸素傷害塩基8-oxoGはA/T⇌C/Gトランスバージョンをひき起こす．実際に観察される変異パターンが主としてA/T⇌G/Cトランジションであることは，逆にミトコンドリアにおける傷害DNA修復能の高さを物語っているのかもしれない．しかし，最近は2-ヒドロキシアデニンのような他の酸化修飾塩基の重要性も指摘されており，活性酸素傷害に起因するmtDNA変異に8-oxoGがどのような役割を果たしているかはまだ確定していない．

mtDNAにコードされるタンパク質の発現量がそのコピー数に大きく依存していることは，mtDNAのコピー数が細胞のATP産生能とよく相関すること，および前述の薬剤性ミトコンドリアミオパチーの例からも容易に想像される．mtDNA複製は，薬剤感受性からみても，核DNAの複製に比べて障害されやすい．先天的なmtDNA複製異常は致死的であるが，加齢に伴い，特定の細胞にmtDNAの複製能低下をきたす状況は起こりうるであろう．分裂をおえた終末分化細胞である神経細胞の加齢に伴う機能低下に，mtDNA複製能低下によるDNAコピー数の低下が関与している可能性もある．

一般に，mtDNAの複製はミトコンドリアそのも

のの生成を伴い，その複製制御シグナルはミトコンドリアのバイオジェネシスのシグナルとオーバーラップしていると考えられる．mtDNAの複製制御遺伝子とそのシグナル伝達経路の解明により，ミトコンドリアのバイオジェネシスを決定するマスター遺伝子を解明できることも夢ではないであろう．

●文　献

1) Kang, D., Takeshige, K., Sekiguchi,M., Singh, K.K.: in "Mitochondrial DNA Mutations in Aging, Disease and Cancer" (Singh, K.K., ed.), pp.1-15, Springer-Verlag and R.G. Landes Company, Austin (1998)
2) Beckman, K. B., Ames, B. N.: Methods in Enzymology, vol.264, pp.442-453, Academic Press, New York (1996)
3) Khrapko, K., Coller, H. A., Andre, P. C., et al.: Proc. Natl. Acad. Sci. USA, **94**, 13798-13803 (1997)
4) Michikawa, Y, Mazzuccheli, F., Bresolin, N., et al.: Science, **286**, 774-779 (1999)
5) Clayton, D. A., Doda, J. N., Friedberg. E. C.: Proc. Natl. Acad. Sci. USA, **71**, 2777-2781 (1974)
6) Croteau, D. L., Stierum, R. H., Bohr, V. A.: Mutat. Res., **434**, 137-148 (1999)
7) Bogenhagen, D. F.: Am. J. Hum. Genet., **64**, 1276-1281 (1999)
8) Shadel, G. S., Clayton, D. A.: Annu. Rev. Biochem., **66**, 409-435 (1997)
9) Kang, D., Miyako, K., Kai, Y., et al.: J. Biol. Chem., **272**, 15275-15279 (1997)
10) Kai, Y., Miyako, K., Muta, T., et al.: Biochim. Biophys. Acta, **1446**, 126-134 (1999)
11) Miyako, K., Kai, Y., Irie, T., et al.: J. Biol. Chem., **272**, 9605-9608 (1997)
12) Umeda, S., Muta, T., Ohsato, T., et al.: Eur. J. Biochem., **267**, 200-206 (2000)

2·4 ミトコンドリアのバイオジェネシス

姫田 敏樹・樋口 富彦

●はじめに

約40年前にミトコンドリアの電子顕微鏡写真が撮られて以来，それは1μm前後のラグビーボールあるいは葉巻状の形をし，外膜とマトリックス内に入りくんだ内膜からなると考えられてきた．最近，このイメージが正確ではないことが明らかにされた．すなわち，ミトコンドリアは，"1個の細胞内ミトコンドリオン"ともいうべきであり，細胞周期のG_1期には連続した網状体（continuous reticulum）として観察される高度に動的なオルガネラ（図1）であり，S期にはより小さな管状体に断片化される[1]．現在，このようなミトコンドリオンの形態制御に中心的な役割を果たす"分裂"と"融合"，そしてその娘細胞への分配機構などが活発に研究されている．ミトコンドリオンの分布と動態はランダムではなく，チューブリンや中間径フィラメントなどの細胞骨格とキネシンやダイニンなどのオルガネラを輸送するモータータンパク質によってコントロールされている[2]．また，最近の電子線トモグラフィーの研究から，今までのミトコンドリオン内の構造は単純化しすぎており，外膜と内膜間に多くの接続点があること，クリステは内膜が単純に入り込んだものではなく，独自のコンパートメントをつくっている（図2）ことが明らかにされた[3]．ミトコンドリアの外膜は小胞体（endoplasmic reticulum : ER）と結合しており，ミトコンドリアが細胞内でカルシウムシグナリングする際に重要な役割を演じている[4]．ミトコンドリオンの網状構造体は，細胞内カルシウムのホメオスタシスだけでなく，エ

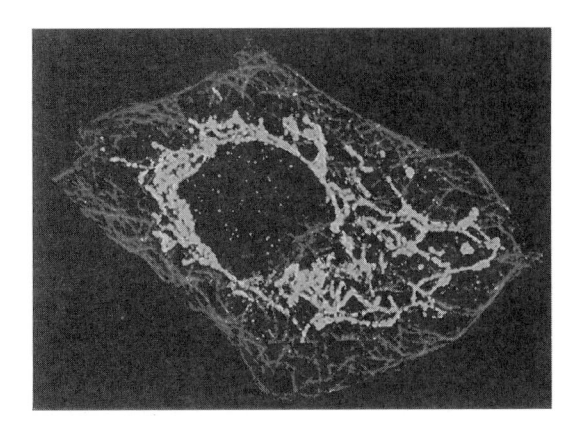

図1 哺乳動物フィブロブラストにおけるミトコンドリア[1]
COS-7細胞のミトコンドリア（緑色）と微小管（赤色）を蛍光抗体法を用いて共焦点顕微鏡により観察した．ミトコンドリアはATP合成酵素のβサブユニットに対する抗体とローダミン標識した2次抗体を用いて標識した．微小管はチューブリンに対する抗体とフルオレセインを結合した2次抗体を用いて蛍光標識した．スケール：1 cm=4μm（口絵3参照）

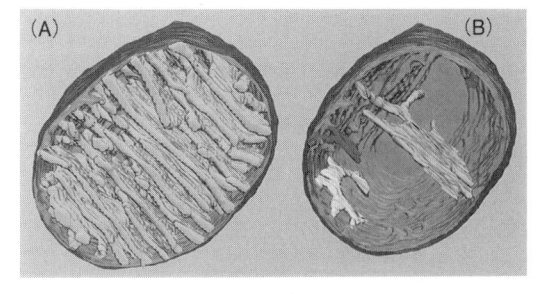

図2 ニワトリ小脳ミトコンドリオンの3Dトモグラムから作製されたモデル[3]
（A）ミトコンドリア内の全体像．クリステ：黄色，内膜：ライトブルー，外膜：ダークブルー，（B）4種の代表的なクリステが異なった色で示されている．Quicktimeビデオが http://www.sci.sdsu.edu/TFrey/MitoMovie.htm で観察できる．（口絵4参照）

ネルギー代謝においても重要な利点がある.すなわち,膜電位の細胞内ケーブルとして機能することにより,細胞内のある部分でエネルギーを生産し,それを距離的に離れた細胞内部位で使用することを可能にしている[5]).

本稿では,酵母菌や藻類などのミトコンドリアの分裂と融合に関する現在までの知見と,哺乳動物のミトコンドリアの増生について紹介した.

1. ミトコンドリアの分裂因子

バクテリアや葉緑体の分裂にはFtsZが重要である.FtsZは,チューブリンに類似し,GTPase活性を有し,細胞の分裂部位で重合してリング構造をつくり,細胞を分裂させることが明らかになっている[6](図3,図4).藻類のMallomonas splendensのミトコンドリアの分裂にもFtsZが関与している[7].また,酵母ではDnm1p[8]が,C. elegansやヒトではDrp (dynamin-related protein) 1[9,10]がミトコンドリアの分裂に関与することが示され,それぞれの欠損株では分裂しない大きな少数のミトコンドリアが観察されている.

2. ミトコンドリアの融合因子

ミトコンドリアの融合は,ミトコンドリアのダイナミクスを考えるうえで重要な現象である.ミトコンドリアの形態変化や細胞分裂の際に,管状構造体が高度に枝分かれした大きな融合構造体を形成する.ミトコンドリアの融合に関与する因子のひとつが,ショウジョウバエの精子形成の欠損変異体で同定された[11].ショウジョウバエの精子形成過程では,

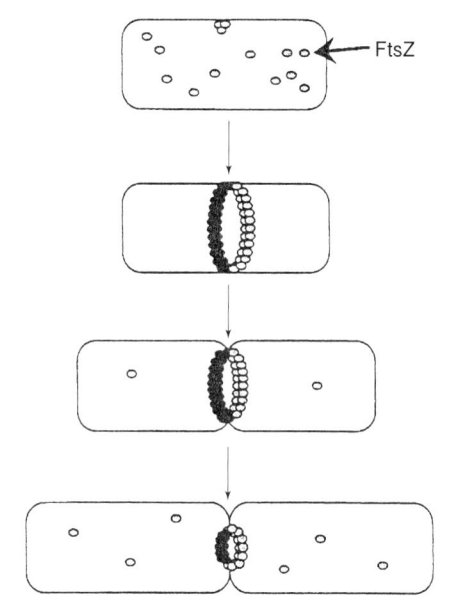

図3 原核細胞の細胞分裂におけるFtsZのダイナミックな挙動[6]
新しい細胞が生じる細胞分裂では,Zリングの形成はシングルスポットからスタートし,1分以内にリングがすばやく形成される.分裂の際には,Zリングの径は隔壁(septum)の形成開始点で減少する.いくつのFtsZリングが形成されるかは不明であるが,大腸菌では約20リングである.

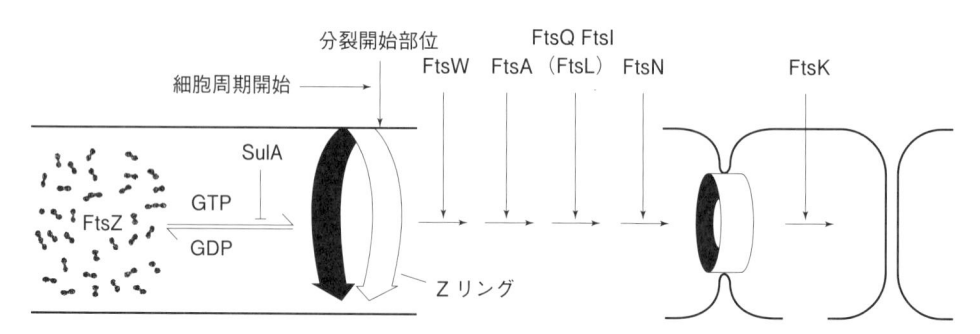

図4 原核生物の細胞分裂モデル[6]
大腸菌の分裂過程を図式的に示している.このモデルでは,細胞周期開始の合図に呼応して分裂開始部位(nucleation site)が現れる.ついで,FtsZの重合が起こり,2方向へZリングが形成される.Zリングが形成されると,他のFtsタンパク質が関与して隔壁が形成され,最後に2個の細胞となる.

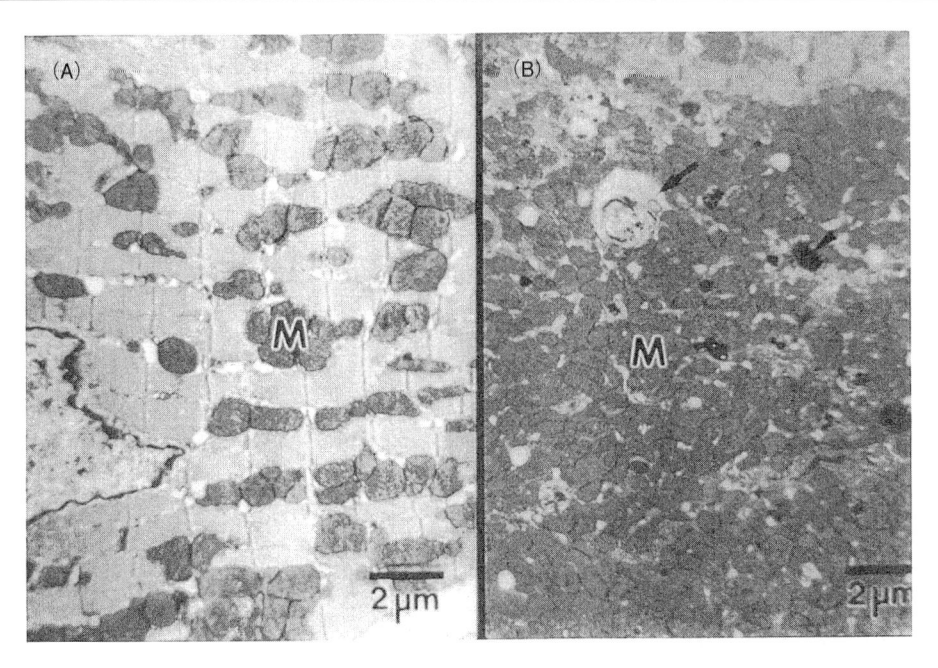

図5 JVSマウスの心筋細胞におけるミトコンドリアの異常増殖[17]
心筋細胞内のミトコンドリアを表す．(A)正常マウス，(B)JVSマウス．JVSマウスでは，ミトコンドリアが細胞質の大部分を占めている．M:ミトコンドリア

ミトコンドリアが凝集して2つの巨大な構造体に融合し，形成中の精細胞の中片部(midpiece)に取り込まれ，後にべん毛運動を行うためのATPを産生する．この変異体では，ミトコンドリアは凝集するが，融合が起こらない．酵母菌にも同様の因子Fzo1p[12,13]があり，この変異体ではミトコンドリア管状体の断片化が起こる．この変異体では，ミトコンドリアの融合が起こらないことから，この因子はフューソジェン(fusogen)と考えられている．Fzo1pにはGTP結合部位があり，ミトコンドリアの外膜に結合し，その大部分を細胞質側に露出していることからも，フューソジェン機能をもつと考えられている．しかし，ミトコンドリアの融合機構はまったくわかっていない．外膜と内膜の二重膜からできているので，特別の融合装置があるものと推測される．筆者らは，マイトプラストが融合してできる20μm程度の巨大マイトプラストが試験管内で簡単に作製できる[14]ことから，哺乳動物のミトコンドリアの融合装置の単離を試みている．

3. 哺乳動物ミトコンドリアの増殖機構

哺乳動物でミトコンドリアの増殖に関与する因子はほとんどわかっていない．筆者らは，心筋細胞でミトコンドリアの異常な増殖が確認されるJVSマウスに着目した．

1988年，金沢大学の小泉らによって見い出されたJVS(Juvenile visceral steatosis)マウスは，常染色体劣性の遺伝形式を示し，脂肪肝，心肥大，低血糖症，高アンモニア血症など，さまざまな臨床所見を呈するC3H-H2^{0}系のマウスである[15]．このマウスは，腎でのカルニチン再吸収障害が原因で全身性カルニチン欠乏症を発症し，生後3〜4カ月で心肥大が合併し，8週齢ではミトコンドリアが心筋細胞細胞質の大部分を占めるほど増殖している[16,17]（図5）．これは，脂肪酸をおもなエネルギー源としている心筋細胞でカルニチン欠乏により脂肪酸がマトリックス内へ移行できなくなり，エネルギー供給が低下するためにミトコンドリアが代償性に異常増殖していると考えられる．この事実は，JVSマウスの心筋細胞ではミトコンドリア数を増加させる因

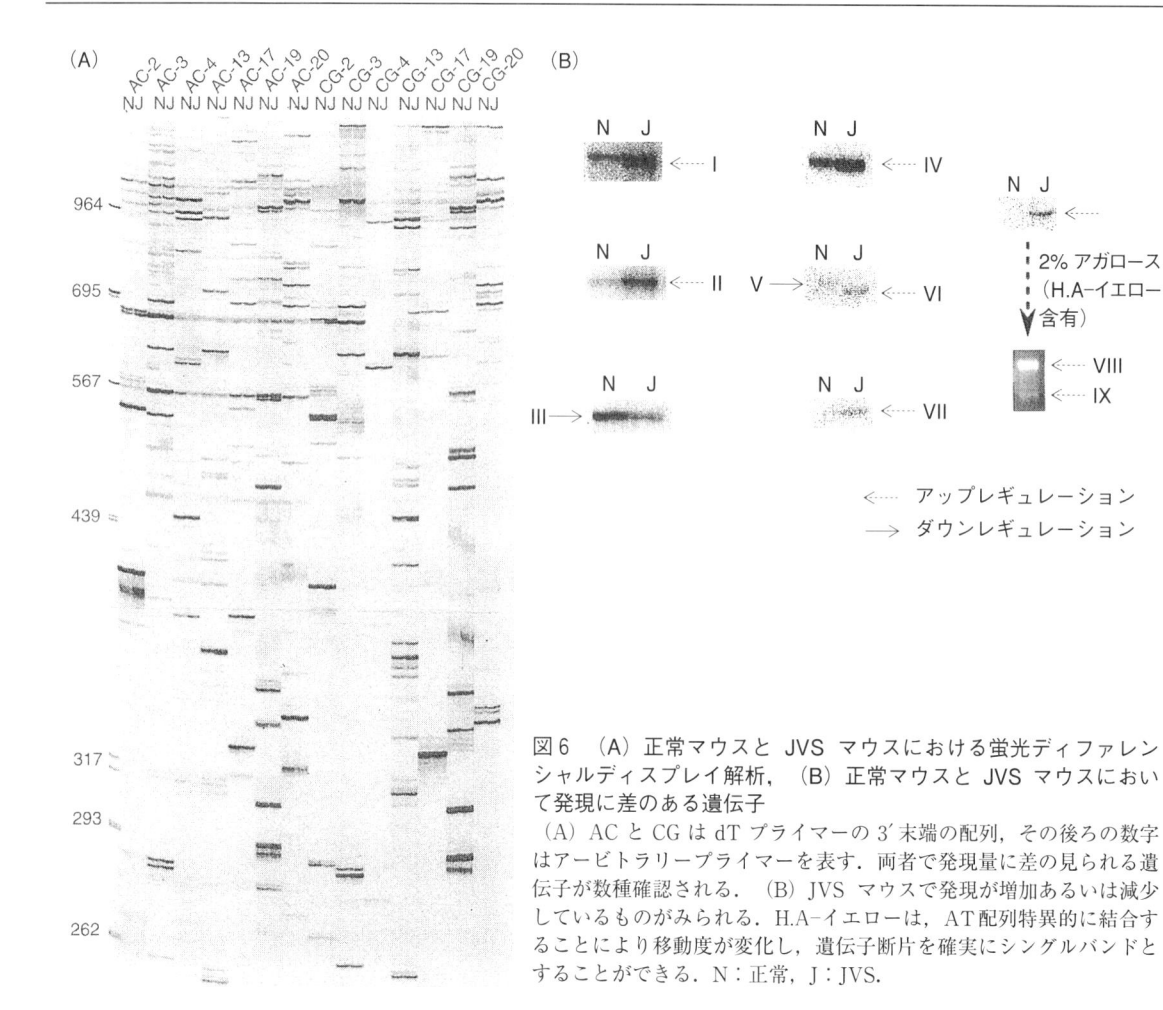

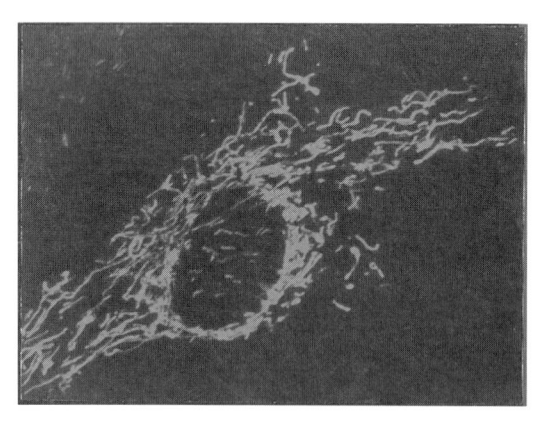

図6 (A) 正常マウスと JVS マウスにおける蛍光ディファレンシャルディスプレイ解析，(B) 正常マウスと JVS マウスにおいて発現に差のある遺伝子

(A) AC と CG は dT プライマーの 3′末端の配列，その後ろの数字はアービトラリープライマーを表す．両者で発現量に差の見られる遺伝子が数種確認される．(B) JVS マウスで発現が増加あるいは減少しているものがみられる．H.A-イエローは，AT 配列特異的に結合することにより移動度が変化し，遺伝子断片を確実にシングルバンドとすることができる．N：正常，J：JVS.

図7 蛍光タンパク質でラベルした C2C12 細胞内ミトコンドリアのイメージ

イソギンチャク由来の赤色蛍光タンパク質 DsRed1 とシトクロム c 酸化酵素サブユニット 8 のミトコンドリア移行シグナルの融合タンパク質を発現するベクター（CLONTECH #6928-1）をサブコンフルエントの C2C12 細胞にトランスフェクトさせた．選択的に染まったミトコンドリアが確認できる．タイムラプスデコンボリューション CCD 蛍光顕微鏡による観察．（口絵 5 参照）

子が多く発現していることを示唆する．したがって，JVS マウスはミトコンドリア増殖機構を調べるための優れた実験動物である．

そこで，ミトコンドリアの主要な構成成分である複合体 V（ATP 合成酵素）のサブユニットの転写レベルにおける変化を調べた．まず，試験管内転写系を用いて各サブユニットの mRNA を合成し，マウスの脳，肝，心，腎から総 RNA を抽出し，Oligo（dT）Latex<super> で 2 回精製して rRNA を除去した高純度のポリ（A）$^+$RNA を得た．合成

RNAとともに1枚のメンブランにブロッティングし，各サブユニットのRNAに対応する[^{32}P]ラベルしたプローブDNAでハイブリダイゼーションし，各サブユニットの量を算出した．その結果，JVSマウスではミトコンドリアが異常に増殖しているにもかかわらず，ATP合成酵素サブユニットの転写量と発現パターンは正常マウスのそれと差が認められず，ラットにおけるATP合成酵素サブユニットの転写量の発現パターンと一致していた[18,19]．これらの結果は，JVSマウスのミトコンドリア構成成分のmRNAレベルは正常マウスと差がないが，ミトコンドリアの増殖に関与する因子が増加していることを示唆する．

ミトコンドリア数を制御する因子を明らかとするため，JVSマウスと正常マウスで発現しているmRNAの差をローダミンで蛍光ラベルしたプライマーを用いてディファレンシャルディスプレイ法で解析した（図6A）結果，JVSマウスで特異的に発現する遺伝子が数種確認された（図6B）．これらの遺伝子は，データベースで相同性が見られないものや，配列のみが登録されたものであり，新規の因子であった．これら未知の因子中に，ミトコンドリアの増殖因子が含まれている可能性が考えられる．ミトコンドリア増殖に及ぼすこれらの因子の影響を調べるために，ミトコンドリア移行シグナルを融合させた蛍光タンパク発現ベクターを用いて細胞内のミトコンドリアを直接観察した．

イソギンチャク由来の赤色蛍光タンパク質DsRed1にシトクロムcオキシダーゼサブユニット8のミトコンドリア移行シグナルを融合させたタンパク質を発現するベクターを，マイオブラストC2C12細胞にトランスフェクトさせた結果，最大70％の細胞内ミトコンドリアが蛍光ラベルされた．タイムラプスデコンボリューションCCD蛍光顕微鏡を用いることにより，生細胞中の全ミトコンドリアをきわめて鮮明に解析することが可能となった（図7）．この方法を利用し，ディファレンシャルディスプレイ法で見つかった遺伝子のfull length cDNAを単離精製して発現ベクターに組み込み，DsRed1発現ベクターとともにトランスフェクトすることによりミトコンドリアの数と形態の変化を観察することが可能となった．この方法を用い，細胞周期のどの段階でミトコンドリアが融合，分裂，増殖するかを解析可能である．

●おわりに

近い将来，ミトコンドリアの分裂や融合に関与する因子や娘細胞への分配のメカニズムが明らかになるとともに，網状体ミトコンドリアにおけるエネルギーパイプの生理的役割が解明されることが期待される．

●文　献

1) Yaffe, M.P. : *Science*, **283**, 1493-1497 (1999)
2) Setou, M., Nakagawa, T., Seog, D.H., Hirokawa, N. : *Science*, **288**, 1796-1802 (2000)
3) Frey, T.G., Mannella, C.A. : *TIBS*, **25**, 319-324 (2000)
4) Rutter, G.A., Rizzuto, R. : *TIBS*, **25**, 215-221 (2000)
5) Capaldi, R.A. : *TIBS*, **25**, 212-214 (2000)
6) Lutkenhaus, J., Addinall, S.G. : *Annu. Rev. Biochem.*, **66**, 93-116 (1997)
7) Beech, P.L., Nheu, T., Schultz, T., et al. : *Science*, **287**, 1276-1279 (2000)
8) Sesaki, H., Jensen, R.E. : *J. Cell. Biol.*, **147**, 699-706 (1999)
9) Labrousse, A.M., Zappaterra, M.D., Rube, D.A., van der Bliek, A.M. : *Molecular Cell.*, **4**, 815-826 (1999)
10) Smirnova, E., Shurland, D.L., Ryazantsev, S.V., van der Bliek A.M. : *J. Cell. Biol.*, **143**, 351-358 (1998)
11) Hales, K.G., Fuller, M.T. : *Cell*, **90**, 121-129 (1997)
12) Rapaport, D., Brunner, M., Neupert, W., Westermann, B. : *J. Biol. Chem.*, **273**, 20150-20155 (1998)
13) Hermann, G.J., Thatcher, J.W., Mills, J.P., et al. : *J. Cell. Biol.*, **143**, 359-373 (1998)
14) Inoue, I., Nagase, H., Kishi, K., Higuti, T. : *Nature*, **352**, 244-247 (1991)
15) Koizumi, T., Nikaido, H., Hayakawa, J., et al. : *Lab. Anim.*, **22**, 83-87 (1988)
16) Miyagawa, J., Kuwajima, M., Hanafusa, T., et al. : *Virchows Arch.*, **426**, 271-279 (1995)
17) Kuwajima, M., Lu, K., Sei, M., et al. : *J. Mol. Cell. Cardiol.*, **30**, 773-781 (1998)
18) Sangawa, H., Himeda, T., Shibata, H., Higuti, T. : *J. Biol. Chem.*, **272**, 6034-6037 (1997)
19) Himeda, T., Morokami, K., Arakaki, N., et al. : *Eur. J. Biochem.*, **267**, 6938-6942 (2000)

ミトコンドリア RNA とタンパク質の合成

太田 成男

●はじめに

哺乳類のミトコンドリア遺伝子には，2種類のrRNA遺伝子，22種類のtRNA遺伝子，13種類のmRNA遺伝子がコードされている．いずれのRNAも，核遺伝子にコードされたRNAとは異なる特徴があり，その合成制御機構もミトコンドリアに特有である．また，ミトコンドリア内でのRNA切断に必要なRNAは核遺伝子にコードされており，核で転写された後にミトコンドリア内へ移行する．タンパク合成系においては普遍的な遺伝子暗号（コード）以外の特殊な遺伝子コードがみられる．tRNAの構造にもサイトゾルや原核細胞のtRNAとは異なる特徴があり，ミトコンドリア特有の問題が存在している．

1. RNA 合成：転写開始とその調節[1]

核遺伝子で合成されるRNAの場合，基本的には各RNA遺伝子ごとにプロモーターや調節因子が存在し，別々に転写される．しかし，ミトコンドリアRNAの場合は，ひとつながりのRNA前駆体として合成され，それぞれのRNAへと切断される．ミトコンドリアDNA（mtDNA）は環状であるので，転写開始については，反時計回りのH鎖と時計回りのL鎖にそれぞれプロモーターが存在する（それぞれ，HSPとLSPと略，図1）．おのおのRNA前駆体として合成され，切断と修飾後にそれぞれのRNAとして機能する．H鎖とL鎖のプロモーターはDループとよばれる領域に存在し，ヒトミトコンドリア遺伝子ではHSPとLSPが約150 bp離れて存在する[2]．HSPとLSPの間にmtTFA（mitochondrial transcription factor A）とよばれる転写因子が結合し，転写開始を制御する．mtTFAはhigh mobility group（HMG）に属する因子であり，スーパーコイル状のmtDNAを弛緩させる役割がある．mtTFAはそれぞれのプロモーターの上流 −10 から −40 塩基に結合する[3]．mtTFA遺伝子のノックアウトマウスではmtDNAが消失することから，mtTFAがミトコンドリアの転写およびDNA複製に必須である[4]．RNAを合成するのはミトコンドリアRNAポリメラーゼである[5]．

LSPから転写されたRNAは2つの運命をたどる．ひとつはMRP（mitochondrial RNA processing complex）によって切断された場合で，DNA合成のプライマーとなってDNA合成が開始される[4]．一方，MRPによってRNAが切断されない場合は，そのまま1本鎖のRNAとして合成が続き，1種類のmRNAと8種類のtRNAの前駆体となる．

HSPから合成されたRNAは12種類のmRNA，14種類のtRNA，および2種類のrRNAの前駆体となる．

前駆体はRNase PによってtRNA遺伝子部分で切断され，3′末端にCCAが付加されたり，特定の塩基が修飾されたりして，各RNAとして機能する．RNase PにはRNA成分が含まれ，RNAの構造を識別して切断部位を決定していると考えられる．

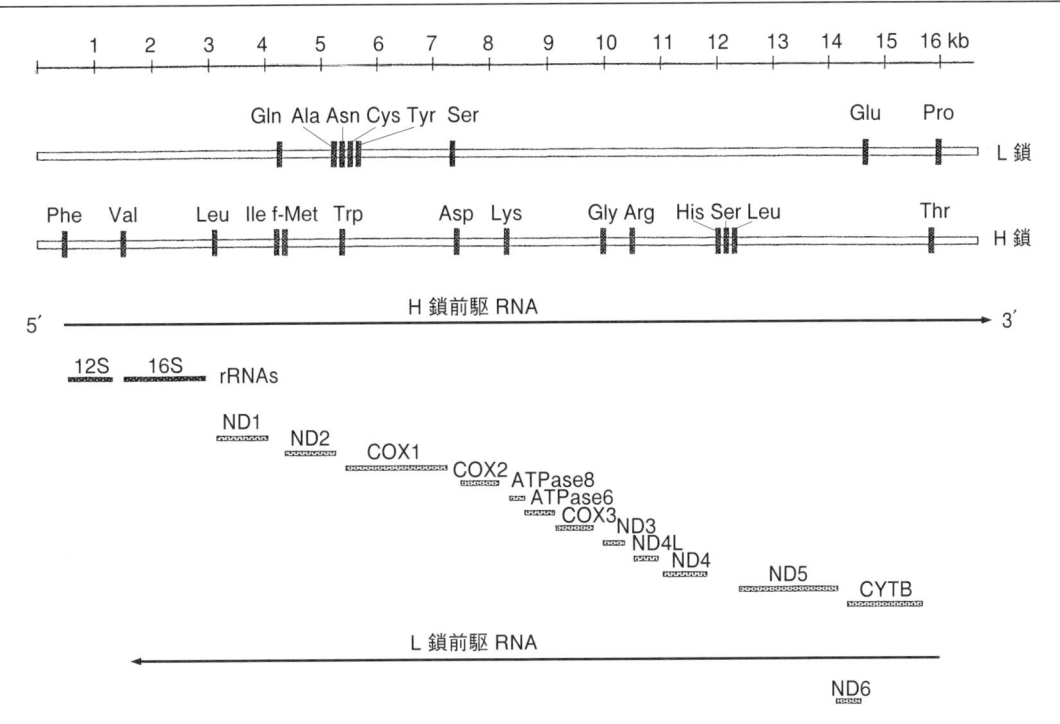

図1 ミトコンドリアRNAの合成と切断

哺乳類ミトコンドリアRNAは2種類の逆方向の前駆体として合成され,後に切断され,rRNA,mRNA,tRNAが形成される.tRNA$^{Leu(UUR)}$の場所に転写終結因子が結合することによって,転写が終結し,上流(2種類のtRNAと2種類のrRNA)と下流のmRNAやtRNAとは合成量が異なるように制御する.

図2 重複したmRNA

ATP合成酵素サブユニット6と8遺伝子は一部は重複している.単に重複して同じアミノ酸配列をもつのではなく,読み枠が異なるので,まったく別のアミノ酸配列をもつようになる.

2. mRNAの合成

前述のように前駆体として合成されたRNAは,それぞれの遺伝子ごとに切断され,ポリ(A)が付加されて対応するタンパク質のmRNAとなる.ATP合成酵素サブユニット6と8の遺伝子は一部重複しており,ひとつのmRNAから2種類のタンパク質が合成される.ATP6とATP8の遺伝子の一部は共通で,読み枠がひとつずつずれている(図2).すなわち,共通部分の遺伝子のアミノ酸配列はまったく異なる.すなわち,ATP合成酵素サブユニット6をコードする遺伝子は塩基配列の8527文字目から9207文字目まで,ATP合成酵素サブユニット8をコードする遺伝子は8366文字目から8572文字目までである.このように,8527から8572までの文字が重複している.ATP6の遺伝子の塩基配列は次のように始まっている.

ATGAACGAAAATCTGTTCGCTTCATTC…

この塩基配列を3文字ずつで区切ってみると,

ATG・AAC・GAA・AAT・CTG・TTC・GCT・

TCA・TTC…のようなコドンになり，コードされるアミノ酸は Met・Asn・Glu・Asn・Leu・Phe・Ala・Ser・Phe… となる．

図の下段のように，ATPase8 の遺伝子は区切りを 1 文字分後ろにずらして暗号を使っており，…TGA・ACG・AAA・ATC・TGT・TCG・CTT・CAT… となり，そのアミノ酸配列は，…Trp・Thr・Lys・Ile・Cys・Ser・Leu・His… となる．ミトコンドリアはひとつの DNA 情報を二重に使うことによって，少しでも DNA の長さを短くしている．

さらに，ミトコンドリアの mRNA には終止コドンが存在しない mRNA が 8 種類もある．A が足りない分ポリ(A)の A が付加してはじめて終止コドンが合成される．たとえば，ND1（複合体Ⅰサブユニット1）の mRNA は UA で終了し，ポリ(A)が付加されてはじめて UAA（終止コドン）が形成される．

ミトコンドリア mRNA にはキャップ構造もなく，先導配列もない．ほとんどの場合，mRNA の 5′末端に存在するような開始コドン AUG（AUA や AUC なども開始コドンとして使われる）から翻訳がスタートする．ミトコンドリアの mRNA には非普遍コドン（遺伝子暗号）があり，核にコードされた遺伝子とはコドンが異なる場合がみられる．表 1 にその非普遍コドンを示す．最近は，非普遍コドンが他の生物種でも発見されているが，ミトコンドリアの非普遍コドンの発見がもっとも早い．

3. rRNA 合成

ミトコンドリアのリボソームは 2 種類の RNA と約 70 種類のタンパク質から構成される[6]．真核生物のサイトゾルのリボソームと原核生物のリボソームを比較すると，ミトコンドリアのリボソームは原核生物のリボソームと大きさがほぼ同じである．興味深いことに，ミトコンドリアのリボソームは極端に密度が低い．大腸菌のリボソームは沈降係数が 70S であるのに対し，ミトコンドリアのリボソームは 55S である（表 2）．RNA はタンパク質と比較して密度が高く，ミトコンドリアのリボソームは RNA 成分が相対的に少ないからである．すなわち，rRNA 分子の数も長さも短いことが原因である．その代わり，ミトコンドリアには RNA の機能を補うようにタンパク因子が結合し，これが RNA の機能をカバーしている．大腸菌の rRNA の約半分が，ミトコンドリアではタンパク質に置換していると考えられる[7]．mRNA と同様に，転写後にポリ(A)が付加されることもミトコンドリア rRNA の特徴である．

表 1　種々の生物におけるミトコンドリア遺伝子のコード表

コドン	普遍コード	哺乳類	ショウジョウバエ	アカパンカビ	酵母	植物
UGA	終止	Trp	Trp	Trp	Trp	終止
AGA, AGG	Arg	終止	Ser	Arg	Arg	Arg
AUA	Ile	Met	Met	Ile	Met	Ile
AUU	Ile	Met	Met	Met	Met	Ile
CUU, CUC, CUA, CUG	Leu	Leu	Leu	Leu	Thr	Leu

表 2　大腸菌とウシのミトコンドリアのリボソームの比較

	原核生物（大腸菌）	ミトコンドリア(ウシ)
沈降係数 (S)	70S (50S + 30S)	55S (39S + 28S)
分子量	2,600,000〜2,900,000	2,800,000
RNA：タンパク質（質量比）	2 : 1	1 : 2
LSU rRNA	23S (2906 b)	16S (1571 b)
SSU rRNA	16S (1541 b)	12S (955 b)
5S rRNA	5S (120 b)	—
リボソームタンパク質	55 個	〜70 個

In vitro 系では，大腸菌のリボソームとミトコンドリア tRNA を用いて翻訳させることが可能なので，基本的な機能は原核細胞と同一なのであろう．

4. 転写終結因子（mtTRR）による調節

H 鎖 mRNA には tRNA，rRNA と mRNA がコードされているが，細胞の状態によって rRNA と mRNA の合成比が変化する．ミトコンドリアタンパク質の合成が必要な（ATP 濃度が低下した）ときには rRNA 合成が多くなり，その逆では少なくなる．これは，ATP 濃度が低いときにはミトコンドリア内でのタンパク質合成を促進させ，ATP 低下に対処する機構と思われる．

rRNA と mRNA の量比を変化させるのは，転写を途中で終結させるミトコンドリア独特の機構による．rRNA 遺伝子の下流に位置する tRNA$^{Leu(UUR)}$ 遺伝子上には転写終結因子の結合配列が存在し，これに転写終結因子（mtTRR）が結合する[8]．mtTRR が結合した場合には転写が終結するので，rRNA と他の mRNA の合成量の比を変化させることができる[9]．rRNA 遺伝子の上流に存在する tRNA^{Phe} と tRNA^{Val} は rRNA と同時に合成されるため，他の下流の tRNA よりも合成量が多くなる．

5. tRNA の特徴

哺乳類のミトコンドリア遺伝子には 22 種類の tRNA しかコードされていない．Leu と Ser には 2 種類のアンチコドンの tRNA が存在するが，他はすべて 1 種類の tRNA である．大腸菌の tRNA 遺伝子が 85 種類も存在することと比べるといかにも少ない．

tRNA には D ループ，アンチコドンループ，TΨG ループの 3 つの葉があるので，2 次構造はクローバーモデルとして記載される．しかし，ミトコンドリアの tRNA 中には，tRNA^{Ser} のように D ループをもたない tRNA がある．その D ループは進化の程度によって短くなる傾向を示し，哺乳類にいたっては消失している[10]（図 3）．

22 種類の tRNA で 20 種類のアミノ酸をコードするには，ひとつの tRNA で 4 種類のコドンを認識する場合が生じる．そのため，tRNA のアンチコドンの第 3 文字が U である場合は，4 種類のコドンを認識する[11]．

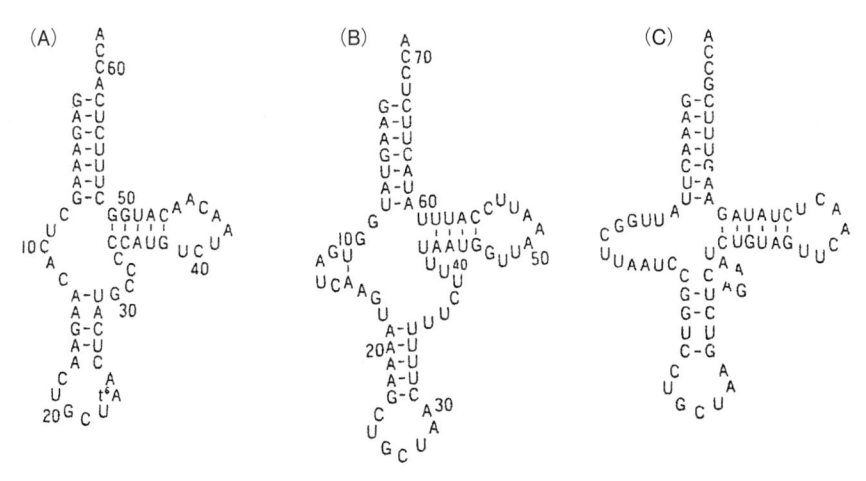

図 3 ミトコンドリア tRNA の例
ミトコンドリア tRNA には短い tRNA が存在する．1 種類の tRNA^{Ser} では，D ループ構造は欠けている．（A）はヒトミトコンドリア，（B）はショウジョウバエ，（C）はヒトデのミトコンドリア tRNA^{Ser} の塩基配列をクローバーモデルとして示したもので，進化の過程で徐々に短くなっていく様子が伺える．

6. タンパク合成系

ミトコンドリア内のタンパク合成は実験によって容易に観察できる。ミトコンドリアのリボソームは基本的には原核生物型なので、タンパク合成阻害剤を用いてサイトゾルのタンパク合成と区別することができる。エメチンやシクロヘキシミドは、サイトゾルのタンパク合成を停止させるが、ミトコンドリアのタンパク合成は停止させない。この性質を利用することによって、ミトコンドリア内でのタンパク合成を容易に測定できる。逆に、クロラムフェニコールはミトコンドリア内のタンパク合成を停止させるが、サイトゾルのタンパク合成には影響しない。

タンパク合成系の因子は基本的に原核生物のものと同じであると考えられているが、ミトコンドリア内の翻訳にかかわる因子についてはミトコンドリア独特の特徴がある。タンパク合成の伸長因子 EF-Tu や EF-G も存在し、基本的には同じはたらきをしている[12]。構造的には、ミトコンドリアの翻訳因子は異常なミトコンドリア tRNA 構造に対応できるような特徴をもっている[6]。たとえばアミノアシル tRNA と GTP とで三者複合体を形成する伸長因子 EF-Tu は原核生物の EF-Tu よりもドメイン構造を多くして 短い tRNA に結合できるような構造をしている。また、線虫のミトコンドリアには EF-Tu が 2 種類存在し、tRNA のそれぞれの構造と結合できるようにしてある。

タンパク合成開始においては、原核細胞や細胞質のタンパク合成系においては、翻訳開始用と延長用の 2 種類の $tRNA^{Met}$ が存在して役割分担しているが、ミトコンドリアにおいては 1 種類の $tRNA^{Met}$ しか存在しない。開始過程ではホルミルトランスフェラーゼによってホルミル化されることによってはじめて、翻訳開始因子の IF2 に結合すると思われる。

● おわりに

以上のように、RNA の合成系、制御系、タンパク合成系もミトコンドリアに特徴的な性質を示す。この RNA 合成法と制御法は、原核細胞や真核生物の核における方法とは根本的に異なる。ミトコンドリアで核とサイトゾルにおける遺伝子発現系と異なったシステムを有することの生物学的意味や進化における必然性や偶然性、およびこれらの特徴が細胞へ与える影響など、今後の課題は多い。

● 文 献

1) Clayton, D.A.: *Annu. Rev. Cell Biol.*, **7**, 453-478 (1991)
2) Lee, D.Y., Clayton, D.A.: *Gene. Dev.*, **11**, 582-592 (1997)
3) Shadel, G.S., Clayton, D.A.: Methods in Enzymology, vol. 264, pp.139-148, Academic Press, New York (1996)
4) Larsson, N.G., Wang, J., Wilhelmsson, H., et al.: *Nat. Genet.*, **18**, 231-236 (1998)
5) Shadel, G.S., Clayton, D.A.: Methods in Enzymology, vol. 264, pp.149-158, Academic Press, New York (1993)
6) 渡辺公綱,鈴木 勉:『RNA 研究の最前線』(志村令郎,渡辺公綱編), pp.57-69, シュプリンガーフェアラーク東京 (2000)
7) Matthews, D.E., Hessler, R.A., Denslow, N.D., et al.: *J. Biol. Chem.*, **257**, 8788-8794 (1982)
8) Christianson, T.W., Clayton, D.A.: *Mol. Cell Biol.*, **8**, 4502-4509 (1988)
9) Micol, V., Fernandez-Silva, P., Attardi, G.: Methods in Enzymology, vol. 264, pp.158-173, Academic Press, New York (1996)
10) 渡辺公綱:細胞工学, **5**, 103-114 (1986)
11) Watanabe, K., Osawa, S.: *in* "tRNA : Structure, Biosynthesis and Function" (Soell, D., Rajbandary, U.L., eds.), pp.225-250, ASM Press, Washington D.C. (1995)
12) Eberly, S.L., Locklear, V., Spremulli, L.L: *J. Biol. Chem.*, **260**, 8721-8725 (1985)

● 参考文献

ミトコンドリア全体の単行本

Scheffler, I. E.: *in* "Mitochondria", pp. 89-91, Wiley-Liss, New York (1999)

核とミトコンドリアゲノムの種特異的相互作用

山岡 万希子・磯部 ことよ・林 純一

● はじめに

　ミトコンドリアは酸素呼吸によって ATP を合成する重要な細胞内小器官である．ミトコンドリアの呼吸機能が障害されると細胞内のエネルギー産生に異常をきたし，ミトコンドリア脳筋症に代表されるミトコンドリア遺伝子疾患や老化の原因となることが知られている．ミトコンドリアは内部に独自のゲノム（ミトコンドリア DNA：mtDNA）をもっており，哺乳類では約 16.5 kbp の環状 2 本鎖で，1 つの細胞当たりまったく同じ DNA 分子が数千コピーも存在している．ここに含まれる遺伝情報は直接または間接的に ATP 合成に関係しているため，mtDNA に突然変異が生じると重大な影響をこうむる可能性がある．

　実際，ミトコンドリア tRNA 遺伝子の点突然変異やそのいくつかを失った大規模欠失突然変異が，ミトコンドリア病と密接に関係することが知られている[1]．このような病因となる mtDNA の突然変異の多くは，いわゆるミトコンドリア病だけでなく，ヒトの老化，糖尿病，神経変性疾患などの老化関連疾患とも関係している[1]．病因となる mtDNA の突然変異は，ヒトの mtDNA 欠損（ρ^0）細胞への導入により呼吸機能が低下することからも証明されている[2,3]．しかし，病因となる変異 mtDNA の組織内蓄積が，ミトコンドリア病の臨床症状のみならず，老化や老化関連疾患の原因となっている直接的証拠はいまだ得られていない．

　変異 mtDNA が組織内でどのように伝達分配され，さまざまな臨床症状を示すミトコンドリア病や老化関連疾患の原因となるかを知るためには，モデルシステムとして変異 mtDNA を導入したマウスの作製が必要である．現在の技術では，変異したマウス mtDNA を分離ミトコンドリアや細胞内ミトコンドリアに導入することはできない．しかし，マウスの mtDNA 欠損細胞（ρ^0 細胞）の樹立[4,5]により，マウスの脳組織や培養細胞などの体細胞に蓄積した微量な体細胞突然変異 mtDNA をこの細胞内に確保して増加させることが可能になった．筆者らは，このような細胞を脱核してマウスの受精卵と電気的に融合させることで，病原性突然変異 mtDNA を大量にもち，さまざまな組織で呼吸が障害されたマウスの樹立に成功した[6]．

　真核生物の核とミトコンドリアの両ゲノムは共進化してきた．mtDNA にコードされたタンパク質の発現とそれらの呼吸鎖酵素複合体への集合には，核 DNA にコードされたさまざまな因子が必要である．したがって，細胞融合技術により異種の mtDNA をマウスの体細胞や受精卵に導入すると，核とミトコンドリアのゲノムの不和合性のために呼吸機能が低下する可能性がある．上記のマウス ρ^0 細胞を用いることで，細胞に種の異なる mtDNA を容易に導入することができることから，マウスの mtDNA をもたないマウス細胞がどのような異種 mtDNA を受容できるか，また異種の核とミトコンドリアのゲノムをもつキメラサイブリッドでミトコンドリア呼吸機能が低下するか否かを調べることが可能となった．その結果，このマウス ρ^0 細胞の核ゲノムは *Mus musculus domesticus* 由来であるが，

表1 さまざまな種の mtDNA をもつサイブリッドのゲノム構成

親株とサイブリッド	核の遺伝的マーカー	ゲノムの種 核ゲノム	ミトコンドリアゲノム
親株			
mtDNA 受容体			
ρ^0 B82 細胞 (線維芽細胞)	BrdUrd^r	*M. m. domesticus*	―
mtDNA 供与体 (系統)			
血小板 (マウス B6)	―	―	*M. m. domesticus*
血小板 (マウス SPR-EI)	―	―	*M. spretus*
血小板 (ラット Wistar)	―	―	*R. norvegicus*
サイブリッド			
CyMmd	BrdUrd^r	*M. m. domesticus*	*M. m. domesticus*
CyMs1	BrdUrd^r	*M. m. domesticus*	*M. spretus*
CyMs2	BrdUrd^r	*M. m. domesticus*	*M. spretus*
CyRn1	BrdUrd^r	*M. m. domesticus*	*R. norvegicus*
CyRn2	BrdUrd^r	*M. m. domesticus*	*R. norvegicus*

―: 該当する遺伝的マーカーもしくはゲノムがない場合.

この細胞に同じ *Mus* 属の *M. spretus* やラット (*Rattus norvegicus*) の mtDNA を導入することができた. マウス ρ^0 細胞にラット mtDNA を導入したキメラサイブリッドではミトコンドリア呼吸機能の顕著な低下がみられたことから, ラットの mtDNA を多くもつマウスはミトコンドリア病のモデルとなりうる[7].

1. マウス ρ^0 細胞の樹立とマウス mtDNA の導入

酵母をはじめ, トリやヒトの細胞は臭化エチジウム処理することによって容易に ρ^0 細胞になる. 一方, マウスの細胞はこの薬剤に耐性である[8]ことから, マウスの ρ^0 細胞の樹立は困難であった. さまざまな薬剤をスクリーニングした結果, 抗癌薬の一種がマウス, ラットおよびヒトの細胞にも有効に作用して ρ^0 細胞株を樹立できることが判明した[4,5]. その後, 臭化エチジウムやローダミン 6G 処理でマウス ρ^0 細胞が作製できたとの報告があるが, ρ^0 細胞株であることを証明する根拠はいまだ示されていない.

マウスの ρ^0 細胞は *M. m. domesticus* から得られたため, その近縁種を mtDNA ドナーとして用い, 呼吸機能の異常をひき起こす mtDNA を探した. ρ^0 細胞への mtDNA 導入に際し, 筆者らは, 血小板を分離せずに, 1 mL の末梢血の細胞画分を用いる実験系を確立した[9,10]. 血液細胞の中では血小板のみが核をもたずにミトコンドリアをもっているため, ρ^0 細胞に mtDNA を与えることができる. 異種の mtDNA を導入する前に, まず, *M. m. domesticus* 自身の mtDNA を ρ^0 細胞に導入した. これにより以下のような可能性を検討できる. (1) ρ^0 細胞が mtDNA の複製能を失っている可能性: ミトコンドリア転写因子のひとつである Tfam の遺伝子を欠くマウス胚では, mtDNA の複製能が失われている[11]. (2) ρ^0 細胞に極微量残った mtDNA が増加した可能性. (3) ρ^0 細胞を作製する際に利用した薬剤が, ミトコンドリア呼吸機能に関与する核側の因子に傷害を与えた可能性.

次いで ρ^0 細胞と B6 系統のマウスの血小板を PEG (ポリエチレングリコール) で融合させ, 核ゲノムと同じ種の mtDNA を再導入したサイブリッドクローン CyMmd を得た. その際, 未融合 ρ^0 細胞を除くため, ウリジンとピルビン酸を含まない選択培地を用いた (表1). ρ^0 細胞は呼吸欠損株であるため, このような選択培地では生育することがで

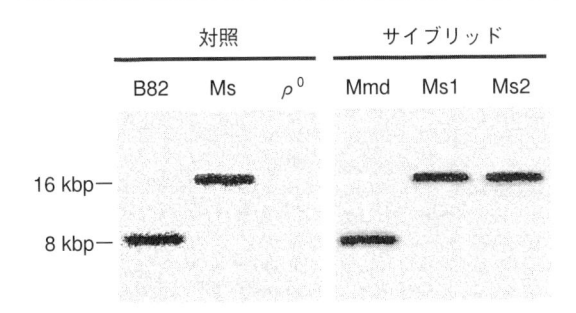

図1 *Bam*HⅠ切断片のサザンブロット法解析による，サイブリッドクローンのmtDNAの検出

M. m. domesticus のmtDNAは8 kbpの断片，*M. spretus* のmtDNAは16 kbpの断片として検出される．B82：B82細胞，Ms：*M. spretus* の肝のmtDNA，ρ^0：ρ^0 B82細胞，Mmd：*M. m. domesticus* のmtDNAをもつサイブリッドクローン CyMmd，Ms1 と Ms2：*M. spretus* のmtDNAをもつサイブリッドクローン CyMs1とCyMs2．

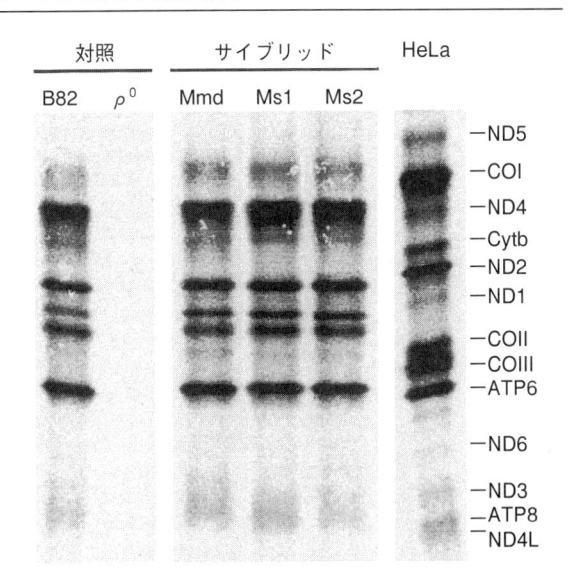

図2 SDSポリアクリルアミドゲル電気泳動による，サイブリッドクローンのミトコンドリア内翻訳活性の解析

B82：B82細胞，ρ^0：ρ^0 B82細胞，Mmd：*M. m. domesticus* のmtDNAをもつサイブリッドクローン CyMmd，Ms1 と Ms2：*M. spretus* のmtDNAをもつサイブリッドクローン CyMs1 と CyMs2，HeLa：HeLa細胞．ND5，COⅠ，ND4，Cytb，ND2，ND1，COⅡ，COⅢ，ATP6，ND6，ND3，ATP8，ND4LはすべてmtDNAにコードされたタンパク質．

きない．PEGの添加なしでは選択培地にコロニーが形成されなかったことから，サイブリッドクローンに存在したmtDNAはρ^0細胞に残存していた親細胞のものではないことが示唆された．サザンブロット法による*Bam*HⅠ切断片の解析（図1）により，CyMmdは*M. m. domesticus*のmtDNAをもっていることが示された．このことから，ρ^0細胞は外来生のマウスmtDNAを受容し，複製する能力を保持していることが明らかである．このCyMmdは，ミトコンドリア内転写能力とミトコンドリア呼吸機能も保持している．以上の結果から，ρ^0細胞において，mtDNAを消失させるために処理した薬剤がミトコンドリアの呼吸機能維持に必要な核側因子に影響を与えていないこと，およびこのCyMmdが実験のポジティブコントロールとして使用できることが判明した．

2. *M. spretus* のmtDNAをもつサイブリッドの作製

マウスmtDNAは完全に母性遺伝する[12]ため，異種の雌を用いた種間交配後に雑種第一代（F1）の雌と雄マウス（*M. m. domesticus*）の戻し交配を繰り返すことで，異種mtDNAのみをもつコンジェニックマウスを得ることができる．*M. m. domesticus*の雄と種間雑種第一代（F1）をつくることのできるもっとも離れた種が*M. spretus*であるため，*M. spretus*のミトコンドリアゲノムと*M. m. domesticus*の核ゲノムのみをもつという点でコンジェニックマウス B6-mt^{spr} と同等であるサイブリッドクローン CyMsを作製した．

筆者らは，*M. m. domesticus*の核と異なる亜種*M. m. molossinus*のmtDNAをもつサイブリッドを作製し，これが正常なミトコンドリア呼吸機能を保持していることを示した[4]．今回，*M. m. domesticus*の核をもつρ^0細胞と*M. spretus*の血小板をPEGで融合させた後，ウリジンとピルビン酸を含まない選択培地で生じたコロニーをサイブリッドクローン CyMs1，CyMs2とした（表1）．この際，PEGの添加なしではコロニーは生じない．サザンブロット法による*Bam*HⅠの切断片の解析により，CyMs1とCyMs2は*M. spretus*のmtDNAをもち，

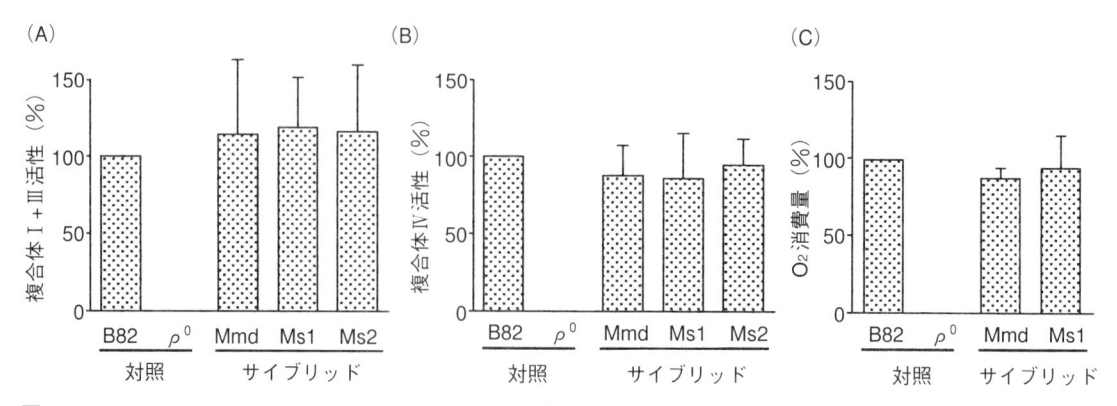

図3 *M. m. domesticus* の mtDNA をもつサイブリッドと *M. spretus* の mtDNA をもつサイブリッドのミトコンドリア呼吸活性の比較
(A) 複合体 I+III の活性, (B) 複合体 IV の活性, (C) 酸素消費量. B82：B82 細胞, ρ^0：ρ^0 B82 細胞, Mmd：*M. m. domesticus* の mtDNA をもつサイブリッドクローン CyMmd, Ms1 と Ms2：*M. spretus* の mtDNA をもつサイブリッドクローン CyMs1 と CyMs2.

その量は CyMmd と同程度であることがわかる (図1). この CyMs は, 正常なミトコンドリア内翻訳活性 (図2), ミトコンドリア呼吸鎖酵素複合体 I+III, IV 活性, および酸素消費活性 (図3A〜C) を示す. 異種である *M. spretus* の mtDNA を導入した CyMs は, mtDNA 量, ミトコンドリア遺伝子の発現を, ミトコンドリア呼吸機能が正常であることは, *M. m. domesticus* の核ゲノムと *M. spretus* 由来のミトコンドリアゲノムのあいだに不和合性がないことを反映している. CyMs と同様に, *M. m. domesticus* の核ゲノムと *M. spretus* のミトコンドリアゲノムをもつコンジェニックマウス B6-mt^{spr} の組織でも, ミトコンドリア呼吸鎖酵素複合体活性は正常である[7].

3. ラットの mtDNA をもつサイブリッドの作製

Mus 属以外で *M. m. domesticus* と近縁で利用可能な種は *Rattus norvegicus*（ラット）なので, ラット（Wistar 系統）の血小板を ρ^0 細胞と融合させた（表1）. ウリジンとピルビン酸を含まない選択培地で培養したところ小型のコロニーが生じたため, これをサイブリッドクローン CyRn (CyRn1, CyRn2) として分離した. これらのクローンの成長は, ウリジンとピルビン酸を含む通常培地に替えると回復する. これらのサイブリッドクローンを用い, マウス ρ^0 細胞に導入されたラットの mtDNA は複製, 転写されるか否か, もしされれば翻訳産物がミトコンドリア呼吸機能を低下させるか否かを調べた.

サザンブロット法（図4A）とノーザンブロット法（図4B）による解析から, mtDNA とその転写産物が十分量あることがわかる. [^{35}S]メチオニンをポリペプチドに取り込ませる実験から, ラット mtDNA をもつ CyRn におけるミトコンドリア内翻訳活性は, マウス mtDNA をもつ CyMmd と同程度であった（図5）. しかし, 複合体 I+III, IV, および酸素消費活性は, いずれも CyMmd の 20〜50% しかなかった. さらに, CyRn はウリジンとピルビン酸を含まない選択培地では明らかに成長速度が低下していた.

このように, マウスの核ゲノムしかもたない ρ^0 細胞に導入したラットの mtDNA は複製転写され, ラット mtDNA にコードされるポリペプチドの翻訳も正常に行われる. しかし, 導入したラットの mtDNA はミトコンドリア呼吸機能を回復させることはできなかった. これは, ラット mtDNA とマウス核 DNA にコードされたポリペプチド, もしくは前者とマウスミトコンドリア内膜との不和合性に

2・6 核とミトコンドリアゲノムの種特異的相互作用

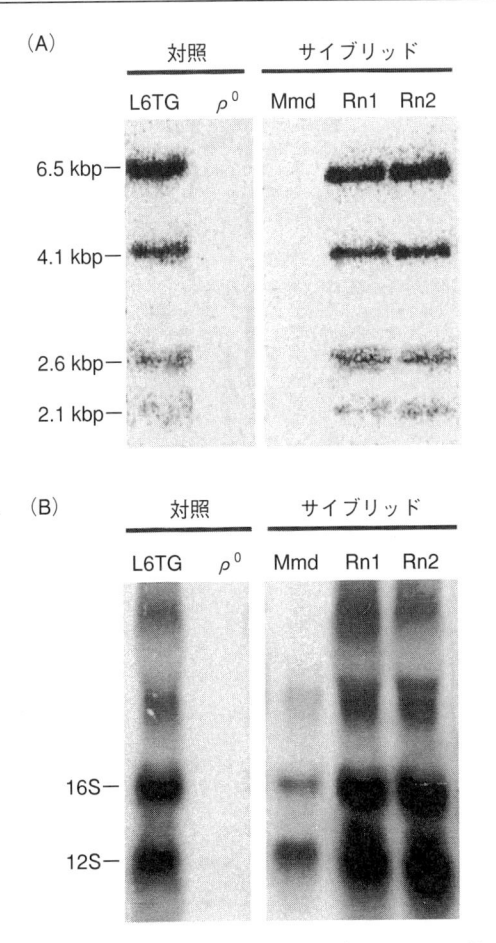

図4 サイブリッドクローン CyRn1 と CyRn2 のラット mtDNA とその転写産物の検出
L6TG：ラット筋芽細胞 L6TG 細胞，ρ^0：ρ^0B82 細胞，Mmd：*M. m. domesticus* の mtDNA をもつサイブリッドクローン CyMmd，Rn1 とRn2：*R. norvegicus* の mtDNA をもつサイブリッドクローン CyRn1 と CyRn2.
（A）サザンブロット法による *Hind* III 切断片の解析. *R. norvegicus* の mtDNA は 6.5, 4.1, 2.6, 2.1 kbp の断片として検出される. サザンブロット法による *Hind* III 切断片の解析にはラット mtDNA をプローブとして用いたため, CyMmd のマウスの mtDNA はラット mtDNA のプローブとハイブリダイゼーションしなかった. （B）ノーザンブロット法による解析. ラット mtDNA をプローブとして用いた. CyMmd にみられる低シグナルはマウスミトコンドリア RNA へのプローブのクロスリアクションによるものであると考えられる. 16S rRNA と 12S rRNA はそれぞれ 16S rRNA と 12S rRNA を示している.

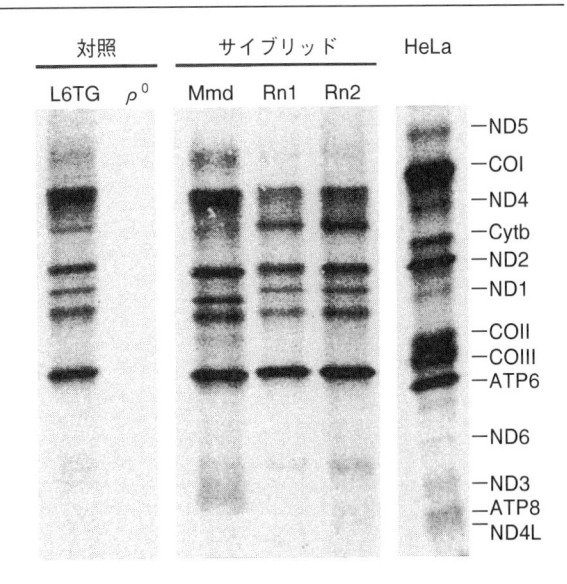

図5 SDS ポリアクリルアミドゲル電気泳動による, サイブリッドクローンのミトコンドリア内翻訳活性の解析
L6TG：ラット筋芽細胞 L6TG 細胞, ρ^0：ρ^0B82 細胞, Mmd：サイブリッドクローン CyMmd, Rn1 と Rn2：サイブリッドクローン CyRn1 と CyRn2, HeLa：HeLa 細胞. ND5, CO I, ND4, Cytb, ND2, ND1, CO II, CO III, ATP6, ND6, ND3, ATP8, ND4L はすべて mtDNA にコードされたポリペプチド. ポリペプチド ND2 の移動度がマウスとラットで少し異なる点に注意.

より，呼吸鎖酵素複合体が正しく集合せず，正常な活性が得られなかったためと考えられる．

4. 種間ミトコンドリア移植によるミトコンドリア病モデルマウスの作製

ミトコンドリアゲノムは核ゲノムとは独立に複製される．核とミトコンドリアのゲノム不和合性のため，外から導入した異種 mtDNA は複製されないと考えられてきた[13]．ただし，マウス細胞内で複製されてミトコンドリア呼吸機能を低下させる mtDNA をもつ近縁種が存在すれば，その mtDNA を導入することによりミトコンドリア病モデルマウスが作製できる可能性がある．しかし，マウスと同属異種である *M. spretus* の mtDNA をもつキメラサイブリッド CyMs とコンジェニックマウス B6-mt^{spr} の組織ではミトコンドリア呼吸機能に顕著な異常は認められない[7]．B6-mt^{spr} では運動持久力にわずかな低下がみられている[14]が，その差はマウスの系統間に認められる差を超えるものではない．これに対し，ラット mtDNA をもつキメラサ

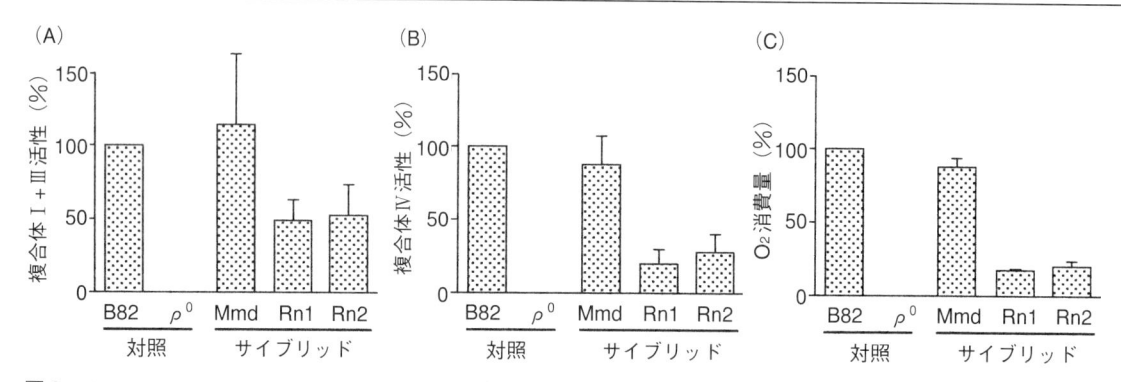

図6 *M. m. domesticus* の mtDNA をもつサイブリッド と *R. norvegicus* の mtDNA をもつサイブリッドのミトコンドリア呼吸活性の比較
(A) 複合体Ⅰ+Ⅲの活性，(B) 複合体Ⅳの活性，(C) 酸素消費量．B82：B82 細胞，ρ^0：ρ^0 B82 細胞，Mmd：サイブリッドクローン CyMmd，Rn1 と Rn2：サイブリッドクローン CyRn1 と CyRn2．

5. 核ゲノムとミトコンドリアゲノムの不和合性

CyRn において，マウス核ゲノムにコードされた因子の制御下で，外来ラット mtDNA の複製，転写，転写産物の翻訳は正常に行われ，ラット mtDNA にコードされたタンパク質は十分量生産される．つまり，mtDNA にコードされたタンパク質の産生に必要なマウス核 DNA コード因子はラット mtDNA とその転写産物を正しく認識し，マウスのミトコンドリアに正常な翻訳活性を回復させた（図4,5）．このように，ラット mtDNA の翻訳，転写，複製においては両ゲノムの不和合性は検出できなかったが，ミトコンドリアの呼吸機能においては変化がみられた．すなわち，CyRn では複合体Ⅰ+Ⅲ，Ⅳと酸素消費活性が低下していた（図6）．このサイブリッドはマウス核 DNA とラット mtDNA にコードされたタンパク質からなるマウスとラットのキメラ呼吸鎖酵素複合体をもつため，キメラサイブリッド CyRn のミトコンドリア呼吸機能が著しく低下したことが推察される．したがって，ラットイブリッド CyRn では，ミトコンドリア呼吸機能の顕著な低下がみられることから，ラットの mtDNA を多くもつマウスはミトコンドリア病のモデルとなりうる可能性がある．

mtDNA の複製，転写，転写産物のプロセッシングと翻訳に必要な核とミトコンドリアの相互作用は，正常な呼吸鎖酵素複合体の集合，形成に必要な相互作用よりも厳密には制御されていない．前者はタンパク質と核酸の相互作用であるが，後者はタンパク質どうしの相互作用であることから，後者は前者よりも厳密に制御されているようである．

最近，ヒト ρ^0 細胞はチンパンジーやゴリラの mtDNA を受容してミトコンドリアの呼吸機能を回復するが，遺伝的により離れたオランウータンの mtDNA は受容できないことが Kenyon と Moraes によって報告された[15]．mtDNA 中の *cytb* 遺伝子の配列の相違から見積もったヒトとコモンチンパンジーの遺伝的距離は *M. m. domesticus* と *M. spretus* のものに相当する．霊長類の mtDNA をもつサイブリッドでは複合体Ⅰ活性の特異的低下がみられる[16]が，この距離が核とミトコンドリアの和合性を維持し，ミトコンドリア呼吸機能を回復させる限界であろう．一方，ヒトとオランウータンの配列の相違はマウスとラットのものに相当し，この程度の遺伝的距離の核とミトコンドリアゲノムの組合せでは mtDNA は複製されない[15]か，もしくは複製，翻訳されても正常な活性をもつ呼吸鎖酵素複合体を形成できない[7]．したがって，核と遺伝的に遠い種の mtDNA 間の不和合性によるミトコンドリア機能障害は，ミトコンドリア病のモデルマウス作製に応用できるかもしれない．

●おわりに

　筆者らは以前，ラットのmtDNAをマウスmtDNAをもつマウス細胞に導入できないが，マウス細胞とラット細胞を融合してマウス×ラット体細胞ハイブリッドであればラットmtDNAをラット核とともに導入することができることを報告した[13]．今回，マウス細胞にラットのmtDNAを導入できたことは，上記の報告と一見矛盾しているようにみえる．マウスのmtDNAは同種核ゲノム支配下で優位に複製されるが，ラットmtDNAは核と異種ミトコンドリアゲノム間の不和合性のためにマウス細胞から拒絶されたと考えられる．この研究結果の差は，マウス受容細胞がマウスmtDNAをもっているか否かの違いによると想定すると説明可能である．ラットmtDNAは，マウス受容細胞内でマウス自身のmtDNAとの競争関係があると増殖できないが，マウスmtDNAが存在しないと正常に増殖，発現すると考えられる．もしそうであれば，マウスの受精卵にラットのミトコンドリアを導入してミトコンドリア病モデルマウスを作製するのは難しいと思われる．現在，マウスmtDNAをCyRnに導入し，これによりラットmtDNAが急激に排除されるか否かを検証中である．ラットよりさらに遺伝的距離の遠い種のmtDNAを導入し，どの種のmtDNAがマウスρ^0細胞に導入可能な限界であるかも調べている[17]．

　最近，筆者らは樹立に成功したミトコンドリア遺伝子疾患モデルマウスなどを利用して，ミトコンドリア間に相互作用があるという「ミトコンドリア連携説」を提唱する論文を発表した[18〜21]．

●文　献

1) Wallace, D.C.: *Science* **283**, 1482-1487 (1999)
2) Hayashi, J.-I., Ohta, S., Kikuchi, A., *et al.*: *Proc. Natl. Acad. Sci. USA*, **88**, 10614-10618 (1991)
3) 林　純一：細胞工学, **13**, 920-927 (1994)
4) Inoue, K., Ito, S., Takai, D., *et al.*: *J. Biol. Chem.*, **272**, 15510-15515 (1997)
5) Inoue, K., Takai, D., Hosaka, A., *et al.*: *Biochem. Biophys. Res. Commun.*, **239**, 257-260 (1997)
6) Inoue, K., Nakada, K., Ogura, A., *et al.*: *Nat. Genet.*, **26**, 176-181 (2000)
7) Yamaoka, M., Isobe, K., Shitara, H., *et al*: *Genetics*, **155**, 301-307 (2000)
8) 林　純一：組織培養, **18**, 424-429 (1992)
9) Ito, S., Inoue, K., Yanagisawa, N., *et al.*: *Biochem. Biophys. Res. Commun.*, **247**, 432-435 (1998)
10) Ito, S., Ohta, S., Nishimaki, K., *et al.*: *Proc. Natl. Acad. Sci. USA*, **96**, 2099-2103 (1999)
11) Larsson, N.-G., Wang, J., Wilhelmsson, H., *et al.*: *Nat. Genet.*, **18**, 231-236 (1998)
12) Kaneda, H., Hayashi, J.-I., Takayama, S., *et al.*: *Proc. Natl. Acad. Sci. USA*, **92**, 4542-4546 (1995)
13) 林　純一：蛋白質 核酸 酵素, **35**, 212-224 (1995)
14) Nagao, Y., Totsuka, Y., Atomi, Y., *et al.*: *Genes Genet. Syst.*, **73**, 21-27 (1998)
15) Kenyon, L., Moraes, C.T.: *Proc. Natl. Acad. Sci. USA*, **94**, 9131-9135 (1997)
16) Barrientos, A., Kenyon, L., Moraes, C.T.: *J. Biol. Chem.*, **273**, 14210-14217 (1998)
17) Yamaoka, M., Mikami, T., Ono, T., *et al.*: *Biochem. Biophys. Res. Commun.*, **282**, 707-711 (2001)
18) Ono, T., Isobe, K., Nakada, K., Hayashi, J.-I.: *Nat. Genet.*, **28**, 272-275 (2001)
19) Nakada, K., Inoue, K., Ono, T., *et al.*: *Nature Med.*, **7**, 934-939 (2001)
20) 井上貴美子，中田和人，磯部ことよ，林　純一：蛋白質 核酸 酵素, **46**, 829-837 (2001)
21) 磯部ことよ，小野朋子，中田和人，林　純一：実験医学, in press (2001)

ミトコンドリアからみた日本人の起源

宝来　聰

● はじめに

　現在の日本列島に住む日本人は，いつ，どこからやってきたのだろうか．また，日本人はどのようにして形成されたのであろうか．日本古代史の始まりとしては縄文時代がよく知られているが，この時代は1万2000年前から紀元前3世紀までの約1万年にわたる期間である．特徴的な縄文式土器を作っていた人々は縄文人とよばれている．われわれの体の中にはこの縄文人の血が色濃く流れているのであろうか．そもそも縄文人は，いつどこからきて日本列島に定住するようになったのか．また，縄文時代晩期の終わりに稲作文化を携えて九州に渡来してきた人々は，どこからやってきたのだろうか．それらの人々は弥生式土器の作り手たちだが，この弥生人とわれわれの関係はどうなっているのか．

1.「日本人の起原」諸説

　日本人の起源をめぐる謎や興味はつきない．このことを最初に科学的に研究したのは，江戸時代の末期にオランダ商館の医師として長崎に来ていたフォン・シーボルトだといわれている．以来，日本人の起源をめぐる研究とその論争には150年以上の歴史がある．この研究史に関する詳しい解説は他書を参照してもらいたいが，いずれの研究も過去から現在に至る日本人にみられる広範囲にわたる形態的，文化的，遺伝的な多様性を考古学上の証拠などとともに説明しようとしたものである．以来，日本人の起源についてはいくつかの仮説が提唱されているが，現在では大きく3つの仮説に分類できる．すなわち，混血説，転換説，置換説である．

　"混血説"は，現代の日本人は異なる移住者たちが混じり合った結果形成され，先住系縄文人と渡来系弥生人の両方に由来する要素をもつとする説である．混血説の1つとして知られるものは，日本人の成り立ちにおける埴原和郎の"二重構造モデル"である．このモデルでは，日本人の形成にかかわる基層集団は東南アジアに起源をもつ縄文人であったとする．弥生時代以降，北東アジアを故郷とする人々が渡来し，日本の先住民である縄文人としだいに混じり合っていったというのである．一方，"転換説"では，更新世の終わりに中国南部から移住してきた単一の古代人の集団から日本人が徐々に進化してきたとする．その古代人集団は，縄文時代には日本列島全体を占有し，次第に形態的な特徴を変化させ，現在の本土に住む日本人へと小進化した．転換説では，弥生時代以降の渡来人たちは日本人の形成に文化的には貢献したが，遺伝的には何の役割も果たしていないことになる．さらに，"置換説"とは，日本本土で先住系の集団が渡来系集団により完全に置き換わったとするものである．

　同じ仮説に含まれるものでも，研究者によって主張するところに多少の差異はあるが，これらの仮説は主として自然人類学者による形態学的特徴の研究に基づくものであった．1960年代以降は，現代人の試料による血液型や血球酵素型や血清型の遺伝子頻度のデータから人類集団の系統関係や分岐を探る

研究がさかんとなり，日本人の形成に関してもこのような研究からの議論が加わった．

日本人の形成における大きな問題の1つは，先住民である縄文人と弥生時代以降の渡来人がどの程度現代日本人の成立に寄与しているかということである．日本列島には，その民族成立の歴史や独自の文化から本土の日本人とは異なると考えられている日本人のグループがある．北海道に住むアイヌの人々と，沖縄本島をはじめとする南西諸島に住む人々である．これまでの人類学者の間では，これら2つのグループは縄文人の血を色濃く引く子孫であるとする考えが一般的に認められてきたのだが，そのあたりはどうなっているのだろうか．

2. ミトコンドリアDNAの塩基配列分析

日本人の成り立ちを研究し，その起源に関するもっとも適切なモデルをつくるために，筆者が手がかりを求めたのはミトコンドリアDNA（mtDNA）であった．いうまでもなく，日本人だけをいくら詳しく調べても日本人の起源はわからない．そのため，日本人を含む東アジアの人類集団を詳しく調べることにした．筆者が目指したのは，日本各地やアジアの各地で最低50人の血液試料を集めることである．PCR法によって血液から抽出したDNAから，mtDNAのどの領域でも増幅して分析することができる．内外の研究者の協力を得て，中国人の血液試料は台湾の台北市近郊で66人分を集めた．韓国人の試料はソウル近郊で64人を集めて分析した．北海道アイヌの試料は，尾本惠市教授が以前集められたものを分与していただき，51人を分析した．三島の62人と沖縄の50人は，以前に胎盤から分離精製したものである．

a. 多様な東アジアの人々

こうして得られた日本人の3集団（本土日本人，アイヌ，琉球人），韓国人，および中国人のサンプルから，mtDNAのDループ領域の482塩基の配列を決定した．東アジアからサンプリングした合計293人の塩基配列の分析が可能となったわけである．分析の結果，全体では207種類の異なる配列のタイプが観察された．このうちの189タイプは，それぞれの集団に固有のものである．つまり，タイプの大部分は，1つの集団でのみ観察され，他の集団ではみられないという結果になった．残りの18タイプだけが集団間で共通してみられ，このうち14タイプは2集団間で共通であり，4タイプは3集団にまたがって共通にみられた．東アジアの5集団でみられた塩基配列のうち，集団固有のタイプ数と複数の集団間に共通してみられるタイプ数を調べた．たとえば，66人の中国人を分析すると58種類の配列タイプがみられるが，その54種類は中国人に固有のものであり，他の集団にはみつからない．51人のアイヌについては25種類のタイプがみられ，そのうち18種類はアイヌに固有のものであった．

アイヌで観察されたタイプ数が他の集団より少ないのは，アイヌでは同一の配列を示す人数が多かったためである．実際，もっとも頻度の高いタイプは8人のアイヌに共通して見られ，2番目に頻度の高いタイプは7人のアイヌに共通してみられた．これはアイヌが現在では少数の集団であることを反映しているのかもしれない．個々の集団に固有のタイプをもつ割合は，中国人で94%，韓国人で64%，本土日本人で71%，琉球人で86%，アイヌで67%であった．このように，mtDNAのタイプには地域の特性が強く反映されているのがわかる．

つぎに，2集団間で共通して観察されるタイプを見てみよう（図1）．本土日本人と韓国人に8種類のタイプが共通してみられることは，注目すべきである．これら共通のタイプをもった個体数は，14人の本土日本人（集団の23%に当たる）と17人の韓国人（集団の27%に当たる）である．本土日本人はアイヌとも4種類のタイプを共通してもつが，その他の集団間の比較では共有するタイプは3種類以下である．ところが，アイヌと琉球人はともに縄文人直系の子孫と考えられているにもかかわらず，共有する塩基配列のタイプが1つも観察されないことは注目に値する．本土日本人と韓国人で共通するタイプが数多く見出されることは，朝鮮半

島から日本列島にヒトの移住があった可能性を示唆している．

b. 複雑多岐な系統樹

総数293人の東アジアの人々の塩基配列アラインメントを作成し，それぞれの塩基配列間での塩基置換数を算出した．東アジア集団全体の塩基多様度は1.34％と計算され，その値は制限酵素によるmtDNAのゲノム全体の分析から算出された値の3～4倍に当たる．個々の塩基配列間で観察された塩基置換数を用いて系統樹を作成した（図2）．なんとも複雑かつ多岐にわたる系統樹である．一見，絶望的のようであるが，この系統樹から何かを読み取

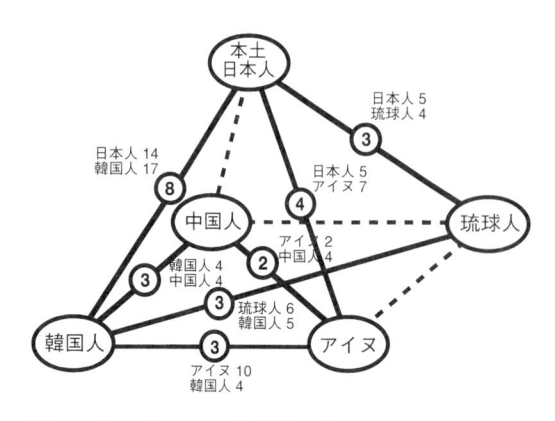

図1　東アジアの2集団間で共通に見られる配列タイプの数と各集団でそれらのタイプを有する人数

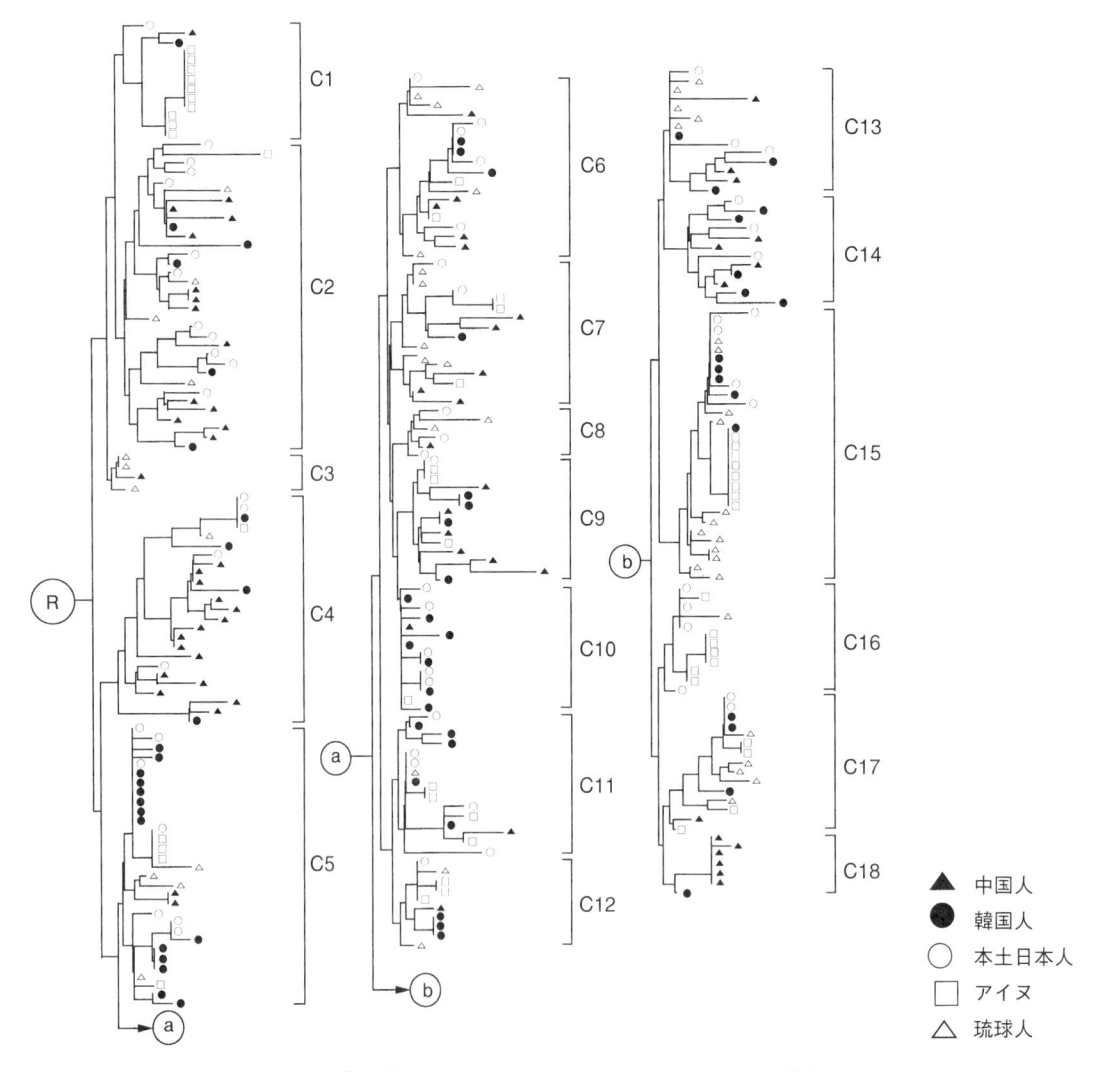

図2　東アジア人293人のミトコンドリアDNAの系統樹
樹型のパターンより18個の単系統クラスターに分類した．

らなければならない．

　じっくり目をこらして系統樹の枝分かれパターンをみると，18本の単一の枝より派生するクラスターが読み取れる（図2のC1からC18）．東アジアの5集団に由来する系統は，いくつかのクラスターの中では特定の集団由来の系統が優位を占めるものがあるが，ほぼ完全に系統樹の中で混在している．

　18個のクラスターにおける5集団からの人々の構成を表1にまとめた．5集団からのサンプリング数は必ずしも同じではないが，各クラスターにおいて最大数をしめる集団をもとにしてクラスターの"特異性"を割り当てた．たとえば，アイヌを一番多く含むクラスターの特異性は「アイヌ」とみなすのである．このようにして，18個のうちの14個のクラスターについて特異性を割り当てることができた．4個のクラスター（C6，C7，C11，C12）では，2つ以上の集団に由来する個体が同じ最大数を示すので，"特異性"の割当ては不可能であった．

　この特異性の割当てには多少恣意的な面もあるが，東アジアの人々のように比較的近い遺伝的関係にあると思われる集団からmtDNAの塩基配列の関係を理解するには役に立つ．たとえば，C1には10人のアイヌが含まれ，残りは本土日本人と韓国人，および中国人がそれぞれ1人ずつ含まれるだけである．したがって，アイヌが優勢な特異性をもつこのクラスターをアイヌ-1と名付けた．本土の日本人に関しては，3人が含まれる小さなクラスター（C8）でのみ優位を占め，その大部分はほかの特異性を割りあてられたクラスターに含まれるという興味深い結果となった．それに対して，中国人が優位を占めるクラスターは4個（C2，C4，C9，C18）あり，韓国人が優位を占めるクラスターは3個（C5，C10，C14）あった．一方，アイヌは2個のクラスター（C1，C16）で優位を占め，琉球人は4個のクラスター（C3，C13，C15，C17）で優位を占める．

　図3では，東アジアの5集団の出身者について割り当てた特異性の総数をまとめてみた．驚くべきことに，本土日本人の26%は中国人の特異性をもつクラスターに含まれ，24%は韓国人の特異性をもつクラスターにはいった．したがって，本土日本人の計50%は，大陸系（中国人と韓国人の両方）の特異性をもつクラスターに含まれることになった．対照的に，アイヌの場合に中国人と韓国人の特異性を割り当てられるのはそれぞれ10%にすぎない．琉球人もアイヌとほぼ同様の特異性の内訳を示した（中国人10%，韓国人8%）．とくに，アイヌ

表1　クラスターの構成と地理的分布

クラスター	特異性	静岡	沖縄	北海道	韓国	台湾
C1	アイヌ-1	1	0	10	1	1
C2	中国人-1	11	4	1	5	13
C3	琉球人-1	0	3	0	0	1
C4	中国人-2	4	1	1	4	15
C5	韓国人-1	7	4	4	14	2
C6	−	5	5	2	3	5
C7	−	2	5	3	1	5
C8	日本人-1	3	2	0	0	1
C9	中国人-3	1	0	3	4	6
C10	韓国人-2	5	0	2	7	1
C11	−	5	1	4	5	1
C12	−	1	2	3	3	1
C13	琉球人-2	3	5	0	3	3
C14	韓国人-3	3	0	0	5	4
C15	琉球人-3	5	12	8	5	0
C16	アイヌ-2	4	1	7	0	0
C17	琉球人-4	2	5	4	3	1
C18	中国人-4	0	0	0	1	6

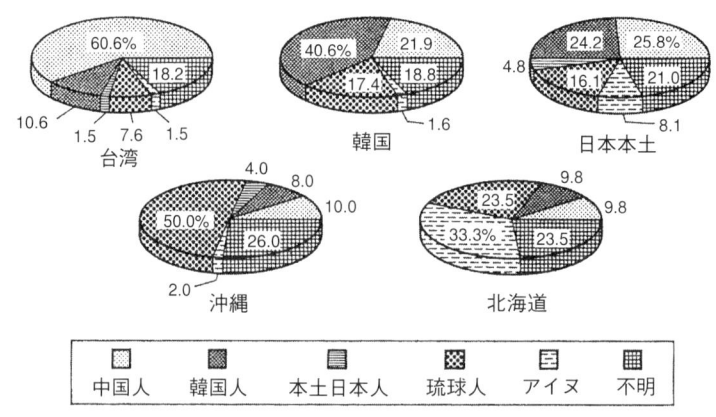

図3 各サンプリング地域におけるクラスター特異性の割合

の3分の1（17人）は2つのクラスターで優位を示し，琉球人の50%は琉球人が多数をしめるクラスターに含まれ，日本に住むこれら2つの民族グループが独自の系統的な位置を示すことが明らかになった．

3. 日本人の成り立ち

集団間で共通してみられる同一の塩基配列（共通のタイプ）の分析を基に，本土日本人はアイヌや琉球人よりも韓国人との間に共通の塩基配列のタイプをもつものが多いということが明らかになった．さらに，系統樹クラスターの分析から，中国人や韓国人の特異性を示すクラスターには本土日本人の50%が含まれるが，アイヌや琉球人では平均19%しかはいらないことが示された．これらの結果は，本土日本人のmtDNAには大陸に由来する割合がかなり大きいことを示している．これは弥生時代以降の渡来人によってもたらされたと考えるのが自然であろう．転換説は，本土日本人にみられる特性は縄文人が小進化した結果生じたものであり，渡来人との混血はあまり反映されていないとの主張である．mtDNAの塩基配列の多様性は，本土日本人が大陸からのかなり大量に及ぶ遺伝子の流入の影響を受けていることを示している．したがって，転換説とは明らかに矛盾する．では，渡来系集団の影響はどの程度なのだろうか．そこで次のような検証を試みた．

まず，アイヌや琉球人を現在における"縄文人の系列"とし，韓国人や中国人を現在における"渡来人の系列"とする．さらに，これらの系列における"大陸系"の特異性の頻度が過去の縄文人集団における頻度および渡来人集団における頻度にほぼ対応するものと推定する．また，集団間での混血のみがこれらの頻度に影響を与える過程であったと仮定する．このようにして，本土日本人において，弥生時代以降に渡来人によってもたらされたmtDNAの割合を算出した結果，この割合は65%となった（詳細はDNA人類進化化学を参照）．

この数値は，弥生時代（2300～1700年前）とそれに続く古墳時代（1700～1400年前）には大陸から多くの人々が渡来し，本土日本人の遺伝子プールはその影響をかなり受けたことを示している．すなわち，本土の日本人は縄文系と渡来系の遺伝子をほぼ1対2の割合で併せもつことになり，日本人の起源に関する混血説を支持する結果となった．したがって，置換説でいうような"先住系集団が渡来系集団によって完全に置き換わった"ことはなさそうである．しかし，渡来人の割合が65%であるとの数値は，あくまでもいくつかの仮定を含んだ試算であり，この数値のみが1人歩きしないことを望みたい．

4. アイヌと沖縄の人々

弥生時代以後，アジア大陸から日本へ大量の移民が起こったことは間違いないようである．渡来人はまず西日本（九州）に移住し，次第に本州に移りながら先住縄文人と混じり合ったと考えられる．こうして現在の本土日本人の基盤が誕生したのである．一方，渡来人たちが当時日本列島全般に住んでいた縄文人を日本の北部や南部に押しやったという考え方もある．この考え方でいくと，北海道に住む現在のアイヌは北方へ移動させられた縄文人の子孫であり，沖縄本島をはじめとする南西諸島の琉球人は南下した縄文人の子孫ということになる．本当にアイヌと琉球人は，弥生期以降に本土にいた縄文人の集団から分岐したのであろうか．

図1で示した集団間で共有するタイプの分析では，アイヌと琉球人には共通したタイプが1つもなかった．アイヌ51人と琉球人50人で総当たりの比較を行うと全部で2550組のペアができるが，同じ配列は1つもなく，最小でも1カ所で塩基が異なっていた．1カ所しか塩基の違わないアイヌと琉球人のペアは，過去には同じ塩基配列であったものがどちらかの系統で1回塩基置換が起こった結果である．では，1回だけ塩基置換が起こるにはどのくらいの時間が必要であろうか．Dループ領域の進化速度とペアの塩基置換数（遺伝距離）から推定したところ，その時間は約1万2000年であった．つまり，現在のアイヌと琉球人は，少なくとも1万2000年間は互いに分離していたことになる．

では，アイヌや琉球人は縄文系といわれながらも遺伝的にはまったく別の集団なのであろうか．表1で示した系統樹のクラスター分析から，アイヌが優勢なクラスターは2つあることがわかった（C1とC16）．51人のアイヌのうち17人（アイヌ集団の33%）は，それら2つのクラスターに含まれている．C1にはアイヌ10人，本土日本人，韓国人，中国人が1人ずつ含まれるが，琉球人は1人もいない．C16では，7人のアイヌと4人の本土日本人の中にたった1人の琉球人が含まれる．これらの結果から，アイヌに特徴的なクラスターに割り当てられる琉球人は非常にまれだということになる．

他方，琉球人が優勢なクラスターは4つ（C3，C13，C15，C17）認められた．C3とC13には合計3人の本土日本人，3人の韓国人，4人の中国人とともに，全部で8人の琉球人が含まれているが，アイヌは1人もいない．しかし，C15とC17の両方には，7人の本土日本人，8人の韓国人，1人の中国人とともに，12人のアイヌ（集団の24%）と17人の琉球人（集団の34%）が含まれている．このことは，琉球人に特徴的なクラスターのなかには，多くのアイヌを包含するものがあることを示している．つまり，アイヌ集団の約4分の1と琉球人集団の3分の1の人々は，遺伝的に共通項があるといえる．したがって，アイヌと琉球人は縄文人の直系の子孫として遺伝的により近密な関係にあるとの見方は，部分的には正しいようである．

5. 人類集団の系統関係

これまで，集団間で共通にみられた配列のタイプや系統樹のクラスターの分析から得られた知見について考察してきた．東アジアの5集団では，日本における大陸からの人々の渡来以外に，過去においては近隣の地域間で移住が繰り返されていた可能性が大きく，系統樹のクラスターにみられるようにかなり複雑な様相を呈している．

先に述べた知見は，複雑な様相を解きほぐし，東アジアにおけるヒトの移動に関する糸口を見い出そうとしたものである．それでは，東アジアの人々と他の地域の人々とはどのような関係にあるのだろうか？ アフリカ人，ヨーロッパ人，そしてアメリカ先住民などとの関係である．幸い，これらの塩基配列のデータはすでに分析ずみで，ただちに東アジアの集団との比較が可能であった．mtDNAの多型解析の利点は，個々の配列に基づいた分析のほかに，集団としてまとめた分析もできるところにある．まず，それぞれの集団内での塩基多様度をみてみよう．東アジアの5集団での塩基多様度は，中国人1.65%，

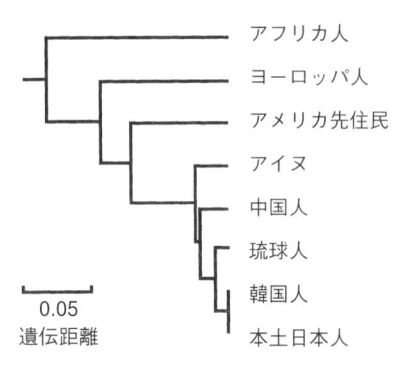

図 1 塩基多様度のネット値（D_A）に基づいた現代人 8 集団の系統関係

（樹形図の枝の先: アフリカ人, ヨーロッパ人, アメリカ先住民, アイヌ, 中国人, 琉球人, 韓国人, 本土日本人；スケール: 0.05 遺伝距離）

韓国人 1.22％，本土日本人 1.32％，琉球人 1.01％，アイヌ 1.26％であった．中国人の値がもっとも高く，中国人は遺伝的には多様な人々の集まりということになり，値のもっとも低い琉球人は比較的近縁な人々の集まりということになる．また，アフリカ人は 2.08％，ヨーロッパ人は 0.95％，アメリカ先住民は 1.29％であり，どの集団よりも大きな値を示すアフリカ人が遺伝的にもっとも多様性の高い集団であることは，これまで繰り返し述べてきたとおりである．

さて，集団間の近縁度をみる尺度として，塩基多様度のネット値（D_A）を利用することができる．この D_A 値の理論的説明は難しくなるので省略するが，この値が大きいほど 2 集団間の遺伝的距離は遠く，小さければ遺伝的距離が近いと理解していただきたい．8 集団において総当たりで計算した D_A の値では，アフリカ人は他のどの集団と比較しても大きな遺伝距離をもっている．これとは対照的に，東アジアの 5 集団は，それぞれの集団間の遺伝距離が非常に小さいことがわかる．とくに，韓国人と本土日本人の 2 集団間の遺伝距離はゼロであった．

この分析でも，韓国人と本土日本人は遺伝的にきわめて近縁な関係にあることが明らかとなった．

つぎに，集団間で求めた遺伝距離をもとに集団の系統樹を作成した（図 4）．この系統樹では，アフリカ人が他の人類集団に先がけて分岐し，続いてヨーロッパ人が分かれ，さらにアメリカ先住民が分岐している．最後に，東アジアの 5 集団が単一系統のクラスターを形成して枝分かれしてくる．東アジア人のクラスターでは，アイヌが最初に分岐し，続いて中国人が枝分かれしてきたことが読み取れる．続いて琉球人が枝分かれし，最後に韓国人と日本人が緊密なグループとして分岐してくる．この系統樹でみられた主要な特徴は，従来のタンパク質多型や最近の核 DNA の多型によって明らかにされた人類集団間の系統関係とも大筋において一致する．

● おわりに

人類集団全体の系統分析によって，東アジア人の集団間のより緊密な遺伝的関係が明らかになった．しかし，たとえばアイヌは，東アジアの集団では最初に枝分かれすることから独自な系統と考えられるが，その遺伝的な起源はいまだ明確ではない．今後，さらに多くの地理的なサンプリング（とくに東南アジアやシベリア）によって，新石器時代の縄文人の子孫としてのアイヌの系統的な位置付けをより深く理解することができ，日本人全体について明確なイメージをもてるようになるであろう．

● 文　献

1) 宝来　聰: DNA 人類進化学，岩波科学ライブラリー 52, p.120, 岩波書店（1997）

第3章

ミトコンドリアの細胞生物学

3・1

高等動物のミトコンドリア特性

篠原 康雄・寺田 弘

●はじめに

今日では多くの組織や細胞からミトコンドリアが調製され，組織や種によるその機能の違いも分子レベルで明らかにされるようになってきた．しかし，単離操作の簡便さなどの長所から，現在でもミトコンドリア機能研究では，肝から調製されたミトコンドリアが多用されている．本稿では，高い活性を保持したラットの肝ミトコンドリアの調製上の注意点とその機能特性，および他の動物や細胞からのミトコンドリアの調製とその機能について述べる．

1. ミトコンドリア調製上の注意点

ミトコンドリアの調製に際して重要なポイントは，いかにして膜構造を維持させるかという点にある．ミトコンドリアの主たる機能であるATP合成反応，すなわち酸化的リン酸化反応は，基質の酸化に伴ったADPのリン酸化反応であるが，両反応は内膜のH$^+$電気化学ポテンシャル差（$\Delta\mu H^+$）を介して共役している（図1）．したがって，ミトコンドリアが高い生理活性（酸化的リン酸化能）を保持するためには，内膜がH$^+$をはじめとするイオンの透過性に対して高い抵抗性を示す必要がある．ミトコンドリアを調製しても，高い呼吸調節能（図2）が観察されないというケースがしばしばあるが，多くの場合，これは内膜の透過性が亢進しているためである．このようなトラブルを回避するには，

(1) 単離作業を氷冷下で手早く行う，

(2) 細胞を破砕する際に用いるガラステフロンホモジナイザーは，ややルーズにフィットしたものを用い，テフロン棒を抜く際にホモジネートを陰圧にさらさない，

などの点に注意を払う必要がある．実際のミトコンドリア調製の手順については，7・1節を参照されたい．

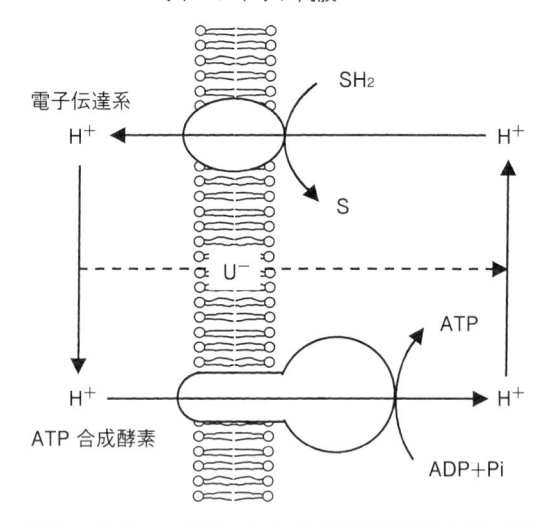

図1 ミトコンドリアにおける基質の酸化とリン酸化の共役
酸化的リン酸化反応は，基質の酸化に伴って形成されるミトコンドリア内膜を介したH$^+$の電気化学ポテンシャル差を駆動力としている．したがって，H$^+$勾配を消失させる脱共役剤（図中，U$^-$と示した）は強力な阻害活性を示す．

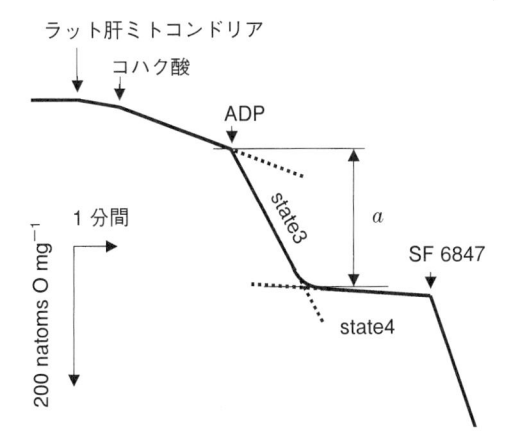

図2 ミトコンドリアによる酸素消費
RCI（respiratory control index）は state3 の傾きを state4 の傾きで割ることによって，また P/O 比は加えた ADP 量を，これがすべてリン酸化されるのに消費された酸素量（図中 a）で割ることによって求められる．

2. ミトコンドリアの機能特性

ミトコンドリアの機能特性を調べる方法はいくつかある．その主たるものとしては，(1) 呼吸調節能，(2) リン酸化能，および (3) $\Delta\mu H^+$ 形成能などが挙げられる．ここではそれぞれの意味するところを解説するとともに，良好なミトコンドリアで観察される一般的な値を紹介する．

a. 呼吸調節能

ミトコンドリアの機能解析においてもっとも基礎となる実験法は酸素消費をモニターする方法である．クラーク型酸素電極（ワイエスアイジャパン㈱，モデル5331）が汎用されている[1,2]．呼吸基質としては，複合体Ⅱ（コハク酸デヒドロゲナーゼ）から電子を供給するコハク酸や複合体Ⅰから電子を供給するグルタミン酸とリンゴ酸などが汎用されている．複合体Ⅱからの電子供給では電子逆流を防ぐために，複合体Ⅰの阻害剤ロテノン（$0.5\mu g/mg$ タンパク質）を加え，pHを中和したコハク酸（一般にナトリウム塩溶液）を 5～10 mM 加える．複合体Ⅰから電子を供給する場合には，中和したグルタミン酸かリンゴ酸を 10 mM 程度添加する．これらの呼吸基質を添加すると，ゆっくりとした酸素消費が観察される（図2）．一般に，この速度は 30 natoms O mg^{-1} min^{-1} 程度であり，内膜を介した H^+ のリークを反映していると考えられている．従来，褐色脂肪組織のミトコンドリアにしか発現していないとされてきた脱共役タンパク質 UCP1 のアイソフォームが相次いで見い出された．このうち UCP2 とよばれるアイソフォームは，肝にも発現しているので[3]，ゆっくりとした酸素消費への UCP2 の寄与も考えられる．また，単離ミトコンドリアが内在性 Ca^{2+} によって部分的に透過性遷移状態にあることも見い出されており（篠原ら，未発表），ゆるやかな酸素消費が透過性遷移に基づいている可能性も否定できない．さらに，H^+ ポンプのスリップによるゆるやかな酸素消費の可能性も指摘されている[4,5]．

この状態のミトコンドリアに ADP を添加すると，酸素消費速度は一時的に 5～8 倍程度速まる．この加速された状態の呼吸は状態3（state3）とよばれ，ADP のリン酸化が起こるために電子伝達が促進されることを反映している．添加した ADP が完全に消費されると酸素消費速度はふたたび遅くなる．ADP が消費された後の酸素消費速度は状態4（state4）とよばれる．（ミトコンドリアの"状態"の定義については，文献 6) に詳しいので，他の状態についてはここでは割愛する．）これらの測定値をもとに，RCI（respiratory control index）や P/O 比というミトコンドリアの機能を表すパラメーターを求めることができる．RCI は呼吸調節能ともいわれ，v_{state3}/v_{state4} として求められる．良好なミトコンドリアでは，いずれの基質を用いても 5～8 の値が得られる．実験の目的にもよるが，RCI 値が 3 以下のミトコンドリアは機能解析実験に用いるのは望ましくない．一方，P/O 比は，一定量の酸素消費によって合成される ATP の量を表し，コハク酸を基質にした場合は 1.7 程度の値が，またグルタミン酸/リンゴ酸を基質にした場合は 2.6 程度の値がそれぞれ観察される．これらのパラメーターは，いずれもミトコンドリア内膜のインタクトネスや不透過性を反映している．

このような呼吸基質の酸化とリン酸化の共役は，脱共役剤の添加によって顕著に阻害され，ATP 合成を伴わない酸素消費の亢進をもたらす（図2）．

現在までに知られているほとんどの脱共役剤は疎水性の弱酸であり,プロトノフォアとして膜を介したH^+の電気化学ポテンシャル差を消失させることにより,酸化的リン酸化反応を阻害する(図1)[7〜10].

b. リン酸化能

酸素消費の観察によっても,ミトコンドリアのおよその機能解析は可能であるが,実際に合成されるATPの速度を測定するのがリン酸化能の解析である.実際に合成されたATPを測定するのも1つの方法であるが[11],希薄な緩衝液中でATP合成に伴う反応液のアルカリ化からATP合成を見積もるのも簡便な方法である[12].

後者の測定法の具体的な例としては,ミトコンドリアを比較的低い緩衝液(3 mMのリン酸など)を含む溶液に懸濁し,ADP添加後に観察されるpH変化を測定する方法が一般的であり,ATP/H^+ = 0.88という値[13]をもって,pH変化から合成されたATPを見積もる(図3).このpH変化は,オリゴマイシンなどのATPase阻害剤によって完全に阻害されるため,単なるドリフトではないことが明らかである.なお,pH変化をより正確に求めるため,反応後に,既知量の酸やアルカリを加えてキャリブレーションを行う.良好なミトコンドリアの場合,おおむね250 nmol ATP mg^{-1} min^{-1}程度の値が観察される[12].

以上に述べたリン酸化は,呼吸基質を用いた場合の"酸化的"リン酸化であるが,このほかのリン酸化反応としてATP⇌Pi交換反応が挙げられる.これは,ミトコンドリアがATPの加水分解でエネルギー化され,このエネルギーを利用して再度ATPが合成される反応であり,[^{32}P]Piをトレーサーとして再合成されるATPを[γ-^{32}P]ATPとして測定する[14].

c. $\Delta\mu H^+$の形成能

内膜を介した膜電位やpH勾配の形成もミトコンドリア機能を解析する際の重要なパラメーターになる.$\Delta\mu H^+$はしばしばΔpと混同されるが,両者は以下のような関係にある[15].

$$\Delta p = \frac{\Delta\mu H^+}{F} = \Delta\psi - \frac{2.303RT}{F}\Delta pH$$

膜電位は,バリノマイシン存在下での$^{86}Rb^+$の分布やTPP$^+$(テトラフェニルホスホニウムイオン)の分布を調べることによって測定できる.後者は,ミトコンドリア膜への吸着などの点で問題もあるが,経時的な変化をモニターできるため,非常に有用な解析法である.TPP$^+$の測定には加茂らが開発したTPP$^+$選択性電極[16]や佐竹によって小型化された電極が汎用されている[17].後者の調製法の概略を図4に示す.これらの電極は10^{-6} M程度まではNernst対応がみられるが,より低濃度域ではTPP$^+$への応答性が悪くなる.しかし,実際の反応液中でのキャリブレーションをしっかり行っておくと,低濃度域でのTPP$^+$濃度の見積もりも十分に可能である.実際の測定に際しては,1 μM程度のTPP$^+$を含む反応液にミトコンドリアを懸濁し,ミトコンドリアのエネルギー状態の変動に伴ったTPP$^+$の移動を測定する.コハク酸を呼吸基質とした場合には,添加したTPP$^+$のおよそ9割がミトコンドリアに取り込まれる.ミトコンドリアのマトリックス容積は0.8 μL mg^{-1}程度[18]であるので,見かけの膜電位は230 mV程度と高めに見積もられる.これはTPP$^+$の膜への吸着によるものであり,出村らの補正式[19]を用いると,おおむね−180 mV

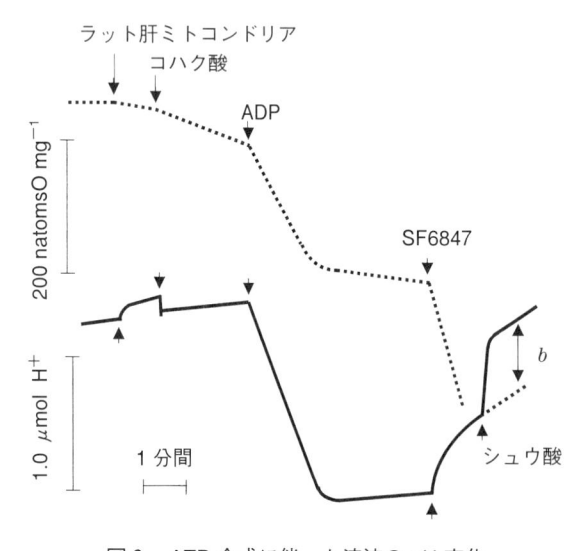

図3 ATP合成に伴った溶液のpH変化
上の破線は,同時に測定した酸素消費を示す.pH変化を正確に求めるために,実験ごとに既知量の酸やアルカリ(ここではシュウ酸を用いた結果を示す)でキャリブレーションを行う.

(a) ガラスキャピラリー　エナメルコートした銅線

この部分にエポキシ樹脂をつけてドライヤーであたためる．

(b)

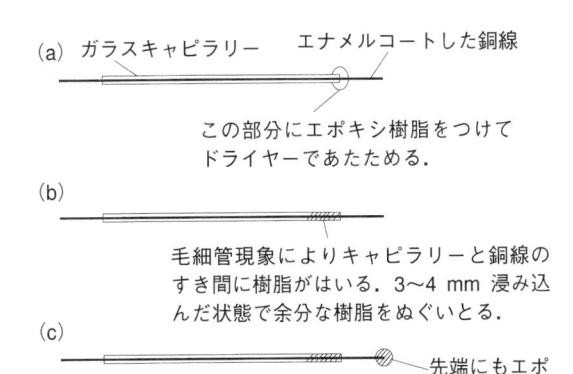

毛細管現象によりキャピラリーと銅線のすき間に樹脂がはいる．3～4 mm 浸み込んだ状態で余分な樹脂をぬぐいとる．

(c)

先端にもエポキシ樹脂の玉をつける．

樹脂が乾燥したのち，この部分のエナメルを除去し，センサー膜（5 mM TPP^+, 5 mM TPB^-, 112.5 mg/mL PVC, 102 mg/mL DOP, THF）に浸してコートする．

図4　キャピラリー型 TPP^+ 電極の調製法

程度の値になる．

他方のパラメーターである ΔpH は，DMO（5,5′-ジメチルオキサゾリジン-2,4-ジオン），酢酸，9-アミノアクリジンなどの弱酸やアミンを用いて測定する．ミトコンドリアでは寄与が比較的少ないとされており，state4 のミトコンドリアでは 0.3 程度の ΔpH 値を示す（篠原と寺田，未発表データ）．

なお，これらの値の測定法に関しては最近の優れた解説書[20, 21]を参考にされたい．

3. 他の高等動物のミトコンドリア

a. 調製法

前述のとおり，動物の肝は高いリン酸化能を保持したミトコンドリアの調製に適している．タンパク質などを精製する目的で，リン酸化能を保持している必要がない場合には，他の組織や生物種からのミトコンドリアの調製は比較的容易であり，細胞を破砕して，低速遠心で核と細胞膜を除去して得られる PNF（post nuclear fraction）から遠心分画によって調製すればよい．多量のミトコンドリアの調製が可能であるため，ミトコンドリアのタンパク質の構造を解析する場合にはウシの心筋が汎用されてきた．この場合には，屠殺場で入手した新鮮なウシの心筋を細切し，ブレンダーでホモジネートを調製して PNF を得る．他の動物種や組織からミトコンドリアを調製する場合，一番問題になるのは細胞破砕のプロセスである．筋組織ではポリトロン処理やナガーゼ処理が施される[22]．癌細胞ではジギトニン処理による細胞膜の選択的可溶化や N_2 キャビテーションによる細胞膜の破壊などが有効である[23, 24]．

b. 構造や機能の違い

ミトコンドリアは，それぞれの組織で営まれているエネルギー代謝に対応して機能している．したがって，個々の組織から調製したミトコンドリアは少しずつ異なった機能特性を示す．各種の組織から調製したミトコンドリアの機能特性に関する総説[25]もあるので，詳しくはそちらを参照されたい．このような機能特性は，主として（1）構成リン脂質の違い，（2）構成タンパク質の発現量の違い，アイソフォームの使い分けなどによってもたらされる．

タンパク質のアイソフォームの発現が組織により異なる一例を挙げよう．ミトコンドリア内膜におけるアデニンヌクレオチドの交換輸送を行う ADP/ATP キャリヤーには3種のアイソフォームがある（1·11節参照）．Stepien らは，ウシとマウスのさまざまな組織におけるこれらのアイソフォームの発現レベルを比較し，表1に示すような結果を得ている[26]．ウシの心と肝では2型の発現量はさほど大差ないが，1型アイソフォームの発現は20倍以上も異なっている．マウスの心と肝での差はより顕著である．タンパク質のアイソフォームは同じ反応を担うが，基質に対する親和性や活性に違いが認められるため，これが顕著に異なると観察されるミトコンドリアの機能は著しく異なってくる．

特徴的な機能を示すミトコンドリアとして，癌細胞と褐色脂肪組織のミトコンドリアがよく取り上げられる．前者の特徴としては，脱共役剤によって ATPase 活性が促進されないことおよびヘキソキナーゼが結合していることが挙げられる[27]．また，後者では，サーモゲニン（脱共役タンパク質，3·14節章参照）が組織特異的に発現しているので，単離した状態のミトコンドリアはすでに脱共役状態にあり，GDP などのプリンヌクレオチドの添加に

表1 さまざまな組織における3つのADP/ATPキャリヤーの発現量の比較[a]

	ウシ			マウス		
	ANT1	ANT2	ANT3	ANT1	ANT2	ANT3
脳	5.4	0.5	7.8	7.7	1.8	3.1
心	168.9	2.4	22.4	58.0	4.1	26.1
骨格筋	179.4	1.4	28.8	32.1	2.4	4.7
腎	ND[b]	ND	ND	2.1	9.6	1.9
肝	7.0	1.5	9.1	0.1	6.7	0.1
小腸	10.1	5.2	46.9	ND	ND	ND

a) 通常のノーザン解析とは異なり，既知量のRNA断片に対するハイブリダイゼーションシグナルの強度で補正してあるため，アイソフォームを超えた比較も可能である．
b) ND：測定されていない

よってこのタンパク質の機能を阻害すると共役が観察されるようになる．

● おわりに

従来ミトコンドリアの機能解析はやや古典的な研究とされてきたが，ミトコンドリアがアポトーシスの制御にかかわっていることが明らかにされて以来，ふたたび脚光を浴びている．さまざまな生命現象を理解する上で，ミトコンドリアはまだまだ重要な研究対象であり，分子レベル，オルガネラレベル両方からのよりいっそうの理解が望まれる．

● 文 献

1) 萩原文二：蛋白質 核酸 酵素，**10**，1689-1702 (1965)
2) 河合清三：蛋白質 核酸 酵素，**13**，599-601 (1965)
3) Fleury, C., et al.: *Nat. Genet.*, **15**, 269-272 (1997).
4) Murphy, M.P.: *Biochim. Biophys. Acta* **977**, 123-141 (1989)
5) Brown, G.C.: *FASEB J.*, **6**, 2961-2965 (1992)
6) 小沢高将, 浅井淳平, 内海耕慥：『ミトコンドリア その分子構築と生理化学』, p.191, 南江堂 (1971)
7) Terada, H.: *Biochim. Biophys. Acta*, **639**, 225-242 (1981)
8) Terada, H.: *Environ. Health Perspect.*, **87**, 213-218 (1990)
9) Skulachev, V.P.: *Biochim. Biophys. Acta*, **1363**, 100-124 (1998)
10) Shinohara, Y., Terada, H.: in "Membrane Structure in Disease and Drug Therapy" (Zimmer, G.D., ed.), pp. 107-126, Marcel Dekker, New York (2000)
11) 小沢高将, 浅井淳平, 内海耕慥：『ミトコンドリア その分子構築と生理化学』, p.372, 南江堂 (1971)
12) Shinohara, Y., Nagamune, H., Terada, H.: *Biochem. Biophys. Res. Commun.*, **148**, 1081-1086 (1987)
13) Nishimura, M., Ito, T., Chance., B.: *Biochim. Biophys. Acta*, **59**, 177-182 (1962)
14) Shinohara, Y., Terada, H.: *Biochim. Biophys. Acta*, **890**, 387-391 (1987)
15) Lowe, A.G., Jones, M.N.: *Trends Biochem. Sci.*, **9**, 11-12 (1984)
16) 邨次 誠, 加茂直樹, 小畠陽之助, 須田昌男：膜, **4**, 323-330 (1979)
17) Satake, H., Hori, H., Kaneshina, S.: *Anal. Lett.*, **24**, 295-304 (1991)
18) Terada, H., Shima, O., Yoshida, K., Shinohara, Y.: *J. Biol. Chem.*, **265**, 7837-7842 (1990)
19) Demura, M., Kamo, N., Kobatake, Y.: *Biochim. Biophys. Acta*, **894**, 355-364 (1987)
20) Brand, M.D.: in "Bioenergetics, A practical approach" (Brown, G.C., Cooper, C.E., eds.), pp.39-62, IRL Press, Oxford (1995)
21) Dawson, A., Klingenberg, M., Kramer, R.: in "Mitochondria, A practical approach" (Darley-Usmar, V.M., Rickwood, R., Wilson, M.T., eds.), pp.35-78, IRL Press, Oxford (1987)
22) Scarpa, A., Vallieres, J., Sloane, B., Somlyo, A.P.: Methods in Enzymology, vol. 55, pp. 60-65, Academic Press, New York (1979).
23) Parry, D.M., Pedersen, P.L.: *J. Biol. Chem.*, **258**, 10904-10912 (1983)
24) Shinohara, Y. Sagawa, I., Ichihara, J., et al.: *Biochim. Biophys. Acta*, **1319**, 319-330 (1997)
25) Nedergaard, J., Cannon, B.: Methods in Enzymology, vol. 55, pp. 3-28, Academic Press, New York (1979)
26) Stepien, G., Torroni, A., Chung, A.B., et al.: *J. Biol. Chem.*, **267**, 14592-14597 (1992)
27) Pedersen, P.L.: *Prog. Exp. Tumor Res.*, **22**, 190-274 (1978)

3·2 寄生虫のミトコンドリア特性

北　潔

●はじめに

ミトコンドリアは，好気性生物のATP合成の場としてエネルギー転換反応に中心的な役割を果たすオルガネラとして知られている．一方，宿主体内の低酸素分圧環境下に生息する寄生虫のミトコンドリアは，宿主のそれとは大きく異なり，独自のエネルギー代謝系を用いて環境に適応している．寄生虫の特徴は，その生活環において宿主外の自由生活性と宿主内寄生の少なくとも2つの時期をもつことである．多くの場合，自由生活性時の代謝は好気的である．たとえば，代表的な寄生虫である回虫では，外界における受精卵の発生に酸素が必要であるが，幼虫のミトコンドリアの呼吸鎖電子伝達系は哺乳類とほぼ同一である．また，トリパノソーマなどでは，ベクターであるツェツェバエ中の原虫ミトコンドリアは哺乳類型であることがわかっている．これに対し，宿主内に寄生している時期には，寄生虫の種類，寄生環境，寄生様式などにより，それぞれ特異的な系を発達させており，その呼吸鎖もきわめて多様である．

1. 寄生虫とは

生物は独自の生活を営んでいるが，他の生物とも深いかかわりを保ちながら生きている．寄生現象もこのような関係のひとつと考えられる．自由生活の祖先から出発し，寄生生活への移行に伴う進化の過程において，宿主内環境に適応して宿主特異性や臓器特異性を獲得し，種々の寄生虫が成立したと考えられる．

寄生虫は蠕虫と原虫の2種に大別される．前者は多細胞の寄生性動物であり，線虫（回虫など），吸虫（日本住血吸虫など）およびサナダムシとよばれる条虫（広節裂頭条虫など）の3種がある．後者はマラリア原虫や赤痢アメーバなど，単細胞の寄生虫である．しかし，細菌とは異なり，核をもち，食胞，ミトコンドリア，ヒドロゲノソームなどのオルガネラを含んでいる．これらの寄生虫は巧みな生物戦略によって宿主のもつ生体防御機構から逃れ，宿主内の特殊環境に適応するための代謝経路を発達させて増殖する．このような寄生適応についての研究は，感染症の克服という重要な課題に加え，きわめて興味深い生物学的発見をもたらしてきた．とくに近年の分子生物学解析法の進展に伴い，これまでの基礎生物学の分野に新しい概念を与え，生物の進化や多様性の領域に関して多くの革新的な成果が生まれている．たとえば，トリパノソーマのミトコンドリアDNA（mtDNA）におけるRNA編集（RNA editing）やGPI（グルコシルホスファチジルイノシトール）アンカー発見の糸口となった表面抗原タンパク質VSG（variable surface glycoprotein），またトリパノソーマや線虫のmRNAの5′末端におけるトランススプライシングなどである．このような現状を背景として，分子レベルで寄生現象を理解しようとする"分子寄生虫学"とよばれる新しい分野が確立しつつある．以上のような新しい動きの中で，ミトコンドリア研究と寄生虫学は歴史的にみて

も非常に密接な関係にある．ミトコンドリアの呼吸において主役を演じているシトクロムは，実は寄生虫の研究によって発見されたのである．今から約80年前，寄生虫学者のKeilinはウマに寄生するウマバエの幼虫を顕微分光器を使って観察していたところ，酸素が不足する嫌気的な条件では特有な波長の吸収帯が出現し，これに酸素を通じると吸収が消失する現象を見い出した．これが酸化還元によるシトクロムのスペクトル変化であり，その吸収帯の波長によってシトクロム c, b あるいは a と名付けられた．Keilinによるシトクロムの発見は，長く続いたWarburgとWielandの論争に結論を与え，その後の酸化的リン酸化における化学浸透圧説を導く概念の基礎となった[1]．

ここではもっとも研究が進展している回虫とアフリカ型トリパノソーマを中心に，寄生虫のミトコンドリアの特徴を解説する．

2. 回虫の生活環における呼吸鎖の変動

回虫（$Ascaris\ suum$）はもっともよく知られた寄生性の線虫であり，古くからヒトや家畜の寄生虫の代表として研究の対象となってきた．回虫は研究材料としての入手が比較的容易であり，また虫体のサイズが大きいことから生化学的解析にも最適な系として研究が進められてきた．回虫の成虫は哺乳類の小腸に生息し，雌は1日に20～40万個の受精卵を産出する．虫卵は糞便とともに排出され，通常の温度環境では約2～3週間で感染可能な第3期幼虫（L3）を含む成熟卵となる．これが宿主に経口的に摂取され，小腸に達してはじめて孵化する．孵化した幼虫は腸壁内に侵入し，肝，肺，気管，咽頭からふたたび食道，胃を経由し，最終的に小腸へ到達して成虫となる．小腸の pO_2 は2.5～5％であり，外界に比べて約1/4の低酸素分圧環境である．このため，成虫のエネルギー代謝は幼虫や宿主のそれとは大きく異なっている．すなわち，成虫においては糖の嫌気的分解経路であるPEPCK（ホスホエノールピルビン酸カルボキシキナーゼ）-コハク酸経路

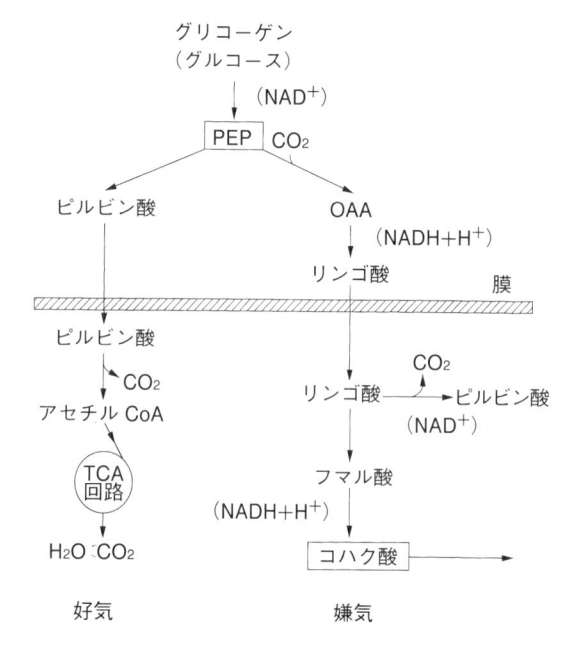

図1　PEPCK-コハク酸経路[3]
PEP：ホスホエノールピルビン酸，OAA：オキサロ酢酸．

（図1）が作動しており，低酸素条件下でもATPの産生が可能になっている．この系は回虫以外の多くの寄生虫にもみられる．また，嫌気条件下でのエネルギー転換反応を必要とするカキの閉殻筋や潮干帯の二枚貝などでも報告されており，エネルギー代謝系における環境適応の点で一般性の高い経路と考えられる[2]．PEPCK-コハク酸経路の前半は哺乳類と同様に解糖系に沿って進行し，ホスホエノールピルビン酸（PEP）が生成する．哺乳類などにおける好気的代謝では，PEPはピルビン酸キナーゼによってピルビン酸となり，アセチルCoAを経てTCA回路により CO_2 と水に分解される．一方，回虫の成虫ではPEPCKにより CO_2 を固定し，オキサロ酢酸（OAA）を生成する．OAAはリンゴ酸脱水素酵素の逆反応によりリンゴ酸となりミトコンドリア内へ輸送され，ピルビン酸とフマル酸を生じる．リンゴ酸からピルビン酸を生成する際に形成されたNADHの還元当量を用いてフマル酸がコハク酸へ還元される．この経路の最終ステップであるコハク酸の生成には，成虫ミトコンドリアに特有な嫌気的電子伝達系であるNADH-フマル酸還元系（後述）が関与している．成虫ミトコンドリアの呼吸鎖電子

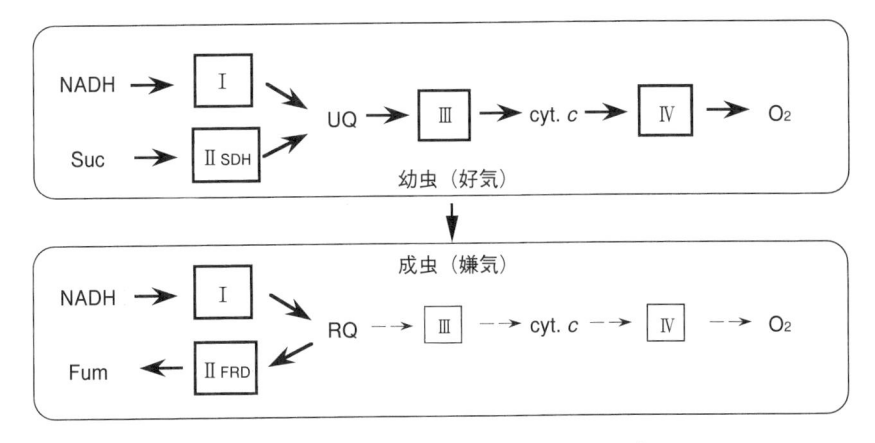

図2 回虫の生活環における呼吸鎖の変動[3]
I〜Ⅳはそれぞれ複合体I〜Ⅳを示す．SUC：コハク酸，UQ：ユビキノン，Fum：フマル酸，RQ：ロドキノン．

伝達系には末端酸化酵素であるシトクロム c 酸化酵素（複合体Ⅳ）は検出されず，ユビキノール-シトクロム c 還元酵素（複合体Ⅲ）の含量もきわめて低い．一方，その発生に酸素を必要とする回虫の幼虫では，エネルギー代謝は好気的である．実際に受精卵を通気培養して得たL3幼虫のミトコンドリアの呼吸鎖電子伝達系の構成は哺乳類とほぼ同様である（図2）．また，脱水素酵素複合体と電子の授受を行う低分子の電子伝達体であるキノン類も大きく変化している．好気的代謝を行う幼虫では哺乳類同様にユビキノンが機能しているが，成虫では酸化還元電位の低いロドキノンが主成分であり，NADH-フマル酸還元系の構成成分として重要な役割を果たしている（図3）．このように，回虫は生活環において環境の酸素分圧変化に対応して呼吸鎖を大きく変動させて適応している．最近の研究により，回虫成虫のミトコンドリア電子伝達系の特徴が分子レベルで明らかになってきた[3,4]．

図3 呼吸系キノン類の構造と酸化還元電位

3. NADH-フマル酸還元系とミトコンドリア型フマル酸還元酵素

NADH-フマル酸還元系は，回虫のみならず多くの寄生虫のミトコンドリアにも存在し，細菌類でも見い出されている．この系においては，NADHからの還元力はNADH-ユビキノン還元酵素複合体（複合体I）によってロドキノンやメナキノンなどの低電位キノンに伝達され，最終的に複合体Ⅱによってフマル酸を還元してコハク酸を生成する．そのエネルギー効率は低いが，酸素を利用せずに複合体Iの共役部位を駆動してATPを合成することができる．大腸菌をはじめとする細菌でも研究が進んでおり，その詳細が明らかにされている．大腸菌には2種の複合体Ⅱがあり，嫌気的条件下では frd オペロンにコードされるフマル酸還元酵素（FRD）が誘導される．ここではNADHやグリセロールからの還元力は低ポテンシャルのナフトキノンである

メナキノンへ伝達され，最終的にFRDによってフマル酸へと渡される．一方，好気的な条件下では *sdh* オペロンにコードされ，コハク酸の酸化を触媒するコハク酸-ユビキノン還元酵素（コハク酸脱水素酵素複合体：SDH）が誘導される．SDHは呼吸系の脱水素酵素であると同時にTCA回路の酵素でもあり，好気的エネルギー代謝において両者を直接結ぶ接点となっている（図4）．このように，大腸菌では2つの異なる酵素（複合体Ⅱ）が存在し，環境の酸素分圧に対応してエネルギー代謝の恒常性を維持している．これまでの研究で回虫には成虫のFRDと幼虫のSDHの2種の複合体Ⅱが存在していることがわかってきた[5]．両酵素の各サブユニットのcDNA解析から，回虫のFRDは細菌のそれに直接由来するのではなく，好気的代謝で機能しているコハク酸脱水素酵素複合体SDHからさらに進化したことが明らかになった．これは腟トリコモナス *Trichomonas vaginalis* やランブル鞭毛虫 *Giardia lamblia* などのヒドロゲナーゼが細菌型である点と対照的であり，自由生活性線虫から寄生性線虫へと移行する過程で，ミトコンドリア型フマル酸還元酵素として獲得した新しい機能と考えられる[2]．

4. トリパノソーマのミトコンドリア

アフリカ睡眠病の病原体である *Trypanosoma brucei brucei* はツェツェバエによって媒介される鞭毛虫類の原虫である．アフリカ睡眠病は，ヒトの寄生虫感染症としてばかりでなく，動物，とくに家畜での感染がアフリカの食糧におけるタンパク源の中心的な問題となっており，その対策が急がれている．これまでの研究で，*T. b. brucei* ではその生活環においてミトコンドリアの構造と機能が大きく変化することが明らかになっている（表1）．ベクターであるツェツェバエ中のプロサイクリック型は呼吸鎖やATP合成酵素を含み，クリステの発達したミトコンドリアが機能しており，ATP合成は酸化的リン酸化によって行われる．一方，宿主である哺乳類の血液中に生息するトリポマスティゴート型では解糖系によるエネルギー代謝が主となるが，これはグリコソームとよばれる特殊なオルガネラ中で進行する．グリコソーム中には解糖系の酵素が高濃

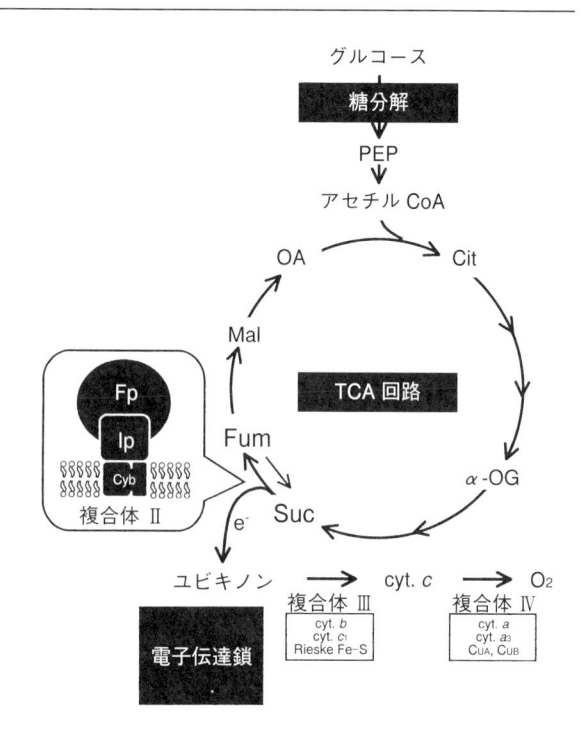

図4 酸化的リン酸化における複合体Ⅱの位置[3]

表1 トリパノソーマの生活環におけるエネルギー代謝系の変動

宿 主	ツェツェバエ	ヒト	
ステージ	プロサイクリック型	トリポマスティゴート型	
		LS型	SS型
ミトコンドリア	活性型	不活性型	活性型
TCA回路	＋	－	＋
シトクロム系	＋	－	＋
シアン耐性酸化酵素	－	＋	－
ATP合成	ミトコンドリア	グリコソーム	ミトコンドリア

LS型：long slender型，SS型：short stumpy型

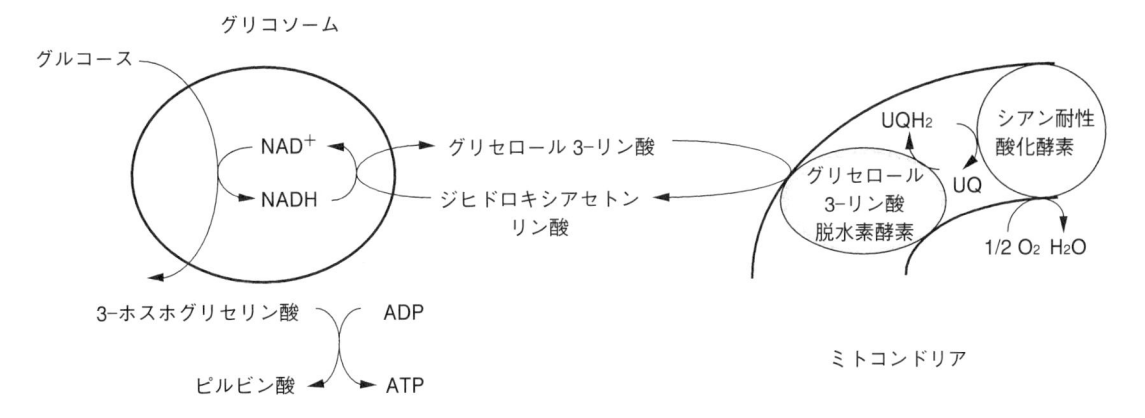

図5 血流型トリパノソーマのグリセロール3-リン酸酸化系[3]
グリコソーム中の解糖系で生成された還元力はミトコンドリアのシアン耐性酸化系によって再酸化される．
UQ：ユビキノン．

度に含まれ，高い効率の反応が行われている[6]．この解糖系の進行には生成したNADHの再酸化が必要であるが，これにはミトコンドリアに存在するシアン耐性のグリセロール3-リン酸酸化系（図5）が重要な役割を果たしている．この系は，グリコソームで生成されたグリセロール3-リン酸をグリセロール3-リン酸脱水素酵素，ユビキノン，シアン耐性酸化酵素（alternative oxidase）から構成される電子伝達によって酸化する系であり，ミトコンドリア内膜に局在している．このグリセロール3-リン酸酸化系は宿主には存在せず，抗トリパノソーマ薬スラミンの阻害部位とされている．この系の末端酸化酵素であるシアン耐性酸化酵素は哺乳類やベクター中のプロサイクリック型のミトコンドリアに存在するシアン感受性のシトクロム c 酸化酵素とはまったく異なった構造をもっており，補欠分子族として非ヘム鉄を含んでいると考えられている．最近の遺伝子レベルの研究から，植物ミトコンドリアに存在するシアン耐性酸化酵素との共通性が明らかになってきたが，酵素が不安定なことから生化学的解析は進んでいない[7]．このように，T. b. brucei のミトコンドリアは生活環のなかで形態的にも機能的にも大きく変化する．宿主中のトリポマスティゴート型は感染初期は細長いLS型であるが，一部はベクターへの感染に備えて短くずんぐりしたSS型に変化し，ミトコンドリアも発達してくる．その変換制御機構については未解明の部分が多い．

トリパノソーマには中南米の風土病であるシャーガス病の病原体である T. cruzi がある．こちらはアマスティゴート型が細胞内に侵入し，宿主の免疫機構から回避する．ミトコンドリアの機能についてはアフリカ型ほど生活環における変動はないとされているが，全般的に研究が遅れており，今後の解析が待たれる．

5. ミトコンドリアDNAとオルガネラの進化

蠕虫類のmtDNAは遺伝子の数や相互の位置が少々異なっているものの，全体的には哺乳類のそれとよく似ている．たとえば，全塩基配列が決定されている回虫の場合，自由生活性の *Caenorhabditis elegans* と高い相同性を示す[8]．これに対し，原虫mtDNAには特殊な性質を示す例が多い．一般にトリパノソーマなどの鞭毛虫類は細胞当たりに1つのミトコンドリアをもち，RNA編集で知られているキネトプラストDNAが局在している．これには maxicircle と minicircle の2種があり，前者がミトコンドリアのタンパク質をコードしている．また，マラリアでは年間約300万人が死亡しており，現在，もっとも重要な再興感染症である．その病原体であるマラリア原虫 *Plasmodium* のmtDNAは

6,000塩基対（哺乳類の3分の1程度）であり，もっともコンパクトなmtDNAである．コードされている遺伝子もシトクロムbおよびシトクロムc酸化酵素のサブユニットⅠとⅢの3種のみであり，rRNAは分断されており，tRNAはない．つまり，哺乳類のmtDNAに見られる他のタンパク質やtRNAをコードする遺伝子は核に移行したと考えられる[9]．また，マラリア原虫には35,000塩基対のDNAをもつアピコプラストとよばれるオルガネラが見い出されている．そのDNAの塩基配列は葉緑体のものに似ており，さらに四重膜構造である点などから，マラリア原虫が属する胞子虫類の祖先の細胞に藻類が2次的に共生したものではないかと考えられている[10]．

一方，赤痢アメーバや腟トリコモナスなどのようにミトコンドリアをもたない寄生原虫もいる．遺伝子解析の結果から，前者は一度はミトコンドリアをもっていたが，現在ではこれを失っていることが明らかになった．最近，赤痢アメーバにmitosomeあるいはcryptonとよばれるミトコンドリア由来と考えられるオルガネラが報告され，今後の研究の進展が期待されている[11]．また，腟トリコモナスやランブル鞭毛虫は嫌気性細菌に類似した代謝系をもつヒドロゲノソームとよばれるオルガネラをもっている．これもミトコンドリアと共通の祖先から出現したと考えられている[12]．

●おわりに

寄生虫特異的なミトコンドリアの特性は基礎生物学的な観点からもたいへん興味深いものである．同時に，これはきわめて有望な新規抗寄生虫薬の標的と考えられ，基礎研究と臨床応用の接点として精力的に研究が進められている．特効薬であったクロロキンへの耐性を示すマラリア原虫が世界的な問題となっている．耐性株に有効なアトバコン（atovaquone）の標的は複合体Ⅲのシトクロムbと考えられている[13]．また，宿主に存在しないシアン耐性酸化酵素は抗トリパノソーマ薬の標的として以前より注目されおり，選択的効果の高いアスコフラノンなどが見い出されている[14]．このように，寄生虫は好気的呼吸鎖に加え，細菌や植物の系を取り込んで自分のものとし，さらに新しい機能をもつ酵素系を進化させて宿主内環境に適応し，生活環を維持している．

寄生虫のミトコンドリアは非常に多様性に富んでいる．好気的および嫌気的エネルギー代謝を行う複数の異なったミトコンドリアを組織特異的にもつ肺吸虫などの例もあり[15]，環境適応機構のみならず，ミトコンドリア生合成の観点からも興味深い．寄生虫ミトコンドリア機能の多様性について広い視野に立った研究から，"Keilinによるシトクロムの発見"に続く新しい発見が期待される．

●文　献

1) 丸山工作：『生命現象を探る-生化学の創始者達-』，中央公論社（1972）
2) Kita, K., Hirawake, H., Takamiya, S. : *Int. J. Parasitol.*, **27**, 617 (1997)
3) 北　潔：日本農薬学会誌，**24**, 408-417 (1999)
4) Amino, H., Wang, H., Hirawake, H., et al. : *Mol. Biochem. Parasitol.*, **106**, 63-76 (2000)
5) Saruta, F., Kuramochi, T., Nakamura, K., et al. : *J. Biol. Chem.*, **270**, 928-932 (1995)
6) Bakker, B., Mensonides, F.I., Teusink, B., et al. : *Proc. Natl. Acad. Sci. USA*, **97**, 2087-2092 (2000)
7) Chaudhuri, M., Ajayi, W., Hill, G.C. : *Mol. Biochem. Parasitol.*, **95**, 53-68 (1998)
8) Wolstenholme, D., Macfarlane, J., Okimoto, R., et al. : *Proc. Natl. Acad. Sci. USA*, **84**, 1324-1328 (1987)
9) Feagin, J. : *Mol. Biochem. Parasitol.*, **52**, 145-148 (1992)
10) Kohler, S., Delwiche, C.F., Denny, P.W., et al. : *Science*, **275**, 1485-1489 (1997)
11) Tover, J., Fischer, A, Clark, C.G. : *Mol. Microbiol.*, **32**, 1013-1021 (1999)
12) Bui, E.T.N., Bradley, P.J., Johnson, P.J. : *Proc. Natl. Acad. Sci. USA*, **93**, 9651-9656 (1996)
13) Syafruddin, D., Siregar, J.E., Marzuki, S. : *Mol. Biochem. Parasitol.*, **104**, 185-194 (1999)
14) Fukai, Y., Amino, H., Hirawake, H., et al. : *Comp. Biochem. Physiol.*, **124**, 141-148 (1999)
15) Fujino, T., Takamiya, S., Fukuda, K., Aoki, T. : *Comp. Biochem. Physiol.*, **113**, 387-394 (1996)

3・3 粘菌のミトコンドリア特性

河野 重行

●はじめに

地球上には，少なくとも300万～1000万種の生物が生存している．絶滅した種の数はそれをはるかに凌ぐだろう．Darwin（1809～82年）以降，種および分類群の系譜が進化を反映したものであることが認識されるようになった．Whitaker（1924～80年）によって1959年に提案された分類体系（5界説）では，生物を原核生物と真核生物に二分し，さらに真核生物を動物，植物，菌類に分け，そこに分類できないものをプロトクチスタ（原生生物）に分類する[1]．生物を5界に分類することにより，生物を無理やり動物や植物に分類する必要がなくなり，生物の系統をより自然に理解することが可能になった．今日，この5界説に加え，rRNA遺伝子の分子系統解析から，"真の菌類"はツボカビ類，接合菌類，子囊菌類，担子菌類の4群のみと考えられるようになった．この結果，従来は菌類に分類されていた多くの種が菌類界から除外され，それぞれ独立の"門"として原生生物界に分類されるようになった．粘菌類と総称される種には3つの門（ラビリンチュラ，細胞性粘菌，真正粘菌）があるが，それらはすべて菌類界ではなく原生生物界に分類されている[2]．本稿では，これらの門を簡単に紹介し，ミトコンドリアのなかでも際立った特徴をもつ真正粘菌のミトコンドリア特性について紹介する．

1. 粘菌類[1,2]

ラビリンチュラ門（Labyrinthulamycota）は，粘菌のなかではもっとも原始的と考えられている．ラビリンチュラはslime netsともよばれる．この仲間は，数センチメートルにも及ぶコロニーを形成し，海草表面の粘液の固まりのように見える．この粘液の中を紡錘体状の細胞が動き回っている．分類学あるいは細胞学的興味から，生態や細胞運動の機構が研究されているが，ミトコンドリアに関する記載はほとんどない．

細胞性粘菌門（Acrasiomycota）に含まれる種は，アメーバとして独立し，細菌などを摂取して分裂増殖する．粘菌アメーバはお互いに集合し，粘液の鞘で覆われた偽変形体を形成し，ナメクジのような移動体を経て子実体の頭部（胞子囊）に胞子を形成する．いずれの時期においても，粘菌アメーバどうしは融合することなく個々の細胞として振る舞うので，cellular slime moldとよばれる．*Dictyostelium discoideum*（タマホコリカビ）では形質転換系が確立していることもあり，細胞分化や形態形成に関する分子発生生物学的な研究が進んでいる．ミトコンドリア研究に関しては，その全塩基配列が決定されているが，細胞学的な研究は多くない．

真正粘菌門（Myxomycota）は，"変形菌"門と訳すこともあるが，myxaが粘液を表すギリシャ語であることから，真正粘菌（true slime mold）とよぶのが間違いない．微生物学では，真正粘菌に細胞性粘菌を加えて変形菌類（myxomycetes）とよ

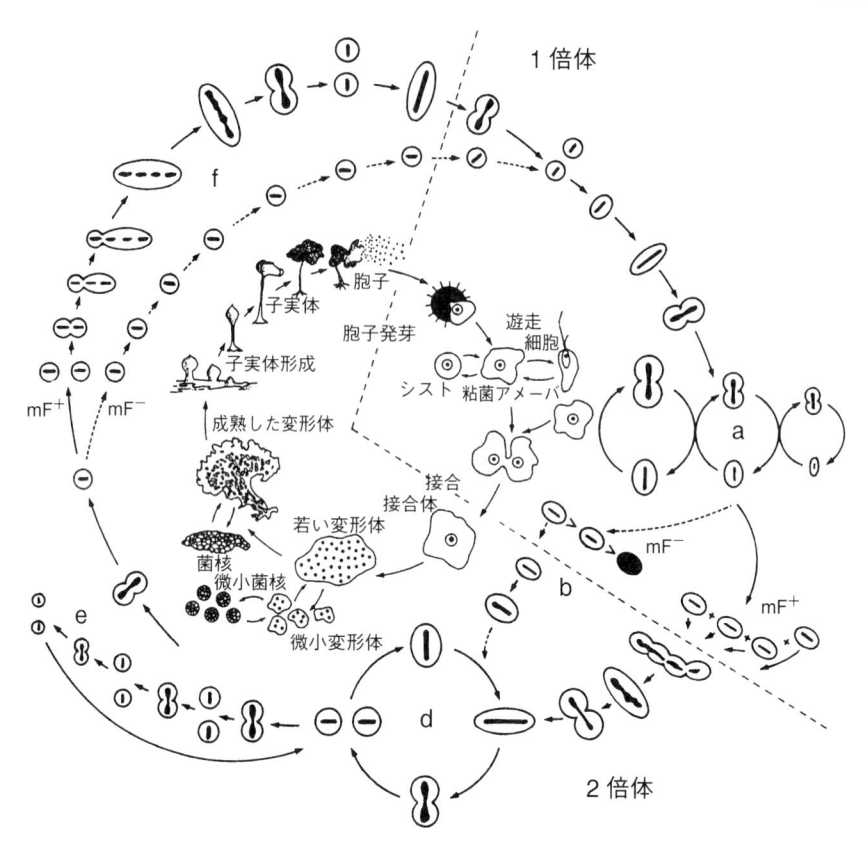

図1　真正粘菌とミトコンドリアの生活環
内側に粘菌の生活環を外側にミトコンドリアの生活環を示した．(a) 粘菌アメーバ期におけるミトコンドリアの分裂周期．ミトコンドリアはミトコンドリア核の分裂を伴って横二分裂し増殖する．(b) 粘菌アメーバの接合過程でミトコンドリアは通常は片親遺伝する．(c) mF (mitochondrial fusion) プラスミドをもつ場合（mF$^+$），ミトコンドリアは融合する．(d) 変形体期におけるミトコンドリアの分裂周期，(e) 菌核（休眠細胞）への分化過程で見られるミトコンドリアの不活性化に伴う分化，ミトコンドリアはDNAを伴わずに分裂を繰り返し，小型化する．(f) 子実体形成期おけるミトコンドリアの動態．mF$^-$の場合，ミトコンドリアは融合しない．mF$^+$の場合，ミトコンドリアは融合し，胞子の発芽時期になると不等分裂を繰り返し，小球化する．（文献9）から引用)

ぶことも多く，誤解を招きやすい．*Physarum polycephalum*（モジホコリカビ）は，実験室内でもその全生活環を容易に培養できることから，モデル生物として古くから研究されていた（図1参照）．倍数体期の多核の変形体では，10^8の核が5分内外の誤差で同調分裂するなど，細胞周期がきわめて高く同調する．このため，1960年代から1970年代にかけて，ウイスコンシン大学McArdle研究所のグループを中心として細胞周期の研究に頻繁に利用されていた．ミトコンドリアに関しては，大型で観察しやすいこともあり，ミトコンドリアが発見された19世紀末から注目されており，Altmannや Cawdryの先駆的な研究がある．

2. 粘菌ミトコンドリアの系統

真核生物は真正細菌と原真核生物との間に酸素呼吸に基礎をおく共生関係が21〜20億年前ごろに生じたことから始まったというのが，Margulisの"共生説"以来の一般的な考えである[3]．この初期の共生関係がどんなものであったかについては諸説があるが，宿主として古細菌，共生体としてαプロテオバクテリアを考えるのが一般的である．ミト

コンドリアの祖先である真正細菌は，宿主の核へ遺伝子を転移し，自らは遺伝子のほとんどを失ったと考えられている．ミトコンドリアに残されたゲノムをみると，動物のそれは16～18 kbpと小さく一定しているが，原生生物では6～77 kbpときわめて多様であり，遺伝子転移がさまざまな段階にあることを示唆している．一方，高等植物のミトコンドリアゲノムは91～2400 kbpと大きく，DNAの水平伝播などによってミトコンドリアのDNAが増幅する傾向があると考えられている．

動物の場合，ミトコンドリア遺伝子の進化速度（塩基置換の頻度）は核遺伝子のほぼ10倍にもなり，ウイルスを除けば生物界で最大となる．一方，植物の場合は，遺伝子の構成や配置が多様な反面，個々の遺伝子はきわめて保守的であり，その進化速度は核遺伝子の約1/10しかない．原生生物や菌類の進化速度は動物と植物の中間に位置する．このため，ミトコンドリアのrRNA遺伝子で作成した初期の系統樹では，進化速度の極端に遅い高等植物のミトコンドリアが真正細菌と分岐したのはごく最近のことになってしまう．ミトコンドリアが単系統であるという予測のもとでは，塩基置換の頻度から系統を類推する従来の分子系統学的手法はあまり有用ではない．

これまでに63種のミトコンドリアゲノムの全塩基配列が決定され，代表的な生物種のミトコンドリアゲノムの遺伝子の種類と数が明らかになってきた．すべてのミトコンドリアが共通してもっているのは，2つのrRNA遺伝子（SSU, LSU）と電子伝達系に関与する2つの遺伝子（cob, cox1）だけである．他の遺伝子に関しては，特定の種では失われていたり，逆にその種のみに認められるなど，きわめて変化に富んだ分布をしている．ミトコンドリアの起源と進化を議論するうえで興味深いのは，最小あるいは最大の遺伝子数をもつミトコンドリアである．これまでのところ，マラリア原虫（Plasmodium falciparum）が6遺伝子ともっとも少なく，鞭毛虫の一種であるレクリノモナス（Reclinomonas americana）が既知のものだけで62遺伝子と最大である．寄生性の強いマラリア原虫がごく少数のミトコンドリア遺伝子しかもたないことは理解できる．一方，R. americanaのミトコンドリアゲノムは69 kbpと例外的に大きいわけではないが，RNAポリメラーゼやタンパク質合成の伸長因子など，どのミトコンドリアゲノムにもみられない遺伝子が複数含まれており，このミトコンドリアがミトコンドリアの共通祖先に近いことを示唆している．実際に，R. americanaを外群におき，原生生物から紅藻，緑藻，そして陸上植物への進化の過程で段階的に失われたミトコンドリア遺伝子を系統樹上にプロットすることができる[4]．

こうした分子系統的な解析データに，クリステの形状という細胞学的な知見を加えてミトコンドリアの系統図を作成できる（図2）[5]．クリステの形状は，同一生物種でも組織や器官で，また生理条件によっても劇的に変化する．ミトコンドリアの形状は，円盤状（discoidal cristae），管状（tubular cristae），板状（flattened cristae）の3つの類型に大きく分類できる．図2より，クリステの形状という細胞学的な指標と分子系統学的なデータがよく一致することがわかる．ミトコンドリアの祖先系からもっとも早く分岐したのが寄生性の生物などでよくみられる円盤状のクリステであり，それに原生生物や菌類でみられる管状のクリステが続く．管状クリステのミトコンドリアのなかでも真正粘菌のミトコンドリアは比較的早く分岐しているが，ラビリンチュラや細胞性粘菌とは異なる姉妹群に属する．

3. 粘菌ミトコンドリアの分裂

mtDNAの存在が種々の生物で確認されたのは1960年代後半になってからである．多くのmtDNAは，動物のミトコンドリアでみられるように，マトリックス内の電子密度の低いところにDNA様の線維として観察される（図3参照）．また，単離ミトコンドリアを界面展開法で破裂させるとDNA分子が裸出することから，「ミトコンドリアのDNAは裸で存在する」と長く信じられてきた．一方，真正粘菌のミトコンドリアは，マトリックス

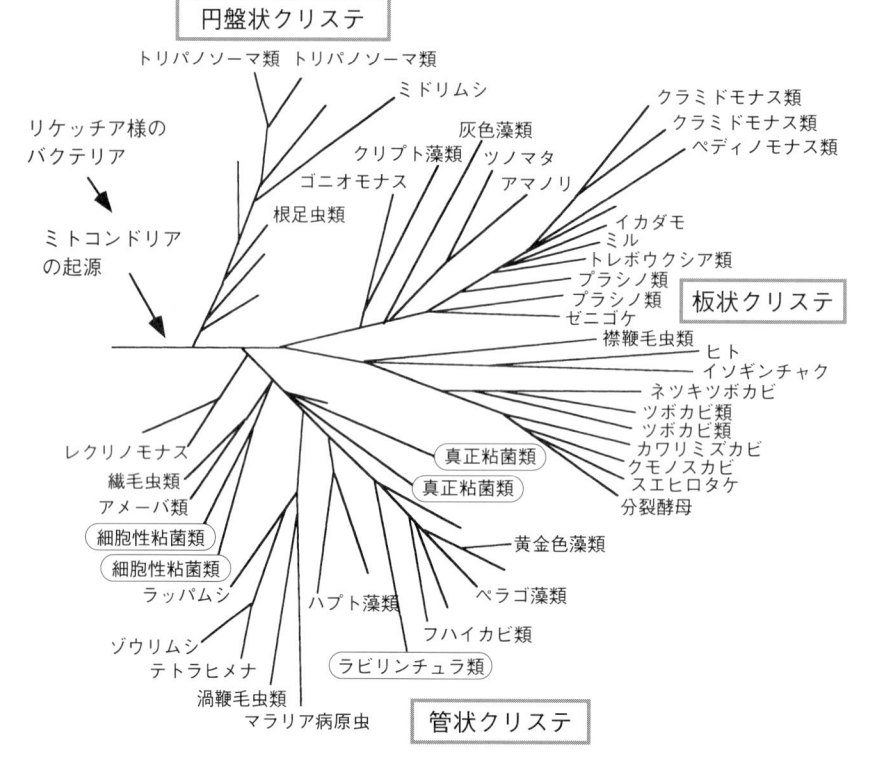

図2 ミトコンドリアの系統と粘菌類の位置
ミトコンドリアゲノムの分子系統とクリステの形状を考慮して描いたミトコンドリアの系統樹を示す．粘菌類と総称される種には3つの門（ラビリンチュラ，細胞性粘菌，真正粘菌）がある．特徴的な管状クリステをもつという点では共通しているが，ミトコンドリアの系統としてはそれぞれがかなりかけ離れていることがわかる．（文献4）を改変）

の中央によく発達した電子密度の高い"核"をもっている．このミトコンドリア核はmtDNAとタンパク質からできており，タンパク質分解酵素で処理しない限り，単離ミトコンドリアの界面展開でDNA分子が裸出することはない．また，真正粘菌の（1）核分裂を伴うミトコンドリアの分裂周期の決定，（2）分裂に伴うmtDNAの均等分配，（3）ミトコンドリア核の無傷単離とDNA結合タンパク質の同定などにより，mtDNAは決して裸ではなく，タンパク質と結合してマトリックス内で明瞭な核構造をとることが明らかとなった．真正粘菌のミトコンドリア特性の最大の特徴はよく発達したミトコンドリア核である．しかし，ミトコンドリア核は，発達に程度の差はあるが，すべてのミトコンドリアに共通するものであり，その祖先であるバクテリアから受け継いだものでもある（2・1節参照）[6]．

細胞分裂は核分裂とサイトキネシスの2つの過程からなる．ミトコンドリアに"核"が存在するのであれば，ミトコンドリア分裂も，"ミトコンドリア核分裂"と膜とマトリックスの分裂である"ミトコンドリアキネシス"の2つの過程に分けることができる．真正粘菌のミトコンドリア核分裂は，バクテリアやリケッチアなど，原核生物の核分裂と類似している．ミトコンドリアが亜鈴形になるのに伴い，棒状のミトコンドリア核も長軸方向に伸長して亜鈴形になって横二分裂し，mtDNAは均等に娘ミトコンドリアに分配される．バクテリアの場合，こうした核の分裂にはDNAと膜との結合が重要なはたらきをしている．真正粘菌のmtDNAにも膜に結合する特殊な領域が存在し，膜–DNA複合体を構築する．これをフェネチルアルコールや臭化エチジウムで破壊すると，ミトコンドリアキネシスはほぼ正常に起こるが，ミトコンドリア核には分裂異常や分配異常が起こり，無核のミトコンドリアが生じ

粘菌をサイトカラシンBで処理するとミトコンドリアキネシスが阻害されるので、アクチン様のタンパク質の関与が考えられる。しかし、真正粘菌のミトコンドリアのどの部分にも、明確な分裂装置の存在は観察されなかった[8]。一方、原始紅藻シアニジウム類では、1986年に *Cyanidium caldarium* で色素体の分裂装置（色素体分裂リング）が、1994年に *Cyanidioschyzon merolae* でミトコンドリアの分裂装置（ミトコンドリア分裂リング）が発見されている。色素体分裂リングに関しては、紅藻のほかに褐藻、緑藻、コケ植物、シダ植物、高等植物で類似の装置が見い出されている。一方、*C. merolae* の場合、ミトコンドリアの分裂予定域（赤道面）に50nm幅の線維束（ミトコンドリア分裂リング）が形成される。ミトコンドリアを外部から取り巻いたこの収縮性リソグが観察されているのは、原始紅藻のなかでも *C. merolae* だけである。真正粘菌はもちろん、他の原始紅藻でも観察されてはいない。色素体分裂リングをみると、より原始的な生物ほど発達した分裂リングをもつようにみえる。ミトコンドリアリングも同じで、現在の観察法ではよく発達した、より原始的な生物のミトコンドリア分裂リングしか観察されないものと考えられる（2・6節参照）。

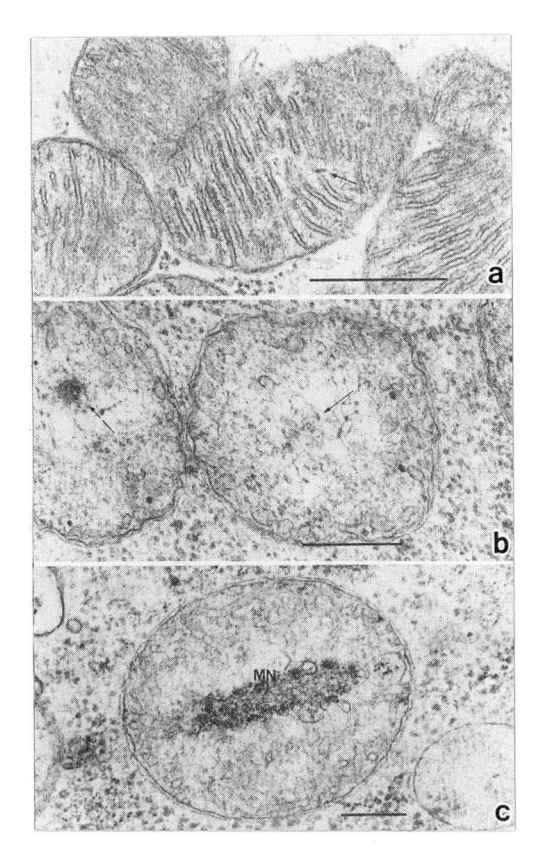

図3 真正粘菌の特徴的なミトコンドリア核
ラット心筋（a）、フタマタタンポポ（*Crepis capillaris*）（b）、真正粘菌（c）のミトコンドリアを示す電子顕微鏡像。矢印は高等動植物でみられる電子密度の低い領域のミトコンドリア核を示す。糸くずのようなDNA線維の塊が見える。一方、MN（ミトコンドリア核）は真正粘菌のよく発達した電子密度の高いミトコンドリア核を示す。ラット心筋（a）のミトコンドリアは板状のクリステを、フタマタタンポポ（b）と真正粘菌（c）は管状のクリステをもっている。スケールバーは0.5μmを表す。（文献6）から引用）

4. 粘菌ミトコンドリアの融合

mtDNAが組換えを起こすことはよく知られている。異なるmtDNA間で組換えが起こるためには、ミトコンドリアどうしが融合する必要がある[9]。1950年代の後半になって、超薄切片を連続してつくり、前後の連続した電子顕微鏡像を数十枚にわたって重ね合わせ、細胞内のミトコンドリアを3次元的に再構成する方法が考案された。この連続切片法を用いてヒト肝細胞の複雑に枝分かれしたミトコンドリア像がはじめて示され、原生生物、藻類、菌類で、細胞内に広がる巨大ミトコンドリアの存在が次々と報告されるようになった。しかし、ミトコンドリアの形態は生理条件によって大きく変化するので、巨大ミトコンドリアがすべて融合の結果だと

る。この膜-DNA複合体は染色体のセントロメアと同様のはたらきをすると考えられる[7]。この領域は、きわめてATに富み、トポイソメラーゼの結合部位、逆位反復配列、縦列反復配列を高頻度に含んだ特異な構造をしている。興味深いことに、細胞核染色体のセントロメアもATにきわめて富んだ領域であり、染色体の分配に共通性があることを示唆している[8]。

真正粘菌では、ミトコンドリア核分裂とは対照的に、ミトコンドリア本体の分裂であるミトコンドリアキネシスに関してはあまりわかっていない。真正

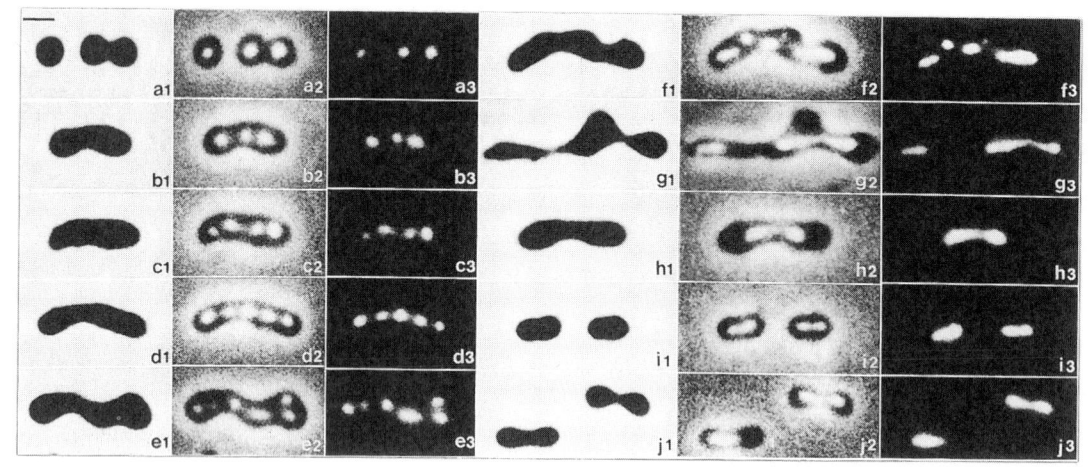

図4　真正粘菌のミトコンドリア融合
子実体形成期と胞子の発芽時期にみられるミトコンドリアの融合と分裂を経時的に位相差顕微鏡像（1），位相差蛍光像（2），DAPI（4',6-ジアミジノ-2-フェニルインドール）蛍光染色像（3）で示した．子実体形成期になると，ミトコンドリアが融合し，多核のミトコンドリアになる（a～d）．多核ミトコンドリア内部ではミトコンドリア核の融合が起こり（e～g），胞子の発芽時期になると分裂を繰り返してふたたび小球形のミトコンドリアになる（g～j）．スケールバーは1μmを示す．（文献9）から引用）

断定することはできない．出芽酵母 Saccharomyces cerevisiae では，巨大ミトコンドリアが出現する生理条件がよく研究されている．たとえば，減数分裂時には，単核の小球形ミトコンドリアが融合し，1つの巨大ミトコンドリアとなる．同時に，ミトコンドリア内部ではミトコンドリア核も融合して長いひも状の核になる．この融合現象はmtDNAの組換えと深く関連していると考えられているが，"融合"と"組換え"が関連付けて解析されたことはほとんどない．

真正粘菌ではミトコンドリアが融合する株と融合しない株が単離され，融合と組換えが関連付けられている[10]．真正粘菌の生活環は1倍体の単核の粘菌アメーバ期と2倍体の多核の変形体期からなっている（図1参照）．胞子から発芽した粘菌アメーバは異なる交配型のものどうしが接合して接合子となる．接合子内で細胞核は融合し，細胞分裂を伴わない細胞核分裂を繰り返して多核の変形体になる．変形体は適当な光や飢餓条件のもとで子実体を形成し，減数分裂の開始とともに胞子をつくる．真正粘菌の場合，ミトコンドリアの融合は，粘菌アメーバの接合期と子実体形成期に起こる．いずれの場合も，ミトコンドリアが融合して多核のミトコンドリアが形成されると，巨大になったミトコンドリア内ではミトコンドリア核どうしが融合してひも状になる．その後，ミトコンドリアは数回の不均等分裂を起こし，ふたたび単核の小球形ミトコンドリアになる（図4）．子実体形成期のミトコンドリア融合では，融合したミトコンドリアは胞子内に内包される．そこで，胞子内のミトコンドリアを観察し，胞子内に単核のミトコンドリアしかいない株（非融合株）と多核のミトコンドリアが存在する株（融合株）を単離することができる．

ミトコンドリア融合株と非融合株の交配実験から，ミトコンドリアの融合遺伝子（mif）は優先的に子孫に伝達されることがわかった．これは，mif が核支配ではなくてミトコンドリア支配であることを意味している．非融合株と融合株のミトコンドリアのゲノム構成を比較検討した結果，融合株のミトコンドリアはmtDNAのほかに12～16kbの線状プラスミドを必ずもっていた．このプラスミドとmif はともに優先的に子孫に伝達され，2つが分離することはなかった．このプラスミドはmF（mitochondrial fusion）と名付けられた．

真正粘菌のmtDNAには著しい制限酵素切断片の多形（RFLP）があり，mtDNAの遺伝親（起源）

を容易に同定できる．非融合株どうしの交配ではミトコンドリアの融合は起こらず，次世代には片親のmtDNAのみが伝達される．これに対して，非融合株と融合株の交配では，ミトコンドリアどうしが融合し，mtDNAはどちらの親型とも異なる形の制限酵素パターンを示す．これは，mFプラスミドが次世代に遺伝するmtDNAと組換えを起こすためである．mtDNAとmFプラスミドには，約500 bpのほぼ完全な相同配列が存在しており，この領域で両者が交差する[11]．ミトコンドリアの融合と組換えが直接関連付けられているのは，現在のところこの真正粘菌の例だけである．しかし，多くの状況証拠からみて，出芽酵母をはじめとする多くの生物で，mtDNAがミトコンドリア融合を介して頻繁に組換わり，ω様のイントロンを伝播していると考えられる．

5. ミトコンドリアプラスミド

真正粘菌のmFプラスミドをはじめ，100種類近いミトコンドリアプラスミドが同定されている．しかし，現在までのところ，その表現型が明らかになっているものはほとんどない．ミトコンドリアプラスミドも一種の利己的DNAとして存在することだけにその意味があるのだろうか？

ミトコンドリアプラスミドのS1とS2が最初に確認されたのは，1977年，トウモロコシ（*Zea mays*）のS型細胞質雄性不稔株においてである．ミトコンドリアプラスミドは分子量が比較的小さいため（＜20 kbp），単離したmtDNAをそのままアガロースゲル電気泳動し，簡単にミトコンドリアの主ゲノムと分離できる．このため，動物を除くほとんどすべてのミトコンドリアで線状および環状のプラスミドが報告されている．線状プラスミドの特徴的な構造は，両末端に存在する逆位反復配列（TIR：terminal inverted repeat）とその5′末端に結合しているタンパク質（TP：terminal protein）である（図5）．このような構造は，枯草菌（*Bacillus sabtilis*）の線状ファージであるφ29や

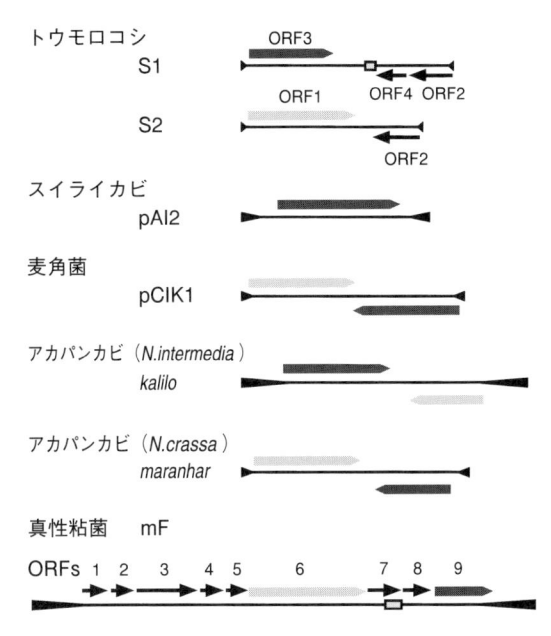

図5 ミトコンドリアプラスミドの構造的特徴
代表的な線状ミトコンドリアプラスミドを模式的に表した．両末端が扇状（末端逆位反復配列，TIR）になった線がプラスミド本体を表す．ORF（矢印）のうち，DNAポリメラーゼ（■▶）とRNAポリメラーゼ（▨▶）を示した．矢印と太線の方向は転写方向を，数字はORFが複数ある場合の数を示す．

ヒトアデノウイルスでよく知られている．DNAポリメラーゼは5′側から3′側にしかDNAを合成できず，プライマーも必要とするため，線状DNAの5′末端は複製できない．こうした線状DNAは，5′末端に結合しているTPをプライマーとしてDNA複製（タンパク質プライミング）するため，独自のDNAポリメラーゼをもつことが知られている．興味深いことに，必ずS1と共存しているS2だけはこの遺伝子を欠失している．このようなファージやウイルスとの類似性は，線状ミトコンドリアプラスミドの起源を示唆するものでもある．

アカパンカビ（*Neurospora*）には，*kalilo*（ハワイ語で「死」を意味する）とよばれる有名な線状ミトコンドリアプラスミドがある．*Kalilo*がmtDNAに挿入することにより，ミトコンドリアは機能不全に陥り，菌糸はセネッセンスをひき起こして死滅する．*Kalilo*には2つのORF（オープンリーディングフレーム）があり，DNAポリメラーゼとRNAポリメラーゼをコードしている．その基

本構造は，インドで採集されたセネッセンス株の *maranhar*（ヒンズー語で「死」を意味する）と同じであるが，両者に塩基レベルの相同性はあまりなく，mtDNAへの挿入領域も異なっている．また，アカパンカビでは，DNAポリメラーゼや逆転写酵素をもった環状プラスミドが見い出されており，mtDNAのイントロンあるいはレトロウイルスから由来したものではないかと考えられている．

ミトコンドリアプラスミドのほとんどは表現型をもたない．線状にしろ環状にしろ，プラスミドをもつ株ともたない株に何ら変わるところはない．*Kalilo* や *maranhar* がひき起こす菌糸のセネッセンスも，プラスミド自身の遺伝子によるものではない．それは，プラスミドの挿入によるミトコンドリアゲノムの損傷が原因であり，プラスミドの存在自体に問題があるように思われる．真正粘菌のmFプラスミドが特徴的なのは，プラスミド自身がDNA，RNAポリメラーゼ，TP，おおびミトコンドリア融合に関与する遺伝子（*mif*）を含む9個ものORFを保持していることである（図5）．

●おわりに

大腸菌の性決定因子として有名なFプラスミドは約100 kbpの環状2本鎖のDNAであり，約60個の遺伝子がコードされている．Fプラスミドは性繊毛をつくることにより大腸菌の接合を促進し，優先的に自分自身を伝達するとともに，染色体に自身が挿入されている場合は，自分自身とともに宿主の染色体を伝達して遺伝子組換えを起こさせる．バクテリアにおけるこのような原始的な性現象は，mFプラスミドが誘起する真正粘菌のミトコンドリア融合を髣髴とさせる．ミトコンドリアの性現象ともいえる融合とDNA組換えに関する知見は，ミトコンドリアの進化や起源に関しても重要な進歩をもたらす可能性を秘めている．

"粘菌のミトコンドリア特性"として，おもに真正粘菌のミトコンドリアおよびその核の"分裂"と"融合"について述べた．真正粘菌は原生生物に分類されるが，そのミトコンドリアは極端に原始的というわけではない．しかし，著しく発達したミトコンドリア核や表現型が明瞭なミトコンドリアプラスミドをもつという点では，細胞学的には際立った特性を備えており，ミトコンドリアおよびその核の"融合"と"分裂"というミトコンドリアバイオジェネシスの中心課題を明らかにするうえで，今後もなくてはならない研究材料といえるであろう．

●文 献

1) Margulis, L., Schwarts, V.: "Five Kingdoms", 2nd ed., pp. 3-21, W.H. Freeman （1982）
2) Pearson, L.C.: "The Diversity and Evolution of Plants", pp. 3-38, CRC Press （1995）
3) Margulis, L.: "Symbiosis in Cell Evolution", W.H. Freeman （1981）
4) Gray, M.W.: *Nucl. Acid. Res.*, **26**, 865-878 （1998）
5) Gray, M.W.: *Curr. Opin. Gen. Dev.*, **9**, 678-687 （1999）
6) Kuroiwa, T.: *Int. Rev. Cyto.*, **75**, 1-59 （1982）
7) Kawano, S. Kuroiwa, T.: *Exp. Cell Res.*, **161**, 460-472 （1985）
8) Kuroiwa, T., Ohta, T., Kuroiwa, H., Kawano, S.: *Micro. Res. Tech.*, **27**, 220-232 （1994）
9) Kawano, S., Takano, H., Kuroiwa, T.: *Int. Rev. Cyto.*, **161**, 49-110 （1995）
10) Kawano, S., Takano, H., Imai, J., *et al.*: *Genetics*, **133**, 213-224 （1993）
11) Takano, H., Kawano, S., Kuroiwa, T.: *Curr. Genet.*, **26**, 506-511 （1994）

酵母ミトコンドリアの特性と形態制御

若林　隆

●はじめに

　最近のミトコンドリア研究の成果で，ミトコンドリアの形態や細胞内分布などを規制する独自の遺伝子が発見されたことと，アポトーシスに果たすミトコンドリアの役割が明らかになったことは特記すべき点であろう．この遺伝子群の大部分は酵母細胞で同定されたものであり，ミトコンドリアの細胞内移動の線路の役割を担う細胞骨格系とこれらの遺伝子は密接に関係している．1990年代に開発された種々の蛍光色素により細胞内ミトコンドリアの立体像の観察が容易になったことと，遺伝子解析技術の進歩を背景として，酵母細胞ミトコンドリアの特性が酵母細胞での遺伝子の同定を有利にした．とくに，酵母では細胞当たりのミトコンドリア数が動物細胞と比べて少なく，その全体像をとらえることが容易であること，接合や出芽に際して形態や細胞内分布が劇的に変化すること，およびこの特性により変異株における異常を解析しやすいことなどは，大きな利点である．

　本稿では，これらの遺伝子群と細胞骨格系を中心に概説する．

1. 酵母ミトコンドリアの特性

a. 立体構造と機能

　生理的環境下では，ミトコンドリアは粒状形態を示し，それぞれが細胞内で独立して存在すると考えられてきた．動物の肝細胞には小葉内の場所により異なるが，500～2,000個ものミトコンドリアが存在する．一方，Fe^{2+}，Cu^{2+}，Mn^{2+}，リボフラビンなどの欠乏，あるいは銅キレート剤を投与したマウスの肝細胞やアンチマイシンA共存下で培養した緑藻類（*Euglena gracilis*）などの病的環境下では，ミトコンドリアが巨大化することが知られている．超薄連続切片の電子顕微鏡像から再構築（3次元解析）されたミトコンドリアが，実は互いに連続していることが最初に判明したのは酵母細胞であった[1]．同様の手法を用い，*E. gracilis*などでも細胞内ミトコンドリア相互の連続性（巨大ミトコンドリア）が確認された．その後，酵母細胞ミトコンドリアは培養条件により融合したり離散することが明らかになった．たとえば，スクロース共存下で培養するとミトコンドリアは巨大化するが，乳酸やグリセロールの共存下では25～100個の小型のものとなる．酵母細胞におけるミトコンドリアの立体像解析は，生理的条件下でのミトコンドリアの動的形態変化，および細胞の分裂周期に対するミトコンドリアの周期的変化を解明する研究への糸口となった．細胞内ミトコンドリアの立体像が酵母において最初に明らかにされた理由は，細胞当たりのミトコンドリア数が動物細胞に比べてはるかに少なく，細胞内のミトコンドリアの相互関係を連続切片で観察しやすかったことによる．

　酵母のミトコンドリアは，このような形態面での特徴に加え，機能面でもいくつかの特徴を有する．酵母細胞は，好気的および嫌気的条件下のいずれにおいても，ミトコンドリアの機能状態とは無関係に

成長できる．ミトコンドリアのタンパク合成を阻害するとATP合成も阻害されるので，動物細胞では細胞が死にやすく，ミトコンドリアの変異を見つけることが困難である．一方，酵母細胞はこのような処理に対して例外的に強いため，さまざまなミトコンドリア変異の同定を可能にした．そのなかにはρ^0細胞の同定も含まれ，ミトコンドリアDNA（mtDNA）の役割解析が進歩した．また，mtDNAの点変異による呼吸欠損株で，シトクロムc酸化酵素のサブユニットⅠ，Ⅱ，Ⅲ，シトクロムb，ATPaseのサブユニット9，6，8などの遺伝子が同定された．

他の特徴は，酵母ミトコンドリアの構成要素を遺伝子操作や薬物により大幅に修飾することが容易な点である．たとえば，酵母細胞は嫌気的条件下では不飽和脂肪酸やエルゴステロールを合成できないが，これらを外から取り込むことはできる．したがって，ミトコンドリア形成過程における脂質（とくにリン脂質）の役割を解析することが可能である．ミトコンドリアの脂質を除去するとミトコンドリア内でのタンパク合成は停止するが，外から脂質を加えるとアミノ酸の取込みを再開する．脂質を除去するとmtDNAは減少するが，嫌気的条件下で培養した脂質除去酵母細胞を好気的条件下に戻すとミトコンドリアの機能は回復する．このように，動物細胞では不可能な実験条件下でも，酵母細胞ではミトコンドリアの諸機能の解明が可能である．このような酵母細胞での先駆的な研究結果を基に，動物細胞のミトコンドリア電子伝達系の機能保持にリン脂質が必須であることが明らかにされた．

b. ミトコンドリア周期と細胞周期

蛍光色素4',6-ジアミジノ-2-フェニルインドール（DAPI）は，臭化エチジウムやアクリジンオレンジよりもはるかに感度が高く，mtDNAの検出法に利用されている．これにより，ミトコンドリア当たりのmtDNAが微量な *Paramecium caudatum*，*Amoeba proteus*，*Tetrahymena pyriformis*，酵母細胞などで，細胞周期に対応したミトコンドリア周期の解析が可能となった．

mtDNAはミトコンドリア核とよばれる構造の主要素であり，その分裂様式から4つのタイプに分けられる[2]．酵母の場合は，個々のミトコンドリアが細胞分裂に先立って融合し，G_1期においてmtDNAを合成後，出芽に先立って約30個の円形ミトコンドリアがいったん細長い巨大ミトコンドリアを形成し，ついでミトコンドリア核が融合する．このようなミトコンドリア核の融合と分裂は減数分裂時にも観察される．細胞の種類によりmtDNAの合成時期に差があり，S期，M期，あるいは全周期とさまざまである．酵母では，上述のようにG_1期に起こる．

2. 酵母ミトコンドリアの形態と細胞内分布を規制する因子

a. 遺伝子

細胞内でミトコンドリアの形態や分布を制御する遺伝子として最初に発見されたのは酵母の *mdm1* および *mdm2*（mitochondrial distribution and morphology）である[3]（表1）．現在，約15種類の関連遺伝子が同定されているが，その大部分は酵母のものである[4]．変異株のミトコンドリアを蛍光色素で染め，出芽胞子へのミトコンドリアや核の移入の有無に関する形態異常などをスクリーニングし，遺伝子を同定する方法が用いられている．これらの遺伝子は，ミトコンドリアの形態を制御するものと細胞内分布を規制するものに大別される．さらに，前者は巨大化を誘導するものと阻止するものに分けられる．

(i) ミトコンドリアの巨大化阻止遺伝子

これに関しては，*mdm10*，*mdm12*，および *mmm1*（maintenance of mitochondrial morphology）が報告されている．*mdm10* と *mdm12* により発現されたMdm10pとMmdm12pはミトコンドリア外膜に局在する内在性タンパク質である．巨大ミトコンドリアを有する *mdm10* 欠損株にMdm10pを発現させるとミトコンドリアは正常に戻る．*mmm1* 変異株を23℃で培養した場合，ミトコンドリアの形態は正常であるが，37℃では巨大化する．

3.4 酵母ミトコンドリアの特性と形態制御

表1 酵母ミトコンドリアの形態と細胞内局在を規制する遺伝子[a]

遺伝子産物	局在	変異株におけるミトコンドリアの異常			細胞骨格系との関係
		構造	細胞内分布	機能	
Mmm1p	ミトコンドリア外膜	巨大化	出芽胞子へのミトコンドリアの移入:(−)	酸素消費,膜電位,タンパク合成:正常	mABPのミトコンドリア外膜への結合
Mdm10p	ミトコンドリア外膜	巨大化	出芽胞子へのミトコンドリアの移入:(−)		mABPのミトコンドリア外膜への結合
Mdm12p	ミトコンドリア外膜	巨大化	出芽胞子へのミトコンドリアの移入:(−)		
Fzo1p	ミトコンドリア内・外膜接合部	網状構造を欠いて断片化	核周囲に凝集	接合時ミトコンドリアの融合:(−);膜電位:正常	
Mgm1p	ミトコンドリア外膜		出芽胞子へのミトコンドリアの移入:(−);凝集	膜電位:低下;mtDNA欠損	ダイナミン関連タンパク質
Mdm20p	細胞膜	正常	出芽細胞へのミトコンドリアの移入:(−)	膜電位:正常	アクチンケーブル崩壊
Dnm1p	ミトコンドリア・細胞質	巨大化	細胞の一側に偏在	膜電位、タンパク合成:正常	ダイナミン関連タンパク質;アクチン,微小管:正常
Mdm1p	中間径フィラメントに一致	断片化	出芽細胞へのミトコンドリアの移入:(−)	膜電位:正常	アクチン,微小管:正常
Clu1	細胞質		核周囲に凝集	膜電位:正常	モータータンパク質のミトコンドリア外膜への結合(?)

a) Mdm10p, Fzo1p はそれぞれ *Podospora arserina*, *Drosophila melanogaster* でも同定されている. Clu1 は *Dictiostelium discoides* の CluA と相同性がある.

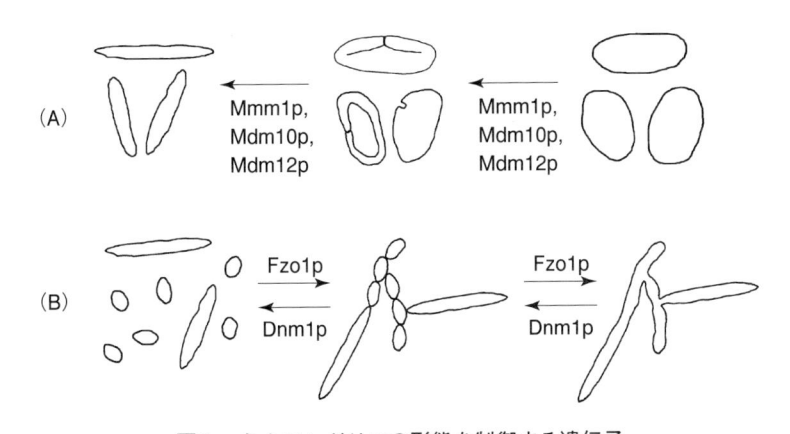

図1 ミトコンドリアの形態を制御する遺伝子

(A) Mmm1p, Mdm10p, Mdm12p 各欠損によるミトコンドリアの巨大化. 細胞当たりの巨大ミトコンドリア数は正常と変わらないので, 個々の管状のミトコンドリアにおいて外膜が相互に融合して円形・楕円形の巨大ミトコンドリアが形成されるものと推定される.

(B) Fzo1p によるミトコンドリア巨大化と Dnm1p による抑制. Fzo1p 欠損株ではミトコンドリアは断片化し, Dnm1p 欠損株ではミトコンドリアは網状(巨大化)構造を示す. 細胞内ミトコンドリアの形態は両者の均衡の上に保たれているものと推定される.

Mmm1p もミトコンドリア外膜の内在性タンパク質である. 巨大ミトコンドリアのタンパク合成, アミノ酸の取込み, 酸素消費, および膜電位はいずれも正常である. 巨大ミトコンドリアの細胞当たりの数は正常のそれと変わらないので, 正常で見られる細長い管状のミトコンドリアの外膜が相互に融合

し，断面像で円形や楕円形を呈する巨大ミトコンドリアが形成されると考えられる（図1A）．ミトコンドリアの細胞内分布異常の項でも触れるが，Dnm1pの欠損株ではミトコンドリアは巨大な網状構造を呈する．これはミトコンドリアの分裂阻害によると考えられている（図1B）．

(ii) ミトコンドリアの巨大化を誘導する遺伝子

fuzzy onions 遺伝子（*fzo*）は，キイロショウジョウバエ（*Drosophila melanogaster*）のミトコンドリア巨大化遺伝子として最初に同定され，ついで酵母でも発見された[5,6]（図1B）．その産物Fzo1pは哺乳類や両生類などの精子形成過程で一過性に発現する．粒状で多数存在していたミトコンドリアが，精子の尾部を長軸に添ってらせん状に取り巻く2つの巨大ミトコンドリア（Nebenkern）を形成する．精子尾部を横断して電子顕微鏡で観察すると，ミトコンドリアがタマネギの輪切りのように渦巻き状に見えることから，fuzzy onionsと命名された．ヒトを含む哺乳動物では，脳組織でもその発現がみられる．Fzo1pはダイナミン（dynamin）関連GTPaseに属し，ミトコンドリアの内外膜接合部で内膜を貫通して存在する．ミトコンドリア相互の融合はこの膜接合部で起こる．*fzo*は酵母でも同定されている．正常な酵母細胞では管状のミトコンドリアが細胞内に均一に分布し，2つの酵母細胞の接合時にミトコンドリアは互いに融合する．しかし，欠損株ではこの融合（巨大化）が起こらない．一方の酵母細胞のミトコンドリアをMito Tracker Redで，他方をmito-GFPで染めておいて接合させると，正常の場合には接合後のミトコンドリアが両方とも蛍光を発するが，欠損株ではいずれか一方の蛍光しか観察されない．Fzo1pは，生理的環境下でミトコンドリアの巨大化が必要な場合に発現されるものであり，普遍的に重要なものと考えられる．ラット横隔膜骨格筋の赤筋内ミトコンドリアは，生後しばらくまでは粒状や管状で別々に存在するが，5〜6週になると網状ミトコンドリアとよばれるひとつの巨大ミトコンドリアをアクチンフィラメントのみからなる明帯（I帯）の高さで筋原線維と直角な面に形成する．この場合にもFzo1pが関与する可能性がある．ヒトの疾患を含む種々の病的環境下でミトコンドリアの巨大化が報告されているが，遺伝子解析はなされていない．

(iii) ミトコンドリアの細胞内分布を制御する遺伝子

酵母をはじめ，マウス，キイロショウジョウバエ，ヒトなどでミトコンドリアの細胞内分布を制御する遺伝子が同定されている[4]．いずれの場合にも，これら遺伝子の欠損によりミトコンドリアが細胞内で均一に分布せず，核のまわりに凝集する．アクチンや微小管などの細胞骨格系を重合促進または脱重合した場合にも，同様のミトコンドリア分布異常が観察されるので，これらの遺伝子のはたらきが細胞骨格系を介することが示唆される．

酵母で同定された*mgm1*（mitochondrial genome maintenance）の産物Mgm1pはダイナミン関連GTPaseに属する．この欠損株では，ミトコンドリアが核周辺に偏在し，mtDNA欠損や呼吸能低下など，重要な機能障害を伴う．*dnm1*により発現されたDnm1pは，ミトコンドリアと細胞質の両者に局在するタンパク質であり，Mgm1p同様にダイナミン関連GTPaseに属する．この欠損株では，ミトコンドリアが核周辺で一側に偏在すると同時に，巨大化する．Dnm1pと類似のタンパク質がヒトでも同定されており，これにはDVLP（Dnm1p/Vps1p-like protein），Dymple（dynamin family member proline-rich carboxy-terminal domainless），DLP1（dynamine-related protein1）などがある．酵母のClu1は，*Dictyostelium discoides*で同定されたCluAと機能的に同一である．この欠損株では出芽胞子へのミトコンドリア移入や他のミトコンドリア機能異常は伴わないが，細胞内でミトコンドリアは凝集塊を形成して偏在する．

以上のように，酵母細胞内で機能的に相反するはたらきをもった遺伝子の拮抗作用により，ミトコンドリアの形態や細胞内分布が正常に保たれている．接合や出芽の過程でミトコンドリアも融合や出芽胞子への移動など，その形態と細胞内分布を変化させることが必要であり，必要に応じて一方が優先され

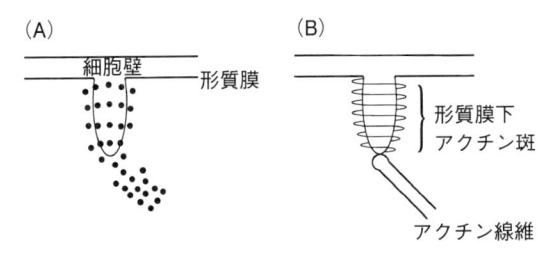

図2 酵母細胞内アクチンの存在様式
免疫電子顕微鏡により形質膜陥入部に観察されたラベルされたアクチン粒子の分布 (A) に基づいた細胞内アクチン存在様式推定図 (B). (文献16)を改変

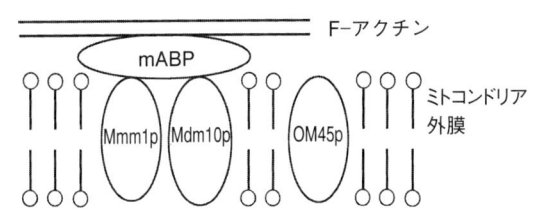

図3 ミトコンドリア外膜とアクチンの結合様式推定図
ミトコンドリアとアクチンの結合にはミトコンドリア外膜の末梢タンパク質 mABP と, mABP を外膜に局在させる内在タンパク質 Mmm1p, Mdm10p を必要とする. OM45p はミトコンドリア外膜の主要な内在タンパク質(文献11)参照).

る. 酵母だけでなく, ヒトの組織においても同様の機序によってミトコンドリアの形態と細胞内分布が制御されている可能性があり, 今後の重要な課題である.

驚くべきことに, 巨大ミトコンドリアが存在する dnm1 変異株と小さなミトコンドリアが細胞内に集積する fzo 変異株を用いて両変異共存株を作製したところ, ミトコンドリアの形態と細胞内分布が正常と変わらなかったことが報告されている[7]).

b. 細胞骨格系

ミトコンドリアは細胞骨格系の三要素(アクチン, 微小管, 中間径フィラメント)と密接に関係し, これらが細胞内移動の"線路"の役目を担っている[8,9]. 種々の細胞を用いて数多くの報告がある. 酵母細胞ではアクチンと中間径フィラメントが, 動物細胞では微小管がミトコンドリアの細胞内分布や移動に関係するとの報告が多い. 動物細胞では, アクチンの関与は否定的である.

(i) アクチン

酵母細胞のアクチンでは形質膜下アクチン斑 (cortical actin patches) とアクチンケーブル (actin cables) の2つの存在様式が知られている[9] (図2). 前者は形質膜のところどころに見られる形質膜陥入部をアクチンが取り囲んでおり, アクチン線維束からなる後者はミトコンドリアの細胞内移動をつかさどる. 酵母細胞の分裂時には, 前者は娘細胞の形質膜下に集合し, 後者は母・娘細胞の長軸と平行に並んでミトコンドリアの娘細胞への移入を容易にする. アクチン線維束を破壊すると, 娘細胞へのミトコンドリア移入が起こらない. ミトコンドリアの形態制御に関与する Mmm1p と Mdm10p は, 娘細胞へのミトコンドリアの移入に際してアクチン線維束とミトコンドリア外膜の結合に関与する. アクチンとミトコンドリアの結合には, mitochondrial actin binding protein (mABP) とよばれるミトコンドリアの外膜タンパク質とこれを外膜に局在させるレセプター様の内在性タンパク質を必要とする (図3). 前者は ATP 感受性である. mmm1 変異株および mdm10 変異株では, mABP の欠損とともに, これをミトコンドリア外膜に局在させる能力が失われている[11]).

(ii) 中間径フィラメント

平滑筋細胞をはじめとする種々の動物細胞では, ミトコンドリアが中間径フィラメントと密接に関係するとの報告が多い. たとえば, サイトケラチン, ビメンチン, IEF24 とよばれる分子量 56,000 のタンパク質が中間径フィラメントに含まれ, 酵母娘細胞内でのミトコンドリアの位置を規制することが報告されている. 一方, 中間径フィラメントはミトコンドリアの細胞内分布に関与しないとの報告もある. 酵母細胞では, Mdm1p が動物細胞の中間径フィラメントと相同性があることが知られている[12]). 精製した Mdm1p は 10 nm のフィラメントを形成する. 変異株では 4℃ でフィラメント形成がみられるが, 37℃ ではみられない. 娘細胞へのミトコンドリア移入にアクチンと中間径フィラメントが関与すると推定されているが, 両者の相互関係を含む検討が必要である.

(iii) 微小管

微小管とミトコンドリアの密接な関係については種々の真核細胞で報告がある．微小管とミトコンドリアを結ぶモータータンパク質が同定されているが，酵母では否定的な報告が多い．たとえば，βチューブリンの変異株や微小管脱重合剤を作用させた場合にも，娘細胞へのミトコンドリア移入障害はみられない[13,14]．このことは，酵母細胞内では微小管の放射状分布が発達せず，出芽娘細胞内ではミトコンドリアと微小管の分布が無関係であることからも理解できる．しかし，分裂時の酵母ミトコンドリアの細胞内分布には微小管を必要とするとの報告もある[15]．αチューブリンやβチューブリンの変異株，あるいは微小管脱重合剤を作用させた場合，ミトコンドリアは細胞内で凝集塊をつくり，均一な分布が失われる．アクチンの場合と異なり，酵母細胞では微小管とミトコンドリアの相互関係に関して不明な部分が多く，今後の検討課題である．

●おわりに

酸化的リン酸化のメカニズムに対して化学浸透圧説を提唱したMitchellがノーベル医学・生理学賞を受賞した後，ミトコンドリアの研究者人口は激減した．しかし，アポトーシスに果たすミトコンドリアの重要性が次々と明らかにされ，ミトコンドリアはふたたび注目されている．今後，酵母のミトコンドリア特性を生かし，アポトーシスの分子機構解明にも貢献する研究が生まれるかもしれない．

●文　献

1) Hoffmann, H.-P., Avers, C.J. : *Science*, **181**, 749-751 (1973)
2) Kuroiwa, S.J. : *Int. Rev. Cytol.*, **75**, 1-59 (1982)
3) McConnell, S.J., Stewart, L.C., Talin, A., Yaffe, M.P. : *J. Cell Biol.*, **111**, 967-976 (1990)
4) Yaffe, M.P. : *Science*, **283**, 1493-1497 (1999)
5) Hermann, G.J., Thatcher, J.W., Mills, J.P., et al. : *J. Cell Biol.*, **143**, 359-373 (1998)
6) Rapaport, D., Brunner, M., Neupert, W., Westermann, B. : *J. Biol. Chem.*, **273**, 20150-20155 (1998)
7) Sasaki, H., Jensens, R.E. : *J. Cell Biol.*, **147**, 699-706 (1999)
8) Yaffe, M.P. : *Adv. Mol. Cell Biol.*, **17**, 341-350 (1996)
9) Hermann, G.J., Shaw, J.M. : *Annu. Rev. Cell Dev. Biol.*, **14**, 265-303 (1998)
10) Drubin, D.G., Jones, H.D., Wertman, K.F. : *Mol. Biol. Cell.*, **4**, 1277-1294 (1993)
11) Boldogh, I., Vojtov, N., Karmon, S, Pon, L.A. : *J. Cell Biol.*, **141**, 1371-1381 (1998)
12) McConnell, S.J., Yaffe, M.P. : *Science*, **260**, 687-689 (1993)
13) Huffaker, T.C., Hoyt, M.A., Botstein, D. : *Annu. Rev. Genet.*, **21**, 259-284 (1987)
14) Jacobs, C.W., Adams, A.E.M., Pringle, J.R. : *J. Cell Biol.*, **107**, 1409-1426 (1988)
15) Yaffe, M.P., Harata, D., Verde, F., et al. : *Proc. Natl. Acad. Sci USA*, **93**, 11664-11668 (1994)
16) Bostein, D., Amberg, D., Mulholland, J., et al. : in "The Molecular Biology of the Yeast Saccharomyces", (Pringle, J.R., Broach, J.R., Jones, E.W., eds.), pp.1-90, Cold Spring Harbor Lab. Press, Cold Spring Harbor (1997)

ミトコンドリアの ATPase インヒビターと遺伝子変異

橋本 忠雄

●はじめに

ミトコンドリア F_oF_1-ATPase は可逆的な反応を行う酵素であり,ミトコンドリア内膜を隔てたプロトンの電気化学的ポテンシャルをエネルギーとして ATP を合成する.本酵素は,ATP の加水分解(逆反応)によって放出されるエネルギーを利用してミトコンドリア外にプロトンを輸送できる.ATPase 阻害タンパク質は,1963 年に Pullman らによってウシ心筋ミトコンドリアから分離された[1].F_oF_1 が可逆的な酵素であることから,インヒビター(阻害タンパク質)は F_oF_1 を ATP 合成の方向に向かわせる因子として注目された.しかし,本阻害タンパク質は,ATP 合成にはかかわらず,F_oF_1 による ATP 分解反応のみを阻害することが示された[2].

このように,一方向の反応のみを阻害するという酵素学的に奇妙な性質は,阻害タンパク質がミトコンドリアの膜ポテンシャルを感知して F_oF_1 に結合解離することによると考えられた[3].すなわち,ミトコンドリアの電子伝達系がはたらいてミトコンドリアの膜ポテンシャルが上昇し,ATP 合成が可能な電位になると阻害タンパク質が F_oF_1 から解離して ATP が合成される.逆に,膜電位が失われて ATP の分解が起こりそうになると,F_oF_1 に結合して無駄な分解を阻害する.

細菌には阻害タンパク質は存在せず,無酸素条件下では F_oF_1 が ATP 分解方向にはたらく.これによって発生するポテンシャルは,細胞内の pH 調節や細菌のべん毛駆動力としてはたらいている.細菌が正常に生きていれば細胞膜に一定のポテンシャルが存在するので,F_oF_1 はある一定のポテンシャル値で正逆反応を転換させているはずである.ミトコンドリアのポテンシャルが失われてから阻害タンパク質が F_oF_1 に結合するという表現は正しくない.また,動物のミトコンドリアが膜ポテンシャルを失ったり回復したりしているとは考えにくい.

この問題を考えるために,阻害タンパク質を欠失させたり,変異導入が容易な酵母細胞を用いて,阻害タンパク質の機能が研究された.本稿では,おもに酵母の阻害タンパク質を扱うが,動物のミトコンドリアの阻害タンパク質が種によって異なった性質を示すことにも言及する.

1. ミトコンドリアの膜電位低下と阻害タンパク質の動き

酵母ミトコンドリアの阻害タンパク質の遺伝子は核の DNA にコードされており,相同的組換え法により簡単に欠失させることができる[4].インヒビター欠失株と野生株から調製したミトコンドリアを使い,CCCP(カルボニルシアニド m-クロロフェニルヒドラゾン)による膜電位消失時のミトコンドリアによる ATP 分解を観察した.図 1 に示すように,呼吸基質であるコハク酸と酸素と ATP の存在下(この状態のミトコンドリアの膜電位は約 200 mV)に脱共役剤を添加すると,野生株でもインヒビター欠失株でも,ミトコンドリアが ATP を分解し始める.野生株ミトコンドリアでは,約 10

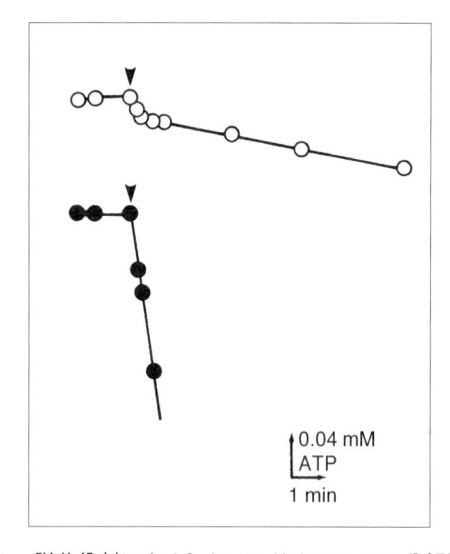

図1 脱共役剤によるミトコンドリアのATP分解誘発
ADPがすべてATPに転換されたState 4の状態で脱共役剤CCCP（矢印）を添加した．野生株（○）のミトコンドリアは一瞬だけATP分解活性を見せるが，その活性はすぐに阻害される．インヒビター欠失株のミトコンドリアでは，引き続きATP分解が起こる．

秒後にATP分解は急激に阻害される[5]．一方，インヒビター欠失株ではATPの分解は阻害されることなく続く．野生株ミトコンドリアで観察されたことから，膜電位の高いstate4ではATP合成酵素F_oF_1から阻害タンパク質が解離しており，脱共役剤で膜電位を失えばF_oF_1がATPを分解するが，この反応は阻害タンパク質で瞬時に抑制されることがわかる．この現象は，state4だけでなく，ATPを合成中のミトコンドリアでも同様に観察される．このことから，ミトコンドリアは膜電位が存在する間は阻害タンパク質とF_oF_1を解離させていることがわかる．一方，ATP合成中のミトコンドリアからF_oF_1を抽出してそのATP分解活性を測定すると，約50％のF_oF_1は阻害タンパク質を結合していたこと，およびATP合成が終わっても呼吸基質が残っている高電位のstate4状態でも約20％のF_oF_1は阻害タンパク質と結合していることが報告されている[6]．このことは，ミトコンドリアの膜電位が失われてはじめて阻害タンパク質がF_oF_1に結合するのではなく，正常なミトコンドリアの活動中でも一部は結合していることを示唆している．これまで，

ミトコンドリアの膜電位が失われてから阻害タンパク質が結合すると考えられていたが，これは脱共役剤で膜電位を完全に消失させた実験だけを行ってきたからである．

2. ATP合成中のミトコンドリアの膜電位

　ミトコンドリアATP合成の化学浸透圧説は，ミトコンドリアの膜電位がATP合成の駆動力になっていることを前提としている．したがって，ミトコンドリアの速い呼吸状態と遅い呼吸状態では膜電位に差が生じ，ATP合成量に差がみられる可能性が考えられた．しかし，実際には膜電位はほとんど変化しない．ウシ心筋ミトコンドリアから調製した亜ミトコンドリアのコハク酸呼吸を，マロン酸で約50％阻害した状態でのATP合成量は50％低下しているのに，膜電位は180 mVのまま変化しない[7]．Mitchellの化学浸透圧説ではミトコンドリア膜を介するプロトンのバルクの電気化学ポテンシャルをATP合成の駆動力と考えている．しかし，上記の実験結果は，バルクのポテンシャルではなく，特定の局在化したポテンシャルによりATP合成が駆動される可能性（プロトン局在化説）を示唆する．しかし，プロトンの電気化学的ポテンシャルがミトコンドリアで局在化していることの実証はない．マロン酸の量を段階的に増量してミトコンドリアの呼吸量を広範囲で変動させた際のATP合成量と呼吸量と膜ポテンシャルの関係を観察した結果，ポテンシャルはミトコンドリアの呼吸量に関係なく一定であった．すなわち，ミトコンドリア呼吸のあらゆる段階で，そのポテンシャルとP/O比は一定に保たれる．したがって，ミトコンドリアのATPase阻害タンパク質とF_oF_1の結合はstate3時の膜電位付近に閾値があり，呼吸増加によりポテンシャルが一時的に上昇しても，その増大に比例した阻害タンパク質の解離が起こり，F_oF_1がATP合成に動員されると考えられる．ATP合成に動員されるF_oF_1が増大すると，それを介してミトコンドリア内に流入するプロトン量が増大し，膜電位はもとのレベルに落

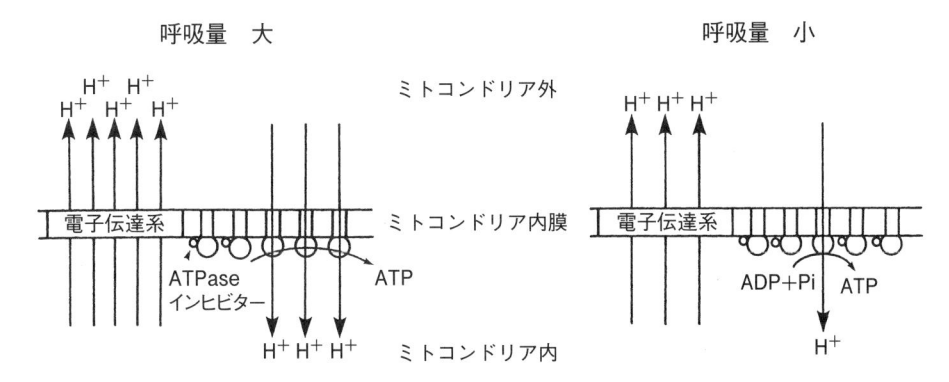

図2 電子伝達系に共役したATP合成
呼吸量の大小に応じて ATP 合成酵素（F_oF_1）がはたらくため，ミトコンドリアの膜電位は変化しない．ATPase インヒビターは休止中の F_oF_1 に結合する．インヒビター欠失株のミトコンドリアでも呼吸量に対応した F_oF_1 の動きは同じである．

ち着く．すなわち，呼吸量の増大で変化するのは ATP 合成に動員される F_oF_1 の量であると考えられる．ミトコンドリア呼吸のあらゆる段階で，ATP 合成に参加する活性型 F_oF_1 の量比が変化していると考えれば，膜電位と ATP 合成量の関係が理解できる．実際，野生株酵母のミトコンドリアでは，F_oF_1 への阻害タンパク質の結合量が呼吸に対応して変化することが観察されている．これらのことをモデル的に説明すると図2のようになる．

3. インヒビター欠失ミトコンドリアのATP合成

阻害タンパク質がポテンシャルの変化を感知して F_oF_1 に結合解離することにより ATP 合成量を制御しているのであれば，阻害タンパク質を欠失したミトコンドリアではこの制御が起こらず，呼吸量と無関係に，すべての F_oF_1 が ATP 合成に参加していることになる．もしそうであれば，変異ミトコンドリアでは膜電位が低く，ATP 分解反応も起こりやすく，P/O 比は正常のミトコンドリアより低いことが期待される．しかし，インヒビター欠失ミトコンドリアでも P/O 比は正常ミトコンドリアと同じであり，ATP 合成速度にも大きな変化は見られない．これらの所見は，阻害タンパク質が ATP 合成に参加する F_oF_1 量を調節している因子ではなく，

呼吸量に対応して ATP 合成に関与する F_oF_1 の量がポテンシャルにより自動的に決まる可能性を示唆する．野生株ミトコンドリアで阻害タンパク質と結合した F_oF_1 が存在することは，ATP を合成しなくなった状態の F_oF_1 に本阻害タンパク質が結合することを示唆する．

呼吸量の変化に対応して F_oF_1 自体が，合成する ATP 量を自動的に調節するという考えはすでに提唱されていた．松野らは，可及的に阻害タンパク質を除去した亜ミトコンドリア粒子を使い，ATP 合成可能なポテンシャルのある間は F_oF_1 分子が阻害タンパク質と結合しないことを前提として実験した[8]．DCCD（ジシクロヘキシルカルボジイミド）処理で F_oF_1 を介するプロトンの流れを増大させると，F_oF_1 は通過するプロトンの流れに対応して少なくとも2つの V_{max} と2つの K_m を示し，両系の組合せにより F_oF_1 が単位時間に合成する ATP 量が変化する．この条件下で F_oF_1 による ATP 合成の最高速度（ターンオーバー数）は，440 mol ATP/s にまで上昇する．この値は，最適条件下での精製 F_1ATPase による ATP 分解速度に匹敵する．酵母ミトコンドリアでも同様の現象が観察できる．この現象は野生株ではきわめて強く現れ，インヒビター欠失株で著しく弱い．生体内の酸素濃度や呼吸基質の供給量は実験室レベルよりはるかに低いので，松野らの高い V_{max} と K_m で F_oF_1 が駆動されることはないと考えられる．ミトコンドリアでは呼

吸能に対してはるかに多量のF_oF_1分子が用意されている．ミトコンドリアのF_oF_1は呼吸量に応じてATP合成に参加し，それによりポテンシャルが一定の値に保たれていると考えられる．野生株では阻害タンパク質が存在し，呼吸増加によりF_oF_1が活性型に転換すると阻害タンパク質を解離させている．

阻害タンパク質が休止中のF_oF_1に結合するのであれば，休止状態の酵母細胞ではその欠失の効果がみられるはずである．動物細胞と異なり，酵母細胞は長期間無酸素や貧栄養状態（蒸留水中）に置くと，徐々に死滅していく．この過程をインヒビター欠失株と野生株で観察すると，生存率と細胞内アデニンヌクレオチド含量は野生株で高い．これは，阻害タンパク質が休止状態のF_oF_1に結合して細胞内ATP含量を保持するためかもしれない．

インヒビター欠失株を貧栄養条件下で放置すると，細胞集団の中からミトコンドリアDNA（mtDNA）が変異した呼吸欠損変異株が現れてくる．このDNA変異は窒素下でも生ずるので活性酸素種によるものではなく，ミトコンドリア内のATP枯渇が原因となって起こると考えられる．酵母にアンチマイシンA（呼吸阻害剤）とボンクレキン酸（ATP/ADP交換体阻害剤）を加えてミトコンドリア内のATPを枯渇させると呼吸欠損変異株が発生することは昔から知られている[9]．

阻害タンパク質の遺伝子以外に，F_oF_1のサブユニットをコードする遺伝子を破壊しても呼吸欠損変異株が生ずることも報告されている[10]．ε，δあるいはF_oのサブユニットなどを欠失させるとミトコンドリアの膜ポテンシャルが保持できず，ATPも合成できなくなる．ATPができなければmtDNAの複製も障害され，呼吸変異株が発生してもおかしくはない．

酵母細胞は生きている限りATPを合成しており，無酸素状態ではATP含量がただちに低下するが，細胞のATP消費を低下させ，生存可能な最小限のATPを合成している．酵母は無酸素状態でも長期間生存できるが，このような状態ではミトコンドリアの膜電位が保たれているとは考えにくい．この状態でもインヒビター欠失株に呼吸欠損変異が起こりやすいので，酵母細胞ではATPの保持がミトコンドリア膜電位の保持より優先されるのかもしれない．

4. ATPaseインヒビターの構造と活性中心

これまでにウシ心筋，ラット肝，酵母などから阻害タンパク質やそのcDNAが分離精製され，その1次構造が判明している（図3）．動物のミトコンドリア阻害タンパク質は酵母のものより残基数が少し多いが，全体の相同性は高い．van Raaijら[11]は，ウシ心筋ミトコンドリアの阻害タンパク遺伝子をプラスミドに組み込み，終止コドンの導入などでさまざまな形状の阻害タンパク質を大腸菌内で合成させ，その活性中心を明らかにした．その結果，ウシ心筋阻害タンパク質は84残基のアミノ酸からなり，活性中心は14残基から47残基までの間に局在する．1-9残基および57-84残基を欠失させてもインヒビター活性は残る．48-56残基は阻害タンパク質とF_1との結合を安定化している．市販のアスパラギンエンドペプチダーゼを用いて1-51残基のペプチドを作製（7番目のアスパラギンは同酵素では切断されなかった）したところ，van Raaijらの報告どおり，本ペプチドは完全な活性を保持していたので，活性中心がN末端から50残基までに局在することは確実であろう[12]．

C末端側で特徴的な構造は，7残基ごとにロイシンあるいはイソロイシンの反復が見られることである．このロイシンジッパー様構造はすべての阻害タンパク質に見られる．市川らは，本遺伝子をミトコンドリアで過剰発現した酵母細胞を使い，このロイシンジッパー構造の役割を検討した[13]．終止コドンを移動させてC末端側を削っていくと，本タンパク質のミトコンドリア内安定性が失われる．酵母阻害タンパク質は63残基からなるが，51残基以降を削るとミトコンドリア内でのプロテアーゼ感受性が増強し，プロテアーゼ阻害剤となるo-フェナント

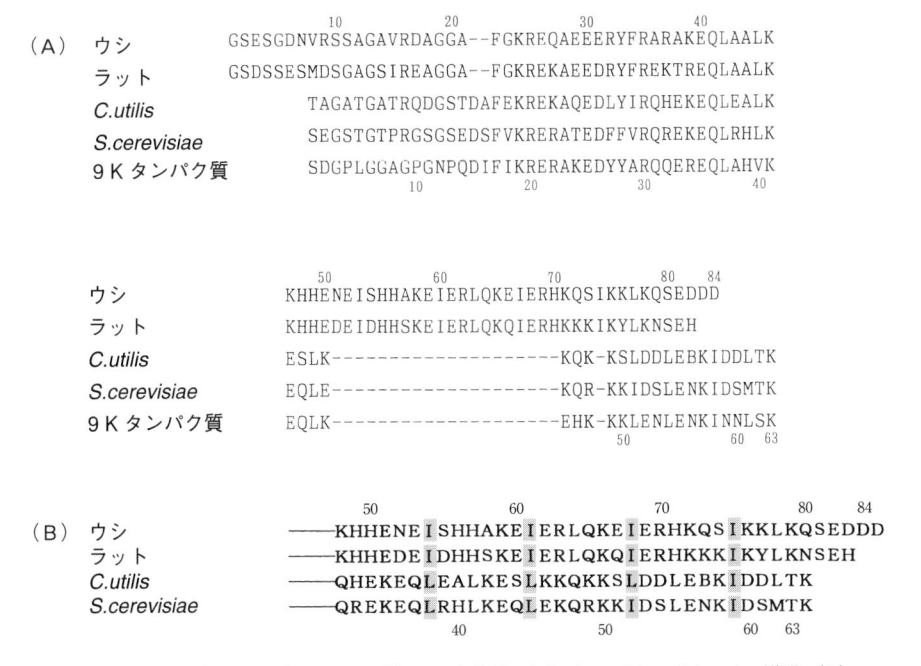

```
(A)  ウシ          GSESGDNVRSSAGAVRDAGGA--FGKREQAEEERYFRARAKEQLAALK
     ラット         GSDSSESMDSGAGSIREAGGA--FGKREKAEEDRYFREKTREQLAALK
     C.utilis      TAGATGATRQDGSTDAFEKREKAQEDLYIRQHEKEQLEALK
     S.cerevisiae  SEGSTGTPRGSGSEDSFVKRERATEDFFVRQREKEQLRHLK
     9Kタンパク質    SDGPLGGAGPGNPQDIFIKRERAKEDYYARQQEREQLAHVK

     ウシ          KHHENEISHHAKEIERLQKEIERHKQSIKKLKQSEDDD
     ラット         KHHEDEIDHHSKEIERLQKQIERHKKKIKYLKNSEH
     C.utilis      ESLK-------------------KQK-KSLDDLEBKIDDLTK
     S.cerevisiae  EQLE-------------------KQR-KKIDSLENKIDSMTK
     9Kタンパク質    EQLK-------------------EHK-KKLENLENKINNLSK

(B)  ウシ          ----KHHENEISHHAKEIERLQKEIERHKQSIKKLKQSEDDD
     ラット         ----KHHEDEIDHHSKEIERLQKQIERHKKKIKYLKNSEH
     C.utilis      ----QHEKEQLEALKESLKKQKKSLDDLEBKIDDLTK
     S.cerevisiae  ----QREKEQLRHLKEQLEKQRKKIDSLENKIDSMTK
```

図3　動物と酵母の阻害タンパク質の1次構造（A）とロイシンジッパー構造（B）
(A) 相同性を強調するために酵母のインヒビターにはスペースを挿入してある．酵母の9Kタンパク質の構造を比較のために併記した．(B) C末端側に影をつけたロイシンとイソロイシンの特異な配列構造がみられる．

ロリン存在下でなければ安定に保たれない．43残基以降を欠失させると，阻害タンパク質は完全に分解される．以上の結果から，C末端近辺に構造を安定化させる残基があることが示唆される．Van Raaijらも，大腸菌内でウシミトコンドリアの阻害タンパク質を発現させる際に，そのペプチド鎖が短くなると分解されることを報告している．

阻害タンパク質はミトコンドリア内膜上ですばやく結合解離するが，試験管内ではF_1にゆっくりと結合する．一方，エンドペプチダーゼで切断したN末端側（1-51部分）の結合はより速やかとなる．正常および切断ペプチドをゲル濾過したところ，前者は見かけ上4万～5万の分子量を示し，水溶液中では分子集合体を形成していると考えられる．一方，切断ペプチドは予想される分子量の位置に溶出された．阻害タンパク質はF_1と1：1のモル比で結合する．水溶液中での結合遅延は分子集合体からモノマーが解離するのに要する時間と考えられる．

本阻害タンパク質はF_1およびF_oF_1とも1：1のモル比で結合する．したがって，ロイシンジッパー構造が機能するにはF_oF_1側にもなければならないが，F_oF_1側に阻害タンパク質のロイシンジッパー構造に対応するものは明確ではない．阻害タンパク質がもっているこの構造の意味はまだ明確になっていない．酵母の場合，阻害タンパク質と相同性の高い9Kと15Kのタンパク質が存在し，これらが共存すると阻害タンパク質は水溶液中でもF_1に迅速に結合する．9Kタンパク質にもロイシンジッパー構造がある（図3参照）．インヒビターと9Kタンパク質が2量体で機能しているならば，このロイシンジッパー構造も重要と考えられる．しかし，今のところ9Kタンパク質は酵母にしか見つかっていない．

5. 阻害タンパク質とF_1F_oのモル比の種特異性

試験管内では阻害タンパク質とF_1-ATPaseは1：1で結合する．しかし，ミトコンドリア内において両者がどのような比率で存在しているかは別の

問題である．酸化的リン酸化反応の研究の初期段階で注目されたことは，単離されたラット肝ミトコンドリアが脱共役剤DNP（ジニトロフェノール）の存在下で強いATP分解活性を示すことであった．DNPはミトコンドリアの膜電位を消失させるので，ただちに阻害タンパク質がF_oF_1に結合してATP分解が阻害されうるが，実際には阻害されない．ラット肝ミトコンドリアは酵母のインヒビター欠失変異株と同様の振舞いを示す．Rouslinは，齧歯類のミトコンドリアでは阻害タンパク質の存在比がF_oF_1より少ないことを報告している[14]．たとえば，ラット肝の阻害タンパク質はF_oF_1の0.5〜0.7モル比である．つまり，ラット肝では阻害タンパク質を結合していないF_oF_1が存在する．すなわち，細胞内にカルシウムイオンが一時的に増加し，ミトコンドリアの膜電位が何らかの原因で低下した際に，阻害タンパク質がすべてのF_oF_1を阻害するとカルシウムを細胞質から排除できないことになる．阻害タンパク質をもたないF_oF_1がATPを利用してポテンシャルを形成すれば，そのポテンシャルエネルギーを利用してカルシウムユニポーターを介してミトコンドリア内にカルシウムを取り込むことが可能となる．事実，ラット肝のミトコンドリアはアンチマイシンAで呼吸を阻害してもATPの加水分解のエネルギーでカルシウムイオンを取り込む．この現象は，阻害タンパク質をもたないF_oF_1が存在することと関係がありそうである．

同様の現象は植物でも報告されている[15]．ただし，ここでは阻害タンパク質とF_oF_1のモル比は調べられていない．ジャガイモのミトコンドリアは酵母のミトコンドリアと同様に，state4の段階で脱共役剤を添加しても強いATP分解活性を示さない．一方，マメの葉から調製したミトコンドリアは，ラット肝のミトコンドリアと同様に，state4でポテンシャルを低下させると強いATP分解活性を示す．これは，植物の葉が活発に活動しているのに対し，塊茎は休止状態の組織であることと関係があるのかもしれない．阻害タンパク質の含量や膜電位低下に対応したATP分解活性は一部の組織で調べられたものであり，ラットやウシの心筋ミトコンドリアでは調べられていない．ラット肝ミトコンドリアの阻害タンパク質はモル比は少ないが，肝癌組織のミトコンドリアでの含量は高く，病態により阻害タンパク質の含量は変化する．

現在，インヒビター過剰発現株，インヒビター欠失株，および野生株の酵母ミトコンドリアを用い，呼吸停止やATP添加後のポテンシャル変化が検討されている．インヒビター欠失株のミトコンドリアは，ラット肝ミトコンドリアと同様の挙動を示し，ATP添加でポテンシャルはstate3のレベルにまで回復するが，野生株ミトコンドリアではわずかしか回復せず，過剰発現株ではほとんど回復しない．これらの酵母細胞株の中で，インヒビター過剰発現株は貧栄養下でも生き残る．阻害タンパク質とF_oF_1とのモル比の意義は今後の課題である．

●おわりに

ミトコンドリアATPaseインヒビターは，ATP合成には直接関与せず，F_oF_1による無駄なATP分解を防ぐために存在すると研究の初期から考えられてきた．そのことはインヒビター欠失株の酵母を用いてはじめて明確にされた．基本的には，初期の考えに大きな誤りはなかった．しかし，阻害タンパク質は膜電位が消失した後にF_oF_1と結合するのではなく，ミトコンドリアがATPを合成している状態でも結合できること，および本タンパク質が欠失してもミトコンドリアの膜電位は野生株同様に保たれることが判明した．すなわち，呼吸に対応して膜電位を一定に保つのはF_oF_1自体であること，呼吸量に応じて休止型と活性型のF_oF_1が存在し，阻害タンパク質は前者に結合することが明らかになった．酵母のインヒビター欠失株が貧栄養状態で呼吸欠損変異を起こすことも新しい問題である．また，ラット肝ミトコンドリアのATP分解活性が脱共役剤で活性化されるのはF_oF_1に対して阻害タンパク質量が少ないことに起因することが判明しているが，ミトコンドリアF_oF_1のATP分解の生理的意義についての研究は少ない．

● 文　献

1) Pullman, M.E., Monroy, G. C.: *J. Biol. Chem.*, **238**, 3762-3769 (1963)
2) Asami, K., Junti, R., Ernster, L.: *Biochim. Biophys. Acta*, **205**, 307-311 (1970)
3) van de Stadt, R. J., De Boer, B.L., van Dam, K.: *Biochim. Biophys. Acta*, **292**, 338-349 (1973)
4) Ichikawa, N., Yoshida, Y., Hashimoto, T., et al.: *J. Biol. Chem.*, **265**, 6274-6278 (1990)
5) Mimura, H., Hashimoto,T.,Yoshida,Y., et al.: *J. Biochem.*, **113**, 350-354 (1993)
6) Sanchez-Bustamante, V. J., Darszon, A., Gomez-Puyon, A.: *Eur. J. Biochem.*, **126**, 611-616 (1982)
7) Sorgato, M. C., Branca, D., Ferguson, S.J.: *Biochem. J.*, **188**, 945-948 (1980)
8) Matsuno-Yagi, A., Hatefi, Y.: *J. Biol. Chem.*, **261**, 14031-14038 (1986)
9) Gbelska, Y., Subic, J., Svoboda, A., et al.: *Eur. J. Biochem.*, **130**, 281-286 (1983)
10) Giraud, M-F., Velours, J.: *Eur. J. Biochem.*, **245**, 813-818 (1997)
11) van Raaij, M. J., Orriss, G.L., Montgomery, M.G., et al.: *Biochemistry*, **35**, 15618-15625 (1996)
12) Hashimoto, T., Yamamoto, Y., Yoshida, Y., Tagawa, K.: *J. Biochem.*, **117**, 641-647 (1995)
13) Ichikawa, N., Fukuda, M., Hashimoto, T., Tagawa, K.: *J. Biochem.*, **124**, 886-891 (1998)
14) Rouslin, W., Frank, G.D., Broge, C.W.: *J. Bioenerg. Biomembr.*, **27**, 117-125 (1995)
15) Jung, D. W., Laties, G. G.: *Plant Physiol.*, **57**, 583-588 (1976)

ρ^0 細胞の細胞特性

米田 誠

●はじめに

細胞内で必要とされるエネルギーの大半は，ミトコンドリアの酸化的リン酸化系（電子伝達系とATP合成酵素）による好気的エネルギー供給によってまかなわれている．しかし，特定の環境下では，細胞は嫌気的エネルギー産生のみによって生存が可能となる．酸化的リン酸化系は，核遺伝子によってコードされるサブユニットとミトコンドリア遺伝子（mtDNA）によってコードされるサブユニットから構成される酵素複合体によって担われている．核遺伝子とmtDNAは互いに協調発現して酸化的リン酸化系酵素複合体を維持しているが，mtDNAがどのようにこの酵素タンパク質の構造と機能を維持しているか，あるいは核遺伝子によってmtDNAの発現がどのように制御されているかは不明な点が多い．

これらの点を解明する目的で，以前から細胞内のmtDNAを減少あるいは欠損させた細胞株の構築が試みられてきた．mtDNAを欠損した細胞は ρ^0 細胞とよばれ，このような研究過程で生み出された細胞株である． ρ は本来，酵母におけるmtDNAに対して用いられた呼称であるが，現在では哺乳類細胞を含めて，広く一般の細胞のmtDNAに対して用いられている．

1980年代後半に，ヒトにおいてmtDNAの遺伝的変異による疾患（ミトコンドリア病）が見い出され，これらの疾患における変異mtDNAの機能的な解析に ρ^0 細胞から構築されたサイブリッドが広く応用されるようになった（3・7節）．以下に， ρ^0 細胞の構築と種類および細胞特性（エネルギー代謝，タンパク質合成，活性酸素種産生）について述べる．

1. ρ^0 細胞の構築と種類

ρ^0 細胞は，低濃度の臭化エチジウム（3,8-ジアミノ-5-エチル-6-フェニルフェナントリジウム；ethidium bromide：EtBr）に細胞を長期間曝露させることによって構築される[1]．適切な濃度の臭化エチジウムは，mtDNAの複製を部分的あるいは完全に抑制し，核遺伝子の複製には影響を及ぼさない[1]．

哺乳類細胞の1細胞当たりのmtDNAのコピー数は数千から数万である．mtDNAの複製が完全に抑制された状態で細胞分裂によってmtDNAが均等に分配されると，1細胞当たりのmtDNAのコピー数は1/2に減少する．したがって，仮に細胞当たりのmtDNAのコピー数を10,000とすると，理論的には14回の細胞分裂によって1細胞当たりのmtDNAは $10,000/2^{14}=0.6$ コピーとなる．これ以降に，サブクローンを行うと ρ^0 細胞が得られる．

こうして得られた ρ^0 細胞では，臭化エチジウムを培地から除いてもふたたびmtDNAが増幅することはない．mtDNAの完全欠損は，mtDNAに対するプライマーを用いたPCRでも，mtDNAが増幅されないことで検証される． ρ^0 細胞構築の具体的なプロトコールは別項（7・5節）を参照されたい．このような ρ^0 細胞を得る過程で，どのような変化が細胞内で起こっているかはいまだに明らかで

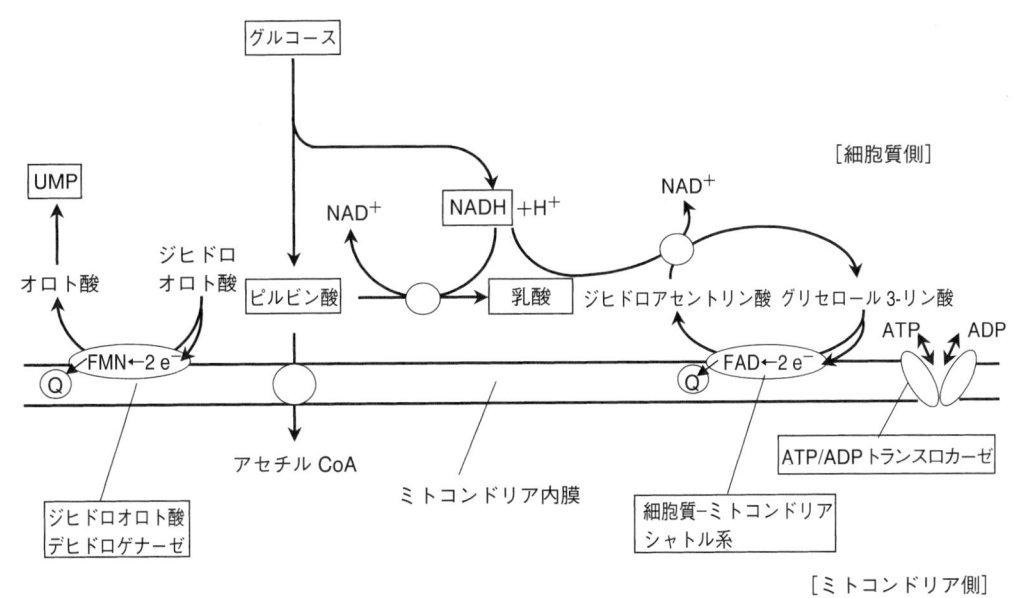

図1 ρ⁰細胞における代謝

ないが，核遺伝子の翻訳産物に何らかの変化が生じていると考えられている．

現在までに，パン酵母[2]，ニワトリ胚細胞[3]，ヒト培養細胞などからρ⁰細胞が構築されている．ヒト培養細胞では，骨芽細胞由来（143B206；143.TK由来）[4]，皮膚線維芽細胞由来（701；GM701をSV40で不死化した細胞株由来）[5]，HeLa細胞[6]，肺癌細胞（A549）[7]，リンパ球細胞（Nomalwa）[8]，神経芽細胞腫由来の株（64/5；SH-SH5Y由来）[9]，およびこれらのブロモデオキシウリジン（BrdU）や6-チオグアニン（6-TG）などの薬剤耐性株が単離されている．しかし，すべてのヒト細胞株からρ⁰細胞の構築が可能なわけではなく，細胞の種類によってはmtDNAが完全欠損せず，少ないながら残存してしまうこともある．

2. ミトコンドリア遺伝子欠損株（ρ⁰細胞）の細胞特性

a. エネルギー代謝

ρ⁰細胞は，培養細胞を低濃度の臭化エチジウムに曝露させることによって単離しうる．パン酵母（Saccharomyces cerevisiae）においてはじめて，臭化エチジウムが細胞内のmtDNA量を減少させることが見い出された[1]．その後，哺乳類のmtDNAに対しても同じ効果があることが見い出された．

パン酵母においては，低濃度の臭化エチジウムの曝露によって，解糖系にエネルギー供給を完全に依存した株が得られた．しかし，多くの哺乳類細胞においては，高濃度のグルコース環境下で解糖系を賦活させるのみでは，細胞の生存は確保できない．Moraisらは，ニワトリの培養細胞を低濃度の臭化エチジウムに曝露するか，ミトコンドリアの呼吸鎖阻害剤を添加して呼吸鎖機能を抑制しても，ピリミジン（ウリジンもしくはシチジン）を培養液中に添加することにより細胞の生存が可能であることを見い出だした[10]．ミトコンドリア内膜には核酸（ピリミジン）代謝系のジヒドロオロト酸デヒドロゲナーゼが存在し，電子伝達系とリンクしている（図1）．電子伝達が障害された場合には，ジヒドロオロト酸からオロト酸への系が障害され，最終代謝産物であるUMPが減少する．このため，オロト酸以降の代謝産物であるウリジンの添加が必要になると説明されている．しかし，ヒト培養細胞においては，高濃度のグルコースとウリジン添加のみでは低濃度臭化エチジウムの曝露時に安定に増殖する細胞株は得ら

れない．KingとAttardiは，ヒト培養細胞においてもピルビン酸の添加によって低濃度臭化エチジウム曝露時に安定した細胞増殖がみられることを見い出し，ヒト培養細胞からはじめてρ^0細胞の構築に成功した[4]．ミトコンドリアの呼吸抑制に伴う解糖系の賦活化により，細胞質内では還元当量のNADHが過剰に産生される．細胞質で産生されたNADHは，通常はグリセロール3-リン酸からジヒドロアセトンリン酸の代謝系を介して酸化され，FADを介して電子伝達系にプロトンを受け渡すミトコンドリア内膜のシャトルとしてはたらく．ρ^0細胞ではこの系が十分に機能しないため，細胞質内でNADHが処理できなくなる（図1）．そのため，代償的に乳酸発酵が亢進してTCA回路内に流入するピルビン酸が不足する．TCA回路を維持するためには，外からピルビン酸を添加する必要がある．

b. タンパク合成とミトコンドリアへのATP供給

一般に，mtDNAの翻訳産物を検討するには，エメチンを培養液中に添加して核遺伝子による翻訳産物の生成を抑制し，^{35}Sでラベルしたメチオニンを翻訳産物に取り込ませ，ポリアクリルアミドゲル電気泳動後にオートラジオグラフィーを行う．正常のmtDNAを有する場合はmtDNAでコードされた13種のサブユニットが検出できるが，ρ^0細胞においてはこのような翻訳産物はまったく検出されない．しかし，ρ^0細胞においても酸素消費能は正常の5～10%程度は保たれている．これはミトコンドリアの酸化的リン酸化系による酸素消費よりも，不完全ながらミクロソーム系に存在する酸化的リン酸化系による酸素消費を反映していると考えられる．

ミトコンドリア内タンパク質の多くは核遺伝子によってコードされ，細胞質内で転写翻訳後にミトコンドリア内に移行する．この際，細胞質タンパク質がミトコンドリアへ移行するためのシグナルペプチドが必要となる．クラゲのグリーン蛍光タンパク質（green fluorescence protein：GFP）にミトコンドリアへのシグナルペプチドを結合させて哺乳類発現ベクターに組み込み，ρ^0細胞に強制発現させると，正常mtDNAを有する親細胞株と同様に，細胞内のミトコンドリアに一致してGFPの蛍光が観

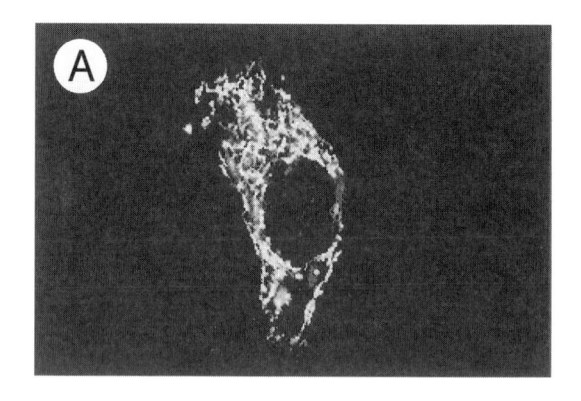

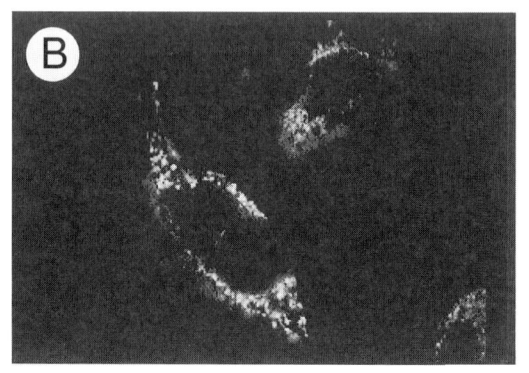

図2 ミトコンドリアのシグナルペプチドを有するGFPを発現させたρ^0細胞におけるミトコンドリアの細胞内局在（共焦点レーザー像）
(A) 親細胞株（143.TK$^-$）．(B) ρ^0細胞（143B.206）．

察される（図2）．この結果は，ρ^0細胞においてもミトコンドリアが維持されていることを示している．さらに，蛍光色素JC-1を用いてρ^0細胞のミトコンドリアの膜電位を観察すると，弱いながらも膜電位は確かに存在する．ミトコンドリア内には酸化的リン酸化系以外に脂質代謝やステロイド代謝などに必要な多くの代謝系が存在し，膜電位の維持やイオン交換などにもミトコンドリア内のATPが必要となる．通常，ミトコンドリア内で産生されたATPは，ATD/ATPトランスロカーゼによって細胞質内のADPと交換されるが，ρ^0細胞においてはこの代謝が逆向きにはたらき，解糖系から供給されたATPがミトコンドリアの維持に寄与していると考えられる（図1）．

c. 活性酸素種の産生と抗酸化酵素系

細胞内の活性酸素種（スーパーオキシド，ヒドロキシルラジカル，過酸化水素）の約90%はミトコンドリアの酸化的リン酸化系で産生される．ρ^0細

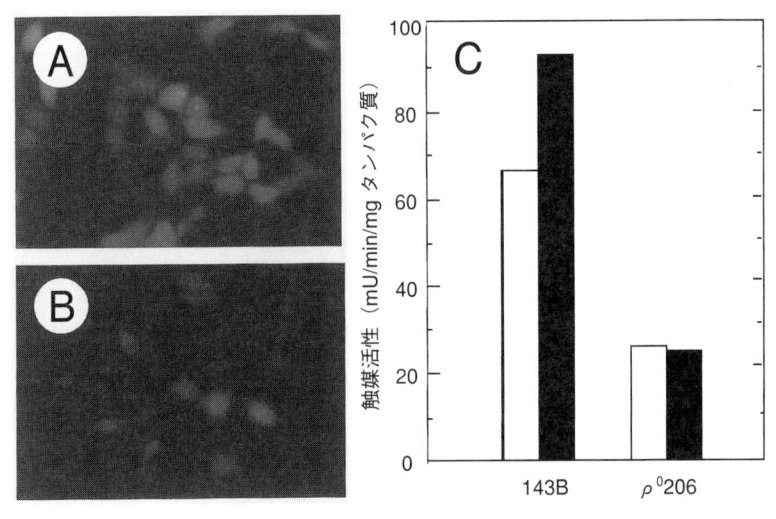

図3　ρ^0細胞における過酸化水素の産生とカタラーゼ活性
(A) 親細胞株（143.TK$^-$）における過酸化水素の産生．(B) ρ^0細胞（143B.206）における過酸化水素の産生．(蛍光色素 H$_2$DCFDA を用いた蛍光顕微鏡像)．(C) カタラーゼ活性．白抜きは酸素負荷なし．黒塗は95%酸素負荷後のカタラーゼ活性．

胞における活性酸素種の産生を蛍光色素 H$_2$DCF-DA（2′,7′-ジクロロフルオレセイン二酢酸）を用いて検討すると，正常 mtDNA を有する親細胞株に比べて過酸化水素の細胞内産生量が低下していた（図3 A, B）．この一部はミクロソーム系に存在する不完全な酸化的リン酸化系での産生を反映していると考えられる．

正常 mtDNA を有する親細胞株に比べ，ρ^0細胞におけるカタラーゼ活性は36%と低下している（図3 C）．活性酸素種の産生を増大する目的で細胞を高濃度酸素（95%）下で培養しても，正常 mtDNA を有する親細胞株ではカタラーゼ活性が過酸化水素の産生増大に対応して上昇するのに対し，ρ^0細胞では過酸化水素の産生が増大しないためにカタラーゼ活性の変化は認められなかった（図3 C）．このように，ρ^0細胞では細胞内での活性酸素産生は著明に抑制され，内在性の酸素毒性に対して抵抗性であると考えられる．

●おわりに

ミトコンドリアは，長い進化の過程で酸素をエネルギー産生に利用する細胞内小器官として発達したが，ミトコンドリアの好気的エネルギー産生系が廃絶したρ^0細胞が存在しうることは大きな驚きでもある．ρ^0細胞の生物特性を知ることは，細胞における好気的エネルギー産生の本質的意義を知ることにつながる．また，ミトコンドリア病の病態解明や治療法の開発にも寄与すると考えられる．

●文　献

1) Nass, M.M.: *Proc. Natl. Acad. Sci. USA*, **67**, 1926-1933 (1970)
2) Goldring, E.S., Grossman, L.I., Krupnick, D., *et al.*: *J. Mol. Biol.*, **52**, 323-335 (1970)
3) Desjardins, P., Frost, E., Morais, R.: *Mol. Cell Biol.*, **5**., 1163 (1985)
4) King, M.P., Attardi, G.: *Science*, **246**, 500-503 (1989)
5) Hayashi, J.-I., Ohta, S., Kikuchi, A., *et al.*: *Proc. Natl. Acad. Sci. USA*, **88**, 10614-10618 (1991)
6) Attardi, G., King, M.P., Chomyn, A., Polosa, P.L.: in "Progress in Neuropathology", vol.7 (Sato, T., DiMauro, S., eds.), pp. 75-92, Raven Press, New York (1991)
7) Bodnar, A.G., Cooper, J.M., Holt, I.J., *et al.*: *Am. J. Hum. Genet.*, **53**, 663-669 (1993)
8) Martinus, R.D., Linnane, A.W., Nagley. P.: *Biochem. Mol. Biol. Int.*, **31**, 997-1005 (1993)
9) Miller, S.W., Trimmer, P.A., Parker, W.D.Jr., Davis, R.E.: *J. Neurochem.*, **67**, 1897-1907 (1996)
10) Morais, R., Gregorie, M.: *J. Cell. Physiol.*, **101**, 77 (1979)

サイブリッドの細胞生物学

米田　誠

●はじめに

2種類の細胞をそのまま融合させて構築した雑種細胞をハイブリッドとよぶのに対し，細胞質のみを他の細胞に融合したものをサイブリッドとよぶ．細胞内のミトコンドリアを取り出して他の細胞に導入する手法は，古くから *Neurospora crassa* や *Paramecium* で用いられてきた．サイブリッドを用いることにより，ミトコンドリアの細胞内ダイナミズムやミトコンドリア遺伝子（mtDNA）の分配や発現を知ることができるようになった．さらに，サイブリッドは，mtDNA変異に基づくヒトの疾患，老化，細胞死の解析にも応用されている．本稿では，ヒト培養細胞を用いたサイブリッドの構築法，およびこの手法により得られたmtDNAの細胞内動態と発現に関する知見を述べる．

1. サイブリッドを用いたヒトmtDNA変異の解析

1960年代に，ミトコンドリアの酸化的リン酸化の障害によるヒト疾患が報告され，80年代にミトコンドリア脳筋症としていくつかの臨床型にまとめられた．80年代後半には分子遺伝学的手法により，それぞれの臨床型に対応する特異的なmtDNA変異が同定された．哺乳類のミトコンドリアはそれぞれが数コピーのmtDNAを有するため，1細胞当たりのmtDNAのコピー数は数千にも及ぶ．同定されたmtDNA変異（欠失，重複，点突然変異）の多くは，1細胞内で変異型mtDNAと野生型mtDNAが混在した状態（ヘテロプラスミー）で存在し，各臓器でさまざまな程度のエネルギー産生障害をひき起こす．また，酸化的リン酸化系を構成する多くのサブユニットは核の遺伝子でコードされるため，患者の核遺伝子の影響なしにmtDNA変異によって機能的に障害が生じるか否かを検証する必要がある．しかし，ミトコンドリアはmtDNAの転写・翻訳に必要な独自のtRNAやrRNAを有するうえ，アミノ酸のコドン使用も核遺伝子のそれとは異なるため，核遺伝子を細胞内で強制発現させる哺乳類発現ベクターを用いた解析は困難である．80年代後半にAttardiらは，mtDNAの欠損したヒト細胞株（ρ^0）を樹立し，この細胞に患者由来のミトコンドリア（mtDNAを含む）を導入してサイブリッドを構築し，共通の核遺伝子の背景で外来性mtDNAを発現させることに成功した[1]．このサイブリッドの手法は，単にヒトの疾患の解明にとどまらず，哺乳類mtDNAの細胞内ダイナミクスと発現に関する研究への道を拓いた．

2. サイブリッドの構築法

現在，患者の変異mtDNAの発現を解析するために，mtDNAの存在しないρ^0細胞株に患者mtDNAを導入発現する方法がとられている．この方法は，現在，哺乳類のmtDNAを導入発現する唯一の方法である[1]．図1にその方法の概略を示す．

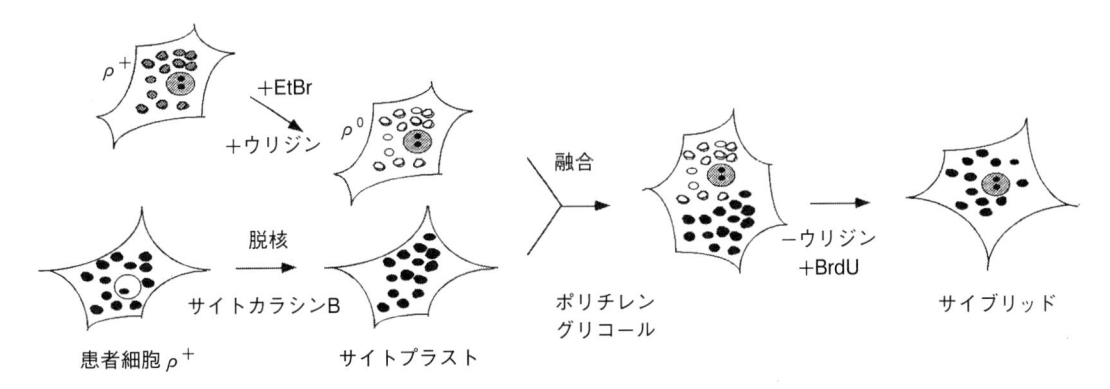

図1 ρ^0細胞を用いたサイブリッド構築法
ρ^+：mtDNAを有する株，ρ^0：mtDNA欠損株．詳細は本文参照

まず患者由来の培養細胞系（皮膚線維芽細胞あるいは筋芽細胞など）を確立し，サイトカラシンB存在下で遠心脱核して得られたサイトプラスト（細胞質）とρ^0細胞をポリエチレングリコールによって融合させる．ρ^0細胞はウリジンあるいはピルビン酸に依存性であるため，ウリジンあるいはピルビン酸を欠く選択培地で融合細胞（サイブリッド）のみが拾い上げられる．この際，脱核されていない患者由来の細胞とρ^0細胞のハイブリッドを取り除くために，ρ^0細胞を6-チオグアニン（6-TG）やブロモデオキシウリジン（BrdU）などの薬剤耐性株で構築し，これらの薬剤を含み，ウリジンあるいはピルビン酸を欠く培養液中で，ρ^0細胞と外来性ミトコンドリアが融合したサイブリッドを選択できる．この操作によって得られたサイブリッドを用い，患者の核遺伝子の影響なしに変異型mtDNAの機能的影響を細胞レベルで検討することが可能になった．

また，血小板が核を含まずミトコンドリア（mtDNA）のみを有することを利用し，パーコール法などで患者全血から血小板を分離して，ρ^0細胞に融合させる方法も開発された[2]．この方法を用いることにより，脱核などの繁雑な細胞操作を簡略化でき，脱核されていない患者由来の細胞とρ^0細胞のハイブリッドを薬剤で排除する必要がなくなった．

一般に，異種動物細胞間で構築されたサイブリッドは不安定であり，導入されたミトコンドリアが排除される傾向がある．これは異種間の核とミトコンドリアの親和性に問題があるためと考えられる．このため，サイブリッドの構築は同種間で行われることが多い．このように，サイブリッドを構築することにより，外来性のmtDNAを発現でき，培養系で各種の解析が可能になった．

3. mtDNAの分配と機能的相補機構

ヒト疾患において見い出されたmtDNA変異のほとんどは，変異型と野生型mtDNAが混在した状態（ヘテロプラスミー）を呈している．筆者らは，哺乳類mtDNAの細胞内での動態と発現を知る目的で，tRNA-Lys変異をもつmtDNAをρ^0細胞に導入したサイブリッドを用いて機能解析を行った[3]．図2に各サイブリッドクローンにおけるPCRを用いた変異型mtDNAの割合，パルスラベリングによるmtDNA発現産物の解析，酸素電極を用いた呼吸活性測定の結果を示す．この方法を用いることにより，均一な細胞集団（クローン）における変異mtDNAが酸化的リン酸化に及ぼす影響を詳細に解析できる．ここで注目されるのは，各クローンでの変異mtDNAが優位かつ比較的均一に分布しているのに対し，それらのmtDNAの発現産物や呼吸活性には大きな差が認められる点である．サイブリッドクローンとそのサブクローンにおける野生型mtDNAの割合，酸素消費能，およびtRNA-

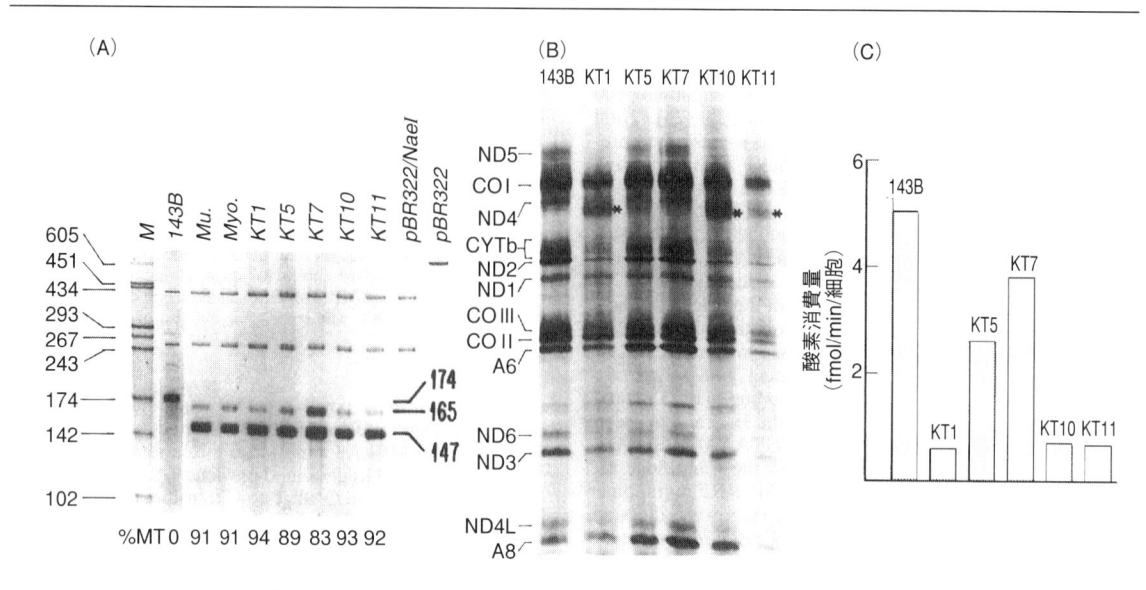

図2　変異型mtDNAを有するサイブリッドを用いた酸化的リン酸化系の機能的解析
(A) PCRを用いた変異型mtDNAの定量解析．165 kb, 147 kbはそれぞれ野生型mtDNAおよび変異型mtDNAに対応するPCR増幅産物，(B) パルスラベリングによるmtDNAの発現解析，(C) 酸素消費能の測定．143B：親細胞株，Mu：患者骨格筋，Myo：患者骨格筋から樹立した筋芽細胞，KT1～11：サイブリッド，%MT：変異型mtDNAの含有率．（文献3）より引用）

Lys変異に特徴的なmtDNAの異常発現産物の量をプロットしてみると，10%程度の野生型mtDNAの存在によってミトコンドリア機能が回復することがわかった（図3）．これは野生型と変異型mtDNAが同一ミトコンドリア内に共存して機能的に相補するためと考えられる．この現象は，tRNA-Lys変異ばかりでなく，他のtRNA-Leu(UUR)変異[4]や欠失変異[5]においても認められ，哺乳類細胞のmtDNAにおける共通の現象と考えられる．このサイブリッドの手法は，mtDNAの細胞内動態の機構を知るうえで有用である．

4. 変異型mtDNAの選択的増幅

mtDNAは細胞分裂に伴って各細胞に分配されるが，mtDNAの複製が正常に行われる限り，1細胞当たりのmtDNAのコピー数は一定に保たれる．細胞分裂に伴う変異型と野生型mtDNAの増幅（複製）について，ヘテロプラスミーなtRNA-Leu(UUR)変異をもつmtDNAを骨髄腫由来のρ^0細胞（143B.206）に導入したサイブリッドを用いて経時的に観察した結果，2種類のmtDNAの変動が観察された（図4）[6]．ひとつは，ヘテロプラスミーの状態を保つ安定型のクローンであり，他は変異型mtDNAに急速に移行する不安定型のクローンであった．野生型mtDNAに移行するクローンは1つも観察されなかった．これは，特定の細胞において変異型mtDNAが選択的に増幅される機構が存在することを示唆している．DunbarとHoltらは，同種のρ^0細胞にtRNA-Leu(UUR)変異をもつmtDNAを導入したサイブリッドを用い，変異型と野生型mtDNAの経時的変化を検討した[7]．その結果，筆者らの結果と同様に，ヘテロプラスミーの状態を保つ安定型のクローンと変異型mtDNAに急速に移行する不安定型のクローンが観察された．同一の変異型mtDNAを肺癌由来の別のρ^0細胞（A549）に導入し，変異型と野生型mtDNAの経時的変化を観察したところ，安定型のクローンと，逆に急速に野生型mtDNAに移行する不安定型のクローンが観察された[7]．したがって，mtDNAの増幅と分配はランダムなものではなく，細胞のバックグラウンドによって規定されると考えられる．

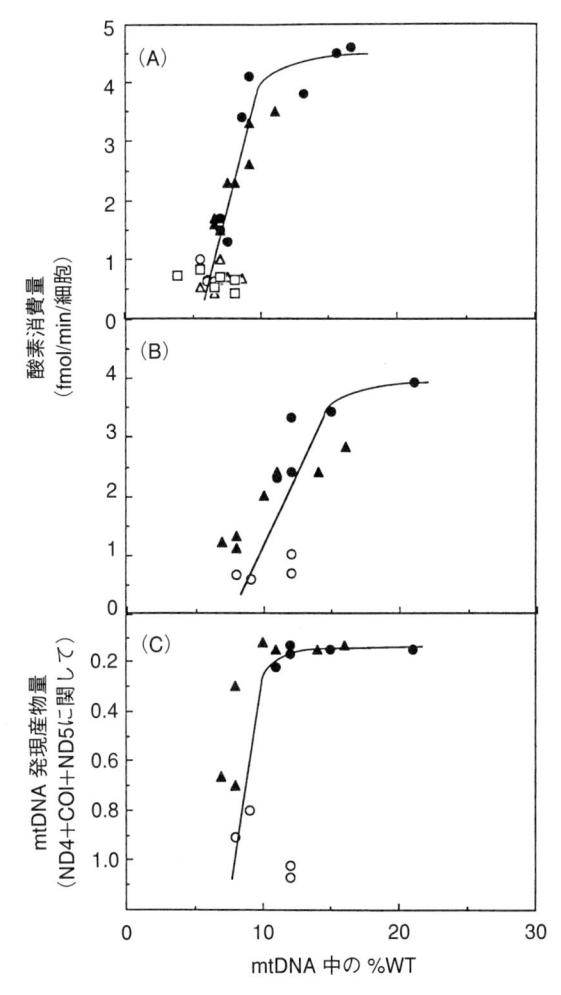

図3 変異型 mtDNA の発現の閾値
(A) サイブリッドにおける野生型 mtDNA の含有率と酸素消費能, (B) サイブリッドから得られたサブクローンにおける産生型 mtDNA の含有率と酸素消費能, (C) サイブリッドから得られたサブクローンにおける野生型 mtDNA の含有率と mtDNA 発現産物量. %WT: 野生型 mtDNA の含有率. 各記号は異なるサイブリッドもしくはそれらのサブクローンを示す.（文献 3) より引用）

5. 細胞内ミトコンドリアのダイナミクス

サイブリッドを用いることにより，哺乳類細胞におけるミトコンドリアのダイナミクスを解析できるようなった．ミトコンドリアが細胞内でお互いに独立した存在であるのか，あるいはミトコンドリア間で融合した1つのネットワークを形成しているかが問題とされていた．筆者らは，機能的に相補する関係にあり，異なる tRNA 領域に点突然変異をもつ2種類の変異型 mtDNA を同一の ρ^0 細胞に導入したサイブリッドを構築し，融合から1〜2カ月目（サイブリッドの単離に必要な期間）に機能的相補が生じるか否かを検討した[3]．その結果，導入された2種類の mtDNA 間では機能的相補は生じず，細胞内のミトコンドリアはお互いに独立性が高いことが示された．しかし，Hayashi らは，臭化エチジウムによってラベルされた mtDNA を含むミトコンドリアを HeLa 細胞由来の ρ^0 細胞に導入したサイブリッドを構築し，融合の数時間後にローダミン123で染色されるミトコンドリアと臭化エチジウムでラベルされた mtDNA の細胞内分布を観察して，両者の細胞内分布が一致することを報告した[8]．

このように，哺乳類細胞においてもミトコンドリア間で融合が頻繁に生じ，細胞内のミトコンドリアは1つの連続した単位として存在する．一見矛盾する筆者らと Hayashi らの結果に対し，Brown らは，数学的モデルから，哺乳類ミトコンドリア間でも融合は数時間で生じるが，その後の頻回の細胞分裂によってふたたび単一の mtDNA を有するミトコンドリアに分離（segregation）されるという説を唱えた[9]．このように，哺乳類細胞のミトコンドリアのダイナミクスに関しては不明な点が多く残されている．サイブリッドを用いた細胞生物学的検討がこの問題の解明につながると考えられる．

● おわりに

現在，ρ^0 細胞を用いたサイブリッドの手法はミトコンドリア病の機能的解析に欠くことができないものとなった．同時に，今まで知りえなかった哺乳類細胞での mtDNA やミトコンドリアのダイナミクスを知ることができるようになった．

● 文　献

1) King, M.P., Attardi, G.: *Science*, **246**, 500-503 (1989)
2) Chomyn, A, Lai, S.T., Shakeley, R., et al.: *Am. J. Hum. Genet.*, **54**, 966-974 (1994)
3) Yoneda, M., Miyatake, T., Attardi, G.: *Mol. Cell Biol.*,

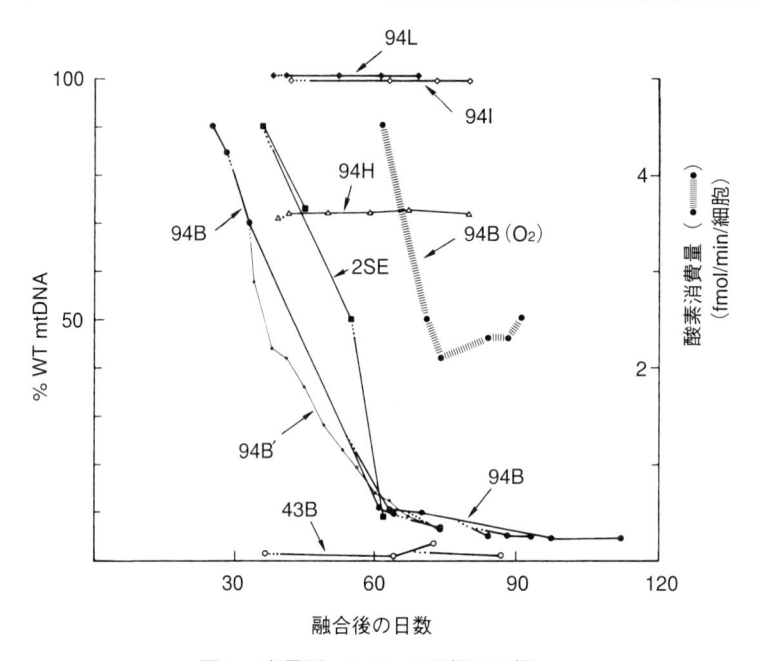

図4 変異型 mtDNA の選択的増幅
%WT：野生型 mtDNA の含有率．94B，94B′，94H，94I，2SE，43B はサイブリッド．（文献6）より引用）

14, 2699-2712 (1994)
4) Chomyn, A., Martinuzzi, A., Yoneda, M., *et al.*: *Proc. Natl. Acad. Sci. USA*, **89**, 4221-4225 (1992)
5) Hayashi, J.-I, Ohta, S., Kikuchi, A., *et al.*: *Proc. Natl. Acad. Sci. USA*, **88**, 10614-10618 (1991)
6) Yoneda, M., Chomyn, A., Martinuzzi, A., *et al.*: *Proc. Natl. Acad. Sci. USA*, **89**, 11164-11168 (1992)
7) Dunbar, D.R., Moonie, P.A., Jacobs, H.T., Holt. I.J.: *Proc. Natl. Acad. Sci. USA*, **92**, 6562 (1995)
8) Hayashi, J.-I., Takemitsu, M., Goto, Y., Nonaka, I.: *J. Cell Biol.*, **125**, 43-50 (1994)
9) Brown, N.A., Lander, A.: *Trends Genet.*, **11**, 211-213 (1995)

ミトコンドリアの相互作用と物質交換

伊藤 清香・磯部 ことよ・林 純一

● はじめに

　ミトコンドリア DNA（mtDNA）は，高等動物がもつ唯一の核外ゲノムで，1つの細胞当たりに同じ DNA 分子が～数千コピーも存在している．これらは酸化的リン酸化による ATP 合成に重要である．しかし，mtDNA に突然変異が生じた場合，生体がどのように影響されるかについては，ほとんど明らかにされていなかった．

　最近，mtDNA の突然変異がミトコンドリア病という特殊な疾患の原因になっているだけではなく，アルツハイマー病やパーキンソン病などの神経変性疾患，心筋症や糖尿病といった中高年で高頻度に発症する疾患の原因にもなっている可能性が報告された[1]．さらに，加齢により健常者の体細胞，とりわけ神経，筋肉組織の体細胞に mtDNA の突然変異が蓄積するという報告も多数あり，老化というきわめて普遍的な生命現象と mtDNA の突然変異とのかかわりも示唆されるようになってきた[1]．ミトコンドリアは ATP 産生の過程で大量の活性酸素を発生するだけでなく，発癌物質や突然変異原物質などをも選択的に吸着することから，mtDNA はこれらの有害物質の攻撃の対象となる．さらに，mtDNA は核 DNA のような保護タンパク質や効率のよい修復機構をもっていない．これらの理由により，mtDNA の突然変異は特殊な疾患の原因となるのみならず，時間の経過（老化）に伴いさまざまな体細胞の突然変異がランダムに生じやすい．このような突然変異が体内に少しずつ蓄積し，健康に深刻な影響を与える可能性があることから，老化に伴う mtDNA の体細胞突然変異の蓄積は大きく注目されるようになった．実際，mtDNA は核 DNA よりも 5～10 倍も突然変異が蓄積されやすい．

　mtDNA における体細胞突然変異の蓄積は，本当にヒトの健康に悪影響を与えうるのであろうか？ヒトとマウスの mtDNA 欠損細胞である ρ^0（rho zero）細胞[2~4]（2・6 節参照）を用いたミトコンドリア移植や核移植などの体細胞遺伝学的手法を用いた研究（図 1）から，予測に反し，そのような影響はほとんどないことが明らかになりつつある．すなわち，老化したヒトの線維芽細胞や脳の mtDNA を ρ^0 細胞に導入してサイブリッド（図 1 参照）を分離した場合，ミトコンドリアの呼吸機能は正常細胞とほぼ同じレベルにまで回復する[5~10]．老化によって mtDNA の体細胞突然変異は蓄積していたにもかかわらず，サイブリッドのミトコンドリア呼吸機能が正常に保たれる理由として，ミトコンドリアゲノムは核ゲノムと異なり細胞当たり～数千コピーも存在すること，およびそれらの間に相互作用が存在することがあげられる[9]．この仕組みは，核ゲノムとはまったく異なった，ミトコンドリアゲノム独特の巧妙な修復系である．

1. 高齢者の線維芽細胞にみられる呼吸欠損

　老化に伴って発現する呼吸欠損という表現型は体細胞突然変異が原因であると考えられていることから，こような表現型の遺伝様式を調べることは本来

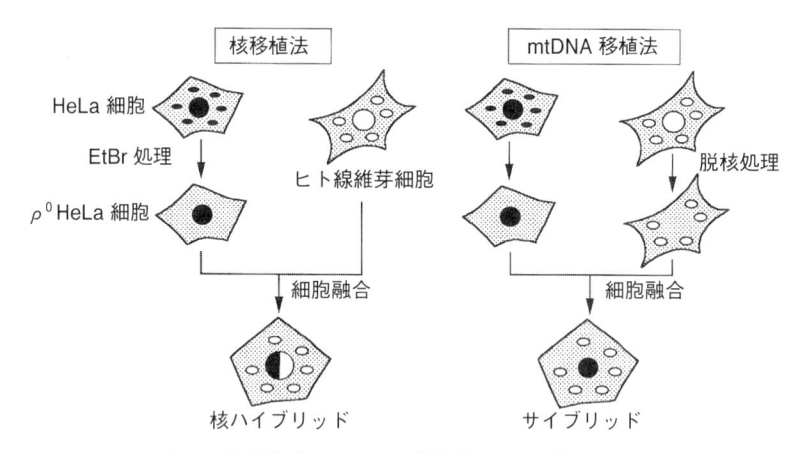

図1 核移植法とmtDNA移植法による遺伝子診断
核移植法ではρ^0細胞と線維芽細胞を融合して核ハイブリッドを得ることにより，まったくmtDNAが混入していないHeLa細胞の核を線維芽細胞に移植できる．mtDNA移植法では，線維芽細胞を脱核しρ^0細胞と融合してサイブリッドを得ることにより，線維芽細胞のmtDNAのみをρ^0細胞に移植できる．●：HeLa細胞由来のmtDNA，○：線維芽細胞由来のmtDNA，●：HeLa細胞の核，○：線維芽細胞の核，◐：核ハイブリッドの核．

不可能である．しかし，ρ^0細胞を用いた核移植やmtDNA移植などの体細胞遺伝学的手法を利用することにより，この表現型が細胞質遺伝するのかメンデル遺伝するのか，そして優性なのか劣性なのかを明らかにすることが可能になった（図1）．mtDNAにさまざまな体細胞突然変異が蓄積することがミトコンドリア呼吸鎖の酵素活性低下の原因になるか否かを立証するには，mtDNAをもたないρ^0細胞へ老化したヒトのmtDNAだけを導入し，それがミトコンドリア呼吸鎖の酵素活性に影響を与えるか否か，すなわち細胞質遺伝するか否かを調べればよい．

ヒトの線維芽細胞で調べた結果，供与者の年齢増加に伴い呼吸鎖酵素の複合体Ⅳ（シトクロムc酸化酵素：COX）の活性が低下すること，COX活性低下の原因がmtDNAのコピー数の減少やさまざまな種類の大規模欠失突然変異mtDNAの蓄積によるのではなく，ミトコンドリア内翻訳系の活性低下によるものであることが判明した[5,6]．これに対し，細胞質翻訳系の活性は供与したヒトの年齢が増加しても低下しない[7,8]．老化と関連したミトコンドリア内翻訳系の特異的活性低下の原因が核DNAとmtDNAのいずれの側にあるかを決定するため，胎児と97歳のヒトから分離した線維芽細胞のミトコンドリアだけを細胞融合によってρ^0細胞へ移植

したところ，97歳のヒトの線維芽細胞のmtDNAを導入したサイブリッドにおけるミトコンドリア内の翻訳とCOX活性は胎児由来のmtDNAを導入したサイブリッドと同じレベルに回復していた[5]．この事実は，老化したヒトの線維芽細胞のミトコンドリア内翻訳機能低下の原因はmtDNAにはないことを示している．

このことをさらに決定づけたのは，老化したヒトの線維芽細胞へミトコンドリアの混入していない正常細胞の核を移植した実験である（図1）．このような体細胞遺伝学的手法を用いると，老化に伴うミトコンドリア内翻訳系機能低下の原因となる突然変異が核側の因子にあるとしたら，その発現様式は劣性か優性かという疑問にも答えることができる．まず，正常細胞の核のみを老化したヒトの線維芽細胞に移植し，その結果できた核ハイブリッド（図1参照）のミトコンドリア内翻訳系が核移植によって回復するか否かを調べる[7]．線維芽細胞にρ^0細胞を融合させた核ハイブリッドを分離するだけで，mtDNAの混入していない核を線維芽細胞に移植することができる[8]．この核移植によってミトコンドリア内翻訳系機能が回復しなければ核の優性突然変異かmtDNAの突然変異に原因があり，逆に回復すれば核DNAの劣性突然変異に原因があると結論

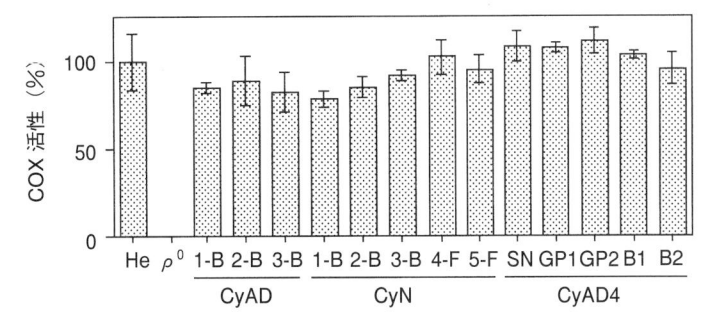

図2 アルツハイマー病患者と健常者のmtDNAをもつサイブリッドのシトクロムcオキシダーゼ（COX）活性の比較
He：HeLa細胞，ρ^0：ρ^0HeLa細胞，CyAD1-B, 2-B, 3-B：アルツハイマー病患者1,2,3の血小板サイブリッド，CyN1-B, 2-B, 3-B：健常者1,2,3の血小板サイブリッド，CyN4-F, 5-F：健常者4,5の線維芽細胞サイブリッド，CyAD4-SN：アルツハイマー病患者4の黒質シナプトソームサイブリッド，CyAD4-GP1, GP2：アルツハイマー病患者4の淡蒼球ナプトソームサイブリッド，CyAD4-B1, B2：アルツハイマー病患者4の血小板サイブリッド．

づけられる（図1）．実際の結果は後者であったことから，老化したヒトの線維芽細胞で認められる呼吸鎖酵素複合体の活性低下は，ミトコンドリア内翻訳系にかかわる核遺伝子の劣性突然変異が原因であることが明らかになった[6]．

2. 老化に伴う脳組織の呼吸欠損

線維芽細胞で得られた結論が，線維芽細胞よりも高い呼吸活性をもつ脳組織などの非分裂組織にも当てはまるとは限らない．それでは，ヒト脳組織のmtDNAをρ^0細胞に移植することは可能だろうか．筆者らが樹立したマウスρ^0細胞とマウス脳組織から単離したシナプトソームを融合したところ，分裂している培養細胞に脳のmtDNAを確保することに成功した[10]．この実験では，ヒトへの応用を想定して剖検組織を用い，マウスの死後どの程度の期間脳のmtDNAが機能を維持できるかを調べた．その結果，死後1カ月経過したマウスのシナプトソームのmtDNAをρ^0細胞へ導入しても複製させることができ，正常なミトコンドリア呼吸活性が復活した．マウスの死後1カ月後でも脳組織のmtDNAが遺伝子発現機能特性を保持していることは，ヒトでもこの種の実験が可能であることを示唆している．すなわち，脳組織mtDNAへの加齢の影響を調べるために，この方法をヒトの脳組織にも適用できることが明らかになった[11]．

老化したアルツハイマー病患者の脳でもmtDNAに突然変異が蓄積し，それが呼吸欠損の原因になっているか否かを調べるために，アルツハイマー病患者のシナプトソーム画分をρ^0HeLa細胞と融合してサイブリッドを単離した．そのCOX活性を調べたところ，アルツハイマー病患者の脳組織mtDNAを移植したすべてのサイブリッドで，同じ患者や同年齢健常者の血小板あるいは胎児線維芽細胞のmtDNAをもつサイブリッドとほぼ同等の高いCOX活性が観察された（図2）．他の呼吸鎖酵素複合体の活性低下の可能性を調べるために酸素消費率をはかったところ，これも完全に回復していた．これらの結果は，アルツハイマー病患者の脳組織mtDNAがρ^0HeLa細胞中でその複製と正常な酸化的リン酸化能力をもたらす遺伝子発現を再開でき，機能的にはまったく損なわれていないことを示唆する．つまり，加齢によって脳組織のmtDNA集団に蓄積した体細胞突然変異はミトコンドリア呼吸機能に影響しない[9]．

最近，老化したアルツハイマー病患者の脳組織のみならず，血小板のmtDNAをρ^0細胞に導入したサイブリッドでもCOX活性が低下していることが

報告された[11]．この場合，サイブリッドで観察されたミトコンドリア呼吸機能欠損は，体細胞突然変異によるものではなく，母性遺伝した突然変異mtDNAによると考えられる．なぜなら，分裂組織は突然変異mtDNAを蓄積しないからである．しかし，この病気が母性遺伝するという報告はない．この問題を検討するために，1 mLの末梢血中にある血小板mtDNAをρ^0細胞に移植する実験条件を開発し，COX活性の低下をひき起こすようなmtDNAの突然変異が老化したアルツハイマー病患者に存在するか否かを調べた．3名のアルツハイマー病患者と3名の同年齢健常者の血小板をρ^0細胞と融合してサイブリッドを単離し，線維芽細胞を脱核してρ^0細胞と融合させたサイブリッドを対照として用いた．その結果，すべてのサイブリッドのCOX活性はほぼ同じであったことから，少なくとも筆者らが調べた老化したアルツハイマー患者の血小板mtDNAも機能的に正常であることが示された[9]．

ただし，アルツハイマー病患者の脳と血小板のmtDNAを導入したサイブリッドが正常な呼吸鎖酵素活性をもっていたことに関し，実験の過程において呼吸機能の正常なサイブリッドだけを選択的に拾ってしまった可能性が考えられる．しかし，今回の実験方法では，呼吸鎖酵素複合体の活性が欠損したサイブリッドでも十分に生育するような条件でコロニーを拾ったことから，その可能性は少ない．また，脳のmtDNAを導入したサイブリッドが血小板のmtDNAを導入したサイブリッドと同レベルの呼吸鎖酵素活性をもっていたことから，前者のサイブリッドには脳組織に含まれる血小板のmtDNAが導入された可能性も考えられる．しかし，アルツハイマー病患者のmtDNAをもつサイブリッドにおいて，欠失突然変異mtDNAやtRNA-Leu(UUR)3243の点突然変異mtDNAは，脳組織と脳組織をmtDNAドナーとしたサイブリッドでのみ存在し，血小板と血小板をmtDNAドナーとしたサイブリッドでは検出されなかったこと[9]から，これらのサイブリッドに導入されたmtDNAは脳組織由来であると結論づけることができる．

この研究では，0.5 gの脳組織からシナプトソーム画分を分離した．しかし，疾患の原因となるような体細胞突然変異mtDNAの加齢または病気による蓄積が脳組織のごく一部の領域に限られている可能性もある．その場合は当然，周辺にある正常な組織の領域から導入された大量の野生型mtDNAによって，サイブリッドに導入された病原性突然変異mtDNAの量が薄められている可能性を排除することができない．しかし，ミトコンドリア呼吸機能異常は，脳組織のホモジネートで生化学的手法により測定している．したがって，少なくともアルツハイマー病や老化したヒトの組織で生化学的に見られたミトコンドリア呼吸機能異常は，体細胞突然変異をもつmtDNAの蓄積のせいではないと考えられる[9]．

3. ミトコンドリア間相互作用による呼吸欠損の回復

加齢によって体細胞にmtDNAの突然変異が蓄積することが報告されている[1]．しかし，突然変異mtDNAが呼吸鎖酵素の活性低下をひき起こすには，細胞の数千コピーのmtDNAのうち，欠失変異型mtDNAで60%以上[2]，tRNA遺伝子上の点変異型mtDNAで95%以上が同一の突然変異型mtDNAで占められなくてはならない[12,13]．これに対し，老化で蓄積する特定の体細胞突然変異mtDNAが細胞内に占める割合は1%に満たないとの報告がほとんどであり，呼吸鎖活性低下をひき起こす原因になるとは考えにくい．しかし，さまざまな体細胞突然変異mtDNAが微量ずつ蓄積し，複合的に呼吸鎖活性低下に寄与するとの考え方もある．したがって，同一細胞内の異なるミトコンドリア間に相互作用が存在するか否かを考慮しなければならない．仮に細胞内の全mtDNAにランダムに体細胞突然変異が生じても，それぞれの突然変異部位は異なっているため，それぞれのmtDNAの転写・翻訳産物を貸し借りしあうことができるならば，その相補作用により呼吸鎖活性の低下を抑える

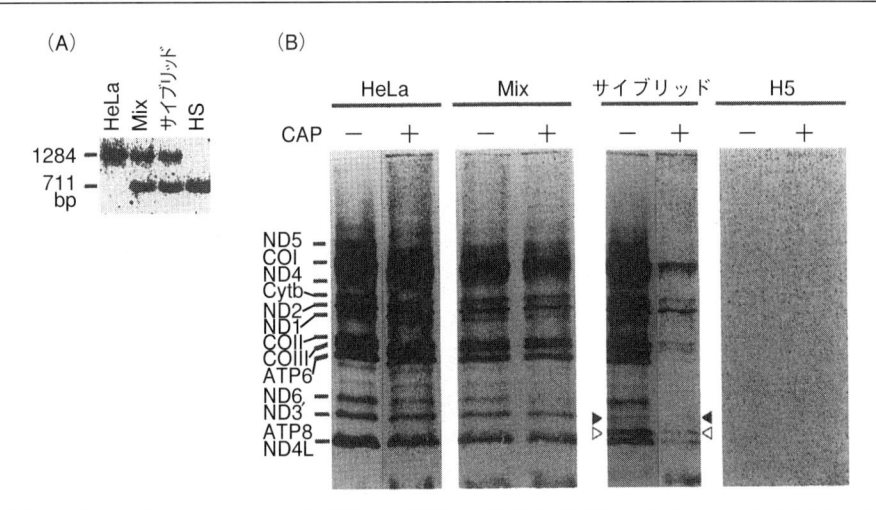

図3 クロラムフェニコール(CAP)存在下におけるサイブリッドクローンのミトコンドリア内翻訳活性

HeLaはHeLa細胞であり,CAP耐性の *16S rRNA* 遺伝子を有するmtDNA(HeLa mtDNA)を有している.MixはHeLaとH5を単純に混合したものである.H5は5196 bpを欠失したmtDNA(ΔmtDNA5196)のみを有する.

(A) Hae IIIで制限酵素処理したmtDNAサザン分析.1284 bpのDNA断片はHeLa mtDNAを示し,711 bpはΔmtDNA5196を示している.(B) CAP存在下(+)と非存在下(-)におけるミトコンドリア内翻訳.▶はHeLa mtDNA由来のND3'を,▷はΔmtDNA5196のATP8/ND5の融合遺伝子のタンパク質を示している.

ことができると考えられる.それに対し,このような相補作用が存在しなければ,加齢に伴う突然変異mtDNAの蓄積とともに呼吸鎖活性は顕著に低下することになる.

筆者らは,欠失変異型mtDNAのみと野生型mtDNAのみを含む2つの細胞株を用意した[14].前者は,ミトコンドリア脳筋症のCPEO(chronic progressive external ophthalmoplegia)患者由来のmtDNAであり,5種のtRNA遺伝子を含む5196 bpにわたる領域を失った欠失変異型mtDNA(ΔmtDNA5196)をほぼ100%もち,呼吸鎖酵素の活性も完全に失っている.このΔmtDNA5196には欠失突然変異によって新たに生じた融合遺伝子(5'末端はATP6またはATP8,3'末端はND5遺伝子の情報をもつ融合ペプチドを指令)が存在している.後者は野生型mtDNAをもつHeLa細胞でmtDNA上にクロラムフェニコール耐性(CAP^r)の16S rRNA遺伝子をもつため,CAP含有培地においてもミトコンドリア内のタンパク質合成は阻害されない.これに対し,ΔmtDNA5196をもつ細胞株はCAP感受性(CAP^s)である.そこで,Δ mtDNA5196をもつ細胞株を脱核して得られた細胞質体をポリエチレングリコールで野生型mtDNAをもつHeLa細胞に融合してサイブリッドを得た.このサイブリッドにはCAP^r HeLa細胞のmtDNA,CAP^{s}のΔmtDNA5196がさまざまな割合で混在する.ΔmtDNA5196を47%,HeLa mtDNAを53%もつサイブリッドを用いてミトコンドリア内タンパク質合成(翻訳)活性を調べた.この活性は,エメチンにより細胞質側のタンパク質合成活性を阻害したうえで[^{35}S]メチオニンを取り込ませて測定した.CAP非存在下でこのサイブリッドは,HeLa細胞mtDNAを導入した対照のサイブリッドと比較して遜色ない翻訳活性をもっていた.さらに,ATP6/ND5,ATP8/ND5という2つの融合タンパク質が翻訳されていることも確認された[14](図3).また,CAP存在下においてはHeLa細胞由来のmtDNAのみを有する対照と比較し,翻訳活性はいく分低下しているが,融合タンパク質は翻訳されていることが確認された[14](図3).つまり,CAP存在下においてはHeLa細胞mtDNAのCAP^{r}のrRNAによってのみ翻訳が行われるために翻訳活性

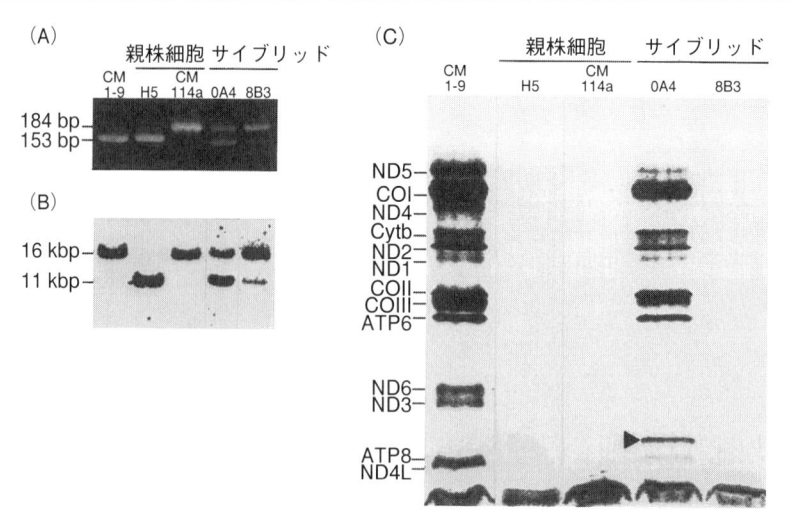

図4 サイブリッドにおける mtDNA 遺伝型分析とミトコンドリア内翻訳の形質発現
CM114a は nt4269A→G 変異を有する mtDNA（mtDNA4269）だけを有しているが，CM1-9 は mtDNA4269 を微量に含み野生型 mtDNA を優勢に有する．H5 は 5196 bp を欠失した mtDNA（ΔmtDNA5196）だけを有する．クローン 0A4 & 8B3 は，ΔmtDNA5196 を脱核して得られた細胞質体を CM114a にポリエチレングリコールで融合したサイブリッドである．
（A）mtDNA4269 量の同定．nt4269 を挟むように PCR し，得られた産物をSspI制限酵素処理し，アガロースゲル電気泳動を行った．184 bp の DNA 断片は野生型 mtDNA と ΔmtDNA5196 を示し，153 bp は mtDNA4269 を示している．（B）ΔmtDNA5196 量の同定．totalDNA をXhoI制限酵素処理し，mtDNA のサザン分析を行った．16 kbp の DNA 断片は野生型 mtDNA と mtDNA4269 を示し，11 kbp はΔmtDNA5196 を示している．（C）SDS-PAGE によるミトコンドリア内翻訳産物の分析．ND5，COⅠ，ND4，Cytb，ND2，ND1，COⅡ，COⅢ，ATP6，ND6，ND3，ATP8，ND4L は mtDNA 上にコードされるタンパク質である．ATP8，ATP6，COⅢ，ND3，ND4L，ND4，ND5遺伝子はΔmtDNA5196 欠失している一方，ATP8/ND5 の融合遺伝子のタンパク質（▶参照）は翻訳されている．

が低下することは当然であるが，別のミトコンドリア内に内包される CAP^s のΔmtDNA5196 由来の融合タンパク質が，HeLa 細胞 mtDNA から転写された CAP^r の rRNA のみならず，ΔmtDNA5196 の欠失領域に含まれる 5 種の tRNA にも助けられて翻訳されることが明らかになった．このことにより，異なるミトコンドリア間に相互作用（物質交換）が存在することが判明した．同様の結果は，欠失変異型 mtDNA と点変異型 mtDNA を有するミトコンドリア間でも認められている[15]（図4）．

●おわりに

加齢とともに蓄積する mtDNA の体細胞突然変異はミトコンドリアの呼吸鎖活性低下には寄与しないことが示唆されている．ミトコンドリアは酸素呼吸によるエネルギー変換という危険な仕事を一手に引き受けているだけでなく，核の周りを取り囲むように分布し，あたかも防波堤として外来性変異原物質などから核 DNA を守っているのかのようである[5]．ミトコンドリア内は DNA にとってはきわめて危険な場所であり，実際，mtDNA には時間の経過とともにさまざまな突然変異が蓄積している．しかし，このような局面だけをとらえて，mtDNA の体細胞突然変異の蓄積が老化や老化関連疾患で並行して認められる ATP 変換能の低下の原因になると主張するには，かなりの飛躍がある．mtDNA は細胞当たりに数千ものコピーを有し，ミトコンドリア間相互作用により突然変異による致命的影響を打ち消し合い，呼吸欠損をひき起こさないようにしている．これは核 DNA とは異なる有効な防御機構と考えられる．

最近，筆者らはこの考え方を支持する結果を報告した[16〜18]．

●文 献

1) Wallace, D.C. : *Science*, **256**, 628-632 (1992)
2) Hayashi, J.-I., Ohta, S., Kikuchi, A., *et al.* : *Proc. Natl. Acad. Sci. USA*, **88**, 10614-10618 (1991)
3) Inoue, K., Ito, S., Takai, D., *et al.* : *J. Biol. Chem.*, **272**, 15510-15515 (1997)
4) 林 純一：組織培養, **18**, 424-429 (1992)
5) Hayashi, J.-I., Ohta, S., Kagawa, Y., *et al.* : *J. Biol. Chem.*, **269**, 6878-6883 (1994)
6) 林 純一：細胞工学, **13**, 920-927 (1994)
7) Isobe, K., Ito, S., Hosaka, H., *et al.* : *J. Biol. Chem.*, **273**, 4601-4606 (1998)
8) 磯部ことよ, 林 純一：細胞, **31**, 183-186 (1999)
9) Ito, S., Ohta, S., Nishimaki, K., *et al.*: *Proc. Natl. Acad. Sci. USA*, **96**, 2099-2103 (1999)
10) Ito, S., Inoue, K., Yanagisawa, N., *et al.* : *Biochem. Biophys. Res. Commun.*, **247**, 432-435 (1998)
11) Davis, R.E., Miller, S., Herrnstadt, C., *et al.* : *Proc. Natl. Acad. Sci. USA*, **94**, 4526-4531 (1999)
12) Chomyn, A., Meola, G., Bresolin, N., *et al.* : *Mol. Cell Biol.*, **11**, 2236-2244 (1991)
13) King, M.P., Koga, Y., Davidson, M., Schon, E.A. : *Mol. Cell Biol.*, **12**, 480-490 (1992)
14) Takai, D., Inoue, K., Goto, Y.-i., *et al.* : *J. Biol. Chem.*, **272**, 6028-6033 (1997)
15) Takai, D., Isobe, K., Hayashi, J.-I. : *J. Biol. Chem.*, **274**, 11199-11202 (1999)
16) Inoue, K., Nakada, K., Ogura, A., *et al.*: *Nat. Genet.*, **26**, 176-181 (2000)
17) Ono, T., Isobe, K., Nakada, K., Hayashi, J.-I.: *Nat. Genet.*, **28**, 272-275 (2001)
18) Nakada, K., Inoue, K., Ono, T., *et al.*: *Nature Med.*, **7**, 934-939 (2001)
19) 井上貴美子, 田中和人, 磯部ことよ, 林 純一：蛋白質 核酸 酵素, **46**, 829-837 (2001)
20) 磯部ことよ, 小野朋子, 田中和人, 林 純一：実験医学, in press (2001)

ミトコンドリアの相互作用と融合

遠藤 仁司

● はじめに

　ミトコンドリアは細胞質全体に管状の網様構造をとって分布する．その構造は，インゲンマメ状の外膜と入り組んだクリステ構造をもつ内膜からなる．ミトコンドリアは細胞の活動に必要なエネルギーを産生し，重要な生体物質の生合成や分解などを触媒する．また，細胞内小器官としては葉緑体と同様に独自の遺伝子を有している．ミトコンドリア内のほとんどのタンパク質は核にコードされたタンパク質が細胞質で合成された後にミトコンドリアに移行したものである．ミトコンドリアの形成をつかさどる核ゲノムにはたらく転写因子も報告されている．一方，アポトーシスのような生命現象ではミトコンドリア由来のシグナルが核に移行する現象も報告されており，核-ミトコンドリア連関は双方向で作動している．

　ひとつの細胞内においてミトコンドリアは多様な形態をとっている．この複雑なミトコンドリアのネットワークが，ダイナミックに分裂と融合を繰り返し，管状から枝分れ状になったり，ふたたび管状になったりしている．このようなミトコンドリア形態変化は通常の細胞内でも起こるが，病的状態，細胞分化，発生などの段階においてもミトコンドリアの形態は著しく変化する．本稿では，このような細胞内ミトコンドリアの相互作用と形態変化の生理的動態と意義，および最近明らかにされつつあるミトコンドリアの移動，分裂，および融合をつかさどる因子について紹介する[1]．

1. ミトコンドリアの生理的動態

　ミトコンドリアの形態と分布は増殖細胞では動的に変化する．ミトコンドリアは，細胞骨格に沿って移動したり，管状の長軸方向に分裂したり，枝分れしたり，または融合して細胞質全体に網様構造を張り巡らしたネットワークを形成する[2]．横紋筋や副腎皮質細胞，II型肺胞細胞などの分化した細胞では，細胞質のミトコンドリアの分布や形態に偏りが認められる．たとえば，ラット横隔膜筋では網様構造をとったミトコンドリアが筋線維末梢のZ帯付近に多く存在する[3]．また，哺乳類の受精卵やショウジョウバエの精子形成などの発生分化の段階で，ミトコンドリアの核近傍への凝集や巨大ミトコンドリアなど，特徴的な移動や形態変化が認められる．

　上述の生理的変化以外に，肝疾患や先天性筋ジストロフィー症，胃癌や骨髄腫，またミトコンドリアのDNA異常に基づく拡張型心筋症などの病的状態でミトコンドリアの形態や分布が著しく変化することが知られている．これらのミトコンドリアの形態は巨大であったり環状または車軸状であったり，またミトコンドリア内のクリステ構造も環状だったり同心円状だったりする．また，リボフラビン，ビタミンD，鉄の欠乏症，飢餓，低タンパク血症などの栄養欠乏状態，あるいはある種の薬剤の投与により，ラットやマウスの肝細胞には異常なクリステを伴った巨大ミトコンドリアが出現する[4]．

　これらのことから，ミトコンドリアはATP濃度などの細胞内局所環境に応じて移動・分裂・融合を

行い，動的に形態や局在性を調節すると考えられる．また，その局在の調節により，細胞内での局所的なエネルギーの要求に合目的に応えるものと考えられる．では，ミトコンドリアの形態や分配を調節する機構や因子，細胞分裂において娘細胞へのミトコンドリアの分配が保証される機構，またこのような動態が細胞の分化や発生過程に協調的に調節される機構は何であろうか．近年，それらの分子機構はミトコンドリアの分布と形態に異常を生じる酵母株を用いて解析されつつある．また，その機構の一部が細胞骨格や他の細胞内小器官の動態を調節する因子の研究から明らかになった．さらに，精子形成時の分化の研究から，ミトコンドリア融合に関与する新規因子が同定されている．

2. ミトコンドリアの移動を介在する細胞骨格

ミトコンドリアの移動と分布に関する最初の知見は細胞骨格の研究から得られた．顕微鏡学的な研究から，哺乳類の神経，精子，培養線維芽細胞，分裂酵母などの細胞骨格である微小管とミトコンドリアの局在性が一致することが報告された．トリの神経軸索を移動するミトコンドリアは微小管に沿って移動する．また，分裂酵母で微小管を形成するチューブリンを破壊するとミトコンドリアの分布に異常をきたすことから，微小管はミトコンドリアの分布に関与していることが遺伝学的に示された．

その後，微小管に結合し，ATPの加水分解により微小管の上を移動するキネシンとダイニンの存在が報告された．これらのタンパク質は小胞や細胞内小器官，タンパク質などに結合し，それらを運ぶ役割をもっている．ミトコンドリアも同様にして運ばれる．とくに，キネシンスーパーファミリーの数種のタンパク質が動物細胞でミトコンドリアに選択的に局在する．そのひとつがマウス細胞からミトコンドリアとともに精製されたKIF1Bであり，細胞内でミトコンドリア近傍に局在する．精製したミトコンドリアは試験管内でキネシンに結合して微小管上を移動するが，KIF1Bのはたらきを阻害する抗体によりミトコンドリアの移動が阻害される．他のキネシン様タンパク質として，ショウジョウバエからKLP67Aタンパク質が単離された．このタンパク質はミトコンドリアと分裂細胞の星状体の微小管付近に局在し，細胞分裂時のミトコンドリア分配に関与すると思われる．キネシンスーパーファミリーのひとつであるKIF5Bのノックアウトマウスを作製したところ，そのマウスは致死的であり，その胎仔の羊膜から得た細胞ではミトコンドリアは細胞質全体に分散しているのではなく，核の周囲に凝集していた[5]．興味深いことに，凝集したミトコンドリアは微小管と結合しており，これらの結合にはKIF5Bとは別のタンパク質が介在することが示された．

中間径フィラメントもミトコンドリアの位置決定に重要である．動物細胞ではミトコンドリアと中間径フィラメントは局在をともにし，中間径フィラメントの構造を破壊するとミトコンドリアの分布が変わる．中間径フィラメント由来の分子モーターはこれまで報告されていないので，ミトコンドリアの局在にかかわる役割は受動的なものと思われる．また，微小管と中間径フィラメントはともにミトコンドリアの分布にかかわりがあるが，細胞の周期によりそのはたらきが異なる可能性がある．たとえば，細胞周期の間期ではミトコンドリアは微小管に沿って細胞質末端まで分配されるが，細胞分裂が始まると微小管は分解され，ミトコンドリアは中間径フィラメントに受け渡される可能性もある．カエルの軸索の電子顕微鏡での観察によると，ひとつのミトコンドリアが微小管と中間径フィラメントの両方に結合していることが報告されている．

マイクロフィラメントを形成するアクチンのミトコンドリア分配に関する役割はあまり明確ではない．しかし，藻類の細胞ではミトコンドリアや他の小器官がアクチンフィラメントやI型ミオシンにかかわって細胞質内を移動する．昆虫の光受容体細胞などでアクチン重合を阻害すると，ミトコンドリアの移動が阻害されるとの報告もある．また，微小管重合阻害剤存在下のトリ神経軸索では，ミトコンド

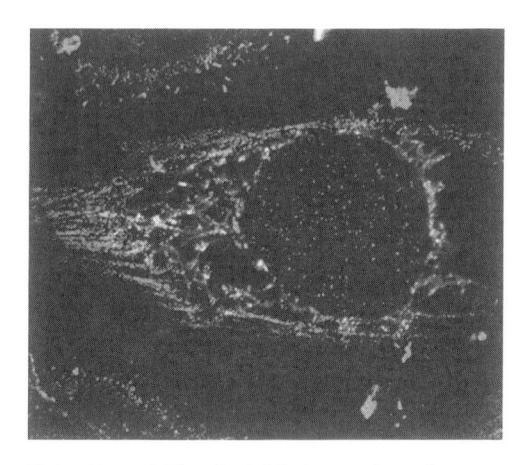

図1 HeLa 細胞におけるミトコンドリアネットワーク
DsRed1-Mito (Clontech) を遺伝子導入して染色したミトコンドリア（赤）と，抗アクチン抗体で免疫染色したアクチン線維（緑）を，共焦点レーザー顕微鏡にてスライス像として観察した．（口絵8参照）

リアの軸索移動はアクチンフィラメントに依存する．ヒト HeLa 細胞でも，アクチン線維に沿ったミトコンドリアが観察される（図1）．出芽酵母では，ミトコンドリアのネットワークはアクチン線維に沿って局在し，アクチンの遺伝子異常によってミトコンドリアの分布と形態が変化する．また，精製されたミトコンドリアはアクチン線維と結合しており，試験管内でアクチン線維に沿った移動が認められる．これらの知見から，母細胞から娘細胞に伸びたアクチン線維に沿ってミトコンドリアが移動すると考えられたが，アクチン遺伝子を破壊しても娘細胞へのミトコンドリアの分配は正常であった．また，ミオシン線維を破壊してもミトコンドリアの伝播は正常であった．ミトコンドリアの移動に関するアクチンのはたらきを知るには，ミトコンドリアとアクチン線維を結合させる特異的なアクチン結合タンパク質などの同定が必要である．

3. ダイナミン関連タンパク質とミトコンドリア分裂

100 kDa ほどの大きな分子量の GTP 結合タンパク質であるダイナミンのスーパーファミリーに属するタンパク質群が同定され，ミトコンドリアの分配に重要なはたらきをすることが明らかになった．これらの機能は，網状のミトコンドリアネットワークの正常な形態を保持することである．

ダイナミンはもともと微小管に結合するタンパク質であり，エンドサイトーシスの際にクラスリン被覆小孔から被覆小胞を生成するときの陥入と切断にはたらく．真核生物には複数のダイナミン関連タンパク質が存在する．そのひとつはヒトから単離された Drp1 タンパク質である[6]．GTP 結合ドメインにアミノ酸変異を加えた変異 Drp1 を培養細胞に発現させると，ミトコンドリアの分布が劇的に変化し，通常のミトコンドリアネットワークが壊されて核周囲に凝集する．野生型 Drp1 は細胞質全体に分布しているにもかかわらず，この変異 Drp1 のはたらきは，小胞体，ゴルジ装置，リソソームなど，他の細胞内小器官には変化を与えず，エンドサイトーシスとも関連がなかった．

これとは独立に，出芽酵母のミトコンドリア形態の変異株 *mdm29* から Drp1 のホモログであるダイナミン関連タンパク質 Dnm1p が得られた．通常の細胞ではミトコンドリアは細胞質末端まで均等に広がっているのに対し，この変異株ではミトコンドリアが細胞の片側に偏在し，1本の長い形態をとる．興味深いことに，野生型の Dnm1p は細胞質全体に広く存在するが，とくにミトコンドリアの切断面に多く局在している．

表現形がこの変異株によく似た別の変異株から，Clu1p とよばれるタンパク質が得られた．しかし，Clu1p はダイナミン関連タンパク質とは構造が似ていない．長く1本に伸びたミトコンドリアの形態と片側偏位という変異株の表現形が酷似していることから，この2つのタンパク質が共通の役割を果たしている可能性がある．また，ミトコンドリアの正常な分布と形態を保つために，Dnm1p と Clu1p が協調して作用する可能性も示唆されている．

出芽酵母の変異株を用いた Bleazard らの詳細な研究によって，Dnm1p はミトコンドリアの分裂に必要な因子であることが示された[7]．Dnm1p が欠失すると網状のミトコンドリアが出現すること，免

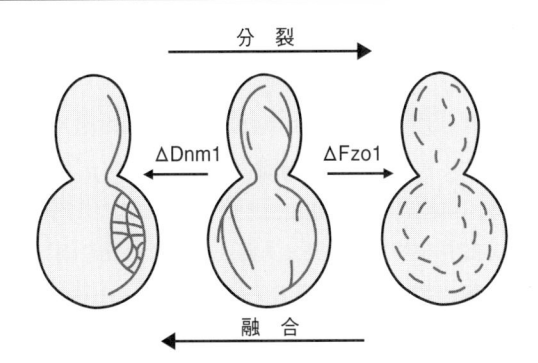

図2 分裂酵母におけるミトコンドリアの分裂と融合にかかわる因子
Dnm1p 欠失株（ΔDnm1）ではミトコンドリアは片側に偏位し融合するが，Fzo1p 欠失株（ΔFzo1）ではミトコンドリアは断裂する．（文献 17）を改変

疫電子顕微鏡から Dnm1p は管状のミトコンドリアの先端に局在すること，および Dnm1p の欠失よる網状ミトコンドリアは融合を触媒する Fzo1p（後述）の欠失株でも出現することから，Dnm1p のはたらきは分裂の過程に特異的であり，単なる融合の抑制因子ではないことが明らかにされた（図2）．これらのことから，ダイナミンが被覆小胞の形成にはたらくのと同じように，ダイナミン関連タンパク質は管状のミトコンドリアが長軸方向に分裂する部位のミトコンドリア外膜に存在し，ミトコンドリアの分裂を触媒すると考えられる．

4. ミトコンドリア融合因子

ミトコンドリアの融合という現象は，細胞内でのミトコンドリアの動的変化を考えるうえで重要である．また，マトリックスのミトコンドリア DNA（mtDNA）の再分配という意味でも重要である．細胞の増殖や分化の過程では，ミトコンドリアは頻繁に融合や分裂を行い，その形態や分布を変化させる．他の細胞内小器官である小胞の膜融合は，NSF（N-ethyl maleimide-sensitive fusion protein），SNARE（soluble NSF attachment proteins receptor），rab GTPase の三者を含むタンパク質群によって行われている．しかし，これらの因子はミトコンドリアの融合にははたらいていないらしい．

ショウジョウバエの精子形成における変異体の解析から，ミトコンドリアの融合をつかさどるひとつの構成因子が見つかった．精子形成における第2次減数分裂直後に，2つのハプロイドの核の隣にそれぞれ副核（Nebenkern）とよばれる巨大ミトコンドリアが生じる．透過型電子顕微鏡像はオニオンスライス様の構造をもつ．ミトコンドリアは精子完成の過程で核の側のべん毛の起始部に局在し，べん毛のエネルギーとなる ATP を産生する．ショウジョウバエのある変異種では，ミトコンドリアは凝集するが融合しない．すなわち，その形態は fuzzy onion（ほどけたタマネギ）と表現され，その原因遺伝子は *fuzzy onions*（*fzo*）遺伝子とよばれる[8]．本遺伝子は約 82 kDa ほどの大きな膜結合型 GTP 結合タンパク質でミトコンドリアに局在し，精子形成期のミトコンドリア融合時に特異的に発現する．本遺伝子のタンパク質構造は，SNARE のように coiled-coil 構造と膜結合ドメインをもち，rab GTPase のように GTP 結合ドメインをもつ．本遺伝子のホモログと思われる遺伝子が真核生物のデータベース上で保存されており，ミトコンドリア融合因子として一般的な役割を担うと思われる．

このタンパク質の出芽酵母のホモログである Fzo1 が単離され，その役割がさらに検討された[9]．Fzo1 の変異株では，管状ミトコンドリアが断裂化し，最終的に mtDNA が消失した．酵母細胞が出芽するときに生じるミトコンドリアの融合は，Fzo1p が欠失した細胞では生じなかった．このことから，Fzo1p はミトコンドリアの融合に直接関与するタンパク質であることが証明された．この役割と一致して，このタンパク質の局在はミトコンドリア外膜であることが示され，GTP 結合領域を含む大部分が細胞質側に向いていることが示された．また，Fzo1p は大きな複合体に含まれていることがわかり，ミトコンドリア膜表面上にあるミトコンドリア融合の装置は大きなタンパク質複合体を形成していると考えられている．

ミトコンドリア融合に関する機構はわからない点が多々ある．この機構は，エンドサイトーシスや小胞分泌における小胞融合の機構よりもさらに複雑で

あることが予想される．なぜなら，ミトコンドリアの融合には，ミトコンドリアの機能を支える分画が保たれることが重要であるため，内膜と外膜がそれぞれきちんと融合することが必要であるからである．Fzo1pは隣り合ったミトコンドリアの外膜どうしの結合を開始させ，脂質二重膜どうしの融合を促進し，融合機構の複合体に属する他のタンパク質を調節するのかもしれない．

5. ミトコンドリア遺伝に異常を生じる出芽酵母の変異株

　出芽酵母は母細胞から娘細胞が出芽する形で分裂するが，その際にミトコンドリアや他の細胞内小器官は出芽の方向に向かって輸送される．この輸送に関する変異解析から，ミトコンドリアの遺伝を触媒するタンパク質が同定された[1]．

　これまで同定されたミトコンドリア遺伝にかかわるタンパク質群は，細胞骨格に関与すると思われる細胞質タンパク質群とミトコンドリア外膜に存在するタンパク質群の2つに大きく分類される（表1）．ミトコンドリアの形態と分布の異常を示す変異株 *mdm* (mitochondrial distribution and morphology) のひとつである *mdm1* は，ミトコンドリアを小さい円形のミトコンドリアに分断化する．この変異遺伝子がコードするMdm1pは，細胞質に存在する動物細胞の中間径フィラメントに似た新規タンパク質であり，ミトコンドリアと核の遺伝に必須なタンパク質である．Mdm14pとMdm20pは，ミトコンドリア遺伝に関与する別の細胞質タンパク質であり，Mdm1pと協調してはたらくと思われる．また，Mdm14pは核の遺伝にも重要であり，Mdm20pはアクチン細胞骨格構造の安定性を保つのに重要である．これらの分子には，coiled-coilドメイン以外に明らかな機能的ドメインはいずれにも見い出されていない．そのため，このドメインがミトコンドリアの遺伝に重要と思われる．

　もうひとつのタンパク質群には，Mdm10p，Mmm1p (maintenance of mitochondrial morphology), Mdm12pがある．どの変異株にも巨大で円形のミトコンドリアが出現し，電子顕微鏡像では内膜と外膜および内部にクリステなどが認められ，ミトコンドリアの分裂と娘細胞への遺伝に障害が認められる．Mdm10pとMmm1pはミトコンドリア外膜に局在するタンパク質であり，その大部分が細胞質側を向いている．これらのタンパク質の欠失株では，ミトコンドリアが巨大な球状の小器官として認められる．Mdm10p, Mmm1p, Mdm12pの3つのタンパク質はいずれのタンパク質を変異させても同じ表現形をとることから，同じ過程ではたらいていると思われる．これらのタンパク質の変異は，細胞質タンパク質であるSot1pで抑制される．このことから，ミトコンドリア膜タンパク質と細胞質のタンパク質の相互作用がミトコンドリアの形態と分布を保つために重要なはたらきをしていると思われる．

　mdm17 という変異株の原因遺伝子産物であるMgm1p (mitochondrial genome maintenance) は，Dnm1pとは異なり，ミトコンドリア膜表面に局在するダイナミン関連タンパク質である[10]．*mdm17* 変異株では，ミトコンドリアは断片化して凝集し，最終的にはmtDNAは娘細胞に移行しない．このMgm1pタンパク質はミトコンドリア外膜に局在し，GTP結合領域を含む大部分のタンパク質が細胞質側を向いている（最近ミトコンドリア膜間腔に局在するとも報告されている[18]）．Mgm1pは，Mdm10p, Mmm1p, Mdm12pと一緒にミトコンドリアの細胞骨格（または未同定の分子モーター）への接着の起点としてはたらいているのかもしれない．あるいは，これらのタンパク質はミトコンドリアの形態と分布の変化を規定する外膜の生理的特性を変えているのかもしれない．

　ミトコンドリア遺伝にかかわりのあるこの4つのタンパク質は進化的に保存されており，分裂酵母でこれらのホモログが，また真菌でMdm10pのホモログが認められる．分裂酵母のMdm12pと真菌のMdm10pのホモログは，いずれもミトコンドリアの形態と分布に関連しており，これらのタンパク質が種々の生物で共通の機能を果たしていると考えられる．

表1 ミトコンドリアの形態と分布の動的変化を調節するタンパク質群

タンパク質	種	変異体の表現形	局在	タンパク質の特徴
KIF5B, KIF1B; KLP67A	マウス, ハエ	核近傍でのミトコンドリア凝集	微小管/ミトコンドリア表面	キネシンホモログ
Drp1; Dnm1p	ヒト, 酵母	ミトコンドリア凝集, 断裂化	細胞質	ダイナミン関連タンパク質
CluA; Clu1p	粘菌, 酵母	ミトコンドリア凝集, 断裂化	細胞質	coiled-coil ドメイン
Mdm1p	酵母	ミトコンドリア遺伝異常, 断裂化	細胞質	中間径フィラメント様タンパク質
Mdm20p	酵母	ミトコンドリア遺伝異常	細胞質	coiled-coil ドメイン
Mdm14p	酵母	ミトコンドリア遺伝異常, 凝集	細胞質	coiled-coil ドメイン
Rsp5p	酵母	ミトコンドリア遺伝異常, 凝集	細胞質	ユビキチン-タンパク質リガーゼ
Mdm10p	酵母, 真菌	ミトコンドリア遺伝異常, 巨大ミトコンドリア	ミトコンドリア外膜	膜タンパク質
Mmm1p	酵母	ミトコンドリア遺伝異常, 巨大ミトコンドリア	ミトコンドリア外膜	膜タンパク質
Mdm12p	酵母	ミトコンドリア遺伝異常, 巨大ミトコンドリア	ミトコンドリア外膜	膜タンパク質
Mgm1p	酵母	ミトコンドリア遺伝異常, 凝集	ミトコンドリア外膜	膜タンパク質, ダイナミン関連タンパク質
Fuzzy onions; Fzo1p	ハエ, 酵母	ミトコンドリア融合異常, 断裂化	ミトコンドリア外膜	膜タンパク質, GTP結合タンパク質

(文献 1) より改変)

ミトコンドリアの挙動は高度に制御されている. mdm1 変異株の表現形を相補する遺伝子のひとつは Rsp5p タンパク質であり, ユビキチン-タンパク質リガーゼとしてはたらき, 標的タンパク質を修飾し, 分解または機能を変化させる. また, ユビキチンの変異体を発現させると, 異常なミトコンドリアの形態と分布を示す. セリンスレオニンホスファターゼである Ptc1p の変異により娘細胞へのミトコンドリア伝播が遅れることから, リン酸化もミトコンドリアの遺伝を調節する可能性がある.

出芽酵母では, 微小管はミトコンドリアの分布に何のはたらきも示さない. しかし, 分裂酵母ではミトコンドリアは微小管と局在をともにし, チューブリンの変異株ではミトコンドリアの分布に劇的な変化を示す. これらの差は, Mgm1p, Mdm10p, Mmm1p, Mdm12p などのミトコンドリア外膜に存在するタンパク質が保存されていることに比べて対称的である. このことは, ミトコンドリア表面の保存された構造が異なった細胞骨格と結合する可能性を示している. これらの膜タンパク質は, 細胞骨格との結合に作用するよりも, ミトコンドリアの形態維持に作用しているのかもしれない.

6. 哺乳類の細胞でのミトコンドリアの相互作用と融合

哺乳類でのミトコンドリアの融合機構に関する研究はあまり進んでいない. Cortese は, ラット肝のミトコンドリアの外膜から, 試験管内アッセイ系を用いてミトコンドリアどうしを融合させる因子を部分精製した[11]. この融合反応には GTP とフッ化アルミニウムが必要である. この部分精製標品には約 60 kDa の GTPase が存在している. この融合反応は GTPase 阻害剤で阻害される. また, 融合したミトコンドリアの膜電位が低下することから, ミトコンドリア外膜にある GTPase が膜電位依存的にミトコンドリアを融合させている可能性が示唆され

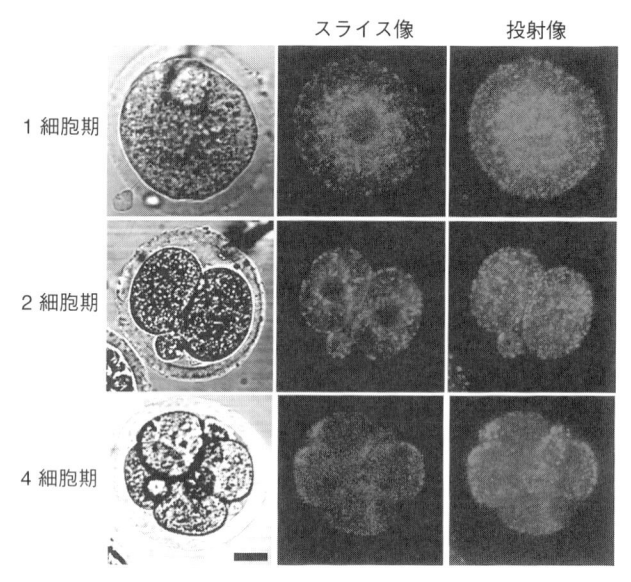

図3 マウス受精卵のミトコンドリアの分配
ミトコンドリアはローダミン123(Rh123)で染色し，共焦点レーザー顕微鏡でスライス像と投射像を観察した．1細胞期ではミトコンドリアは核周囲に局在するが，2細胞期以降は細胞質全体に分散する．（口絵6参照）

ている．

哺乳類の受精卵におけるミトコンドリアの動態はかなり動的である．ハムスターやマウスの受精卵では，1細胞期には核周囲に集合して局在するが，細胞分裂後の2細胞期以降は細胞質全体に分布する（図3）．核移植用のマイクロインジェクションシステムを用い，受精卵にミトコンドリアを移入することが可能となった．精子由来のミトコンドリアはユビキチン化などにより積極的に受精卵から排除されるのに対し，肝などの体細胞由来のミトコンドリアは移入された後も長期間機能を保つ[12]．マウス肝ミトコンドリアの膜画分を蛍光ラベルした合成リポソームに再構成したプロテオリポソームを作製してマウス受精卵に移入したところ，プロテオリポソームは内在性のミトコンドリアと局在をともにした（図4）．このことから，内在するミトコンドリアと局在をともにさせる因子の再構成が可能であることが示された[13]．

酵母におけるミトコンドリアの融合は，形態学的にはもとより，遺伝学的にも証明されている．一方，哺乳類のmtDNA異常症の場合，ひとつの細胞内に正常と異常なmtDNAが共存（ヘテロプラスミー）するが，1個体において変異DNAの臓器での存在に偏りが認められている．これに対し，林らはサイブリッド法を用い，HeLa細胞内でミトコンドリアどうしが融合してそれぞれのmtDNAが混合することを示し，ひとつの細胞における単一ミトコンドリア仮説を提唱した[14]．最近，クロラムフェニコール耐性mtDNAなどをもつ外来ミトコンドリアを移入したトランスジェニックマウスが作製された[15]．また欠失mtDNAをもつミトコンドリアを移入したトランスジェニックマウスも作製された[16]．このようなモデル動物を使用することにより，1個体におけるミトコンドリアの伝播と相互作用，また発生や分化過程におけるミトコンドリア融合とその調節などが明らかになるであろう．

●おわりに

ミトコンドリアの分布や形態は，局所の環境などにより移動・分裂・融合の過程を経ながら動的に変化する．ミトコンドリアの外膜は，他のミトコンドリア，細胞骨格，細胞質因子などと接触し，移動・

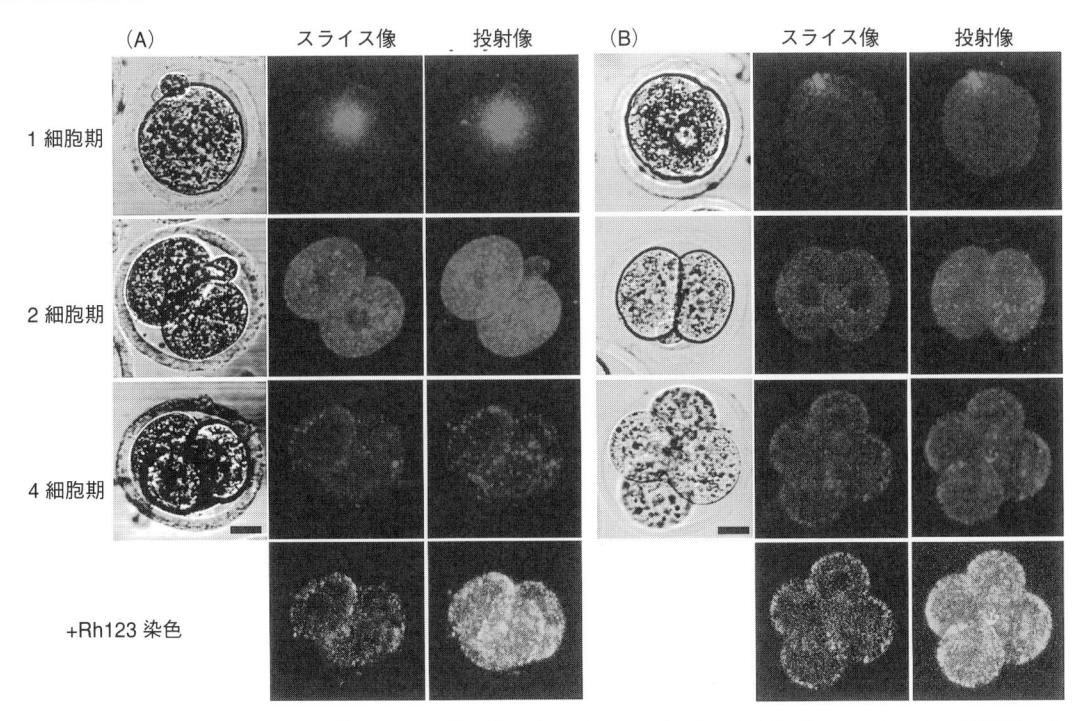

図4 マウス肝ミトコンドリア膜タンパク質を用いたリポソームとプロテオリポソームのマウス受精卵へのマイクロインジェクション

(A) リポソーム．アゾレクチンを用いて作製した合成リポソームを蛍光色素でラベルしたもの（赤）をマウス受精卵にマイクロインジェクションし，経時的に共焦点レーザー顕微鏡で観察した．4細胞期にはローダミン123でミトコンドリアを染色した．合成リポソームは斑点状に存在し，ミトコンドリアと局在をともにしない．

(B) プロテオリポソーム．肝ミトコンドリアの膜画分と，蛍光ラベルした合成リポソームとを用いてプロテオリポソームを作製し，マウス受精卵にマイクロインジェクションし，経時的に共焦点レーザー顕微鏡で観察した．プロテオリポソームはローダミン123で染色したミトコンドリアと局在をともにしている．　　　　（口絵7参照）

分裂・融合という反応の素過程を媒介する重要な場である．動物細胞や真核単細胞において，ミトコンドリア外膜における細胞質因子との相互作用がミトコンドリアの形態と分布を調節すると思われる．Dnm1p/Drp1 と Fzo1p は，ミトコンドリア外膜上においてミトコンドリアの分裂と融合という正反対の過程を触媒する（図2）[17]．ミトコンドリアは二重膜構造を有しており，どのような機構でこの構造を保ちながら融合するのか，どのような複合体を形成するのかは，いまだ明らかでない．ミトコンドリアの移動・分裂・融合の諸過程が，ミトコンドリア膜上のどこで作用するか，細胞の局所環境変化や発生分化の過程でどのように調節されているかを明らかにすることが，重要な課題である．

● 文　献

1) Yaffe, M. P.: *Science*, **283**, 1493-1497 (1999)
2) Bereiter-Hahn, J., Voth, M.: *Microsc. Res. Tech.*, **27**, 198-219 (1994)
3) Bakkea, L. E., Chentsov, T. S., Skulachev, V. P.; *Biochim. Biophys. Acta*, **501**, 349-369 (1978)
4) Tandler, B., Hoppel, C. L.: *Ann. NY Acad. Sci.*, **488**, 65-81 (1986)
5) Tanaka, Y., Kanai, Y., Okada, Y., et al.: *Cell*, **93**, 1147-1158 (1998)
6) Smirnova, E., Shurland, D. L., Ryazantsev, S. N., et al.: *J. Cell Biol.*, **143**, 351-358 (1998)
7) Bleazard, W., McCaffery, J. M., King, E. J., et al.: *Nature Cell Biol.*, **1**, 298-304 (1999)
8) Hales, K. G., Fuller, M. T.: *Cell*, **90**, 121-129 (1997)
9) Hermann, G. J., Thatcher, J. W., Mills, J. P., et al.: *J. Cell Biol.*, **143**, 359-373 (1998)
10) Shepard, K. A., Yaffe, M. P.: *J. Cell Biol.*, **144**, 711-719 (1999)
11) Cortese, J. D,: *Am. J. Physiol.*, **276**, C611-C620 (1999)

12) Pinkert, C. A., Irwin, M. H., Johnson, L. W., *et al.*; *Transgenic Res.*, **6**, 379-383 (1997)
13) Inoki, Y., Hakamata, Y., Hamamoto, T., *et al.*: *Biochem. Biophys. Res. Commun.*, **278**, 183-191 (2000)
14) Hayashi, J.-I., Takemitsu, M., Goto, Y.-I., *et al.*: *J. Cell Biol.*, **125**, 13-50 (1994)
15) Marchington, D. R., Barlow, D., Poulton, J.: *Nature Med.*, **5**, 957-960 (1999)
16) Inoue, K., Nakada, K., Ogura, A., *et al.*: *Nat. Genet.*, **26**, 176-181 (2000)
17) Yaffe, M. P.: *Nature Cell Biol.*: **1**, 149-150 (1999)
18) Wong, E. D., Wagner, J. A., Gorsich, S. W., *et al.*: *J. Cell Biol.*, **151**, 341-352 (2000)

生殖細胞形成におけるミトコンドリアの役割

樫川 真樹・小林 悟

●はじめに

　生殖細胞は，多細胞生物の体を構成する多数の細胞種のなかで，種の存続にかかわる重要な細胞である．生殖細胞の決定は，ほかの体細胞の分化が始まる以前の発生の早い段階でなされる．昆虫，無尾両生類をはじめとしたいくつかの動物群では，受精卵の一部に局在する生殖質とよばれる特殊な細胞質を取り込んだ細胞のみが生殖細胞に分化できる．生殖質は，数多くのミトコンドリアと電子密度の高い顆粒とから構成されている．この顆粒は生殖細胞の決定に必要な因子が局在する場であると考えられてきた．生殖細胞形成にかかわる因子の探索は数多くの動物で試みられてきた．ショウジョウバエにおいて，このような因子のひとつがミトコンドリアゲノムにコードされるRNAであることが明らかとなった．これまでの知見をもとに，生殖細胞形成におけるミトコンドリアの役割を紹介する．

1. ショウジョウバエにおける極細胞形成因子

　キイロショウジョウバエ（*Drosophila melanogaster*）の生殖質は卵の後極に局在し，極細胞質とよばれる．受精卵は核分裂のみを繰り返し，多核体を形成する（卵割期）．このうち，極細胞質にはいった核は極細胞質とともにくびれだし，極細胞を形成し，残りの表層にはいった核は体細胞を形成する（胞胚期）（図1）．極細胞は，ショウジョウバエにおいて卵や精子といった生殖細胞に分化できる唯一の細胞である．極細胞の形成には極細胞質中に局在する因子のはたらきが必須であることが，実験発生学的手法により示されている．卵割期胚の極細胞質を同時期の胚の前極に移植すると，そこに生殖細胞にまで分化できる極細胞が形成される[1]．また，卵割期胚の後極に紫外線を照射すると極細胞形成が阻害されるが，紫外線照射後に正常な極細胞質を後極に移植すると極細胞形成能が回復する[2]．しかし，極細胞質以外の細胞質にはこのような能力はみられない．このことは，極細胞質中に極細胞形成に必要な因子が局在していることを示している．そこで，このような因子の探索が試みられた．

　前述のように，紫外線照射により失われた極細胞形成能は，正常な極細胞質のマイクロインジェクションにより回復する．そこで，極細胞形成にかかわる因子の探索が紫外線照射とマイクロインジェクションを組み合わせたバイオアッセイ系を用いて行われた．まず，卵割期胚のさまざまな分画を紫外線照射した胚の後極にマイクロインジェクションし，極細胞形成能を回復させることのできる因子を含む分画を探していった．その結果，卵割期胚のポストミトコンドリア分画に含まれるポリ(A)$^+$RNAにその活性が見られた．このポリ(A)$^+$RNAのcDNAをクローニングし，その塩基配列を決定したところ，ミトコンドリア large ribosomal RNA (mtlrRNA)であることが明らかとなった[3]．このRNAはどのように極細胞形成にかかわるのだろうか．

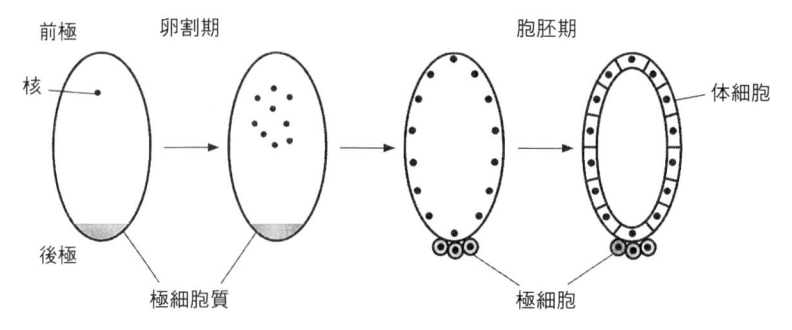

図1 ショウジョウバエの極細胞形成過程
受精核は核分裂のみを繰り返し, 多核体を形成する (卵割期). このうち, 後極の極細胞質に侵入した核は, 極細胞質とともにくびれだし, 極細胞を形成する. 残りの核は卵の表層に移動し, 細胞膜に囲まれて, 体細胞を形成する (胞胚期).

2. mtlrRNAは極細胞質中でミトコンドリア外に存在する

　mtlrRNAはミトコンドリアゲノムにコードされており, ミトコンドリア内で転写される. ノーザンブロット解析により, このRNAは, 卵割期胚ではミトコンドリア分画だけではなく, ポストミトコンドリア分画にも存在し, 胞胚期になるとミトコンドリア分画にのみ存在することが示された[3]. この結果から, mtlrRNAが卵割期胚においてミトコンドリア外に存在していることが予想された. そこで, 次に初期胚におけるmtlrRNAの分布が調べられた.

　一般に, 細胞内における特定のRNAの分布を調べる方法として, in situハイブリダイゼーション法が用いられる. この方法を用いて初期胚におけるmtlrRNAの分布を調べた結果, 卵割期胚の極細胞質に強いシグナルが検出された[4] (図2A). 極細胞が形成されると, mtlrRNAのシグナルはもはや検出されなかった (図2B). この方法ではミトコンドリア内のRNAは検出できないことから, 卵割期胚の極細胞質中においてのみmtlrRNAがミトコンドリアの外に存在することが示唆される.

　極細胞質中には, 他の細胞質中には観察されない極顆粒とよばれる構造物が存在している. 極顆粒は極細胞形成因子が局在する場であると考えられてきた. 電子顕微鏡下では, 極顆粒は膜に包まれない高

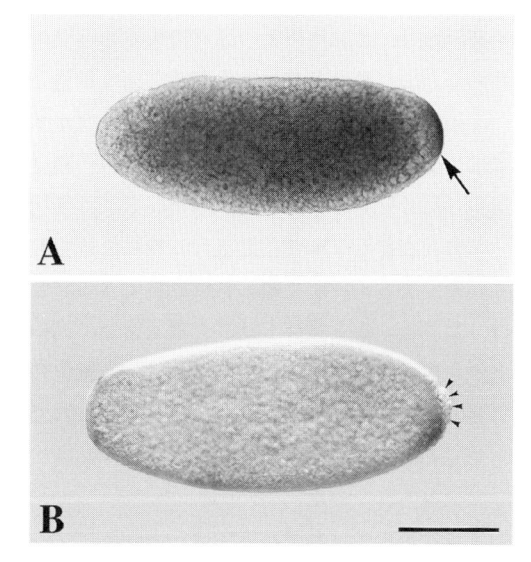

図2 ショウジョウバエ初期胚におけるミトコンドリア外のmtlrRNAの分布
(A) 卵割期, (B) 胞胚期. mtlrRNAのシグナルは, 卵割期胚の極細胞質には強く検出されるが (矢印), 胞胚期の極細胞中からは消失する (矢尻). スケールバーは50 μm.

電子密度の構造物として観察される. 極顆粒は卵形成過程後期に卵母細胞の後極に現れる. このとき, 極顆粒はミトコンドリアと接着している. この接着は卵形成過程を通して維持されるが, 受精後しばらくすると極顆粒はミトコンドリアから離れる (図3A). この観察から, 極顆粒がミトコンドリアと接着している間に, mtlrRNAがミトコンドリアから極顆粒へと移送されるのではないかと考えられた. 極顆粒とミトコンドリアの接着は卵形成過程を

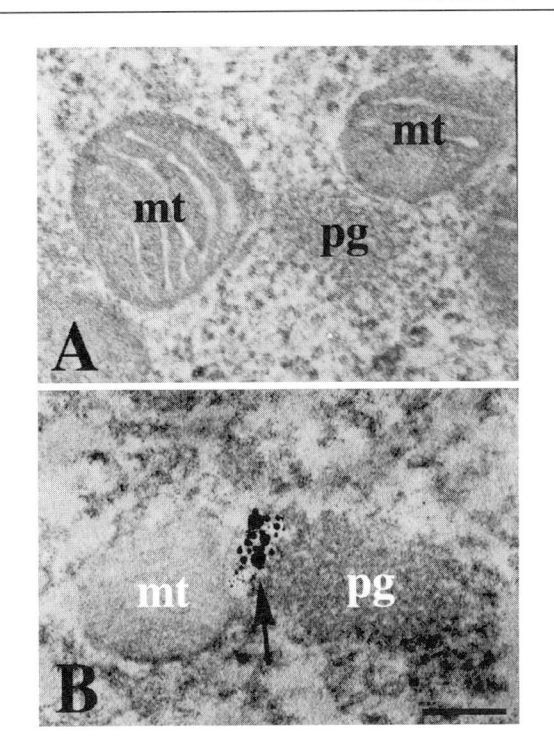

図3 極顆粒とミトコンドリア
(A) 産卵直後の胚の極顆粒の電子顕微鏡像. 極顆粒 (pg) はミトコンドリア (mt) と接している. (B) この時期, mtlrRNA のシグナルは2つの構造物の境界部に集中する (矢印). スケールバーは 0.2 nm. (写真は網蔵令子先生の好意による.)

通して観察されるが, mtlrRNA は卵形成過程においてはミトコンドリアの外には分布しない. 産卵を契機として, mtlrRNA はミトコンドリアの外に分布するようになる. 産卵直後の胚の極細胞質中における mtlrRNA の分布を電子顕微鏡レベルで観察すると, この時期の mtlrRNA シグナルはミトコンドリアと極顆粒の境界部に集中して検出される[4] (図3B). このことから, 産卵を契機として, mtlrRNA はミトコンドリアから極顆粒へと移送されると考えられる.

3. mtlrRNA のミトコンドリアから極顆粒への移送にかかわる分子

ショウジョウバエでの遺伝学的解析により, 極細胞の形成にかかわる遺伝子がいくつか同定されてい

る[5]. これらの遺伝子の機能を1つでも欠く雌から産まれた胚は, 極顆粒を欠き, 極細胞が形成されない. このため, 極顆粒はこれらの遺伝子産物により構成されていることが予想された. 実際に, これらの遺伝子のうち, oskar (osk), vasa (vas), tudor (tud) 遺伝子がコードするタンパク質は極顆粒の構成成分であり, 他の遺伝子のはたらきはこれらの遺伝子産物を胚後極の極細胞質に正しく局在させるのに必要であることが明らかになっている. とくにこの中でも, osk 遺伝子は極細胞形成において中心的な役割を担っている. osk mRNA を人為的に前極に局在させた胚では, 後極だけでなく, 前極にも極顆粒が出現し, 極細胞が形成される[6]. つまり, この胚の前極には極細胞形成に必要な因子が osk 遺伝子のはたらきにより局在してきたことになる. もし, mtlrRNA が極細胞形成に必須な因子であれば, この胚の前極においても mtlrRNA はミトコンドリアから極顆粒に移送されるはずである. 実際, mtlrRNA はこの胚の前極に形成された極顆粒上に存在していることが明らかとなった[7].

osk mRNA から翻訳される Osk タンパク質は, Vas, Tud 両タンパク質を極顆粒に局在させることにより, 極細胞を形成することができる. これらのタンパク質のうち, Tud タンパク質は極顆粒だけでなくミトコンドリア中にも存在している[8]. そこで, mtlrRNA のミトコンドリアから極顆粒への移送に, Tud タンパク質がかかわるのではないかと考えられた. この予想を裏付けるかのように, mtlrRNA の移送が起こる時期に, Tud タンパク質は mtlrRNA と同様にミトコンドリアと極顆粒の境界部に集中する (網蔵, 未発表). この結果, および tud 遺伝子の機能を欠く雌由来の胚では mtlrRNA がミトコンドリア外に移送されないという観察結果から, Tud タンパク質が mtlrRNA の移送に関与することが強く示唆される. Tud タンパク質は, RNA の局在や代謝にかかわるいくつかのタンパク質に共通にみられる Tudor ドメインをもっている. このことから, Tud タンパク質が mtlrRNA と結合することが予想されるが, Tud タンパク質がどのように mtlrRNA の移送にかかわる

のかはいまだ解明されていない．

4. mtlrRNAの極顆粒上における機能

　ミトコンドリアから極顆粒へ移送されたmtlrRNAは極細胞が形成されるまでの期間は極顆粒上にとどまることから，極顆粒上のmtlrRNAが極細胞形成にかかわっていると予想されてきた．このことを証明するためには，極顆粒上のmtlrRNAの機能を阻害したときに，極細胞形成がどのように影響されるかを観察すればよい．ショウジョウバエでは，ある遺伝子の機能を知りたい場合，その遺伝子の機能を欠失した突然変異体を利用する．しかし，mtlrRNAはミトコンドリアゲノムにコードされているため，mtlrRNAをコードする遺伝子を欠失した突然変異体を系統化することは困難である．そこで，特定のRNA分子を切断・分解することができるリボザイムを用いた解析が行われた．リボザイムはミトコンドリア膜を通過できないため，この方法を用いると，ミトコンドリア内のmtlrRNAには影響を与えることなしに極顆粒上に局在するmtlrRNAの機能のみを欠失させることができる．mtlrRNAを特異的に認識するリボザイムを卵割期胚の後極にマイクロインジェクションすると，体細胞形成はまったく影響を受けず，極細胞形成のみが阻害されることが明らかとなった[9]．このことは，極顆粒上でのmtlrRNAの機能が極細胞形成に重要であることを示している．では，極顆粒上のmtlrRNAは，どのような分子機能をもつのであろうか．

　mtlrRNAは，ミトコンドリア内でリボソームを構成する分子として知られている．さらに，リボソームのもうひとつの構成RNAであるミトコンドリア small ribosomal RNA（mtsrRNA）の挙動を調べた結果，このmtsrRNAもmtlrRNAと同様の時期にミトコンドリアから極顆粒へと移送されること，および極顆粒への移送が osk, vas, tud 遺伝子によって制御されていることが明らかとなった[10]．これらの事実から，2つのミトコンドリア rRNAが極顆粒の表面でリボソームを構成している可能性が示唆される．1970年代の電子顕微鏡による観察から，極細胞形成に先立って極顆粒の表面にリボソームの集合体であるポリソームが発達してくることが明らかになっている．このことから，極顆粒は極細胞形成に必要なタンパク質を翻訳する場であると提唱されてきた[11]．筆者らの研究により，mtlrRNAとmtsrRNAが極顆粒表面のポリソーム上に局在することを示唆する結果が得られた（網蔵，未発表）．では，この2つのミトコンドリアrRNAは極顆粒表面において，ミトコンドリアタイプのリボソームを構成しているのであろうか．

　ミトコンドリアのリボソームと細胞質中のリボソームとは以下の点で区別できる．第1に，ミトコンドリアと細胞質のリボソームは，それを構成するタンパク質が異なっている．そこで，ミトコンドリアのリボソームに特異的な構成タンパク質がmtlrRNAとmtsrRNAと同様に極顆粒表面に存在するか否かを調べた．その結果，少なくとも2つのタンパク質S12とL7/L12が極顆粒表面に存在することが明らかとなった（樫川，未発表）．第2に，ミトコンドリアのリボソームは細胞質のリボソームと比べてサイズが小さいことが知られている．極顆粒表面のポリソームを構成する個々のリボソームの大きさを測定したところ，ミトコンドリア内のリボソームと同じサイズのリボソームも含まれることが明らかになった（網蔵，未発表）．以上の結果と以前の筆者らの研究成果を考えあわせると，mtlrRNAとmtsrRNAが極顆粒表面でミトコンドリアのリボソームを構成していることが強く示唆される．

　現在のところ，mtlrRNAとmtsrRNAが，極顆粒表面でミトコンドリアのリボソームを形成することによって，極細胞形成にどのようにかかわるのかは不明である．おそらく，ミトコンドリアのリボソームが極細胞形成に必要なタンパク質をコードするmRNAの翻訳にかかわっていると考えられる．一方，細胞質とミトコンドリアのリボソームが極顆粒上のポリソーム中に混在することによって，極細胞形成を阻害するようなタンパク質の合成を抑制し

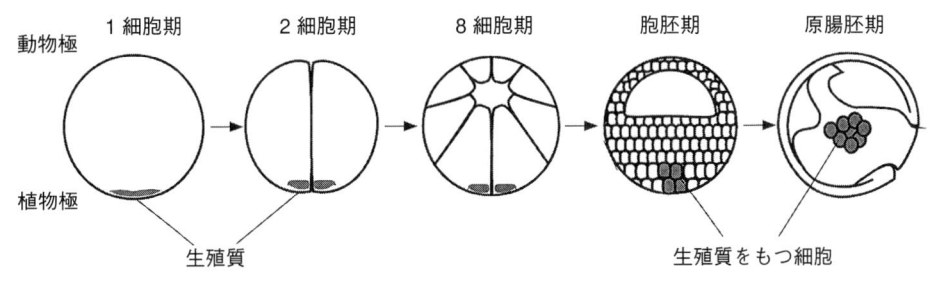

図4 アフリカツメガエルの初期胚発生過程
受精卵の植物極側には生殖質が存在する．生殖質は4細胞期まではすべての割球に含まれるが，8細胞期以降の卵割では，片方の娘細胞にしか取り込まれないため，胞胚期の終わりまで，生殖質をもつ細胞の数は4個のままである．原腸胚期にはいると，生殖質をもつ細胞の数は増加する．（文献15）より改変）

ている可能性も否定できない．いずれにしても，ポリソーム上に存在するmRNAを同定することが，極細胞形成におけるmtlrRNAとmtsrRNAの機能を探る重要な手がかりとなりうるだろう．

5. mtlrRNAとmtsrRNAの機能の保存性

これまで述べてきたようなmtlrRNAとmtsrRNAの局在や機能は，ショウジョウバエだけに限られるのであろうか．アフリカツメガエル（Xenopus laevis）における生殖細胞形成過程の多くの局面はショウジョウバエと非常によく似ている．カエルでは，受精卵の植物極側の細胞質（生殖質）を取り込んだ細胞が将来生殖細胞に分化することが知られている（図4）．生殖質中にはミトコンドリアが密集しており，その間に電子密度の高い顆粒が散在している（図5A）．この顆粒は生殖顆粒とよばれ，ショウジョウバエの極顆粒と形態が非常によく似ている（図5B）．この動物におけるmtlrRNAとmtsrRNAの分布を調べたところ，4細胞期から胞胚期にかけての生殖質中でmtlrRNAとmtsrRNAが生殖顆粒に局在していることが明らかになった[12]（樫川，未発表）．このことから，系統的に離れた動物種間でも，生殖細胞形成過程において保存されたステップがあり，そこにmtlrRNAとmtsrRNAがかかわっていると予想される．

ショウジョウバエとカエルの生殖細胞形成過程において共通する点として，不等分裂により生殖質をもつ細胞ともたない細胞の分離が起こることが挙げられる．カエルにおいては，ちょうどmtlrRNAとmtsrRNAが生殖顆粒に局在する4細胞期から胞胚期の間にこの不等分裂が起こる．一方，ショウジョウバエにおいては，この不等分裂が起こるのは極細胞形成時のみである．これらのことから，生殖質を含む細胞（生殖細胞）と生殖質を含まない細胞（体細胞）を分離する不等分裂の際に，mtlrRNAとmtsrRNAが生殖顆粒に存在することが重要であるように思える．線虫（Caenorhabditis elegans）でも，初期胚発生過程において生殖細胞と体細胞を分離する不等分裂が起こる．この動物でも，この不等分裂の際に生殖顆粒上にmtlrRNAとmtsrRNAが存在するか否かは興味深い点である．

また，ホヤやウニといった動物では，生殖質の存在が報告されていないため，生殖細胞に分化する細胞がいつどの割球から生じるかは明らかになっていない．しかし，これらの動物の初期発生過程において不等分裂を行う細胞中で，mtlrRNAがミトコンドリアの外に存在していることを示す結果が得られている[13,14]．これらの動物においても，mtlrRNA（およびmtsrRNA）をミトコンドリア外に移送させる機構と不等分裂により生殖細胞と体細胞の分離を行う機構との間に機能的な相関があるのかもしれない．ショウジョウバエやカエルにおいて生殖細胞形成におけるミトコンドリアのrRNAの役割がさらに解明されれば，mtlrRNAとmtsrRNAのミト

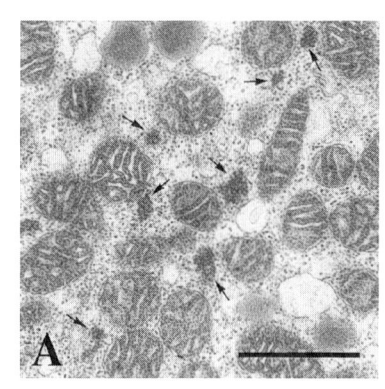

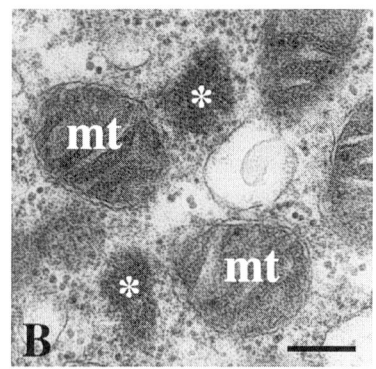

図5　アフリカツメガエルの生殖質と生殖顆粒
（A）生殖質は多数のミトコンドリアと生殖顆粒（矢印）から構成される．スケールバーは1μm．（B）（A）の拡大図．生殖顆粒（＊）はショウジョウバエの極顆粒と微細構造が非常によく似ている．mt：ミトコンドリア．スケールバーは0.2 nm.

コンドリア外の分布を指標として，生殖質の有無にかかわらず，さまざまな動物の生殖細胞の由来を明らかにすることが可能になるかもしれない．

● おわりに

　これまで，細胞内のミトコンドリアの機能は，酸素呼吸によるエネルギーの産出に限られると考えられてきた．しかし，ショウジョウバエをはじめとしたいくつかの動物種における報告は，ミトコンドリアの新しい生物学的機能を予感させるものである．ミトコンドリアの起源は，もともと共生体であるという考えは広く受け入れられている．この考えを基にすれば，宿主は己の種の存続に重要な生殖細胞の形成に，よそ者であるミトコンドリアの手を借りたことになる．なぜ，ミトコンドリアにそのような重要な役割が任されているのか．今後の研究が発展すれば，その疑問にも答えられるであろう．

● 文　献

1) Illemensee, K., Mahowald, A. P.: *Proc. Natl. Acad. Sci. USA*, **71**, 1016-1020 (1974)
2) Okada, M., Kleinman, I. A., Schneiderman, H. A.: *Dev. Biol.*, **37**, 43-54 (1974)
3) Kobayashi, S., Okada, M.: *Development*, **107**, 733-742 (1989)
4) Kobayashi, S., Amikura, R., Okada, M.: *Science*, **206**, 1521-1524 (1993)
5) Williamson, A., Lehmann, R.: *Annu. Rev. Cell Biol.*, **12**, 365-391 (1996)
6) Ephrussi, A., Lehmann, R.: *Nature*, **358**, 387-392 (1992)
7) Kobayashi, S., Amikura, R., Nakamura, A., *et al.*: *Dev. Biol.*, **169**, 384-386 (1995)
8) Bardsley, A., McDonald, K., Boswell, R. E.: *Development*, **119**, 207-219 (1993)
9) Iida, T., Kobayashi, S.: *Proc. Natl. Acad. Sci. USA*, **95**, 11274-11278 (1998)
10) Kashikawa, M., Amikura, R., Nakamura, A., Kobayashi, S.: *Dev. Growth. Differ.*, **41**, 495-502 (1999)
11) Mahowald, A. P.: *J. Exp. Zool.*, **176**, 345-352 (1971)
12) Kobayashi, S., Amikura, R., Mukai, M.: *Curr. Biol.*, **8**, 1117-1120 (1998)
13) Oka, T., Amikura, R., Kobayashi, S., *et al.*: *Dev. Growth. Differ.*, **41**, 1-8 (1999)
14) Ogawa, M., Amikura, R., Akasaka, K., *et al.*: *Zool. Sci.*, **16**, 445-451 (1999)
15) 岡田益吉，長濱嘉孝編：『生殖細胞―形態から分子へ―』，共立出版 (1996)

有性生殖とミトコンドリア

河野 重行

●はじめに

有性生殖は無駄の多い繁殖様式である．自分の子孫を残すためだけなら，栄養生殖や単位生殖といった無性生殖のほうが2倍効率がよいことになる．この2倍という数字の意味する差の重要性は，単純に無性生殖する雌2匹と，有性生殖する雌雄各1匹の組合せを考えればわかる（図1参照）．どちらも2匹だが，有性生殖に比べて無性生殖のほうが2倍の子孫を残せる計算になる．子供を産むのは雌だから，雌2匹のほうが2倍になるのは当然であろう．数の上では，雄は無駄となる．しかし，実際には，有利なはずの無性生殖の種が少なく，不利であるはずの有性生殖が優勢なのである．なぜ，無駄な雄がいるのか？ これが，1970年代にMaynard Smithらをはじめとする進化生態学や数理生物学の研究者から提起された有性生殖のパラドックスである[1]．ここでは，この有名な有性生殖のパラドックスを中心に，有性生殖とミトコンドリアの関係を考察する．

1. 赤の女王仮説[2]

有性生殖のパラドックスを解くには，有性生殖が無性生殖より優れていることを示す必要がある．生物進化において有利な突然変異が集団中に広がり，従来の遺伝子と置き換わるプロセスを考えると，組換えによって異なる系統に由来する有利な遺伝子を子孫の1個体に束ねることができるのは有性生殖だけである．「この効果が適応進化の速度を加速する」というのが，FisherとMüllerによる性の進化の古典的な仮説である．しかし，有利な突然変異の出現頻度はきわめて低く，それらの集団への固定速度を速めるという有利さだけでは，毎世代ごとに有性生殖の2倍の速度で増える無性生殖の有利さを覆すことはできない．

最近では，純粋な遺伝学理論だけではなく，生態学的な考えを導入することにより有性生殖のパラドックスを解くことが可能と考えられている．もっとも直感に訴える仮説は，「遺伝子をさまざまに組み合わせることにより，変動する環境に適応できる有性生殖は無性生殖よりも有利となる」というもの

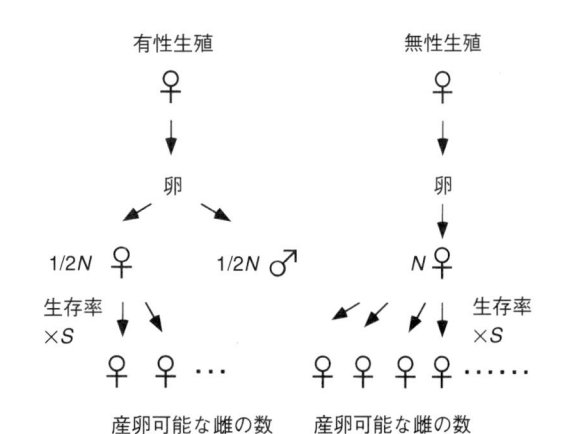

図1 有性生殖の2倍のコスト[13]

雌が，雄と雌の卵を同数ずつ産む有性生殖集団に，無性生殖するような突然変異が現れたとする．もし，産卵数（N）と生存率（S）が同じならば，無性生殖する突然変異体は雄をつくらないので，世代ごとに2倍の速度で増えることになり，またたく間に有性生殖集団を駆逐することになる．

である．しかし，変動する環境を適応の対象とすることには批判も多い．地球規模の気候変動などには時間がかかりすぎる．無性生殖個体は有性生殖個体の2倍の速度で増えるので，無性生殖は100世代もあれば有性生殖個体を簡単に駆逐しうる．

これに対して，オックスフォード大学のHamiltonのグループは，性とパラサイト（寄生者）の関係を表すモデルを提案した[3]．個体の適応度を低下させるパラサイトがいない条件では，無性生殖個体の子孫は有性生殖個体の子孫を圧倒して繁殖する．しかし，この系にパラサイトを導入すると，有性，無性ともに抵抗性の弱い個体は減び，もっとも毒性の少ないパラサイトも駆逐される．こうした条件では，有性生殖個体がしばしば無性生殖個体を圧倒する．しかも，抵抗性と毒性を決定する遺伝子の数を増やすと，有性の勝率がさらに増す．

コンピュータシミュレーションの結果は，このモデルで予想したとおりのことが起こっていた．抵抗性遺伝子が宿主側に広まると，今度はそれに対抗するように別の型の有毒遺伝子がパラサイトの間に広まる．これに対抗して別の型の抵抗性遺伝子が宿主間にひろまると，また別の型の有毒遺伝子がパラサイトの側に広まる．こうして，宿主の抵抗性遺伝子とパラサイトの有毒遺伝子が，追いかけっこをするように増減を繰り返して振動することになる．それぞれの抵抗性遺伝子や有毒遺伝子は，役に立たなくなったからといって消滅するわけではない．いったん減少しても，それらが役立つときがくれば，ふたたび精力を回復する．パラサイトあるいは疾病への抵抗には，永久に有効な抵抗性遺伝子の組合せはない．すなわち，「宿主とパラサイトの関係には平衡状態は存在しない」ことになり，これが本モデルの名前「赤の女王仮説」の由来であり，これまでに提唱されたモデルと異なる特徴である．赤の女王とは『鏡の国のアリス』に登場する走り続けなければその場に居ることすらできない女王のことである．宿主はパラサイトに抵抗するためにさまざまな抵抗遺伝子を生み出し，さまざまに組み合わせなければならない．遺伝子の組換えを前提とした有性生殖が不可欠なのである．無性生殖が2倍の速度で子孫を増やすことができたとしても，組換え体を作り出すことができなければ，あっという間にすべての子孫がパラサイトの餌食となってしまう．

「赤の女王仮説」の優れている点は，それが実証可能な点にある．これまでに出された有性生殖のパラドックスを説明する数理モデルやコンピュータモデルの多くは，その正当性を実証するのが困難な場合が多かった．有性生殖とパラサイトの関連性，すなわち「赤の女王仮説」に関してもっとも徹底的に研究したのは，米国のLivelyのグループである[4]．彼らは，ニュージーランドの淡水性巻貝やカダヤシとよばれるメキシコの小魚を用いて「赤の女王仮説」を実証した．すなわち，これらの生物には有性生殖と無性生殖の種がいるが，有性生殖種のほうが寄生

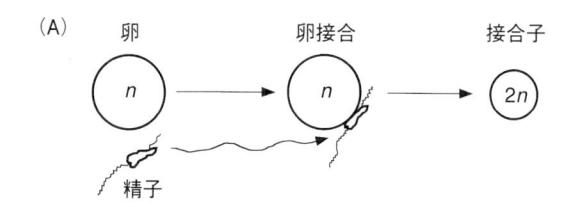

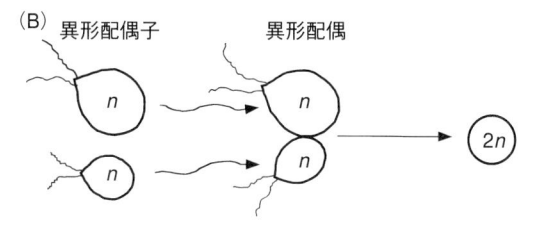

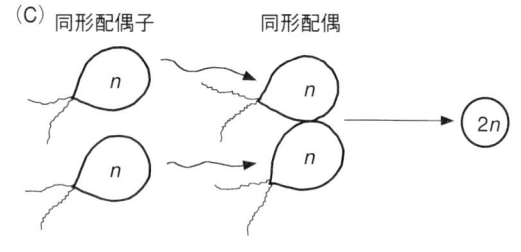

図2 配偶子の異形化と進化

卵接合（A），異形配偶（B），同形配偶（C）を模式的に示した．同形であった雌雄の配偶子が異形化し，雌の配偶子は卵へ，雄の配偶子は精子へと二極化した様子を示している．一方の性（雌）は子孫のために裸子独立資本を豊かにし，もう一方の性（雄）はその数と運動性能を向上させた．こうすることで，受精のチャンスは増えるが，他方の性が独立資本を増やしているため，接合後に共倒れすることはなくなる．こうした段階的な配偶子の異形化と進化の関係は，とくに藻類の系統で如実に観察することができる．（文献14）を改変）

虫に対する抵抗性が勝っていることを示した．植物でも同様の結果が得られており，キイチゴやヒヨドリバナでも，無性生殖個体よりも有性生殖個体のほうが病害に対する抵抗性が強い．

2. 2つの性と利己的DNA

有性生殖と「2つの性」はほぼ同義に使われることが多い．しかし，「2つの性」は非常に無駄の多いシステムである．出会うものの半分が，繁殖のパートナーとしては不適当となる．これまで，「2つの性」を説明するうえで，「第三の性はありえない」とするのが古典的な考え方であった．進化的にみると，雌雄の違いは生殖細胞の大きさの違いとして生じ，最終的に卵と精子が形成されるようになる（図2）．中間的な大きさのものが脱落することによって，明らかに別種の2つの生殖細胞である卵と精子ができあがる．性が2極化することは，さまざまな初期条件下でのコンピュータシミュレーションでも確かめられている．子孫を繁栄させるために生殖細胞がとりうる戦略は，原理的には2つしかない．ひとつは数を多くすることであり，もうひとつは独立資本を豊かにすることである．生物が生殖細胞を生産する場合には，どちらかを犠牲にし，一方の戦略を選択するしかない．

こうした種類のシミュレーションでは，最初は同種類の生殖細胞しかなかったと仮定しても，生殖細胞がとりうる戦略は2つしかないので同じ結果になる．サイズを小さくして数を増やすか，大きくなって独立資本を増やして安全策をとるか，いずれにせよ，第三の性はありえないことになる．こうした考えは，生殖細胞の進化過程をうまく説明しているようにみえる．しかし，ここで説明されているのは雌雄の性差であり，卵と精子という2つの生殖細胞が生じることは説明できても，性が2つしかないことを完全には説明していない．たとえば，出芽酵母（*Saccharomyces cerevisiae*）やクラミドモナス（*Chlamydomonas reinharditii*）は，まったく同じ大きさの同型配偶子を有するにもかかわらず，2つの性（交配型）をもっている．これは，生殖細胞が2つの大きさに分極する以前に，性が2つに分極していたことを示唆するものであり，古典的な考えでは説明できない．

1976年，オックスフォード大学のDawkinsは，著書『利己的な遺伝子』で世界的なセンセーションを巻き起こした[5]．遺伝子が利己的なものであれば，利己的な遺伝子どうしの存続をかけた闘争が起こることが予測される．遺伝子自身の生存のために対立遺伝子間で競合が起こり，遺伝子の分離比が一方に大きく偏る例が知られている．ハーバード大学のCosmidesとToobyやオックスフォード大学のHurstなどの考えである[6]．彼らは，「なぜ性は2つなのか？」という問いは「なぜミトコンドリアや葉緑体といったオルガネラの遺伝子は母性遺伝するのか？」という問いと同じと考えた．雄のオルガネラの遺伝子は，受精の前後で除去されて次世代に伝わることはない．オルガネラと細胞質という観点からみると，「オルガネラを提供する性（雌）」と「オルガネラを放棄し提供しない性（雄）」があることになる．問題は，なぜオルガネラを提供しない配偶子がいるのかということであり，その鍵は利己的な遺伝子間の競合にある．オルガネラの遺伝子も利己的であるとすれば，両親由来のオルガネラ遺伝子間で競合が起こる可能性があるが，オルガネラ間の競合は接合子自身の生存を脅かしかねない．こうした状況を打開する方法の一つは，一方が自らのオルガネラを放棄することである．オルガネラ間の競合が減少して生き残る接合子の適応度が増せば，それは核にとってはきわめて有利になり，結果的にオルガネラを放棄する性（雄）が増える．オルガネラを提供する性（雌）と放棄する性（雄）の比が1：1からずれると少ないほうの性が有利となるので，比率は1：1で定常状態となる．すなわち，雄と雌の2つの性が出現することになる．

有性生殖は多くの場合，細胞どうしの融合を前提としている．しかし，自然界において，細胞融合はきわめて危険な場合が多い．細菌やウイルスはもちろん，プラスミドやトランスポゾンといったパラサイトDNAの攻撃の的にされかねないからである．

(A) 　　matA7＞matA2＞matA11＞matA1／matA15＞matA6
(B)

♀ matA7
∨
♂ matA2

♀ matA2
∨
♂ matA11

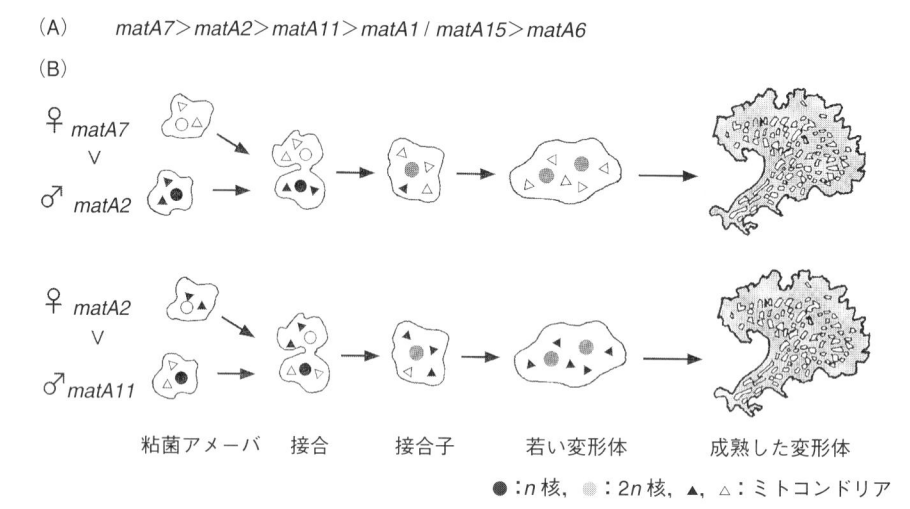

粘菌アメーバ　接合　接合子　若い変形体　成熟した変形体

●：n核，　：2n核，▲，△：ミトコンドリア

図3　真正粘菌のmatA遺伝子の階層性（A）とミトコンドリアの片親遺伝（B）
真正粘菌には3つの交配型遺伝子座（matA, matB, matC）がある．matA遺伝子座の複対立遺伝子間には，ミトコンドリアに関して，図に不等号（＞）で示すような階層性があり，接合に際してより上位のものがミトコンドリアを供与する母親（♀）となる．自分と異なるmatA遺伝子をもった粘菌アメーバどうしは接合可能であるから，たとえば，matA2は，matA7とmatA11と交配可能で，それぞれの接合ではミトコンドリアを供与しなかったり（matA7＞matA2），ミトコンドリアを供与したりする（matA2＞matA11）．すなわち，ミトコンドリアの遺伝に関しては，粘菌アメーバは相手の交配型によって父親（♂）になったり，母親になったりする．（文献7）を改変）

接合相手が汚染されていないとも限らないので，融合そのものにも危険が伴う．そこで発達したのが，侵入してくる細菌やウイルスのDNA，あるいは交配相手に寄生するパラサイトDNAを分解することにより身を守るシステムである．雌にとって，侵入してくる細菌やウイルスのDNAはもちろん，雄の細胞質にあるミトコンドリアや葉緑体もその攻撃対象になっていると考えると，接合直後に雄由来のミトコンドリアや葉緑体が選択的に排除されることの意味が理解できる．こうしたシステムは，外来のDNAから身を守るためだけでなく，雌雄のオルガネラ間の競合を解消するのにも役立っている．また，細菌，ウイルス，あるいはパラサイトのDNAは雄だけでなく雌の細胞質にもいる可能性があり，一方の性がもつ細胞質のすべてのDNAをせん滅することは，雌雄の細胞質に寄生したDNA間の競合を回避するための処置にもなる．利己的なDNAや遺伝子が1つの細胞質を共有するようになると，オルガネラ間で同じような競合が起こるのは必須だからである．

「2つの性はオルガネラ間で生じる利己的遺伝子のコンフリクトを解消する手段として発生した」との考えは，すべての遺伝子とDNAは利己的なものであるという考えのもとに成り立っている．細胞質にある遺伝子間の競合を回避するためには，細胞質遺伝子はすべて母方から受け取り，父方からは何も受け取らないことである．そうすれば，一方の配偶子はもっと小さくなれるので，数を増やすことにより卵子を見つけやすくなる．このようにして，省エネルギーシステムと運動能力を備えて特殊化したのが精子である．

3.　原始的な性とミトコンドリアの遺伝様式

ミトコンドリアの遺伝様式はきわめて多様である．動物のミトコンドリアは厳格に母性遺伝するが，高等植物では両性遺伝や父性遺伝する例も多く知られている．また，出芽酵母，カビ，あるいはキノコなどの菌類でも，ミトコンドリアは母性遺伝すると

考えられてきた．しかし，菌類のミトコンドリアの遺伝は従来考えられていたほど単純ではなく，原生生物にいたってはほとんどわかっていない．

真正粘菌（*Physarum polycephalum*）はキノコに似た小さな子実体をつくるが，5界説を基礎とする現在の分類学では原生生物に分類されている．子実体の頭部に詰まった胞子を発芽させると，異なる交配型の半数体(n)の粘菌アメーバどうしが融合して接合子をつくる．交配した2つの粘菌アメーバの核は接合子内で融合して倍数体の核となり分裂を開始するが，接合子の細胞質はそのままなので，接合子は多核の巨大な変形体へと成長する（図3）．

真正粘菌は性的にはかなり原始的であり，粘菌アメーバには性的な分化は見られず，完全な同形配偶子である．また，性そのものも雌雄の2つに収斂しておらず，非常に多くの交配型に分かれている．交配型を決めているのは，*matA*，*matB*，*matC*とよばれる3つの遺伝子座であり，少なくとも*matA*と*matB*にはそれぞれ15，*matC*には3つの複対立遺伝子がある[7]．異なる交配型の粘菌アメーバ間でのみ交配することが可能なので，現在わかっているだけでも $15 \times 15 \times 3 = 675$ の交配型（性）がある．

ミトコンドリアの遺伝は性と強く連鎖している．通常の母性遺伝が起これば，子孫にミトコンドリアを遺伝するほうが雌，しないほうが雄となる．真正粘菌のミトコンドリアDNA（mtDNA）は制限酵素断片長に著しい多型（RFLP）があり，これを利用してミトコンドリアの遺伝様式を調べることができる．その結果，ミトコンドリア供与体（母親）になる交配型間には1種のヒエラルキー（階層性）があることがわかった．中位の粘菌アメーバは，強い粘菌と交配したときはミトコンドリアを供与できないが，下位の粘菌アメーバと交配したときはミトコンドリア供与体として振る舞う．このヒエラルキーは，*matA*遺伝子座の交配型遺伝子と関連しており，たとえば，*matA7*（上位）＞*matA2*（中位）＞*matA11*（下位）という関係がある．これまでに，7つの交配型遺伝子に関し，*matA7*＞*matA2*＞*matA11*＞*matA12*＞*matA1*／*matA15*＞*matA6*というヒエラルキーが明らかになっている（図3）[7]．

ミトコンドリアの遺伝様式は性（交配型）の進化と深く結びついているようにみえる．たとえば，色素体は基本的に母性遺伝するが，配偶子が進化して異型化するにつれ，父親の色素体を排除する機構が発動する時期が徐々に早まる傾向がある．高等植物の場合，花粉が成熟して精細胞ができるころには，ほとんどの色素体核が消失してしまっている．ゼラニウムのように色素体核が消えないで残っているものは，父親の色素体を排除する機構が異常な突然変異体と考えることができる．

一方，ミトコンドリアに関しても同様のことがいえる．動物のミトコンドリアは，異種交配という例外を除けば，厳密に母性遺伝する．異種間交配の場合は，精子ミトコンドリアの認識・排除機構が受精卵内で作動せず，例外的なものと考えられる．菌類においても，雌雄の生殖器官が分化し始めると，アカパンカビのように母性遺伝するものが出てくる．しかし，雌雄の分化が未熟な場合，常に完全な母性遺伝が起こるわけではない．出芽酵母などの場合，片親遺伝は起こるが，雌雄に連鎖したミトコンドリアの遺伝は起こらない．真正粘菌の性分化はきわめて未熟なので，ひとつの性（たとえば雌）に連鎖するようなミトコンドリアの遺伝は起こらない．

こうした観点からみた場合，興味深いのは出芽酵母である．真正粘菌と異なり，出芽酵母は2つの交配型（aとα）をもち，交配型が2つの性に収斂しているようにみえるが，そのミトコンドリアは本質的には両親性遺伝する[8]．たとえば，mtDNAにコードされた2つの薬剤耐性遺伝子をもつ半数体株（*ArBr*）と薬剤感受性野生型株（*AsBs*）を交配（*ArBr*×*AsBs*）して倍数体を得た場合，交配初期の倍数体では薬剤耐性遺伝子の分離がみられず，表現型は両方の薬剤耐性を示す．しかし，約20〜25世代後には薬剤耐性遺伝子は分離し，2つの両親型（*ArBr*と*AsBs*）および2つの組換え型（*ArBs*と*AsBr*）が同数出現する．これは両親のmtDNA間に組換えが起こったためであり，遺伝子間の距離にもよるが，15%の頻度で組換え型が出現する．出芽酵母のmtDNAの大きさが約75kbpであること

を考えると，この組換え頻度はきわめて高い．こうしたミトコンドリアの遺伝様式は，真核生物が性を獲得した極初期の状態を反映していると考えられるが，嫌気条件下でも生存可能（ミトコンドリアが必須でない）な出芽酵母においては，ミトコンドリアの競合を回避する遺伝システムが発達しなかったためとも考えられる[6]．

4. 精子ミトコンドリアの選択的消失

ミトコンドリア変異の多くは呼吸欠損となるので，出芽酵母以外は古典的な遺伝学の手法が使えない．出芽酵母ではミトコンドリアが細胞質遺伝することが1940年代から知られていたが，動物のミトコンドリアが母性遺伝することが確かめられたのは，mtDNAの制限酵素断片多形（RFLP）が利用できるようになった1970年代のことである．

動物の雌雄の配偶子は極限近くまで分化している．ミトコンドリアが母性遺伝する理由として，特殊化した精子ミトコンドリアは受精卵に搬入されない，DNAを失っている，あるいは卵と精子のミトコンドリア量に極端な隔たりがあるためと考えられていた．しかし，哺乳類では卵に約10^5個，精子に10^2個のmtDNAがあり，受精の際に精子全体が卵の細胞質に侵入することがわかった．受精直後の卵には父親由来のmtDNAが100個近く（母親由来のmtDNAの1000分の1）存在することになる．ミトコンドリアの母性遺伝を説明するには，上記と異なる機構を考える必要がある．

受精卵に紛れ込んだ精子のmtDNAをその千倍もの卵mtDNAの中から検出することは，従来の方法では不可能であった．しかし，近年汎用されているPCRはこの目的にはきわめて有効な方法である．米川ら[9]は，マウスの亜種を使ってPCR法で卵と精子のmtDNAを区別できる近交系マウスを作製した．自然交配では受精直後の様子を調べることは難しいので，体外受精した精子のmtDNAをPCR法で追跡した結果，卵細胞質内で精子の頭部が膨潤した前核期前期には，ほとんどの受精卵から精子mtDNAが検出できた．しかし，5～6時間後の前核期後期以降は精子mtDNAを検出できなかった．

精子mtDNAは卵細胞の中にはいるが，発生のきわめて早い段階で精子ミトコンドリアが卵細胞から攻撃され，比較的早い時期に消失してしまう．ミトコンドリアを特異的に染色する蛍光色素ローダミンで精子を染色すると，体外受精後のミトコンドリアの動態を追跡できる．この色素の利点は，ミトコンドリアが活性化して膜電位を保っているときには蛍光を発し，不活性化すると蛍光が消失することである．観察の結果，精子ミトコンドリアに由来する蛍光は前核期前期までは観察できるが，前核期後期以降は消失してしまうことがわかった．これは精子mtDNAが消失する時期と一致する．ハムスターやラットでは，初期胚発生の時期に卵細胞で発達する多胞体によって精子ミトコンドリアが消化されることが報告されている．多胞体は細胞内消化を担うリソソームが変化したものである．父親由来のミトコンドリアとmtDNAは卵細胞によって異物として認識され，リソソームで消化されてしまう．最近，精子由来のミトコンドリアが受精卵内でユビキチン化されていることが明らかにされた[10]．ユビキチンは細胞構造のリサイクルにかかわる標識であり，ユビキチン化されたタンパク質はプロテアソームやリソソームで分解される．精子のユビキチン化は精子形成過程でも起こるが，受精卵中では精子由来のミトコンドリアのみがユビキチン化されるらしい．父親由来のミトコンドリアを認識する機構については不明である．ユビキチンによる選択的な標識機構の解明がそれに解答を与えると期待される．

5. 高等植物のミトコンドリアの遺伝様式

ミトコンドリアと異なり，同じオルガネラでも色素体の変異は致死的ではない場合が多く，古典的な遺伝学の表現型として申し分ない実験系となる．白い斑入の葉はとくに古くから注目されてきた．メンデルの遺伝の法則は1900年に再発見されたが，そ

の9年後に再発見者の一人Corrensは,オシロイバナのまだらはメンデル遺伝ではなく母性遺伝することを発見した.同じ1909年に,Baurは,ゼラニウムのまだらの葉が両性遺伝することを発表した.こうした色素体の遺伝様式はメンデルの遺伝の法則に従わないことから,「非メンデル遺伝」あるいは「細胞質遺伝」とよばれている(図4).

黒岩らは[11],葉緑体の母性遺伝が父親由来の色素体DNAの選択的消失によるものであることを証明した.単細胞緑藻クラミドモナスの雌雄の配偶子を交配し,約30分後に接合子をDAPI蛍光顕微鏡法で観察すると,雄由来の葉緑体核(DNA-タンパク質複合体)のみが選択的に消化されていた.この父親由来の葉緑体核の選択的な消失は,母親由来の核の指令によって起こる.単細胞のクラミドモナスについでカサノリ(*Acetabularia caliculus*)やキッコウグサ(*Dictyosphaeria cavernosa*)などの多細胞藻類でも,配偶子が接合するときには父親由来の葉緑体核が選択的に消失する.これらはいずれも同形配偶子をもつ.単細胞の藻類や多細胞でも下等なものは同形配偶子となるが,オオハネモ(*Bryopsis maxima*)などの進化した多細胞藻類で

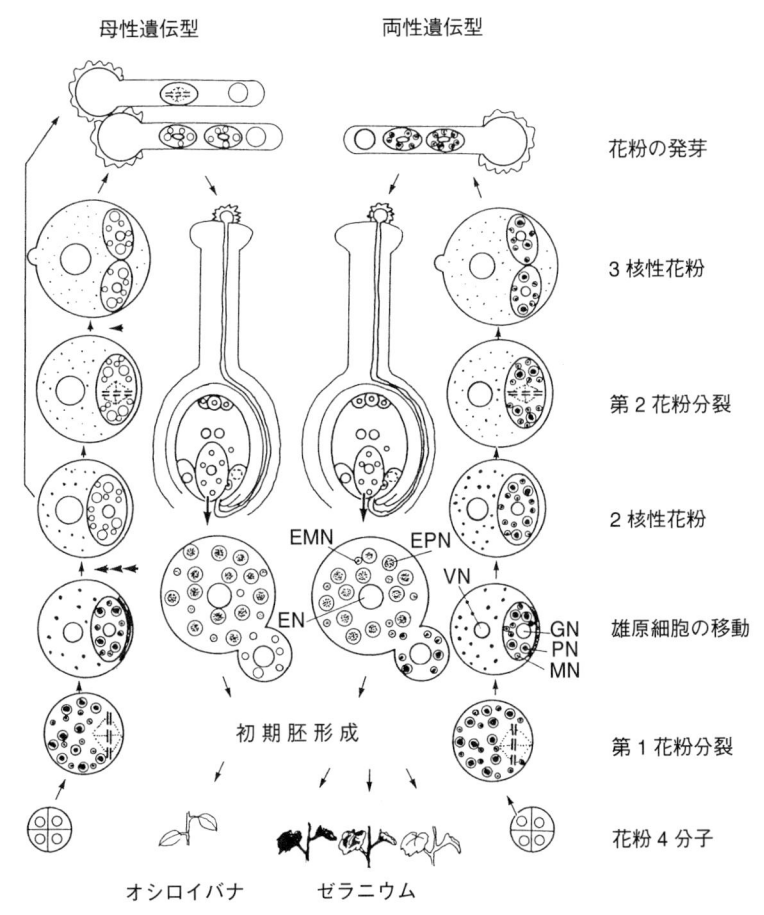

図4 高等植物のオルガネラの母性遺伝と両性遺伝[11,13,15]

葉緑体が母性遺伝するオシロイバナ(左図)と両性遺伝するゼラニウム(右図)を用いて,母性遺伝型植物と両性遺伝型植物の花粉形成と受精過程を模式的に示した.母性遺伝型植物では花粉形成過程で精細胞のミトコンドリアと色素体のオルガネラ核が消失してしまう.これに対して,両性遺伝型植物では精細胞のオルガネラ核が消失することはない.GN:雄原細胞核,VN:栄養細胞核,PN:色素体核,MN:ミトコンドリア核,EN:卵細胞核,EPN:卵細胞核,EMN:卵細胞ミトコンドリア核,黒点はオルガネラ核を表す.

は，雌雄に大小の差が生じ，配偶子は異形化してくる（図2参照）．配偶子の異形化に伴い，父親由来の葉緑体DNAの消失は早まる傾向があり，オオハネモでは異形化した雄の配偶子が形成されるときに父親由来の葉緑体核が消失する．これに対してイワヅタの仲間（*Caulerpa*）では，雄性配偶子の放出時に葉緑体DNAが消失しているものと残存しているものがある．また，アオサ（*Ulva pertusa*）やアオノリの仲間（*Enteromorpha*）では，雄性配偶子の形成時期や，接合子の成熟過程においても葉緑体DNAが消失することはない．ただし，アオサ属でも *U. mutabilis* では，接合後の早い段階で一方の色素体が分解される．このような例では片親遺伝が起こっているものと考えられる．

陸上植物への進化は，緑藻から車軸藻を経て，コケ，シダ，裸子植物，被子植物へと連なる．ヒメフラスコモ（*Nitella flexillis*）では，雄性配偶子はすでに精子へと分化している．精子は節細胞が分裂してできた造精器内で形成されるが，精子の核が変形して2本のべん毛が形成される以前の段階で，色素体やミトコンドリアのDNAは消失してしまう．このような植物の精子におけるオルガネラのDNA消失はシダでも観察されており，その後の陸上植物のオルガネラ遺伝の基本形となったと考えられる．

陸上植物がさらに進化して被子植物となると配偶子の異形化はさらに進み，雄性配偶子は花粉のなかの精細胞へ，雌配偶子は柱頭の下にある子房内側の胚嚢内の卵細胞へと分化する（図4）．被子植物では，胚嚢にある卵細胞と中心細胞が受精し，胚と胚乳になる重複受精が行われる．花粉1つにつき2つの精細胞（雄性配偶子）が必要となるが，花粉には花粉管が伸びてから精細胞が2つに分裂するものと花粉中ですでに精細胞が2つに分裂しているものがある．花粉には花粉管核がもうひとつ存在するので，前者を二核性，後者を三核性花粉とよぶ．色素体が母性遺伝するオシロイバナは二核性，両性遺伝するゼラニウムは三核性花粉である．それぞれの精細胞をDAPI蛍光顕微鏡法で観察すると，前者の精細胞にはオルガネラ核の輝点はまったく観察されないが，後者の精細胞には多数のオルガネラ核

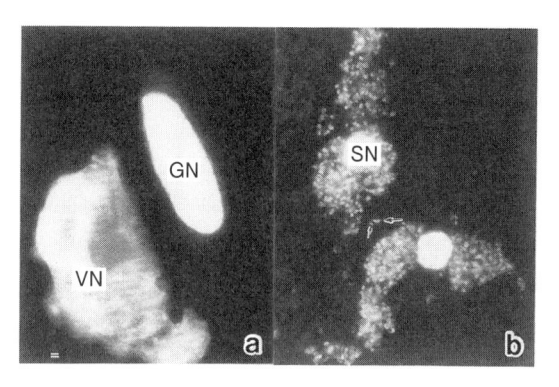

図5 花粉の雄原細胞と精細胞におけるオルガネラ核の消失[12]
ヒガンバナ（*Lycoris radiata*）(a)とゼラニウム(b)の花粉を押しつぶし，DAPI蛍光顕微鏡法で観察したもの．ヒガンバナはオシロイバナと同じ二核性花粉で，DAPIで染色されているのは，栄養細胞核（VN）と雄原細胞核（GN）で，雄原細胞核のまわりの雄原細胞質にはDNAの存在は確認されない．一方，ゼラニウムは三核性花粉で，雄原細胞はすでに分裂して2つの精細胞となっているが，精細胞核（SN）のまわりの精細胞質には多数のオルガネラ核の輝点が観察される．大きな矢印は色素体核，小さな矢印はミトコンドリア核，＝は1μmを示す．

の輝点が観察される（図5参照）．被子植物においても，クラミドモナスと同様に，雄性配偶子由来のオルガネラのDNAが選択的に消失する．

精細胞の細胞質にあるオルガネラ核をDAPI蛍光顕微鏡法で観察する方法は，極少量の花粉からでもオルガネラの遺伝様式を推察できる優れた方法である．すでに精細胞からオルガネラ核が消失しているのであれば，精細胞のオルガネラが次世代に遺伝することはなく，その植物の葉緑体もミトコンドリアも母性遺伝型ということになる．問題はオルガネラ核が残っている場合である．従来の方法では，精細胞に残っているオルガネラ核が色素体のものかミトコンドリアのものかを区別することができなかった．また，オルガネラ核が残っていても，両性遺伝あるいは父親遺伝になるとは限らない．

近年，RFLP（restriction fragment length polymorphism）を用いた多型分析やPCR法により，高等植物のオルガネラの遺伝様式が比較的容易に調べられるようになった（表1）．ミトコンドリアでの報告例はまだ少ないが，ミトコンドリアと葉緑体がともに母性遺伝する種が大多数であり，両性遺伝する種は全体の2割程度であることがわかってき

表1 オルガネラ核の消失とオルガネラの遺伝様式[12]

型	種	細胞学的観察			遺伝学的な証拠
m^+p^+	ゼラニウム (*Pelargonium zonale*)	mtDNA	+	nd	
		ptDNA	+	B	Baur 1909, Metzelaff, *et al.* 1981
m^+p^-	バナナ (*Musa acuminata*)	mtDNA	+	P	Fauré, *et al.* 1994
		ptDNA	−	M	Fauré, *et al.* 1994
m^-p^+	キューイ (*Actinidia deliciosa*)	mtDNA	−	M	Testolin & Cipriani 1997
		ptDNA	+	P	Cipriani, *et al.* 1995
	アルファルファ (*Medicago sativa*)	mtDNA	−	M	Forsthoefel, *et al.* 1992
		ptDNA	+	B	Forsthoefel, *et al.* 1992
	ツツジ (*Rhododendron maximum*)	mtDNA	−	nd	
		ptDNA	+	B	Noguchi 1932
m^+p^-	ペチュニア (*Petunia hybrida*)	mtDNA	−	nd	
		ptDNA	−	M	Potrykus 1971, Derepas & Dulieu 1992
	キンギョソウ (*Antirrhinum majus*)	mtDNA	−	nd	
		ptDNA	−	M	Diers 1971
	シロイヌナズナ (*Arabidopsis thaliana*)	mtDNA	−	M	Martínez-Zapater, *et al.* 1992
		ptDNA	−	M	Röbbelen 1966, Martínez, *et al.* 1997

雄原細胞にオルガネラ核が存在する（＋）場合は，両性遺伝型か（B）父親遺伝型（P）で，減少あるいは消失する（−）場合は，母親遺伝型（M）となることが確かめられた．nd：データなし．

た．また，精細胞内に観察されたオルガネラ核がミトコンドリアのものか色素体のものかを識別する簡便な方法（押しつぶし展開-DAPI染色法，$DiOC_6$-DAPI二重染色法）も考案されている．細胞質遺伝様式が知られている8種の植物種の花粉を用いて$DiOC_6$-DAPI二重染色法により経時的に観察した結果，両性遺伝する場合は花粉第一分裂後の雄原細胞内でオルガネラDNAが増加し，母性遺伝する場合はオルガネラDNAが減少するという共通の法則が見い出されている．高等植物の細胞質遺伝様式は花粉第一分裂後の雄原細胞内オルガネラDNAの増減制御により決定されること，およびそのDNA制御はミトコンドリアと色素体とで独立に起こるため，オルガネラの遺伝様式には表1に示すような4種類の組合せがあることがわかった[12]．

● おわりに

これまで，動物のミトコンドリアは厳密に母性遺伝するものと考えられてきた．しかし，マウス，ムラサキイガイ，ショウジョウバエなどでは，異種間で交雑すると父親からもmtDNAが子供に伝達され，両性遺伝することがあると報告されている．マウスは4つの亜種に分けられるが，こうした亜種間での交雑においても父親由来のmtDNAは子供に遺伝する．遺伝した父親由来のmtDNAには臓器特異性はあまりないが，それが卵巣にまで分布することはまれであり，父親由来のmtDNAが世代を越えて子孫に伝達される可能性はほとんどない．しかし異種間や亜種間のように，同種でない雄と雌の交配では父親由来のミトコンドリアが排除されない理由はわかっていない．

ミトコンドリアが父性遺伝する例は植物でも見つかっている．たとえば，単細胞緑藻クラミドモナスの葉緑体は母性遺伝するが，ミトコンドリアは父性遺伝するといわれている．1つの接合子のなかで，葉緑体は母性遺伝し，ミトコンドリアは父性遺伝するというのも奇妙な現象である．高等植物でも，葉緑体は母性遺伝するがミトコンドリアは父性遺伝する例がいくつか報告されている．スギ，マツ，セコイアなどの裸子植物がその例であり，裸子植物のミトコンドリアはほとんどが父性遺伝するといわれている．両性遺伝の場合も含めて，植物の花粉の精細胞にはミトコンドリア核が残る例がある（表1）．こうしたものでは，父親由来のmtDNAが子供に遺伝する可能性は十分ある．被子植物でも，ニンジンやアルファルファなどでは父性遺伝する可能性が示唆されている．花粉の精細胞が受精する卵細胞にはきわめて多くのmtDNAが含まれている．植物

の場合，mtDNAの卵対精細胞比は正確にわかっていないが，少なくとも動物と同じかそれ以上になるであろう．こうした量的な不均衡に抗して父親由来のmtDNAのみが子供に遺伝する機構は不明である．少なくとも，母親由来のミトコンドリアを積極的に排除する機構が作動しないと父性遺伝は起こりえないことになる．有性生殖とミトコンドリアの関係は，性の起源を含め，今後も興味深い問題を提供する．

●文　献

1) Maynard Smith, J.: *in* "The Evolution of Sex" (Michod R.E., Levin, B.R., eds.), pp.106-125, Sinauer, Sunderland (1988)
2) Ridley, M.: "The Red Queen", Penguin Books (1994)
3) Hamilton, W.D., Axelrod, R., Tanese, R.: *Proc. Natl. Acad. Sci. USA*, **87**, 3566-3573 (1990)
4) Livery, C., *et al.*: *Nature*, **344**, 864-866 (1990)
5) Dawkins, R.: "The Selfish Gene", Oxford University Press, Oxford (1976)
6) Hurst, L.D.: *Proc. Roy. Soc. Lon. B*, **248**, 135-148 (1992)
7) Kawano, S., Takano, H., Kuroiwa, T.: *Int. Rev. Cyto.*, **161**, 49-110 (1995)
8) Dujion, J.: *in* "The Molecular Biology of the Yeast *Saccharomyces*" (Strathern, J.N., Jones, E.W., Broach, J.R., eds.), pp.505-635, Cold Spring Harbor Lab. (1981)
9) Kaneda, H., Hayashi, J., Takahama, S., *et al.*: *Proc. Natl. Acad. Sci. USA*, **92**, 4542-4546 (1995)
10) Stovsky, P., Ricardo, D., Moreno, Jo., *et al.*: *Nature* **402**, 371-372 (2000)
11) Kuroiwa, T.: *Int. Rev. Cyto.*, **128**, 1-62 (1991)
12) Nagata, N., Saito, C., Sakai, A., *et al.*: *Planta*, **209**, 53-65 (1999)
13) 河野重行：『ミトコンドリアの謎』，講談社現代新書，講談社（1999）
14) Weier, T.E., Stocking, C. R., Barbour, M.G., Rost, T.L. : "Botany : An Introduction to Plant Biology", John Wiley & Sons, New York (1970)
15) 河野重行：『植物の分子細胞生物学』，植物細胞工学シリーズ3，pp.124-139（1995）

胎生期の発生分化とミトコンドリア

長尾 恭光

●はじめに

1997年に体細胞クローンヒツジの誕生が報告されてから、哺乳類のミトコンドリア（とくにミトコンドリアDNA：mtDNA）と形質の関係が注目されるようになってきた。体細胞クローンの作製は、脱核未受精卵と体細胞を融合（または核注入）させて、再構築卵を作製することから始まる。少なくとも、この再構築卵には脱核未受精卵のミトコンドリアと体細胞のミトコンドリアが混在する。しかし、異なる由来のミトコンドリアが混在することが哺乳類の発生分化にどのような影響を与え、どのように伝達されていくのかはわかっていない。また、このクローン技術を用いることで絶滅の危機にある哺乳類を救うことや、絶滅種を蘇らせることは可能だろうか。本稿では、修復能がないmtDNAが正常に保たれている機構、再構築卵の発生分化に与えるmtDNAの影響およびミトコンドリア研究における胚性幹細胞の利用について述べる。

1. mtDNAの正常性を保つ機構

核DNAと異なり、mtDNAは酸化反応などで受けた損傷を修復することができない。このため、次世代に受け継がれる生殖細胞は、損傷したmtDNAの蓄積を防ぐ必要がある。そこで、生殖細胞形成過程での核DNAとmtDNAの複製を比較した。

a. 哺乳類生殖細胞の核DNAとmtDNAの複製[1]

マウスにおいて、mtDNAの総量（おそらくミトコンドリア数も）は受精直後の前核期卵から受精後6〜7日目（日胚）の円筒期胚（胚盤胞期とする研究者もいる）までは変わらないと考えられる。すなわち、この期間は核DNAだけが複製されて細胞分裂を繰り返す。マウスでは、7日胚には尿膜周辺の胚体外中胚葉で始原生殖細胞（primordial germ cell：PGC）が観察されるようになる（図1）。この時期の胚は約900〜1000個の細胞からなり、前核期卵に約10万個のミトコンドリア（mtDNAで約20万個）が存在する。したがって、ミトコンドリアがすべての細胞間でランダムに分配されているとすれば、最初に出現したPGCは1細胞当たり約100個のミトコンドリアをもつことになる。PGCは増殖しながら移動し、11日胚で生殖巣に達する。雌のPGCは12日胚で卵原細胞になり、雄では精祖細胞になる。この期間は、核DNAもmtDNAも盛んに複製されており、各器官が分化する時期である。次に卵原細胞は減数分裂を始め、1次卵母細胞になって細胞分裂を止める。1次卵母細胞から成熟卵母細胞になるまでの休止期には核DNAは複製しないが、mtDNA（おそらくミトコンドリアも）は盛んに複製し、成熟卵母細胞には約20万個のmtDNAが存在することになる。核DNAとmtDNAの複製開始時期のずれは、母親（初期胚）から子供（PGC）に伝わるmtDNAを限定することになる（ボトルネック）。一方、雄の精祖細胞は13日齢で有糸分裂を停止するが、出生後ふたたび有糸分裂を開始する。分裂しながら精母細胞をつくり、これが減数分裂して継続的に精子を形成する。

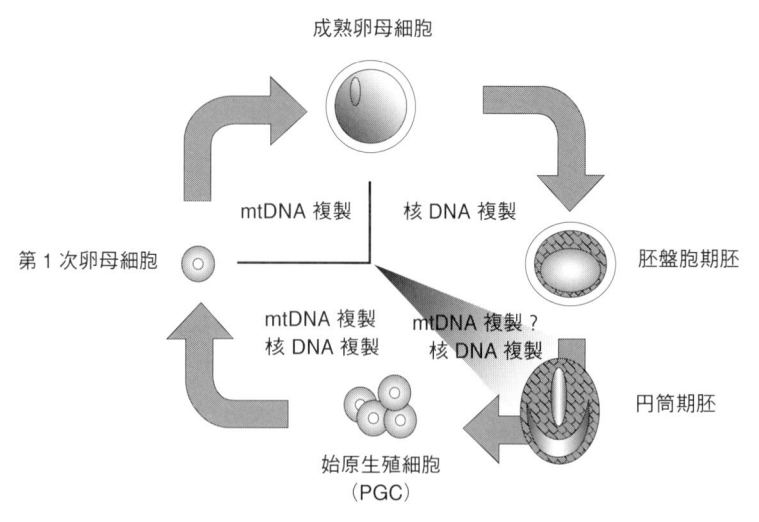

図1 哺乳類生殖細胞の核DNAとmtDNAの複製
(文献1)を一部改定)

この精子形成過程でmtDNAの複製は調整因子 (mitochondrial transcription factor A : mtTFA) の制御により抑制される[2]．精子には最終的に数十から100個のmtDNAが存在するが，受精後間もなく卵細胞質内で消失する．したがって，後代に伝わるmtDNAは雌生殖細胞の限られたmtDNAから複製されたものである．

mtDNAは雌の生殖細胞形成過程で限定されたものから複製されるので，これらのmtDNAに変異があれば変異mtDNAを多くもった卵子となる可能性が高まる．多数の卵子と多数の精子が体外で受精するのであれば，相対的に受精能の高い卵子と精子が受精する可能性があり，受精卵は自然淘汰により正常なmtDNAをもつことになる．その後，受精卵を体外で発生させれば，有害な変異mtDNAを多くもった卵子が受精しても子供が自然淘汰されるだけで母体には影響しない．しかし，ヒトでは，1回の排卵での排卵数は通常1個であり，排卵後の卵子間競争はない．もし，有害な変異mtDNAをもつ初期胚がそのまま着床して発生すれば，母体にも悪影響を及ぼす可能性がある．

b. 雌生殖細胞のアポトーシス

ヒトの場合，妊娠1カ月齢の女子胎児内にある約1700個のPGCは数カ月後には約700万個の卵母細胞になる．しかし，出生時には約100〜200万個の卵胞（卵巣内にある卵母細胞は濾胞上皮に覆われており，この卵母細胞全体を卵胞という）になり，性成熟期までにはさらに減少して約30〜40万個となる．1回の排卵で約1000個の卵胞が発育するにもかかわらず，排卵に至るのは通常1個である．したがって，閉経をむかえるまでは周期的に排卵したとしても，ヒトが一生のうちに排卵できる卵子はわずか数百個にすぎない．卵胞の退化（卵胞閉鎖）は，性ホルモンの影響などの外的要因にもよるが，アポトーシス（プログラム細胞死）による欠陥卵母細胞の排除と考えられる．Bcl-2とBaxはアポトーシスを制御する関連タンパク質であり，前者はアポトーシスを抑制し，後者はアポトーシスを促進する．正常個体に比べ，Bcl-2欠損マウスの性成熟初期の原始卵胞数は著しく少なく，Bax欠損マウスのそれは非常に多い．多くの動物を比較した場合，雌の生殖細胞に含まれるミトコンドリアの数（最初のPGCの時）と子孫の数は正の相関を示し，閉鎖卵胞の割合は負の相関を示すとされている[3]．これは，ヒトのように子孫の少ない哺乳類では，子孫に伝えるミトコンドリアを厳密に選抜する機構が存在することを示唆する．

排卵卵子の受精能は繁殖適齢期を過ぎるころから低下する．事実，40歳代半ばの女性の卵子には大きな欠損をもつ変異mtDNAが含まれていたこと

が報告されている．この現象は有害な変異mtDNAの蓄積によりひき起こされたものかもしれない．逆に，アポトーシスを起こしやすいFVB系マウスの未受精卵にアポトーシスを起こしていない体細胞のミトコンドリアを注入するとアポトーシスが抑制されることも示されている[4]．雌の生殖細胞のアポトーシスは，有害なmtDNA変異の蓄積を防ぐ機構かもしれない．

2. 異なるミトコンドリアの混在が再構築卵の発生分化に与える影響

これまで，分化した体細胞は全能性を失うと考えられていたが，脱核未受精卵と融合（または核を注入）させると個体形成が可能であることが示された．体細胞クローンの技術は多方面に応用できる可能性をもっている．たとえば，絶滅が危惧される種や絶滅種（凍結細胞などをドナー細胞として）を近縁種の卵子と母体を用いて再生させることが考えられる．しかし，この再構築卵には脱核未受精卵の異種ミトコンドリアと体細胞のミトコンドリアが混在する．現時点では，異種ミトコンドリアの混在が哺乳類の発生分化にどのような影響を与え，どのように伝達されていくかは不明である．以下に，異なるミトコンドリア（同種あるいは異種由来）が混在することが再構築卵の発生分化に与える影響を考察する．

a. 同種ミトコンドリアの導入

Jenuthらは，前核期卵と卵細胞質の一部（サイトプラスト）を電気融合して再構築卵を作製した．それらの再構築卵を借り親に移植し，2つの異なるmtDNAの混在するヘテロプラスミックマウスを得た．彼らの用いた系統はBALBとNZBである．NZBのmtDNAは一般のマウス（BALB，C57BL/6，ICRなど）のmtDNAと比べてきわめて少ない変異をもつ．得られたマウスにBALBの雄を数代にわたりかけ合わせ，導入mtDNAの比率の変動を世代間と生殖細胞の形成過程で調べた[5]．その結果，さまざまな導入mtDNAの比率が観察されている．これは，生殖細胞形成過程の初期（PGCの形成）に起こるmtDNAのランダムな遺伝的浮動のためと考えられている．

一方，MeirellesとSmithは，前核期卵の卵細胞質を含む前核（カリオプラスト）を相互に入れ替え（前核置換）てヘテロプラスミックマウスを作製した（図2）．得られたヘテロプラスミックマウスの雌にC57BL/6（B6）の雄を5代にわたりかけ合わせ，NZBのmtDNAの比率を世代ごとに調べた．その結果，ヘテロプラスミックマウスは各世代において2種のmtDNAが混在した状態を安定に維持していた[6]．

ミトコンドリアを導入する他の方法として，ミトコンドリアを前核期卵細胞質に直接インジェクションする方法がある．NZBの肝から精製したミトコンドリアをICR系マウス前核期卵細胞質に注入し

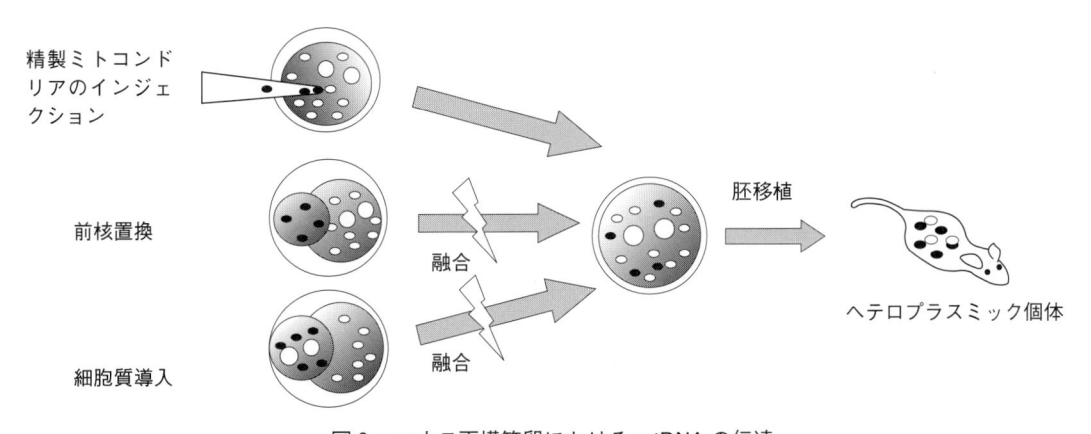

図2 マウス再構築卵におけるmtDNAの伝達

た場合，卵細胞質融合した場合と異なり，導入mtDNA は胚盤胞期までに消失する．両者の結果の差は導入ミトコンドリアの量的差によると考え，F1（B6×DBA）前核期卵にインジェクションするNZB 精製ミトコンドリアの導入量を変化させた[7]．その結果，導入量が少ない場合（精子に含まれるミトコンドリア量以下）はインジェクション直後には検出できるが，胚盤胞期胚にはほとんど検出されなかった．しかし，ミトコンドリア濃度を10倍にすると，胚盤胞期胚のほとんどすべてから検出された．段階的に100，1000倍としていくと胚移植で得られた個体のほとんどすべての臓器からNZB のmtDNA が検出された．この場合，胚の発生率や着床率にほとんど差はみられない．このことから，導入するミトコンドリア量を増やせばヘテロプラスミックマウスが容易に得られることが予想される．

受精卵クローンウシ（体細胞クローンに対して受精卵クローンとよぶ）の場合，レシピエント卵側のmtDNA に対するドナー割球側のmtDNA 比率がドナー割球のステージ（大きさ）と関係が深いことが知られている．体細胞クローンウシでは[8]，ドナー細胞由来のmtDNA が検出されたという報告もあるが，ヒツジ[9]では検出されていない（図3）．

以上のことより，ヘテロプラスミックマウスおよびクローンにおいて，遺伝的にきわめて近い同種間（亜種内）のmtDNA は有害な変異が起こっていない限り導入ミトコンドリア量に依存し，導入ミトコンドリアが少ない場合は，多いmtDNA に均一化すると考えられる．

b. 同胞異種ミトコンドリアの導入

戻し交配で同胞異種のmtDNA（*Mus spretus*）に置換したコンジェニックマウス（B6mt^{spr}）では，B6 と核 DNA は理論的には同一であり，mtDNA は *Mus spretus* 由来である．B6 に比べ，B6mt^{spr} は有酸素運動能力[10]や体外での胚発生能が低い．B6mt^{spr} の前核期卵を高酸素濃度下で体外培養すると，発生途中に死滅する胚が多い．また，B6 とB6mt^{spr} を相互に交配した場合も同様であったことから，この現象はmtDNA の違いによるものと考えられる．相互に前核置換した再構築卵の胚発生能を高酸素および低酸素濃度下で比較した結果，どちらの再構築卵の胚発生能も高酸素濃度下では低下するが，低酸素濃度下では低下しないことが確認された[11]．

Irwin らは，*Mus spretus* の肝ミトコンドリアをF1（B6×SJL）の前核期卵にインジェクションしてヘテロプラスミックマウスを得ている[12]が，同種ミトコンドリアのインジェクションの場合に比べて産子の得られる確率は低い．おそらく，*Mus spretus* のミトコンドリアが繁殖性に影響しているのであろう．

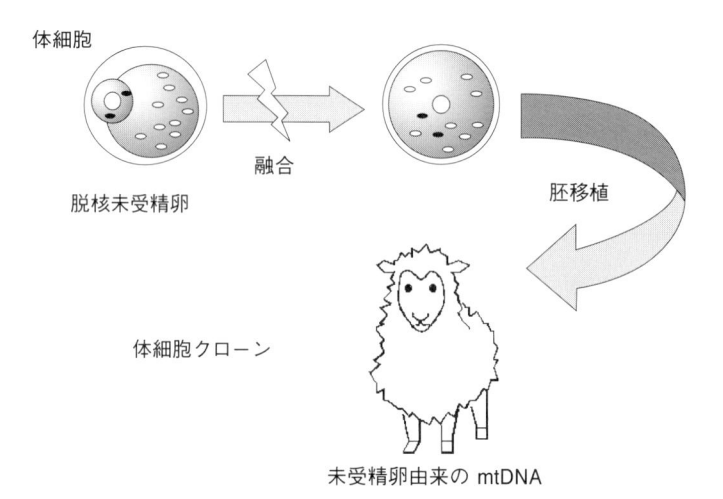

図3　体細胞クローンヒツジにおけるmtDNA の伝達

c. 異種間での導入

Dominkoらは，ウシの脱核未受精卵に異種哺乳動物の体細胞を核移植した．ヒツジ，ブタ，サル，ラットの線維芽細胞をドナーとして移植（電気融合）したとき，融合して分割した胚の胚盤胞までの発生率はそれぞれ14，14，17，および0％であった．ヒツジ，ブタ，サルについては，ウシどうしの場合（17％）とほとんどかわらない発生率であった[13]．しかし，それぞれの再構築胚（核移植した胚）をドナーと同じ種の仮親に移植したが，受胎には至っていない．

ヒトのρ^0細胞にサルのmtDNAを導入した研究では，ゴリラ，チンパンジー，およびピグミーチンパンジーのmtDNAがヒトmtDNAと同様にミトコンドリアの呼吸能やタンパク合成能を維持したのに対し，オランウータン，キツネザル，新世界ザルのmtDNAではそれらの機能は維持できなかった[14]．ミトコンドリアの機能維持には種間の距離が関係するようである．

ヒト培養細胞内で高等類人猿のmtDNAがヒトのmtDNAの代用となりうるのは，Dループ内のプロモーター領域や調整因子（mtTFAなど）の両者間類似性が高いためと考えられる．すなわち，核DNAとmtDNAの間には適合性が存在すると考えられる．調整因子のひとつであるmtTFAの遺伝子をノックアウトしたマウスでは，ヘテロの場合mtDNAの減少により筋肉における呼吸能が低下する．また，ホモの場合はmtDNAの複製が起こらないために8.5から10.5日齢までに死亡する[15]．このことから，着床前の初期胚ではミトコンドリアの機能不全によるエネルギー不足は考えにくい．しかし，分化した細胞や組織では，核DNAとmtDNAの間に不適合があればミトコンドリアの機能不全が起こる．

マウスF1（B6×DBA）前核期卵にインジェクションするウシのミトコンドリア導入量を変化させた結果，導入量が少ない場合は胚発生に影響しなかったが，導入量を10倍，1000倍と増やしていくと発生率は低下した．この結果は，同種のミトコンドリアを導入した場合とは異なる．

以上のことより，絶滅が危惧される種や絶滅種を近縁種の卵子を用いて再生できる可能性は非常に低いと考えられる．細胞質から異種ミトコンドリアへのタンパク質輸送の問題もある．体細胞クローンではドナー由来のミトコンドリアは消失すると考えられる．再構築卵内ではドナーとレシピエント由来のミトコンドリアが融合する可能性も考慮する必要がある．異種のmtDNAと核DNAが共存し続けるには，核内のミトコンドリア関連遺伝子を改変する必要があるのかもしれない．

3. ミトコンドリア研究における胚性幹細胞の利用

内部細胞塊（inner cell mass：ICM）と栄養外胚葉（trophectoderm）および体細胞とPGCの分化は哺乳動物の個体形成や生殖に重要である．ICMは増殖，分化，アポトーシスを繰り返しながら胎児となり，PGCも増殖，分化，アポトーシスの過程を経て成熟した配偶子となる．分化やアポトーシスを抑制して体外で樹立された細胞が，ICM由来のES（胚性幹）細胞とPGC由来のEG（胚性生殖）細胞である．

ES細胞やEG細胞は，適切な培養条件下では無限に増殖すると考えられ，正常胚に導入することにより体細胞にも生殖細胞にも分化する．これらの特徴を完全に備えた細胞は実際にはマウスでしか樹立されていない．しかし，胚に戻すと体細胞にも生殖細胞にも分化することから，哺乳類ではショウジョウバエのように卵細胞質内に不均一に分布する生殖質によって生殖細胞への分化が決定されているのではない．

Levyらは，変異mtDNAを導入したES細胞でキメラマウスを作製した[16]．変異mtDNAをもつマウス細胞の細胞質とmtDNAを除いたES細胞を融合させて変異mtDNAをもつES細胞を作製し，それを胚盤胞に注入して仮親に移植することによりキメラマウスを得た．キメラマウスを調べた結果，変異mtDNAの比率は腎でもっとも高かったが，

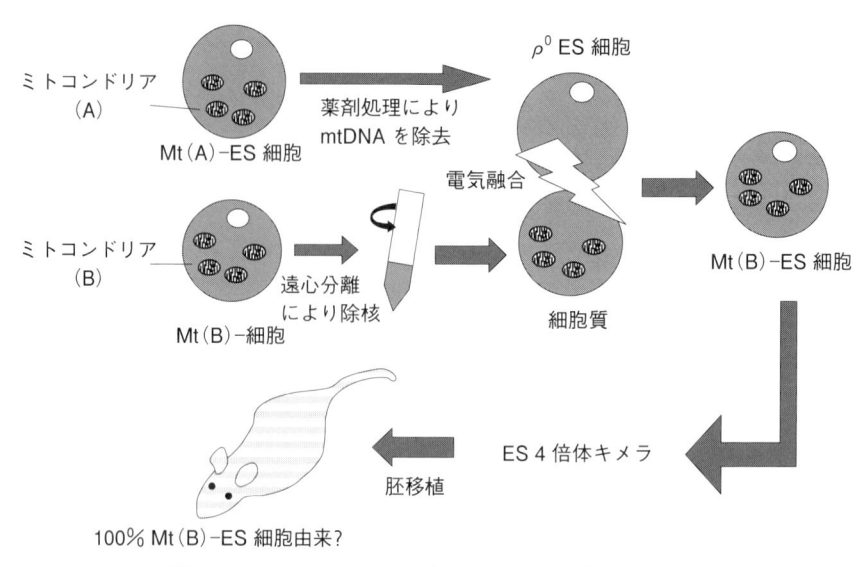

図4 ミトコンドリアの研究における胚性幹細胞の利用

ES細胞由来の生殖細胞はなかった．

もし，すべての体組織でES細胞由来のマウスを作製できれば，ES細胞由来の生殖細胞も得られる．その方法として，4倍体胚とES細胞のキメラ作製法がある[17]．これは，ES細胞が胎盤などの胚外組織に寄与する能力が低いことと，4倍体細胞が胚にはほとんど寄与しないが胚外組織にはかなり寄与する性質を利用した方法である．この方法を用い，*Mus spretus* のmtDNAをもつコンジェニックマウスのES細胞からほぼ完全なES細胞由来のマウスが得られている．しかし，これらのマウスはすべて生後間もなく死亡する．この例に限らず，ES細胞を導入した4倍体胚キメラは，形態や解剖所見が正常であるにもかかわらず，呼吸不全で死亡することが多い．この傾向はES細胞の継代を重ねるほど強くなり，さらに継代を重ねたES細胞ではほとんどが胎生期で死亡するようになる．成体まで成長するのは継代数が少ない場合だけである．このような現象が起こる原因としては，エピジェネティックな異常と遺伝的な異常が考えられる．エピジェネティックな異常としてはインプリンティング（genomic imprinting）が考えられる．一方，遺伝的な異常としては核DNAとmtDNAの変異が考えられる．一般には核DNAの変異について論じられることが多いが，変異mtDNAの蓄積が影響している可能性も否定できない．

ES細胞を導入した4倍体胚キメラを用いることにより，mtDNAを入れ替えたマウスなどを容易に得ることができるかもしれない（図4）．また，いろいろな組織の細胞に分化させる研究が進めば，各組織での変異mtDNAの影響を調べることも容易になるであろう．

●おわりに

体細胞クローン技術はまだ完全に確立されたものとはいえない．研究が進めば，異種間でも個体が得られるようになるかもしれない．ミトコンドリア研究でクローン技術やES細胞を利用することは，これまでの自然交配や培養細胞の研究だけでは得られなかった新しい知見を与えてくれるであろう．哺乳類の発生分化とミトコンドリアの研究はまだ端緒についたばかりである．

執筆にあたり貴重なご助言をいただいた京都大学農学研究科今井 裕教授に深く感謝いたします．

●文　献

1) Smith, L.C., Bordignon, V., Garcia, J.M., Meirelles,

F.V. : *Theriogenology*, **53**, 35-46 (2000)
2) Larsson, N.G., Oldfors, A., Garman, J.D., *et al.* : *Hum. Mol. Genet.*, **6**, 185-191 (1997)
3) Krakauer, D.C., Mira, A. : *Nature*, **400**, 125-126 (1999)
4) Perez, G.I., Trbovich, A.M., Gosden, R.G., Tilly, J.L. : *Nature*, **403**, 500-501 (2000)
5) Jenuth, J.P., Peterson, A.C., Shoubridge, E.A. : *Nat. Genet.*, **16**, 93-95 (1997)
6) Meirelles, F.V., Smith, L.C. : *Genetics*, **145**, 445-451 (1997)
7) Muramatsu, H., Nagao, Y., Minami, N., *et al.* : *Theriogenology*, **53**, 398 (2000)
8) Steinborn, R., Schinogl. P., Zakhartchenko, V., *et al.* : *Nat. Genet.*, **25**, 255-257 (2000)
9) Evans, M.J., Gurer, C., Loike, J.D., *et al.* : *Nat. Genet.*, **23**, 90-93 (1999)
10) Nagao, Y., Totsuka, Y., Atomi, Y., *et al.* : *Genes Genet. Syst.*, **73**, 21-27 (1998)
11) Nagao, Y., Totsuka, Y., Atomi, Y., *et al.* : *Theriogenology*, **47**, 233 (1997)
12) Irwin, M.H., Johnson, L.M., Pinkert, C.A. : *Transgenic Res.*, **8**, 119-123 (1999)
13) Dominko, T, Mitalipava, M., Haley, B., *et al.* : *Biol. Reprod.*, **60**, 1496-1502 (1999)
14) Kenyon, L., Moraes, C.T. : *Proc. Natl. Acad. Sci. USA*, **94**, 9131-9135 (1997)
15) Larsson, N.G., Wang, J., Wilhelmsson, H., *et al.* : *Nat. Genet.*, **18**, 231-236 (1998)
16) Levy, S.E., Waymire, K.G., Kim, Y.L., *et al.* : *Transgenic Res.*, **8**, 137-145 (1999)
17) Nagy, A., Rossant, J., Nagy, R., *et al.* : *Proc. Natl. Acad. Sci, USA*, **90**, 8424-8428 (1993)

周産期の組織ミトコンドリア特性

佐藤 英介・吉岡 保・内海 耕慥・井上 正康

● はじめに

胎児の循環動態は出生と同時に激変することはよく知られている事実であるが,この際に体内の酸素代謝も大きく変化する.とくに,動脈血の酸素分圧が25 mmHgから100 mmHgに急上昇するため,出産後の組織は著しい酸素ストレスに暴露される.この際,新生児の全臓器の代謝は,胎盤依存型から大気中での独立生存型に適応すべく,システミックに変化することが不可欠である.周産期には,この酸素関連代謝の激変に備えてさまざまな準備がなされていく.たとえば,胎児期の造血は肝での髄外造血を主体としているが,出産前から出生後にかけて骨髄造血に移行する.周産期におけるこのような変化の多くは,血液循環動態と酸素代謝特性の共役的変化によりプログラムされている.さまざまなストレスで誘導合成されるスーパーオキシドジスムターゼやカタラーゼなどの抗酸化酵素は,とくに出生後の酸化ストレスに適応して大きく変化していく[1~4].本稿では,胎児,新生児,および成獣ラットの肝ミトコンドリアに注目し,周産期の活性酸素代謝とミトコンドリアの特性について概説する.

1. 胎児の酸素代謝と活性酸素代謝

羊水中で発育する胎児にとって,物質交換の窓口は胎盤のみである.胎盤から取り込まれた栄養素と酸素は臍帯静脈を経て胎児循環にはいる.臍帯静脈血と臍帯動脈血の酸素分圧はそれぞれ約25および15 mmHgであるのに対し,成人の動脈血と静脈血のそれは約90および40 mmHgである.一方,単位重量当たりの組織に運搬される酸素の量は,成人でも胎児でも大差はない.これはヘモグロビンに対する酸素の親和性が両者で大きく異なることによる.25から15 mmHgにかけての胎児ヘモグロビン(HbF)の酸素解離度は,90から40 mmHgにかけての成人ヘモグロビン(HbA)のそれに比して非常に大きい.また,胎児の血液は成人の血液に比して赤血球数(ヘマトクリット)とヘモグロビン濃度が著しく高い.このため,胎児では酸素をヘモグロビンに有効に結合させると同時に末梢組織で解離放出される酸素供給量が大きい.このシステムを維持するために,胎盤も重要な役割を果たしている.妊娠動物を高圧酸素下において母体血中の酸素分圧を上昇させても,胎児血中の酸素分圧はほとんど変化しない.したがって,胎盤は取り入れる酸素の量を制御する機能を有している.これらの制御システムにより,胎児は低酸素下でも高酸素下でも一定の内部環境を形成して正常に発育することができる.

これに対し,酸化ストレスに対する胎児の防御機構はどうなっているのであろうか.ラット胎児肝のCu,Zn-SODおよびMn-SODの活性は成獣の肝の約75%および50%程度と低い.発現量は出生後に急激に上昇する.過酸化水素を消去するカタラーゼやグルタチオンペルオキシダーゼの活性も胎児肝では低い.さらに,グルタチオン(GSH)やα-トコフェロールなどの抗酸化物質のレベルも,同様に低い.このため,胎児の肝ホモジネートを大気中でイ

ンキュベートすると，成獣の肝ホモジネートに比して脂質過酸化反応がより速やかに進行する[5]．酸化ストレスの低い子宮内環境では，抗酸化防御系はこの程度でよいのかもしれない．

一方，陣痛，出産，およびこれに続く肺呼吸開始により，胎児は激しい酸化ストレスを受けることになる．周産期に一過性に起こる激しい酸化的ストレスは，肝をはじめ，胎児の全臓器で起こる適応現象に重要な役割を果たしている可能性が高い．事実，hypoxia responsive element に代表されるように，酸化ストレスが遺伝子の発現制御に重要な役割を果たしていることが判明しつつある．

2. 周産期のグルタチオン代謝

上記のように，胎児と成獣では循環動態や活性酸素代謝特性が著しく異なるので，内因性の抗酸化物の代謝も異なると考えられる．事実，この傾向はグルタチオン代謝にも顕著に現れている．成獣ではグルタチオンの代謝臓器間肝と腎を中心とする相関のもとに営まれ，生体防御に重要な役割を果たしている[6]．ラットなどでは肝類洞内に約 20 nmol/min/g 肝の速度で GSH が能動分泌され，分泌された GSH は全身循環系にはいり，腎で高発現しているγ-グルタミルトランスペプチダーゼ（γ-GTP）によって速やかに構成的アミノ酸に分解される．この際，GSH より遊離したシステインが血流を介して全身組織細胞に供給され，GSH やタンパク質の合成基質として利用されている．この臓器相関システムが細胞膜表面や細胞外空間での酸化ストレスを軽減するとともに，全身のレドックス制御に重要な役割を果たしている．

一方，GSH のこのような臓器相関は周産期には低く，おもに臓器内サイクルにより代謝されている．しかし，妊娠末期には胎児肝のγ-GTP 活性が一過性に急上昇する．この活性（3～6 U/g 肝）は胎児の肝細胞から分泌されるグルタチオン（約 7.0 nmol/min/g 肝）を分解するのに十分な活性であり，肝のグルタチオンはおもに肝内で代謝回転しているいると考えられる．

ラット肝の肝細胞と造血系細胞における GSH 含量，γ-GTP，グルタチオンペルオキシダーゼおよびグルタチオンレダクターゼの活性は妊娠 18 日目から生後 1 日目までに激変することが知られる[7]．たとえば，胎児肝細胞内のグルタチオン含量は妊娠 18 日から 20 日目にかけて 50%にまで減少するが，妊娠 21 日目には 75%にまで回復し，生後 1 日目までこのレベルを保つ．一方，造血細胞の GSH 含量は妊娠末期には著明な変化を示さず，出生後にわずかに増加する．胎児肝細胞のγ-GTP 活性は妊娠 18 日から 20 日目にかけて著明に増加して出生後 1 日目まで高値を保ち，以後は激減して成獣のレベルになる．しかし，造血細胞にはγ-GTP 活性はほとんど発現しない．この際，細胞の GSH 含量の変化とγ-GTP 活性は鏡面対称的に変化することから，妊娠末期の胎児肝細胞から分泌された GSH は自分の細胞表面でγ-GTP により分解され，おもに肝細胞内に構成アミノ酸として効率よく取り込まれる．このように肝細胞内に動員されるシステインはおもに肝細胞内でのタンパク合成などに利用され，造血細胞組織から代謝組織としての肝組織へ分化が加速される．この際，肝細胞内の GSH も一過性に減少するが，グルタチオンペルオキシダーゼやグルタチオンレダクターゼの活性が著明に上昇し，細胞内の酸化ストレスは代償的に軽減されると考えられる．一方，γ-GTP の発現がみられない肝造血細胞系は，酸化ストレスに対する抵抗性が低く，アポトーシスにより死滅していく．

3. 周産期のミトコンドリアの変化

上記の事実から，周産期における肝での酸化ストレスは構成細胞により大きく変動すると考えられる．活性酸素産生系にはさまざまなものがあるが，とくにミトコンドリアでの産生は重要である．したがって，酸化ストレスが激変する周産期における肝のミトコンドリアは大きな影響を受けると考えられる．ラットの胎児（胎生 21 日），新生児（生後 2

日後），および成獣の肝ミトコンドリアの形態が電子顕微鏡で比較観察されている．成獣の肝ミトコンドリアは鮮明な二重膜構造をとる[8]．胎児肝のミトコンドリアではenergized型とよばれるミトコンドリアは非常に少なく，膨潤した形態で，クリステやマトリックスは鮮明ではない．胎児の膨潤した肝ミトコンドリアの形態は周産期の肝機能分化や肝細胞のリモデリングに伴い，成獣の形態に近づいてくる．とくに，出生直後の変化は著しく，数時間のうちに胎児型から成獣型のミトコンドリア形態に移行する．胎児，新生児，および成獣ラットの肝ミトコンドリアの比重は成熟に伴い低下していく．この比重変動は，ミトコンドリアを構成する脂質とタンパク質の量比の変化による．事実，胎児肝ミトコンドリアのシトクロム含量は成獣ラットのそれに比較してかなり低く，成長に伴うタンパク合成の増加と並行してシトクロム含量が増加してくる．シトクロムbの含量は新生児から成熟ラットに至るまでほぼ一定の値を示すが，シトクロムaa_3および$c+c_1$の含量は胎児では少なく，出生とともに急激に増加する[9,10]．

ラット肝のミトコンドリアを単離して呼吸能を解析した結果（図1），第1回目のADP添加によるコハク酸呼吸では，state3呼吸が最大速度に達するまで著明なラグがみられ，ゆるやかに呼吸速度が増加していく．しかし，第2回目のADP添加時にはこのラグはみられず，ただちに最大の呼吸速度を示す．このような現象は，出生後は速やかに消失し，生後2日目の新生児ミトコンドリアではADP添加に素早く反応して最大速度のstate3呼吸がみられる．さまざまな時期の肝ミトコンドリアでstate3/state4の呼吸調節率（RCR）を比較すると，胎児で1.55，2日目の新生児で2.06，成獣ラットでは4.55であり，成長に伴いRCRも次第に高くなった．また，ADP/O比でも胎児肝ミトコンドリアでは0.90，2日目の新生児では1.74，成獣ラット肝では1.95と増加していく（図1）．このように，ラット肝のミトコンドリアの呼吸調節能は生後短期間に急速に増強していく[11]．

帝王切開により取り出した胎児を37℃の大気下に1時間放置し，その肝ミトコンドリアの機能変化を解析した報告がある．これによると，ADP/O比はなお低いが，ADPによる呼吸調節能が速やかに増強し，Ca^{2+}による膨潤や脱分極反応が誘導されるようになる．したがって，帝王切開により取り出した胎児の肝ミトコンドリアも，酸素呼吸を要求される大気下の高酸素環境下に置かれると，呼吸調節能が速やかに誘導される．

エネルギー転換反応の低下に伴いミトコンドリア内へのCa^{2+}の取込みが低下する可能性がある．事実，Ca^{2+}による胎児肝ミトコンドリアのmembrane permeability transition（MPT）を検討した結果，Ca^{2+}による胎児肝ミトコンドリアのMPT応答性は成獣の肝ミトコンドリアのそれと比較して著しく低かった．成獣の肝ミトコンドリアではCa^{2+}による膨潤に伴いシトクロムcが流出するが，胎児肝ミトコンドリアではそのような流出は認められない．

胎児肝ミトコンドリアにはシトクロムcの特異抗体と反応するタンパク質は十分存在し，その含有量は成獣の肝のそれと差がみられない．吸収スペクトルより胎児肝ミトコンドリアシトクロムcの鉄含量を成獣肝ミトコンドリアのそれと比較解析した結果，胎児肝のミトコンドリアではシトクロムcに特異的な550 nmの吸収スペクトルが認められず，生後1日目からその含量が増加してくることが判明した．この結果は，胎児肝ミトコンドリアのシトクロムcの鉄含量が低いことを示唆する．シトクロムcはカスパーゼ-3を活性化する作用を有するが，Feをもたないシトクロムcはその活性が低い可能

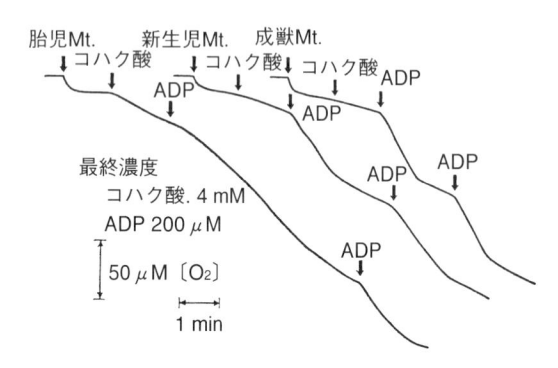

図1 肝ミトコンドリアの呼吸曲線

性が考えられる．しかし，胎児肝ミトコンドリアのシトクロム c がカスパーゼ-3 を活性化しうるか否かを検討した結果，胎児肝ミトコンドリア由来のシトクロム c も成獣のそれと同程度の活性化能を示すことが判明した．したがって，胎児肝細胞ではミトコンドリアからシトクロム c が遊離しにくい可能性が考えられる．強い酸化ストレスが生じる周産期には，肝細胞がミトコンドリア依存性のアポトーシスを起こさないように抑制している機構が存在すると考えられる．

4. 周産期のミトコンドリア依存性アポトーシスと肝細胞交代現象

胎児肝より分離した造血細胞を 4 時間培養し，DNA を抽出して電気泳動法で解析した結果，GSH，システイン，シスチンなどの抗酸化物を欠乏させた培養液中では，造血細胞の DNA が断片化することが判明している[7]．この DNA 断片化はシステイン，N-アセチルシステイン（NAC）あるいは GSH を添加することによって抑制されるが，シスチン，SOD あるいはカタラーゼでは抑制されない．システインと NAC は細胞内に取り込まれて GSH やタンパク質合成のためのチオール源としても機能できる．これらのチオールの中でもとくにシステインの抑制作用が強いが，これはシステインの還元能の強さに起因すると考えられる．細胞外の GSH はインタクトな状態では細胞内に直接取り込めないにもかかわらず DNA の断片化を有効に抑制することから，肝の造血細胞の生存には細胞外での酸化ストレスを軽減することが重要と思われる．これに対し，肝細胞はチオール化合物がない培養液中でもアポトーシスを起こさない．前述のように，肝細胞ではグルタチオン依存性の抗酸化抵抗能が維持されるが，肝造血細胞の抵抗性は時間とともに低下していく．このことが，肝細胞ミトコンドリアのシトクロム c が遊離しにくい一因となっている可能性が考えられる．最近，ミトコンドリアのシトクロム c 放出に関与するアデニンヌクレオチドトランスポーター（ANT）の開口制御にその Cys56 が重要であることが報告されている[12,13]．したがって，細胞内 GSH を主体とするレドックス系が ANT の機能制御に重要な役割を果たす可能性が考えられる．出生による酸化ストレスが肝構成細胞内の GSH 代謝やミトコンドリア機能変化と相関しながら肝細胞と肝造血細胞の生死を決定し，造血組織から代謝組織としての肝の分化成長を支配していると考えられる．

5. ミトコンドリアの活性酸素産生とシグナル伝達

エネルギー代謝の中心に位置するミトコンドリアは，大量の酸素を代謝消費すると同時に，活性酸素の産生の主座でもある．通常は，成熟個体ではミトコンドリア内外の抗酸化物や抗酸化酵素により，これらは速やかに解毒代謝されている．生理的条件下で肝細胞が産生する活性酸素を過酸化水素に換算すると約 90 nmol/min/g の活性酸素が生成されている[14]．前述のように，胎児肝のミトコンドリアは電子伝達系が未熟であるため呼吸能が低く，電子が系外に漏れやすい．また，抗酸化酵素群の細胞内発現量も低いため，活性酸素が産生されやすい．したがって，強い酸化ストレスが生じる周産期には，ミトコンドリア由来の活性酸素の産生も増大する可能性が考えられる．出産に伴い肺呼吸が開始されて酸素濃度が急上昇すると，ミトコンドリアから多量の活性酸素が産生され酸化ストレスとなってチロシンリン酸化酵素などを活性化して増殖シグナルとなる．これにより前述したようなミトコンドリアを含む組織は急速に分化成熟していく可能性が考えられる．

● おわりに

ミトコンドリアは，エネルギー産生器官であるとともに，細胞死を誘導する小器官でもある．周産期の組織のミトコンドリアは未熟で，呼吸能も不完全であり，抗酸化物や抗酸化酵素も少ない．したがって，出産や陣痛などに伴う急激な酸化ストレスが加

わると，活性酸素産生をはじめとする劇的な変化が起こる．平時には活性酸素産生を代謝抑制することにより生体の恒常性が維持されているが，周産期ではこれを巧妙かつ積極的な仕組みを利用し，個体としての成熟を加速する機構に用いていると考えられる．今後，これらの研究のさらなる発展が期待される．

●文 献

1) Pittschieler, K., Lebenthal, E., Bujanover, Y., Petell, J.K. : *Gastroenterology*, 1062-1068 (1991)
2) Frank, L., Sosenko, I.R.S. : *J. Pediatr.*, **110**, 106-110 (1987)
3) Gerdin, R., Tyden, O., Eriksson, U.J. : *Pediatr. Res.*, **19**, 687-691 (1985)
4) Yoshioka, T., Utsumi, K., Sekiba, K. : *Biol. Neonate.*, **32**, 147-153 (1977)
5) Yoshioka, T., Takehara, Y., Shimatani, M. *et al.* : *Tohoku. J. Exp. Med.*, **137**, 391-400 (1982)
6) Inoue, M. : "Renal Biochemistry"(Kinne, R., ed.), pp.225-269, Elsevier, Amsterdam (1985)
7) Yamamasu, S., Sato, E.F., Ogita, S., Inoue, M. : *Free Radic. Biol. Med.*, **23**, 100-109 (1997)
8) 吉岡 保，川田清弥，片山 滋ら：日本新生児学会雑誌，**14**，438-446（1978）
9) 吉岡 保，川田清弥，片山 滋ら：日本新生児学会雑誌，**14**，447-454（1978）
10) Hallman, M., Kankare, P. : *Biochem. Biophys. Res. Comm.*, **45**, 1004-1010 (1974)
11) 関場 香，片山 滋，小川達博ら：医学の歩み，**99**，567-568（1976）
12) Majima, E., Ikawa, K., Takeda, M., *et al.* : *J. Biol. Chem.*, **270**, 29548-29554 (1995)
13) Halestrap, A., Woodfield, K., Connem, C. : *J. Biol. Chem.*, **272**, 3346-3354 (1997)
14) Boveris, A., Oshino, N., Chance, B. : *Biochemistry*, **128**, 617-630 (1972)

褐色脂肪細胞のミトコンドリア
脱共役タンパク質の発現と脂質代謝の亢進

篠原 康雄・梶本 和昭・山﨑 尚志・寺田 弘

● はじめに

褐色脂肪組織（BAT）は，その名のとおり褐色を呈した脂肪組織であり，皮下や内臓型脂肪などの白色脂肪組織とは区別して取り扱われる．この組織が褐色を呈しているのは，ミトコンドリアの含有量が高いことに由来する．白色脂肪組織（WAT）の主たる機能がエネルギーの蓄積であるのに対し，褐色脂肪組織のそれは発熱を伴うエネルギーの散逸である．すなわち，褐色脂肪組織は，動物の出生時，冬眠から覚醒する際，あるいは寒冷条件下にさらされた場合など，生体が体温維持のために熱産生を必要とした際の主たる熱産生器官であり，生体が余剰摂取したエネルギーを熱として発散させるための器官としても機能している．後者の機能は肥満の解消と密接に関与しているため，この組織を活性化する抗肥満薬開発に向けた研究が盛んになされている．

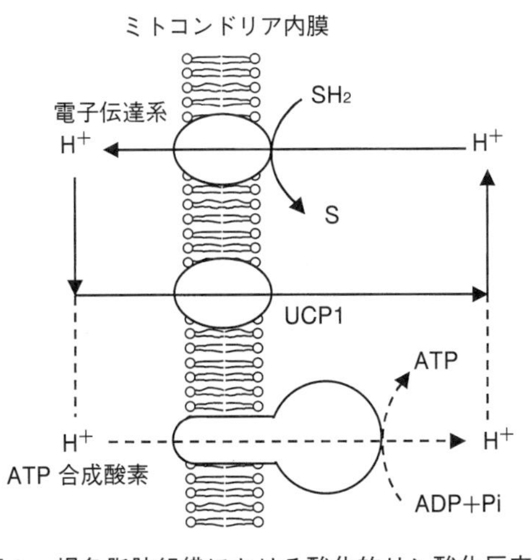

BATがこのような特殊な機能を有しているのは，そのミトコンドリアに特異的に発現した脱共役タンパク質〔uncoupling protein：UCP，別名サーモゲニン（thermogenin）〕とよばれるタンパク質による．このタンパク質は，脱共役剤と同様に酸化的リン酸化反応を脱共役させる機能を有しているため，褐色脂肪組織では生体が摂取したエネルギーはATPの形に変換されることなく熱として発散されてしまう（図1）．脱共役タンパク質は，褐色脂肪組織にきわめて選択的に発現していることが知られてきたが，最近の研究により，いくつかのホモログが相次いで見い出された．この章では，まず脱共役タンパク質の構造と機能について解説し，次いでその機能制御について紹介したい．最近の総説としては文献1〜5) を参照されたい．

図1 褐色脂肪組織における酸化的リン酸化反応の脱共役
酸化的リン酸化反応は，基質の酸化に伴って形成されるミトコンドリア内膜を介した H^+ の電気化学ポテンシャル差を駆動力としている．褐色脂肪組織では，特異的に発現した脱共役タンパク質（UCP1）が H^+ 勾配を消失させるため，基質のエネルギーはATPの形で蓄えられることなく，熱として発散する．

1. 脱共役タンパク質とそのホモログ

脱共役タンパク質の1次構造解明は世界的な競争になり，それまで先駆的な研究を進めていた3つの研究グループがほぼ同時（1985年）に構造を発表した．すなわち，ドイツのグループがタンパク質のアミノ酸配列を決定[6]，フランスとアメリカの

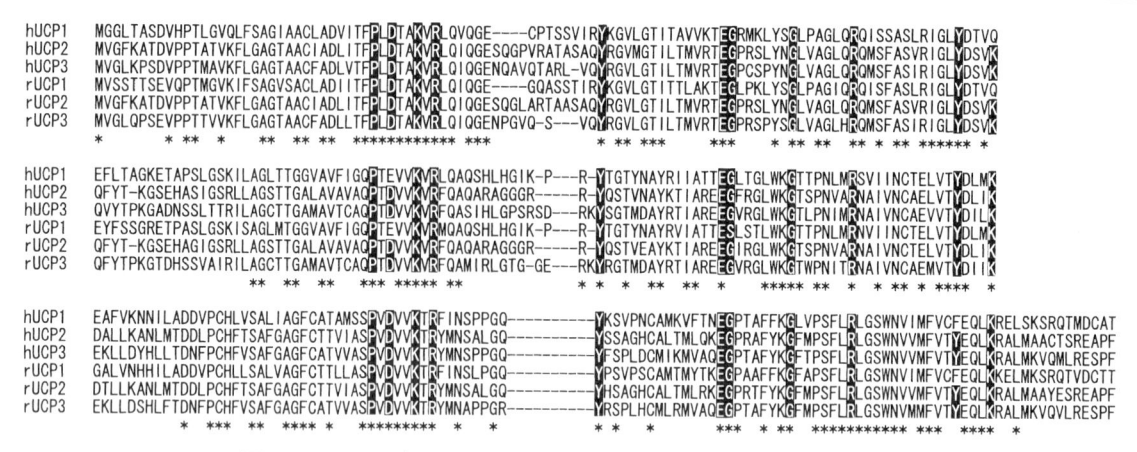

```
hUCP1  MGGLTASDVHPTLGVQLFSAGIAACLADVITFPLDTAKVRLQVQGE----CPTSSVIRYKGVLGTITAVVKTEGRMKLYSGLPAGLQRQISSASLRIGLYDTVQ
hUCP2  MVGFKATDVPPTATVKFLGAGTAACIADLITFPLDTAKVRLQIQGESQGPVRATASAQYRGVMGTILTMVRTEGPRSLYNGLVAGLQRQMSFASVRIGLYDSVK
hUCP3  MVGLKPSDVPPTMAVKFLGAGTAACFADLVTFPLDTAKVRLQIQGENQAVQTARL-VQYRGVLGTILTMVRTEGPSPYNGLVAGLQRQMSFASIRIGLYDSVK
rUCP1  MVSSTTSEVQPTMGVKIFSAGVSACLADIITFPLDTAKVRLQIQGE----GGASSTIRYKGVLGTITTLAKTEGLPKLYSGLPAGIQRQISFASLRIGLYDTVQ
rUCP2  MVGFKATDVPPTATVKFLGAGTAACIADLITFPLDTAKVRLQIQGESQGLARTAASAQYRGVLGTILTMVRTEGPRSLYNGLVAGLQRQMSFASVRIGLYDSVK
rUCP3  MVGLQPSEVPPTTVVKFLGAGTAACFADLLTFPLDTAKVRLQIQGENPGVQ-S---VQYRGVLGTILTMVRTEGPRSPYSGLVAGLHRQMSFASIRIGLYDSVK
        *   *   ***  **  ***  * ** ******* ****** *              ****  *  **  ** *  * *** ** *   *** ******

hUCP1  EFLTAGKETAPSLGSKILAGLTTGGVAVFIGQPTEVVKVRLQAQSHLHGIK-P--R-VTGTYNAYRIIATTEGLTGLWKGTTPNLMRSVIINCTELVTYDLMK
hUCP2  QFYT-KGSEHASIGSRLLAGSTTGALAVAVAQPTDVKVRFQAQARAGGGR-----R-VQSTVNAYKTIAREEGFRGLWKGTSPNVARNAIVNCAELVTYDLIK
hUCP3  QVVYTPKGADNSSLTTRILAGCTTGAMAVTCAQPTDVKVKFQASIHLGPSRSD---RKYSGTMDAYRTIAREYGIRGLWKGTLPNIMRNAIVNCAEVVTYDLIL
rUCP1  EYFSSGRETPASLGSKISAGLMTGGVAVFIGQPTEVVKVRMQAQSHLHGIK-P--R-VTGTYNAYRIIATTESLSTLWKGTTPNLMRYVIINCTELVTYDLMK
rUCP2  QFYT-KGSEHAGIGSRLLAGSTTGALAVAVAQPTDVKVRFQAQARAGGGR-----R-VQSTVEAYKTIAREEGIRGLWKGTSPNVARNAIVNCTELVTYDLIK
rUCP3  QFYTPKGTDHSSVAIRILAGCTTGAMAVTCAQPTDVKVRFQAMIRLGTG-GE---R-KYRGTMDAYRTIAREEGVRGLWKGTWPNITRNAIVNCAEMVTYDIIK
        *    * *    **  ***  **  **   ***** **  *                   *  **    *   **** ***  *       **  **

hUCP1  EAFVKNNILADDVPCHLVSALIAGFCATAMSSPVDVVKTRFINSPPGQ------YKSVPNCAMKVFTNEGPTAFFKGLVPSFLRLGSWNVIMFVCFEQLKRELSKSRQTMDCAT
hUCP2  DALLKANLMTDDLPCHFTSAFGAGFCTTVIASPVDVVKTRYMNSALGQ------YSSAGHCALTMLQKEGPRAFYKGFMPSFLRLGSWNVVMFVTYEQLKRALMAACTSREAPF
hUCP3  EKLLDYHLLTDNFPCHFVSAFGAGFCATVVASPVDVVKTRYMNSAPPGR------YFSPLDCMIKMVAQEGPTAFYKGFTPSFLRLGSWNVMMFVCYEQLKRALMKVQMLRESPF
rUCP1  GALVNHHILADDVPCHLLSALVAGFCTTLLASPVDVVKTRFINSLPGQ------VPSVPSCAMTMYTKEGPAAFFKGFPAFFLRLGSWNVIMFVCFEQLKKELMKSRQTVDCTT
rUCP2  DTLLKANLMTDDLPCHFTSAFGAGFCTTVIASPVDVVKTRYMNSALGQ------YHSAGHCALTMLRKEGPRTFYKGFMPSFLRLGSWNVVMFVTYEQLKRALMAAYESREAPF
rUCP3  EKLLDSHLFTDNFPCHFVSAFGAGFCATVVVASPVDVVKTRYMNAPPGR------YRSPLHCMLRMVAQEGPTAFYKGFMPSFLRLGSWNVMMFVTYEQLKRALMKVQVLRESPF
         *     *   **  **    **  *   ********  *    *         *            ** * ** *** **********  ** *** **
```

図2 ヒトおよびラットに発現した UCP ホモログの1次構造の比較

UCP の前につけた h および r は，それぞれヒトおよびラットを示す．3回の繰返し構造がもっとも明らかとなるように，必要に応じてギャップ（−）を挿入した．6種類すべての UCP において共通するアミノ酸を ∗ で，また，3回の繰返し構造において高度に保存されているアミノ酸を白抜きで示した．

グループがそれぞれ cDNA のクローニングに成功した[7,8]．これにより，内因性の脱共役剤としての構造特性が明らかにされた（図2）．このタンパク質は，褐色脂肪組織にきわめて選択的に発現しており，それゆえ褐色脂肪組織が生体内の唯一の熱産生器官と考えられていた．

しかし，褐色脂肪組織だけでなく，筋組織も非ふるえ熱産生に寄与している可能性が示唆されたこと[9〜12]，全酸素消費に占めるミトコンドリア内膜を介した H^+ のリークによる酸素消費の割合が20〜30％と見積もられたにもかかわらず，ミトコンドリアのリン脂質膜は H^+ のリークを起こさないこと，褐色脂肪組織以外の組織や細胞でも UCP1 の cDNA や抗体が交差性を示すメッセージやタンパク質が検出されたこと，および酵母の全ゲノム構造が明らかにされ，ミトコンドリアの溶質輸送担体ファミリーに属する可能性のあるタンパク質が34個もあることが判明したこと[13]などから，脱共役タンパク質にホモログが存在する可能性が示唆された．Fleury らは脱共役タンパク質のホモログの探索研究を行い，1997年に UCP2 を発見した[14]．次いで，同様のストラテジーで UCP3 が見い出された[15〜17]．その後，脱共役タンパク質との構造類似性がやや低い UCP4 と BMCP1（brain mitochondria carrier protein 1）という脳タンパク質も見い出された．しかし，これらの生理的役割はまだ十分に明らかにされておらず，UCP1〜3 とは区別して取り扱われている[18,19]．

UCP1〜3の1次構造を比較した結果を図2に示す．いずれも約300個のアミノ酸からなるタンパク質であり，アミノ酸配列で UCP1 と UCP2 は57％，UCP1 と UCP3 は54％，UCP2 と UCP3 は72％の構造類似性（ラット）を示す．これらのタンパク質はいずれも，1・11節に記されたミトコンドリアの溶質輸送担体ファミリーに属し，これらのファミリーに共通して分子中に3回の繰返し構造，6回膜貫通型構造，および溶質輸送担体ファミリーに保存されたコンセンサス配列（PROSITE accession number PS00215，P-x-[DE]-x-[LIVAT]-[RK]-x-[LRH]-[LIVMFY]-[QGAIVM]）が観察される．

解析の結果，UCP1 が褐色脂肪組織にきわめて選択的に発現しているのに対し，UCP2 は多くの組織に普遍的に発現し，UCP3 は褐色脂肪組織と筋組織に発現していることが明らかになった．UCP2 は免疫系やマクロファージにおいて高度な発現が認められたことから，炎症に伴う発熱に関与している可能性も示唆されている[5,14]．

2. UCPによる酸化的リン酸化反応の脱共役とその制御

　基本的には，UCP1自身がH$^+$を通す活性を有していると考えられている．H$^+$のキャリヤーであるのか，あるいはチャンネルであるのかはまだ定かでない．UCP1以外のホモログについての研究はまだ端緒についたばかりであるが，酵母に発現させるとUCP1と同様にミトコンドリアの膜電位を低下させることから，基本的にUCP1と同じと考えられる．

　UCP1自身の脱共役活性は，脂肪酸によって活性化され，プリンヌクレオチド（とくにGDP）によって制御されている．このため，UCP1は古くはGDP結合タンパク質ともよばれた．また，ヌクレオチドによる阻害がpH感受性を示すことから，pHも活性制御因子のひとつと考えられている．ただし，これらの因子が生体内でもUCP1の活性制御因子であるか否かは不明である．

3. UCP1遺伝子の転写制御

　動物を寒冷刺激するとBATの熱産生能が亢進することが知られている．寒冷刺激は交感神経を介して褐色脂肪細胞に伝えられるが，神経伝達物質であるノルエピネフリンの効果は単離した褐色脂肪細胞でも観察することができる．ノルエピフリンはアドレナリンβ受容体を介してその刺激を細胞内に伝え，UCP1の転写亢進をひき起こす．このほかのUCP1の転写亢進因子としては，甲状腺ホルモンやレチノイドなどが知られている．

　UCP1がなぜ褐色脂肪組織にきわめて選択的に発現しているのか，また，UCP1の転写がどのような機構でこれらのシグナルに応答しているのかについて，初代培養褐色脂肪細胞とトランスジェニックマウスを用いて精力的に解析され，その分子機構のほとんどが明らかにされた（文献1,2,5 参照）．特記すべき事実として，UCP1の褐色脂肪組織選択的な発現とレチノイン酸やノルエピネフリンなどの刺激剤に対する発現の感受性が遺伝子上流約2.3 kbpの狭い領域（211 bpエンハンサー[20,21]）だけで支配

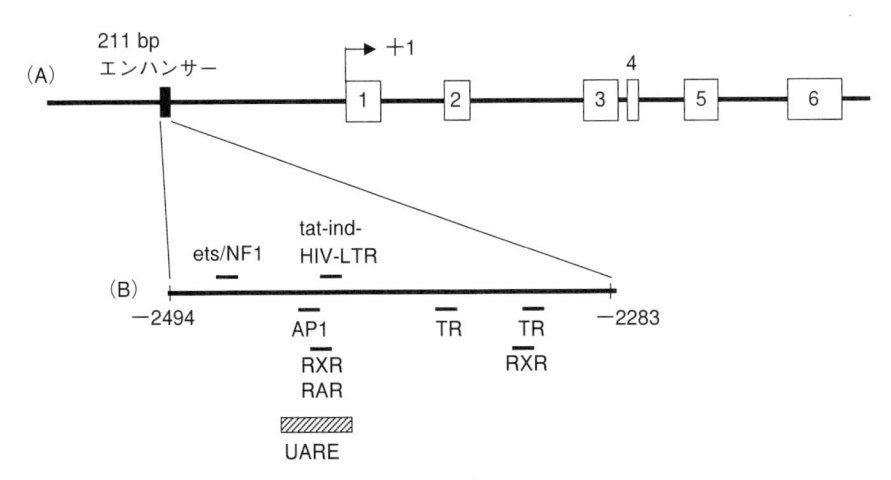

図3　UCP1遺伝子の転写を制御する211 bpエンハンサー
（A）UCP1遺伝子の全体像，（B）転写制御を担うことが明らかにされた211 bpエンハンサーの構造（図A中の白抜きの箱はUCP1遺伝子のエクソンを示す）．211 bpエンハンサー中には，図に示すような多くの転写調節因子の結合エレメントが見い出されたが，cAMP感応性エレメントは存在しなかった．しかしながら，トランスジェニック動物を用いた解析から，この領域だけで，BATに選択的な転写が制御され，カテコールアミンに対する感応性も付与されることが明らかになった[21]．さらに，エンハンサー中でUARE（UCP gene activation regulatory element）と示した領域が，カテコールアミンやレチノイン酸に対する感応性を支配していることが明らかにされている[2]．

4. UCP1ノックアウトマウスを用いた解析

UCP1の生理機能を理解する目的では，この遺伝子を改変した動物の作製と表現型の解析が非常に有効である．Lowellらは，UCP1遺伝子内にジフテリア毒素のA鎖をコードする遺伝子を挿入し，褐色脂肪組織の機能破綻を試みた[22]．その結果，体重と体脂肪率の顕著な増加を認めた．Kopeckyらは，aP2遺伝子のプロモーターにUCP1遺伝子を結合させ，白色脂肪組織でもUCP1を発現する動物の作製を試みた[23]．その結果，対照マウスに比べ，体重増加の有意な抑制を認めた．また，Enerbackらは，UCP1遺伝子のエクソンをneo耐性遺伝子に置き換えたノックアウトマウスを作製した[24]．このUCP1欠損マウスは低温感受性を示し，高脂肪食を与えた場合にも肥満は生じなかった．このマウスではBATにおけるUCP2の転写が亢進していたため，UCP1の欠落はUCP2の転写亢進によって補償されている可能性が示唆された．

5. BATの機能制御

BATでのキーマシナリーがそのミトコンドリアに特徴的なUCP1であること，およびこれがタンパク質側の因子（ヌクレオチドと脂肪酸）や遺伝子側の因子（ノルエピネフリンなど）によって支配されていることは疑う余地はない．では，BATはUCP1だけで熱を産生できるのであろうか？BATの機能発現にはUCP1以外のマシナリーも必要であると考え，BATとWATで発現するタンパク質とエネルギー代謝の特性を比較した結果を以下に紹介する．

a. 筋型のCPTI

BATとWATのディファレンシャルスクリーニングにより，カルニチンパルミトイルトランスフェラーゼⅠ（CPT-Ⅰ）に似た構造のタンパク質をコードするcDNAが単離されている[25]．長鎖脂肪酸はミトコンドリア内でβ酸化を受けるが，そのままではミトコンドリア膜を透過することはできない．このため，長鎖脂肪酸はカルニチン系で変換されながらミトコンドリア内に運ばれる（図4）．CPT-Ⅰはカルニチン系の律速酵素であり，すでに構造が明らかにされていた肝型サブタイプに加え，

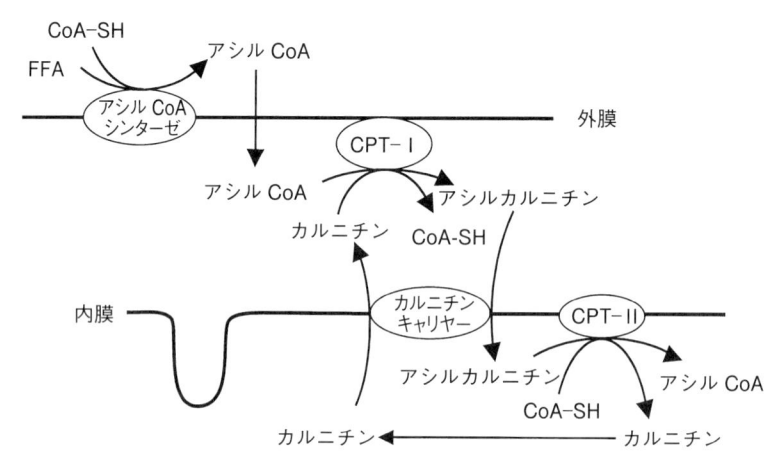

図4　ミトコンドリアのカルニチン系とCPT-Ⅰの役割
脂肪酸はミトコンドリア内でβ酸化を受けるが，そのままの形ではミトコンドリアのマトリックスに移行できないので，図に示すカルニチン系を介して構造修飾を受けて搬入される．褐色脂肪組織に多量に発現していることが見い出されていたタンパク質は，カルニチン系の律速酵素として知られるカルニチンパルミトイルトランスフェラーゼⅠ（CPT-Ⅰ）の筋型サブタイプであった．FFA：遊離脂肪酸，CoA-SH：補酵素A．

筋組織型のサブタイプもある可能性が強く示唆されていた．これまでに知られていた肝型 CPT-I はおもに肝や腎で発現しているが，単離された cDNA がコードするタンパク質は褐色脂肪組織，心，骨格筋などで発現が顕著であり，筋型サブタイプの cDNA である可能性が示唆された．この可能性は発現実験によって確かめられ[26]，筋型 CPT-I とよばれている．

b. 筋型の脂肪酸結合タンパク質

BAT におけるエネルギー代謝にかかわるタンパク質の発現を解析した結果，筋型の脂肪酸結合タンパク質の存在が判明した[27,28]．脂肪酸結合タンパク質（fatty acid binding protein：FABP）は脂肪酸を結合する性質を有するが，その生理的役割はまだ十分に解明されていない．また，アイソフォームが多いのが特徴であり，肝型（L-FABP），小腸型（I-），心筋型（H-），脂肪型（A-），脳型（B-）など，少なくとも 8 つのサブタイプ（アイソフォーム）が存在することが知られている．

BAT と WAT における脂肪酸結合タンパク質の転写動態を解析した結果，脂肪組織型アイソフォーム（A-FABP）の転写レベルはいずれの組織でも差異は認められなかった．一方，筋型アイソフォーム（H-FABP）は，常温で飼育したラットの BAT では顕著ではないが，BAT の機能が亢進する寒冷条件下では転写レベルが 100 倍近くも上昇することが判明した[27]．さらに，H-FABP の転写レベルは，UCP1 の転写を調節することが報告されているレチノイン酸によっても同様に亢進することが明らかになり，H-FABP と UCP1 の転写が協調的に制御されていることが判明した（大黒ら，未発表）．

H-FABP はミトコンドリアに局在するタンパク質ではないが，筋型 CPT-I も H-FABP も主として筋組織に発現していること，および脂肪酸代謝に関与するタンパク質であることから，褐色脂肪組織の効率よい機能発現にはミトコンドリアでの脂肪酸代謝が重要であることが示唆される．

●おわりに

BAT ミトコンドリアが他の組織のミトコンドリアと異なることが指摘されてから，すでに 40 年ほどの月日が流れた．この間に，サーモゲニンというキーマシナリーの存在が明らかにされ，その構造的，機能的特性が明らかにされたのは大きな進歩であった．しかし，まだまだ不明な点は残されており，BAT そのもののよりいっそうの理解のためにも，さらなる研究が必要である．

●文　献

1) Ricquier, D., Cassard-Doulcier, A.M. : *Eur. J. Biochem.*, **218**, 785-796 (1993)
2) Ricquier, D., Bouillaud, F. : *Prog. Nucl. Acid. Res. Mol. Biol.*, **56**, 83-108 (1997)
3) Boss, O., Muzzin, P., Giacobino, J.P.: *Eur. J. Endocrinol.*, **139**, 1-9 (1998)
4) Klingenberg, M. : *J. Bioenerg. Biomembr.* **31**, 419-430 (1999)
5) Ricquier, D., Bouillaud, F. : *Biochem. J.*, **345**, 161-179 (2000)
6) Aquila, H., Link, T.A., Klingenberg, M. : *EMBO J.*, **4**, 2369-2376 (1985)
7) Jacobsson, A., Stadler, U., Glotzer, M.A., Kozak, L.P.: *J. Biol. Chem.*, **260**, 16250-16254 (1985)
8) Bouillaud, F., Weissenbach, J., Ricquier, D.: *J. Biol. Chem.*, **261**, 1487-1490 (1986)
9) Davis, T.R. : *Am. J. Physiol.*, **213**, 1423-1426 (1967)
10) Simonsen, L., Stallknecht, B., Bulow, J.: *Int. J. Obes. Relat. Metab. Disord.*, **17**, S47-51 (1993)
11) Duchamp, C., Barre, H. : *Am. J. Physiol.*, **265**, R1076-R1083 (1993)
12) Block, B.A. : *Annu. Rev. Physiol.*, **56**, 535-577 (1994)
13) Goffeaum, A. : *Acta Physiol. Scand. Suppl.*, **643**, 297-300 (1998)
14) Fleury, C., Neverova, M., Collins, S., et al. : *Nat. Genet.*, **15**, 269-272 (1997)
15) Vidal-Puig, A., Solanes, G., Grujic, D., et al.: *Biochem. Biophys. Res. Commun.*, **235**, 79-82 (1997)
16) Boss, O., Samec, S., Paoloni-Giacobino, A., et al. : *FEBS Lett.*, **408**, 39-42 (1997)
17) Gong, D.W., He, Y., Karas, M., et al.: *J. Biol. Chem.*, **272**, 24129-24132 (1997)
18) Sanchis, D., Fleury, C., Chomiki, N., et al. : *J. Biol. Chem.*, **273**, 34611-34615 (1998)
19) Mao, W., Yu, X.X., Zhong, A., et al. : *FEBS Lett.*, **443**, 326-330 (1999)
20) Larose, M., Cassard-Doulcier, A.M., Fleury, C., et al. : *J. Biol. Chem.*, **271**, 31533-31542 (1996)
21) Cassard-Doulcier, A.M., Gelly, C., Bouillaud, F., et

al. : *Biochem. J.*, **333**, 243-246 (1998)
22) Lowell, B.B., S-Susulic, V., Hamann, A., *et al.* : *Nature*, **366**, 740-742 (1993)
23) Kopecky, J., Clarke, G., Enerback, S., *et al.* : *J. Clin. Invest.*, **96**, 2914-2923 (1995)
24) Enerback, S., Jacobsson, A., Simpson, E.M., *et al.* : *Nature*, **387**, 90-94 (1997)
25) Yamazaki, N., Shinohara, Y., Shima, A., *et al.* : *FEBS Lett.*, **363**, 41-45 (1995)
26) Esser, V., Brown, N.F., Cowan, A.T., *et al.* : *J. Biol. Chem.*, **271**, 6972-6977 (1996)
27) Daikoku, T., Shinohara, Y., Shima, A., *et al.* : *FEBS Lett.*, **410**, 383-386 (1997)
28) Daikoku, T., Shinohara, Y., Shima, A., *et al.* : *Biochim. Biophys. Acta*, **1457**, 263-272 (2000)

第4章

ミトコンドリアと抗酸化防御系

ミトコンドリアの活性酸素代謝と抗酸化防御系

佐藤 英介・井上 正康

● はじめに

ヒトは1日に平均2500カロリーものエネルギーを，おもにミトコンドリアの酸素呼吸によって得ている．このため，ミトコンドリアは大量の酸素を代謝しており，これに伴い常に微量（酸素代謝の数パーセント）の活性酸素が産生されている．通常，これらの活性酸素はミトコンドリア内外にある抗酸化物質により速やかに代謝されている．しかし，この活性酸素は種々の要因によりミトコンドリア自身にも影響を与え，細胞内に遊離してさまざまな生物現象を誘起している．生理的条件下で肝細胞で産生される活性酸素の量を過酸化水素に換算すると，約90 nmol/min/gの活性酸素が生成されているとの報告がある[1]．また，各細胞分画での活性酸素生成比をみてみると，ミトコンドリアで15％，小胞体で45％，ペルオキシソームで35％，細胞質で5％となっている[2]．これらのオルガネラは巧妙な機構によりスーパーオキシド，過酸化水素，ヒドロキシルラジカルなどの発生を低く抑えている．以下に，ミトコンドリアの活性酸素代謝と抗酸化防御系について述べる．

1. ミトコンドリアの活性酸素産生

ミトコンドリアからの$O_2^{\cdot -}$産生は，酸素濃度が急激に上昇した場合や呼吸鎖が遮断された際に著しく増加する．炎症や虚血再灌流時には，ADPも低下した状態で再酸素化されることが多く，電子の流れが制限されてリークしやすくなり，酸素分子が一電子還元されて$O_2^{\cdot -}$やH_2O_2が生成される．また，炎症巣に集積した好中球やマクロファージの誘導型NO合成酵素（iNOS）から生成されたNOが電子伝達系の末端酵素であるシトクロムc酸化酵素に結合して電子の流れを制限し，$O_2^{\cdot -}$が生じ，次いでH_2O_2が生成される．これまでの試験管内の実験から，NOの寿命は数秒と考えられてきたが，生体内の生理的低酸素環境下では著明に長く，その生体内での作用は大気下の実験で観察されてきたものよりもはるかに長く大きいと考えられる．事実，分離ミトコンドリア，Ehrlich腹水癌細胞，腹水肝癌細胞などにおける酸素消費やエネルギー代謝に対するNOの影響を種々の酸素分圧下で検討すると，生理的な低酸素下ではきわめて微量のNOにより強く阻害される[3,4]．NOは$O_2^{\cdot -}$と拡散律速で反応して$ONOO^-$を生じ，高濃度では細胞やミトコンドリアを不可逆的に傷害することも報告されている[5]．

亜ミトコンドリア粒子を用いた実験で，最大4〜7 nmol/min/mgの$O_2^{\cdot -}$が生成することが報告されている[6]．この際，$O_2^{\cdot -}$とH_2O_2（過酸化水素）の比は約1.5〜2.1であり，$O_2^{\cdot -}$が不均化されて過酸

表1 ミトコンドリアにおけるラジカル発生と電子伝達系

	代謝物			相対速度	
state	ADP	呼吸基質	酸素消費	ATP産生および使用	ラジカル生成
3	+	多い	速い	速い	少ない
4	−	多い	遅い	遅い	多い

化水素になると考えられている．過酸化水素の生成量はミトコンドリアの代謝状態により異なり，その生成量は state3 より state4 のほうが多い（表1）．ロテノンなどの脱共役剤によりその生成量は減少するが，アンチマイシンなどの電子伝達阻害剤で呼吸鎖を還元状態にすると生成量は上昇する．ちなみに，単離ミトコンドリアの state4 では酸素消費量の約 2%（0.3〜0.6 nmol/min/mg）が過酸化水素に代謝されている．ミトコンドリアの活性酸素生成部位としては，おもに2カ所報告されている（図1）．そのひとつは NADH-ユビキチンオキシドレダクターゼ（複合体 I）であり，他はユビキノールシトクロム c オキシダーゼ（複合体 III）である．複合体 I は NADH を必要とし，シアンで抑制されず，ロテノンで減少する．また，複合体 I 中の還元型 FMN（フラビンモノヌクレオチド）の増加とともに産生が増加する．したがって，FMN セミキノンと酸素との反応によりスーパーオキシドが生じると考えられている．複合体 III による産生はシアンで抑制され，アンチマイシン A で増加する．スーパーオキシド生成の部位はユビセミキノンと考えられている．このユビセミキノンの自動酸化により三重項酸素に1電子が渡されてスーパーオキシドが生じる．そのほかにも，心筋ミトコンドリアで NADH を必要とするスーパーオキシド産生系が報告されている[7]．

ミトコンドリアの電子伝達系の終末酵素であるシトクロム c オキシダーゼは細胞で利用される約 90% の酸素を消費している．そのため，スーパーオキシドはおもに本酵素により産生される可能性が考えられている．シトクロム c オキシダーゼはシトクロム c より4電子を受け取って酸素分子を水に還元する．この際にもラジカルが産生される可能性があるが，現在までのところ確かな証拠は得られていない．

このほか，低酸素による還元ストレスがミトコンドリアのスーパーオキシド産生を誘起することも報告されている[8]．この際も，スーパーオキシドの産生部位は前述の複合体 III が主体と考えられている．糖尿病患者においては，血管内皮細胞のミトコンドリアに由来する活性酸素の産生が報告されており，これが糖尿病の合併症発症機序のひとつとして考え

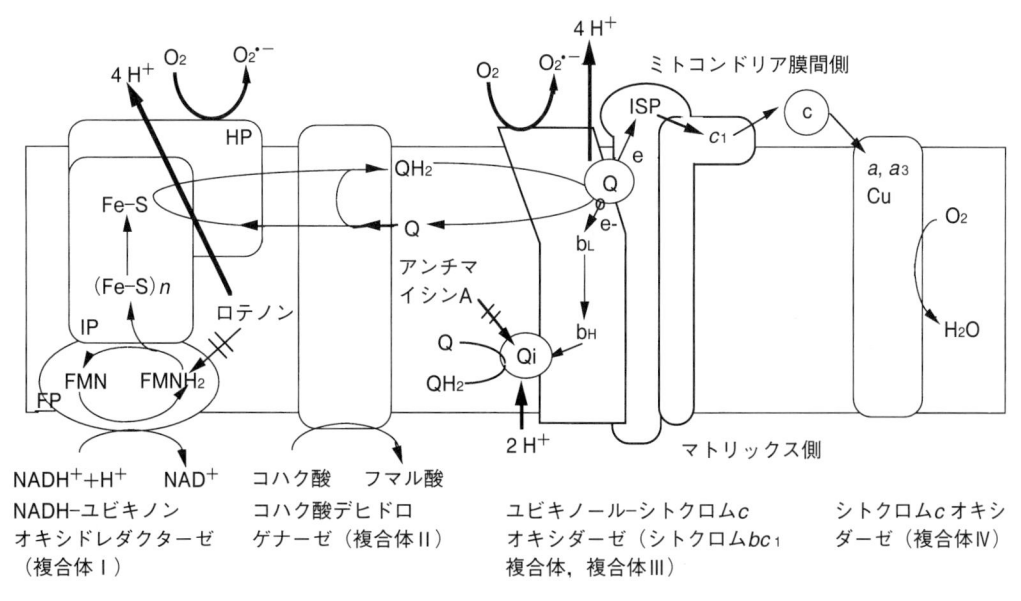

図1 ミトコンドリアの電子伝達系と活性酸素産生

FeS, (Fe–S)n：鉄–硫黄クラスター, Fp：フラボプロテイン, IP：鉄–硫黄タンパク質, HP：疎水性タンパク質, QH$_2$：ユビキノール, Q：ユビキノン, Qo：阻害剤の細胞質結合部位, Qi：同マトリックス側結合部位, bH：高ポテンシャルヘム b, bL：低ポテンシャルヘム b, ISP：Rieske 鉄–硫黄タンパク質, c_1, c, a, a_3：それぞれシトクロムc_1, c, a および a_3. ⊢⊣：抑制.

られている．事実，培養血管内皮細胞では，高濃度の糖により活性酸素の産生が増加することが報告されている．すなわち，蛍光プローブであるDCF（ジクロロフルオレセイン）で計測される活性酸素量は，30 mMのグルコースで内皮細胞を培養すると 5 mM での培養に比べて3倍も増加する[9]．この増加は複合体IIの阻害剤であるTTFA（thehoyltrifuoroacetone）やCCCP（カルボニルシアニドm-クロロフェニルヒドラゾン）により完全に抑制される．一方，複合体Iの阻害剤であるロテノンではまったく抑制されない．したがって，複合体Iおよび III の両方が活性酸素産生にかかわると考えられている．さらに，高血糖による血管内皮細胞の活性酸素産生を上述の阻害剤で抑制すると，PKC（プロテインキナーゼC）の活性化，糖化タンパク質（AGEs：advanced glycation endoproducts）の増加，ソルビトールの蓄積などが妨げられ，糖尿病の病的変化を抑制することも知られている．このように，ミトコンドリアからのスーパーオキシド産生は糖尿病病態にも関与する可能性が考えられている．

2. ミトコンドリアによるNO産生

現在までに3種類のNO合成酵素アイソザイムがよく知られている[10]．すなわち，サイトカインなどにより誘導される誘導型NO合成酵素（iNOS），内皮細胞内で，EDRFの本体であるNOを合成する内皮型NO合成酵素（eNOS），および神経細胞で神経伝達物質としてのNOを産生する神経型NO合成酵素（bNOSまたはnNOS）である．ミトコンドリアでは電子伝達系の終末酵素シトクロムcオキシダーゼがNOにより可逆的に抑制され，スーパーオキシドが生成されると考えられている．NOはおもに上述のNO合成酵素アイソザイムにより産生されると考えられてきたが，最近ミトコンドリア自身にもNO合成酵素が発現し，ミトコンドリア内で産生されたNOにより，呼吸やスーパーオキシドの産生が調節されている可能性が報告されている[11]．しかし，ミトコンドリアにも存在すると考えられているNO合成酵素が，ミトコンドリア特有の酵素か，既存のアイソザイムが発現（または混入？）しているかについては不明である．今後，その酵素の単離やクローニングにより，その実体が明らかにされるであろう．

前述のように，ミトコンドリアに特定のNO合成酵素が存在しなくても，電子伝達系のユビキチンサイクルがNO_2^-を還元することによりNOを産生しうる硝酸レダクターゼ活性が報告されている[12]．したがって，ミトコンドリアやその周辺で産生されたNOは，ミトコンドリアのシトクロムcオキシダーゼを酸素と競合して制御しうる．この際，NOが酸化されて生じるNO_2^-はミトコンドリアのユビキチンサイクルによりふたたびNOに還元され，ミトコンドリアの機能を制御するという"サイクル反応"を起こす可能性が考えられている．

3. ミトコンドリアの抗酸化酵素

これまで，Cu, Zn-SODは細胞質に拡散して存在していると信じられてきた．しかし，最近の筆者らの研究により，本酵素が細胞内小器官の細胞質側膜表面に可逆的に結合した状態で存在することが明らかになった．その詳細は別稿（4・4節）を参照されたい．

Mn-SODはミトコンドリアのマトリックス内に局在することがよく知られている．本酵素は誘導型酵素であり，種々の酸化ストレスにより誘導され，ミトコンドリアの酸化ストレスを軽減すると考えられている．その詳細は別稿（4・2節）を参照されたい．

グルタチオンペルオキシダーゼ（GPx）はミトコンドリア内で過酸化水素および脂質過酸化物を除去する酵素である．これには細胞質型（I型），消化管型（II型），血漿型（III型），リン脂質型（VI型）のアイソザイムが知られている．ミトコンドリアではおもにI型とVI型が存在するが，I型はマトリックス内にあると考えられている．I型アイソザイム（GPx1）の詳細については4・2節を参照され

たい．VI型の酵素はPHGPx（リン脂質ヒドロペルオキシドグルタチオンペルオキシダーゼ）ともよばれており，生体膜に生じた脂質ヒドロペルオキシドを消去する．PHGPxはGPxと同様に広く分布するが，その過酸化水素消去能はGPxより低い．また，GPxが細胞質とミトコンドリアのマトリックスに存在するのに対し，PHGPxはミトコンドリア，核，ミクロソームなどの膜画分に分布している．生体内でとくに強く発現している組織は精巣である．本酵素の詳細は，4・3節を参照されたい．

ペルオキシレドキシンは，チオール依存性に抗酸化力を発揮するばかりでなく，チオレドキシン依存性およびグルタチオン（GSH）依存性のペルオキシダーゼ活性をも有する．ミトコンドリアにはペルオキシレドキシン-3が存在することが判明している．本酵素の詳細は，4・2節を参照されたい．

ミトコンドリアの電子伝達系で生じた活性酸素は，ラジカル連鎖反応を起こして脂質過酸化物を生じさせる．この連鎖反応を止めるラジカル補足型物質としてはα-トコフェノールやユビキノンなどがあり，これにアスコルビン酸やGSHが共役的に作用する．ユビキノンはミトコンドリアの呼吸鎖成分としてよく知られているが，還元体であるユビキノールは抗酸化因子としても注目されている．ユビキノンは，ミトコンドリア，ミクロソーム，ゴルジ体などにも広く分布し，定常状態ではかなりの部分が還元体のユビキノールとして存在し，内因性抗酸化分子として細胞膜の安定化に寄与している．ユビキノンなどは生体内で消費し尽くされることはないため，ミトコンドリアの膜タンパク質やDNAをフリーラジカルから効率よく保護することができる．ユビキノールはラジカル連鎖反応の開始反応と連鎖成長反応の両者を阻止するが，α-トコフェノールは後者を阻害すると考えられている．また，ユビキノールはプロオキシダントであるユビセミキノンとなり，ミトコンドリア複合体での活性酸素産生に関

与する．しかし，生理的条件下では，むしろスーパーオキシドの不均化反応に関与すると考えられている．したがって，ユビキノールは酸化ストレスからミトコンドリアを保護していると考えられる．

●おわりに

以上，ミトコンドリアにおける活性酸素，NOの産生機構，および抗酸化機構について概説した．ミトコンドリアにおける活性酸素やNOの産生は，エネルギー代謝制御のみならず，細胞内シグナル伝達物質としてアポトーシスを含む種々の現象に関与している．ミトコンドリアのNO合成酵素については不明な点も多く，他の重要な問題とともに，今後の研究の発展が期待される．

●文　献

1) Boveris, A., Oshino, N., Chance, B. : *Biochemistry*, **128**, 617-630 (1972)
2) Chance, B., Sies, H., Boveris, A. : *Physiol. Rev.*, **59**, 527-605 (1979)
3) Takehara, Y., Inoue, M., Utsumi, K., et al. : *Arch. Biochem. Biophys.*, **323**, 27-32 (1995)
4) Nishikawa, M., Sato, E.F., Utsumi, K., Inoue, M. : *Cancer Res.*, **56**, 4535-4540 (1996)
5) Radi, R., Rodriguez, M., Castro, L., Telleri, R.: *Arch. Biochem. Biophys.*, **308**, 89-95 (1994)
6) Forman, H.J., Boveris, A. : *in* "Free Radical in Biology". vol.5 (Pryor, W.A., ed.) pp.65-90, Academic Press, New York and London (1982)
7) Nohl, H. : *FEBS Lett.*, **214**, 269-273 (1987)
8) Chandel, N.S., Maltepe, E., Goldwasser, E., et al. : *Proc. Natl. Acad. Sci. USA*, **95**, 11715-11720 (1998)
9) Nishikawa, T., Edelstein, D., Du, X.L., et al. : *Nature*, **13**, 404, 787-790 (2000)
10) Moncada, S., Palmer, R.M.J., Higgs, E.A. : *Pharmacol. Rev.*, **43** 109-114. (1991)
11) Ghafourifar, P., Schenk, U., Klein, S.D., Richter, C. : *J. Biol. Chem.*, **274**, 31185-31188 (1999)
12) Kozlov, A.V., Stanick, K., Nohl, H. : *FEBS Lett.*, **454**, 127-130 (1999)

4·2

ミトコンドリアの抗酸化酵素

藤井 順逸

● はじめに

　ミトコンドリアは酸素を消費する主要な細胞内器官であるにもかかわらず，その遺伝子 DNA はヒストンによって守られていないために変異しやすい．バクテリアの場合は，この特性を活かして環境に適応し，生存に有利にはたらいていると考えられるが，高等動物の場合はミトコンドリア遺伝子の傷害は各種の疾患をひき起こし，生命を脅かしている．これを防ぐために，ミトコンドリアはグルタチオン（GSH）などの低分子抗酸化物や抗酸化酵素を大量に含んでいる．表1に代表的な抗酸化酵素ファミリーをミトコンドリアとの関連でまとめた．本稿では，ミトコンドリアに特異的な Mn-スーパーオキシドジスムターゼ（Mn-SOD）とグルタチオンペルオキシダーゼ-1（GPx1），さらに最近見い出されたチオレドキシン依存性ペルオキシダーゼ（ペルオキシレドキシン：Prx）のミトコンドリア型 Prx3 とその反応に共役して還元反応に携わる酸化還元（レドックス）酵素について述べる．

1. Mn-SOD

　SOD は活性酸素カスケードの最上流に位置するスーパーオキシドを消去する酵素として古くから知られており，細胞質型 Cu, Zn-SOD（SOD1），ミト

表1　主要な抗酸化酵素ファミリーとその局在ならびに活性中心

酵素	遺伝子名	局在	活性中心
スーパーオキシドジスムターゼ			
Cu, Zn-SOD	SOD1	細胞質	Cu
Mn-SOD	SOD2	ミトコンドリア	Mn
EC-SOD	SOD3	血漿	Cu
グルタチオンペルオキシダーゼ			
細胞質型 GPx	GPX1	細胞質，ミトコンドリア	Sec
消化管型 GPx	GPX2	細胞質？	Sec
血漿型 GPx	GPX3	血漿	Sec
リン脂質型 GPx	GPX4	細胞膜，ミトコンドリア	Sec
ペルオキシレドキシン			
Prx I /HBP/MSP1/NKEF-A/PAG		細胞質	Cys
Prx II /TSA/NKEF-B		細胞質	Cys
Prx III /MER5/AOP1/SP22		ミトコンドリア	Cys
Prx IV /AOE372/TRANK		血漿	Cys
Prx V /		細胞質？	Cys
Prx VI /AOP2/酸性 PLA₂		細胞質/血漿	Cys

ペルオキシレドキシンについては新規なため，正式な遺伝子名は決まっていない．
Sec：セレノシステイン．

コンドリア型 Mn-SOD（*SOD2*），細胞外型 EC-SOD（*SOD3*）がある．

Cu,Zn-SOD の変異が，運動神経変性疾患である家族性筋萎縮性側索硬化症（FALS）の原因となっていることが1993年に明らかにされ，現在，その発症機構解明の努力がなされている．一方，EC-SOD は糖鎖構造を有し，C末端にクラスターとして存在する塩基性アミノ酸部分でヘパラン硫酸を介して血管内皮などの細胞表面に結合している．このクラスターを形成する塩基性アミノ酸のひとつにみられる変異（Arg213Gly 変異）によってヘパラン硫酸親和性が低下するため，酵素が血漿中へ遊離する．しかし，これまでのところ，この変異と特定の疾患との関連は示されていない．

ミトコンドリアの Mn-SOD は，エンドトキシンや炎症などの際に産生されるサイトカインによって多くの細胞で発現誘導される．こうした状況では浸潤した好中球やマクロファージといった細胞による活性酸素種（ROS）の産生が亢進するので，その毒性からミトコンドリアを防御するために本遺伝子の誘導が起こるものと考えられている．

a. Mn-SOD の構造と性質

ヒトの Mn-SOD は1984年に1次構造が決定され，1988年には cDNA がクローニングされている．モノマー当たりの分子量が 22 kDa からなる4量体を形成しており，Mn は His26, His74, Asp159, His163 の4つのアミノ酸によって配位されている．Mn とともに Tyr34 が活性中心を形成しており，それを Phe に置換した変異酵素の解析から，その役割はスーパーオキシドにプロトンを供給して過酸化水素にする反応，もしくはこの残基が水素結合している他のアミノ酸残基や溶媒へのプロトンの輸送に間接的にかかわっている可能性が示唆されている[1]．また，炎症などで生じるペルオキシ亜硝酸イオン（ONOO⁻）が Mn-SOD を失活させることが知られている．これは Tyr34 がニトロ化される結果起こる[2]．

b. 遺伝子とその特徴

ヒトではその遺伝子は第6染色体 q21 に存在し，全長約 14 kb，6つのエクソンからなる．第6エクソンは非翻訳領域のみをコードしている．その転写産物である mRNA は約 1 kb と 4 kb が主であり，その違いは 3′末端に付加されている非翻訳領域の長さの違いによる．これはポリ(A)の付加される部位とスプライシングの違いを反映している．しかし，翻訳されてできるタンパク質は1種類で，その N 末端には24アミノ酸からなるミトコンドリア移行シグナルが存在し，成熟タンパク質では切断される．遺伝子のプロモーター領域にはハウスキーピング遺伝子に特徴的な GC ボックスが複数連なって存在し，TATA ボックスはない（図1）．TNF（腫瘍壊死因子）や IL（インターロイキン）-1 の刺激

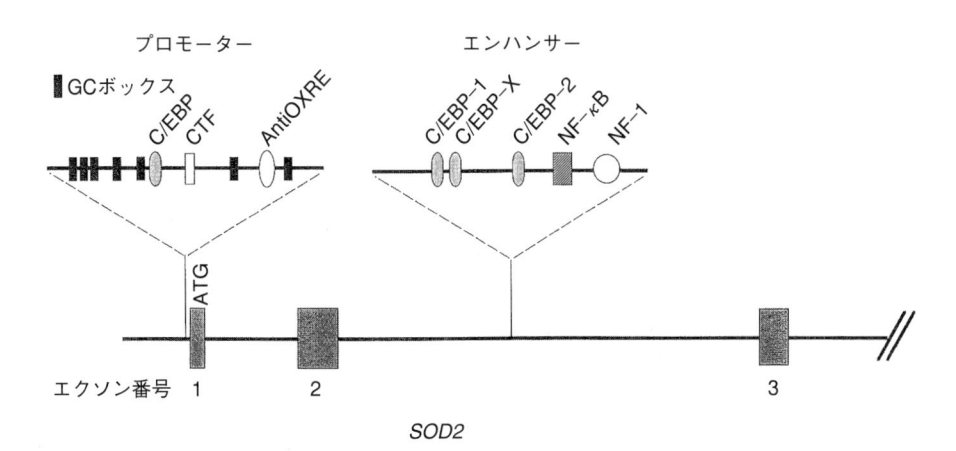

図1　*SOD2* のプロモーターならびにエンハンサーの構造
TNF や IL-1 刺激に応じて遺伝子発現を促進するエンハンサーは第2イントロンに存在し，そこには NF-κB や C/EBP といった転写調節因子が結合する．とくにその 5′側に C/EBP-β が結合することがエンハンサーとしての機能発現にとって必要十分条件となっている．

に応答してMn-SOD遺伝子の発現誘導にかかわるのは第2イントロンに存在するエンハンサーであり，そこにC/EBP-βが結合することによって機能が発現する[3]．また，終止コドンより111塩基下流の3′非翻訳領域には翻訳の促進にはたらく41塩基からなるエレメントがあり，ここに未同定のレドックス感受性タンパク質が結合する．このように，Mn-SODはその転写ならびに翻訳の両段階においてレドックス調節されているため，外的刺激に対応して酵素活性がすみやかに上昇し，ミトコンドリアを保護していると考えられる．

c. 疾患とのかかわり

Mn-SODの発現はさまざまな刺激によって変動するため，活性酸素が関与する多くの疾患で，その発現が検討されている．とくに，炎症や各種の腫瘍（卵巣癌など）で著しく誘導され，血液中のレベルが特異的に上昇する．このため，一時は腫瘍マーカーとしての有用性も考えられた[4]．また，病気に関連すると思われるMn-SOD遺伝子の変異も知られているが，そのうちのひとつにミトコンドリア移行に必要なシグナルペプチド中のVal9がAlaになったものがある．この変異によってミトコンドリアへの移行に支障をきたし，酵素量が減ることが疾患の原因となっている可能性がある．実際に，乳癌患者ではこの変異を有する頻度が4倍程度高い[5]．また，いくつかの癌細胞株ではGCに富むプロモーター領域に変異が起こり，発現が低下していることが示されている[6]．このように，酸化ストレスに対する防御の点から重要な酵素であるため，*SOD2*のノックアウトマウスでは，心，肝，骨などをはじめ，さまざまな臓器に異常が認められ，発育遅延などの症状を呈する．ホモ接合体では生後10日以内に死亡する[7]．

2. グルタチオンペルオキシダーゼ

GPxは，グルタチオン依存性に過酸化物を無毒化する酵素の総称であるが，微量元素のセレンを含有するセレノシステイン（Sec）を活性中心にもつものと，必要としない非依存性の2つのグループに大きく分けられる．通常，GPxとよぶ場合は前者を指す．後者にはグルタチオン*S*-トランスフェラーゼや最近見い出されたペルオキシレドキシン（Prx）などが含まれる．過酸化水素を基質とした場合はカタラーゼも同様にはたらくが，反応に電子を供給する補因子は不要である．また，後者は過酸化水素に対するK_mが高く，肝など，一部の臓器のペルオキシソームに局在することなどから，前者に比べて重要性は低いと考えられている．Sec含有GPxには，細胞質型（GPx1），消化管型（GPx2），血漿型（GPx3），リン脂質型（GPx4）の4種類が知られている．ミトコンドリアにはおもにGPx1とGPx4が存在する．GPx4については次節で詳しく述べられているので，以下にGPx1について解説する．

a. 構　造

ラットでは単量体当たり191個のアミノ酸からなり，4量体を形成している．本酵素の活性中心にはSecが存在する．このSecをCysに置換すると活性は数百分の1に低下する．この活性中心のセレノールはチオールよりも解離しやすく，中性付近の生理的pHでも反応性が高いことが，その理由と考えられている．

b. 遺伝子

酵素活性にセレンが必要なため，細胞によっては*GPX1*からmRNAへの転写がセレンによって調節されている場合がある．GPxをコードするmRNAには3′非翻訳領域にSec含有タンパク質に特徴的な構造（selenocysteine insertion sequence：SECIS）が存在し，本来は終止コドンとしてはたらくべきUGAがSecを組み込む暗号として解読される（図2）．バクテリアではSecの生合成経路ならびにポリペプチドへの組込み機構がほぼ解明されているが，高等動物の場合は不明な点が多い．最近，ヒト*GPX1*のSECISに結合するタンパク質のひとつが同定され，DNA結合タンパク質B（dbpB）もしくはYボックス結合タンパク質-1（YB-1）として知られる多機能性タンパク質と同一であった[8]．本タンパク質はCysをもたないが，レドック

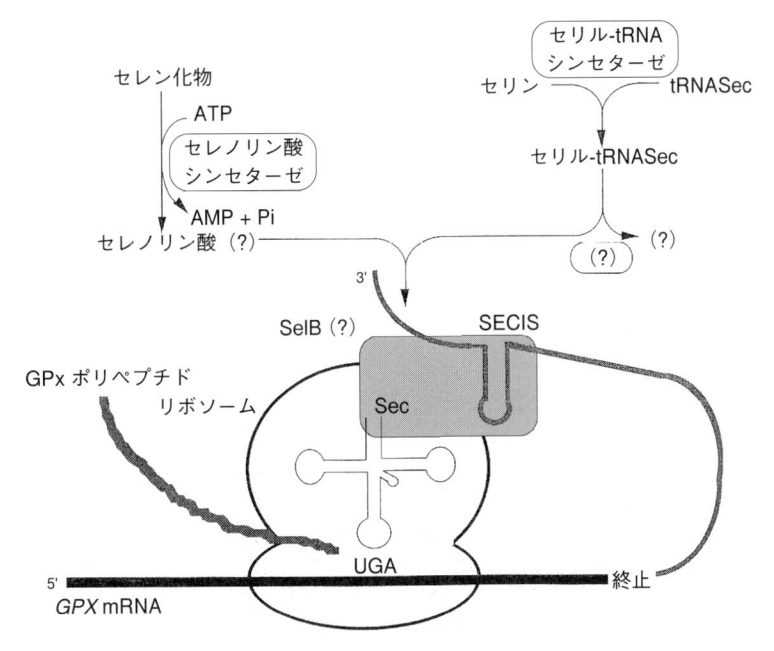

図2 セレノシステイン(Sec)の生合成とタンパク質への取込み機構
高等動物で不明な部分についてはバクテリアで知られている経路に基づいて，GPxを例にSecの生合成とタンパク質への取込み機構を模式的に示した．

ス感受性に核に移行したり，転写因子としてはたらくことが知られており，その機構解明が待たれる．GPx1は細胞質とミトコンドリアの両方に存在するが，Mn-SODでみられるようなミトコンドリア移行シグナルは存在せず，その移行機構は不明である．

c. 病態とのかかわり

GPxの活性中心は効率よく過酸化物を消去するために反応性の高いSecとなっている．しかし，そのために各種アルキル化剤や活性分子種によってセレノール基が酸化修飾されて失活しやすい．たとえば，脂質過酸化で生じる4-ヒドロキシノネナール（HNE）やメチルグリオキサール，3-デオキシグルコゾンといったジカルボニル化合物によって失活する[9]．さらに，NOがSH化合物と結合したニトロソチオールは，これを強力かつ特異的に阻害する[10]．これはNOを介した酸化的架橋形成を伴うものであり，GPx1がNOの細胞毒性の標的分子のひとつと考えられる[11]．GPxには活性酸素の関与するアポトーシスを抑える作用があるので，細胞によってはGPxが阻害されてアポトーシスが誘導される可能性もある．GPxが阻害される厳しい酸化ストレス下では細胞が生存しえても，遺伝子傷害により癌化する可能性があるので，このアポトーシスはそれを防ぐ機構となっていると考えられる．すなわち，GPxは酸化ストレスによるアポトーシスのセンサー分子とみなすことができる．中国黒龍江省克山県の風土病である克山（ケイシャン）病では，小児や妊産婦を中心に慢性の心筋症が発症するが，これは土壌中のセレン含量が低いことが原因である．セレン欠乏状態では本酵素の活性が低下するので，GPx活性の低下と克山病発症との関連が示唆されてきた．しかし，*GPX1*のノックアウトマウスは正常に発生して繁殖する[12]．この理由としては，GPx活性を有する他の分子が代償している可能性が考えられる．GPx以外にもセレンを必要とする酵素がいくつか知られているので，実際のセレン欠乏症ではこれらの酵素も関与している可能性がある．

3. ペルオキシレドキシン

本タンパク質はチオール特異的に抗酸化力を発揮する酵素として見い出された．その後，チオレドキシン依存性のペルオキシダーゼ活性を有すること，さらに GSH 依存性の活性も有することがわかってきた．図3に示すように，GSH のみに依存すると考えられてきた GPx も，実際にはチオレドキシン依存性の活性も示し，両者の反応効率は異なるが基本的には同じ反応を触媒すると考えられる．これまでに，本ファミリーでは保存された2つの SH 基を有するタイプ（現在5種類）と活性に必須の1つの SH 基しかもたないタイプ（現在1種類）が見つかっている．そのうちのタイプ3（Prx3）はミトコンドリアに存在するので以下に Prx3 について述べる．

a. 構造と特徴

Prx3 はモノマー当たりの分子量が 22 kDa の2量体である．Prx1 と Prx6 については組換えタンパク質を用いた結晶解析が報告されており，立体構造は全体として GPx1 に似ている[13]．Prx3 の立体構造はまだ報告されいないが，1次構造や活性の類似性から判断して，Prx3 も似たような3次構造をとっている可能性が高い．しかし，GPx では活性中心に Sec が存在するが，本ファミリーでは Cys がその役割を担っており，これが低活性の理由と考えられる．

b. 遺伝子

ヒトの遺伝子は第 10 染色体 q25-26 に存在する．その 5′ 上流には AP1，AP2，SP1，および 8 量体結合タンパク質のコンセンサス配列があるが，これらは機能的解析がなされていないので，実際にはたらいているか否かは疑問である．

c. その他の特徴

免疫抑制剤のシクロスポリン A を結合するタンパク質でシャペロン活性を有するシクロフィリン 18 が Prx3 に結合し，その活性を促進することが知られている．本タンパク質はミトコンドリアの ATP 依存性プロテアーゼの基質として同定された SP22 と同一であり，NDP キナーゼとの結合が示唆されている．試験管内での過酸化物消去能は GPx と比べると低い．その真の生理的役割を知るには今後の検討が必要である[14]．

4. その他の酸化還元酵素

a. グルタチオン還元酵素

GPx/Prx に電子を供給する GSH は，NADPH の消費と共役した GSH 還元酵素のはたらきによって細胞内ではおもに還元型に保たれている．ミトコン

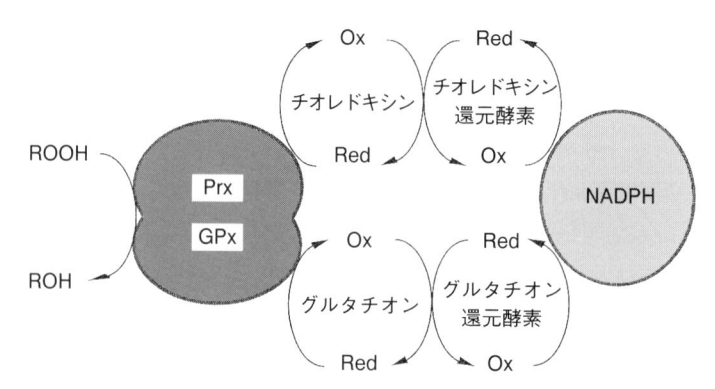

図3　ペルオキシレドキシン（Prx）とグルタチオンペルオキシダーゼ（GPx）のはたらき
Prx と GPx は，チオレドキシン/チオレドキシン還元酵素系ならびにグルタチオン/グルタチオン還元酵素系と共役して，過酸化物（ROOH）を還元・無毒化する．Red：還元型，Ox：酸化型

ドリアには大量のGSHが存在するが、酸化された酸化型グルタチオン（GSSG）を再利用するには還元酵素系が必要である。ミトコンドリア内のGSH還元酵素は細胞質に存在するものと同一の遺伝子に由来する。同じ遺伝子が細胞質型よりも上流で転写が開始される結果、N末端に余分に26アミノ酸配列が付加され、それがミトコンドリア移行シグナルとしてはたらいている。

b. チオレドキシン還元酵素

チオレドキシンは、リボヌクレオチド還元酵素の補因子や転写因子NF-κBの活性調節因子など、細胞のレドックス制御の中心的役割を担っているタンパク質である[15]。最近、チオレドキシンがさまざまなストレスで活性化されるMAP-キナーゼメンバーのapoptosis signal-regulating kinase-1（ASK-1）の活性を制御し、還元型ではアポトーシスを抑制していることが明らかにされている。チオレドキンファミリーのひとつはミトコンドリア移行シグナルを有し、ミトコンドリアにも局在する。酸化型のチオレドキシンをNADPH依存性に還元するチオレドキシン還元酵素は、GPx同様にC末端より2つ目にSecを有する。これまでに3種類のメンバーがクローニングされており、そのうちのひとつがミトコンドリアに局在する。Secの運搬を担うSec-tRNA遺伝子をノックアウトしたマウスは致死性であるが、GPX1欠損マウスは正常に生まれる。チオレドキシン遺伝子の欠損も致死性となることから、上述の克山病の病因がチオレドキシン還元酵素の活性低下による可能性もある。バクテリアのチオレドキシン還元酵素はSecをもたず、1次構造上も高等動物の酵素との間に相同性が認められない。しかし、哺乳動物のチオレドキシン還元酵素はグルタチオン還元酵素と非常に高い相同性を示し、進化上はグルタチオン還元酵素に近いと考えられる。このようにチオレドキシン還元酵素のみにSecが存在することは、チオレドキシンのような大きな分子は活性中心に直接結合できないため、このC末端側が電子を受け取ってチオレドキシンへ渡す第2のレドックス中心としてはたらいている可能性を示唆している（図4）。

●おわりに

ミトコンドリアは呼吸した酸素の90％以上を消費するため、古くから活性酸素産生の観点から注目されてきた。アポトーシスに関しては、Fasなどの受容体から死のシグナルを直接核に伝える経路のほかに、シトクロムcなどの因子がミトコンドリアから放出されて開始する経路もあることが明らかに

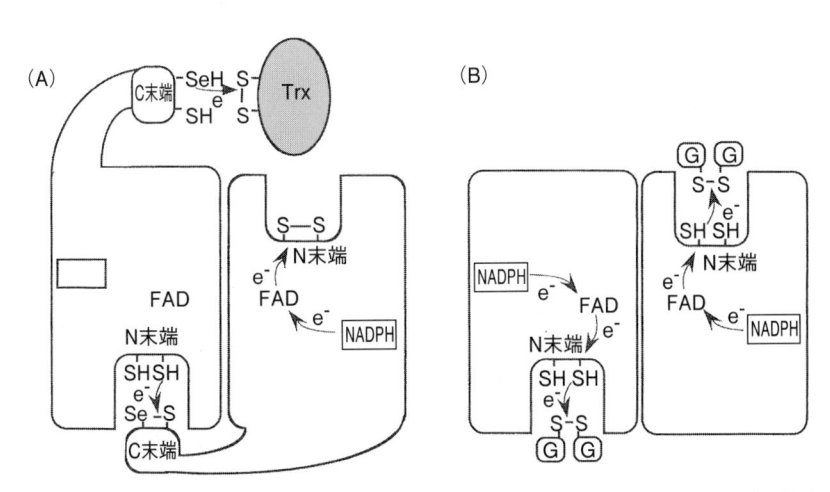

図4 (A)チオレドキシン還元酵素と(B)グルタチオン還元酵素の構造ならびに反応機構の比較
NADPHからの基本的な電子の流れは同じだが、チオレドキシンの場合は分子が大きいため、直接N末端の活性中心に結合できず、SecをもつC末端の介在が必要と考えられる。
Trx：チオレドキシン，GSSG：酸化型グルタチオン．

なってきた．実際には，多くのアポトーシス誘導刺激が後者を介しているため，ミトコンドリアはアポトーシスの制御という点でも重要な小器官である．ミトコンドリアに局在するMn-SODやGPxにはアポトーシス抑制作用があるので，ミトコンドリアで生じる活性酸素はアポトーシスの実行にもかかわっていると考えられる．本稿で述べたように，抗酸化酵素やレドックス酵素もミトコンドリアに大量に存在しており，ミトコンドリアの保護のみならず，細胞の運命を決定する重要な役割を担っている．

●文　献

1) Guan, Y., Hickey, M.J., Borgstahl, G.E., et al.: *Biochemistry*, **37**, 4722-4730 (1998)
2) Yamakura, F., Taka, H., Fujimura, T., Murayama, K.: *J. Biol. Chem.*, **273**, 14085-14089 (1998)
3) Jones, P.L., Ping, D., Boss, J.M.: *Mol. Cell Biol.*, **17**, 6970-6981 (1997)
4) Ishikawa, M., Yaginuma, Y., Hayashi, H., et al.: *Cancer Res.*, **50**, 2538-2542 (1990)
5) Ambrosone, C.B., Freudenheim, J.L., Thompson, P.A., et al.: *Cancer Res.*, **59**, 602-606 (1999)
6) Xu, Y., Krishnan, A., Wan, X.S., et al.: *Oncogene*, **18**, 93-102 (1999)
7) Melov, S., Schneider, J.A., Day, B.J., et al.: *Nat. Genet.*, **18**, 159-163 (1998)
8) Shen, Q., Wu, R., Leonard, J.L., Newburger, P. E.: *J. Biol. Chem.*, **273**, 5443-5446 (1998)
9) Fujii, J., Taniguchi, N.: *Free Radic. Res.*, **31**, 301-308 (1999)
10) Asahi, M., Fujii, J., Suzuki, K., et al.: *J. Biol. Chem.*, **270**, 21035-21039 (1995)
11) Asahi, M., Fujii, J., Takao, T., et al.: *J. Biol. Chem.*, **272**, 19152-19157 (1997)
12) Ho, Y.S., Magnenat, J.L., Bronson, R.T., et al.: *J. Biol. Chem.*, **272**, 16644-16651 (1997)
13) Hirotsu, S., Abe, Y., Okada, K., et al.: *Proc. Natl. Acad. Sci. USA*, **96**, 12333-12338 (1999)
14) Butterfield, L.H., Merino, A., Golub, S.H., Shau, H.: *Antioxid. Redox Signal.*, **1**, 385-402 (1999)
15) Nakamura, H., Nakamura, K., Yodoi, J.: *Annu. Rev. Immunol.*, **15**, 351-369 (1997)

4·3 ミトコンドリアのリン脂質ヒドロペルオキシドグルタチオンペルオキシダーゼ

中川 靖一

●はじめに

リン脂質ヒドロペルオキシドグルタチオンペルオキシダーゼ（phospholipid hydroperoxide glutathione peroxidase：PHGPx）は生体膜に生じた脂質ヒドロペルオキシドを消去できる唯一の抗酸化酵素である．PHGPx は Mn 型スーパーオキシドジスムターゼ（Mn-SOD）やチオレドキシンと同様に，活性酸素によるミトコンドリア障害を防御する重要な抗酸化酵素である．最近，PHGPx がロイコトリエンの産生調節やアポトーシスのシグナルなど，細胞機能の調節に関与することがわかってきた．本稿では，PHGPx の一般的な性状とアポトーシスやネクローシスの抑制因子としてのミトコンドリアの PHGPx の役割について紹介する．

1. 性状と分布

グルタチオンペルオキシダーゼ（GPx）はグルタチオン（GSH）をコファクターとして脂質ヒドロペルオキシドや過酸化水素を消去する酵素であり，局在性や基質特異性の異なる4種のアイソザイムが知られている（表1）．GPx としては，細胞質型 GPx（cytosolic GPX：cGPx）がもっともよく知られている．血漿型 GPx（plasma GPx：pGPx）や消化管型 GPx（gastrointestinal GPx：GPx-GI）は，それぞれ血漿と胃腸に局在している．PHGPx は cGPx 同様に広く組織分布しているが，cGPx と比較して研究は少なく，その機能については不明な点が多い．cGPx，pGPx，GPx-GI はいずれも 23 kDa の 4 量体タンパク質であるが，PHGPx は 20 kDa の単量体タンパク質である．PHGPx は生体膜に親和性をもち，脂質ヒドロペルオキシドを還元する酵素であることから，生体膜の脂質過酸化物消去に中心的な役割を果たすと考えられている．PHGPx は，リン脂質ヒドロペルオキシドだけでなく，脂肪酸ヒドロペルオキシド，ジアシルグリセロールヒドロペルオキシド，コレステロールヒドロペルオキシド，クメンヒドロペルオキシド，t-ブチルヒドロペルオキシド，および過酸化水素も還元する．PHGPx の過酸化水素消去活性は cGPx に比較して低いため，細胞内で発生した低濃度の過酸化水素はおもに cGPx で消去されると考えられている．

表1　グルタチオンペルオキシダーゼ（GPx）の分類

タイプ[a]	GPx	分子量	分布	基　質		
				H_2O_2	脂肪酸OOH[b]	リン脂質OOH[c]
I	cGPX	23 kDa の 4 量体	組織全般	○	○	—
IV	PHGPx	20 kDa の単量体	組織全般	△	○	○
II	GPx-GI	23 kDa の 4 量体	消化管	○	○	△
III	pGPx	23 kDa の 4 量体	血漿	○	○	○

a) 遺伝子のクローニングされた順序で分類されている．
b) 脂肪酸ヒドロペルオキシド
c) リン脂質ヒドロペルオキシド
○；活性あり，△：活性が弱い，—：活性なし

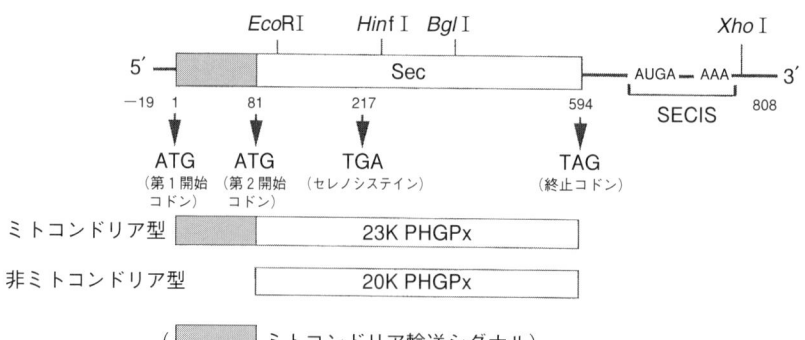

図1 PHGPx cDNA の遺伝子構造
Sec：セレノシステイン，SECIS：セレノシステイン挿入コンセンサス配列

ラットやマウスの肝，腎，肺，心の PHGPx 活性は cGPx の 1/10 以下である[1]．しかし，精巣では PHGPx が強く発現しており，その活性は cGPx より高い．cGPx はおもに細胞質に局在するが，一部はミトコンドリアにも存在する．PHGPx は肝，脳，副腎，筋肉，腎，精巣のミトコンドリア，核，ミクロソームなどの膜画分に存在している．PHGPx がとくに高く発現している精巣では，PHGPx はミトコンドリアに局在している．PHGPx は，Jurkat 細胞，ECV304 細胞，RBL-2H3 細胞などの培養細胞においてもミトコンドリアに多く存在していることから，ミトコンドリアでの重要な抗酸化酵素と考えられる．

PHGPx の cDNA は，ヒト，ラット，マウス，ブタでクローニングされている．PHGPx の cDNA 構造の特徴として，翻訳開始コドン ATG が 2 カ所存在すること，および活性中心であるセレノシステインが終止コドン TGA でコードされており，これを翻訳するために必要なセレノシステイン挿入コンセンサス配列（SECIS）が 3′ 非翻訳領域に存在することがある（図1）．PHGPx のゲノム DNA はブタ，ヒト，およびマウスで解析されており，7 つのエクソンからなり，セレノシステインをコードする TGA は第 3 エクソンに，2 つの翻訳開始コドンはいずれも第 1 エクソンに存在する．プロモーター領域では Mn-SOD や cGPx と同様に，典型的なプロモーターである TATA ボックスは見られず，SP1 の結合部位である GC ボックスが存在している．

2. ミトコンドリアの PHGPx 発現機構

SOD やチオレドキシンレダクターゼはミトコンドリアと細胞質でそれぞれ異なったタンパク質として存在しており，それらの発現は異なる機構で制御されている．ミトコンドリアとミトコンドリア外に存在する PHGPx の精製標品の基質特異性，ペプチドマッピングのパターン，および電気泳動上の挙動を調べ，両者には違いが見られないことから，同一の遺伝子から翻訳されると考えられている．PHGPx の cDNA には 2 つの翻訳開始コドンがあり，これらの開始点の間の配列は動物種によらず高い相同性を示し，膜輸送シグナルにみられる両親媒性の α ヘリックス構造をとる．PHGPx の cDNA とウサギ網状赤血球 in vitro 翻訳系を用いて組換え PHGPx を合成すると，第 1 の翻訳開始点からは 23 kDa，第 2 翻訳開始点からは 20 kDa の PHGPx が合成される．この実験系にミトコンドリアを加えると，23 kDa の PHGPx のみがミトコンドリア内に輸送される．ミトコンドリアに輸送された 23 kDa の PHGPx はプロセシングペプチダーゼにより輸送シグナルが取り除かれ，20 kDa の PHGPx となる[2]．翻訳開始コドン間の配列がミトコンドリアへの輸送シグナルであることは，グリーン蛍光タンパク質（Green fluorescence protein：GFP）と

親株 SI 細胞

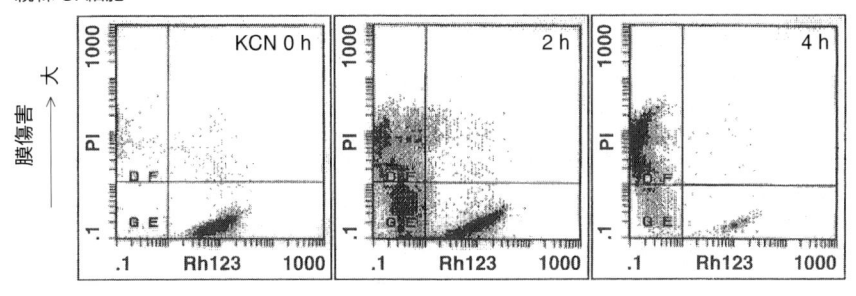

ミトコンドリア型 PHGPx 高発現株, M15 細胞

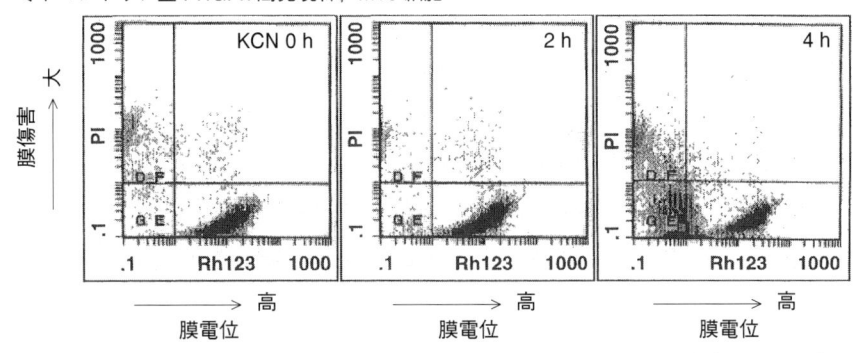

図2 フローサイトメトリーを用いた KCN によるミトコンドリア膜傷害と機能障害の解析
膜が傷害されると取り込まれるヨウ化プロピジウム (PI), 膜電位に依存して取り込まれるローダミン 123 (Rh123) の蛍光色素で細胞を標識し, フローサイトメトリーで解析した. 親株の未処理の細胞は一定の膜電位を保ち, 膜傷害を受けていない細胞群であるが, KCN 4 h ではほとんどの細胞が膜電位を失い, 膜傷害を受けていることがわかる. M15 細胞は KCN 4 h においても多くの細胞が膜機能を維持している.

PHGPx 輸送シグナルペプチドの融合タンパク質がミトコンドリアに特異的に輸送されることからも確かめられている[3].

RNase プロテクションアッセイにより, ミトコンドリア型 PHGPx と非ミトコンドリア型 PHGPx の mRNA の転写開始点が異なることが明らかにされている[4]. 非ミトコンドリア型 PHGPx の転写開始点は第 1 翻訳開始点付近に, ミトコンドリア型 PHGPx は第 1 翻訳開始点の約 150 bp 上流にある. PHGPx がミトコンドリアに強く発現している精巣では, ノーザンブロッティングを行うとミトコンドリア型 PHGPx の mRNA が検出されるが, 腎, 心, 肝, 脳など, 他の臓器では検出されない[5]. 他の組織に比較して, 精巣ではミトコンドリア型 PHGPx の転写活性を強く発現する機構が存在するようである. このように, ミトコンドリア型と非ミトコンドリア型 PHGPx の転写活性は臓器によって異なるが, 両者の転写開始がどのような機構で制御されているのかは不明である.

3. 高発現細胞を用いたミトコンドリア PHGPx の機能解析

ミトコンドリア型 PHGPx の高発現細胞はミトコンドリアでの PHGPx の機能解析に有効である. 第 1, 2 翻訳開始コドンを含む cDNA, および第 2 翻訳開始コドンのみの DNA をそれぞれラット好塩基球系癌細胞 (RBL2H3 細胞) に導入することにより, ミトコンドリア型と非ミトコンドリア型の PHGPx を高発現させた株を樹立できる[3]. ここでは, これらの高発現細胞を用い, ミトコンドリア型 PHGPx のアポトーシスとネクローシスへの関与ついて紹介する.

a. ネクローシス抑制因子としてのミトコンドリア型 PHGPx

電子伝達系複合体Ⅳの阻害剤であるKCNや複合体Ⅰの阻害剤ロテノンで細胞を処理すると，電子伝達系で活性酸素が生じ，ミトコンドリアが膨潤してネクローシスが誘導される．ミトコンドリア型PHGPxを高発現させると，25 mMのKCNで4時間処理した際の生存率が親株の約2倍（70%）となり，ネクローシスに対して耐性を示すようになる[3]．また，M15細胞ではKCNによるヒドロペルオキシドの産生は抑制され，ミトコンドリアの膜電位低下や膜機能障害が阻止される（図2）．しかし，非ミトコンドリア型のPHGPxを同程度に高発現させた細胞では，KCNによるネクローシスに対する抵抗性はまったくみられない．

細胞にt-ブチルヒドロペルオキシドを添加するとネクローシスが誘導される．その場合，PHGPxを高発現させると親株より強い耐性を示すが，とくにミトコンドリア型PHGPxを高発現した細胞はより強い耐性を示す[3]．このことは，細胞外に生じた酸化ストレスによってひき起こされるネクローシスでは，ミトコンドリア障害が主要な要因になっていることを示唆している．

b. アポトーシス抑制因子としてのミトコンドリア型 PHGPx

アポトーシスの誘導にミトコンドリアが中心的な役割を果たしていることが明らかになってきた[6]．アポトーシス実行因子であるカスパーゼ-2，カスパーゼ-9，シトクロムc，apoptosis-inducing factor（AIF），およびアポトーシス抑制因子として知られるBcl-2もミトコンドリアに存在している．ミトコンドリアからシトクロムcやカスパーゼ-9が細胞質へ放出されると，アポトーシスシグナルが始動して，カスパーゼ-3が活性化され，DNAの断片化と細胞死が誘導される．エトポシド，スタウロスポリン，TNF-α，セラミド，p53などによるアポトーシスに活性酸素が関与すると考えられている[7]．また，エトポシドやスタウロスポリンなど，多くのアポトーシス誘導剤はミトコンドリアからシトクロムcを遊離させ，アポトーシスをひき起こす．

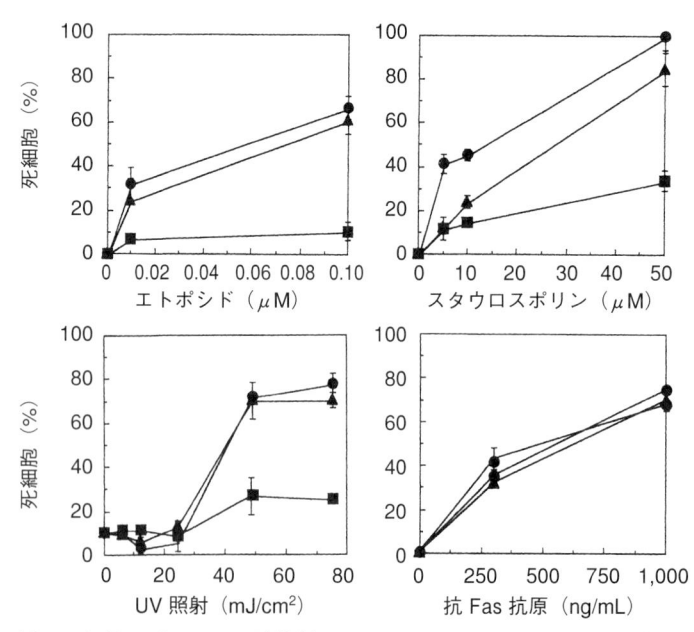

図3　各種アポトーシス誘導剤によるミトコンドリア型PHGPx高発現細胞の耐性獲得
●：親株（SI細胞），▲：非ミトコンドリア型PHGPx高発現株（L9細胞），■：ミトコンドリア型PHGPx高発現株（M15細胞）

ミトコンドリアの活性酸素がアポトーシスシグナルに関与することは，ミトコンドリアのMn-SODを高発現するとTNF-αやセラミドによるアポトーシスが抑制されることからもわかる[8]．ミトコンドリア型PHGPxを高発現すると，エトポシド，スタウロスポリン，紫外線，およびグルコース枯渇などによるアポトーシスは顕著に抑制される（図3）[9]．ネクローシスの場合と同様に，ミトコンドリア外のPHGPxを高発現してもアポトーシスは抑制できない．

Fas抗原は直接カスパーゼを活性化してアポトーシスを誘導するが，ミトコンドリア型PHGPxを高発現させても，細胞は耐性を示さずアポトーシスが誘導される．グルコースを枯渇すると，ミトコンドリア内のスーパーオキシドやヒドロペルオキシドが増加し，シトクロムc遊離，カスパーゼの活性化，細胞死が起こる．グルコースを枯渇すると，活性酸素の産生が高まる．アポトーシスが誘導される親株とPHGPx高発現細胞ではスーパーオキシド産生量はほぼ同じであったが，ミトコンドリア内のヒドロペルオキシド上昇はPHGPx高発現細胞でのみ抑制された．ミトコンドリア型PHGPx高発現細胞でのシトクロムc遊離の阻止はPHGPxの基質である脂質ヒドロペルオキシドの生成抑制によるものと考えられる．

シトクロムcはミトコンドリア内膜にルーズに結合しているタンパク質であり，ミトコンドリアから放出される際には内膜から遊離して外膜を通過する．シトクロムcはミトコンドリア内膜に特異的に存在する酸性リン脂質カルジオリピンに結合して内膜に結合していると考えられている．カルジオリピンは不飽和脂肪酸であるリノール酸を多く含み，過酸化を受けやすいリン脂質である．グルコース枯渇によりアポトーシスが誘導された細胞のミトコンドリアには，カルジオリピンヒドロペルオキシドが生成することはHPLC分析によって明らかにされている．カルジオリピンヒドロペルオキシドはシトクロムcとの親和性が低いことから，カルジオリピンの過酸化が引き金となりミトコンドリア内膜からシトクロムcが遊離すると考えられる[10]．ミトコンドリアのPHGPxを高発現させた場合には，グルコース枯渇によるカルジオリピンの過酸化はみられない．

内膜から遊離したシトクロムcがミトコンドリア外膜を介して放出される分子機構はまだ十分把握されていない．現在のところ，ミトコンドリア外膜のpermeability transition pore（PTP）を介してシトクロムcが放出されると考えられている．PTPはadenine nucleotide translocator（ANT）などの内膜のタンパク質と電位依存性アニオンチャンネル（voltage-dependent anion channel：VDAC）などの外膜のタンパク質からなるメガチャンネルである[11,12]．ANTに結合するボンクレキン酸やアトラクチロシドはそれぞれPTPを閉鎖または開放し，ミトコンドリアからのシトクロムc遊離を阻止または促進することから，ANTはシトクロムcの放出の制御に関与するチャンネルタンパク質と考えられている．単離ミトコンドリアをt-ブチルヒドロペルオキシドやジアミドで処理するとPTPが開き，シトクロムcが遊離する[12]．PHGPxが高発現しているミトコンドリアでは，t-ブチルヒドロペルオキシドによりPTPは開放されないことから，ヒドロペルオキシド生成の増加がPTPの開閉に関与していると思われる．カルジオリピンを欠損した変異酵母においてはANT活性が低下すること[13]，および変異株から精製したANTの活性はカルジオリピン添加により回復することから[14]，ANT活性の発現と維持にはカルジオリピンが必要と考えられる．ミトコンドリアのPHGPxやカルジオリピンはPTPの存在する外膜と内膜が接するコンタクトサイト（contact site）に多く存在することから，PHGPxはANTの活性維持に不可欠なカルジオリピンの酸化変性を防御してPTPの開放を阻止し，ミトコンドリアからのシトクロムc遊離を抑制している可能性がある．酸化ストレスによるANTの失活，PTPの開放，およびシトクロムcの放出反応をリンクさせるカルジオリピンが，アポトーシスを抑制するミトコンドリアPHGPxの標的と考えられる．

● おわりに

 多くの抗酸化酵素は細胞質に存在しているが，膜親和性を有する PHGPx は疎水性領域で機能していると思われる．ミトコンドリアの PHGPx は核やミクロソームなどに局在する非ミトコンドリア型 PHGPx とは異なる役割を担っている．酸化ストレスにより誘導されるネクローシスやアポトーシスではミトコンドリアの障害が細胞の生死を決定することから，ミトコンドリアの抗酸化酵素はきわめて重要である．PHGPx は Mn-SOD とともにミトコンドリアの主要な抗酸化酵素であり，ネクローシスやアポトーシスの抑制因子としてはたらく．ミトコンドリアの PHGPx の発現変動は，細胞死のみならず，ミトコンドリアのさまざまな機能にも関与する可能性があり，その発現調節機構の解明が待たれる．

● 文 献

1) Briglius-Flohe, R.: *Free Rad. Biol. Med.*, **27**, 951-965 (1999)
2) Arai, M., Imai, H., Sumi, D., *et al.*: *Biochem. Biophys. Res. Commun.*, **227**, 433-439 (1996)
3) Arai, M., Imai, H., Koumura, S., *et al.*: *J. Biol. Chem.*, **274**, 4924-4933 (1999)
4) Pusha-Rekha, T.R., Burdsall, A.L., Oleksa, L., *et al.*: *J. Biol. Chem.*, **270**, 26993-26999 (1995)
5) Knopp, E.A., Arndt, T.L., Litt, A., *et al.*: *Mann. Genome.*, **10**, 601-605 (1999)
6) 太田成男；最新医学，**33**, 853-859 (1999)
7) Quillet-Mary, A., Jaffrezou, J.P., Mansat, V., *et al.*: *J. Biol. Chem.*, **272**, 21388-21395 (1997)
8) Manna, S.K., Zhang, H.J., Yan, T., *et al.*: *J. Biol. Chem.*, **273**, 13245-13254 (1998)
9) Nomura, K., Imai, H., Koumura, S., *et al.*: *J. Biol. Chem.*, **274**, 29294-29305 (1999)
10) Nomura, K., Imai, H., Koumura, S., *et al.*: *Biochem. J.*, **351**, 183-193 (2000)
11) Crompton, M.: *Biochem. J.*, **341**, 233-249 (1999)
12) Kroemer, G., Dallaporta, B., Resche-Rigon, M.: *Annu. Rev. Physiol.*, **60**, 619-642 (1998)
13) Jiang, F., Ryan, M., Schlama, M., *et al.*: *J. Biol. Chem.*, **275**, 22387-22394 (2000)
14) Hoffmann, B., Sfockl, A., Schlama, M., *et al.*: *J. Biol. Chem.*, **269**, 1940-1944 (1994)

Cu,Zn-スーパーオキシドジスムターゼの細胞内超微局在

吉良 幸美・井上 正康

● はじめに

 動物は多量の酸素を肺から取り入れ，これを利用してエネルギーを得ている．肺から取り込まれた酸素の大部分は水に変換されるが，数パーセントは活性酸素になると考えられている．これら活性酸素種の多くは反応性が高いためさまざまな生体構成成分に作用し，これを修飾する．たとえば，酵素のシステイン残基が酸化されると触媒機能や膜輸送機能などが障害される[1,2]．細胞膜の不飽和脂肪酸に作用すると過酸化脂質が生じる[3]．また，核酸の切断や修飾反応は突然変異や発癌の原因ともなりうる[4,5]．このように，活性酸素は生体成分を酸化し，種々の障害を与えると考えられている．

 一方，生体にはこれらの活性酸素や過酸化脂質を除去するシステムが備わっている．たとえば，スーパーオキシドジスムターゼ（SOD）はスーパーオキシドを過酸化水素に，カタラーゼは過酸化水素を水に変換する酵素である．また，グルタチオンペルオキシダーゼ（GPx）は，過酸化水素だけでなく，過酸化脂質をも還元して無毒化する．このほか，ビタミンC，ビタミンE，β-カロチン，グルタチオン（GSH）などの低分子化合物も重要な役割を果たしている（抗酸化酵素については4・1節を参照されたい）．これらの酵素や抗酸化ビタミンからなる防御機構が活性酸素の毒性から細胞や生体成分を守っている．しかし，これらの防御系が何らかの理由で十分にはたらけないときは，いろいろな疾患の原因や増悪因子となる．

 本稿では，これら活性酸素防御系の酵素であるSODに注目し，その細胞内局在性と作用に焦点を当てて論じる．

1. スーパーオキシドの産生部位とSODの局在性

 スーパーオキシドは酸素の1電子還元により産生される．細胞内におけるその産生場所はミトコンドリアとペルオキシソームが主であり，とくに前者が重要である．両者はともに，ヒトをはじめとした哺乳動物から酵母まで，真核細胞に広く分布するオルガネラである．

 ミトコンドリアは直径0.5～1 mmの細長い円筒として描かれることが多いが，1細胞当たりのミトコンドリアの数や形態は組織ごとにまた生理的条件（酸素の有無など）や病的な状態により大きく異なる．その構造は外膜が内膜を包んだ二重膜の構造で，内膜はひだ状に折れ込んで複雑なクリステを形成している．

 内膜上には4つの電子伝達複合体とよばれる電子伝達系の酵素が存在しており，この内膜に囲まれた空間（マトリックス）にはクエン酸回路やβ-酸化などにはたらく脱水素酵素が高濃度に濃縮存在している．また，ミトコンドリアは，植物の葉緑体同様動物細胞においては，核以外のオルガネラで唯一独自のDNAとタンパク合成システムを有している．ミトコンドリアのおもなはたらきは，物質の酸化によるエネルギーを用いた酸化的リン酸化による

ATPの合成であり，細胞内に取り込まれた酸素のほとんどは，ミトコンドリアにより消費されている．そのため，通常呼吸の間でもミトコンドリアからは副産物としてスーパーオキシドがリークしている[6]．さらに，虚血や酸素欠乏状態で電子伝達系の成分が還元状態になった後に酸素が再導入された際には，大量のスーパーオキシドが発生する．ミトコンドリアの電子伝達系の数箇所でスーパーオキシドが産生されるが，そのほとんどは複合体Ⅰと複合体Ⅲであり，このことからミトコンドリアにおけるスーパーオキシドの産生部位としては複合体ⅠとⅢがとくに重要であると考えられている[7]．

一方，一重膜構造であるペルオキシソームでは，種々の加水分解酵素が，脂肪酸やエイコサノイドのβ酸化，コレステロールの胆汁酸への変換，プラスマローゲンの生合成などの脂質代謝と密接にかかわっている．これらの酵素反応に伴い，ペルオキシソーム内では多量の過酸化水素が発生している．赤血球以外の細胞や組織では，ペルオキシソームに過酸化水素の消去酵素であるカタラーゼが多量に存在するのはこのためである．ペルオキシソーム内でのスーパーオキシドの産生機構のひとつとしてキサンチンオキシダーゼ（xanthin oxidase：XO）による尿酸合成系がある．尿酸の前駆体であるヒポキサンチンはキサンチンオキシダーゼによってキサンチンとなり，さらに同酵素によって尿酸に代謝される．キサンチンデヒドロゲナーゼでは尿酸産生にNADHを利用するので酸素を必要としないが，キサンチンオキシダーゼの反応では酸素が利用されてスーパーオキシドラジカルが生じる．細胞内においてミトコンドリアと同様，ペルオキシソームもスーパーオキシドの重要な発生部位である[8]．

スーパーオキシドを消去するため高等生物には3種類のスーパーオキシド消去酵素SODアイソザイムが存在し（表1），各画分でスーパーオキシドを有効に消去していると考えられている．この酵素の細胞内での分布は非常に重要であり，ミトコンドリアマトリックス内にMn-SODが，細胞外マトリックスにEC-SODが局在していることは広く知られている．一方，Cu, Zn-SODの細胞内分布に関しては，まだ多くの課題が残されている[9～11]．

2. Cu, Zn-SOD の細胞内局在の再検討

分子状酸素の1電子還元産物である．スーパーオキシド（$O_2^{\cdot -}$）は，非酵素的にも不均化して過酸化水素になる．その寿命は濃度によっていくぶん異なるが，pH 7.0 の水溶液中における低濃度（1 μM 程度）の $O_2^{\cdot -}$ の平均寿命は約5秒といわれている[12]．これは $O_2^{\cdot -}$ が自由拡散により約 100 μm 移動できる時間であり，物理的には数個以上の細胞にまたがって作用しうる距離である．

しかし，ミトコンドリアや細胞質で生じた $O_2^{\cdot -}$ はSODにより速やかに過酸化水素に不均化される．その反応定数は $6.6 \times 10^9 M^{-1} s^{-1}$ であり，拡散律速に近い効率である．

反応性の高い活性酸素は生体内のさまざまな成分

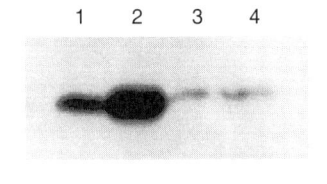

表1 ヒトに存在する3種類のSODとその特性

	Cu, Z-SOD	Mn-SOD	EC-SOD
分布	細胞質	ミトコンドリア	分泌型
分子量	32,000	88,000	135,000
サブユニット	2量体	4量体	4量体
金属（単量体当たり）	1 Cu, 1 Zn	1 Mn	1 Cu, 1 Zn
染色体	21q22	6q21	4pter-q21
特徴	家族性筋萎縮性側索硬化症で遺伝子に変異．	サイトカイン，ホルボールエステルで誘導される．	ヘパリン結合ドメインをもつ．

図1 肝，脳顆粒画分におけるCu, Zn-SODの局在
ラット肝および脳よりHogeboom法により顆粒画分（ミトコンドリア，ペルオキシソーム，リソソームを含む）と細胞質画分を調製し，SDS電気泳動後，抗Cu, Zn-SOD抗体によるウェスタンブロッティングを行った．
1：肝顆粒画分，2：肝細胞質画分，3：脳顆粒画分，4：脳細胞質画分．肝および脳のCu, Zn-SODは顆粒画分と細胞質画分に局在することがわかる．

や代謝系に影響を与えるので，その発生局所近辺で特異的かつ選択的に制御される必要がある．このことから考えると，この高い反応性も十分うなづけるものである．事実，SODアイソザイムのうちMn-SODはミトコンドリアのマトリックス内に，EC-SODは細胞膜外側に局在して有効に$O_2^{•-}$を消去している．一方，細胞質に分散していると考えられてきたCu,Zn-SODに関してはなお不明な点が多く残されている．分子レベルで考えると，Cu,Zn-SODが細胞質中に均一に分散していたのでは拡散律速的にすべての$O_2^{•-}$を処理することは困難と思われる．筆者らはこの点に注目し，スーパーオキシドの代謝特性，その好発生部位であるミトコンドリアやペルオキシソームと細胞質内でのCu,Zn-SODの超微局在特性について分子論的な解析を行った．

a. 細胞分画におけるCu,Zn-SODの局在性

細胞分画法によりラットの肝や脳より顆粒画分と細胞質画分を分離し，抗Cu,Zn-SOD抗体を用いてウェスタンブロッティングにより解析した結果，Cu,Zn-SODは従来の定説である細胞質画分に加え，ミトコンドリアやペルオキシソームを含む顆粒画分にも多量存在することが明らかになった（図1）．本顆粒画分をさらに密度勾配遠心により細分画して解析したところ，Cu,Zn-SODはミトコンドリアやペルオキシソームのマーカー酵素と同様の分画に分布していることが判明した（図2）．このようにCu,Zn-SODがミトコンドリアやペルオキシソームの分画にも回収されることから，その細胞内局在性を抗Cu,Zn-SOD抗体を用いた免疫染色により超微形態学的に解析した．

解析の結果，分画していないインタクトな細胞内では，Cu,Zn-SODの特異的抗体は，顆粒状の染色像を示し，細胞内の特定のオルガネラに濃縮して局在化していることが明らかになった（図3）．細胞分画での実験より得られた結果をふまえ，ミトコンドリアとペルオキシソームでの特異的局在性がそれぞれ確立されているMn-SODとPMP-70に対

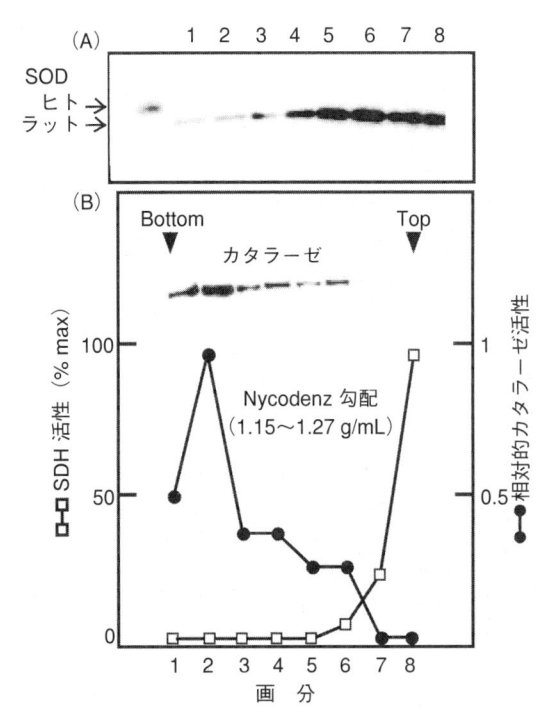

図2 ミトコンドリアとペルオキシソームにおけるCu,Zn-SODの局在性
顆粒画分をNycodenz密度勾配遠心法により細分画し，各画分を抗Cu,Zn-SOD抗体によるウェスタンブロッティングにより解析した．また，各画分（1.5 mL/フラクション）におけるオルガネラのマーカー酵素としてミトコンドリアはSDH（コハク酸デヒドロゲナーゼ），ペルオキシソームはカタラーゼを用いた．Cu,Zn-SODがミトコンドリアとペルオキシソームの両画分に存在することがわかる．

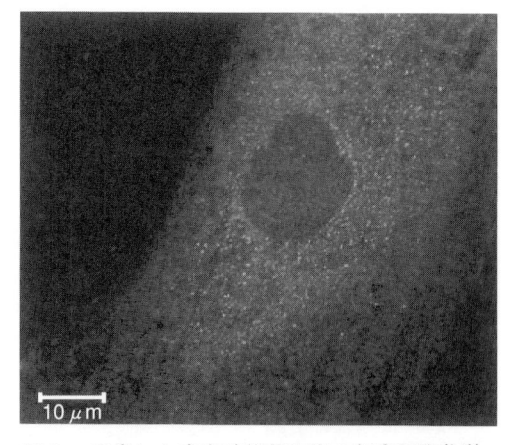

図3 正常ヒト皮膚線維芽細胞の免疫細胞化学
ヒト皮膚線維芽細胞内におけるCu,Zn-SODの局在性を免疫組織学的に検討した．細胞を4%パラホルムアルデヒド固定後，抗Cu,Zn-SOD抗体で免疫染色すると，Cu,Zn-SODは緑の染色像を示す．Cu,Zn-SODは細胞質に顆粒状で不均一な像として染色される．核（中央）内は染色されず，ここには存在しないことがわかる．（口絵9参照）

する特異的抗体を用い，2重染色により解析した．それらの分子の細胞内局在性を比較した結果，Cu, Zn-SODの一部はMn-SODと一致した局在を示すことが判明した（図4）．さらに，Cu, Zn-SODの一部はペルオキシソーム膜タンパク質のマーカーであるPMP-70とも局在が一致していた（図5）．

これらの結果より，従来は細胞質に分散していると考えられていたCu, Zn-SODは，細胞内で多量のスーパーオキシドを産生するミトコンドリアやペルオキシソームに近接して局在していることが明らかになった．

両オルガネラ局所におけるCu, Zn-SODの存在を明らかにするために高純度ミトコンドリアを調製して非イオン性界面活性剤で処理したところ，界面活性剤の濃度に依存してCu, Zn-SODが可溶化された（図6）．

ミトコンドリアの内膜と外膜の間に局在するシトクロム c は，膜電位の低下などで細胞質に遊離してくること，およびこの変化が細胞のアポトーシスの引き金となることが知られている．そこで，ミトコンドリアの機能を反映する膜電位の変化とCu, Zn-SODの関係を検討した．ミトコンドリア内膜には

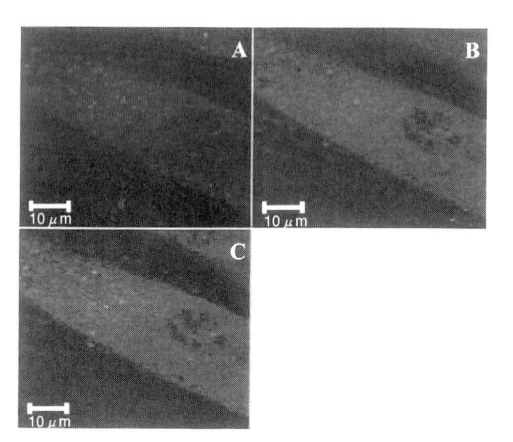

図4 Cu, Zn-SODとMn-SODの2重染色
Cu, Zn-SODとミトコンドリアマトリックスに局在するMn-SODを2重染色した．Mn-SOD（赤）とCu, Zn-SOD（緑）はいずれも顆粒状に染色されるが，両染色像を重ね合わせると両蛍光の大部分が消去しあって黄色になる．この所見は，両者が同じ局在性を示すことを意味する．（口絵10参照）

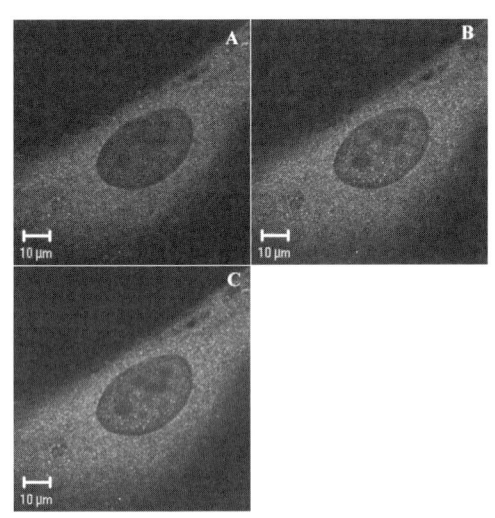

図5 Cu, Zn-SODとPMP-70の2重染色
ペルオキシソーム膜タンパク質であるPMP-70とCu, Zn-SOD（緑）を2重染色した．両染色像を重ね合わせるとその一部が黄色に変化することから，Cu, Zn-SODの一部はPMP-70と同じ局在を示すことが示唆される．（口絵11参照）

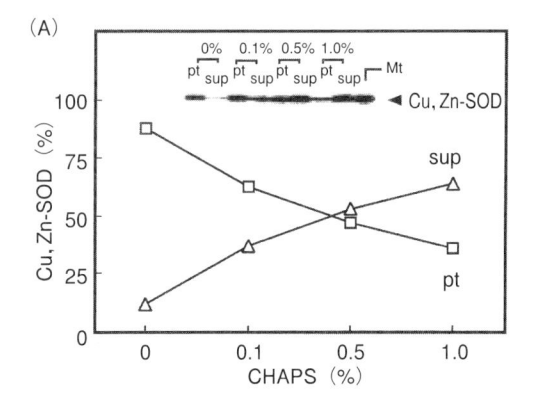

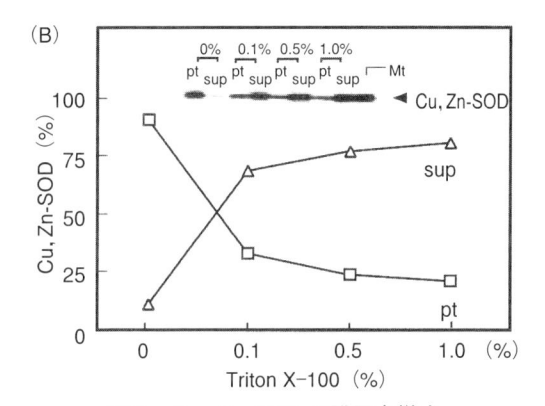

図6 Cu, Zn-SODの膜局在様式
分離ミトコンドリアを非イオン性界面活性剤（Triton X-100やCHAPSなど）で処理し，Cu, Zn-SODの結合動態を検討した．Cu, Zn-SODは界面活性剤の濃度に依存して膜画分より可溶性画分へ移行する．
sup：可溶性画分，pt：ミトコンドリア画分．

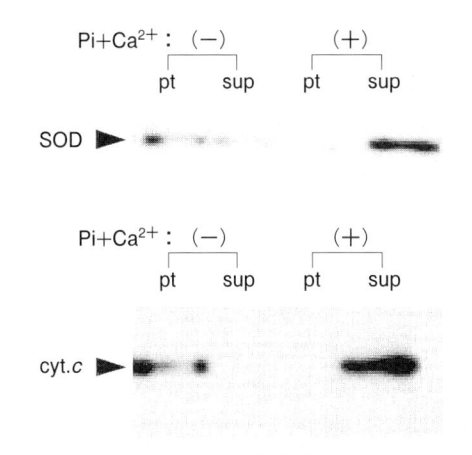

図7 ミトコンドリアの膜電位変化と Cu, Zn-SOD の局在性
ミトコンドリアをリン酸カルシウムで処理して膜電位を低下させると，Cu, Zn-SOD とシトクロム c はミトコンドリアから可溶性画分へと移行する．pt：ミトコンドリア画分，sup：可溶性画分．

プロトン勾配により形成される約 150 mV の膜電位がある．この膜電位はリン酸カルシウムをはじめとするさまざまな処理により低下あるいは消失する．このような処理により膜電位を低下させたところ，シトクロム c のみならず Cu, Zn-SOD もミトコンドリアから可溶化されてきた（図7）．ジギトニンは外膜に特異的に作用してこれを破壊するが，この際には膜電位は変化せずシトクロム c も遊離しない．しかし，ミトコンドリアをジギトニンで処理すると，Cu, Zn-SOD のみが特異的に遊離してくることが判明した．これらの結果より，Cu, Zn-SOD は，細胞内でスーパーオキシドを産生するミトコンドリアに非共有結合的に局在化していると考えられる．ペルオキシソーム膜でも同様な結合が認められる．したがって，Cu, Zn-SOD は細胞質に分散するのみならず，$O_2^{\cdot -}$ を多量に産生するミトコンドリアやペルオキシソームにも濃縮結合し，その局所で有効に $O_2^{\cdot -}$ を不均化していることが明らかとなった．

●おわりに

従来細胞質に均一に分散していると考えられていた Cu, Zn-SOD は，細胞内においておもなスーパーオキシドの産生場所であるミトコンドリアやペルオキシソームにも，可逆的に濃縮された状態で局在化していることが判明した．スーパーオキシドをはじめとする種々の活性酸素がその産生局所で有効に代謝制御されなければならないことを考えると，Cu, Zn-SOD が細胞内で $O_2^{\cdot -}$ の産生局所に特異的に局在することの生物学的意義は大きい．ミトコンドリアの膜電位変化により Cu, Zn-SOD の局在性が変化する現象は，ミトコンドリアの機能や細胞死との関係で興味深い．ミトコンドリアの機能不全は，ミトコンドリア脳筋症をはじめとするミトコンドリア病や老化などに関与しているため，ミトコンドリアの機能と Cu, Zn-SOD の局在性や活性酸素毒性との関係が重要と思われる．

筆者らは，中年期以降に発症する進行性運動ニューロン変性疾患である家族性筋萎縮性側索硬化症（FALS）患者の変異 Cu, Zn-SOD とミトコンドリアやペルオキシソーム膜との結合性を解析し，これが著明に低下していることを確認した．FALS 患者における変異 Cu, Zn-SOD の細胞内超微局在性変化が本疾患の発症にどのような役割を果たしているかは不明であるが，本疾患の病因を解明するうえで重要な所見と思われる[13]．

●文　献

1) Stadtman, E.R. : *Science*, **257**, 1220-1224 (1992)
2) Davies, K.J : *J. Biol. Chem.*, **262**, 9895-9901 (1987)
3) Girotti, A.W. : *J. Free Radic. Biol. Med.*, **1**, 87-95 (1985)
4) Ames, B. : *Free Radic. Res. Comm.*, **7**, 121-128 (1989)
5) Kasai, H. : *Mutat. Res.*, **387**, 147-163 (1997)
6) Nohl, H. : *Ann. Biol. Clin. (Paris)*, **52**, 199-204 (1994)
7) Li, Z., Linda, Y., Chang An, Y. : *J. Biol. Chem.*, **273**, 33972-33976 (1998)
8) Singh, I. : *Ann. N.Y. Acad. Sci.*, **804**, 612-627 (1996)
9) Keller, G.-A., Warner, T.G., Steimer, K.S., et al., : *Proc. Natl. Acad. Sci. USA*, **88**, 7381-7385 (1991)
10) Crapo, J.D. Oury, T., Rabouille, C., et al. : *Proc. Natl. Acad. Sci. USA.*, **89**, 10405-10409 (1992)
11) Weisiger, R.A., Fridovich, I. : *J. Biol. Chem.*, **248**, 4793-4796 (1973)
12) 西野武士 : 蛋白質 核酸 酵素, **34**, 1978-1988 (1989)
13) Kira, Y., Sato, F.E., Inoue, M. : *Arch. Biochem. Biophys.*, **399**, 96-102 (2002)

ミトコンドリアとグルタチオン代謝

井原 義人・近藤 宇史

● はじめに

グルタチオン（GSH）は細胞におけるおもなチオールであり，細胞の酸化還元反応（レドックス）とチオエステル生成に関与し，アンチオキシダントとして酸化ストレスに対する細胞防御にはたらく．グルタミン酸-システイン-グリシンからなるトリペプチドであるGSHは，生体内にある γ-グルタミルシステイン合成酵素（γ-GCS）とGSH合成酵素によって合成される[1,2]（図1）．GSHはそのほとんどが細胞質に還元型として存在するが，ミトコンドリアには総GSH量の約10〜15%が存在する．ミトコンドリアのGSHは自身のレドックスサイクルとGSHペルオキシダーゼ（GPx）反応に関与することにより，ミトコンドリア内に発生する活性酸素によるストレスを制御する．ミトコンドリアのGSHはアルコール性肝障害などの病態で減少することが知られているが，その減少は組織あるいは細胞の酸化ストレス耐性を減弱させることにより，細胞傷害を助長すると考えられる．

本稿では，ミトコンドリアにおけるGSH代謝と酸化ストレスに対する細胞防御系としての役割を中心に概説する．

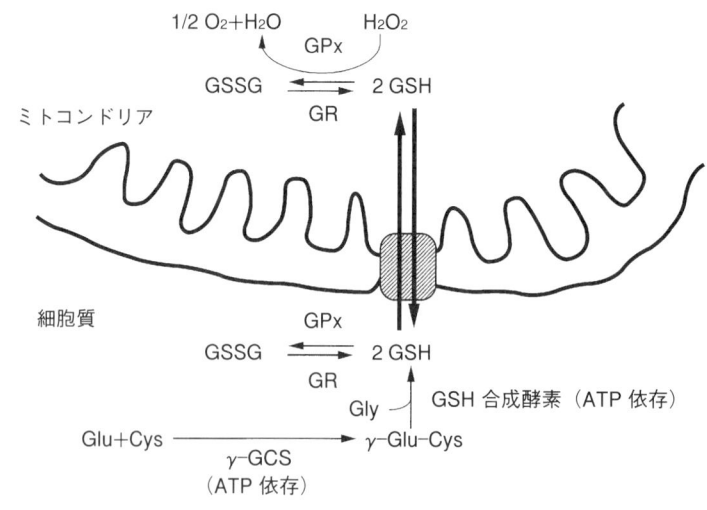

図1　グルタチオン（GSH）の合成とミトコンドリア輸送
GSHは γ-GCSとGSH合成酵素により細胞質で合成され，ミトコンドリアへはミトコンドリアGSH輸送体により ATP 依存性に輸送される．ミトコンドリア GSH はGPxにより酸化されGSSGとなり，スーパーオキシドの消去のために消費される．GSSGはグルタチオンジスルフィド還元酵素（GR）により還元される．

1. ミトコンドリアにおける酸化ストレスとGSHによる防御

ミトコンドリアは活性酸素種(ROS)のおもな発生源であり,細胞内で酸素の85～90%がその電子伝達系呼吸鎖で消費される.分子状酸素が電子伝達系のシトクロムcオキシダーゼ複合体で消費されて完全に水へ還元されれば,ROSの産生は阻まれる.ROSは電子伝達系で分子状酸素をスーパーオキシド($O_2^{\cdot -}$)に活性化する呼吸鎖複合体IIIのユビキノンが関与する段階でつくられる.

細胞へのROSの影響は非酵素性因子や酵素を含む抗酸化物のネットワークによって制御されている.一般に,酸化ストレスはROSと抗酸化物間の不均衡と考えられる.つまり,酸化ストレスは過剰なROSの産生あるいは抗酸化物の利用制限のどちらかで起こる.細胞内のROSの運命は$O_2^{\cdot -}$からH_2O_2を生成するCu, Zn-スーパーオキシドジスムターゼ(SOD)(細胞質),Mn-SOD(ミトコンドリア),H_2O_2を消去するカタラーゼ(ペルオキシソーム),GPx(細胞質とミトコンドリア)の相対的なバランスによって制御されている(図2).

生体は持続的なROS形成による有害な影響を制御するさまざまの戦略を発展させてきた.ミトコンドリアでその役割を果たすのが,Mn-SODと還元型GSHによるレドックスサイクル,そしてGPxである.ミトコンドリアでは電子伝達系で発生した$O_2^{\cdot -}$がMn-SODのはたらきでH_2O_2に変わる.H_2O_2は遷移金属とのHaber-WeissあるいはFenton反応によりヒドロキシルラジカル($OH^{\cdot}$)へと変換されて細胞毒性を示す.ミトコンドリアにはカタラーゼが存在しないため,ここではGPxが,おもにH_2O_2を水へ還元することにより,細胞を保護している.

最近,GPxの中でもリン脂質にはたらくGPxであるリン脂質ヒドロペルオキシドGPx(PHGPx)について興味深い報告がなされた.PHGPx遺伝子には2カ所の翻訳開始点が存在し,分子量23 kDaのlong formと20 kDaのshort formが合成される.これらのうちlong formは余分なN末端側80アミノ酸にミトコンドリア移送シグナルが存在し,ミトコンドリア酵素として機能する.Araiらは,PHGPxのlong form(ミトコンドリア型)とshort form(細胞質型)を強制発現させた細胞株を用い,酸化ストレスによる細胞傷害を比較した.その結果,ミトコンドリア酵素であるPHGPxのlong formがshort formに比べ,酸化ストレスに対してより耐性であることが判明した[3].

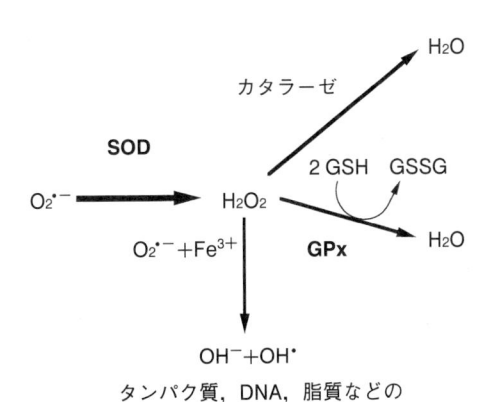

一方,GPxの反応には基質としてGSHが必要であることから,GSHはミトコンドリアで発生するH_2O_2を制御するうえで主要な役割を果たしている.実際,ミトコンドリアのGSHプールをエタクリン酸やリンゴ酸ジエチルで減少させる試験管内の研究や,ブチオニンスルホキシミン(BSO)を用いて生体内で減少させる研究が行われている.ミトコンドリアのGSHを枯渇させた細胞では,アンチマイシンAにより過剰産生されたROSに対する感受性が増加し,脂質過酸化,ミトコンドリア複合体IVの活性低下,転写因子NF-κBの活性化などがみられる[4].さらに,ミトコンドリアのGSHがTNF(腫瘍壊死因子)によるROSの上昇を抑制して,細胞

図2 過酸化水素を中心とした細胞内抗酸化システムの均衡
細胞内で発生したスーパーオキシドは,SODにより過酸化水素に変換された後,カタラーゼやGPxにより水へと還元される.ミトコンドリアでは,Mn-SODにより変換された過酸化水素はGSH依存性にGPxにより水へと還元される.残存した過酸化水素は遷移金属の共存下でFenton反応によりヒドロキシルラジカルを発生させ,細胞内の種々の分子に傷害を与える.

死を防ぐことも明らかとなった[5]．この場合，TNFシグナルにより酸性セラミダーゼが活性化されてセラミドを増加させる．セラミドはミトコンドリアに作用してH_2O_2を産生させて細胞を傷害すると考えられている[6]．

これらの知見は，ミトコンドリアのGSHがミトコンドリア機能の維持にとって必須であり，細胞の生存能についても非常に重要であることを示している．さらに，ミトコンドリアにおけるGSHレベルの変化は，ROSによる酸化ストレス暴露に影響を与える．核における遺伝子発現はレドックス機構でも調整されていることから，ミトコンドリアにおけるGSH代謝は遺伝子発現をはじめ，細胞の機能に重要な影響を与える．

2. アルコール性肝障害におけるミトコンドリアGSHの減少

エタノールによるアルコール性肝障害では，傷害の標的はミトコンドリアである．アルコール投与した細胞におけるMn-SODの活性については，上昇する例や変化しない例もあり，実験条件によって異なる[7,8]．GPxについても，アルコール投与によってmRNAレベルの上昇はみられても，酵素活性は変化しないとの報告がある[9]．しかし，Mn-SOD活性やGPxの発現量に変化がなくても，GPxの酵素反応にとって必須な基質である還元型GSHが減少すれば，ミトコンドリアのGPxははたらくことができない．つまり，ミトコンドリアのH_2O_2レベルは，GSHとGPx活性の低下によっても上昇する．

アルコール投与ラットでは細胞質からミトコンドリアへのGSH輸送が低下する[10,11]．ミトコンドリアのGSH減少はアルコール投与後2週で明らかとなり，この減少は細胞質からの輸送障害に原因があるためにGSHの前駆体を与えるだけでは解消されない．細胞膜透過性の高いGSHエチルエステルを与えるとミトコンドリアのGSHプールが増加したという．

動物実験の結果から，種々の酸化ストレス条件下ではエタノール投与により肝ミトコンドリアのGSHが減少して肝障害が増悪することが示唆された．実際，急性肝炎や慢性のアルコール性肝炎で炎症性サイトカインであるTNFが上昇する．ミトコンドリアGSHの低下した細胞ではTNFに対する感受性が増加していることから，両者がヒトのアルコール性肝障害における増悪機構に関与するのかもしれない．

3. GSH欠乏によるミトコンドリア障害とその予防

GSH合成阻害剤であるBSOを投与したマウスでは，骨格筋のミトコンドリアGSHが著しく減少し，ミトコンドリアの膨化，空胞変性，膜構造の異常などを伴った骨格筋の著しい傷害がみられる[12]．一方，BSOをGSHエチルエステルとともに投与した場合は，ミトコンドリアのGSHに影響はなく，組織学的傷害はみられなかった．BSOによる細胞傷害は，肺，回腸，結腸などでもみられるが，いずれもGSHエチルエステルにより阻害される．

新生マウスやラットにBSOを投与した場合，眼レンズに白内障が生じる．この際，組織学的にはレンズ上皮で著しいミトコンドリアの膨化と空胞形成を伴う変性像がみられた．BSO投与による白内障の発生はレンズのミトコンドリアGSHの低下と相関しており，GSHエチルエステルあるいはアスコルビン酸の同時投与により防止できる．

BSOは血液脳関門を通過できないため，マウスやラットにBSOを投与しても脳のGSHは低下しなかった．一方，BSO投与した新生ラットでは，大脳皮質での急激なGSH低下と電子顕微鏡レベルでの組織傷害がみられた．すなわち，大脳皮質ではミトコンドリアの減少と残存ミトコンドリアの著しい膨化が認められた．しかし，BSOとGSHエチルエステルを同時投与した例では，大脳のミトコンドリアに傷害はみられなかった．

このように，新生ラットへのBSO投与は白内障と大脳の傷害をひき起こすが，両者ともミトコンド

リアの変性が病態に関与していると考えられる．新生ラットや成獣ハムスターに BSO を投与すると，肝の巣状壊死，腎近位尿細管障害，肺ミトコンドリアの著しい変性などを主体とする多臓器不全を起こし，数日で死亡する．BSO によるこれらの傷害は，すべて GSH エチルエステルやアスコルビン酸により防止できる．調べた臓器のなかでも，胃と心では GSH 欠乏の影響はほとんどみられなかった．一般的に，ミトコンドリアにはカタラーゼが存在しないと考えられているが，ラット心のミトコンドリアには検出されており，これが GSH 欠乏による組織傷害に対する抵抗性の原因かもしれない[12]．

新生ラットでは GSH 欠乏による致死的傷害がアスコルビン酸により阻止できることが明らかにされ，GSH とアスコルビン酸の代謝関連が注目される[13]．GSH 欠乏により組織傷害や致死的影響がみられる場合，組織のアスコルビン酸が非常に低下することが明らかになった．たとえば，新生ラットに 3.5 日間 BSO を与えた場合，肝や他の臓器のアスコルビン酸が低下し，デヒドロアスコルビン酸の顕著な増加がみられた．また，GSH 欠乏時にアスコルビン酸を投与すると組織のアスコルビン酸は上昇するが，GSH レベルも上昇した．このように，BSO 投与下ではアスコルビン酸が GSH の機能を補っている．アスコルビン酸による GSH の代替機能は成獣マウスでも同様にみられるが，このマウスはアスコルビン酸を合成できるため，その影響は新生マウスの場合とは異なる．つまり，成獣マウスの場合は組織が十分量のアスコルビン酸で守られているため，BSO を投与しても初期の致死的傷害は起こらない．また，成獣マウスに BSO を投与すると，アスコルビン酸の合成も増加する．このアスコルビン酸合成誘導の機構は不明であるが，重要な防御機能と考えられる．

一方，GSH がアスコルビン酸の機能を代替することも知られている．アスコルビン酸欠乏食を与えたハムスターは壊血症を起こし，21〜24 日で死亡することが知られている．このハムスターに GSH エチルエステルを与えると，壊血症の発症時期が著明に遅れ，その兆候は 40 日以降に現れる．壊血症誘起食を与えているハムスターに GSH エチルエステルを投与すると，GSH とともにアスコルビン酸のレベルも上昇した．GSH がより高いレベルでは組織のアスコルビン酸もゆっくりと減少する．この機構として，アスコルビン酸と GSH がともに活性酸素と反応できることや GSH 依存性のデヒドロアスコルビン酸還元酵素などの関与が考えられる．GSH とアスコルビン酸は主要な抗酸化物であり，多様な機能を果たしている．また，GSH とアスコルビン酸はそれぞれ異なる機能も有し，細胞内で一定の濃度を保つ必要がある．特記すべきことに，アスコルビン酸は体重 1 kg 当たりに 1 mmol で十分であり，それ以上の濃度では毒性を示すようである．また，非生理的に高濃度の GSH も新生マウスやハムスターでは毒性を示しうる．

以上のように，GSH とアスコルビン酸はミトコンドリアの酸化的傷害の防御に重要な防御機能を果たしている．

4. ミトコンドリアの GSH 輸送

ミトコンドリアの GSH 代謝では，そのミトコンドリアへの輸送とミトコンドリア内 GSSG の GSH への再還元が重要である．これに関与する主要な酵素としては GPx と GR がある．ミトコンドリアにはグルタレドキシンと PDI（プロテインジスルフェドイソメラーゼ）の酵素活性は存在しないと考えられており，GSH S-トランスフェラーゼの活性も低い．

BSO 投与によりマウスの肝，腎における GSH は 2 相性に減少するが，ミトコンドリアの GSH が細胞質の GSH に比べてよりゆっくりと減少していくことから，ミトコンドリアには特別な GSH プールがあると推察される[14]．BSO がミトコンドリア膜を通過できないことから，ミトコンドリア内に BSO 抵抗性のグルタチオン合成系が存在することが考えられた．しかし，放射線標識したシステインのミトコンドリアと細胞質への取込みのキネティクスがほぼ同様であること，GSH を合成する γ-GCS

の活性がミトコンドリアで検出できないこと，およびγ-グルタミルサイクルの関連酵素もミトコンドリア分画ではわずかな活性しか認められていないことが報告された[14]．実際，ラット肝由来のミトコンドリアと細胞質におけるγ-GCSのH鎖の分布をイムノブロット法で解析した結果，γ-GCSのH鎖はおもに細胞質分画に検出され，ミトコンドリア分画にはほとんど検出されなかった（図3）．現時点では，ミトコンドリアにはGSH合成系は存在しないと考えられている．

MeisterらによるBSOと放射標識システインを用いた研究から，ミトコンドリアのGSHは細胞質GSHに由来すると考えられる．これに関しては，ミトコンドリア外のGSHが低濃度あるいは高濃度の条件で，GSHのミトコンドリア内外への輸送率が検討されている[15]．その結果，ミトコンドリア外GSHが低濃度（0.05～1 mM）の条件では，高親和性輸送体の作用が観察された（K_m=60 μM，V_{max}=0.54 nmol/min/mg タンパク質）．この輸送体はGSH濃度が1～2 mMで飽和する．一方，ミトコンドリア外のGSH濃度が1～8 mMと高濃度の条件では，低親和性輸送体のはたらきが観察された（K_m=5.4 mM，V_{max}=5.79 nmol/min/mg タンパク質）．これらの高親和性あるいは低親和性輸送体取込み過程はATPやADPで刺激され，脱共役剤FCCP〔カルボニルシアニドp-（トリフルオロメトキシ）フェニルヒドラゾン〕により阻害される．また，ミトコンドリア外のGSH濃度が1～8 mMあるいはそれ以上の条件では，マトリックスへの取込みは拡散によると考えられる．ミトコンドリア内に取り込まれたGSHは，ほとんどがフリーのGSHであり（84～88％），一部はタンパク質に結合していた．以上のように，GSHのミトコンドリアへの取込みの初速度は複数の輸送システムの存在を示唆する．

分離ミトコンドリアを用いた実験系において，ミトコンドリア外のGSH濃度が8 mMのときには[^{35}S]GSHの明らかな排出と再取込みが認められたが，0.15 mMのときにはみられなかった．また，ミトコンドリア外のGSH濃度が8 mMのときには，外からミトコンドリア膜間腔へのすばやいGSHの移行がみられる．これはマトリックスへの効果的なGSHの再取込みに利用されるのかもしれない．

このように，ミトコンドリア膜間腔とマトリックス間にはGSHの交換系があり，この交換系はミトコンドリア外のGSH濃度の上昇によって増加することが示唆されている．

ミトコンドリア外GSH濃度の上昇がミトコンドリア内膜を介するGSHの交換輸送を増加させるという試験管内の結果は生体内の結果とも相関する．つまり，BSO投与により組織のGSHを減少させた場合，ミトコンドリアのGSH減少は起こらないにもかかわらず，細胞質のGSHは顕著に減少する．また，GSH欠乏動物にGSHエステルを投与した場合，細胞質のGSHの著明な増加はみられないが[12]，ミトコンドリアGSHレベルの実質的な増加はみられた．これらの知見から，細胞質のGSHが低濃度のときにマトリックスのGSH排出が低下する現象は，ミトコンドリア膜間腔に存在するGSH輸送体により説明できる[15]．

以上のように，細胞質からミトコンドリアへのGSH輸送については，Meisterらのグループにより低容量高親和性の系と高容量低親和性の系の2種

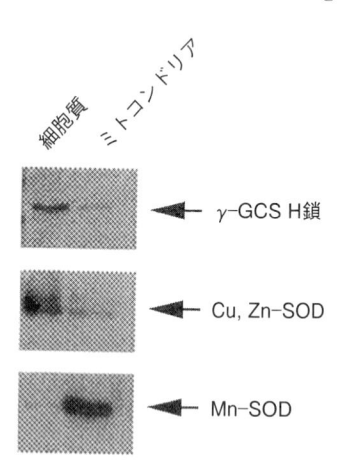

図3　γ-GCS H鎖特異抗体を用いたイムノブロット解析
ラット肝におけるγ-GCS H鎖の細胞内分布を，細胞質とミトコンドリア分画についてイムノブロット法で比較した．対照として，Mn-SOD抗体(谷口直之氏より供与)とCu, Zn-SOD抗体（細胞質マーカー）を用いた．これまでの酵素活性の報告同様，γ-GCSは主として細胞質に存在し，ミトコンドリアにはほとんど存在しない．

の輸送系の存在が示唆されていた．この系はATP依存性であり，グルタミン酸とジカルボン酸が選択的にその輸送を阻害することも知られていたが[15]，その構造については不明であった．

近年，Garcia-Ruizらはラット肝の全mRNAから分画したmRNA F-5を卵母細胞へマイクロインジェクションすることにより，ミトコンドリアへのGSH輸送活性を見い出した[16]．解析の結果，このミトコンドリアへのGSH輸送活性は既知の細胞表面のGSH輸送体（sinusoidal GSH transporter：sGshTまたはcanalicular GSH transporter：cGshT）とは異なり，ATP依存性であり，グルタミン酸などで阻害されることが示された．しかし，この報告以降，現在に至るまで，ミトコンドリアGSH輸送体の遺伝子あるいはタンパク質構造に関する新たな研究報告は見られない．

●おわりに

ミトコンドリアはレドックス反応を介して種々の細胞内代謝やエネルギー代謝に中心的役割を果たしている．ミトコンドリアはエネルギー代謝の過程で正常時にも活性酸素を産生する小器官である．最近では，ミトコンドリアにおける活性酸素の発生と膜傷害を伴うステップが，細胞のアポトーシス実行に重要であることも明らかとなってきた．GSHはミトコンドリアでの活性酸素に対する抗酸化物として，レドックスサイクルを介して，あるいはH_2O_2を消去するGPxの必須因子として，細胞を酸化ストレスによる傷害から守っている．ミトコンドリアではGSHが合成されず，細胞質で合成されてからGSH輸送体によってミトコンドリアへ移送されることがわかっている．しかし，ミトコンドリアでのGSH代謝の制御機構については不明な点も多い．今後，ミトコンドリアのGSH輸送体の構造と生理機能，その遺伝子発現制御などの解明が残された課題である．

●文　献

1) Meister, A., Anderson, M.E.: *Ann. Rev. Biochem.*, **52**, 711-760 (1983)
2) Taniguchi, N., Higashi, T., Sakamoto, Y., Meister, A., eds.: "Glutathione Centennial Molecular Perspectives and Clinical Implications"., Academic Press, New York (1989)
3) Arai, M., Imai, H., Koumura, T., *et al.*: *J. Biol. Chem.*, **274**, 4924-4933 (1999)
4) Garcia-Ruiz, C., Colell, A., Morales, A., *et al.*: *Mol. Phermacol.*, **48**, 825-834 (1995)
5) Goosens, V., Grooten, J., de Vos, J., Fiers, W.: *Proc. Natl. Acad. Sci. USA*, **92**, 8115-8119 (1995)
6) Garcia-Ruiz, C., Colell, A., Mari, M., *et al.*: *J. Biol. Chem.*, **272**, 11369-11377 (1997)
7) Koch, O.R., DeLeo, M.E., Borrello, S., *et al.*: *Biochem. Biophys. Res. Commun.*, **201**, 1356-1365 (1994)
8) Perera, C.S., St.Clair, O.K., McClain, C.J.: *Arch. Biochem. Biophys.*, **323**, 471-476 (1995)
9) Nanji, A.A., Griniuviene, B., Sadrzadah, S.M., *et al.*: *J. Lipid Res.*, **36**, 736-744 (1995)
10) Fernandez-Checa, J.C., Garcia-Ruiz, C., Ookhtens, M., Kaplowitz, N.: *J. Cli. Invest.*, **87**, 397-405 (1991)
11) Garcia-Ruiz, C., Morales, A., Ballesta, A., *et al.*: *J. Cli. Invest.*, **94**, 193-201 (1994)
12) Martensson, J., Meister, A.: *Proc. Natl. Acad. Sci. USA*, **86**, 471-475 (1989)
13) Meister, A.: *J. Biol. Chem.*, **269**, 9397-9400 (1994)
14) Griffith, O.W., Meister, A.: *Proc. Natl. Acad. Sci. USA*, **82**, 4668-4672 (1985)
15) Martensson, J., Lai, J.C.K., Meister, A.: *Proc. Natl. Acad. Sci. USA*, **87**, 7185-7189 (1990)
16) Garcia-Ruiz, C., Morales, A., Colell, A., *et al.*: *J. Biol. Chem.*, **270**, 15946-15949 (1995)

ミトコンドリアと脂質過酸化反応

小暮 健太朗・寺田 弘

●はじめに

通常の分子状酸素が活性化されて生じる酸素関連化合物を活性酸素とよぶ．とくに生体と関連するものとして，スーパーオキシドラジカル（$O_2^{\cdot -}$），過酸化水素（H_2O_2），ヒドロキシルラジカル（$HO^{\cdot}$），一酸化窒素（NO）などが知られている．これら活性酸素は脂質過酸化をひき起こす．脂質の過酸化反応とは，リン脂質などに含有されている不飽和脂肪酸側鎖が活性酸素などによって攻撃され，分子状酸素が付加される反応をいう．図1に示すように，脂質LHに活性酸素などのイニシエーター（$R^{\cdot}$）が作用することにより，LHから水素原子$H^{\cdot}$が引き抜かれる．生じた脂質ラジカル$L^{\cdot}$は，周辺に存在する分子状酸素O_2とただちに結合して脂質ペルオキシラジカル（$LOO^{\cdot}$）となる．この$LOO^{\cdot}$は，自らを安定化させるために他の脂質（LH）などから$H^{\cdot}$を引き抜き，過酸化脂質（LOOH）となる．このような過酸化脂質生成反応は連鎖的に進行すると考えられており，一定時間の連鎖反応が進んだのち，ラジカルどうし（たとえば$LOO^{\cdot}$と$L^{\cdot}$）の反応によって連鎖反応は終結する[1]．

過酸化された脂肪酸側鎖は親水性を獲得するため，図1のように脂質膜内奥の疎水性領域から親水性の高い界面付近に突出する．このような過酸化

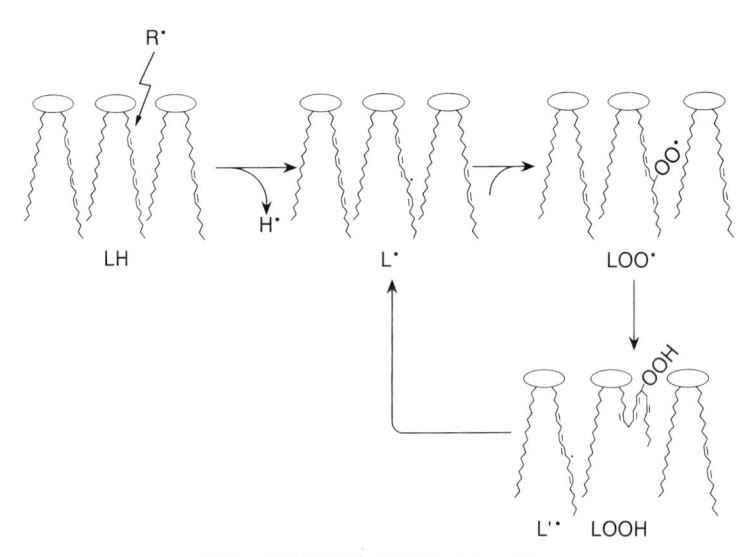

図1 脂質過酸化反応のメカニズム
$R^{\cdot}$：イニシエーター（活性酸素・フリーラジカル），LH：脂質，$H^{\cdot}$：水素原子，$L^{\cdot}$，$L'^{\cdot}$：脂質ラジカル，$LOO^{\cdot}$：脂質ペルオキシラジカル，LOOH：脂質ヒドロペルオキシド（過酸化脂質）

脂質を含む膜は，それまでに形成されていた近隣脂質間での相互作用や界面の水和構造が乱されるため，構造的に不安定になる．そのため，脂質過酸化を被った膜では，円滑な酵素反応などに必要な膜流動性が低下するとともに，K^+イオンやグルコースなどの物質に対するバリア機能が消失し[2]，最終的に膜構造が破壊されてしまう．本稿では，ミトコンドリアの脂質過酸化について述べる．

1. ミトコンドリアにおける活性酸素発生機構

ミトコンドリアは，$O_2^{\cdot-}$をはじめとする活性酸素を生成する[3,4]．ミトコンドリアにおける$O_2^{\cdot-}$生成部位としては呼吸鎖の複合体Ⅰと複合体Ⅲがあげられる．虚血・再灌流障害は，ミトコンドリアなどによる再酸素暴露時の爆発的な活性酸素・フリーラジカル産生が原因である．これらの活性酸素産生増加は，虚血時に還元状態となった呼吸鎖成分から電子がリークして酸素が自動酸化されると考えられている[3]．したがって，ミトコンドリアは脂質過酸化をひき起こす活性酸素をその呼吸鎖から生じる．ミトコンドリアには約 1.7 nmol/mg タンパク質程度の鉄（ヘム鉄でも鉄-硫黄タンパク質でもない）が内在するが，この微量の鉄も脂質過酸化のイニシエーターとなりうる[5]．ミトコンドリアは自身が産生した活性酸素や微量の鉄による過酸化傷害に対する防御系〔SOD（スーパーオキシドジスムターゼ），GSH（グルタチオン）ペルオキシダーゼ，ビタミンE，ビタミンCなど〕を備えているため，通常は強い脂質過酸化が誘導されることはない．

2. 脂質過酸化とミトコンドリアの変化

ミトコンドリアによる活性酸素産生とその防御系とのバランスが崩れると，ミトコンドリア膜は脂質過酸化反応の基質となる不飽和脂肪酸含量が高いので，ミトコンドリアは容易に脂質過酸化を受ける．ミトコンドリア膜脂質の不飽和脂肪酸のほとんどはホスファチジルコリンとホスファチジルエタノールアミンに含まれており，これら2種類が全体のリン脂質の約80%を占めている[6]．また，全リン脂質量の18%を占めるミトコンドリア特異的なリン脂質であるカルジオリピンも，その脂肪酸側鎖の90%は不飽和脂肪酸である[6]．このように，ミトコンドリアの膜脂質は高い割合で不飽和脂肪酸を含んでいるため，脂質過酸化反応が起こりやすい．

a. 形状変化

ミトコンドリアに脂質過酸化が誘導された場合に観察される種々の現象については，古くから多くの研究報告がある[7～19]．たとえば，ラット肝ミトコンドリアの懸濁液にFe^{2+}を添加した場合，数分間のラグを経た後，濁度の急激な低下（ミトコンドリアの膨潤）が観察される[7,8]．このミトコンドリアの膨潤は過酸化脂質量の目安となるTBARS量〔過酸化脂質の2次生成物とチオバルビツール酸との反応陽性物質量，マロンジアルデヒド（MDA）量として表す場合もある〕の時間依存的増加および過酸化反応の進行に伴う酸素消費と完全に対応しており，この膨潤が脂質過酸化反応の進行に伴ったものであることが明らかにされている（図2）．興味深いことに，添加するFe^{2+}濃度が高いほど，ミトコンドリア膨潤の開始に要する時間（ラグ）が長くなる[7]．この現象の詳細はいまだ明らかにされていない．また，ミトコンドリアに脂質過酸化を誘導すると，内からK^+イオンが流出してくる[10]．この流出の時間変化は，MDA量の時間依存的な増加に対応しており，脂質過酸化によって膜のバリア機能が低下することが明らかにされている[10]．このK^+イオン流出が起こるときには，膜電位も減少する[10,14,19]．このように，ミトコンドリアは脂質過酸化を受けることによって膜機能を消失してしまう．実際，ミトコンドリア膜の脂質過酸化が進行する過程を電子顕微鏡で観察すると，脂質過酸化の進行に伴い膨潤が起こり，最終的に内膜のマトリックス構造が破壊される[12,16]．

b. 呼吸鎖

ミトコンドリア膜の脂質過酸化は，脂質膜小胞と

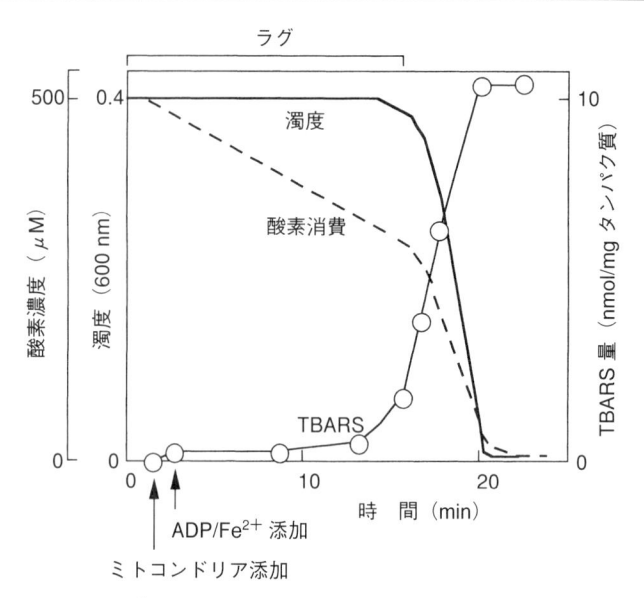

図2　ADP/Fe^{2+}を添加したラット肝ミトコンドリア懸濁液中の時間依存的な濁度変化，TBARS量増大，酸素消費の変化[18]
各最終濃度は，ミトコンドリア：0.7 mgタンパク質/mL，ADP：300μM，Fe^{2+}：100μM．ミトコンドリア脂質過酸化反応の進行に伴う諸変化，すなわち濁度変化，TBARS量の変化と酸素の急激な消費開始とが一致している．これらの変化が出現するまでの時間がラグである．

しての機能を損失・破壊してしまう現象である．しかし，ミトコンドリアの過酸化傷害は，膜脂質のみにとどまらない．すなわち，ミトコンドリアに対する脂質過酸化傷害は，ミトコンドリアの呼吸機能をつかさどる各タンパク質の活性にも深刻な影響を及ぼす．ラット肝ミトコンドリアに微量の鉄とNADPHを添加して脂質過酸化を誘導すると，呼吸調節比（respiratory control ratio：RCR）が著しく減少する[12]．詳細な解析の結果，ミトコンドリア呼吸鎖の複合体Ⅰと複合体Ⅱの基質依存性呼吸の場合，脂質過酸化誘導によりstate4呼吸はほとんど変化しないのに対して，state3呼吸は著しく減少する[12,16]．ところが，複合体Ⅳの基質依存性呼吸では，state3呼吸とstate4呼吸がともに減少する．このことから，鉄誘導性の脂質過酸化に伴うミトコンドリア呼吸の阻害は，複合体Ⅳ（シトクロムcオキシダーゼ）が特異的に傷害されることに起因すると考えられる[12,13]．このような呼吸阻害や膜電位の著しい低下は，脂質過酸化が軽度の初期段階で膜構造に大きな影響が及んでいないと思われる状態でも観察される[12]．これらのことから，呼吸鎖の構成タンパク質は膜脂質よりも過酸化傷害に対する感受性が高いことがわかる．

さらに強力な脂質過酸化を誘導した場合，ミトコンドリアのタンパク質は断片化して消失する[20]．興味深いことに，強力な脂質過酸化条件下では，複合体Ⅳよりも複合体Ⅰが著しく消失しており，過酸化的攻撃に対して前者は後者よりも構造的に強いことが示唆されている[20]．これは前述の活性に対する過酸化的傷害の結果と一見矛盾するようであるが，これには各呼吸鎖の構成タンパク質に結合している脂質が関与していると思われる．たとえば，シトクロムcオキシダーゼに結合しているカルジオリピンは活性発現にも重要と考えられているが，本脂質は活性酸素などの攻撃によって容易に過酸化傷害を被ることが予想される．そのため，ミトコンドリア全体の脂質過酸化の程度が軽度であっても，これらの結合脂質が過酸化されることによりタンパク質の活性が低下して，呼吸活性が減少すると思われる[12]．しかし，各構成タンパク質自身は過酸化的攻撃による構

造的損失が少ないため，活性の消失とタンパク質の破壊の程度が直接対応しないと思われる．

c. 膜タンパク質

ミトコンドリアの内膜に存在するタンパク質でもっとも豊富なものは，ADPとATPの交換輸送をつかさどる6回膜貫通型のアデニンヌクレオチドトランスロカーゼ（ANT）である．このANTも脂質過酸化により傷害されやすいタンパク質である[21,22]．このタンパク質が傷害されると，ミトコンドリア内で合成されたATPが細胞質に供給されなくなり，諸々のATP依存性反応が停止してしまうため，ANTに対する過酸化傷害も深刻な問題である．軽度の脂質過酸化を誘導した後にSDS-PAGEで解析すると，30 kDaのANTの移動度は減少し，みかけの分子量が1.2 kDaほど増大することが知られている[21~23]．これは，過酸化を受けたリン脂質とANTとの会合によると考えられている[21~23]．ANTの活性発現にはリジン残基に静電的に結合している6分子のカルジオリピンが必須である[24]．したがって，このカルジオリピンが過酸化されて生じた過酸化体がANTのアミノ酸（おそらくリジン残基）と共有結合により会合すると考えられる[21~23]．

さらに，脂質過酸化の進行に伴い，いくつかのアミノ酸残基（リジン，アルギニン，システインなど）が減少する[22]．これらの脂質過酸化に伴う変化は，ANT活性の特異的阻害剤であるカルボキシアトラクチロシド（CATR）をあらかじめ添加しておくことによって妨げられる．CATRは，ANTをある特定のコンホメーション（c-stateとよばれる細胞質側に開いた形）に固定する．そのため，CATRによる過酸化傷害の阻害は，ANTの過酸化を受けやすい部分がコンホメーション変化により膜タンパク質内奥に移動するためと推察されている[22]．システイン修飾試薬であるN-エチルマレイミド（NEM）や還元剤ジチオトレイトール（DTT）もCATRと同様の効果を示す[22]．これらの試薬はシステイン残基に特異的に作用するため，システインが保護される．しかし，これらが他のアミノ酸残基に対しても保護作用を示す機構に関してはいまだ明らかでない．

d. 膜脂質

過酸化を受けたミトコンドリアの脂質（ヒドロペルオキシド）は，2次的に種々の酸化脂質へと変化する．Fe^{2+}とt-ブチルヒドロペルオキシドを用いて脂質過酸化を誘導したミトコンドリアをホスホリパーゼA2で処理し，過酸化された脂肪酸側鎖を切り出して解析したところ，リノール酸のケト体，ヒドロキシ体，トリヒドロキシ体，あるいはヒドロキシエポキシ体などが見い出された[25]．リン脂質以外にミトコンドリア膜中のコレステロールも酸化され，7-ケト体，7-ヒドロキシ体，$5\alpha,6\beta$-エポキシ体などに変化することも明らかにされている[26]．これらの酸化脂質は，アポトーシス誘導作用[27]やNO合成促進作用[28]など，多様な生理作用を有することが知られている．

3. ミトコンドリアの脂質過酸化

以上述べたように，ミトコンドリアが脂質過酸化を受けた場合，膜構造が破壊されて機能が損失されるだけでなく，呼吸鎖の構成タンパク質やANTなど，ミトコンドリア機能に重要なタンパク質の活性が変化して消失する．抗酸化防御系と活性酸素生成系とのバランスの歪みによって生じる軽度の脂質過酸化は，膜脂質に対する影響が少ないために目立たないが，ミトコンドリア機能にとっては非常に危険である．実際，老化促進マウス（SAM）のミトコンドリアでは，TBARS値は若干高い程度であるにもかかわらず，その呼吸機能は加齢に伴って著しく低下する[29]．また，虚血・再灌流処理を施したラットの心ミトコンドリアでは，MDA量の増加とカルジオリピン量の著しい減少が観察され，シトクロムcオキシダーゼの活性も低下することが見い出されている[30]．虚血・再灌流時に産生されるNOがミトコンドリア機能を障害することも明らかにされている[31]．ラットの心を取り出して虚血状態にした後に再灌流したところ，心組織中のATP量の著しい減少とミトコンドリアの呼吸能低下が認められた．

ミトコンドリア機能の低下は，呼吸鎖の構成成分である複合体Ⅰと複合体Ⅱが傷害されたためであることが判明している[31]．一方，虚血・再灌流時にNO合成酵素阻害剤を添加しておくと，ミトコンドリアの機能低下が抑制された．これらのことから，虚血・再灌流時におけるミトコンドリア機能障害にはNOが関与している可能性が示唆されている[31]．

4. ミトコンドリア脂質過酸化の抑制物質

脂質過酸化に関する研究により，数多くの脂質過酸化抑制物質が見い出されている[32]．その代表的なものとしては，ビタミンEやビタミンCなどがよく知られている．上述したように，これらの物質は細胞質やミトコンドリア膜にも存在し，脂質過酸化に対する防御系としてはたらいている．最近では，これら内在性抗酸化物以外の脂質過酸化抑制物質が"抗脂質過酸化薬"として期待されており，天然物および合成抗酸化医薬品の研究が精力的に行われている[32]．ミトコンドリア脂質過酸化を試験管内で抑制する物質として，各種フラボノイドやアルカロイドなど（図3）が見い出されている[33～37]．そのような脂質過酸化抑制物質はフェノール類であることが多いが，最近ではフェノール類以外にも強力な脂質過酸化抑制物質が見い出されている．タマサキツヅラフジから単離されたセファランチンはさまざまな生理作用を有しており，現在臨床で用いられているアルカロイドであるが，ADPとFe^{2+}によって誘導されるミトコンドリアの脂質過酸化を強力に抑制する[37]．このミトコンドリア脂質過酸化に対するビタミンEの50%抑制濃度が100 μMであるのに対し，セファランチンは約20 μMであった．セファランチンはラジカル消去能を有しているが，その脂質過酸化抑制効果がラジカル消去作用に基づくと考えられている．また，3本のアルキル鎖を有するシアニン色素 triS-C_n-(5)（nはアルキル鎖長）はアルキル鎖長により膜中での存在位置が変化するため，脂質過酸化の抑制様式が異なる[36]．さらに，マラリアなどの熱病に用いられた民間薬クロヅルの抽出物質セラストロールは，Fe^{2+}誘導性のミトコンドリア膜脂質過酸化を強力に抑制するが，ミトコンドリア内膜と外膜の脂質組成の違いを反映した抗過酸化作用を示す[35]．いずれも，代表的な脂質過酸化抑制物質であるビタミンEよりも強く脂質過酸化を抑制する．

●おわりに

ミトコンドリアの脂質過酸化は，その機能に大きな影響を与えるだけでなく，多様な活性を有する酸

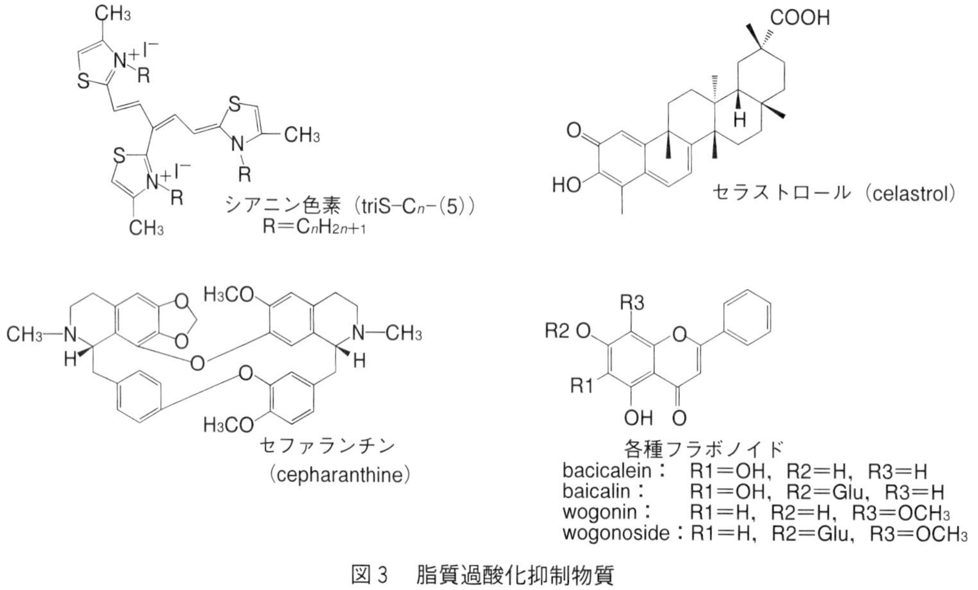

図3　脂質過酸化抑制物質

化生成物を生じる．最近，脂質過酸化のイニシエーターである活性酸素がアポトーシスや老化にも関与する可能性が論じられている．リン脂質の酸化生成物もアポトーシスの誘導や動脈硬化の発症に関与することが報告されている．一方，ミトコンドリア機能の変化が多彩な生命現象や疾患に深く関与していることも明らかにされつつある．それゆえ，ミトコンドリアの脂質過酸化に対する抑制物質を見い出すことは，アポトーシスの機構解明や動脈硬化症などの予防や治療にも有効と思われる．今後，ミトコンドリアと脂質過酸化との関係についてさらに詳細な検討がなされ，各種疾患の治療の糸口が見つかることを期待している．

●文 献

1) 福澤健治, 寺尾純二：脂質過酸化実験法, pp.4-5, 廣川書店 (1990)
2) Chatterjee, S.N., Agarwal, S.: *Free Radic. Biol. Med.*, **4**, 51-72 (1988)
3) Bindoli, A.: *Free Radic. Biol. Med.*, **5**, 247-261 (1988)
4) Kowaltowski, A.J., Vercesi A.E.: *Free Radic. Biol. Med.*, **26**, 463-471 (1999)
5) Tangerås, A., Flatmark, T., Bäckström, D.: *Biochim. Biophys. Acta*, **589**, 162-175 (1980)
6) Daum, G.: *Biochim. Biophys. Acta*, **822**, 1-42 (1985)
7) Hunter, Jr. F.E., Gebicki, J.M., Hoffsten, P.E., et al.: *J. Biol. Chem.*, **238**, 828-835 (1963)
8) Utsumi, K., Yamamoto, G., Inaba, K.: *Biochim. Biophys. Acta*, **105**, 368-371 (1965)
9) Vladimirov, Y., Olenev, V.I., Suslova, T.B., Cheremisiza, Z.P.: *Adv. Lipid Res.*, **17**, 173-249 (1980)
10) Marshansky, V.N., Novgordov, S.A., Yaguzhinsky, L.S.: *FEBS Lett.*, **158**, 27-30 (1983)
11) Masini, A., Trenti, T., Ceccarellii-Stanzani, D. Ventura, E.: *Biochim. Biophys. Acta*, **810**, 20-26 (1985)
12) Bacon, B.R., O'Neill, R., Park, C. H.: *J. Free Radic. Biol. Med.*, **2**, 339-347 (1986)
13) Trumper, L., Hoffmann, B., Wiswedel, I., Augustin, W.: *Biomed. Biochim. Acta*, **47**, 933-939 (1988)
14) Wiswedel, I., Trümper, L., Schild, L., Augustin, W.: *Biochim. Biophys. Acta*, **934**, 80-86 (1988)
15) Zhang, Y., Marcillat, O., Giulivi, C., et al.: *J. Biol. Chem.*, **265**, 16330-16336 (1990)
16) Zglinicki, T.V., Wiswedel, I., Trümper, L., Augustin, W.: *Mech. Aging Dev.*, **57**, 233-246 (1991)
17) Novgorodov, S.A., Gudz, T.I., Kushnareva, Yu.E., et al.: *Biochim. Biophys. Acta*, **1058**, 242-248 (1991)
18) Kawano, H., Fukuzawa, K., Kogure, K., Terada, H.: *J. Clin. Biochem. Nutr.* **11**, 21-30 (1991)
19) Hermes-Lima, M., Castilho, R.F., Meinicke, A.R., Vercesi, A.E.: *Cell. Biochem.*, **145**, 53-60 (1995)
20) Reinheckel, T., Wiswedel, I., Noack, H., Augustin, W.: *Biochim. Biophys. Acta*, **1239**, 45-50 (1995)
21) Zwiinski, C.W., Schmid, H.H.O.: *Arch. Biochem. Biophys.*, **294**, 178-183 (1992)
22) Giron-Calle, J., Schmid, H.H.O.: *Biochemistry*, **35**, 15440-15446 (1996)
23) Giron-Calle, J., Zwizinski, C.W., Schmid, H.H.O.: *Arch. Biochem. Biophys.*, **315**, 1-7 (1994)
24) Beyer, K., Klingenberg, M.: *Biochemistry*, **24**, 3821-3826 (1985)
25) Iwase, H., Takatori, T., Nagao, M., et al.: *Free Radic. Biol. Med.*, **24**, 1492-1503 (1998)
26) Vatassery, G.T., Quach, H.T., Smith, W.Ed., Ungar, F.: *Lipids*, **32**, 879-886 (1997)
27) Miyashita, Y., Shirai, K., Ito, Y., et al.: *J. Atheroscler. Thromb.*, **4**, 73-78 (1997)
28) Tokumura, A., Sumida, T., Toujima, M., et al.: *J. Lipid Res.*, **41**, 953-962 (2000)
29) Nakahara, H., Kanno, Y., Inai, Y., et al.: *Free Radic. Biol. Med.*, **24**, 85-92 (1998)
30) Paradies, G., Petrosillo, G., Pistolese, M., et al.: *Free Radic. Biol. Med.*, **27**, 42-50 (1999)
31) Abe, K., Hayashi, N., Terada, H.: *Free Radic. Biol. Med.*, **26**, 379-387 (1999)
32) 福澤健治, 高石喜久：*J. Act. Oxyg. Free Rad.*, **1**, 55-69 (1990)
33) Gao, Z., Huang, K., Yang, X., Xu, H.: *Biochim. Biophys. Acta*, **1472**, 643-650 (1999)
34) Sassa, H., Takaishi, Y., Terada, H.: *Biochem. Biophys. Res. Commun.*, **172**, 890-897 (1990)
35) Sassa, H., Kogure, K., Takaishi, Y., Terada, H.: *Free Radic. Biol. Med.*, **17**, 201-207 (1994)
36) Kogure, K., Sassa, H., Abe, K., et al.: *Biol. Pharm. Bull.*, **21**, 180-183 (1998)
37) Kogure, K., Goto, S., Abe, K., et al.: *Biochim. Biophys. Acta*, **1426**, 133-142 (1999)

カルニチン輸送病態と脂質代謝障害

佐伯 武頼・小林 圭子

● はじめに

　原発性カルニチン欠乏症（primary carnitine deficiency）はカルニチンの細胞膜輸送異常に起因するまれな遺伝性代謝異常疾患である．しかし，低血糖や高アンモニア血症などのReye症候群様症状や心肥大など，多彩な症状を呈し，その発症機構を解明することは同様の症状を示す他の脂質代謝異常の病態解明にも大いに役立つものと考えられる．本稿では，細胞膜カルニチン輸送タンパク質欠損に基づく遺伝性カルニチン欠乏（juvenile visceral steatosis：JVS）マウスの病態発症機構を中心に述べる．

1. カルニチンの生理作用と代謝

a. 脂肪酸の代謝

　カルニチンは長鎖脂肪酸アシルCoAがミトコンドリアの内膜を通過する過程に必須の因子である．脂肪酸アシルCoAは，ミトコンドリア外膜のアシルCoA合成酵素によって生じ，外膜内面に存在するカルニチン-パルミトイルトランスフェラーゼI（CPT I）によってアシルカルニチンとなる．次いで，ミトコンドリア内膜のカルニチン-アシルカルニチントランスロカーゼによってミトコンドリア内部に輸送され，内膜内表面のCPT IIによってアシルCoAに変換され，β酸化系で代謝される．この過程が長鎖脂肪酸に特異的であること，またカルニチン依存性であることは，遺伝性にカルニチンを欠乏するJVSマウスの肝灌流実験（図1）[1]で示されている．後述のように，JVSマウスではカルニチンが欠乏するため，肝には多量の中性脂肪が蓄積して脂肪肝を呈す．

　長鎖脂肪酸であるオレイン酸を灌流液に加えると，対照マウス肝ではケトン体の産生が増加するが，カルニチンの添加効果は見られない（図1A）．一方，JVSマウスではオレイン酸を加えてもケトン体の産生は増加しないが，カルニチンはケトン体の産生を増加させる．これはオレイン酸を灌流液から除いても継続する．図1のBとCは，中鎖および短鎖のカプリル酸と酪酸を加えた場合の変化である．両脂肪酸の添加だけで，いずれのマウスでもケトン体の産生が増加する．さらにこの系にカルニチンを添加しても対照マウスでは変化がないが，JVSマウス肝ではケトン体の産生が増加する．図には示さないが逆に，カルニチンを最初に添加する実験を行った場合，対照マウスでは何も起こらないが，JVSマウスではケトン体の産生が増加する．この条件下で，オレイン酸を添加してもJVSマウスではケトン体の産生は増加しない．カプリル酸と酪酸の場合，JVSマウスではケトン体の産生がさらに増加する．これらの結果は，①JVSマウスはカルニチン存在下でのみ長鎖脂肪酸を代謝可能なこと，②JVSマウス肝にはカルニチンにより代謝されてケトン体を産生する基質が存在すること，および③中鎖と短鎖の脂肪酸の代謝にはカルニチンを要しないことを示唆している．

b. 各種アシル基の膜輸送と代謝排泄

　プロピオン酸血症やメチルマロン酸血症などの有

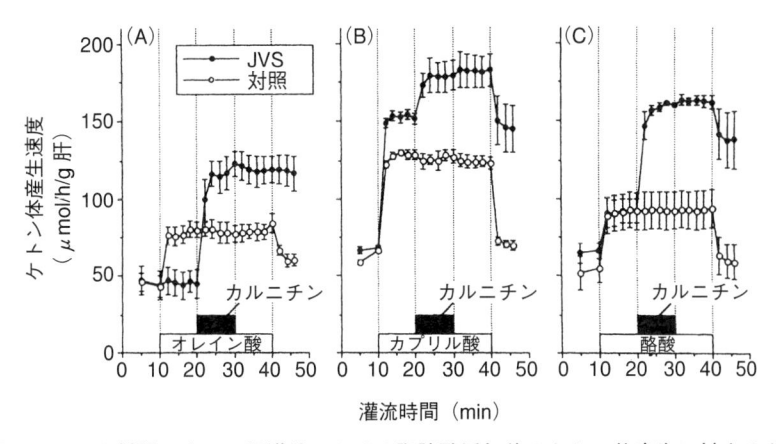

図1 JVSと対照マウスの肝灌流における脂肪酸添加後のケトン体産生に対するカルニチンの効果[1]
灌流液には 0.3 mM のオレイン酸（A），カプリル酸（B），または酪酸（C）を加えた．また 1 mM カルニチンを図中に示す時間で添加した．縦軸はケトン体産生速度を示す．

機酸血症では，2次性にカルニチン欠乏症を呈する．これらの疾患では蓄積した代謝中間体はCoA誘導体として代謝されるが，過剰の場合はCoA代謝を阻害し，カルニチンと結合して尿中へ排泄される．異常に蓄積した代謝中間体のみならず，高アンモニア血症治療薬である安息香酸のCoA誘導体もカルニチンに転移され，カルニチン誘導体として排泄される．カルニチン誘導体が大量に尿中に排泄される条件下では，カルニチンが欠乏する可能性がある．

c. カルニチンの代謝

カルニチンの体内レベルは，食事からの摂取，生合成，および腎からの再吸収のバランスで決まる．カルニチンは食事，とくに肉の摂取によって得られる．乳児では，カルニチン合成が不十分であり，母乳が重要な供給源であるため，カルニチンを含まない大豆タンパク質の投与や非経口栄養時にはカルニチンが欠乏する．カルニチンは腎の糸球体で濾過されるが，90～98%が尿細管で再吸収される．

タンパク質に含まれるリジン残基のメチル化から始まるカルニチンの生合成経路の障害による疾患と考えられるBatten病については本稿では省略する．

2. カルニチンの細胞膜輸送体

血漿中の濃度に比べると，筋肉や心内のカルニチ

ン濃度は数十倍高い．このことは，カルニチンが濃度勾配に逆らって細胞内に取り込まれていることを示唆する．また，腎糸球体で濾過された原尿中のカルニチンの約95%は再吸収されている．カルニチンの細胞膜を介した輸送にはナトリウム依存性輸送体が関与する．1998年，Tamaiら[2]によって細胞膜を12回貫通するカルニチン輸送体（carnitine transporter, OCTN2, SLC22A5）がヒト腎cDNAライブラリーからクローニングされた．この輸送体によるカルニチンの細胞内への輸送は Na^+ を必須因子とし，L-およびD-カルニチン，アセチルカルニチン，およびγ-ブチロベタインによって阻害される．カルニチンに対する K_m 値は 4.34 μM と算出されている．SLC22A5遺伝子は第5染色体の長腕（マウスでは第11染色体）に位置し，26 kbの大きさで10個のエクソンからなる．ノーザンブロット法の結果から，カルニチン輸送体が腎，骨格筋，心，胎盤および前立腺に強く発現していることがわかる．一方，低親和性の輸送体しか存在しないと考えられる肝，小腸，脳では本輸送体の発現は低い．

3. 原発性カルニチン欠乏症における遺伝子異常

カルニチン欠乏症は1973年に1症例が報告され

たが，有機酸血症や脂肪酸代謝異常などでも2次性にカルニチンを欠乏することから，原発性疾患の存在が疑問視されていた．しかし，Treemら[3]によって，原発性カルニチン欠乏症（primary carnitine deficiency）患者の培養線維芽細胞におけるカルニチン取込みの障害が証明された．さらに，Nezuら[4]による3家系の解析から4種の変異が発見され，疾患単位として確立された．変異は，転写開始点を含む113塩基の欠失，1塩基挿入，ナンセンス変異，およびスプライシング変異による早期の終止コドンの出現など，いずれもタンパク質構造の顕著な変化をもたらすものである．LamhonwahとTein[5]が報告した症例の変異も欠失やフレームシフトを起こしたものである．JVSマウスでは，7番目の膜貫通部のロイシン残基がアルギニンに置換している[4]．疎水的環境であるべき膜貫通部に親水基が導入され，輸送活性を失ったものと考えられる．

4. カルニチン欠乏JVSマウスの病態解析

原発性カルニチン欠乏症は，症例数が少ないこととカルニチンによる治療が著効を示すことから，詳細な病態研究が少ない．その点からもJVSマウスの研究は重要と考える．JVSマウスは1988年Koizumiら[6]によって，発育障害，脂肪肝，低血糖，高アンモニア血症などのReye症候群様の症状を呈し，常染色体性劣性遺伝を示す疾患モデルとして報告された．その後，Kuwajimaら[7]によって，JVSマウスが全身性カルニチン欠乏であることが証明された．また，Horiuchiら[8]によって，JVSマウスが著しい心肥大を呈することが明らかにされ，ヒトと同じ症状を呈する疾患モデルとして確立された．

a. JVSマウスの全身症状と寿命

JVSマウスの臨床的診断は，生後数日で腹壁を通して数倍に腫大した乳白色の肝を見い出すことで可能である．16日齢ころから体重増加が停止し，20日過ぎからは体重が減少し始め，多くは25～28日までに死亡する[9]．10日目には心肥大が明らかとなる．体重増加の停止に一致して高アンモニア血症と低血糖が現れ，20～25日で顕著となる[10]．生き残ったJVSマウスは次第に回復し，対照マウスの体重に追いつく[11]．その後は，一見正常に見えるが，絶食によって脂肪肝が著しくなり，寒さに弱く，8カ月ころに全身の浮腫を起こし，突然死亡する．死亡原因は心不全によると考えられる．

b. JVSマウスにおける脂肪代謝異常

JVSマウスでは血清中のカルニチンは対照マウスの約10%に低下している[7,12]．その結果は顕著な脂肪肝として現れる．とくに乳児期に著しく，成長後は絶食によって顕著となる[11]．肝中の脂質は対照の10倍以上になり，トリアシルグリセロールがその主体である．肝での中性脂肪の蓄積に伴い，血中の遊離脂肪酸濃度が上昇する[11]．乳児期の血中ケトン体はむしろ高値を示す．対照マウスでは絶食によって著しく上昇するが，JVSマウスでは上昇しない．このことは，低濃度残存するカルニチンを使って，蓄積した脂肪酸を分解しているものと考えられる．これらの事実は，本来脂肪酸の利用が盛んな心筋や骨格筋でのJVSマウスでは低下し，中性脂肪として肝に蓄積せざるをえない状況にあると考えられる．

c. JVSマウスにおける高アンモニア血症の成因

JVSマウスの高アンモニア血症の成因は，特異的である．25日齢で肝組織での尿素サイクルの酵素活性とタンパク量がすべて低下する[10]．カルニチン投与はこの活性とタンパク量の低下を抑制する[9]．その他，アルドラーゼ，LDH（L-乳酸デヒドロゲナーゼ），オルニチンアミノトランスフェラーゼなどは正常，または高値を示すことから，単なる肝細胞障害ではない．このような病態はほかには知られていない．タンパク質の低下はmRNAの低下を反映しており，転写の低下によって説明できる[13]．尿素サイクル酵素以外にも，チロシンアミノトランスフェラーゼ，セリンデヒドラターゼ，アルブミンなど，肝に特異的な酵素やタンパク質のmRNAが低下している．これらの遺伝子の転写を促進することが知られているグルカゴン（GL）とグルココルチコイド（GC）の血中レベルはむしろ上昇している．また，GCレセプターは細胞質より核内に蓄積

しており[14]，この系が活性化していることを物語っている．解糖系の酵素が高値を示すことから担癌動物との類似性を考え，癌原遺伝子（proto-oncogene）である c-*fos* と c-*jun* の mRNA レベルを検討した結果，これらの mRNA[15] とタンパク質産物 AP-1 の DNA 結合活性も著しく上昇している[14]ことがわかった．1990年に3つのグループから，AP-1 と GC レセプターはタンパク質相互作用を介して相互に抑制的にはたらくことが報告されている[16]．したがって，JVS マウスにおける一連の遺伝子の転写抑制は GC レセプターと AP-1 の相互作用によると解釈できる．

なお，有機酸血症における高アンモニア血症では，尿素サイクルの初発酵素であるカルバモイルリン酸合成酵素（CPS）のアロステリック活性化剤 N-アセチルグルタミン酸のレベルが低下すると考えられている．しかし，JVS マウスではむしろ上昇している[17]．

d. 初代培養肝細胞における尿素サイクル酵素の転写調節と脂肪酸による抑制

尿素サイクル路酵素遺伝子の転写が抑制される条件では血中の遊離脂肪酸が上昇するので，GL（cAMP）と GC（デキサメサゾン：Dex）による誘導に対する脂肪酸の効果を，初代培養肝細胞を用いて検討した[18]．尿素サイクル酵素として CPS とアルギニノコハク酸合成酵素（ASS）を，対照としてホスホエノールピルビン酸カルボキシキナーゼ（PEPCK）mRNA を検討した（図2）．オレイン酸の添加は AP-1 の DNA 結合活性を上昇させるとともに，Dex による CPS と ASS mRNA の誘導を抑制した．この抑制はカルニチン添加で取り除くことができた．また，PEPCK mRNA も Dex によって増加したが，オレイン酸によってはむしろ上昇し，カルニチン添加でその効果がなくなった．これらのことから，AP-1 が GC レセプターと結合してその作用を全般的に抑制したとは考えにくい．CPS や ASS などの遺伝子には AP-1 の結合部位があり，これを介して脂肪酸が GC の作用を抑制していると考えられる．

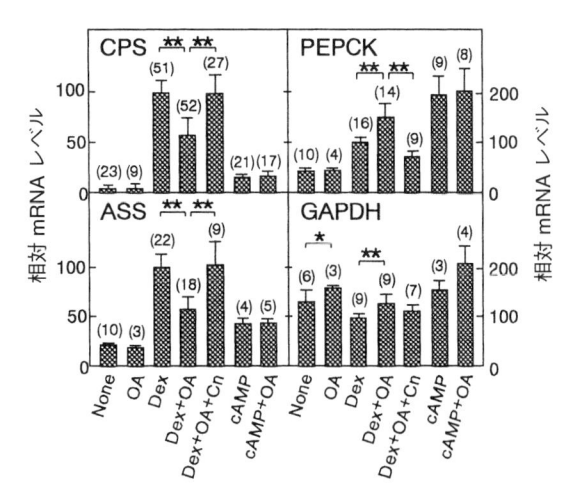

図2 ラット初代培養肝細胞における CPS, ASS, PEPCK およびグリセルアルデヒド 3-リン酸デヒドロゲナーゼ（GAPDH）mRNA レベルに対するデキサメサゾン（Dex）およびジブチリル cAMP（cAMP）による誘導へのオレイン酸（OA）とカルニチン（Cn）の効果[18]
オレイン酸（0.5 mM），カルニチン（1 mM），Dex（10 nM），cAMP（10 μM）を培養液に添加した．プロットの結果を定量化して Dex 添加時の値を 100% として表した．

e. CPS 遺伝子エンハンサー部の AP-1 結合部位が脂肪酸による CPS の抑制に関与する[19]

マウス CPS 遺伝子のプロモーター部およびエンハンサー部の塩基配列を検討した結果，ラットの CPS 遺伝子で最小エンハンサー構造といわれていた部位の 3′ 側に，ラットとマウスで AP-1 部位が見つかった．AP-1 を含む CPS のエンハンサー部をレポーター遺伝子に繋いだトランスジーン，および最小エンハンサーにレポーター遺伝子を繋いだトランスジーンを導入した JVS マウスを作製し，レポーター遺伝子の発現を検討した．AP-1 を含むトランスジーンの発現は JVS マウスでは抑えられたが，AP-1 をもたないトランスジーンの発現は抑制されなかった．さらに，エンハンサーをもつレポーター遺伝子をトランスフェクトした肝細胞を用いた実験（図3）で，AP-1 部位に変異を導入あるいは欠失させると，脂肪酸の効果が消失した．

以上の結果から，JVS マウスにおける尿素サイクル酵素の転写抑制は，脂肪酸の蓄積によりプロテインキナーゼ C を介して AP-1 が活性化され，AP-1 部位を抑制調節領域としてもつ CPS や ASS など

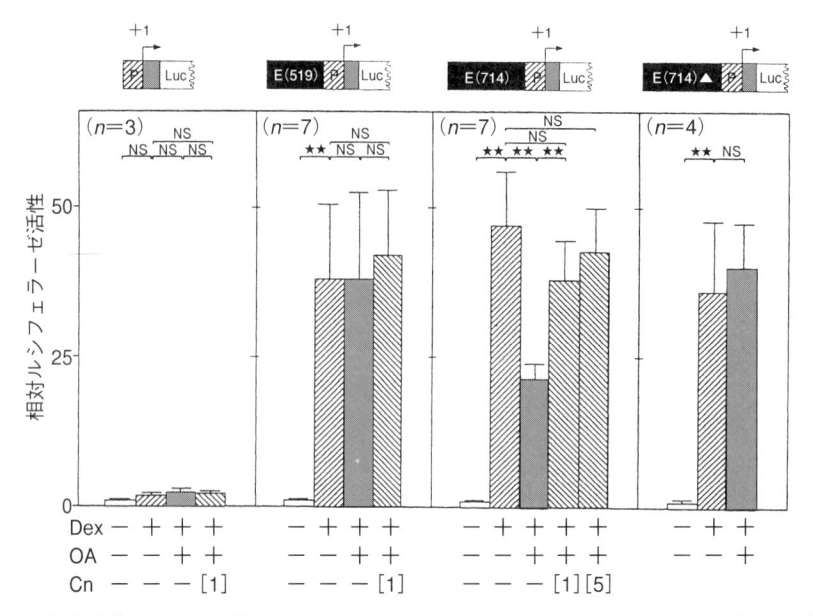

図3 初代培養ラット肝細胞におけるAP-1をもたない519 bpのエンハンサー〔E(519)〕とAP-1をもつ714 bpのエンハンサー〔E(714)〕, およびAP-1を欠失させたエンハンサー〔E(714)▲〕をもつレポーター遺伝子の発現に対するDex, オレイン酸, カルニチンの効果の違い[19]
ルシフェラーゼ遺伝子（Luc）に, CPSのプロモーター（P）と長さあるいはAP-1の欠失の有無に違いのあるエンハンサーを繋ぎ, レポーター遺伝子として, Dexによる誘導に対するオレイン酸（OA）とカルニチン（Cn）1 mM [1], 5 mM [5] の効果を比較した. NS：有意差なし.

の遺伝子に結合して発現を抑制したと考えられる（図4）[20].

f. JVSマウスの心肥大の特徴

JVSマウスは, 10日齢で心重量が有意に高値を示し, 18日齢では対照マウスの1.6倍に達し, 顕著な心肥大を呈する. 脂質の蓄積は少なく, タンパク質の増加を伴う真性の心肥大である[8]. これまでに知られている心肥大モデルと遺伝子発現変化のレベルで比較すると, 心房性ナトリウム利尿ペプチド（atrial natriuretic peptide：ANP）やskeletal actin（S-アクチン）の発現は同様に増加しているが, β-ミオシンH鎖（β-MHC）mRNAのレベルは増加せず[21], カルジオトロフィン-1 mRNAは低下する[22]など, 明らかに異なっている. ディファレンシャルディスプレー法を用いて発現の異なる遺伝子を検索した結果, Uenakaら[23]はCPT Iの発現が増加していることを認めたが, 筆者ら[24]は, JVSマウス心室で発現が低下または上昇しているcarnitine-deficiency associated gene expressed in ventricle（CDV）と名付けた3種の新規遺伝子を見い出した. CDV-1は, 正常マウスの心に発現しているが, JVSマウスの肥大心室でのみ発現が低下することから, 心肥大に関与する遺伝子と考えている[24]. また, CDV-1と3′領域を共有するmRNA（CDV-1R）は, 心以外に腎, 脳などでも発現し, JVSマウスと対照マウスで差は認められない. CDV-1およびCDV-1Rがコードするタンパク質についてはcoiled-coil構造をとること以外は不明であるが, 構造維持に関係するタンパク質と考えられる. なお, CDV-1とCDV-1R両mRNAは1つの遺伝子に由来することを明らかにしている[25].

JVSマウス心室で発現が増強するCDV-2遺伝子は, その後の解析でヒトのピルビン酸デヒドロゲナーゼキナーゼ4（PDK4）のマウスホモログであることが判明した. しかし, その基質は必ずしもPDHではない可能性がある[26]. PDK4は, 肥大した心室のみならず, JVSマウスの心房や骨格筋などでも発現が増強しているので, カルニチン欠乏と

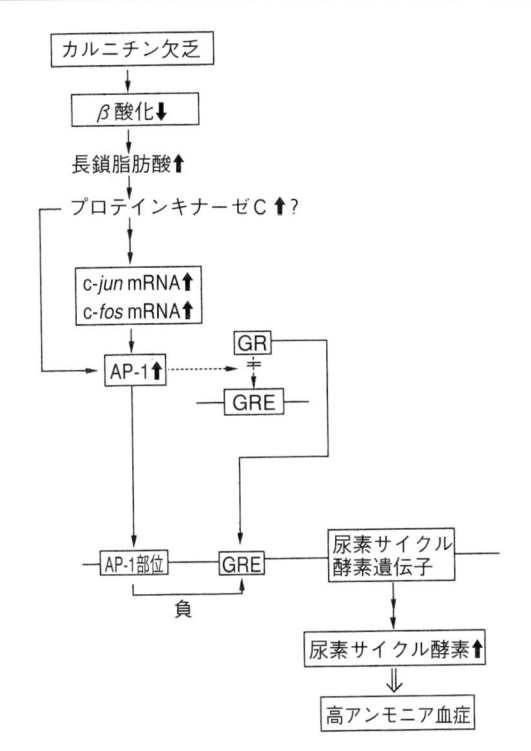

図4 カルニチン欠乏時の高アンモニア血症発症機構[20]

● おわりに

　脂肪酸の代謝異常疾患では，しばしば高アンモニア血症や心肥大が観察される．それらの病態発生機序は本カルニチン欠乏マウスと同様に，蓄積する長鎖脂肪酸が高アンモニア血症の原因と考えられる．心肥大の発症機構として，カテコールアミン，アンギオテンシン，カルジオトロフィン-1，カルシニューリンなどの関与が他の心肥大モデルで報告されているが，JVSマウスにおいてはいずれの関与も否定される[22]．JVSマウスの肥大した心室で発見した新規のCDV遺伝子の解析から，解決の糸口が見つかることを期待している．

関連した遺伝子と考えられる．CDV-3も含めて，これらの遺伝子とカルニチン欠乏や心肥大との関連を検討する必要がある．

● 文　献

1) Nakajima, T., Horiuchi, M., Yamanaka, H., et al.: *Pediatr. Res.*, **42**, 108-113 (1997)
2) Tamai, I., Ohashi, R., Nezu, J., et al.: *J. Biol. Chem.*, **273**, 20378-20382 (1998)
3) Treem, W.R., Staneley, C.A., Finegold, D.N., et al.: *New Engl. J. Med.*, **319**, 1331-1336 (1988)
4) Nezu, J., Tamai, I., Oku, A., et al.: *Nat. Genet.*, **21**, 91-94 (1999)
5) Lamhonwah, A.M., Tein, I.: *Biochem. Biophys. Res. Commun.*, **252**, 396-401 (1998)
6) Koizumi, T., Nikaido, H., Hayakawa, J., et al.: *Lab. Anim.*, **22**, 83-87 (1988)
7) Kuwajima, M., Kono, N., Horiuchi, M., et al.: *Biochem. Biophys. Res. Commun.*, **174**, 1090-1094 (1991)
8) Horiuchi, M., Yoshida, H., Kobayashi, K., et al.: *FEBS Lett.*, **326**, 267-271 (1993)
9) Horiuchi, M., Kobayashi, K., Tomomura, M., et al.: *J. Biol. Chem.*, **267**, 5032-5035 (1992)
10) Imamura, Y., Saheki, T., Arakawa, H., et al.: *FEBS Lett.*, **260**, 119-121 (1990)
11) Tomomura, M., Tomomura, A., Musa, D.M.A.A., et al.: *J. Biochem.*, **121**, 172-177 (1997)
12) Horiuchi, M., Kobayashi, K., Asaka, N., Saheki, T.: *Biochim. Biophys. Acta*, **1362**, 263-268 (1998)
13) Tomomura, M., Imamura, Y., Horiuchi., O., et al.: *Biochim. Biophys. Acta*, **1138**, 167-171 (1992)
14) Tomomura, M., Imamura, Y., Tomomura, A., et al.: *Biochim. Biophys. Acta*, **1226**, 1307-1314 (1994)
15) Tomomura, M., Nakagawa, K., Saheki, T.: *FEBS Lett.*, **311**, 63-66 (1992)
16) Schüle, R., Evans, R.M.,: *Trends in Genet.*, **7**, 377-381 (1991)
17) Saheki, T., Tomomura, M., Horiuchi, M., et al.: in "Advances in Cirrhosis, Hyperammonemia, and Hepatic Encephalopathy" (Felipo, V. and Grisolia, S., eds.), pp.159-172, Plenum Press, New York (1997)
18) Tomomura M., Tomomura, A., Musa, D.M.A.A., Saheki, T.: *FEBS Lett.*, **399**, 310-312 (1996)
19) Musa, D.M.A.A., Kobayashi, K., Yasuda, I., et al.: *Mol. Genet. Metab.*, **68**, 346-356 (1999)
20) Saheki, T., Li, M.-X., Kobayashi, K., et al.: *Mol. Genet. Metabol.*, **71**, 545-551 (2000)
21) Yoshimine, K., Horiuchi, M., Suzuki, S., et al.: *J. Mol. Cell Cardiol.*, **29**, 571-578 (1997)
22) Yoshida, G., Horiuchi, M., Kobayashi, K., et al.: in vivo, **14**, 404-406 (2000)
23) Uenaka, R., Kuwajima, M., Ono, A., et al.: *J. Biochem.*, **119**, 533-540 (1996)
24) Masuda, M., Kobayashi, K., Horiuchi, M., et al.: *FEBS Lett.*, **408**, 221-224 (1997)
25) Higashi, M., Kobayashi, K., Iijima, M., et al.: *Mammal. Genome*, **11**, 1053-1057 (2000)
26) Horiuchi, M., Kobayashi, K., Masuda, M., et al.: *Bio Factors*, **10**, 301-309 (1999)

カルニチンとミトコンドリア機能障害

菅野 智子・有田 佳代・内海 俊彦・井上 正康・内海 耕慥

● はじめに

　好気的生物はミトコンドリアの酸化的リン酸化によって生体エネルギー（ATP）を獲得し，生命を維持している．最近，ミトコンドリアが細胞死の実行段階にも深くかかわっていることが明らかにされた．これは，ミトコンドリア内に分布するシトクロム c やアポトーシス誘導因子（AIF）を細胞質へ遊離放出して細胞死を誘起する現象である．したがって，ミトコンドリアは細胞の生と死を調節する両刃の剣として機能している．ここでは，老化とミトコンドリア機能低下を中心に，細胞死（アポトーシス）とそれにかかわるミトコンドリアの脂肪酸代謝やカルニチン（β-ヒドロキシル-γ-トリメチルアミノ酪酸）の問題を考えてみたい．

　老化や虚血再灌流などに伴い，ミトコンドリアの電子伝達活性やエネルギー産生能など，エネルギー獲得反応が低下することが認められている[1〜3]．このミトコンドリア機能低下には，フリーラジカルや酸素ストレスなどによるミトコンドリアDNA（mtDNA）の突然変異およびカルジオリピン低下などが重要な要因となっている．しかし，カルジオリピンの低下は食物とともにアセチル-L-カルニチンを投与すると回復することから[1,4]，本現象に脂質代謝が深く関与していることが示唆されている．実際，一部の組織では老化に伴うカルニチン含量の低下が報告されており[5]，これがミトコンドリア機能低下の一因である可能性が示唆される．

　カルニチンは分子量162の水溶性低分子イオンであり，肝，腎，脳などでメチオニンとリジンから合成される．合成されたカルニチンはいったん血中に分泌され，各組織の細胞膜に分布する organic cation transporter 2（OCTN2）により細胞質に取り込まれる[6]．この際，血中や組織細胞内ではおもに遊離型やアシル基結合型で存在する．人体では必要量の約25％しか合成できないため，75％は外から摂取する必要がある．このため，カルニチンはビタミンTともよばれている[7]．したがって，細胞膜輸送に関与するOCTN2の障害や欠損は，細胞内カルニチン含量低下の原因となり，それによる疾患も知られている[8]．カルニチンはミトコンドリアによる長鎖脂肪酸の β 酸化に必須であり，長鎖脂肪酸エステルを形成して内膜を通過させる重要な役割を果たしている[9]．長鎖脂肪酸は，ATPとCoA-SH存在下に脂肪族アシルCoA合成酵素によりアシルCoAとなる．次いでミトコンドリア内膜外面に分布するカルニチン-アシルトランスフェラーゼⅠ（CPTⅠ）の作用によってカルニチン存在下に長鎖脂肪酸のアシルカルニチンとなり，カルニチン-アシルカルニチントランスロカーゼにより内膜内腔側に運ばれ，そこに局在するCPTⅡにより再度脂肪族アシルCoAとなり，β 酸化によりエネルギー源となる．すなわち，カルニチンは細胞内で合成されてから細胞外に分泌され，OCTN2により再度細胞に取り込まれ，細胞質中の脂肪酸をミトコンドリアマトリックスへ輸送する担体であり，脂肪酸の β 酸化を亢進させ，その蓄積を抑制する．細胞内に蓄積された高度不飽和脂肪酸はCPTⅠを阻害し[10]，アポトーシスを誘導すること，および本アポトーシス

がカルニチンで抑制されることも明らかにされている[11]．このように，カルニチンはミトコンドリア機能を介して老化，疲労，発癌，アポトーシスなど，さまざまな反応を調節している[1〜3]（図1）．

ミトコンドリア内に存在し，アポトーシスを誘導する物質のひとつにシトクロムcがある．ミトコンドリア内膜の電位が脱分極すると，ミトコンドリアの内膜と外膜が接触した場所で membrane permeability transition（MPT）pore の開口反応が起こり，シトクロムcが細胞質へ遊離する[12]．MPT とよばれる反応はミトコンドリアの脱分極や膨潤（large amplitude swelling）とも並行して起こることから，現在ではミトコンドリアの膨潤反応を指標にMPT が測定されている．シトクロムcはミトコンドリア内膜外側に分布する電子伝達物質のひとつ

であり，複雑な過程で細胞質へ遊離する（5・2節参照）．遊離したシトクロムcは細胞質に存在する apoptotic protease activating factor（Apaf）I およびプロカスパーゼ-9（Apaf III）と複合体を形成し（シトクロムcは Apaf II ともよばれる），アポトーシスの初期反応を誘起する[2, 13〜15]．

一般に，MPT は免疫抑制剤シクロスポリン A（CsA）により抑制されるが，特定のリガンドにより誘起される MPT に対してはカルニチンも強い抑制作用を示す[12, 16〜18]．HIV（ヒト免疫不全ウイルス）-誘導性のアポトーシスや血清除去によって誘導される奇形癌腫（teratocarcinoma）細胞のアポトーシス[19, 20]，あるいはセラミドの生成によるアポトーシスはカルニチンにより阻害される[20, 21]．これらのことはカルニチンによるアポトーシス抑制機

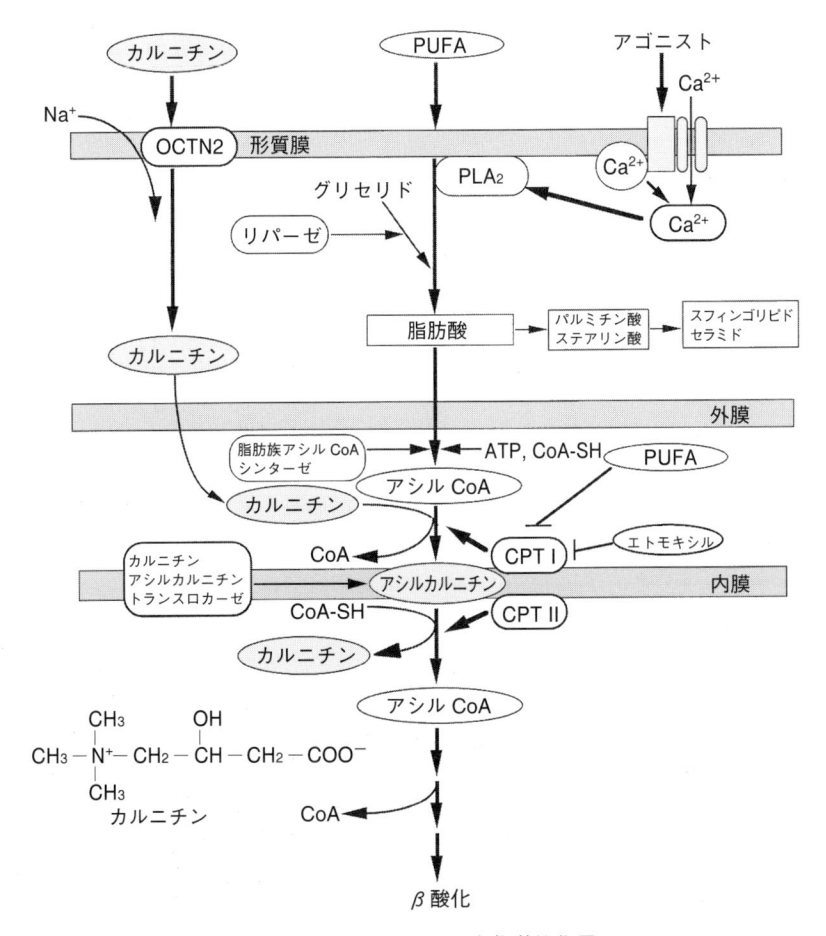

図1 カルニチンとその生化学的作用
OCTN2：organic cation transporter 2，CPT I および II：カルニチン-アシルトランスフェラーゼ I および II，PUFA：高度不飽和脂肪酸，PLA$_2$：ホスホリパーゼ A$_2$

構には MPT に対する阻害作用が関与する可能性を示唆する[22]．

カルシウムと β-ブチルヒドロペルオキシドによる MPT 誘導では，ミトコンドリアのホスホリパーゼ A_2（PLA_2）が活性化されて脂肪酸が遊離するが，その遊離は PLA_2 阻害剤で抑制される[22, 23]．同じようなミトコンドリアの膨潤反応（MPT）に共役した脂肪酸の遊離は，無機リン（Pi），Pi とカルシウム，あるいはチロキシンとカルシウムでも誘起され，ミトコンドリア機能を障害する．このような脂肪酸は"内在性脱共役物質"あるいは"U 因子"とよばれていた．遊離脂肪酸の濃度は ATP と Mg^{2+} により可逆的に低下する[24]．すなわち PLA_2 の活性化やカルニチンは，ミトコンドリアの MPT を介してアポトーシスを制御し，PLA_2 活性は MPT や細胞のアポトーシスに関与することを示唆する．MPT は CsA のみならず PLA_2 阻害剤でも抑制される[23, 25]．たとえば，腫瘍壊死因子（TNF-α）による L929 細胞のアポトーシスは，CsA と PLA_2 阻害剤の共存によって完全に抑制される[26]．また虚血再灌流による細胞死[27]や MPT を抑制する Bax（Bcl-2-associated X protein）の大量発現によるアポトーシスも CsA と PLA_2 阻害剤の共存により完全に阻害されること[28]，あるいは PLA_2 を大量発現している神経細胞がアポトーシスを起こすこと[29]なども知られている．

筆者らは脂肪酸とカルシウム[30]，パルミトイル CoA[17]，カルシウムと Pi[24, 31]，トリヨードチロニン（T_3）とカルシウム[32]，脱共役剤とカルシウム[33]，アスピリンとカルシウム[34]，ジクロフェナクやメフェナミン酸とカルシウム[35]などにより誘起される MPT に対する BSA（仔ウシ血清アルブミン），カルニチン，および PLA_2 阻害剤の影響について解析した．その結果，ミトコンドリアの MPT には CsA 感受性の機構，およびこれとは別に BSA，PLA_2 阻害剤，カルニチンなどに感受性の機構が存在することが判明した．しかも，脂肪酸もカルニチンも内在性の化合物であることから，生理的条件ではカルニチンや PLA_2 が MPT やアポトーシスを制御している可能性が考えられる．

1. ミトコンドリア機能障害とカルニチン

a. 酸化的リン酸化に対する各種化合物の作用

長鎖脂肪酸はミトコンドリア膨潤作用があり，酸化的リン酸化を脱共役させる[23, 30, 36]．同じような脱共役現象はパルミトイル CoA でも誘起され[22]，遊離脂肪酸を結合する BSA[37]や脂肪酸酸化を促進するカルニチンにより濃度依存的に抑制される（図2）．これに対し，CsA にはそのような作用はない．

b. 低温保存による分離ミトコンドリア機能低下に対するカルニチンの作用

分離ミトコンドリアでは経時的に機能が低下することが知られている．この機能低下の原因のひとつとしてミトコンドリア内の Ca^{2+} 増加と PLA_2 の活性化に伴う遊離脂肪酸の蓄積によることが示唆されている[24]．図3はミトコンドリアの分離 24 時間後の機能低下を示しており，酸化的リン酸化や呼吸調節能が低下している．これに対し，カルニチンを含む液中では，ミトコンドリアの酸化的リン酸化能は保持される傾向にある．しかし，CsA にはこのような機能維持作用は認められない．このことは，分離後に PLA_2 が活性化されて遊離脂肪酸が生じる過程において，カルニチンは遊離脂肪酸の β 酸化を促進する作用により遊離脂肪酸の蓄積を阻害してミトコンドリアの機能低下を抑制したためと考えられる．

c. パルミトイル CoA による MPT と各種化合物による抑制

細胞内では MPT はミトコンドリアの膜電位低下，イオン透過性亢進，膨潤などの一連の反応を誘起し，ミトコンドリアの内膜外側に分布するシトクロム c を細胞質へ遊離させて，カスパーゼカスケードの引き金となり，アポトーシスを誘導する．パルミトイル CoA は分離ミトコンドリアの酸化的リン酸化を脱共役し，膜電位を脱分極させて MPT を誘起する．パルミトイル CoA によるこの MPT とシトクロム c 遊離はカルニチン，BSA，CsA のいずれによっても抑制される（図4）．この脂肪酸による MPT 誘導能は，パルミトイル CoA（16：0），

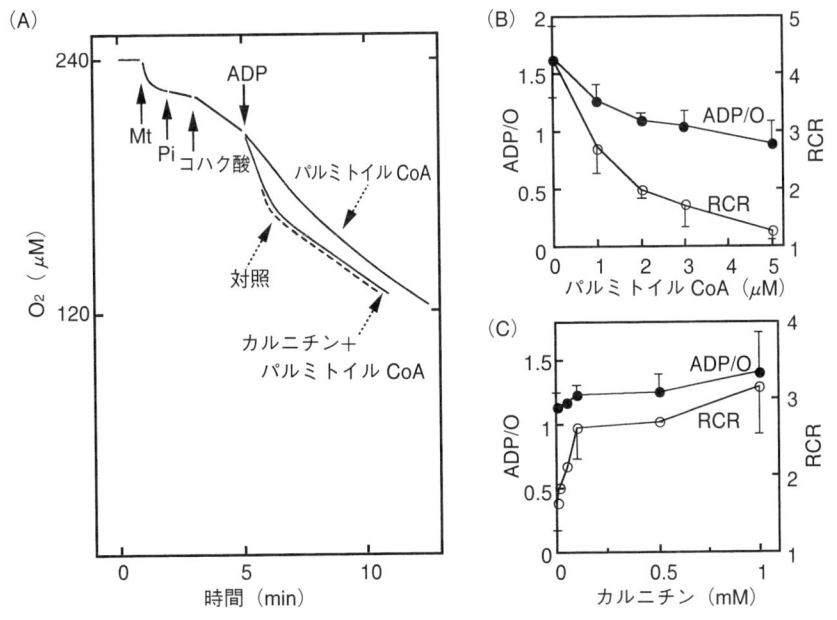

図2 脂肪酸によるミトコンドリア機能の低下とカルニチンによる抑制
反応液は 2 mL の 5 mM Tris-HCl (pH 7.4), 10 mM KCl, 3 mM $MgCl_2$ を含む 0.2 M スクロースで, 25℃で測定. (A) 酸素電極法による測定. 使用したミトコンドリア (Mt), Pi, コハク酸, ADP はそれぞれ 0.5 mg タンパク質/mL, 2 mM, 5 mM, 150 μM. (B) 酸化的リン酸化 (ADP/O) および呼吸調節能 (RCR) に対するパルミトイル CoA の濃度依存性. (C) 3 μM パルミトイル CoA に対するカルニチンの作用濃度依存性.

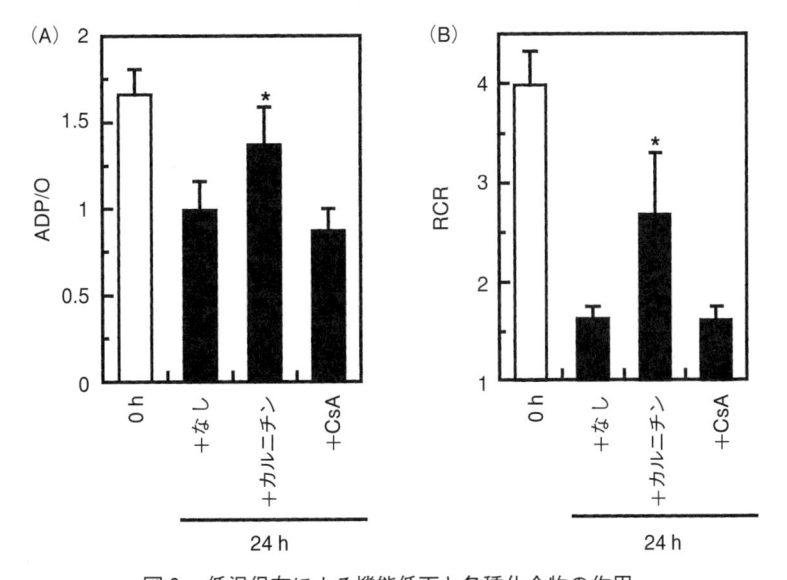

図3 低温保存による機能低下と各種化合物の作用
機能測定は図2に同じ. 測定はミトコンドリアを分離後24時間以内に行った. 分離ミトコンドリア (0.5 mg タンパク質/mL) はカルニチンおよび CsA をそれぞれ 1 mM, あるいは 1 μM を含む酸化的リン酸化測定用の反応液で氷冷下にインキュベートした. (A) ADP/O比, (B) 呼吸調節能 (RCR), ＊ : $p < 0.05$.

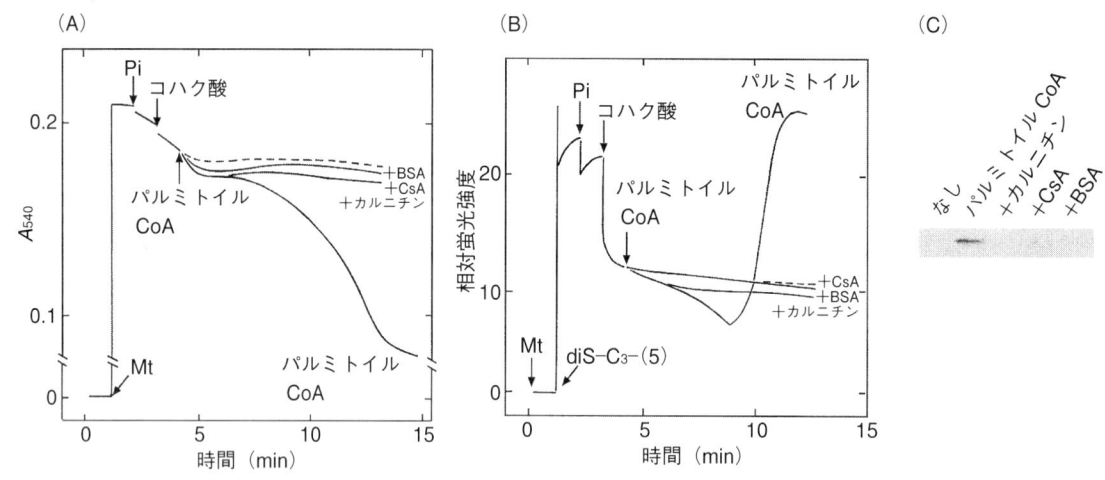

図4 パルミトイル CoA による膨潤や膜電位変化と薬物による阻害
分離ミトコンドリアの MPT は 10 mM Tris-HCl（pH 7.4）を含む 25℃の 0.15 M KCl 液で測定．使用したミトコンドリアは 0.1 mg タンパク質/mL，試薬の濃度は 0.15 μg/mL diS-C_3-(5)，2 mM Pi，5 mM コハク酸，3 μM パルミトイル CoA，1 μM CsA，0.1 mg/mL BSA，1 mM カルニチン．（A）膨潤は 540 nm の吸光度変化より測定．（B）膜電位変化はシアニン系色素 diS-C_3-(5) の蛍光変化より測定．励起光は 622 nm，蛍光は 670 nm．（C）反応後にミトコンドリアより漏出したシトクロム c を SDS-PAGE 後に抗シトクロム c 抗体でイムノブロットしたもの．

パルミトレオイル CoA（16：1）で差はないが，アラキドン酸（20：4, n-6）やドコサペンタエン酸（22：5, n-3）といった高度不飽和脂肪酸のほうがその作用は強い．

d. Ca^{2+} によるミトコンドリア MPT の各種化合物による抑制

Ca^{2+} と Pi によってミトコンドリアの膜電位の脱分極，膨潤，シトクロム c の遊離を伴う MPT が誘起される[2, 13, 17, 18, 30]．この Ca^{2+} と Pi による MPT（膨潤）は，CsA，BSA，PLA_2 阻害剤，あるいはカルニチンにより抑制されるが，カルニチンの抑制作用は比較的弱い（図5）．これは Ca^{2+} と Pi による PLA_2 の活性化が強いためかもしれない．ここで Pi 存在下に高濃度の Ca^{2+} を添加すると，ミトコンドリア膜内にカルシウムアパタイトが沈殿し，膜構造が破壊されるので解析が困難である．また，Pi のない反応液内では，Ca^{2+}（この場合は大量 Ca^{2+} が要求される）によるミトコンドリアの MPT は CsA，BSA および PLA_2 阻害剤で抑制されるが，カルニチンによる抑制作用はきわめて弱い．

e. 各種誘導剤による MPT に対する阻害作用物質

以下に脂肪酸代謝による MPT とアポトーシスの調節機構を検討した．両者はいずれも微量のカルシ

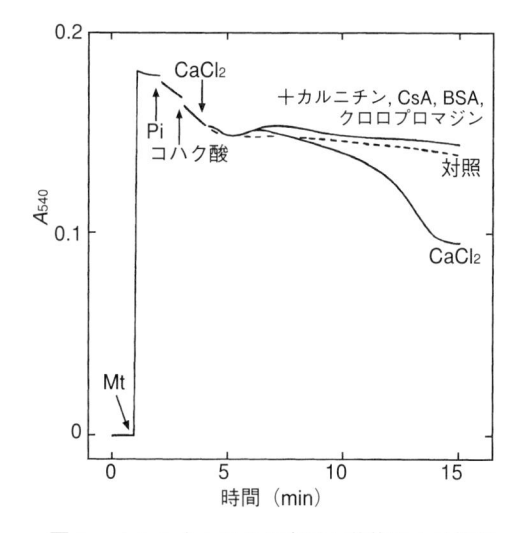

図5 カルシウムによる膨潤と薬物による抑制
反応条件は図4に同じ．使用した反応液は 10 mM Tris-HCl（pH 7.4）を含む 25℃の 0.15 M KCl 液，試薬濃度は 2 mM Pi，5 mM コハク酸，5 μM $CaCl_2$，0.1 mg/mL BSA，1 mM カルニチン，10 μM クロロプロマジン，1 μM CsA．

ウムを必要とする特徴ある反応である．脂肪酸，チロキシン，アスピリン，ジクロフェナク，メテナミン酸などによる MPT に対し，BSA，PLA_2 阻害剤，カルニチン，および CsA はいずれも抑制的に作用し，脂肪酸による調節機構が示唆される．Lehninger[24]

は，この脂肪酸を"内在性脱共役剤"あるいは"U因子"とよんだが，MPTにもU因子が調節因子として関与している可能性が示唆される．

PiによるMPTはカルニチンやCsAで抑制され，PLA2阻害剤では抑制されないとの報告もあるが[18]，内在性のCa^{2+}と高濃度のPi添加により誘起されるMPTも，CsA，BSA，PLA2阻害剤，あるいはカルニチンによって抑制されるので，これがPLA2活性化に伴う脂肪酸遊離に依存したMPTであることが示唆される．このことから，EGTA存在下では認められなくなるPi依存性反応もカルシウムとPLA2活性に依存した反応であることを示唆する．

2. 考察と今後の展望

a. 細胞外シグナルによる細胞内カルシウム濃度の上昇

神経細胞をはじめ，いろいろな細胞のアポトーシスにミトコンドリアが関与している場合が多い[38]．多くの場合，さまざまな代謝物や毒物は受容体を介して細胞内カルシウム濃度を上昇させ，細胞膜のPLA2を活性化して脂肪酸を遊離させる．これらの脂肪酸はカルニチン存在下にミトコンドリアに取り込まれてβ酸化されるが，カルニチンが少ないとミトコンドリア内膜に作用し，カルニチン-パルミトイルトランスフェラーゼⅠ（CPTⅠ）を阻害してMPTを誘起して透過性を亢進させる[30, 39]．本反応はCsAやカルニチンで抑制されることから[18, 22]脂肪酸代謝がアポトーシスにも関与すると考えられる．事実，高度不飽和脂肪酸によるアポトーシスに関する報告は多く[40]，細胞内カルシウム濃度の上昇によるアポトーシスの相関性の解明が求められる．

b. 脂肪酸によるミトコンドリアMPTの誘導機構

さまざまな条件下で，細胞内のミトコンドリアはその機能を変化させる．細胞内のカルシウム濃度が高くなれば，それをミトコンドリアが積極的に取り込み，ミトコンドリア内の遊離カルシウム濃度が増大する．その結果，ミトコンドリア膜のPLA2が活性化され，脂肪酸やリゾリン脂質が増加してMPTを誘起し[23, 39, 41]，このPLA2によるミトコンドリアの膨潤（MPT）もCsA感受性である[42]．またCsAはPLA2を阻害しないが[43]，PLA2が作用する膜の特定の部位に作用していると考えられる[42]．さらにPLA2阻害剤はカルシウムの膜結合部位に作用することが示唆されている[25]．脂肪酸によるMPT機構としては，脂肪酸のチオエステル結合物がATP/ADP輸送体であるアデニンヌクレオチド輸送体（ANT）と作用して，MPTを誘起すると考えられている[44]．しかも，PLA2はANTの分布するミトコンドリア内外膜接触部のMPT複合体が形成される場所で活性が高く，MPTに対するPLA2の関与が示唆される[45]．しかし，MPTの孔の脂肪酸による開口とPLA2阻害剤による閉口に関しては荷電説があり，ミトコンドリア膜表面がマイナス電荷に傾くときに開口し，プラス電荷に傾くと閉口するとする研究者もあり[46]，今後の研究が待たれる．

c. BSA，カルニチン，PLA2阻害剤およびCsAの作用機構

MPTにはCsA感受性と非感受性の反応があり，後者はPLA2阻害剤にも感受性であることが最近報告されている[22, 47]．さまざまな誘導剤によるミトコンドリアのMPTはBSA，カルニチン，およびPLA2阻害剤感受性であり，CsAにも感受性である．しかし，パルミトイルCoAによる酸化的リン酸化の阻害や氷冷保存によるミトコンドリアの機能低下はBSAやカルニチンで抑制されるが，CsAには抑制効果が認められない．このように，ミトコンドリアに対するCsAとBSA，カルニチン，およびPLA2阻害剤の作用は必ずしも同様ではない．しかし，ミトコンドリアのMPT制御にPLA2活性や脂肪酸が深く関与していることは明らかで，より詳細な分子機構の解明が待たれる．

d. カルニチンによるアポトーシス抑制機構

カルニチンのアポトーシス抑制作用に関しては，これまでに数編の報告がある．今後，カルニチンによるアポトーシス抑制作用がどれほど普遍性を有するかを明らかにする必要がある[19～22, 48～50]．現在，脳細胞死[49]，アルツハイマー病[51]やパーキンソン病[52]などの加齢性疾患にカルニチンを長期投与す

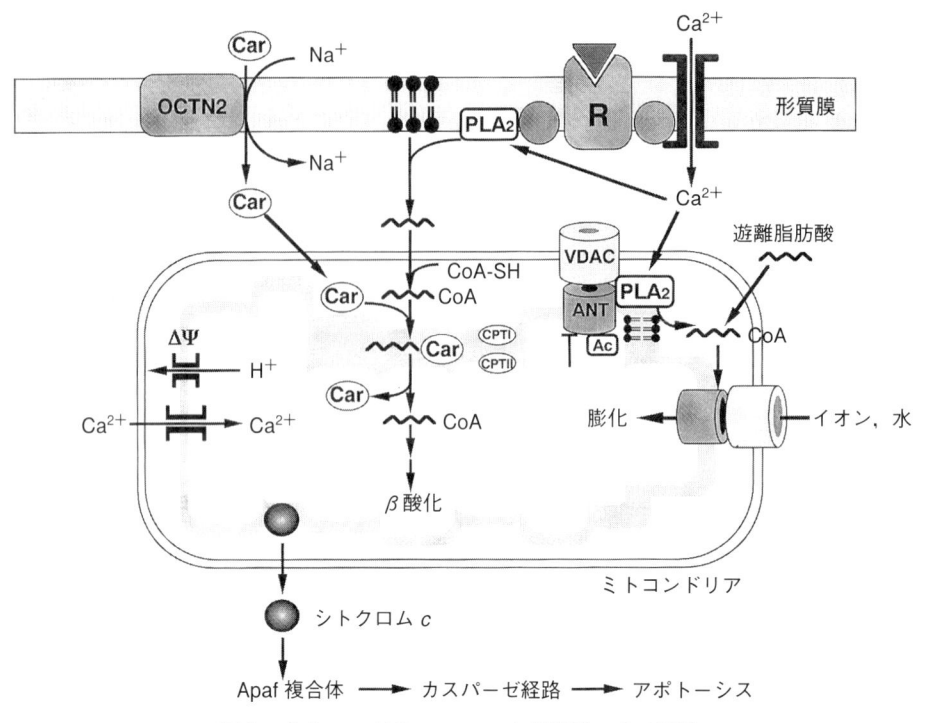

図6 ミトコンドリアのMPTと脂肪酸による調節
細胞内カルシウム，PLA₂活性，高度不飽和脂肪酸，カルニチンの作用を模式的に示す．

ると細胞死が遅延することも，また，PLA₂を過剰発現させた細胞ではアポトーシスが亢進することも知られている[53]．

● おわりに

はじめにも述べたようにミトコンドリアは好気的生物の生死を支配するもっとも重要な機能を担っている．PLA₂とその産物である脂肪酸およびリゾリン脂質はいずれもミトコンドリアのMPTを介して細胞の生死をも支配しているかにみえる（図6）．脂肪酸代謝がアポトーシスとどのように関係しているのか，その機構解析は新たな研究領域を開くものと期待される．

● 文　献

1) Hagen, T.M., Wehr, C.M., Ames, B.N., et al.: *Annu. N.Y. Acad. Sci.*, **854**, 214-223 (1998)
2) Cortopassi, G.A., Wong, A.: *Biochim. Biophys. Acta*, **1410**, 183-193 (1999)
3) Saris, N.E., Eriksson, K.O.: *Acta Anaesthesiolo. Scand. Suppl.*, **107**, 171-176 (1995)
4) Paradies, G., Petrosillo, G., Gadaleta, M.N., Ruggiero, F.M.: *FEBS Lett.*, **454**, 207-209 (1999)
5) Costell, M., O'Connor, J.E., Grisolia, S.: *Biochem. Biophys. Res. Commun.*, **161**, 1135-1143 (1989)
6) Bremer, J.: *Physiol. Rev.*, **63**, 1420-1480 (1982)
7) Pons, R., DeVivo, D.C.I.: *Chird. Neutrol.*, **10**, 2S: 8-2S:24 (1995)
8) Tamai, I., Ohashi, R., Nezu, J., et al.: *J. Biol. Chem.*, **273**, 20378-20382 (1998)
9) Nezu, J., Tamai, I., Oku, A., et al.: *Nat. Genet.*, **21**, 91-94 (1999)
10) Colquhoun, A.: *Biochem. Mol. Biol. Int.*, **45**, 331-336 (1998)
11) Paumen, M.B., Ishida, Y., Muramatsu, M., et al.: *J. Biol. Chem.*, **272**, 3324-3329 (1997)
12) Halestrap, A.P, Connern, C.P., Griffiths, E.J., Kerry, P.M.: *Mol. Cell Biochem.*, **174**, 167-172 (1997)
13) Kantrow, S., Piantadosi, C.A.: *Biochem. Biophys. Res. Commun.*, **232**, 669-671 (1997)
14) Li, P., Nijhawan, D., Budihardjo, I., et al.: *Cell*, **91**, 479-489 (1997)
15) Reed, J.C.: *Cell*, **91**, 559-562 (1997)
16) Szabo, I., Zoratti, M.: *J. Biol. Chem.*, **266**, 3376-3379 (1991)
17) Starkov, A.A.: *Biochem. Mol. Biol. Int.*, **32**, 1147-1155 (1994)
18) Duan, J.M., Karmazyn, M.: *Eur. J. Pharmacol.*, **189**, 163-174 (1990)

19) Moretti, S., Alesse, E., Di, Marzio, L., *et al.*: *Blood*, **91**, 3817–3824 (1998)
20) Galli, G., Fratelli, M.: *Exp. Cell Res.*, **204**, 54–60 (1993)
21) Cifone, M.G., Alesse, E., Di, Marzio, L., *et al.*: *Proc. Assoc. Am. Physicians*, **109**, 146–153 (1997)
22) Pastorino, J.G., Snyder, J.W., Sorroni, A., *et al.*: *J. Biol. Chem.*, **268**, 13791–13798 (1993)
23) Broekemeier, K.M., Pfeiffer, D.R.: *Biochem. Biophys. Res. Commun.*, **161**, 561–566 (1989)
24) Wojtczak, L., Lehninger, A.L.: *Biochim. Biophys. Acta*, **51**, 442–456 (1961)
25) Bernardi, P., Veronese, P., Petronilli, V.: *J. Biol. Chem.*, **268**, 1005–1010 (1993)
26) Pastorino, J.G., Simbula, G., Yamamoto, K., *et al.*: *J. Biol. Chiem.*, **271**, 29792–29798 (1996)
27) Kristian, T., Siesjo, B.K.: *Stroke*, **29**, 705–718 (1998)
28) Pastorino, J.G., Chen, S.T., Tafani, M., *et al.*: *J. Biol. Chem.*, **273**, 7770–7775 (1998)
29) Hornfelt, M., *Edstrom, A., Ekstrom, P.A.*: *Neurosci. Lett.*, **265**, 87–90 (1999)
30) Wieckowski, M.R., Wojtczak, L.: *FEBS Lett.*, **423**, 339–342 (1998)
31) Di Lisa. F., Bobyleva-Gaurriero, V., Jocelyn, P., *et al.*: *Biochem. Biophys. Res. Commun.*, **131**, 968–973 (1985)
32) Castilho, R.F., Kawaltowski, A.J., Vercesi, A.E.: *Arch. Biochem. Biophys.*, **354**, 151–157 (1998)
33) Castilho, R.F., Vicente, J.A., Kawaltowski, A.J., Vercesi, A.E.: *Int. J. Biochem. Cell Biol.*, **29**, 1005–1011 (1997)
34) Al-Nasser, I.A.: *Toxicol. Lett.*, **105**, 1–8 (1999)
35) Uyemura, S.A., Santos, A.C, Mingatto, F.E., *et al.*: *Arch. Biochem. Biophys.*, **342**, 231–235 (1997)
36) Utsumi, K., Ohara, S., Yamamoto, G., *et al.*: *Acta Med. Okayama*, **16**, 317–332 (1962)
37) Birkett, D.J., Myers, S.P., Sudlow, G.: *Clinca Chimica Acta*, **85**, 253–258 (1978)
38) Tatton, W.G., Olanow, C.W.: *Biochim. Biophys. Acta*, **1410**, 195–213 (1999)
39) Pfeiffer, D.R., Schnid, P.C., Beatrice, M.C., Schmid, H.H.: *J. Biol. Chem.*, **254**, 11485–11494 (1979)
40) Wolf, L.A., Laster, S.M.: *Cell Biochem. Biophys.*, **30**, 353–368 (1999)
41) Nishida, T., Inoue, T., Kamiike, W., *et al.*: *J. Biochem.*, **106**, 533–538 (1989)
42) Valente, R.H., Novello, J.C., Marangoni, S., *et al.*: *Toxicon*, **36**, 901–913 (1998)
43) Broekemeier, K.M., Dempsey, M.E, Pfeiffer, D.R.: *J. Biol. Chem.*, **264**, 7826–7830 (1989)
44) Schonfeld, P., Bohnensack, R.: *FEBS Lett.*, **420**, 167–170 (1997)
45) Levrat, C, Louisot, P.: *Biochem. Biophys. Res. Commun.*, **183**, 719–724 (1992)
46) Broekemeier, K.M., Pfeiffer, D.R.: *Biochemistry*, **34**, 16440–16449 (1995)
47) Elimadi, A., Morin, D., Sapena, R., *et al.*: *Fundam. Clin. Pharmacol.*, **11**, 440–447 (1997)
48) Andrieu-Abadie, N., Jaffrezou, I., Hatem, S., *et al.*: *FASEB J.*, **13**, 1501–1510 (1999)
49) Virmani, M.A., Biselli, R., Spadoni, A., *et al.*: *Pharmacol. Res.*, **32**, 383–389 (1995)
50) Forloni, G., Angeretti, N., Smiroldo, S.: *J. Neurosci. Res.*, **37**, 92–96 (1994)
51) Spagnoli, A., Lucca, U., Menasce, G., *et al.*: *Neurology*, **41**, 1726–1732 (1991)
52) Bodis–Wollner, I., Chung, E., Ghilardi, M.F., *et al.*: *J. Neural. Transm. Park. Dis. Dement. Sect.*, **3**, 63–72 (1991)
53) Hornfelt, M., Edstrom, A., Ekstrom, P.A.: *Neurosci. Lett.*, **265**, 87–90 (1999)

全身麻酔薬とミトコンドリア

土屋正彦・浅田　章・井上正康

●はじめに

　全身麻酔薬のミトコンドリアへの作用については古くから研究されており，当初は麻酔作用そのものや，肝などの臓器障害との直接的な関係が注目されていた[1]．その後，麻酔薬は，リン酸化酵素などさまざまな細胞内酵素系にも影響すること[2〜4]が明らかになり，現在ではミトコンドリアへの作用が麻酔現象に直結するとは考えられていない．細胞の諸機能におけるミトコンドリアの重要性を考えると，麻酔薬によりそれらが修飾されることの意義は大きい．以下に，代表的な全身麻酔薬（図1）のミトコンドリアに対する作用として，まず揮発性吸入麻酔薬であるハロセン（halothane）[1,5,6]についてまとめ，次に新しい麻酔薬であるプロポフォール（propofol；2,6-ジイソプロピルフェノール）[7〜10]について述べる．

1.　呼吸に対する作用

　ハロセンは100 μM以上の濃度で，α-ケトグルタル酸に代表される複合体I依存性のstate3呼吸を抑制し，逆にstate4呼吸を促進する．その結果，state3呼吸とstate4呼吸の速度比である呼吸調節率（respiratory control index：RCI）は著しく低下する．一方，コハク酸に代表される複合体II依存性の呼吸では，ハロセンはstate3呼吸に影響せず，state4呼吸を促進する．したがって，RCIは低下するが，その低下度は複合体I依存性の場合に比べると少ない（図2）．さらに，ジニトロフェノール（DNP）により脱共役した呼吸（uncoupled respiration）に対しても，コハク酸が基質の場合には呼吸を抑制しないが，α-ケトグルタル酸が基質の場合には呼吸を抑制する．同様の作用が揮発性吸入麻酔薬一般に共通して認められている[11]．

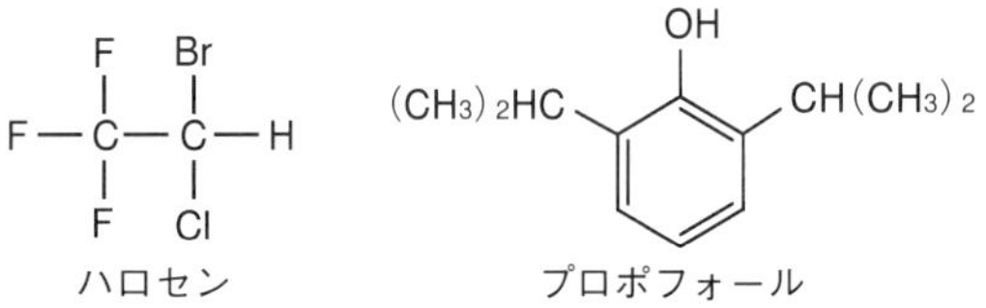

2.　シトクロムの酸化還元状態への作用

　呼吸鎖の電子の流れに応じてミトコンドリア内のシトクロムは還元される．その還元状態は，フェリシアン化物で酸化したミトコンドリアと，コハク酸呼吸を行っているミトコンドリアとの差スペクトルを観察することにより測定することができる．ハロセンは50 mMという高濃度でも，シトクロムの還元状態に影響を与えない（図3）．

3.　電子伝達系への作用

　以上の研究結果に加え，ハロセンの臨床血中濃度は1〜2 mMである[12]ことを考慮すると，ハロセン

図1　ハロセンとプロポフォールの分子構造

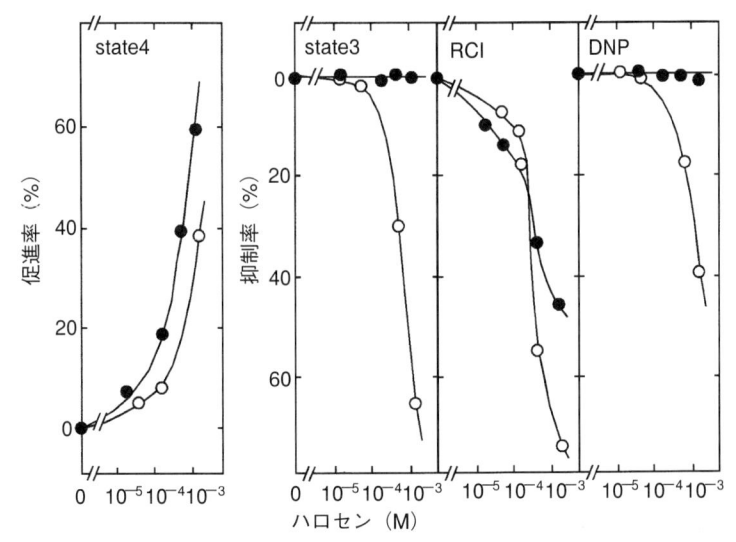

図2 ミトコンドリア呼吸に対するハロセンの影響
ラット肝ミトコンドリア（2 mgタンパク質/mL）をあらかじめハロセンと1分間反応させた後（25℃，2 mL），酸化的リン酸化に伴う酸素消費を酸素電極で測定した．反応液は，0.2 M スクロース，20 mM KCl，5 mM $MgCl_2$，3 mM Tris–HCl（pH 7.4），2 mM リン酸緩衝液（pH 7.4）を含む．これに 5 mM α-ケトグルタル酸（○）あるいは 5 mM コハク酸＋1 μM ロテノン（●）を添加した．state 3 呼吸の測定には 150 μM ADP を，DNP（ジニトロフェノール）呼吸の測定には 50 μM DNP を添加した．

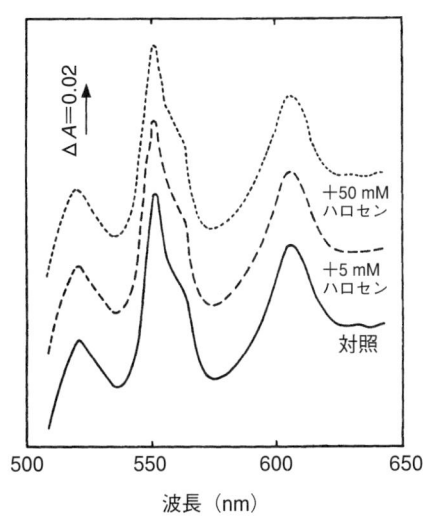

図3 ミトコンドリアのシトクロムの酸化還元状態に対するハロセンの影響
対照群の吸収スペクトルは，フェリシアン化物によって酸化したシトクロムとコハク酸の添加により還元されたシトクロムとの差スペクトルを示している．ハロセンはラット肝ミトコンドリア（6 mgタンパク質/mL）とあらかじめ1分間反応させた．反応懸濁液（25℃，2 mL）は上記の 5 mM フェリシアン化物あるいは 10 mM コハク酸に加えて，0.25 M スクロース，4 mM $MgCl_2$，10 mM Tris–HCl（pH 7.4），20 mM リン酸緩衝液（pH 7.4）からなる．

はおもに複合体Ⅰからの電子伝達反応を阻害し，複合体Ⅱ依存性の呼吸基質から下流の電子伝達系には大きな影響を与えないと考えられる（図4）．

4. ATPase活性への作用と脱共役作用

図5は，ADPとコハク酸を添加したときのATP合成量を測定した結果を示している．ATPは以下の反応式に従って合成される[13]．

$$ADP + Pi + n H^+ \rightleftharpoons ATP + H_2O$$

そこでミトコンドリア懸濁液中のpH変化をpH電極により測定し，ATP合成の指標として解析し，その結果，ハロセンは濃度依存性にATP合成を抑制したが，有効濃度はmM以上で比較的高濃度であった．また，リン酸の遊離を指標とした活性測定では，ハロセンは電子が呼吸鎖に流れていない状態での潜在性ATPase活性を増加させることも知られている（図6）．以上の結果は，ハロセンは呼吸鎖の電子伝達反応を抑制するばかりでなく，高濃度

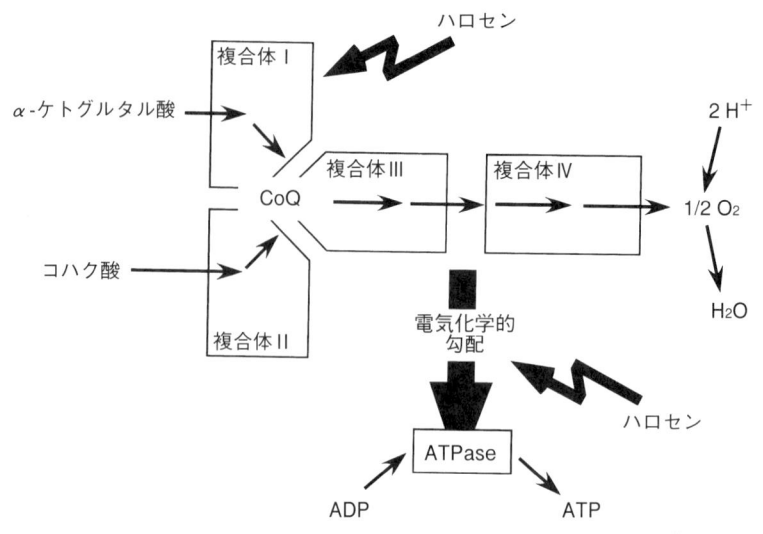

図4 ミトコンドリアの酸化的リン酸化とハロセンの作用部位[6]

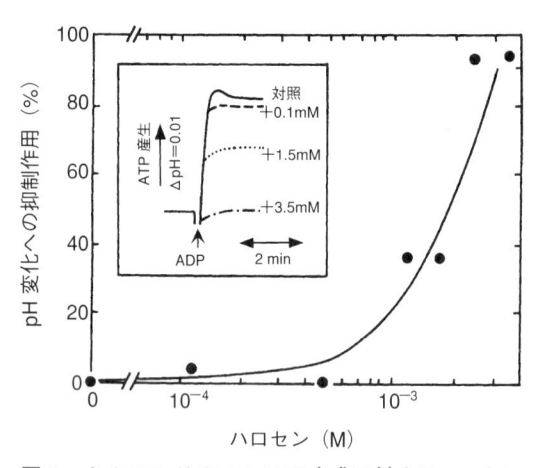

図5 ミトコンドリアのATP合成に対するハロセンの影響
ラット肝ミトコンドリア懸濁液（3 mgタンパク質/mL）のpH上昇を測定し，ATP合成の指標とした．ハロセンはあらかじめミトコンドリアと1分間反応させた．反応懸濁液（25℃，2 mL）は，0.2 M スクロース，20 mM KCl，5 mM MgCl₂，3 mM Tris-HCl（pH 7.4），2 mM リン酸緩衝液（pH 7.4），10 mM コハク酸からなる．450 μM ADPを添加して反応を開始させた．挿入図はミトコンドリア懸濁液にADPを添加したときのpH変化を示している．

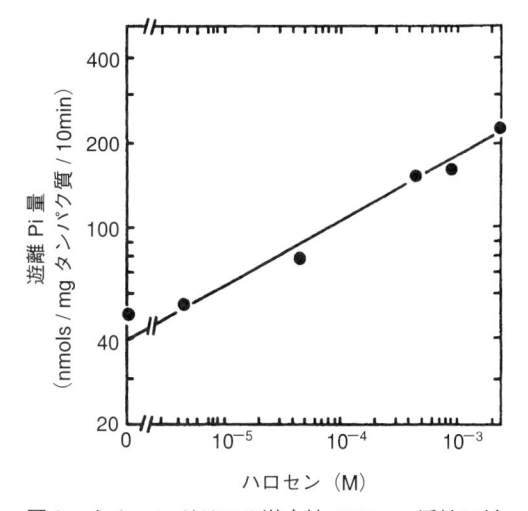

図6 ミトコンドリアの潜在性ATPase活性に対するハロセンの影響
ATPase活性は，ATPとラット肝ミトコンドリア（3 mgタンパク質/mL）を10分間反応させた後，0.5 mLの40%トリクロロ酢酸を添加して反応を止め，10分間に生成されたPi量で測定した．反応懸濁液（25℃，2 mL）は，0.15 mM KCl，5 mM MgCl₂，10 mM Tris-HCl（pH 7.4）からなる．

では脱共役作用を示すことを示唆している（図4）．

5. 膜電位への作用

DNPに代表される脱共役剤（uncoupler）は膜電位を低下消失させるため，呼吸鎖に電子が流れてもATPが合成されない．したがって，脱共役作用をもつハロセンも膜電位の形成を抑制することが予測される．図7は，呼吸時に生ずるミトコンドリアの膜電位変化をTPP⁺（テトラフェニルホスホニウムイオン）電極で測定した結果である．ミトコンド

リア膜を透過する陽イオンのTPP$^+$は，膜電位に応じてミトコンドリア内外に分布するため，反応液中のTPP$^+$の濃度変化はミトコンドリアの膜電位変化を示すと考えられている[14]．呼吸基質の添加によりミトコンドリア内膜で膜電位が形成され，これに対応してTPP$^+$がマトリックス内に取り込まれる．そこにADPを添加すると，電位差エネルギーを利用してATPが合成される．このために膜電位が一時的に低下し，TPP$^+$もミトコンドリア外へ放出される．脱共役剤であるDNPはこの膜電位を著しく低下させるため，ミトコンドリア内に取り込まれていたTPP$^+$のほとんどが放出される．

ハロセンは，mM以上の濃度で膜電位の形成を抑制する．しかし，その作用はDNPに比べると小さいので，ハロセンの脱共役作用はDNPなどの従来の脱共役剤とは異なると考えられる．このような膜電位の低下が少ない脱共役作用については，内因性脱共役作用（intrinsic uncoupling）という概念が提唱されている[15]．

6. 細胞内カルシウム動態への作用

ミトコンドリアは，ATPを消費してカルシウムを取り込み，小胞体と共同して細胞内カルシウム濃度を調整している[16]．図8に示すように，ミトコンドリア懸濁液にカルシウムを添加すると，反応液中のカルシウム濃度が一時的に上昇するが，すぐにミトコンドリアに取り込まれ，反応液中では検出されなくなる．ハロセンはミトコンドリアのカルシウム取込み能を抑制する（図8）．ただし，この反応には比較的高濃度（mM以上）のハロセンが必要である．

さらに，ハロセンは一度ミトコンドリア内に取り込まれたカルシウムを遊離させる作用も有する（図9A）．あらかじめカルシウムを取り込ませたミトコンドリアにルテニウムレッドを添加すると，ミトコンドリアからカルシウムが徐々に遊離していく．これは，ルテニウムレッドがミトコンドリアのカルシウム再取込みを抑制するためである．これがミトコンドリア膜の基礎カルシウム遊離量（basal Ca^{2+} release）であると考えられる．ハロセンの添加により，このミトコンドリアからのカルシウム遊離はさらに促進される．図8の結果と合わせると，ハロセンはミトコンドリアの細胞内カルシウム濃度調整機能を抑制すると考えられる．また，ハロセンの添加によりミトコンドリアが膨化する（図9B）ことから，高濃度のハロセンではミトコンドリアの膜機能が広範囲に障害される可能性が示唆される．

ハロセン麻酔では，いわゆるハロセン肝炎（halothane hepatitis）とよばれる肝障害が生じることがある[17]．その発症には，免疫学的機序，あるいは肝で形成されるハロセンの中間代謝物が関与していると考えられている．ハロセン肝炎とミトコンドリア機能との関係についての直接的な報告はない．しかし，カルシウムの細胞毒性を考慮すると，ハロセンによるミトコンドリアの細胞内カルシウム

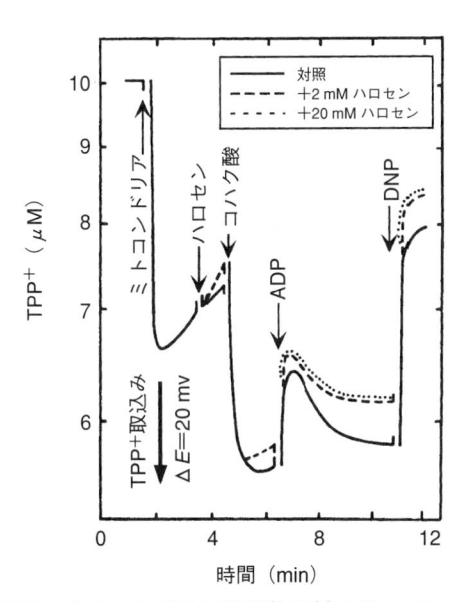

図7 ミトコンドリア膜電位に対するハロセンの影響
膜電位の変化に従ってTPP$^+$はミトコンドリア内外に分布する．TPP$^+$電極を用いて反応液中のTPP$^+$濃度変化を測定して，膜電位変化を解析した．反応懸濁液（25℃，5 mL）は，0.2 Mスクロース，20 mM KCl，5 mM MgCl$_2$，3 mM Tris-HCl（pH 7.4），2 mMリン酸緩衝液（pH 7.4），10 μM TPP$^+$を基本とし，2 mgタンパク質/mLラット肝ミトコンドリア，2または20 mMハロセン，5 mMコハク酸，15 μM ADP，20 μM DNPを添加した．

調節機能の抑制が，ハロセン肝炎の発症に関与する可能性は否定できない．さらに，ハロセンは悪性高熱 (malignant hyperthermia) とよばれる筋肉融解を伴う異常代謝亢進状態を誘発することが知られている[18]．この原因として細胞内カルシウムの異常上昇が指摘されており，その上昇はおもに小胞体からのカルシウム放出によると考えられている．しかし，悪性高熱モデルのブタでは，ミトコンドリアからのカルシウム放出が亢進していることが指摘されている[19]．このように，ミトコンドリアにおけるカルシウム代謝へのハロセンの作用が，悪性高熱に関与している可能性もある．

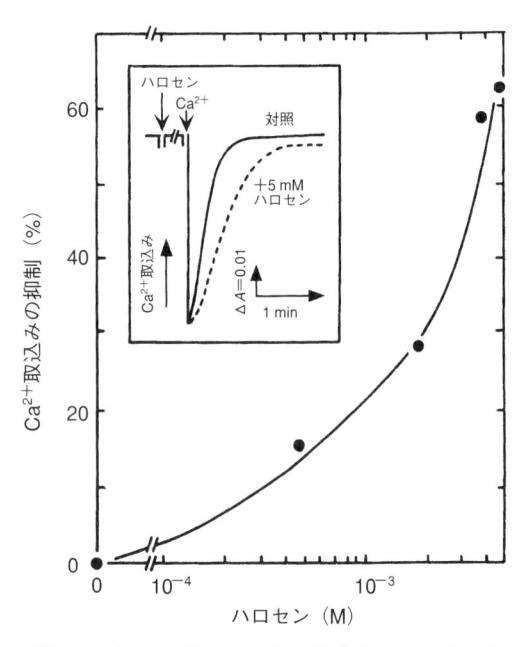

7. ミトコンドリアに対するプロポフォールの作用

プロポフォールはハロセンに代表される揮発性吸入麻酔薬とはまったく異なる構造と物性を有する静脈内投与型の新しい全身麻酔薬である[20]．そのため，ミトコンドリアへの作用については十分な研究がなされていない．しかし，臨床で使用される 50 μM 程度の低濃度で，複合体 I 依存性の state3 呼吸を抑制し，state4 呼吸を促進する．一方，複合体 II 依存性の state3 呼吸には影響を与えず，state4 呼吸を促進する[7, 8]．より高濃度では複合体 II 依存性の state3 呼吸と脱共役呼吸をともに抑制する．したがって，プロポフォールは低濃度でおもに複合体 I を，高濃度では複合体 II からの電子伝達反応をも

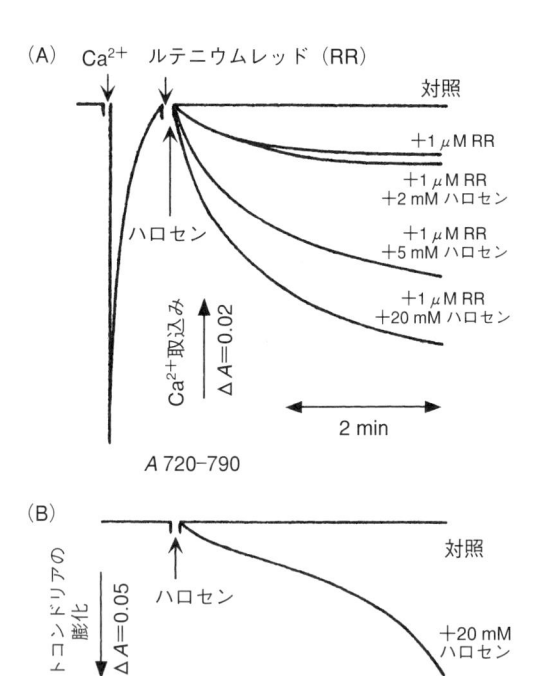

図 8 ミトコンドリアの ATP 依存性カルシウム取込みに対するハロセンの影響
反応懸濁液（25℃，2 mL）は，0.2 M スクロース，20 mM KCl，5 mM MgCl$_2$，3 mM Tris-HCl（pH 7.4），2 mM リン酸緩衝液（pH 7.4），3 mM ATP，150 μM アンチピリラゾ（III），アンチマイシン A（5 μg/mg タンパク質），1 mg タンパク質/mL ラット肝ミトコンドリアからなる．アンチマイシン A により，ミトコンドリア呼吸依存性のカルシウムの取込みを抑制している．ミトコンドリアをあらかじめハロセンと 1 分間反応させた後，150 μM の CaCl$_2$ を添加して反応を開始させた．ミトコンドリアのカルシウムの取込みは，反応懸濁液中のカルシウムの濃度変化を 720 nm と 790 nm の 2 波長で測定して解析した．ハロセンの作用は，カルシウム取込み速度の変化から評価した．

図 9 ミトコンドリアからのカルシウム遊離に対するハロセンの影響（A）とミトコンドリアの膨化（B）
（A）の反応懸濁液（25℃，2 mL）は，図 8 と同様で，720 nm と 790 nm の 2 波長で懸濁液中のカルシウム濃度の変化を測定した．反応は 150 μM の CaCl$_2$ を添加して開始した．（B）の反応懸濁液は，0.25 M スクロース，3 mM Tris-HCl（pH 7.4），ラット肝ミトコンドリア（1 mg タンパク質/mL）からなる．ミトコンドリアの膨化は 600 nm の吸光度の変化（2 波長モード）で測定した．

抑制すると考えられる．また，プロポフォールはミトコンドリアの膜電位を低下させ，潜在性のATPase活性を増加させる[9]．state4呼吸の促進作用と合わせ，プロポフォールは脱共役作用も有すると考えられる．同じ脱共役作用であっても，ハロセンはミトコンドリアの膜電位に対する影響が少ないのに対し，プロポフォールは比較的大きく影響している点が異なる．しかし，電子伝達反応の抑制と脱共役作用の両活性を有することはハロセンとよく似ている．

一方，プロポフォールは，ミトコンドリアのカルシウム取込み作用に影響せず，ミトコンドリアからのカルシウム遊離も惹起しない[9,10]．mM近くの高濃度になるとカルシウムの取込みを抑制するが，カルシウムの遊離はやはり促進しない．このように，プロポフォールにはミトコンドリア膜を安定化させる作用があると考えられ，ハロセンとは正反対の作用を示す．これらはハロセンに対するプロポフォールの長所と考えることもできるが，その医学的意義はまだ十分には解明されていない．

● おわりに

MRI（magnetic resonance imaging）を用いた研究で，ハロセン麻酔中でも心筋のATPは減少していないことが明らかにされている[21,22]．この事実は，試験管内で示されたハロセンのミトコンドリアに対する呼吸抑制作用や脱共役作用と矛盾する結果である．前述のように麻酔中のハロセン血中濃度は2 mM程度まで上昇する[12]が，細胞内小器官であるミトコンドリアへはその機能に影響を与えるほど高濃度に分布しないのかもしれない．この疑問に対してEckenhoffらは，急速凍結した生体サンプルに電子線を照射することにより，組織内のハロセンをそのまま組織に固定して電子顕微鏡下で観察する方法を開発し，ハロセンの細胞内分布を観察している[23]．その結果，ハロセンは，細胞質や核などに比べ，2倍以上もの高濃度でミトコンドリアに分布することが明らかになった．したがって，麻酔中の生体内ではミトコンドリアがハロセンの影響を受けている可能性は高い．

麻酔中は酸素消費量も減少し，生体内代謝反応が全体的に低下する．したがって，麻酔中のATPレベルに変化がみられないことは，ミトコンドリアでのATP合成のみならず，その消費も低下しているためと解釈することができる．したがって，麻酔中の生体でのATP動態と，試験管内で観察されたハロセンのミトコンドリアへの作用とはただちに矛盾するものではない．一方，ハロセンと同様に，新しい麻酔薬であるプロポフォールも，複合体Iからのミトコンドリア呼吸を抑制し，脱共役作用を示す．このことは，分子構造や物性が多岐にわたるにもかかわらず，全身麻酔薬が一貫してATP合成抑制作用を示すことを意味する．このようなミトコンドリアへの作用は，麻酔中のエネルギー代謝変化に深く関与している可能性がある．また，麻酔に伴う臓器障害の観点からは，細胞内カルシウム代謝に対する作用も重要であると考えられる．

近年，ミトコンドリアから遊離した活性酸素が，酸化ストレスの一因となっていることが明らかにされている．麻酔中は比較的高濃度の酸素を使用するにもかかわらず，酸素傷害が生じにくいことが知られている．麻酔薬はミトコンドリア呼吸を抑制することから，当然，その活性酸素産生状態にも影響すると考えられる．この抑制作用と麻酔中に酸素傷害が生じにくいこととは関連があると考えられるが，この点はまだ十分に研究されていない．一方，ミトコンドリアが重要なはたらきをしているアポトーシスについては，筆者らはプロポフォールがミトコンドリアを介してアポトーシスを誘導することを明らかにした[24]．他の麻酔薬もアポトーシスに影響をもつ可能性が推定されるが，その点についての詳細な研究はまだみられない．

実際の生体反応と実験室レベルでの研究成果との間にはまだ大きな溝がある．麻酔薬とミトコンドリアの関係においても，今後のさらなる研究が期待される．

● 文　献

1) Miller, R., Hunter, F.J.: *Mol. Pharmacol.*, **6**, 67–77 (1970)

2) Tomoda, M.K., Tsuchiya, M., Ueda, W., et al.: Physiol. Chem. Phys. Med. NMR, **22**, 199-210 (1990)
3) Tsuchiya, M., Okimasu, E., Ueda, W., et al.: FEBS Lett., **242**, 101-105 (1988)
4) Tsuchiya, M., Tomoda, M., Ueda, W., Hirakawa, M.: Life Sci., **46**, 819-825 (1990)
5) Rottenberg, H.: Proc. Natl. Acad. Sci. USA, **80**, 3313-3317 (1983)
6) Tsuchiya, M., Takahashi, M., Tomoda, M., et al.: Toxicol. Appl. Pharmacol., **104**, 466-475 (1990)
7) Branca, D., Roberti, M.S., Lorenzin, P., et al.: Biochem. Pharmacol., **42**, 87-90 (1991)
8) Rigoulet, M., Devin, A., Averet, N., et al.: Eur. J. Biochem., **241**, 280-285 (1996)
9) Branca, D., Vincenti, E., Scutari, G.: Comp. Biochem. Physiol. C Pharmacol. Toxicol. Endocrinol., **110**, 41-45 (1995)
10) Eriksson, O.: FEBS Lett., **279**, 45-48 (1991)
11) Branca, D., Varotto, M.L., Vincenti, E., Scutari, G.: Agressologie, **30**, 79-83 (1989)
12) Pand, Y.C., Reid, P.E., Brooks, D.E., et al.: Can. J. Physiol. Pharmacd., **58**, 1078-1085 (1980)
13) Nishimura, M., Ito, T., Chance, B.: Biochim. Biophys. Acta, **59**, 177-182 (1962)
14) Kamo, M., Muratsuge, M., Hongoh, R., Kobatake, Y.: J. Membr. Biol., **49**, 105-121 (1979)
15) Luvisetto, S., Pietroban, D., Azzone, G.F.: Biochemistry, **26**, 7332-7338 (1987)
16) Nishihara, Y., Robertson, L.W., Utsumi, K.: Chem. Pharm. Bull. (Tokyo), **35**, 1587-1595 (1987)
17) Ray, D.C., Drummond, G.B.: Br. J. Anaesth., **67**, 84-99 (1991)
18) Denborough, M.: Lancet, **352**, 1131-1136 (1998)
19) Cheah, K.S., Cheah, A.M.: Biochim. Biophys. Acta, **634**, 70-84 (1981)
20) Tsuchiya, M., Asada, A., Maeda, K., et al.: Am. J. Respir. Crit. Care Med., **163**, 26-31 (2001)
21) McAuliffe, J.J., Hickey, P.R.: Anesthesiology, **67**, 231-235 (1987)
22) Murray, P.A., Blanck, T.J., Rogers, M.C., Jacobus, W.E.: Anesthesiology, **67**, 649-653 (1987)
23) Eckenhoff, R.G., Shuman, H.: Proc. Natl. Acad. Sci. USA, **87**, 454-457 (1990)
24) Tsuchiya, M., Asada, A., Arita, K., et al.: Acta Anaesthesiologica Scand., in press.

第5章

ミトコンドリアと細胞傷害

活性酸素によるミトコンドリア DNA の変異発生

田中　雅嗣

● はじめに

　酸素代謝の場であるミトコンドリアの DNA（mtDNA）は活性酸素種によって損傷され，遺伝子変異が蓄積しやすいと考えられる．ここでは，ヒトの個体間での塩基配列の相違から生殖細胞（卵子）においてどのような点変異が生じやすいのかを推定する．次に，ミトコンドリア遺伝子の病的変異に伴って体細胞にどのような点変異が蓄積するかを概説する．これらの変異発生の様態から，何が変異原となっているかを論じ，DNA に対する酸化的損傷によって変異スペクトルが説明できるか否かを検証する．また，体細胞における点変異および欠失を有する mtDNA の蓄積が細胞や組織に与える影響を考察する．

1. ミトコンドリア遺伝子多型の機能的重要性

　エネルギー代謝の盛んな心筋では，ミトコンドリアが細胞の体積の 1/3 を占める．酸素代謝の場におかれている mtDNA は活性酸素種によって損傷され，遺伝子変異が蓄積しやすい．ヒトのミトコンドリアゲノムは 16,569 塩基対からなるが，イントロンがなく，すべての遺伝子が高発現している．細胞に 2000 コピーのミトコンドリアゲノムが存在すると仮定すると，3×10^7 塩基対が機能している．核ゲノムは 3×10^9 塩基対であるが，エクソン部分は 3×10^8 塩基対である．mtDNA の進化速度は核 DNA の約 10 倍であるので，mtDNA の多様性は核ゲノム全体の多様性に匹敵する．

2. 生殖細胞における mtDNA 点変異の発生機構

　mtDNA 変異が，生殖細胞である卵子あるいは受精卵から胚形成に至る過程でどのように生じているかを明らかにするために，ヒトの種内変異が詳細に分析されている．ヒト集団での多型を分析することにより，変異発生の方向性をほぼ正確に推定できる．たとえば，43 例の日本人個体を分析し，そのうちの 1 例ないし 2 例のみに G→A トランジションが見い出された場合には，祖先集団が G を有し，これがある分岐において A に置換されたと判断しうる．変異頻度が高い D ループ領域では，C⇌T トランジションが何度生じたのかを正確に推定することは困難である．すなわち，ある位置に C を有する個体が，過去からずっと C を有していたのか，あるいは C→T→C という経過をたどった先祖返り（revertant）であるかを判断することは困難である．そこで，変異発生頻度が比較的低いタンパク質をコードする領域に分析対象を絞り，アミノ酸置換を伴わない同義置換を解析した．また，mtDNA の全塩基配列を決定することにより，特定の塩基置換が日本人の歴史の中で一度だけ生じたのか互いに独立に発生したのかを推定できる．

a. mtDNAの非対称的複製

mtDNAの複製は非対称的である．リーディング鎖である娘H鎖の合成が約11kb進み，OriLに達したときにはじめて娘L鎖の複製が始まる．DNAポリメラーゼγは生体内ではもっとも複製速度が遅い．これはミトコンドリアマトリックス内のタンパク質の密度が高いためと考えられている．1本の鎖が合成されるのに約60分を要する．ラギング鎖である娘L鎖が合成される前に，その鋳型である親H鎖が1本鎖DNAの状態におかれる時間はOriLからの距離によって異なり，最大約80分の差がある．この非対称性がmtDNAの突然変異の出現頻度に及ぼす影響を検討した．

b. mtDNAのL鎖-H鎖間の塩基組成の偏りは変異発生頻度の差に基づく

まず，43例のmtDNAの全塩基配列を決定した．アミノ酸置換を生じない部位（四重縮退部位：Leu-CTN, Val-GTN, Ser-TCN, Pro-CCN, Thr-CAN, Ala-GCN, Arg-CGN, Gly-GGNのコドンの第3ポジション）（N＝A, C, GまたはT）における塩基置換頻度を実測した結果，変異発生頻度はA：C：G：T＝3.5％：3.5％：22.2％：6.1％であり，Gがもっとも変異を生じやすいことが判明した．変異発生頻度の逆数から塩基の存在比を推定すると，実際にL鎖の四重縮退部位において観察された塩基の存在比とよく一致した．（すなわち，A：C：G：Tは37.0％（38.7％）：40.5％（40.5％）：6.9％（6.4％）：17.5％（14.4％）であった（括弧内は実測値）．このように，mtDNAのL鎖-H鎖間の塩基組成の偏りは変異発生頻度の差に基づく．すなわち，自由に塩基置換が生じうる部位では変異しやすい塩基の存在頻度が低くなり，逆に変異しにくい塩基の頻度が高くなり，その状態で平衡に達している．

c. mtDNA L鎖のグアニンとチミンが変異しやすい理由

mtDNAのL鎖ではCは安定であるが，同じL鎖上のGは不安定である．これは，L鎖上のCは安定であるが，H鎖上のCは変異しやすいためである．CからUへの脱アミノ反応の速度は，2本鎖状態と比較して1本鎖状態では50～100倍高い．おそらく，mtDNAの複製過程において，1本鎖状態になった親H鎖上のCが脱アミノ化されるとUとなり，これが鋳型となって娘L鎖が合成される際にG→Aトランジションが生じると考えられる．

mtDNAのL鎖上のAは安定であるが，同じL鎖上のTは不安定である．これは，L鎖上のAが安定であるが，H鎖上のAは変異しやすいためと考えられる．Aからヒポキサンチンへの脱アミノ反応も1本鎖状態で起こりやすいと推定される．ヒポキサンチンが鋳型となると，その反対側にはTではなくCが取り込まれる．このため，1本鎖状態になった親H鎖上のA残基が脱アミノ化されてヒポキサンチンになると，これが鋳型となって娘L鎖が合成される際にT→Cトランジションを生じる．

d. チミン頻度のOriLからDループへの勾配

娘L鎖の複製開始点（OriL）に近いCOI（cytochrome c oxidase subunit I）遺伝子領域では，母H鎖が1本鎖状態におかれる時間は短い．これに対し，Dループに近いシトクロムb遺伝子領域では母H鎖が長時間1本鎖状態におかれる．したがって，変異しやすいGの四重縮退部位における頻度は，Dループに近いシトクロムb遺伝子では低く，OriLに近いCOI遺伝子領域では高いことが期待された．しかし，Gの四重縮退部位における頻度はmtDNAの全領域で低かった．これは，CからUへの脱アミノ反応速度が速く，短時間の1本鎖状態でもUへの変化が容易に起こるためであろう．また，ミトコンドリアにウラシルDNAグリコシラーゼが存在することは，CからUへの変化の重要性を裏付けるものである．

一方，OriLからDループに向かって塩基頻度が明らかに低下したのは，Tであった．Aからヒポキサンチンへの脱アミノ反応は，CからUへの脱アミノ反応よりも遅い反応であるため，親H鎖上で1本鎖状態におかれる時間に比例して，A→ヒポキサンチンの変化が起こる．その結果，T→Cトランジションを起こす確率がOriLからDループに向かって上昇すると考えられる．

3. コドン安定性に依存したアミノ酸残基の出現頻度

ミトコンドリアは生体で利用される酸素の約98%を代謝する場である．ミトコンドリアのタンパク質，脂質，DNAは，呼吸の副産物である活性酸素ラジカルに恒常的に曝露されている．タンパク質がラジカルに対して脆弱なアミノ酸残基を含んでいるならば，その半減期は短くなり，常に新しく合成されたタンパク質によって置き換えられる必要がある．一方，DNAにおいてもラジカルによって損傷されやすい塩基と比較的安定な塩基が存在する．実際，塩基間には変異の頻度に差がある．

あるアミノ酸に対するコドンが不安定な塩基で構成されているならば，塩基置換によってそのアミノ酸に高頻度で置換が起こり，遺伝子産物の機能が損なわれる確率が高くなる．したがって，活性酸素の存在下でミトコンドリアの機能を安全に確保するには，タンパク質側もDNA側も可能な限りラジカルに対して安定なアミノ酸や塩基を使用すべきである．

筆者らは，四重縮退部位において観察された塩基の存在比を各塩基の安定度とみなし，アミノ酸を規定する各コドンの安定度を各塩基の安定度の積として算出した．コドンの安定度から予測されるアミノ酸と各遺伝子産物のアミノ酸の存在比を比較した結果，H鎖でコードされている *ATP8* 遺伝子では，中性の極性アミノ酸中では Thr が安定なコドン ACN をもち，実際の使用頻度も高く，疎水性アミノ酸では Pro（CCN）の使用頻度が高かった．

一方，L鎖によってコードされている *ND6* 遺伝子の四重縮退部位における塩基の存在比は A：C：G：T = 22.9%：4.6%：36.8%：35.6% であった．この遺伝子においては，親水性の中性アミノ酸では Tyr（TAY）と Cys（TGY）（Y = C または T）の使用頻度が高く，疎水性アミノ酸では Val（ATN）と Gly（GGN）の使用頻度が高かった．コドンの安定性から予測されるアミノ酸の使用頻度と実際の頻度との間には有意な相関がみられた．

さらに，4種の哺乳類でアミノ酸配列の相同性の高い遺伝子ほどコドンの第1および第2ポジションにおける塩基の変異ポテンシャルが高いことが明らかになった．すなわち，機能的制約の高い遺伝子においては変異しやすいコドンが数多く使用されているのに対し，機能的制約の低い遺伝子においては安定なコドンが選択的に使用されている．機能的制約が高く，変異ポテンシャルが高い *CO I* 遺伝子が変異発生頻度のもっとも低い部位である OriL の下流に位置しているのは，合目的的と考えられる．

4. 生殖細胞における mtDNA の存在様式

卵母細胞は，顆粒膜細胞に囲まれて成熟する．周囲の顆粒膜細胞が酸素を消費するために，卵母細胞は低酸素状態におかれていると推定される．成熟した卵細胞は多数のミトコンドリアを含むが，それらのミトコンドリアは外膜と内膜からなる単純な構造の空胞状を呈する．卵細胞のミトコンドリアは mtDNA を容れる袋にすぎないともいえる．卵割が繰り返される間はミトコンドリアは増殖せず，それまでに存在したミトコンドリアが娘細胞に分配されていく．すなわち，受精後の卵管内ではミトコンドリアの活動は低い．受精卵のミトコンドリアが活発に活動を開始し，内膜がクリスタ構造をとるようになるのは8細胞期以降である．

このように，卵細胞のミトコンドリアが不活発であるのは，子孫に損傷された mtDNA を伝えないためであろう．おもに1本鎖状態のH鎖上でCとAの脱アミノ反応が起こり，これらがL鎖上において G→A および T→C トランジションを惹起している．mtDNA の種内変異においては，トランスバージョン（転換）変異はまれであり，トランジション（転位）変異が約90%を占めるのは，卵母細胞が酸化ストレスから保護されているためと考えられる．

5. 酸化的 DNA 損傷と mtDNA 変異蓄積の悪循環

mtDNA 変異の蓄積が加齢や退行性病変に関与することが考えられている[1]. mtDNA の変異蓄積から細胞機能障害に至る悪循環を図1に示す. mtDNA 変異の蓄積によって電子伝達系の分子構築に異常をきたし, ミトコンドリアの活性酸素産生が増大する結果, mtDNA の損傷が増大し, さらに変異が蓄積するという悪循環に陥る. ミトコンドリアから漏出する活性酸素種の増大によって脂質過酸化反応も進行し, 脂質アルデヒドなどにより膜タンパク質などが損傷される. 損傷を受けたミトコンドリアによる活性酸素種や脂質過酸化物の産生増加は, 細胞成分を変性させ, 細胞死を誘起する.

a. mtDNA の酸化的損傷と欠失の蓄積

加齢に伴い, 心筋細胞や神経細胞[2]などの分裂終了細胞に mtDNA 変異が蓄積することが示されている. ミトコンドリア心筋症の進展にも mtDNA 変異の蓄積が関与していると考えられている[3]. G にヒドロキシルラジカルが付加した 8-ヒドロキシデオキシグアノシン (8-OHdG) の量を測定した結果, mtDNA に対する酸化的損傷は核遺伝子の損傷より有意に高く, 加齢とともに顕著に上昇することが判明した. Katsumata ら[4]は, 早発性加齢と肥大型心筋症を呈した 19 歳の男性症例において tRNA-Asp の遺伝子変異と数個の塩基置換を見い出し, これらがヒドロキシルラジカルによる mtDNA の損傷を増大させ, その結果欠失 mtDNA が蓄積されることを示唆した.

b. 骨格筋におけるミトコンドリア遺伝子点変異の頻度

Kovalenko ら[5]は, MELAS (mitochondrial encephalomyopathy, lactic acidosis, and stroke-like episodes, ミトコンドリア病) 患者および正常対照群の骨格筋 DNA から Taq DNA ポリメラーゼを用いて mtDNA 断片を増幅し, 60 個のクローンの塩基配列を決定した. 正常の対照群では変異クローンは見い出されなかったのに対し, 患者の骨格筋においては合計 10 個のクローンに 5 種の塩基置換が見い出された. この中には終止コドンを生じるナンセンス変異やアミノ酸置換を伴うミスセンス変異も含まれていた. この MELAS 患者において, 出生時から mtDNA の塩基配列の不均一性が高かった可能性は否定できないが, この塩基配列の不均一性はミトコンドリア機能異常によって mtDNA を酸化的に損傷し, 変異が蓄積した結果と考えられる.

c. 線条体におけるミトコンドリア遺伝子点変異の頻度

パーキンソン病患者の線条体における mtDNA 点変異の頻度も検討されている (Kovalenko, S.A. ら, 未発表). すなわち, 3 例のパーキンソン病患

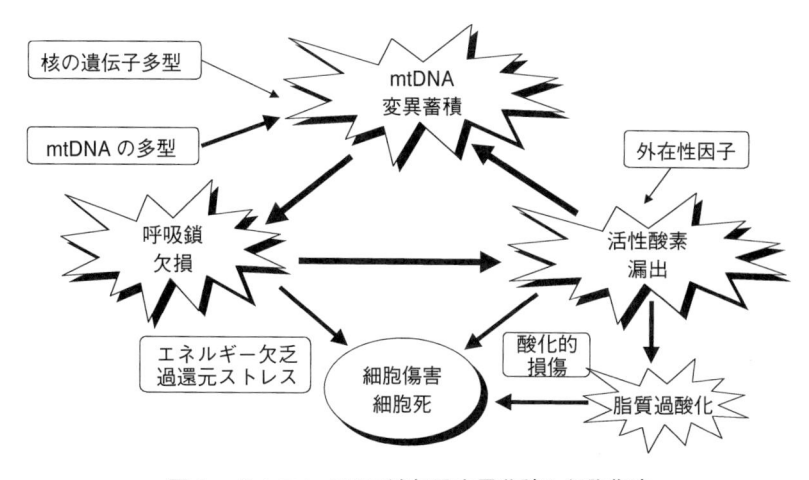

図1 ミトコンドリア遺伝子変異蓄積と細胞傷害

者（65歳女性，77歳男性，72歳男性）の線条体のDNAからPfu DNAポリメラーゼを用いてmtDNA断片を増幅した後，Taq DNAポリメラーゼを用いて3′末端にAを付加し，TAベクターに挿入して180クローンを得た．各クローンの800塩基の配列を決定した結果，患者3例で14クローンに変異が見い出された．これに対し，中年の対照群3例（38歳男性，47歳女性，55歳男性）では分析した76クローン（60,800塩基対）で変異は見い出されなかった．高齢の対照群（64歳男性，70歳女性，78歳男性）では，分析した154クローン（123,200塩基対）で4個の変異（同義置換が1個と非同義置換が3個）が見い出された．患者での変異クローンの割合は，中年対照群と高齢対照群での変異クローンの割合よりも有意に高かった（それぞれ$p<0.01$および$p<0.03$）．患者で見い出された14クローンのうち，アミノ酸置換を伴わない同義置換は2個のみであり，アミノ酸置換を伴う非同義置換が11個，終止コドンを生じるナンセンス変異が1個であった．患者における変異の頻度（14個/144,000塩基対）によれば，16,569塩基対のmtDNAには平均1.6個の変異があることになる．遺伝子産物の機能に影響を与える非同義置換やナンセンス変異の割合が高いため，1分子のmtDNAに有害な変異が約1個存在すると推定される．

d. 点変異のスペクトルとDNAの酸化的損傷

患者および高齢対照群でどの塩基に変異が生じやすいかを検討すると，アデニン（2/227＝0.9％）やチミン（3/276＝1.11％）よりもグアニン（4/187＝2.1％）とシトシン（9/110＝8.2％）の変異頻度が高かった（5/503＝1.0％ 対 13/297＝4.4％，$p<0.003$）．また，3543番のC：G対からA：T対への塩基転換が患者2例および高齢の対照群1例で観察された．8-OHGが鋳型となってDNAが複製されるときに，アデニンが誤って取り込まれることが知られている．C：G対からA：T対への塩基転換が3クローンで見い出されたことは，体細胞に蓄積するmtDNA点変異にDNAの酸化的損傷が関与することを示唆している．

e. 長寿関連遺伝子型の生殖細胞における変異抑制効果

遺伝子型が寿命に影響する可能性を検証する目的で百寿者（100歳以上のヒト）のmtDNAの全塩基配列が決定され，頻度の高い遺伝子多型Mt5178Aと成人発症性疾患において頻度が高いMt5178C型が見い出された（6・7節参照）．ミトコンドリア病の病因となる変異の発生に対する遺伝子型の影響を調べた結果，患者群においてはMt5178A：C＝42：103であり，対照群におけるA：C＝277：356と比較してMt5178C型の頻度が高かった（$p=0.0006$）．Mt8993T→G変異（ATP6, Leu156Arg）およびMt8993T→C変異（Leu156Pro）はLeigh脳症の病因である．Mt8993T→G変異に基づく患者18例とMt8993T→Cを有する患者3例の全例がMt5178C型であった．ヒドロキシルラジカルはDNA合成の前駆体であるdGTPやdATPを攻撃して8-OH-dGTPや2-OH-dATPを生じる．T→Gトランスバージョンはアデニンと8-OH-dGTPとの対合によって生じる（A：T→A：8-OH-G→C：G）．2-OH-dATPはG：C→A：Tトランジションを誘発するのでMt8993T→C変異も説明しうる．Mt5178C型においてミトコンドリア内のヒドロキシルラジカル産生が高い可能性，およびMt5178A型はmtDNA変異発生抑制効果を有することが示唆されている．

6. mtDNAの酸化的損傷と修復系

ヒドロキシルラジカルは，DNAやDNA合成前駆体を攻撃し，変異原性を示す．DNA鎖上のGの8位の炭素にヒドロキシルラジカルが付加すると8-オキソグアニン（8-oxoG）が生じる．8-oxoGはCとではなくAと対合するために，G：C→8-oxoG：C→8-oxoG：A→T：Aの経路をたどり，結局G→T塩基転換（transversion）を生じる．一方，DNA合成の前駆体であるdGTPにヒドロキシルラジカルが付加すると8-オキソデオキシグアノシン三リン酸（8-oxo-dGTP）が生じる．8-oxodGTPは，鋳型鎖のCではなくAと対合するため，A：T→A：8-oxoG→C：Gの経路をたどり，結局A→C塩基転換（transversion）を生じる．加齢とともにmtDNAに8-oxoGが蓄積することが知られている．8-oxoGをDNAから除去しAPサイト（apurinic/apyrimidinic site）にする酵素活性が，ミトコンドリア内に検出されている．また，8-oxo-dGTPを8-oxo-dGMPとしてヌクレオチドプールから除去する8-oxo-dGTPaseもミトコンドリア内に存在する．このようなmtDNAを保護する酵素系が備わっていることは，活性酸素種によるmtDNA損傷が起こることを示唆している．

a. Mn-SODノックアウトマウスにおける心筋ミトコンドリア異常

Liらは，ミトコンドリア内ではたらいているMn-SODを規定する*Sod2*遺伝子をノックアウトしたマウスが拡張型心筋症となり，生後10日で死亡することを報告した[6]．スーパーオキシド（$O_2^{\cdot -}$）は細胞内の発生部位でただちに処理されなければならないのでMn-SODを欠如したミトコンドリアは酸化ストレスに曝される．本ノックアウトマウスの組織活性染色により，ミトコンドリアのコハク酸デヒドロゲナーゼ（複合体Ⅱ）とアコニターゼの減少が観察されている．これらの酵素は，鉄-硫黄反応中心をもち，ラジカルの攻撃に対して不安定と考えられている．このような状況下では，mtDNAも激しい酸化ストレスを受けているであろう．

b. mtDNA修復酵素の強化による細胞生存率の上昇

DNAの酸化的損傷によって多様な変化が生じるが，グアニンにヒドロキシルラジカルが付加した8-oxoGは変異原性が高い．8-oxoGがDNA複製の鋳型となると，シトシンではなくアデニンが誤って取り込まれる．Dobsonらは，DNA鎖中の8-oxoGを除去する8-オキソグアニンDNAグリコシラーゼ（OGG）活性がミトコンドリアで低いHeLa細胞にミトコンドリア移行シグナルを付加したOGGを強制発現させた．その結果，mtDNAの修復が強化され，レドックスサイクラーとして作用するメナジオンを添加しミトコンドリアに酸化ストレスを与えた場合にも，OGGを強発現している細胞は生存率が高くなることを示した[7]．ラット肝においてミトコンドリアのOGG活性が加齢に伴って上昇することも知られている[8]．正常組織ではmtDNAの修復系は十分な活性を保持しているが，病的な状況においてはmtDNAの酸化的損傷が修復能を上回り，ミトコンドリア機能が低下し，細胞死を誘起しうる．

●おわりに

生殖細胞系ではDNAの酸化的損傷よりも脱アミノ反応が重要である．これに対し，体細胞ではトランスバージョン変異も散見され，DNAやその前駆体に対する酸化的損傷が原因と考えられる．しかし，体細胞においても，トランジション変異が主体であることが注目される．シトシンの脱アミノ反応はペルオキシナイトライトのような強力な酸化剤によって促進されるので，トランジション変異もミトコンドリアにおける酸化ストレスの結果と解釈できる．

●付記1．ミトコンドリアと脂質過酸化

a. ミトコンドリアと脂質過酸化反応

活性酸素種は生体を構成する脂質をも攻撃する．不飽和脂肪酸から水素が引き抜かれるとラジカルを生じ，これに酸素が反応してペルオキシドができる．このペルオキシドに水素を与えるとヒドロペルオキシドが生じる．生体膜を構成するリン脂質が脂質過酸化反応を受けるとリン脂質ヒドロペルオキシド（phospholipid hydroperoxide）が生じる．ミトコンドリアの外膜と内膜の間の膜間腔には，リン脂質ヒドロペルオキシドを分解するリン脂質ヒドロペルオキシドグルタチオンペルオキシダーゼ（PH-GPx）が存在する．この防御系の存在は，ミトコンドリア電子伝達系の存在する内膜が膜脂質の過酸化の主要な場であることを示唆する．

b. 脂質アルデヒドによるミトコンドリアタンパク質の修飾

脂質過酸化の連鎖反応が進行すると，不飽和脂肪酸が切断され，マロンジアルデヒドや4-ヒドロキシ-2-ノネナール（HNE）などの脂質アルデヒド

が生じる．脂質アルデヒドは，脂質ラジカルや脂質ヒドロペルオキシドと比較して反応性は低いが寿命は長く，タンパク質や核酸と反応して付加物を形成する．とくにHNEは，タンパク質のシステイン，リジン，ヒスチジンなどと付加物を形成し，タンパク質の機能を阻害する．パーキンソン病患者の黒質神経細胞では，HNEが付加したタンパク質が蓄積していることが免疫組織化学的に示されている[9]．また，妊娠中毒症の胎盤の絨毛細胞においてもHNEが付加した2種のタンパク質が蓄積しており，これがミトコンドリアに局在していることがウェスタンブロット法によって示されている[10]．

c. ミトコンドリア遺伝子産物の脆弱性

細胞のラジカル感受性がミトコンドリア遺伝子型によって規定されている可能性がある．システイン残基は鉄-硫黄タンパク質の電子伝達機能などに重要な役割を果たしているが，ラジカルとの反応性に富むため，機能的に不必要な部位にはほとんど出現しない．ところが，肥大型心筋症から拡張型に移行したと考えられる43歳の特発性心筋症の患者において，システインを生じるアミノ酸置換が2カ所に観察された[3]．第1の変異，ND5遺伝子のA13258T転換はSer308Cys置換をもたらし，第2の変異，ND6遺伝子のT14180C塩基転位はTyr164Cys置換をもたらした．この症例では，tRNA-CysとtRNA-Thr遺伝子領域内にそれぞれC5821T転位とA15951G転位を伴っていた．5例のパーキンソン病患者の全塩基配列を決定したところ[11]，その1例においてND6遺伝子産物のTyr164Cys置換とtRNA-Thr遺伝子のA15951G転位が見い出されたが，ND5遺伝子産物のSer308Cys置換とtRNA-Cys遺伝子のC5821T転位は見い出されなかった．特発性心筋症の患者において観察されたアミノ酸置換はミトコンドリアの遺伝子産物に酸化傷害をもたらし，変性疾患発症の危険因子と考えられる．

d. 脂質過酸化副産物による修飾タンパク質の蓄積

活性酸素種が生体膜の不飽和脂肪酸を攻撃して生じる脂質過酸化の副産物が，さらにタンパク質やmtDNAを損傷し，ミトコンドリアの機能障害をきたす機序も重要である．パーキンソン病の黒質細胞の変性壊死における脂質過酸化副産物（とくに脂質アルデヒド）によるタンパク質の修飾の役割を明らかにする目的で，脂質アルデヒド（HNE）ヒスチジン付加物に対する抗体を用いて，中脳の免疫組織化学染色が行われている[9]．この抗体は，HNEのHisに対する付加物のみならず，LysやCysに対する付加物にも反応する．この抗体に陽性な黒質神経細胞の数はパーキンソン病患者では有意に高かった．また，動眼神経核では抗HNE-His抗体陽性細胞の数が年齢依存性に増加する．一方，妊娠中毒症の胎盤では，2種のタンパク質が抗HNE-His抗体で濃染される．ウェスタンブロット分析の結果，これらのタンパク質はミトコンドリアの内膜に存在し，110 kDaのタンパク質はマトリックス内のニコチン酸アミドジヌクレオチドトランスヒドロゲナーゼ（$NADP^+$にNADHから水素を与えNADPHとする酵素）であり，75 kDaのタンパク質はNADHデヒドロゲナーゼ（複合体I）の鉄-硫黄タンパク質であると推定されている[10]．トランスヒドロゲナーゼの阻害によってミトコンドリア内のNADPHプールが維持できなくなると，還元型グルタチオンが減少し，これによってラジカルに対するミトコンドリアの防御機能が低下する可能性が考えられる．心筋症においても脂質由来のアルデヒドによるミトコンドリアタンパク質の修飾を分析する必要がある．

●付記2．ミトコンドリア機能が低下した細胞の救出

a. MtDNA変異を有する細胞の他の細胞への影響

加齢に伴って蓄積するミトコンドリアゲノムの欠失あるいは点変異はすべての細胞に均一に分布するのではなく，一部の細胞に欠失mtDNAが集積し，他の細胞にはそれが検出されないというように，細胞間モザイクが生じる．ミトコンドリア機能が低下した細胞は，NADHが酸化されないために過還元状態に陥る．NADHが過剰になると解糖系のグリ

セルアルデヒド 3-リン酸から 1,3-ビスホスホグリセリン酸への脱水素反応が阻害され，解糖系からもエネルギーを得ることができなくなる．de Grey の説によると，ミトコンドリア機能が低下した細胞は，過還元状態を回避するために NADH を細胞膜酵素で酸化すると考えられている．NADH の酸化に伴ってスーパーオキシドや過酸化水素などが細胞外に放出される．mtDNA 変異を有する細胞から発生した活性酸素種が他の細胞に酸化的ストレスを与え，動脈硬化などを促進するというのがミトコンドリアと老化に関する de Grey の学説である[12]．

b. mtDNA 変異を有する細胞のピルビン酸による維持

mtDNA をまったく欠如して呼吸機能のない ρ^0 細胞でも，培地にピルビン酸を加えると元気に増殖する．ピルビン酸は NADH によって還元されて乳酸になる．ピルビン酸は細胞膜を自由に通過できるので，正常細胞からミトコンドリア機能の低下した細胞にピルビン酸が供給され，この機構によってミトコンドリア異常を有する細胞を過還元状態から救出していると考えられる．また，ピルビン酸は過酸化水素と非酵素的に反応し，脱炭酸されて酢酸となるので，抗酸化物質でもある．ピルビン酸は一般の細胞培養だけでなく，体外受精において卵子を保護するための培養液にも使われている．脳梗塞や心筋梗塞などの虚血性疾患の治療において，ピルビン酸が活性酸素種の産生を抑制し，再灌流傷害を軽減する可能性が報告されている．

ピルビン酸投与によってミトコンドリア機能の低下した細胞を保護すると同時に，正常細胞に対する酸化ストレスを軽減することができると考えられる．抗酸化剤あるいは抗酸化酵素を用いて酸化ストレスからミトコンドリアを保護することが長寿をもたらすと考えられる．同時に，ピルビン酸によって低下したミトコンドリア機能を代行し，過還元ストレスの軽減をはかる治療法も注目すべきである．

● 文 献

1) Linnane, A.W., Marzuki, S., Ozawa, T., Tanaka, M. : *Lancet*, i, 642-645 (1989)
2) Ikebe, S., Tanaka, M., Ohno, K., *et al.* : *Biochem. Biophys. Res. Commun.*, **170**, 1044-1048 (1990)
3) Tanaka, M., Obayashi, T., Yoneda, M., *et al.* : *Muscle. Nerve.*, **3**, S165-169 (1995)
4) Katsumata, K., Hayakawa, M., Tanaka, M., *et al.* : *Biochem. Biophys. Res. Commun.*, **202**, 102-110 (1994)
5) Kovalenko, S.A., Tanaka, M., Borgeld, H.-J.W., Ozawa, T. : *Biochem. Mol. Biol. Int.*, **34**, 1205-1214 (1994)
6) Li, Y., Huang, T., Carlson, E., *et al.* : *Nat. Genet.*, **11**, 376-381 (1995)
7) Dobson, A.W., Xu, Y., Kelley, M.R., *et al.* : *J. Biol. Chem.*, **275**, 37518-37523 (2000)
8) Souza-Pinto, N.C., Croteau, D.L., Hudson, E.K., *et al.* : *Nucl. Acid. Res.*, **27**, 1935-1942 (1999)
9) Yoritaka, A., Hattori, N., Uchida, K., *et al.* : *Proc. Natl. Acad. Sci. USA*, **93**, 2696-2701 (1996)
10) Morikawa, S., Kurauchi, O., Tanaka, M., *et al.* : *Biochem. Mol. Biol. Int.*, **41**, 767-775 (1997)
11) Ikebe, S., Tanaka, M., Ozawa, T. : *Mol. Brain Res.*, **28**, 281-295 (1995)
12) de Grey, A.D. : *BioEssays*, **19**, 161-166 (1997)

5·2

ミトコンドリア依存性アポトーシスと膜電位

菅野 智子・石坂 瑠美・内海 耕慥

● はじめに

ネクローシスとは形態や経過の異なる細胞死であるアポトーシスは，1972年にKerrらにより見い出された[1]．その形態的特徴として，クロマチンの凝集，膜のブレブ形成，アポトーシス小体の形成などが挙げられる．1990年代にはいってからアポトーシス機構の解明が精力的に行われ，細胞の形態変化としてとらえられていた現象の分子機構がしだいに明らかにされてきた．アポトーシスは，Fas, TNF-α, UV, γ線，細胞生長因子の除去といったさまざまな因子によりひき起こされるが，その細胞内シグナル伝達経路には生死を調節するいくつかのチェックポイントがある．ミトコンドリアはそのチェックポイントの一つとして重要な役割を果たしている[2〜4]．ここでは，ミトコンドリアから細胞質へのアポトーシス誘導因子の遊離と，ミトコンドリアの膨潤および膜電位変化の関係について概説する．

1. アポトーシスのシグナル伝達

アポトーシスは多様な因子により誘導されるが，多くの場合，誘導因子にかかわらず特異的なプロテアーゼ（カスパーゼ）の活性化を介して実行される（図1）．カスパーゼは不活性型である前駆体タンパク質として合成され，プロテアーゼにより切断されて活性型となり，カスケード機構により下流のプロカスパーゼを切断して活性化する．カスパーゼ-3は，アポトーシス実行段階の下流に位置するカスパーゼであり，その活性化にミトコンドリアが重要な役割を果たしている[2〜4]．すなわち，ミトコンドリアからさまざまな機構により放出されるシトクロムcによるカスパーゼ-3活性化経路である．ミトコンドリアから細胞質へ遊離したシトクロムcは，細胞質に存在するapoptotic protease activating factor-1（Apaf-1）とよばれる因子と会合し，dATPの存在下でプロカスパーゼ-9と複合体を形成して活性化し，活性化されたカスパーゼ-9がプロカスパーゼ-3を切断して活性化する[5]．また，細胞膜レセプターを介して活性化されたカスパーゼ-8により切断されるBidの膜断片がミトコンドリアに作用してシトクロムcを遊離させる．このように，細胞膜レセプターを介したシグナル伝達経路の一部もミトコンドリアを経由し[6]，ミトコンドリアはアポトーシスの制御に中心的役割を果たしている（図1）．

2. アポトーシスの開始とミトコンドリア膜電位

ミトコンドリア内膜には約-150 mVの膜電位があり，これはミトコンドリア膜内外のプロトン勾配により形成されている．このプロトン勾配は，複合体I, III, IVの電子伝達分子であるNADH，ユビキノン，シトクロムcによる内膜外へのプロトン輸送により生じる．ミトコンドリアは，この膜電位により

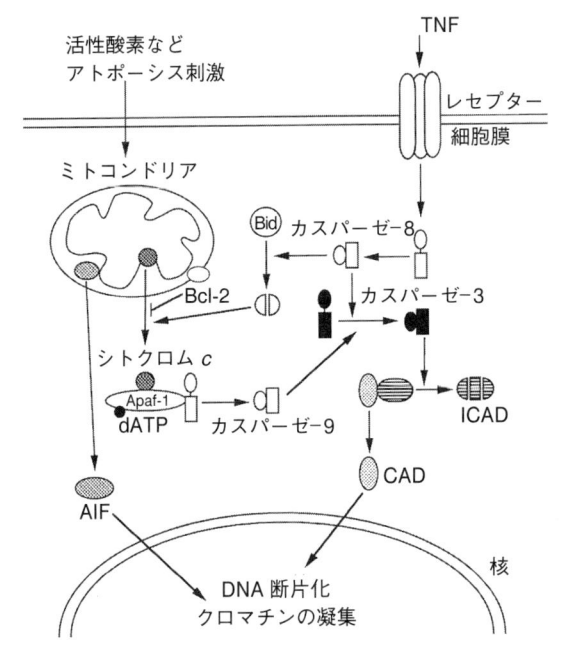

図1 ミトコンドリアが関与するアポトーシスのシグナル伝達
ミトコンドリアからのアポトーシス誘導因子の遊離がアポトーシスを調節している.

酸化的リン酸化などの機能を正常に保っている.
　アポトーシスではミトコンドリアから細胞質へのアポトーシス誘導因子の遊離がみられ,この現象とミトコンドリアの膜電位変化が並行して起こる[2,7~10].以下に,ミトコンドリア膜電位の関与を示唆する結果の一例を示す.
　HL-60細胞をラジカル開始剤であるAAPH〔2,2′-アゾビス-(2-アミジノプロパン)ジヒドロクロリド〕で処理し,ミトコンドリア膜電位検出試薬JC-1で染色してフローサイトメトリーにより解析した結果,AAPH処理後16,24時間と経過するにつれて膜電位の低下した細胞が増加し,これに伴いDNAの断片化も増加した(図2).
　ミトコンドリアの膜電位低下とアポトーシス開始の機構には,膜電位変化と密接に関係するmembrane permeability transition(MPT)の開口が関与している.AIF(apoptosis-inducing factor)やシトクロムcなどはMPTを通して細胞質に放出され,アポトーシスが誘起される[8~11].AIFは1999年にSusinらによって同定された分子量57,000のフラビンタンパク質であり,単離核のDNA断片化を誘導できる.通常,AIFはミトコンドリアに局在するが,アポトーシス誘導因子によりミトコンドリアの膜電位が低下してMPTが開口すると細胞質中に放出されて核に移行する[9].AIFは,クロマチンの凝集と約50 kbpのDNA断片を誘起するカスパーゼには依存しないアポトーシスに関与すると考えられている[10].一方,シトクロムcはカスパーゼを活性化してアポトーシスを誘起するが,シトクロムc遊離もミトコンドリアの膜電位低下と関係して

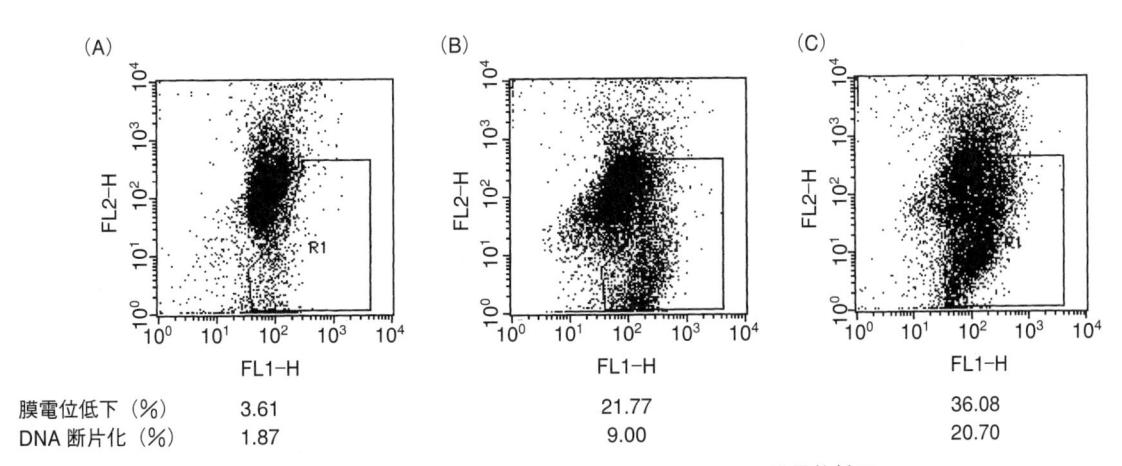

	(A)	(B)	(C)
膜電位低下(%)	3.61	21.77	36.08
DNA断片化(%)	1.87	9.00	20.70

図2　AAPH処理したHL-60細胞のミトコンドリア膜電位低下
HL-60細胞を5 mM AAPHで(A) 0,(B) 16,(C) 24時間処理し,JC-1(2μg/mL)で染色,フローサイトメトリーによりミトコンドリア膜電位を測定した.DNA断片化はジフェニルアミン法により定量した.FL1-H:530 mmの蛍光強度,FL2-H:575 mmの蛍光強度.

起こり，Bcl-2により抑制される[8]．カスパーゼはおもに細胞質に局在するが，プロカスパーゼ-2，3，および9の一部はミトコンドリアの膜間にも存在し，アポトーシスの過程でMPTにより遊離する[12]．

3. ミトコンドリアのMPT

特定のアポトーシスの開始反応では，ミトコンドリアからのシトクロムc遊離が重要である．これを誘起する機構として，ミトコンドリアの膜透過性を調節する現象であるMPT開口が考えられている（図3）．MPTはミトコンドリア外膜に存在する電位依存性アニオンチャンネル（voltage-dependent anion channel：VDAC）と内膜に存在するアデニンヌクレオチドトランスロケーター（ANT），シクロフィリンD，およびいくつかのキナーゼなどから構成されている．アポトーシス誘導因子によりMPTが開口し，ミトコンドリア内にイオンや低分子物質が流入して膜電位低下と内膜の膨潤が起こり，外膜と内膜の間に存在するシトクロムcなどのミトコンドリアタンパク質が細胞質に放出される[13]．シクロスポリンAはシクロフィリンDに作用してMPTを阻害し，シトクロムc遊離とアポトーシスを抑制する．

このほかMPTの開閉はBcl-2ファミリータンパク質によっても調節されている[8]．そのひとつであるBaxは，VDACに作用してVDACを開口させ，ミトコンドリアの膨潤を伴わずにシトクロムcを細胞質へ放出する．Baxは，VDACだけでなくANTにも作用し，MPTを開口させて膜電位低下と内膜の膨潤を誘起し，多量のシトクロムcを遊離させると考えられている．アポトーシス抑制因子であるBcl-2やBcl-x_LはVDACに結合してMPTを閉口させるため，シトクロムcの遊離とアポトーシスが抑制される[11]．

分離ミトコンドリアを用いてMPTを反映するミトコンドリアの膨潤，膜電位低下，およびシトクロムc遊離の関係を検討した結果，ミトコンドリアをリン酸とカルシウムで処理すると膨潤と膜電位低下が誘導されてシトクロムcが遊離することが判明した．これらの反応はいずれもシクロスポリンAにより抑制される．これに対し，ジブカイン処理では膨潤は起こるが，膜電位低下とシトクロムc遊離はみられず，脱共役剤FCCP（カルボニルシアニドp-トリフルオロメトキシフェニルヒドラゾン）処理で

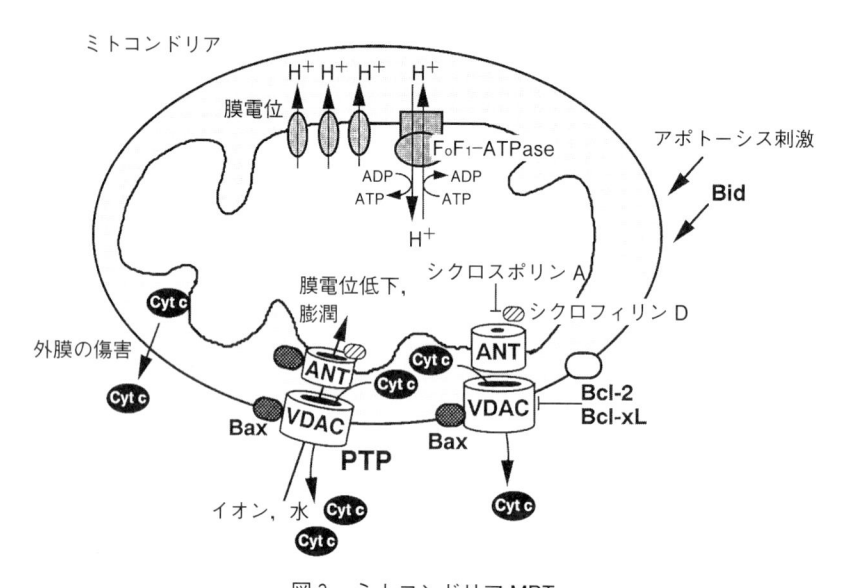

図3 ミトコンドリアMPT
ミトコンドリアMPTと膜電位低下，膨潤およびシトクロムc遊離の調節機構を模式的に示した．

は膜電位低下はみられるが，膨潤とシトクロム c 遊離はみられない．しかも，ジブカインによる膨潤も FCCP による膜電位低下もシクロスポリン A では抑制されない．これらの結果から，シトクロム c 遊離はシクロスポリン A 感受性の膨潤や膜電位低下とかかわりがあり（図 4），ウェスタンブロッティングで検出可能な多量のシトクロム c の遊離は MPT に依存することが示唆された．

一方，アポトーシスの過程でみられるシトクロム c の遊離に膜電位変化は関与しないとの報告もある[14, 15]．しかし，これらの報告でもアポトーシスの後期には膜電位低下が観察されている．アポトーシスの初期には，Bax などが VDAC に作用してミトコンドリアの膨潤や膜電位低下を起こすことなくシトクロム c を遊離させ，アポトーシスの進行とともにその影響が大きくなり，後期には膜電位を低下させると考えられる．

● おわりに

AIF やシトクロム c などのアポトーシス誘導因子の細胞質への遊離とミトコンドリア膜電位変化の相関性については多くの報告があるが，必ずしも一致した見解は得られていない．これは細胞や誘導剤の違いによりアポトーシスに至る経路も相違するためと考えられる．しかし，多くの種類の細胞のアポトーシスにミトコンドリアが関与していることは確

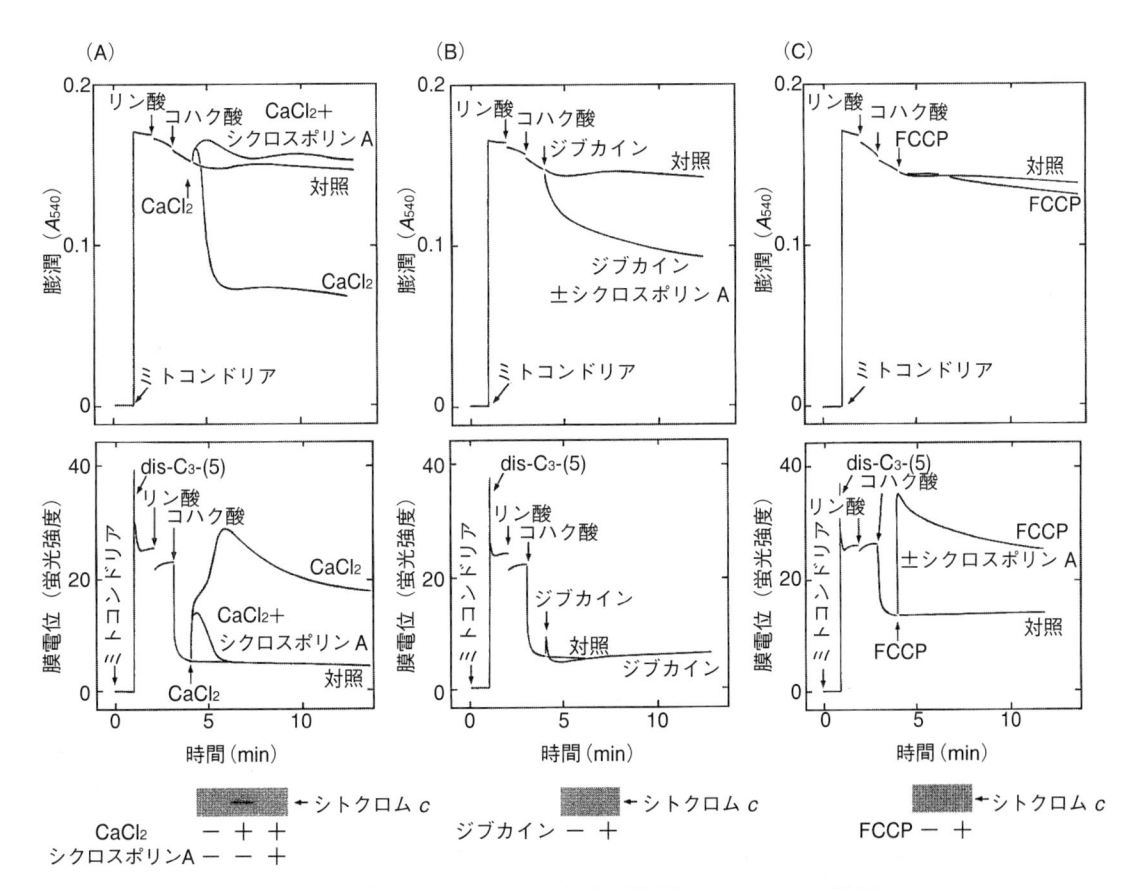

図4 分離ミトコンドリアの膨潤，膜電位とシトクロム c 遊離

ミトコンドリアを反応液（150 mM KCl, 10 mM Tris–HCl, pH 7.4）に懸濁し，膨潤および膜電位変化を 25℃ で測定した．この測定条件で 10 分インキュベートしたミトコンドリア懸濁液を遠心（750×g, 10 分）し，上清を得た．これに 1/2 量 SDS-PAGE 試料緩衝液（125 mM Tris–HCl, pH 6.8, 4% SDS, 10% β-メルカプトエタノール，20% グリセロール，ブロモフェノールブルー）を加えて 100℃，5 分処理し，20 μL/レーン用いて SDS-PAGE に供し，抗シトクロム c 抗体により，上清に遊離したシトクロム c を検出した．ミトコンドリア：0.1 mg タンパク質/mL，リン酸：2 mM，コハク酸：5 mM，CaCl$_2$：50 μM，ジブカイン：750 μM，FCCP：0.1 μM，diS-C$_3$-(5)：0.2 μg/mL，シクロスポリン A：1 μM

かであり，エネルギー産生の場であるミトコンドリアが細胞の生死の決定にも関与している点は興味深い．

● 文 献

1) Kerr, J.F.R., Wyllie, A.H., Currie, A.R., et al.: Br. J. Cancer, **26**, 239–257 (1972)
2) Tatton, W.G., Olanow, C.W.: *Biochim. Biophys. Acta*, **1410**, 195–213 (1999)
3) Marchetti, P., Castedo, M., Susin, S.A., et al.: *J. Exp. Med.*, **184**, 1155–1160 (1996)
4) Green, D.R., Reed, J.C.: *Science*, **281**, 1309–1312 (1998)
5) Li, P., Nijhawan, D., Budihardjo, I., et al.: *Cell*, **91**, 479–489 (1997)
6) Gross, A., Yin, X.M., Wang, K., et al.: *J. Biol. Chem.*, **274**, 1156–1163 (1999)
7) Metivier, D., Dallaporta, B., Zamzami, N., et al.: *Immunol. Lett.*, **61**, 157–163 (1998)
8) Narita, M., Shimizu, S., Ito, T., et al.: *Proc. Natl. Acad. Sci. USA*, **95**, 14681–14686 (1998)
9) Susin, S.A., Lorenzo, H.K., Zamzami, N., et al.: *Nature*, **397**, 441–446 (1999)
10) Lorenzo, H.K., Susin, S.A., Penninger, J., Kroemer, G.: *Cell Death Differ.*, **6**, 516–524 (1999)
11) Shimizu, S., Narita, M., Tsujimoto, Y.: *Nature*, **399**, 483–487 (1999)
12) Susin, S.A., Lorenzo, H.K., Zamzami, N., et al.: *J. Exp. Med.*, **189**, 381–394 (1999)
13) Yang, J.C., Cortopassi, G.A.: *Free Rad. Biol. Med.*, **24**, 624–631 (1998)
14) Finucane, D.M., Waterhouse, N.J., Amarante-Mendes, G.P., et al.: *Exp. Cell Res.*, **251**, 166–174 (1999)
15) Bossy-Wetzel, E., Newmeyer, D.D., Green, D.R.: *EMBO J.*, **17**, 37–49 (1998)

放射線障害における細胞内ミトコンドリアの役割

馬嶋 秀行・山口 千鶴・柿沼 志津子・本告 成淳
平井　太・山口 洋子・富田 和男・小澤 俊彦

● はじめに

　細胞に対する放射線の作用は、細胞核のDNAに対する効果のみならず、細胞内レドックスや抗酸化物、シグナルトランスダクション系やトランスクリプション系の変化を伴い、その結果として細胞死が起こることが明らかにされつつある[1,2]（図1）。細胞死にはネクローシスとアポトーシスの2つの形態があることが知られている[3,4]。放射線によってもこの2種の細胞死が認められる。最近の知見では、アポトーシスにミトコンドリアが重要な役割を果たしていることが判明し、ミトコンドリア関連死（mitochondria mediated cell death）とよばれている[5~11]。ミトコンドリア関連死では、ミトコンドリアの膜電位の減少あるいは変化[10]、細胞内カルシウムの上昇[10,12~14]、シトクロムcの放出[15~20]などが報告されている。ミトコンドリアに局在するマンガンスーパーオキシドジスムターゼ（Mn-SOD）を過剰発現した細胞ではアポトーシスが抑制されることも判明している[21]。また、酸化ストレスによりミトコンドリアのDNAに突然変異が発生[22,23]すると、老化[22~28]、アルツハイマー病、パーキンソン病、筋萎縮性側索硬化症（amyotrophic lateral sclerosis：ALS）など、多くの神経疾患[28~30]でミトコンドリアの障害がみつかっている。このほか、ミトコンドリアには、アポトーシスの引き金となるシトクロムcをはじめ、apoptosis-inducing factor

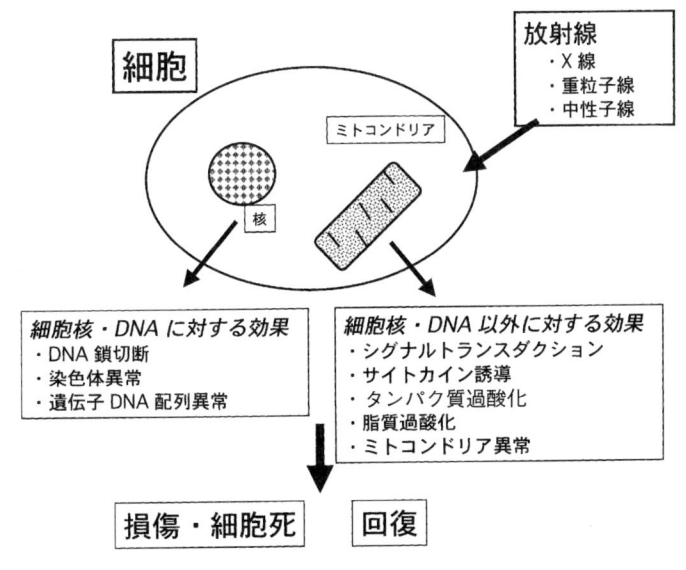

図1　細胞に対する放射線の効果
核DNAのみならず、細胞質に対する効果もある．

(AIF) やカスパーゼ前駆体も存在し，細胞の生死に関与している[31~33]．

1. ミトコンドリアの電子伝達系とスーパーオキシド産生

ミトコンドリア内膜には電子伝達系が存在し，複合体Ⅰ~Ⅳ，ATPシンターゼ，およびANPトランスロケーターなどから構成されている．ミトコンドリアにはDNAも存在し，これらのタンパク質のうち13種のタンパク質をコードしている[26,34,35]（図2）．ミトコンドリアDNA（mtDNA）と核DNAのコドンが一部異なることも知られている[34]．この"バイオマシン"は最大のエネルギー製造器官であるが，完璧ではなく，電子の"漏れ"を生じることが知られている．この漏れはおもに複合体ⅠとⅢから生ずる[36,37]．通常，正常な状態でも3%ほどの電子の漏れが生じ，これからスーパーオキシドが発生すると考えられている[38]．ミトコンドリアにはMn-SODが存在し，このスーパーオキシドを捕獲するうえできわめて重要である．

2. 電子伝達系の異常と疾患

最近，この電子伝達系の異常による病気が多数報告されつつある．パーキンソン病では，複合体Ⅰにその異常が集中している[39~41]．前述のように，この部分はおもなスーパーオキシド産生部位であり，この部位の異常によりスーパーオキシドの産生が増大すると考えられる[42]．その結果，多量のスーパーオキシドが発生し，これがパーキンソン病の病因になっていることも考えられる．パーキンソン病以外にも，多くの神経系疾患でミトコンドリアDNAの突然変異が報告されている[35,40,43]．これらの疾患でもミトコンドリアでのスーパーオキシドの発生が予想される．細胞の加齢に伴い，mtDNAの欠損が起こることも知られている．ヒトのmtDNAは16,569の塩基対からなるが，このうちの一定の部分が消失するcommon deletionの現象が報告されている[23~28]．このようなcommon deletionが加齢により増大し[23~28]，神経系疾患ではとくにこれが早期に起こることが知られている[28,44]．mtDNAのcommon deletionでは，この部位がとくにATPaseのサブユニットをコードしている[28]ので，大量の

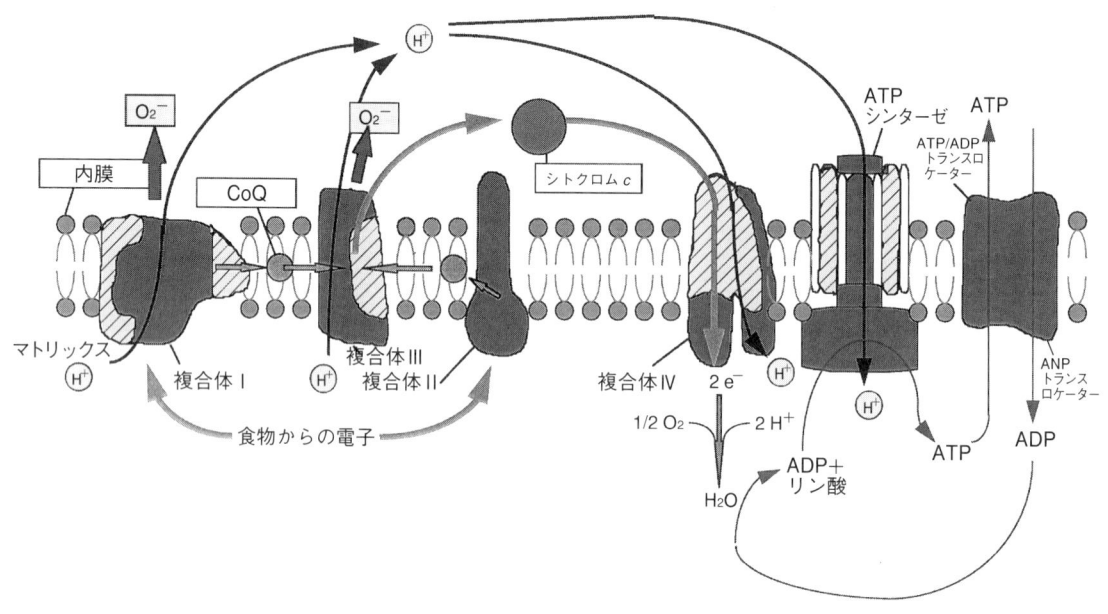

図2 電子伝達系
斜線の部分はmtDNAでコードされている．

スーパーオキシドが放出されることが予想される．スーパーオキシドが細胞内酸化や疾病の原因になりうることは，約30年前にスーパーオキシド説（superoxide theory）[45～47]として提唱されている．

3. スーパーオキシド説

スーパーオキシド説は，スーパーオキシドを消去するCu, Zn-SODを1969年にFridovichが発見したことに端を発する[48]．同博士は，1973年にはミトコンドリアのMn-SODをも発見している[49]．しかし，その約10年後には，スーパーオキシドは作用が低いと考えられてしまった[50]．それは，スーパーオキシド自体の反応性が乏しいことが発表されたことによる．しかし，またその数年後に一酸化窒素との反応性が著しく高いことが発表され，再度，注目されることになる[51]．スーパーオキシドと一酸化窒素は容易に反応し，ペルオキシナイトライトという反応活性の高い物質に変わることも判明した[52]．1998年，Mn-SODの遺伝子をトランスフェクトした細胞では，活性酸素により生じるアポトーシスに対して強い抵抗性を示すことが判明した[21]．すなわち，ミトコンドリア内でスーパーオキシドの量を少なくすると，あとに続く一連の生体内反応を制御できる可能性がある．この結果は，スーパーオキシド説の重要性を示唆するものである．

4. 放射線障害とミトコンドリア

細胞に放射線を照射すると細胞死が起こる．この原因は細胞核のDNA切断に起因する．放射線によるDNA切断は，放射線による直接的電離効果，核DNA近傍の水分子の電離，およびラジカル連鎖反応による間接効果による[53]．現在，これらの分子機構や切断DNAの修復機構が分子生物学的手法を用いて研究されている[54, 55]．放射線がDNA塩基の過酸化をひき起こし，DNAを障害することも明らかにされている．最近，これらの細胞核をターゲットとする研究に加え，細胞質にも種々の変化をきたすことが報告されている[1, 2, 56]．これらには，放射線によるシグナルトランスダクションの変化，サイトカインの誘導，脂質やタンパク質の過酸化およびミトコンドリア障害もある．とくに，mtDNAは核DNAと比較して酸化ストレスに対する感受性が高いことが報告されている[57～60]．放射線による細胞障害は，細胞核における変化と細胞質における変化が関与し，その最終結果として細胞障害が起こる．スーパーオキシドが放射線による細胞死にも関与すると考えられる．

mtDNAの存在しない細胞は，神経疾患のモデル実験に有用である．mtDNA欠損細胞において放射線感受性が変化すれば，ミトコンドリアが細胞死の機構に関与していることを示唆できる．

mtDNA欠損細胞の作製法はKing[61, 62]により確立された．以下に，ミトコンドリア欠損（ρ^0）細胞[63, 64]，および正常のミトコンドリアを有するその親細胞（143B），およびρ^0細胞に正常ミトコンドリアを導入した細胞（87wt）を用いた実験を紹介する．143B細胞およびρ^0細胞の倍加時間はそれぞれ15.3±1.1時間および21.5±1.7時間であり，ρ^0細胞のほうが増殖が遅い．癌化や老化と関係が深いテロメアを調べた結果，テロメアの長さおよびテロメラーゼの活性は両細胞で差異が認められなかった（図3）．

これらの細胞の放射線感受性を調べた結果，ρ^0細胞は高感受性であり，ρ^0細胞に正常ミトコンドリアを移入した87wt細胞では生存率が増大した（図4A）．またρ^0細胞ではアポトーシスが低下した（図4B）．

5. Mn-SODと放射線感受性

Mn-SODはミトコンドリアに局在する酵素であり，SOD-2ともいわれる4量体である．ヒトでは第6染色体上に，マウスでは第8染色体に遺伝子が存在する．本酵素はミトコンドリアに移行するための24個のアミノ酸からなるシグナルペプチドを

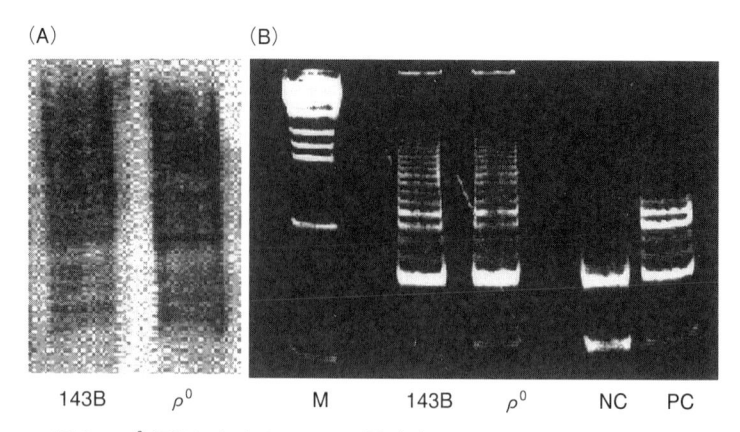

図3 ρ^0 細胞におけるテロメア長（A）とテロメラーゼ活性（B）
M：マーカー，NC：ネガティブコントロール，PC：ポジティブコントロール

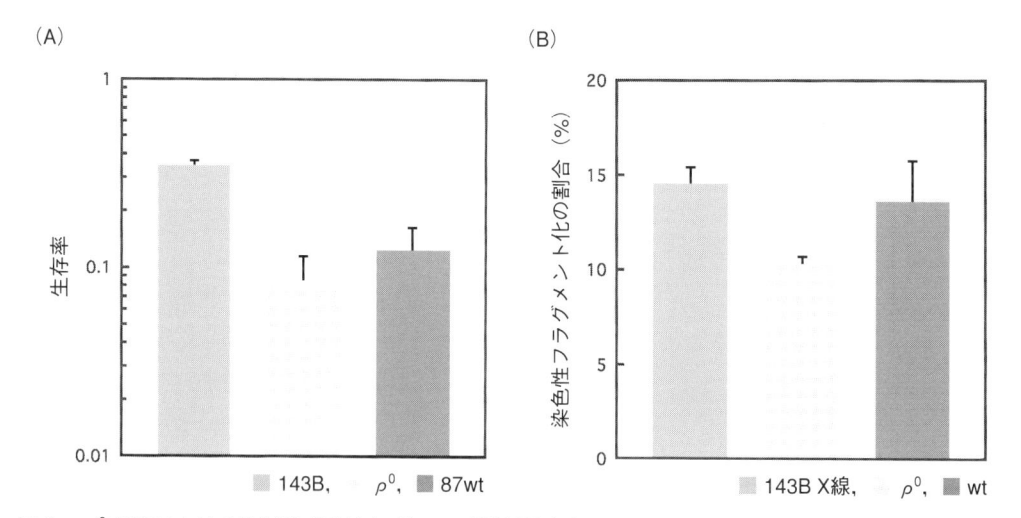

図4 ρ^0 細胞における放射線感受性（X線 4 Gy 照射後）（A）とアポトーシス（X線 5 Gy 照射 48 時間後）（B）

有する．ミトコンドリアに到達後，そのシグナル部は切断され，酵素がミトコンドリア内部に局在化する．スーパーオキシドと一酸化窒素は容易に反応し，ペルオキシナイトライトという反応性の高い物質に変わる．Mn-SOD はミトコンドリア内でのペルオキシナイトライトの生成を阻止している可能性が高い．

細胞に Mn-SOD の遺伝子をトランスフェクトすると，Mn-SOD の活性が増大する．この Mn-SOD 高発現細胞〔Mn-SOD 高発現細胞では対照のベクターのみトランスフェクトした細胞（コントロール細胞）と比較〕放射線に対する感受性が低下していた（図5）．さらに，Mn-SOD 高発現細胞では，脂質過酸化のマーカーである 4-ヒドロキシ-2-ノネ

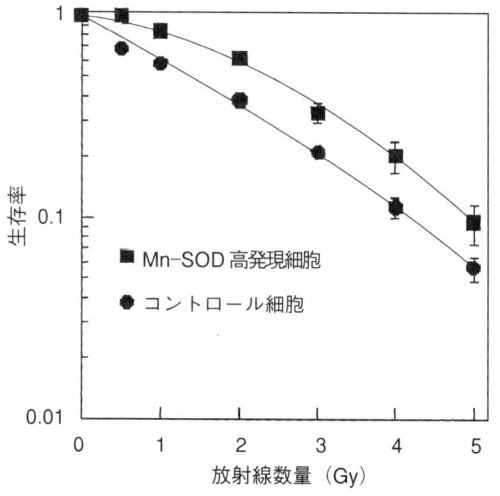

図5 Mn-SOD 遺伝子トランスフェクト細胞における放射線感受性

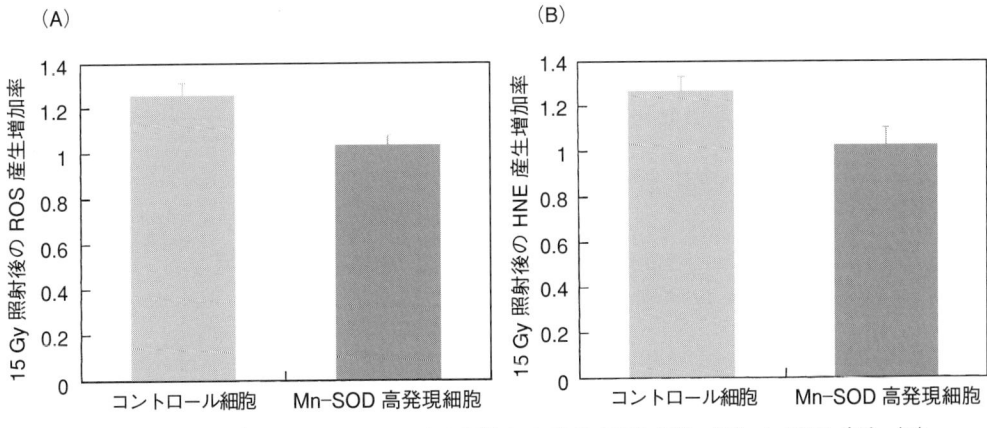

図6 Mn-SOD遺伝子トランスフェクト細胞におけるROS産生(A)とHNE産生(B)

ナール (HNE) が減少していた (図6).
すなわち, 放射線感受性にはミトコンドリアでのスーパーオキシド産生が関与しており, 細胞はMn-SODにより保護されている.

● おわりに

ミトコンドリアにDNAが存在しないmtDNA (-) 細胞の放射線感受性が高いことを示した. mtDNA (-) 細胞に正常ミトコンドリアを導入した細胞では感受性の低下が認められた. これらは, 放射線の障害作用がmtDNAによっても決定されていることを示唆している. Mn-SODの量が細胞の放射線感受性を変化させることから, 放射線感受性にはミトコンドリア内の活性酸素が深く関係していると考えられる.

● 文　献

1) Schmidt-Ullrich, R.K., Dent, P., Grant, S., et al. : Radiat. Res., **153**, 245-257 (2000)
2) Rosen, E.M., Fan, S., Rockwell, S., Goldberg, I.D.: Cancer Invest., **17**, 56-72 (1999)
3) Ross, G.M. : Endocr. Relat. Cancer, **6**, 41-44 (1999)
4) Verheij, M., Bartelink, H. : Cell Tissue Res., **301**, 133-142 (2000)
5) Wallace, K.B., Eells, J.T., Madeira, V.M., et al. : Fundam. Appl. Toxicol., **38**, 23-37 (1997)
6) Cavalli, L.R., Liang, B.C. : Mutat. Res., **398**, 19-26 (1998)
7) Chakraborti, T., Das, S., Mondal, M., et al. : Cell Signal., **11**, 77-85 (1999)
8) Heales, S.J., Bolanos, J.P., Stewart, V.C., et al. : Biochim. Biophys. Acta, **1410**, 215-228 (1999)
9) Kroemer, G., Petit, P., Zamzami, N., et al. : FASEB J., **9**, 1277-1287 (1995)
10) Petit, P.X., Susin, S.A., Zamzami, N., et al. : FEBS Lett., **396**, 7-13 (1996)
11) Zamzami, N., Hirsch, T., Dallaporta, B., et al. : J. Bioenerg. Biomembr., **29**, 185-193 (1997)
12) Ghafourifar, P., Schenk, U., Klein, S.D., Richter, C.: J. Biol. Chem., **274**, 31185-31188 (1999)
13) Ghafourifar, P., Richter, C. : FEBS Lett., **418**, 291-296 (1997)
14) Richter, C., Ghafourifar, P., Schweizer, M., Laffranchi, R.: Biochem. Soc. Trans., **25**, 914-918 (1997)
15) Liu, X., Kim, C.N., Yang, J., et al. : Cell, **86**, 147-157 (1996)
16) Yang, J., Liu, X., Bhalla, K., et al. : Science, **275**, 1129-1132 (1997)
17) Cai, J., Yang, J., Jones, D.P.: Biochim. Biophys. Acta, **1366**, 139-149 (1998)
18) Kluck, R.M., Bassy-Wetzel, E., Green, D.R., Newmeyer, D.D.: Science, **275**, 1132-1136 (1997)
19) Slee, E.A., Harte, M.T., Kluck, R.M., et al. : J. Cell. Biol., **144**, 281-292 (1999)
20) Von Ahsen, O., Renken, C., Perkins, G., et al. : J. Cell Biol., **150**, 1027-1036 (2000)
21) Majima, H.J., Oberley, T.D., Furukawa, K., et al. : J. Biol. Chem., **273**, 8217-8224 (1998)
22) Wei, Y.H., Lu, C.Y., Lee, H.C., et al.: Ann. N. Y. Acad. Sci., **854**, 155-170 (1998)
23) Lu, C.Y., Lee, H.C., Fahn, H.J., Wei, Y.H. : Mutat. Res., **423**, 11-21 (1999)
24) Linnane, A.W., Marzuki, S.,Ozawa, T., Tanaka, M. : Lancet, **1**, 642-645 (1989)
25) Kopsidas, G., Kovalenko, S.A., Heffernan, D.R.: Ann. N. Y. Acad. Sci., **908**, 226-243 (2000)
26) Ozawa, T. : Physiol. Rev., **77**, 425-464 (1997)

27) Ozawa, T. : *J. Bioenerg. Biomembr.*, **31**, 377–390 (1999)
28) Melov, S., Schneider, J.A., Coskun, P.E., et al. : *Neurobiol. Aging*, **20**, 565–571 (1999)
29) Melov, S., Schneider, J.A., Day, B.J., et al. : *Nat. Genet.*, **18**, 159–163 (1998)
30) Trounce, I., Schmiedel, J., Yen, H.C., et al. : *Nucl. Acid. Res.*, **28**, 2164–2170 (2000)
31) Susin, S.A., Daugas, E., Ravagnan, L., et al. : *J. Exp. Med.*, **192**, 571–580 (2000)
32) Kroemer, G., Reed, J.C. : *Nat. Med.*, **6**, 513–519 (2000)
33) Susin, S.A., Lorenzo, H.K., Zamzami, N., et al. : *Nature*, **397**, 441–446 (1999)
34) Anderson, S., Bankier, A.T., Barrell, B.G., et al. : *Nature*, **290**, 457–465 (1981)
35) Wallace, D.C. : *Sci. Am.*, **277**, 40–47 (1997)
36) Beyer, R.E. : *Biochem. Cell Biol.*, **70**, 390–403 (1992)
37) Takeshige, K., Minakami, S. : *Biochem. J.*, **180**, 129–135 (1979)
38) Boveris, A., Chance, B. : *Biochem. J.*, **134**, 707–716 (1973)
39) Reichmann, H., Janetzky, B. : *J. Neurol.*, **247** Suppl 2, 1163–1168 (2000)
40) Albers, D.S., Beal, M.F. : *J. Neural. Transm. Suppl.*, **59**, 133–154 (2000)
41) Kirchner, S.C., Hallagan, S.E., Farin, F.M., et al. : *Neurotoxicology*, **21**, 441–445 (2000)
42) Hutchin, T., Cortopassi, G. : *Proc. Natl. Acad. Sci. USA*, **92**, 6892–6895 (1995)
43) Hayakawa, M., Hattori, K., Sugiyama, S., et al. : *Biochem. Biophys. Res. Commun.*, **189**, 979–985 (1992)
44) Esposito, L.A., Melove, S., Ponov, A., et al. : *Proc. Natl. Acad. Sci. USA*, **96**, 4820–4825 (1999)
45) McCord, J.M., Keele, B.B., Jr., Fridovich, I.: *Proc. Natl. Acad. Sci. USA*, **68**, 1024–1027 (1971)
46) Suzuki, Y.J., Ford, G.D. : *Free Radic. Biol. Med.*, **16**, 63–72 (1994)
47) Fridovich, I. : *Annu. Rev. Biochem.*, **64**, 97–112 (1995)
48) McCord, J.M., Fridovich, I. : *J. Biol. Chem.*, **244**, 6049–6055 (1969)
49) Weisiger, R.A., Fridovich, I. : *J. Biol. Chem.*, **248**, 4793–4796 (1973)
50) Sawyer, D.T., Valentinc, J.S. : *Acc. Chem. Res.*, **14**, 393–400 (1981)
51) Palmer, R.M., Ferrige, A.G., Moncada, S.: *Nature*, **327**, 524–526 (1987)
52) Halliwell, B., Zhao, K., Whiteman, M., et al.: *Free Radic. Res.*, **31**, 651–669 (1999)
53) Leadon, S.A. : *Semin. Radiat. Oncol.*, **6**, 295–305 (1996)
54) Karran, P. : *Curr. Opin. Genet. Dev.*, **10**, 144–150 (2000)
55) Pfeiffer, P., Goedecke, W., Obe, G.: *Mutagenesis*, **15**, 289–302 (2000)
56) Kubota, N., Hayashi, J.-I., Iwamura, Y.: *Rad. Res.*, **148**, 395–398 (1997)
57) Richter, C., Park, J.W., Ames, B.N.: *Proc. Natl. Acad. Sci. USA*, **85**, 6465–6467 (1988)
58) Shigenaga, M.K., Hagen, T.M., Ames, B.N.: *Proc. Natl. Acad. Sci. USA*, **91**, 10771–10778 (1994)
59) Ames, B.N., Shigenaga, M.K., Hagen, T.M.: *Biochim. Biophys. Acta*, **1271**, 165–170 (1995)
60) Yakes, F.M., Van Houten, B. : *Proc. Natl. Acad. Sci. USA*, **94**, 514–519 (1997)
61) King, M.P., Attardi, G. : *Cell*, **52**, 811–819 (1988)
62) King, M.P., Attardi, G. : *Science*, **246**, 500–503 (1989)
63) Trounce, I., Neill, S., Wallace, D.C.: *Proc. Natl. Acad. Sci. USA*, **91**, 8334–8338 (1994)
64) Chandel, N.S., Schumacker, P.T. : *FEBS Lett.*, **454**, 173–176 (1999)

Bcl-2ファミリータンパク質による アポトーシス時のミトコンドリア制御

清水 重臣・辻本 賀英

●はじめに

　これまで，ミトコンドリアはおもに生命維持のためのエネルギー産生に必須のオルガネラとして研究されてきた．しかし，最近の研究により，ミトコンドリアが細胞死（アポトーシス）においても重要な役割を果たしていることが明らかとなった．多くのアポトーシスシグナルは，ミトコンドリアに集約されて膜透過性を亢進させる．ミトコンドリアにはシトクロム c をはじめとする数種類のアポトーシス促進タンパク質が含まれているため，膜透過性亢進に伴ってこれらが細胞質に放出される．放出されたアポトーシス促進タンパク質はカスパーゼとよばれるシステインプロテアーゼを活性化してアポトーシスを誘起する．アポトーシス時のミトコンドリア膜透過性変化は，おもに外膜のチャンネルタンパク質である電位依存性アニオンチャンネル（voltage-dependent anion channel：VDAC）を介して行われ，Bcl-2ファミリータンパク質がこれを調節している．本稿では，アポトーシスにおけるミトコンドリアの役割とBcl-2ファミリータンパク質の機能に関して概説する．

1. アポトーシスの分子機構

　臓器や組織が正常に発生して機能するためには，細胞の増殖や分化と同様に，一部の細胞が死滅することが必要となる．このような生理的な細胞死の多くは，形態学的に特徴づけられるアポトーシスにより進行し，精巧に制御されている．また，多くの病的細胞死も同様の分子機構を介すると考えられている．

　アポトーシスのシグナル伝達は，アポトーシスを誘導する刺激に特異的な上流のシグナル伝達機構と，多くの細胞死に共通な下流のシグナル伝達機構に分けられる．すなわち，アポトーシスはFas，TNF（腫瘍壊死因子）レセプター刺激，サイトカイン，あるいは活性酸素などにより誘導されるが，各刺激は細胞内のそれぞれの標的に作用し，固有の細胞内シグナル伝達機構を介して下流のアポトーシス共通機構に集約される．ミトコンドリアは個々のシグナルが集約される場であり，かつBcl-2ファミリータンパク質などによりアポトーシスのon/offの調節が行われるきわめて重要な役割を果たしている．ミトコンドリアを通過したシグナルは，カスパーゼとよばれるシステインプロテアーゼの活性化を誘導し，生存に必須な一連のタンパク質群を分解することによりアポトーシスを実行する（図1）．

2. 細胞死におけるカスパーゼの関与

　カスパーゼ（caspase；cysteinyl aspartate-specific proteinase）は，アポトーシスの下流ではたらくシステインプロテアーゼであり，細胞骨格系やシグナル伝達系にかかわる因子，DNaseなど，特定のタンパク質群を切断することによりアポトーシスを実行する[1]．カスパーゼは不活性型の前駆体

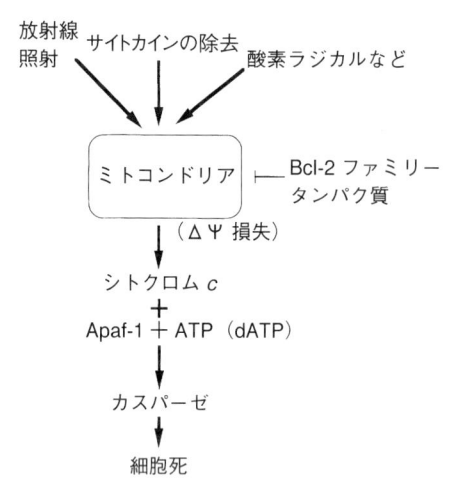

```
放射線  サイトカインの除去
照射         酸素ラジカルなど
  ↓      ↓      ↓
    ┌─────────┐
    │ミトコンドリア│── Bcl-2 ファミリー
    └─────────┘    タンパク質
       （ΔΨ 損失）
         ↓
      シトクロム c
         ＋
    Apaf-1 ＋ ATP（dATP）
         ↓
      カスパーゼ
         ↓
       細胞死
```

図1 細胞死のシグナル伝達機構
種々の細胞死のシグナルはミトコンドリアに集約される．ミトコンドリアでは膜電位低下やシトクロム c 漏出が誘導される．漏出したシトクロム c は ATP（dATP）と共同で Apaf-1 を介してカスパーゼを活性化する．Bcl-2 ファミリータンパク質はミトコンドリアで細胞死装置のon/off を決定している．

（pro-caspase）として合成され，数箇所の切断を受けて活性型となる．活性中心は QACRG に代表されるアミノ酸配列で構成される．活性型プロテアーゼはアスパラギン酸の C 末端側で基質を切断する．カスパーゼは，細胞死に先行して上昇すること，その過剰発現により細胞死が誘導されること，ペプチド阻害剤や阻害タンパク質である p35 によりアポトーシスが抑制されること，およびカスパーゼのノックアウトマウスでは正常なアポトーシスが抑制されることなどから，アポトーシスの実行タンパク質として機能していることは間違いない．現在までに少なくとも 14 種類のカスパーゼが同定されている．その構造上や機能上の類似性から，カスパーゼ-1, 3, 9 に代表される3つのサブファミリーに分類される．カスパーゼ-1 サブファミリーは IL（インターロイキン）-1β などのサイトカイン産生過程に関与しているが，アポトーシスとの関係は明らかではない．カスパーゼ-3 サブファミリーはアポトーシスの最終ステップで機能し，エフェクターカスパーゼとよばれる．カスパーゼ-9 サブファミリーはイニシエーターカスパーゼとよばれ，上流の

シグナルを受けて自己活性化し，次いでエフェクターカスパーゼを活性化する[1]．

3. カスパーゼの活性化機構

現在考えられているカスパーゼの活性化機構は以下のとおりである．アダプタータンパク質である Apaf-1 の N 末端領域に標的カスパーゼ（多くはカスパーゼ-9），中央部に ATP〔もしくはデオキシ ATP（dATP）〕，C 末端領域にミトコンドリアから放出されたシトクロム c が結合する．これらの複合体は多量体を形成し，カスパーゼどうしが接近することによって自己プロセシングが開始される．ATP の加水分解やシトクロム c の結合はカスパーゼの活性化に必須であり，Apaf-1 の構造変化を促して凝集しやすくすると考えられている．この機構は，ミトコンドリアを通過するアポトーシス分子機構として一般的に考えられている．一方，TNF や Fas を介するアポトーシスにおいては，これらのレセプターにアダプタータンパク質 FADD（Fas-associating protein with death domain）が結合し，これにプロカスパーゼ-8 が結合して多量体を形成することによりカスパーゼが活性化される．現在のところ，これがカスパーゼの活性化機構として確立されたものであるが，他の機構が存在する可能性も完全に否定されているわけではない．

4. ミトコンドリアの関与

上述のように，カスパーゼの活性化機構にシトクロム c が関与していることより，アポトーシス機構にミトコンドリアが関与していることは明らかである．そのほか，ミトコンドリア膜には Bcl-2 をはじめとするアポトーシス制御タンパク質の多くが特異的に存在する．ミトコンドリアの膜間スペースには数種類のアポトーシス促進タンパク質が存在する．また，サイトカインを介するアポトーシスの一部を除き，ほとんどのアポトーシスに先行してミト

コンドリアの膜電位低下やアポトーシス促進タンパク質の細胞質への放出が観察される．これらの現象は，アポトーシス抑制タンパク質 Bcl-2 の過剰発現やシクロスポリン A などのミトコンドリア保護薬の投与により抑制され，アポトーシスが緩和される[2,3]．これらの事実は，ミトコンドリアが種々のアポトーシスシグナルの集積する場であり，アポトーシスの on/off の調節を行っている器官であることを示している．現在までに，報告されているミトコンドリアのアポトーシス促進タンパク質は以下のとおりである[4]．

(1) シトクロム c : 電子伝達系の重要な構成因子であるシトクロム c は ATP (dATP) とともに Apaf-1 によるカスパーゼの活性化を補助する．

(2) カスパーゼ-2,3,9 : アポトーシス実行タンパク質であるカスパーゼの一部が膜間スペースに局在しており，アポトーシスの際にミトコンドリアから放出される．

(3) AIF (apoptosis-inducing factor) : 膜間スペースに存在するレドックスタンパク質で，ミトコンドリアから放出されて核に移行し，カスパーゼ非依存的にクロマチンの凝縮や DNA 切断を行う．

(4) Hsp60 : シャペロンタンパク質のひとつでマトリックスに存在する．細胞質に放出されてカスパーゼの活性化を促進し，アポトーシスを起こしやすくしている．

この中で，シトクロム c 以外の因子がアポトーシスにどの程度関与しているかは現在のところ明らかではない．

5. アポトーシス制御タンパク質 Bcl-2 ファミリー

Bcl-2 ファミリータンパク質はアポトーシス時にミトコンドリアを制御しており，その機能と構造から 3 つのグループに分類される[3,5]（図 2）．すなわち，(1) Bcl-2 や Bcl-x_L に代表されるアポトーシス抑制因子：多くは BH (bcl-2 ホモロジー) ドメインとよばれる特徴的なアミノ酸配列を 4 つ (BH1～4) 有している．(2) Bax や Bak に代表されるアポトーシス促進因子：多くは BH4 を除く 3 つの BH ドメインを有する．(3) Bid や Bad に代表されるアポトーシス促進因子：BH3 のみを有して

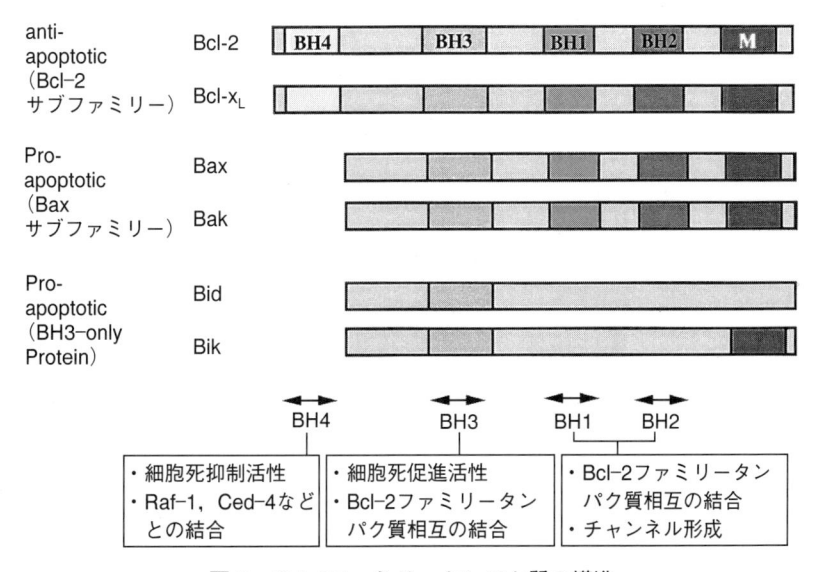

図 2 Bcl-2 ファミリータンパク質の構造
Bcl-2 ファミリータンパク質の 3 種類のサブグループの代表的メンバーの構造と，各 BH ドメインの予測されている機能（M は membrane ancoring domain）

いるために BH3-only protein とよばれる．BH4 ドメインはアポトーシス抑制型のグループに特異的に保存されていることから，アポトーシスの抑制に必須のドメインと考えられる．実際，Bcl-2 や Bcl-x_L の BH4 ドメインを欠損させたり変異を導入すると，そのアポトーシス抑制活性が失われる．また，BH4 ドメインは Raf-1 やカルシニューリンなどの Bcl-2 ファミリータンパク質以外のタンパク質との結合に使われているが，この機能とアポトーシス抑制活性との相関は明らかではない．一方，BH3 ドメインはアポトーシスの誘導に重要であり，Bax, Bak や Bid の BH3 ドメインを欠損させたりそれらに変異を導入すると，アポトーシス誘導活性が失われる．Bcl-2 ファミリーメンバーはヘテロ 2 量体を形成することが知られており，BH1 と BH2 は 2 量体形成に必要なドメインと考えられている．すな わち，BH1 と BH2 が受け皿様の構造をとり，そこに BH3 が結合する．また，Bcl-2, Bcl-x_L と Bax, Bid は合成脂質膜上でイオンチャンネルを構築し，BH1 と BH2 はタンパク質の中心に位置する 2 つの疎水性 α ヘリックス（チャンネル形成に必須）の一部を形成している．Bid の 1 次構造には BH1 と 2 に相当する部位は存在しないが，3 次構造上に同様な疎水性 α ヘリックスが形成される．

Bax や Bid などのアポトーシス促進型タンパク質の多くは通常細胞質に局在しており，細胞死の刺激に応じてリン酸化や切断などの修飾を受けてミトコンドリアに集積する．また，Fas 刺激時は Bid, 抗癌剤や放射線などの DNA 傷害時は Bax など，利用されるタンパク質は刺激によって異なる．ミトコンドリアに集積したアポトーシス促進型タンパク質はミトコンドリアの膜透過性を亢進させてアポ

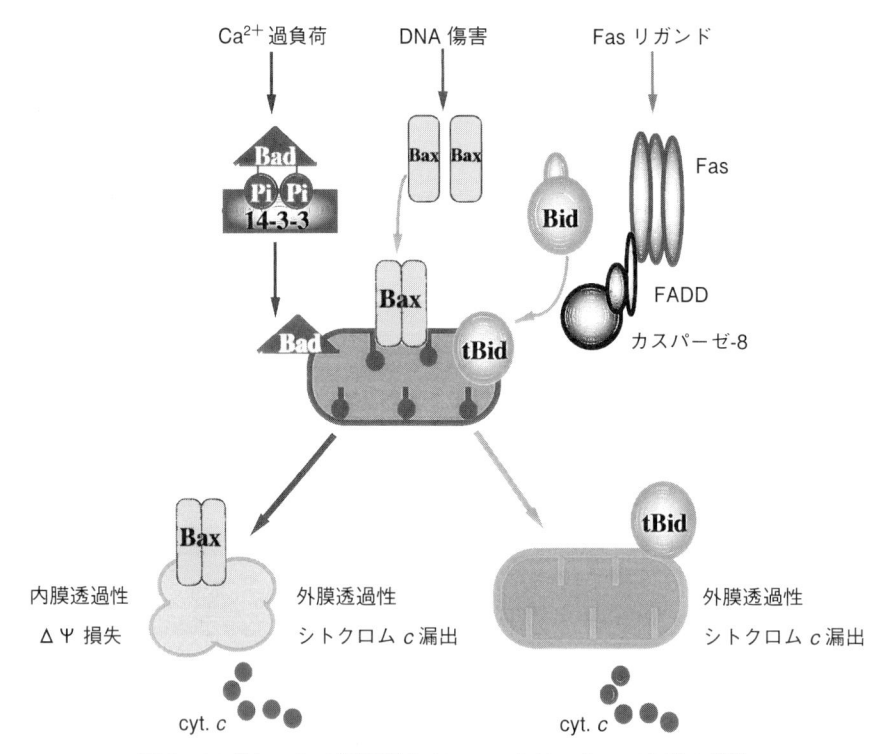

図3 アポトーシス促進型 Bcl-2 ファミリータンパク質の機能
アポトーシス促進型 Bcl-2 ファミリータンパク質の多くは通常細胞質に局在しており，細胞死の刺激に応じて種々の修飾を受けミトコンドリアに集中する．たとえば，Fas 刺激のときは Bid の N 末端の切断により，カルシウム負荷のときは Bad が脱リン酸化され 14-3-3 から離れることにより，DNA 傷害のときは Bax が多量体を形成し，それぞれミトコンドリアに移行する．Bax サブファミリーはミトコンドリア内外膜ともに透過性を亢進させ，膜電位低下とシトクロム c 漏出を誘導する．一方，BH3-only protein は外膜の透過性のみを亢進させ，膜電位低下を伴わずにシトクロム c 漏出を誘導する．

トーシスを誘導する．したがって，このグループは細胞死のシグナルをミトコンドリアに伝えるメディエーターとして機能している（図3）．一方，Bcl-2などのアポトーシス抑制型タンパク質はミトコンドリアなどのオルガネラに恒常的に局在しており，ミトコンドリアにはいってくるシグナルの調節を行っている．

6. Bcl-2ファミリータンパク質の機能

ミトコンドリアでのBcl-2ファミリータンパク質の機能を解析するうえで，ラット肝単離ミトコンドリアと組換えタンパク質を反応させる再構成系はきわめて有用である．たとえば，細胞を抗癌剤で処理すると，アポトーシス促進型のBaxが細胞質からミトコンドリアに移行して膜電位低下やシトクロムc漏出を誘導する．同様に，単離ミトコンドリアにBaxを添加するとミトコンドリアに集積し，膜電位低下やシトクロムc漏出を誘導する．逆に，アポトーシス抑制型のタンパク質であるBcl-x_Lを投与すると，ミトコンドリア膜電位低下やシトクロムc漏出が抑制される．一方，ミトコンドリアの下流でアポトーシスを実行しているカスパーゼ-3やアポトーシスと直接関係のないカルモジュリンなどはミトコンドリア変化に影響を与えない（表1）．これらの結果は，Bcl-2ファミリータンパク質がミ

トコンドリア上で機能しうること，および再構成系がアポトーシス時のミトコンドリア変化を反映していることを示している．

この系を用いることにより，細胞レベルでは明確でなかったアポトーシス時のミトコンドリア変化の詳細な解析が可能になった．その結果，Bcl-2ファミリーの3種のサブファミリーは異なった機能を有していることが明らかとなった．

a. BaxとBak

これらのタンパク質はpermeability transition (PT) とよばれるミトコンドリアの膜透過性亢進現象をひき起こし，ミトコンドリアの膜電位変化（内膜透過性亢進）やシトクロムc漏出（外膜透過性亢進）を誘導する[6]（図3）．PTはカルシウム濃度依存的にミトコンドリア膜透過性を変化させる現象であり，膜電位の低下，ミトコンドリア腫化，膜間腔やマトリックスに存在するタンパク質の漏出を伴う．PTの正確な分子機構は不明であるが，外膜のVDAC（ミトコンドリアタンパク質），内膜のアデニンヌクレオチドトランスロケーター（ANT），マトリックスのシクロフィリンD，および種々のキナーゼで構成されるマルチプロテインチャンネルと推察されている．また，PTは免疫抑制剤シクロスポリンAやANT阻害剤ボンクレキン酸により特異的に阻害される[7]．Baxによって誘導される膜電位低下やシトクロムc漏出は，カルシウムイオンを除去したりシクロスポリンAやボンクレキン酸を

表1　各種組換えタンパク質の単離ミトコンドリアに与える影響と細胞過剰発現系でのミトコンドリアに与える影響の比較

サブファミリー	タンパク質	単離ミトコンドリア		細胞過剰発現系	
		膜電位低下	シトクロムc漏出	膜電位低下	シトクロムc漏出
anti-apoptotic	Bcl-2[a]	抑制	抑制	抑制	抑制
	Bcl-x_L	抑制	抑制	抑制	抑制
pro-apoptotic	Bax	促進	促進	促進	促進
	Bak	促進	促進	促進	促進
pro-apoptotic (BH3-only)	Bid	効果なし	促進	効果なし	促進
	Bik	効果なし	促進	未測定	促進
	カスパーゼ-3	効果なし	効果なし	効果なし	効果なし
	カルモジュリン	効果なし	効果なし	未測定	未測定

a) transgene由来

添加することによって著明に抑制される．PTの関与に関しては否定的な研究者もいるが，Baxの過剰発現によるアポトーシスがPT阻害剤で抑制されることからも，BaxがPT誘導機能を有することは間違いないと思われる．

b. BH3-only protein

これらのタンパク質はPTを介さずに外膜の透過性のみを亢進してシトクロムc漏出を誘導する（図3）．したがって，膜電位低下は伴わない[8]．このタンパク質の詳細な作用機構は不明である．

c. Bcl-2, Bcl-x_L

これらのタンパク質はBaxやその他の刺激によって誘導されるPTを広く抑制する．したがって，PTを抑制的に調節することによって，アポトーシスを制御していると考えられる[9]．アポトーシス抑制型タンパク質の機能に関してはPT制御以外にもいくつかの説がある．すなわち，(1) アポトーシス促進型タンパク質とヘテロ2量体を形成し，その作用を抑制する，(2) Apaf-1をミトコンドリアに保持することにより，下流のカスパーゼの活性化を抑制する，(3) イオンチャンネルとして機能するなどである．しかし，(1) は，2量体形成によりアポトーシス促進型タンパク質の活性中心であるBH3がマスクされることから，アポトーシス抑制活性をよく説明しうるが，アポトーシス促進型タンパク質と結合しないBcl-2変異体でもアポトーシスを抑制することから，機能の一部を説明しうるにすぎない．(2) はBcl-2, Bcl-x_LがApaf-1と結合することから提唱されたが，最近は否定的と考えられている．(3) は生化学的にイオンチャンネルを形成しうることは明らかであるが，アポトーシス抑制活性との関連は疑問である．したがって，PT抑制がアポトーシス抑制型Bcl-2ファミリータンパク質の主たる機能と考えられる．

7. VDACの関与

Bcl-2ファミリータンパク質がミトコンドリア膜変化を直接制御していることから，ミトコンドリア膜上にこれらタンパク質のターゲット分子が存在していることがうかがえる．BaxやBcl-x_Lと結合するミトコンドリアタンパク質としてVDAC[10]，ANT[11]，クレアチニンリン酸トランスフェラーゼ-1（CPT-1）[12]などが報告されている．このうち，VDACとANTはPT孔の構成タンパク質と考えられており，BaxやBcl-x_LがPTを制御するという知見と合致する（表2）．また，PTを誘導しないBH3-only proteinはVDACと結合しない[8]（表2）．VDACはミトコンドリア外膜に存在するチャンネルタンパク質であり，脂質二重膜中ではコンダクタンスの大きいアニオンチャンネルを形成し，ミトコンドリアと細胞質の間のATPや呼吸基質などの輸送にかかわっている[13]．一方，ANTは内膜に存在するチャンネルタンパク質であり，マトリックスと膜間腔の間のADPとATPの交換反応を担っている．VDACやANTのチャンネル活性はBaxやBcl-x_Lによって変化することが報告されている．ただし，ANTに関しては，Baxによる調節にANT阻害剤であるアトラクチロシドが必須である

表2 Bcl-2ファミリータンパク質の単離ミトコンドリアに与える影響とVDAC機能制御の相関

サブファミリー	タンパク質	PT	VDAC結合	VDAC機能
anti-apoptotic	Bcl-x_L	抑制	あり	抑制
pro-apoptotic	Bax	促進	あり	促進
	Bak	促進	あり	促進
pro-apoptotic (BH3-only)	Bid	効果なし	なし	効果なし
	Bik	効果なし	なし	効果なし

こと[11]，Bax 添加により ANT 活性（ATP/ADP 交換反応）が変化しないこと（未発表）などから，生理的な意義は薄いように思われる．

VDAC に関しては，(1) Bax などのアポトーシス促進型タンパク質との結合により VDAC 活性が上昇し（スクロースや ATP などの物質透過性が亢進する），アポトーシス抑制型タンパク質 Bcl-x_L との結合によりその活性が低下すること，(2) アポトーシスに影響しない Bax や Bcl-x_L の変異体では活性変化を誘導しないこと，(3) VDAC を欠損した酵母から単離したミトコンドリアに Bax を添加しても対照群で観察される膜電位低下やシトクロム c 漏出がみられないなどの事実[10]より，Bax や Bcl-x_L の主たるターゲットではないと考えられる．通常の VDAC 孔は一定以上の電圧がかかると頻繁に開閉を繰り返すが，Bax を結合させると常に開放状態となり，その大きさは VDAC 単独孔の約4倍になる．VDAC 孔の直径は 2.3 nm と考えられており，同じ大きさのシトクロム c は容易に通りうる[14]．実際に，この Bax-VDAC 結合チャンネルの中をシトクロム c が通過しうることも証明されており[10,14]，アポトーシス時のシトクロム c 漏出は VDAC-Bax の複合体を介すると考えられる．

シトクロム c 漏出に関しては，VDAC の関与以外に，ミトコンドリアの浸透圧変化による外膜の機械的破裂によるという説や Bax 単独のチャンネルを介しているという説が提唱されている．前者はアポトーシスの電子顕微鏡像でミトコンドリア腫脹が著明でないこと，および単なる浸透圧変化ではミトコンドリアのアポトーシス様の変化は惹起できないことから，また後者は Bax チャンネルの大きさがシトクロム c の漏出に十分でないこと[14]から，いずれも否定的と考えられている（図4）．

●おわりに

アポトーシスにおけるミトコンドリアの役割を概説したが，この分野の研究は目覚ましく進展している．細胞質に存在するアポトーシス促進タンパク質がミトコンドリアに集積する機構，ミトコンドリアの膜透過性変化の詳細な機構，シトクロム c 漏出の詳細な機構，BH3-only protein のターゲット，VDAC 制御の分子機構などはアポトーシスの分子機構を解明するうえで今後の重要な問題と思われる．また，Bcl-2 ファミリータンパク質がミトコンドリアを制御する事実は，これらのタンパク質がアポトーシスのときだけでなく，正常時のエネルギー代謝やホメオスタシスの維持にも関与している可能性を示唆する．これらのことも今後の検討が必要と思われる．

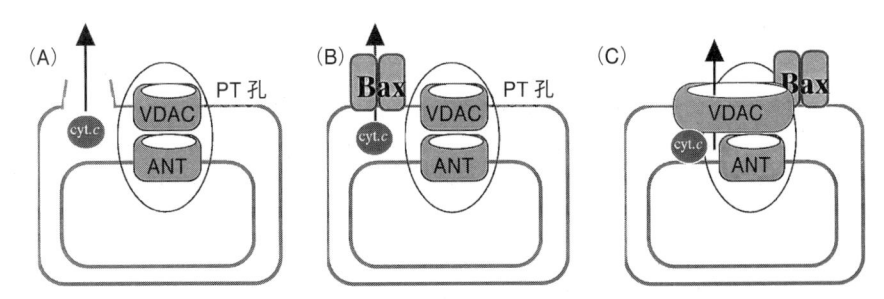

図4 ミトコンドリアからシトクロム c が漏出する機構

アポトーシス時にミトコンドリアからシトクロム c が漏出する機構に関しては，(A) ミトコンドリアの浸透圧変化による外膜の機械的破裂によるという説，(B) Bax単独のチャンネルを介しているという説，(C) VDAC-Bax が結合してできた大きなチャンネルを介しているという説がある．

(A) はアポトーシスの電子顕微鏡像でミトコンドリア腫脹が著明でないことや，単なる浸透圧変化ではミトコンドリアのアポトーシス様の変化は惹起できないことから，(B) は Bax チャンネルの大きさがシトクロム c の漏出に十分でないと考えられることなどから，否定的と思われる．(C) に関しては生体内での決定的な証拠はないが，試験管内の実験結果から現在もっとも考えやすい機構と思われる．

● 文　献

1) Thornberry, N.A., Lazebnik, Y. : *Science*, **281**, 1312–1316 (1998)
2) Green, D.R., Reed, J.C. : *Science*, **281**, 1309–1312 (1998)
3) Tsujimoto, Y., Shimizu, S. : *FEBS Lett.*, **466**, 6–10 (2000)
4) Alnemri, E.S. : *Nat. Cell Biol.*, **1**, E40–42 (1999)
5) Adams, J.M., Cory, S. : *Science*, **281**, 1322–1326 (1998)
6) Narita, M., Shimizu, S., Ito, T., *et al.* : *Proc. Natl. Acad. Sci. USA*, **95**, 14681–14686 (1998)
7) Zoratti, M., Szabo, I. : *Biochim. Biophys. Acta*, **1241**, 139–176 (1995)
8) Shimizu, S., Tsujimoto, Y. : *Proc. Natl. Acad. Sci. USA*, **97**, 577–582 (2000)
9) Shimizu, S., Eguchi, Y., Kamiike, W., *et al.* : *Proc. Natl. Acad. Sci. USA*, **95**, 1455–1459 (1998)
10) Shimizu, S., Narita, M., Tsujimoto, Y. : *Nature*, **399**, 483–487 (1999)
11) Marzo, I., Brenuer, C., ZamZami, N., *et al.* : *Science*, **281**, 2027–2031 (1998)
12) Paumen, M.B., Ishida, Y., Han, H., *et al.* : *Biochem. Biophys. Res. Commun.*, **231**, 523–525 (1997)
13) Colombini, M. : *J. Membr. Biol.*, **111**, 103–111 (1989)
14) Shimizu, S., Ide, T., Yanagida, T., *et al.* : *J. Biol. Chem.*, **275**, 12321–12325 (2000)

C. elegans のミトコンドリア障害と老化

石井 直明

●はじめに

ミトコンドリアの呼吸酵素系,すなわちTCA回路,電子伝達系,酸化的リン酸化系は重要なATP産生経路である.生体のエネルギー産生を担う一方で,この過程の副産物として生じた活性酸素は生体に毒としても作用する.老化や寿命決定のメカニズムにはさまざまな環境因子や遺伝因子がかかわっていると考えられているが,その中でもこの酸化ストレスが主要な候補として注目されている[1].

線虫の一種である Caenorhabditis elegans (C. elegans)においても,酸素に高い感受性を示す短寿命突然変異体 gas-1 と mev-1 の原因遺伝子がミトコンドリア内膜の複合体ⅠとⅡのサブユニットであり[2,3],酸化ストレスに耐性を示す長寿命突然変異体 clk-1 の原因遺伝子がユビキノン(補酵素Q;CoQ)の合成酵素と類似していることが見い出された[4].このように,ミトコンドリア内から発生する酸化ストレスを介する老化のメカニズムが明らかになってきた.

1. C. elegans を老化研究に使う利点

老化とは「時間の経過とともに起こる不可逆的な自然崩壊の過程」であり,発生・分化とは異なり,そのプロセスに遺伝子が積極的にかかわっているとは考えられていなかった.ところが近年,老化が単なる自然崩壊の過程ではなく,これを促進したり抑制する遺伝子が存在し,環境因子と複雑に絡み合いながら老化速度を調節して寿命を決定していることが明らかになり始めた.老化とこれにかかわる遺伝子の解析に,扱いが容易で遺伝学が確立しているC. elegans が注目されるようになってきた[5].

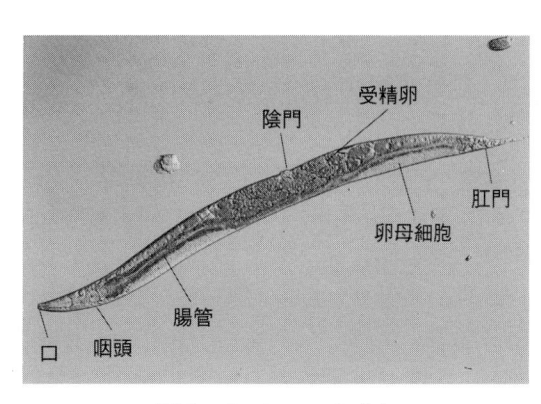

C. elegans は,線形動物門に属する959個の細胞からなる体長1mmほどの小さな生物である(図1).表皮,筋肉,神経,消化器官,生殖器官からなり,動物としての必要最小限の体制をもち,発生から行動,老化に至るあらゆる生物学の分野で注目されている[6].ヒトゲノム計画に先駆けて,1998年の暮れに多細胞生物ではじめてこの虫のゲノム97 Mb (9.7×10^7)の全塩基配列が決定された.この中には約1万9千もの遺伝子が存在することが明らかになっており,その多くがヒトの遺伝子と共通部分をもつために,ヒト遺伝子の基本的な機能を解明するための実験動物としても期待されている[6].C. elegans の実験には大がかりな設備は必要なく,自家受精が基本なために突然変異体の分離が容易で

図1 C. elegans の成虫

ある.最近では,遺伝子のノックアウトや過剰発現の技術により,遺伝子の機能解析が容易になった.

 C. elegans は老化研究においても多くの利点をもつ.第1に,ライフサイクルが短いために寿命を表現形質とした遺伝学的な研究が容易である.受精から孵化までに15時間,孵化した幼虫は4回の脱皮を繰り返し,3日半で成熟する.平均寿命は約2週間である.第2に,自家受精の結果ホモ接合体として存在するために遺伝的に均一な集団となり個体差が少なく,寿命に関与する遺伝子を容易に調べることができる.JohnsonとWoodは,寿命が同じ2種類の野生体を交配し,親の寿命とその子孫の寿命の関係から,C. elegans の寿命に対する遺伝的なかかわりが30〜50%であることを示した[7].第3に,老化の原因として重要視されている活性酸素は C. elegans の体内でも絶えず産生されており,ヒトを含めた多くの動物で見られる酸化変性タンパク質,脂質,あるいはDNAが加齢に伴い蓄積してくる.それに伴い,活動量の低下や死亡率の指数関数的増大(ゴンペルツ則)なども観察されている[8].C. elegans では成虫になった時点で生殖細胞以外の細胞分裂が終了していることから,非分裂系細胞に蓄積された傷害の影響を見るのに適したモデルでもある.

 最近,老化の一因として活性酸素が注目されている.老化の速度や寿命の長さは,老化を促進する活性酸素の量と生物の抗酸化防御機構とのバランスにより決められているのかもしれない.これを実証するために,C. elegans から酸素にかかわるいくつかの突然変異体が分離され,解析されている.

2. 酸素感受性突然変異体の寿命

 mev-1 と gas-1 は,生体内で活性酸素を発生する農薬,メチルビオロゲン(パラコート)に対して高い感受性を示す.両者は酸素に対しても高い感受性を示し,寿命は大気中(21%酸素濃度)においても野生株よりも短く,負荷した酸素濃度に比例して寿命は顕著に短縮する[9](図2).gas-1 は元来,ハロセンのような揮発性麻酔薬に高感受性を示す突然変異体として分離されたが,mev-1 はこの麻酔薬に対して感受性を示さない.

 一般に,多くの突然変異体が老化とは関係ない原因により短寿命の形質を示す.そのため,短寿命の原因が老化にあることを示すには,老化速度が野生株に比べて加速していることを示さなければならない.これには老化のマーカーとして知られているリポフスチンや酸化タンパク質などが使われている.リポフスチンや酸化タンパク質の生成には酸化ストレスが関与していると考えられている.これらは,ヒトから線虫に至るあらゆる動物のさまざまな臓器において,加齢とともに増加することが知られている.mev-1 においては,これらの増加率が野生株よりも高く,酸素負荷時には増加率が顕著に高くなる[10, 11](図3).このことから,mev-1 は酸素が原因となる早老症であることが示唆される.

 ポリアクリルアミドの2次元電気泳動によりタンパク質を分離し,それぞれのタンパク質の酸化度を調べると,野生株では加齢に伴いすべてのタンパク質が一様に酸化される.しかし,その中でもとくに老化した虫で酸化度が高いタンパク質の存在が認

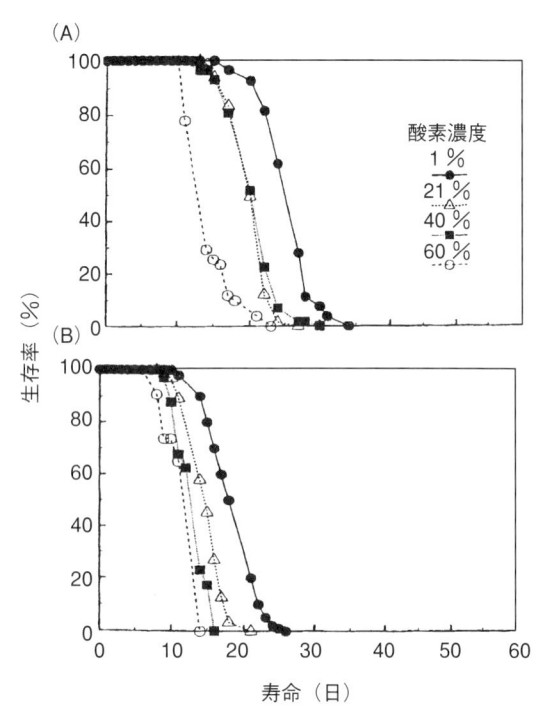

図2 種々の酸素濃度下における野生株(A)と mev-1(B)の寿命

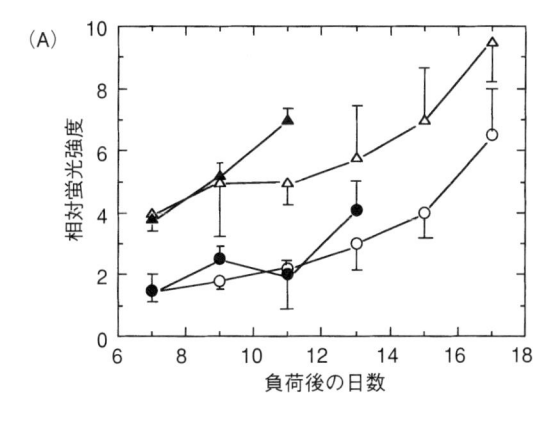

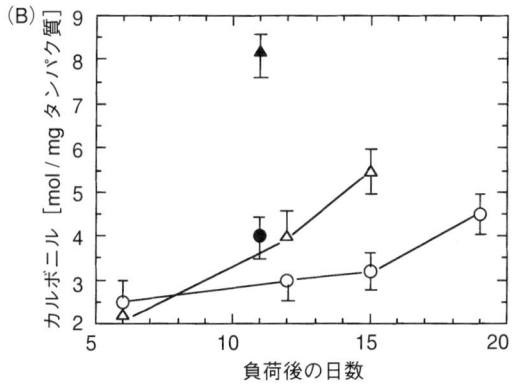

図3 加齢および酸素負荷に伴うリポフスチン (A) と酸化タンパク質 (B) の蓄積量の変化
○：大気中における野生株，●：(A) 90% あるいは (B) 70% 酸素条件下における野生株，△：大気中における mev-1 突然変異体，▲：(A) 90% あるいは (B) 70% 酸素条件下における mev-1 突然変異体

められた．これは一般に卵黄や雌の肝で発現が見られるビトロジェニンであった[12]．最近，このタンパク質が細胞中で抗酸化タンパク質として作用している可能性が示唆されていることから，線虫においても他のタンパク質の酸化を防止する役目を担っている可能性がある．

3. 酸素感受性突然変異体の原因遺伝子の同定

mev-1 は第3染色体上の unc-50 と unc-49 の間の約 150 kb の中に存在している．この領域の遺伝子を含む野生型の DNA 断片を mev-1 の卵巣に注入し，子孫の酸素感受性を野生株のレベルまで回復させる能力を調べる方法により，原因遺伝子を同定した．その結果，mev-1 がすでにクローニングされている cyt-1（電子伝達系複合体Ⅱサブユニットのひとつであるシトクロム b_{560}）であることをが判明した[3]．mev-1 においては 71 番目のグリシンがグルタミン酸に置換していた．この cyt-1 とすぐ下流にあるアポトーシス抑制遺伝子（ヒトの Bcl-2）は共通のプロモーターで支配されているといわれており，cyt-1 のアポトーシスへの関与も示唆されている．

一方，麻酔薬の高感受性突然変異体として分離された gas-1 の原因遺伝子は，複合体Ⅰのサブユニット 49 kDa の IS-タンパク質であることも同定されている[2]．

a. ミトコンドリア傷害と酸化ストレス

cyt-1 を含む電子伝達系の複合体Ⅱは4つのサブユニットから成り立っている．この4つの遺伝子はすべて核のゲノム DNA 中に局在している．このうちの2つは，TCA 回路でコハク酸と FAD（フラビンアデニンジヌクレオチド）からフマル酸と $FADH_2$ を形成するコハク酸脱水素酵素（SDH）として機能している．他の2つは，シトクロム b の大サブユニットと小サブユニットを構成し，cyt-1 は大サブユニットのシトクロム b_{560} に相当する．mev-1 では，SDH 活性は野生株と同様に保たれていたが，複合体Ⅱ（コハク酸-CoQ 還元酵素）の活性は野生株の 10% まで減少していた．複合体Ⅱに存在するシトクロム b_{560} は，膜ドメインをもたない SDH をミトコンドリア内に係留する役割が知られている．この機能は mev-1 でも正常に保たれ，SDH は野生株と同様に膜に局在していた．これらの結果から，シトクロム b_{560} は SDH を膜へ固定する機能でなく，複合体Ⅱのメンバーとして電子伝達にも重要な役割を果たすことが明らかとなった．

ミトコンドリアを介する酸化ストレスと老化の関係は，ミトコンドリアに存在する抗酸化酵素のひとつである Mn 型スーパーオキシドジスムターゼ（Mn-SOD）の遺伝子欠損した突然変異体 ctl-1 が短寿命であることからも示唆される[13]．

b. 長寿突然変異体 clk-1 の性質

clk-1 は発生や成長の時間がゆっくりとしている

突然変異体のひとつである．その動きは鈍く，接食や排便の頻度が少ないなど，生活のリズム全体が遅い性質をもっており，発生期間と成熟後の寿命が野生株に比べて長くなっている．この原因遺伝子は分子時計をつかさどる反応に関与したタンパク質をコードしていると考えられていた．その後，これが酵母のユビキノン（CoQ）合成酵素Coq7/Cat5と相同性を示すことが明らかになった[4]．

4. ミトコンドリアを介する酸化ストレスと老化

ミトコンドリアは，生体内酸素の90％以上を消費して生命活動に必要なエネルギー（ATP）を供給する細胞小器官であるが，その一方で消費酸素のうちの数％を活性酸素種（ROS：reactive oxygen species）として漏出する生体内における主要なROS産生源でもある．ミトコンドリアにおいて，電子伝達系から最初に産生されるROSは，スーパーオキシド（O_2^-）である．一般に，このO_2^-の産生部位は，電子伝達系の複合体I（NADH-CoQ酸化還元酵素），および複合体III（CoQ-シトクロムc酸化還元酵素）の2カ所であると考えられている[14]．電子伝達系で産生されたO_2^-は，ミトコンドリア内や細胞質内においてスーパーオキシドジスムターゼ（SOD）により過酸化水素（H_2O_2）に変換される．このH_2O_2は，カタラーゼやグルタチオンペルオキシダーゼによって分解されるが，遷移金属である鉄や銅イオンの存在下ではフェントン反応が加速され，より細胞障害性の強いROSであるヒドロキシルラジカル（$OH^{\cdot}$）に変換される．

前述したように，ミトコンドリアは，生体内の主要なROSの発生源であると考えられているが，実際にはミトコンドリア機能不全のモデルにおいてROS産生が上昇していることを証明した報告はわずかである．したがって，ミトコンドリア機能の破綻がROS産生の上昇を惹起するという仮説に関する確定的な結論は得られていないといえる．前述したように，mev-1では，酸化ストレスに依存した表現型の異常（短寿命，老化マーカーの蓄積など）が認められる．複合体IIのシトクロムb_{560}サブユニットの機能欠損による酸素に対する脆弱性の原因が，外因性の酸素による直接的な毒性によるものか，または大気中酸素に由来してミトコンドリアから産生される内因性のROSによるものなのかは不明である．われわれは，このシトクロムb_{560}サブユニットの機能欠損により，正常な状態で複合体I，および複合体IIIにおいてみられるO_2^-の産生が，複合体IIにおいても生じることより，mev-1においてミトコンドリアからトータルに産生されるO_2^-量が増大している可能性を考えた．そこで，ミトコンドリアから産生されるO_2^-の高感度測定系を確立し，解析を行った．

mev-1のミトコンドリアからのO_2^-産生量は，野生株に比べて大気中で培養した場合に約2倍，40％酸素条件下で培養した場合に3倍以上に上昇することを明らかとなった．このことから，mev-1の酸化ストレス感受性は，大気中酸素に由来するミトコンドリアROS産生の上昇によるものであることが示された．また，mev-1のミトコンドリアにおいて，複合体I，または複合体IIIからではなく，シトクロムb_{560}サブユニットの変異（G71E）により複合体II自身からO_2^-が産生されることをはじめて証明した[15]．

複合体IIは，コハク酸からCoQに電子を流すコハク酸-CoQ酸化還元酵素として作用する一方で，TCA回路でコハク酸からフマル酸を生合成するためのコハク酸脱水素酵素としての機能をもっている．複合体IIの機能が低下しているmev-1では，TCA回路をはじめとするエネルギー代謝経路が影響を受ける可能性が考えられる．そこで，mev-1におけるエネルギー代謝について解析を行った．その結果，mev-1では，ミトコンドリア電子伝達系の機能欠損症（ミトコンドリア脳筋症）に特徴的な病態である乳酸/ピルビン酸比（L/P比）の上昇，すなわち代謝性乳酸アシドーシスが認められ，電子伝達系の機能不全により解糖系，およびTCA回路が影響を受けることを明らかとなった．また，このエネルギー代謝異常は，酸化ストレスにより影響を

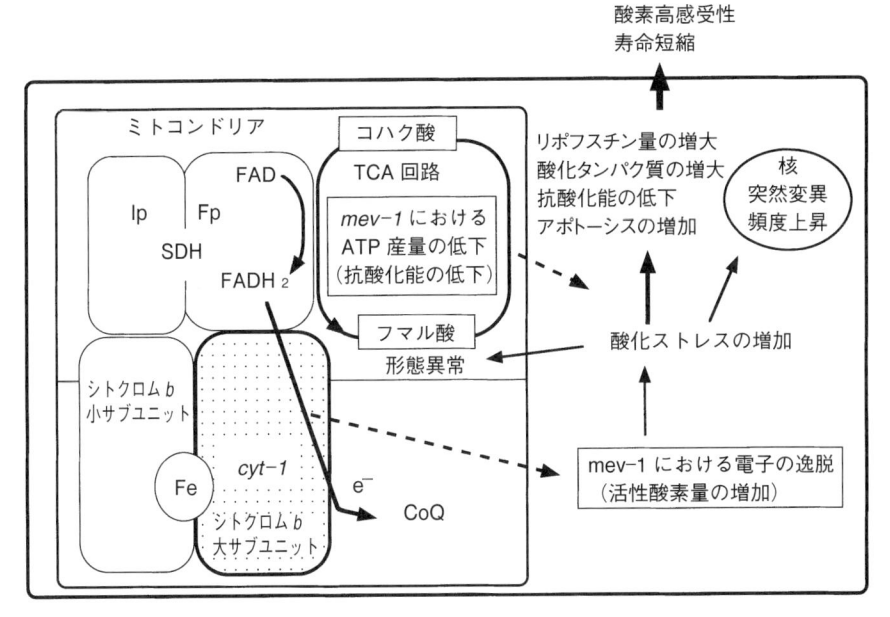

図4 *cyt-1* (*mev-1*) 遺伝子の異常から生じる酸化ストレスと老化の多面発現機構
Ip：鉄-硫黄タンパク質，Fp：フラボプロテイン

受けないことから，mev-1 の酸素ストレス感受性に直接的には関与しないことが示された．また，mev-1 における電子伝達系の複合体Ⅰ+Ⅲ酵素（NADH-シトクロム c 酸化還元酵素）活性は，複合体Ⅱ酵素活性の顕著な低下による影響を受けず正常であり，ATP 産生量には変化が認められなかった．

mev-1 では，寿命短縮，老化マーカー（リポフスチンおよび酸化タンパク質）の蓄積，ミトコンドリア形態の異常など，さまざまな表現型の異常が酸化ストレス依存性にみられる．これらの表現型は，ヒトの老化の過程や変性疾患の発症過程でみられる現象とよく一致している．このことから mev-1 は，ミトコンドリア機能不全が関与することが示唆されるヒトの老化や変性疾患などのモデル動物として，また，ミトコンドリア機能不全と酸化ストレス感受性の分子機構を明らかにするためのモデル系として，非常に有用であると考えられる（図4）．

5. 線虫の老化機構

このほかにも，長寿を示す *C. elegans* の突然変異体が分離されている．その中でも，age-1 は成熟後の寿命が野生株に比べて 50% 以上長く，その遺伝子は世界ではじめて認められた老化に関する遺伝子である．age-1 では死亡率が低く，老化速度も遅くなっている．このほか，daf-2 も age-1 と同様な長寿の表現型を示す．age-1 や daf-2 では，酸化タンパク質の蓄積速度が野生株よりも遅くなっている．この2つの長寿変異体はいずれも酸化ストレスや種々のストレスに耐性を示すことが知られている．とくに，age-1 では Cu, Zn-SOD やカタラーゼの活性が老齢期で上昇している．age-1 と daf-2 の原因遺伝子は，脂質リン酸化酵素であるホスファチジルイノシトール-4,5-二リン酸-3-キナーゼ（PI3 キナーゼ）とインスリン受容体様のタンパク質をコードしている．daf-16 の突然変異体では寿命に変化がみられないが，age-1 や daf-2 との二重突然変異体を作製すると寿命が野生株と同じ長さに戻る．これは，daf-16 のタンパク質が age-1 や daf-2 の下流ではたらいていることを示唆する．daf-16 は転写因子のひとつである fork head タンパク質をコードしている．これらの結果を総合すると，インスリン様（リガンドは不明）のシグナルを daf-2 遺伝子産物であるインスリン受容体が受け，このシグナルが age-1，下流の代謝酵素，糖輸送な

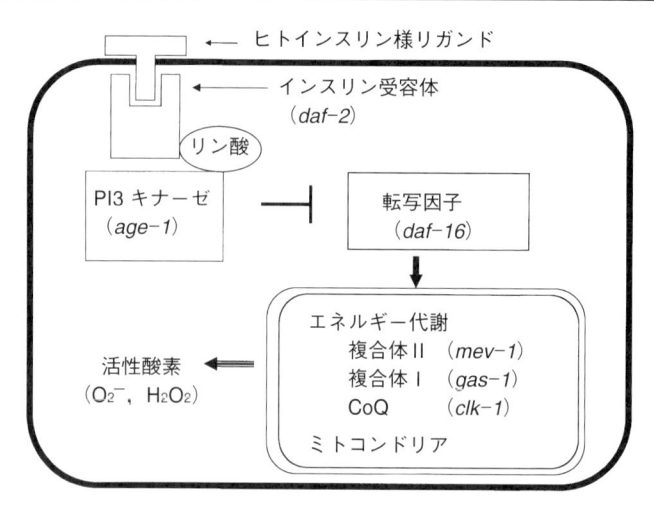

図5　エネルギー代謝と C. elegans の寿命突然変異体

どに関与するシグナル伝達系リン酸化カスケードを経て daf-16 遺伝子産物（転写因子）を活性化すると考えられる．daf-16 転写因子が制御する遺伝子はエネルギー代謝に関与するものが考えられる．age-1 や daf-2 ではエネルギー代謝が低下する結果，ミトコンドリアから発生する活性酸素の量が低下することが考えられる[16]．さらに，age-1 や daf-2 では脂質の合成亢進により，腸管細胞に脂質が蓄積することが知られている．これらの突然変異体は，酸化ストレスに対する防御機構を強化し，活性酸素を過剰に発生させないように脂質をゆっくりと分解しながら長生きしている可能性がある．これらの結果から，ミトコンドリアが老化の原因に深く関与していることが示唆される（図5）．

おわりに

これまでに C. elegans で見つかった老化関連の突然変異体の原因遺伝子では，そのすべてがエネルギー代謝に関係していた．C. elegans の寿命は，エネルギー代謝に伴いミトコンドリアで生じる活性酸素の量と酸化ストレスに対する防御能とのバランスによって決定されていると考えられる．

ここで同定された遺伝子はヒトを含めた多くの生物に存在することから，ミトコンドリアに起因する老化のメカニズムは多くの生物に共通する可能性があり，ヒトの老化機構の理解にも役立つものと期待される．

文献

1) Martin, G.M., Austad, S.N., et al. : Nat. Genet., **13**, 25-34 (1996)
2) Kayser, E.B., Morgan, P.G., et al. : Anesthesiology, **90**, 545-554 (1999)
3) Ishii, N., Fujii, M., et al. : Nature, **394**, 694-697 (1998)
4) Jonassen, T., Proft, M., et al. : J. Biol. Chem., **273**, 3351-3357 (1998)
5) Kenyon, S.: in C. elegans II (Riddle, D.L., eds.), pp.791-813, Cold Spring Harbor Laboratory (1997)
6) The C. elegans Sequencing Consortium, et al. : Science, **282**, 2012-2017 (1998)
7) Johnson, T.E., Wood, W.B., et al. : Proc. Natl. Acad. Sci. USA, **79**, 6603-6607 (1982)
8) Johnson, T.E.; Science, **249**, 908-912 (1990)
9) Ishii, N., Takahashi, K., et al. : Mutat. Res., **237**, 165-171 (1990)
10) Hosokawa, H., Ishii, N., et al. : Mech Age. Develop, **74**, 161-170 (1994)
11) Adachi, H., Fujiwara, Y., et al. : J. Gerontol., **53A**, B240-B244 (1998)
12) Nakamura, A., Yasuda, K., et al. : Biochem. Biophys. Res. Commun., **264**, 580-583 (1999)
13) Taub, J., Lau, J.F., et al. : Nature, **399**, 162-166 (1999)
14) 大柳善彦：『スーパーオキサイドと医学』（早石 修 監修），pp.23-39, 共立出版 (1981)
15) Senoo-Matsuda, N., Yasuda, K., Tsuda, M., et al,: J. Biol. Chem., in press（2001）
16) 石井直明：日本老年医学会雑誌，**36**, 613-619 (1999)

抗癌剤の副作用とミトコンドリア障害

西川　学・井上　正康

● はじめに

多くの腫瘍（癌）細胞は，ある時期を過ぎると急速に分裂して成長する．このため，多くの抗癌剤は成長の速い細胞を選択的に殺すように設計されている．しかし，正常な組織や細胞にも速く細胞分裂するものがあるため，抗癌剤はこのような正常細胞にも影響を与えてしまう．このことが多くの抗癌剤の副作用の主因になっていると考えられる．成長の速い正常細胞としては，骨髄で造られる血液細胞，消化器の上皮細胞，生殖器の細胞，皮膚の細胞などがある．また，抗癌剤はその薬動力学的性質により，心，膀胱，肺，神経系の細胞なども傷害することがある．

癌治療に大きく貢献している現在の化学療法は，第一次世界大戦で使用されたマスタードガスの長期毒性のひとつが骨髄の造血抑制であったという報告から始まった．現在では，癌治療に数多くの化学療法剤がさまざまな組合せで使用されている．抗癌剤としては，ビンクリスチンなどの植物アルカロイドやアクチノマイシンなどの抗生物質など，天然の毒物もあるが，最近ではシクロホスファミド，ある種のニトロソウレア類，シスプラチンのような有機金属化合物など，人工合成された薬剤が多い．これらの薬物のほとんどは，DNA に結合したりそれを傷害することにより，細胞にとって修復不能な損傷を与える．また，DNA やその前駆物質の合成を阻害する代謝拮抗剤もある．これらの化合物の細胞毒性が化学療法における殺癌作用および正常細胞への毒性（副作用）の基礎となっている．骨髄抑制などにみられるように抗癌剤に比較的共通なものもあるが，アドリアマイシンによる心筋傷害，ブレオマイシンによる肺傷害，シスプラチンによる腎傷害などのように，抗癌剤に比較的特異な臓器傷害も存在する．しかし，その詳細な機構は不明な点が多い．

DNA をターゲットとする抗癌剤には，生体内でフリーラジカルを発生させるものが多い．これらは，癌の局所でフリーラジカルや活性酸素種を多量に発生させ，これにより癌細胞を攻撃して抗腫瘍効果を発揮している．この際に発生する活性酸素種の多くは非特異的に酸化損傷を誘起しうるので，癌細胞だけでなく，正常組織にも強い酸化ストレスとなり，副作用が生じる．増殖能の高い癌細胞では，解糖系とともにミトコンドリアも発達しており，エネルギー産生能の高いものが多い．ある種の抗癌剤は，ミトコンドリアにも作用し，その機能を障害することが報告されている．古くより，ミトコンドリアの電子伝達系が阻害されると電子が漏れ，酸素分子を1電子還元してスーパーオキシドラジカルを生じることが知られている．したがって，ミトコンドリアで産生されるフリーラジカルが抗癌剤の細胞毒性を増強している可能性も考えられる．以下に，各種抗癌剤の作用とミトコンドリアとの関係を述べる．

1. 抗癌剤の種類

DNA と結合して複製を阻害するアルキル化剤，DNA 合成に必要な前駆物質の合成を阻害する代謝

表 1 抗癌剤の種類

アルキル化剤	代謝拮抗剤	抗癌性抗生物質	植物アルカロイド	その他の抗癌剤
シクロホスファミド	メトトレキセート	アドリアマイシン	エトポシド	L-アスパラギナーゼ
メルファラン	Ara-C(シトシンアラビノシド)	アクチノマイシン D	ビンクリスチン	シスプラチン
ブスルファン	5-FU(5-フルオロウラシル)	ダウノルビシン	ビンブラスチン	カルボプラチン
イフォスファミド	UFT	マイトマイシン C	ビンデシン	デカルバジン
ACNU(塩酸ニムスチン)	ヒドロキシウレア	ブレオマイシン	イリノテカンヒドロクロリド	254-S
MCNU(ラニムスチン)			タキソール	

拮抗剤,DNA 合成を直接阻害する抗癌性抗生物質,細胞分裂に必要な微小管を傷害する植物アルカロイド,DNA の二重らせん構造を破壊するトポイソメラーゼ阻害剤などが代表的な抗癌剤である(表1).このほかに,サイトカイン,ホルモン,ステロイドなども化学療法に用いられることがある.抗癌剤の大部分は,最終的に DNA 複製や細胞分裂を阻害する.無秩序に細胞分裂を繰り返すのが腫瘍細胞の特性であり,これを抑制することにより腫瘍の増殖を阻止しうるが,正常細胞にも作用し,これが化学療法の大きな限界となっている.

2. 種々の抗癌剤とミトコンドリア障害

多くの抗癌剤は DNA の複製を阻害したり細胞分裂を抑制したりするものであるが,このような阻害作用のみならず,細胞のさまざまな機能を障害している.たとえば,核の DNA はクロマチン構造をとり,さまざまな修復機構により手厚く保護されている.しかし,ヒストンなどをもたない哺乳類のミトコンドリア DNA (mtDNA) は裸同然の状態であり,酸化ストレスには弱いと考えられる.前述のように,ミトコンドリアは活性酸素を産生する主要な場であり,電子伝達系が阻害されると多量の活性酸素種を産生する.一方,多くの抗癌剤の殺癌作用にも活性酸素が関与している.したがって,抗癌剤により活性酸素が生じてミトコンドリアが傷害されると,さらに多くの活性酸素が発生し,ミトコンドリアや細胞の傷害が増強して細胞死を誘起しうる.近年,ミトコンドリアがアポトーシスシグナルの発生源になりうることも明らかになってきた.すなわち,

抗癌剤によりミトコンドリアの膜が傷害されて脱分極すると,その内膜と外膜の間隙に存在するシトクロム c が細胞質中に放出されて Apaf (apoptotic protease activating factor) 複合体を形成し,細胞のアポトーシスシグナルとして作用する.この現象も抗癌剤の主作用と副作用の両者に関与する.以下に,おもな抗癌剤とミトコンドリアの関係について述べる.

a. アルキル化剤

アルキル化剤は DNA や細胞内タンパク質と結合して架橋反応を誘起し,RNA の転写や DNA の複製を阻害すると考えられている.しかし,その細胞傷害の一部にはミトコンドリアが関与するという報告もある.たとえば,シクロホスファミドにより細胞内カルシウムが上昇し,これによりミトコンドリアが傷害される[1].本現象はシクロスポリン A で抑制されるので,細胞質内に過剰増加したカルシウムにより,ミトコンドリアと細胞が傷害されると考えられている.また,シクロホスファミドにより活性酸素が発生し,これによりミトコンドリアが2次的に傷害されるとの報告もある[2].本薬剤によるミトコンドリア傷害には,自律神経も関与していると考えられている[3].そのほか,ACNU はミトコンドリア障害を誘起し[4],ブスルファンはミトコンドリアの DNA を傷害する[5].イフォスファミド (ifosfamide) の代謝産物もミトコンドリアの機能を障害する[6].

一方,ミトコンドリアをターゲットにした新たな治療法も考えられている.たとえば,ベンゾジアゼピンレセプターは細胞の分化増殖に重要な調節因子であり,ミトコンドリアの外膜に存在する.一部の癌細胞ではミトコンドリア外膜での本受容体の発現

が亢進しているためにメルファランとの複合体が生じ，これにより抗腫瘍効果が発現する[7]．

b. 代謝拮抗剤

細胞の核酸代謝やDNA複製に必要な基質に類似した構造を有し，細胞内に取り込まれた後に種々の酵素により活性化されてDNA合成やRNA合成を阻害することが，本薬剤のおもな作用機序と考えられている．ミトコンドリアと関連した薬剤としては以下のようなものがある．

シトシンアラビノシド（Ara-C）はミトコンドリアの呼吸機能を障害する．その機構は細胞周期調節因子であるサイクリン依存性キナーゼインヒビター（p21WAF1/CIP1/MDA6）によって制御される[8]．本薬剤への感受性はBcl-xの発現により大きく左右され，Bcl-xが強く発現しているほどミトコンドリアからのシトクロムc放出が抑制されてカスパーゼの活性化が阻止され，細胞の感受性が低下する[9]．また，5-フルオロウラシル（5-FU）がミトコンドリアを膨潤させるとの報告もある．HL60細胞ではBcl-2の発現はそれほど強くないが，エトポシド，シトシンアラビノシド，あるいはアドリアマイシンなどに耐性である．解析の結果，本細胞ではPKCがその耐性に関与している可能性が示されている．

c. 抗癌性抗生物質

抗癌性抗生物質には多彩な薬剤があるが，その特性や作用機構も多様である．たとえば，アントラサイクリン系の抗癌剤によりスーパーオキシド，過酸化水素，ヒドロキシルラジカルなどが生成する[10〜14]．

その代表的薬剤であるアドリアマイシンは細胞内でDNAと結合するが，この際にはそのテトラサイクリン環がDNAのらせん塩基対平面に平行な状態で挿入される．その結果，DNAの複製やRNAポリメラーゼの鋳型としての機能が障害される．RNAの中ではrRNAがもっとも強く影響をされると考えられている．アドリアマイシンなどのアントラキノン系抗癌剤はキノン構造を有するため，ミクロソームのNADH-シトクロムP-450還元酵素により1電子還元されてセミキノンラジカルを生じる．セミキノンラジカルは分子状酸素を1電子還元してスーパーオキシドを生ずる．このように，キノン化合物の酸化還元サイクルにより生じたスーパーオキシドはヒドロキシルラジカルを生じ，DNA鎖を酸化修飾したり切断したりすることにより制癌作用を発揮している．

アドリアマイシンは多くの固形癌や血液悪性腫瘍の治療に用いられているが，その投与量が多くなると心毒性を示し，これがその投与量制限因子となっている．アドリアマイシンの制癌作用機構と同様に，本剤のレドックスサイクルで生じる活性酸素種が毒性を示し，心筋細胞などを攻撃して副作用を発現する．セミキノンラジカルにより多量の活性酸素種が生じたりアミノ糖を失ったアドリアマイシンのアグリコンがミトコンドリア内膜に集積すると呼吸が障害される[15]．心ではミトコンドリアの機能が低下し，心筋が傷害されることも知られている[16]．アドリアマイシンはミトコンドリアのシトクロムcオキシダーゼとも反応し，その酵素活性を阻害する[16〜18]．アドリアマイシンは心筋のmtDNAを酸化的に修飾し，その結果，8-OHdGが蓄積する[19]．ミトコンドリアがさらに強く傷害されるとDNAが欠失する[20]．このように，組織や細胞では，アドリアマイシンによりミトコンドリアの膜機能障害やそのDNAの変異欠損によりエネルギー代謝が阻害され，シトクロムc遊離などによりアポトーシスが起こる．

ブレオマイシンはFe(II)の複合体としてDNAに結合し，細胞毒性を発揮する．Fe(II)とFe(III)のレドックスサイクルによりDNA結合部位近辺ではヒドロキシルラジカルが生じ，これによりDNAが酸化修飾される．また，本剤は2本鎖DNAをも切断し，ミトコンドリアのDNAは切断されて直線状になる[21]．その結果，おもな副作用として肺胞線維が増殖して肺線維症が起こることが知られている．

アクチノマイシンDもDNAと結合してRNA合成を阻害する．とくに，核小体の前rRNA合成がもっとも強く阻害される．ラット肝を用いた実験では，肝ミクロソームで代謝される際にスーパーオキ

シドを生成する．また，本剤がミトコンドリアのrRNA の合成を阻害することも報告されている[22]．

マイトマイシン C はアルキル化反応により DNA と共有結合し，DNA 2 本鎖間に橋状結合を形成する．一方，細胞膜の近辺でスーパーオキシドやフリーラジカルを生成することも本剤の細胞毒性の原因と考えられている．しかし，本剤とミトコンドリアとの関係はいまだ明らかではない．

d. 植物アルカロイド

植物に由来する種々の抗癌剤がある．その代表的なものであるビンクリスチン，ビンブラスチン，ビンデシンなどは細胞内でチューブリンと結合して微小管の形成を阻害し，細胞分裂を中期で停止させる．細胞分裂には DNA の複製，分離および再結合など，大幅な構造改変が必要であり，その過程にはトポイソメラーゼが重要な役割を果たしている．イリノテカンはトポイソメラーゼ I，エトポシドはトポイソメラーゼ II の阻害剤であり，DNA とトポイソメラーゼとの安定な複合体を形成し，DNA 複製や転写を阻害する．タキソールは微小管に作用して安定化させることにより，その重合を促進する．これにより機能を障害された微小管が多数形成され，細胞分裂が阻害される．

エトポシドは白血病細胞の Bcl-2 を分解し，シトクロム c を遊離させてカスパーゼを活性化する．その結果，腫瘍細胞はアポトーシスを起こす[23]．タキソールにより分離肝細胞の呼吸鎖も阻害されることが報告されている[24]．

e. その他の抗癌剤

上記の分類に属さない作用機序を有する特徴的な薬剤もある．L-アスパラギナーゼは，癌細胞の増殖に必要なアスパラギン酸を分解する酵素である．これはアスパラギン酸要求性の白血病細胞などで栄養経路を断つことにより，細胞死を誘起する．シスプラチンとその誘導体であるカルボプラチン，ダカルバジン，254-S などのおもな作用機序はアルキル化作用と考えられている．

シスプラチンは 1960 年代後半に米国の Rosenberg が白金電極を用いた大腸菌の実験から偶然見い出したものである．本剤は睾丸腫瘍，卵巣癌，子宮頸癌，肺癌など，多彩な腫瘍細胞に対して広いスペクトルを示す．その作用は官能基 2 個を有するアルキル化剤に類似するといわれ，水和生成物が DNA と結合し，その機能を阻害する．本剤の殺細胞作用で重要な反応は，2 本鎖 DNA の塩基間に架橋を形成することであると考えられている．

3. ミトコンドリアからみた抗癌剤副作用軽減法

多くの抗癌剤は急速に分裂して成長する癌細胞を選択的に殺すようにデザインされている．しかし，この作用は正常細胞と癌細胞を区別せず，前者に対しては副作用を，後者に対しては制癌作用を発揮する．したがって，化学療法では抗癌剤の主作用を増強し，副作用を特異的に制御することが重要である．

これに関しては，CoQ がヒドロキシルラジカルの消去やアグリコンのミトコンドリアへの集積抑制作用を介してアドリアマイシンの心毒性を阻害することが知られている[25, 26]．また，N-アシルデヒドロアラニンがアドリアマイシンによるミトコンドリアやミクロソームの脂質過酸化反応を抑制することが知られている[22]．このように，正常細胞のミトコンドリアでの抗癌剤毒性を制御することが副作用軽減に重要である．

シスプラチンは癌化学療法においてきわめて有効であるが，副作用が強く，とくに腎近位尿細管を傷害して腎不全を誘起するため，その投与量に限界がある．本傷害には腎局所で発生する活性酸素種が深く関与することが報告されている[27〜30]．シスプラチンと DNA が共存すると，スーパーオキシドとヒドロキシルラジカルが発生することも報告されている[31]．筆者らは，シスプラチン投与により腎のミトコンドリアが早い時期に傷害され，シトクロム c が細胞質中に放出されてアポトーシスが誘導されること，およびこれが本剤による腎障害の本体であることを明らかにした[32]．この際，かなり初期の段階で腎近位尿細管のミトコンドリアで DNA が傷害されることから，この部位に特異的に集積する SOD (hexamethylene diamine-conjugated SOD：AH-SOD) を開発し[33]，本傷害の軽減を試みた．その結果，AH-SOD がシスプラチンにより生じる mtDNA 傷害および呼吸機能障害を著明に抑制し(図1, 2)，腎機能障害を阻止軽減することが判明した[32]（図3）．また，担癌マウスに有効量のシスプラチンを投与すると，癌細胞の数は減少するが宿主の生存率は低下してしまう．シスプラチンと AH-

図1 mtDNA に対するシスプラチンと AH-SOD の影響
ラットにシスプラチン（5 mg/kg, i.p.）および AH-SOD（5 mg/kg, i.v., 5 mg/kg, s.c.）を投与し，腎 mtDNA を単離して電気泳動した．

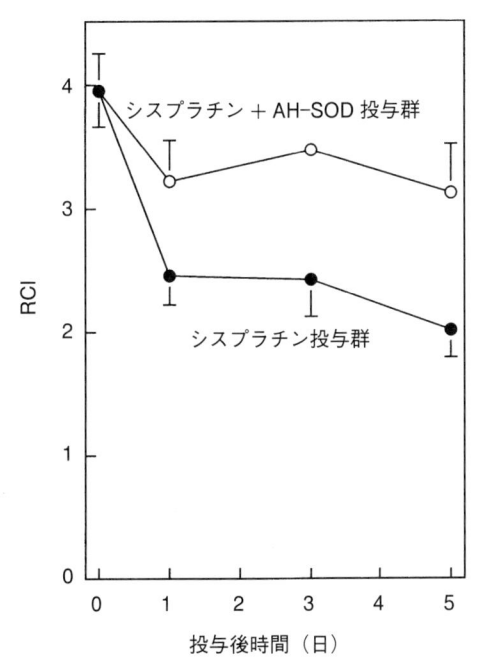

図2 ミトコンドリア機能に対するシスプラチンと AH-SOD の影響
ラットに図1と同様の処置をして腎ミトコンドリアを単離し，オキシメーターを用いて呼吸制御率（RCI）を解析した．

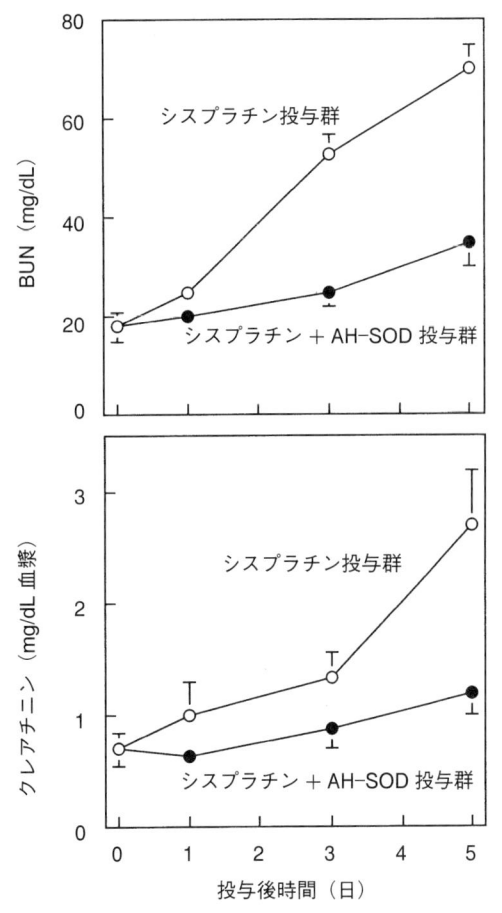

図3 腎機能に対するシスプラチンと AH-SOD の影響
ラットに図1と同様の処置をして腎機能を解析した．
BUN：血中尿素窒素

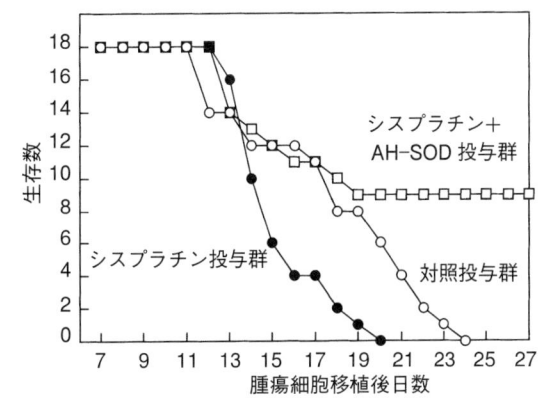

図4 担癌マウスの生存数に対するシスプラチンと AH-SOD の影響
マウスに Ehrlich 腹水癌細胞（$1×10^7$ cells/マウス）を移植して7日後にシスプラチン（10 mg/kg, i.p.）および AH-SOD（5 mg/kg, i.v., 5 mg/kg, s.c.）を投与して生存数を解析した．

SODを同時投与することにより，その生存率が著しく改善されることが判明した[34]（図4）．シスプラチンの副作用としては消化管傷害も重要であり，本剤を投与により食欲低下や下痢が頻発する．筆者らは，本副作用がL-カルニチン経口投与により著明に抑制されることを見い出した．解析の結果，シスプラチンによるミトコンドリア機能障害がL-カルニチンにより強く抑制されること，これが副作用軽減に関与していることが判明した[35]．

● おわりに

このように，抗癌剤の特性に応じて生体内の活性酸素代謝を部位特異的に制御することにより，質の高い治療が可能になると考えられる．なお，L-カルニチンの作用に関しては4・7，4・8節を参照されたい．

● 文 献

1) Nasser, I.A.: *Comp. Biochem. Physiol. A. Mol. Integr. Physiol.*, **121**, 209-214 (1998)
2) Sulkowska, M., Sulkowski, S,: *J. Submicrosc. Cytol. Pathol.*, **29**, 487-496 (1997)
3) Hanaki, Y., Sugiyama, S., Akiyama, N., Ozawa, T.: *Biochem. Int.*, **21**, 289-295 (1990)
4) Noda, Y., et al.: *Biol. Pharm. Bull.*, **21**, 414-417 (1998)
5) Clayton, D.A., Vinograd, J.: *Proc. Natl. Acad. Sci. USA*, **62**, 1077-1084 (1969)
6) Visarius, T.M., Bahler, H., Kupfer, A., et al.: *Drug. Metab. Dispos.*, **26**, 193-196 (1998)
7) Kupczyk-Subotkowska, L., Siahaan, T.J., Basile, A.S., et al.: *J. Med. Chem.*, **40**, 1726-1730 (1997)
8) Wang, Z., Van Tuyle, G., Conrad, D., et al.: *Cancer Res.*, **59**, 1259-1267 (1999)
9) Kojima, H., Endo, K., Moriyama, H., et al.: *J. Biol. Chem.*, **273**, 16647-16650 (1998)
10) Doroshow, J.H,: *Cancer Res.*, **43**, 4543-4551 (1983)
11) Davies, K.J., Doroshow, J.H.: *J.Biol.Chem.*, **261**, 3060-3067 (1986)
12) Gervasi, P.G., Agrillo, M.R., Citti, L., et al.: *Anticancer Res.*, **6**, 1231-1235 (1986)
13) Doroshow, J.H., Davies, K.J.: *J. Biol. Chem.*, **261**, 3068-3074 (1986)
14) Doroshow, J.H.: *Cancer Res.*, **43**, 4543-4551 (1983)
15) Nohl, H.: *Biochem. Pharmacol.*, **37**, 2633-2637 (1988)
16) Praet, M., Ruysschaert, J.M.: *Biochim. Biophys. Acta.*, **1149**, 79-85 (1993)
17) Papadopoulou, L.C., Theophilidis, G., Thomopoulos, G.N., Tsiftsoglou, A.S.: *Biochem. Pharmacol.*, **57**, 481-489 (1999)
18) Papadopoulou, L.C., Tsiftsoglou, A.S.: *Biochem. Pharmacol.*, **52**, 713-722 (1996)
19) Takeda, N.: *Mol. Cell Biochem.*, **176**, 287-290 (1997)
20) Ellis, C.N., Ellis, M.B., Blakemore, W.S.: *Biochem. J.*, **245**, 309-312 (1987)
21) Lim, L.O., Neims, A.H.: *Biochem. Pharmacol.*, **36**, 2769-2774 (1987)
22) Gaines, G., Attardi, G.: *J. Mol. Biol.*, **172**, 451-466 (1984)
23) Eymin, B., Haugg, M., Droin, N., et al.: *Oncogene*, **18**, 1411-1418 (1999)
24) Manzano, A., Roig, T., Bermudez, J.: *Am. J. Physiol.*, **271**, C1957-1962 (1996)
25) Valls, V., Castelluccio, C., Fato, R., et al.: *Biochem. Mol. Biol. Int.*, **33**, 633-642 (1994)
26) Solaini, G., Landi, L., Pasquali, P., Rossi, C.A.: *Biochem. Biophys. Res. Commun.*, **147**, 572-580 (1987)
27) Chopra, S., Kaufman, J.S., Jones, T.W., et al.: *Kidney Int.*, **21**, 54-64 (1982)
28) Terheggen, P.M., Floot, B.G., Scherer, E., et al.: *Cancer Res.*, **47**, 6719-6725 (1987)
29) Lieberthal, W., Triaca, V., Levine, J.: *Am. J. Physiol.*, **270**, F700-708 (1996)
30) Kruidering, M., Van de Water, B., de-Heer, E., et al.: *J. Pharmacol. Exp. Ther.*, **280**, 638-649 (1997)
31) Masuda, H., Tanaka, T., Takahama, U.: *Biochem. Biophys. Res. Commun.*, **203**, 1175-1180 (1994)
32) Nishikawa, M., Nagatomi, H., Chang, B., et al.: *Arch. Biochem. Biophys.*, **387**, 78-84 (2001)
33) Inoue, M., Nishikawa, M., Sato, E., et al.: *Arch. Biochem. Biophys.*, **368**, 354-360 (1999)
34) Nishikawa, M., Nagatomi, H., Nishijima, M., et al.: *Cancer Lett.*, **171**, 133-138 (2001)
35) Chang, B., Nishikawa, M., Sato, E., Inoue, M.: submitted

パラコート毒性とミトコンドリア障害

平井 圭一・島田 ひろき

●はじめに

1961年に英国バークシャー州のICI研究所で開発された除草剤パラコート（paraquat）は，日照下に葉緑体の光化学系Ⅰで生成するNADPHを介して1電子還元されてパラコートラジカルになり，次いで分子状酸素を1電子還元して活性酸素を発生することで殺草作用を発揮すると考えられている．人体に対する毒性もきわめて強く，誤飲や自殺企図による急性肺，腎，副腎不全などの致命的な多臓器障害をひき起こす[1～3]．たとえ急性死を免れても，炎症肺組織のリモデリングによって重篤な肺線維症をひき起こすことが多い．また，パラコートの取扱い従事者への暴露による呼吸器，皮膚，眼組織への急性傷害が多く報告されており，とくにアフリカ・アジア地域における事故の増加が懸念されている．生態系における動植物への影響も無視できない．最近，パラコートはパーキンソン病のリスクファクターとしての可能性が注目され始めている[4]．

パラコートの急性細胞毒性の発現に活性酸素が関与することは，一般の信じるところである．1974～76年，その生成機構として，ミクロソームのphaseⅠ薬物代謝酵素系によるとの説が米国を中心に出され，一件落着の感があった．それにもかかわらず，今日に至ってもいまだにパラコート中毒の解毒法や治療法の解決がみられていない．

他方，パラコートの毒性機構としてミトコンドリアとの関連を示唆する研究も1968年から報告されていた．1985年，筆者らはパラコート投与ラットの電子顕微鏡観察で，肺の細胞壊死に先立ち肺胞上皮Ⅱ型細胞のミトコンドリアが選択的に空胞化することに気づき，ミトコンドリアの重要性を指摘した[5]．

本稿では，パラコートの新しい毒性機構としてのミトコンドリア外膜の活性酸素生成系の役割を述べ，薬物代謝酵素系はむしろパラコート解毒系としての意義を述べる．

1. パラコートの化学反応

パラコート（1,1′-ジメチル-4,4′-ビピリジニウムジクロリド[*1]；分子量257；メチルビオロゲン）は，アスコルビン酸，光合成，パラコート還元酵素系などによって1電子還元され，青色のパラコートラジカルになる．パラコートラジカルは分子状酸素を1電子還元してスーパーオキシド（$O_2^{\cdot-}$）を生成する（図1）．$O_2^{\cdot-}$は引き続いて過酸化水素

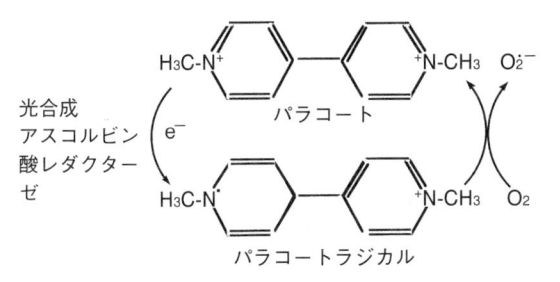

図1 パラコートの酸化還元反応と$O_2^{\cdot-}$の生成

[*1] 従来から，ビピリジリウムと誤って記載されてきた．

(H_2O_2),ヒドロキシルラジカル($HO^•$),過酸化脂質($LOO^•$)などの種々の活性酸素に変化し細胞毒性を発揮する.

2. 古典的なパラコート毒性機構

a. ミクロソーム説

Busら[6]は1974〜76年にかけて,ラット肝ミクロソームがNADPH存在下にパラコートから活性酸素を生成したとして,phase I 薬物代謝酵素系のNADPH-シトクロムcレダクターゼ[*2]をパラコート毒性発現の本態と考えた.このとき生じる活性酸素が膜脂質を過酸化することが細胞死につながると主張した.この考えには,フェノバルビタール投与ラットではパラコート毒性が低下するという矛盾があったが,解決されないまま今日に至っており,Busらの説は最近まで受け入れられてきた.ここでさらに問題となるのは,ミクロソーム画分の主成分は粗面小胞体を指しているのであり,後述するようにこれらの画分はパラコートと反応しないばかりか[7,8],電子顕微鏡観察によってもその構造に変化が観察されないことである.

b. 薬物代謝酵素説の矛盾

phase I 薬物代謝酵素系で代謝されてラジカルを形成する化学物質として,ナフタレン,フェノバルビタール,3-メチルインドール,1,1′-ジクロロエチレン,ブロモベンゼン,四塩化炭素,ハロセンなど,多くの薬物が知られている.これらの物質は肝細胞や気管支Clara細胞などの滑面小胞体の増生や空胞化をひき起こす(文献9を参照).しかし,パラコートの場合,投与動物の肺や肝細胞の細胞内超微形態の1次的な初期変化をみる限り,図2のように滑面小胞体および粗面小胞体のいずれの小胞体とも異常はまったく認められない[5, 10].しかも,薬物代謝酵素系がよく発達し,滑面小胞体がもっとも豊富な肝細胞やClara細胞はパラコートに抵抗性である.

3. 新しい毒性機構としてのミトコンドリア

a. パラコート投与による形態変化

パラコート投与動物では多臓器障害を起す.とくに,肺ではパラコートが肺胞上皮II型細胞に蓄積し[12],同細胞が最初に傷害される.ラット腹腔内に40 mg/kgのパラコートを単回投与すると,II型細

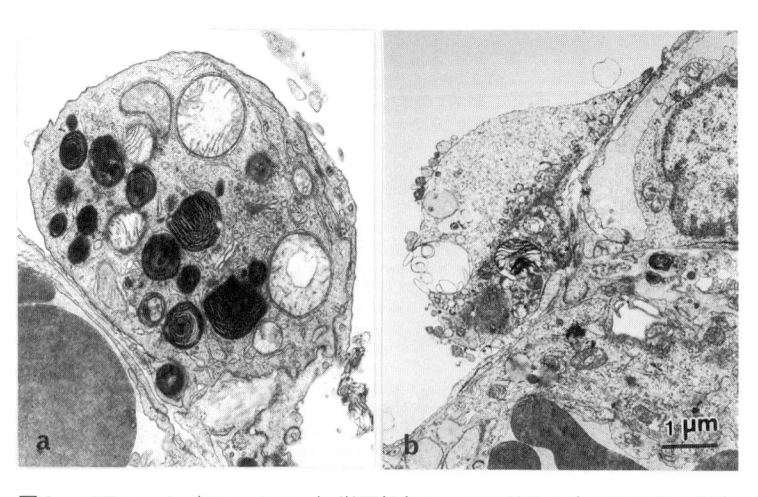

図2　パラコート(40 mg/kg i.p.)単回投与ラットの肺胞上皮II型細胞の傷害
(a) 投与6時間後のミトコンドリアの選択的膨化, (b) 24時間後の細胞壊死

[*2] NADPH-シトクロムP-450レダクターゼと同義語.

胞のミトコンドリアだけが最初に膨化空胞化し，細胞は壊死する（図2）[5]．このII型細胞ミトコンドリアの選択的な破壊は，培養肺細胞においても同様に観察される[13]．

b. 電子伝達系の関与

パラコートとミトコンドリアとの関係は，すでに1968年，Gageによって示唆されていた[14]．それによると，ラット肝亜ミトコンドリア粒子によるNADHまたはβ-ヒドロキシ酪酸を基質とする酸素吸収がパラコートで促進されるという．その後，パラコートが電子伝達系複合体Iの活性を促進するという説，反対に阻害するという説，複合体Iによるパラコートラジカルの生成，シトクロムcオキシダーゼ活性の阻害，Mg^{2+}-ATPase活性の低下と酸化的リン酸化の阻害，脱共役作用などが報告されている（文献15, 16）を参照．いずれも魅力的な説であったが，試験管内で破壊したミトコンドリアを用いた実験であり，相反する矛盾した内容も見受けられた．しかも，パラコートはミトコンドリア膜を透過できない[11,14]という大きな問題があり，生体内や無傷のミトコンドリアで，果たしてパラコートが直接電子伝達系と作用しうるのか疑問である．むしろ，他の系によってミトコンドリアの膜透過性が破綻した後に起こる2次的反応と考えるほうが自然である．

c. 分離ミトコンドリアの形態変化

1992年にHiraiらは，ラット肝からミクロソームの混入がない無傷のミトコンドリアを分離し，パラコートとの反応性を検討した[9]．分離したミトコンドリアはコンデンス型（condensed conformation）とオーソドックス型（orthodox conformation）の両方が混在しているが，リン酸存在下に37℃で30分間好気的に飢餓（starvation）状態にさせると，

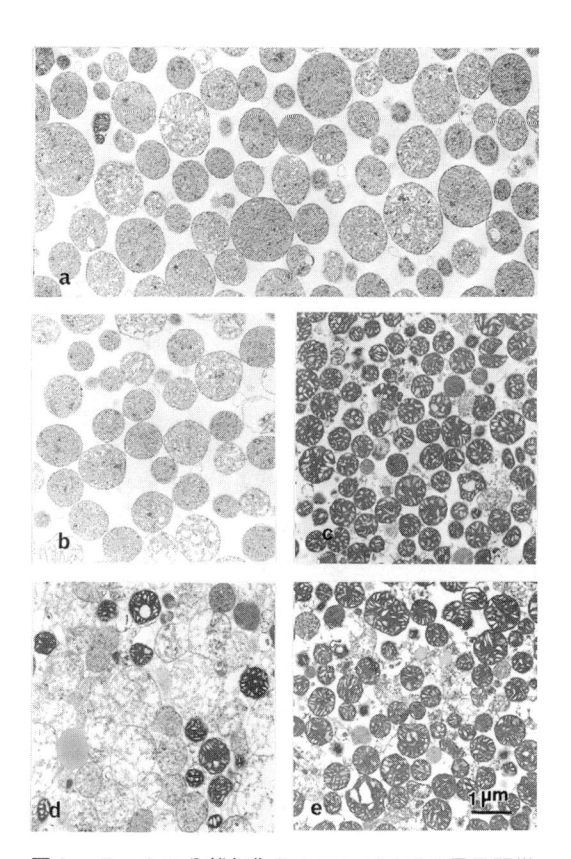

図3 ラットの分離無傷ミトコンドリアの電子顕微鏡像[9]
(a) リン酸存在下に30分間（37℃）飢餓状態にした対照，(b) 3 mM パラコート，(c) 2 mM NADH，(d) パラコート＋NADH，(e) パラコート＋NADH＋2800 IU/mL SOD

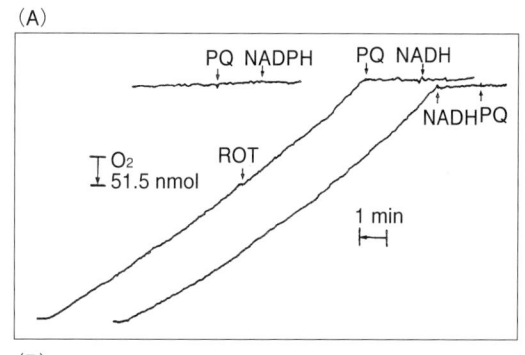

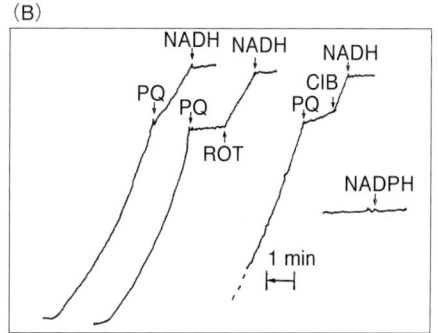

図4 ラット肝分離無傷ミトコンドリアの酸素吸収[9]
(A) 無傷ミトコンドリア．PQ：3 mM パラコート，4 mM NADH，ROT：5 μM ロテノン，4 mM NADPH，
(B) 亜ミトコンドリア粒子の酸素吸収．2 mM NADH，2 mM NADPH，CIB：0.5 mM シバクロン

ミトコンドリアはオーソドックス型を呈するようになる（図3）．このようなミトコンドリアをパラコートと反応させても形態変化はみられないが，ミトコンドリア膜を透過できないNADHと反応させるとミトコンドリアはコンデンス型に変化した．このとき酸素吸収はなく，ミトコンドリアが1電子還元された状態で留まっていると思われる．この形態変化はNADPHでは起こらず，NADHに特異的である．

パラコートとNADHを同時添加すると，ミトコンドリアは膨化空胞化し，パラコート投与動物の組織内で見られるミトコンドリア変性像と一致したパターンを示した．しかし，ミトコンドリア膜を透過できるNADPHまたはリンゴ酸とグルタミン酸を加えてもパラコートによるミトコンドリア破壊は起こらず，複合体Iの阻害剤ロテノンにも非感受性であることから，電子伝達系の関与は否定的である．

d. 酸素吸収

無傷のラット肝ミトコンドリアは，パラコート単独またはNADH単独では酸素吸収を示さない（図4）[9]．これにNADHまたはパラコートをそれぞれに添加すると，ロテノン非感受性の酸素吸収が起こる．一方，亜ミトコンドリア粒子にNADHを加えると，電子伝達系を介する酸素呼吸が起こり，複合体Iの阻害剤ロテノンおよびシバクロンで阻害される．しかし，これらの阻害剤でパラコートとNADHによる酸素吸収は阻害されないことから，パラコート毒性に対する電子伝達系の関与はさらに否定的である．

4. 活性酸素の生成

a. スカベンジャーの影響

電子顕微鏡による観察では，パラコートとNADHによるミトコンドリアの破壊がスーパーオ

表1 パラコートとNADHによるミトコンドリア破壊とラジカルスカベンジャーの影響

処 理	膨化または破壊されたミトコンドリア（％）
対照 NADH（2.0 mM）	3.0 ± 1.6（S.D.）
NADH ＋パラコート（3.0 mM）	29.9 ± 3.8
＋ベンゾキノン（0.1 mM）	5.0 ± 2.0[a]
＋SOD（2800 IU/mM）	8.4 ± 3.4[a]
＋シトクロム c（0.1 mM）	5.6 ± 1.7[a]
＋ビタミンC（3.0 mM）	27.1 ± 5.3

マウス（$n=4$）肝ミトコンドリアは37℃で15分間インキュベートした[9]．
a) $p<0.01$（NADH＋パラコートに対し）

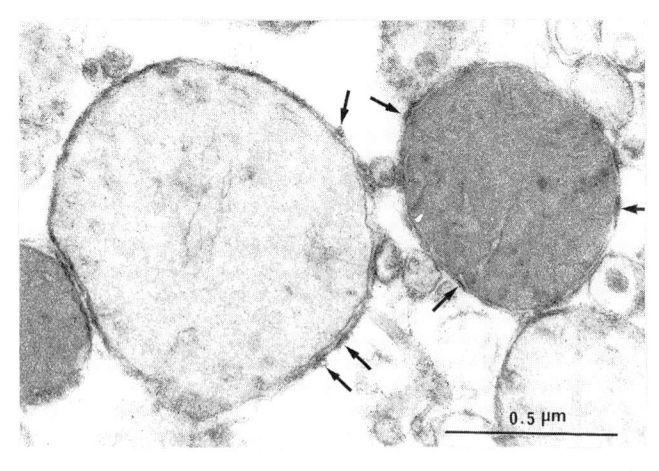

図5 ラット肝分離無傷ミトコンドリアの電子顕微鏡細胞化学[17]
3 mM パラコート，20 mM NADH，1 mM CeCl₃，1 μM pHMB（p-ヒドロキシメルクリ安息香酸），5 μM ロテノンを含むトリス-マレイン酸-スクロース液で，20分間（37℃）反応し，固定後樹脂包埋して観察した．矢印は H_2O_2 と $CeCl_3$ との反応による $Ce(OH)_3OOH$ の非結晶性沈殿を示す．

キシドジスムターゼ（SOD）やシトクロム c に よって防がれる（図3，表1）ことから，$O_2^{\cdot-}$ の生 成が重要な因子になっていることが推測された．さ らに，ミトコンドリアの外から加えたパラコートと NADHや高分子スカベンジャーのSODなどがミト コンドリア膜不透過性であることを考えると，パラ コートによる活性酸素生成がミトコンドリア外膜の 外側面，すなわち細胞質側で起こると考えられる[9]．

b. 生成部位

パラコートによって生成する $O_2^{\cdot-}$ は自動的に速 やかに H_2O_2 に不均化される．そこで，H_2O_2 が塩 化セリウム（$CeCl_3$）と反応して，電子密度の高い セリウムペルヒドロキシド〔$Ce(OH)_3OOH$〕の沈 殿となることを利用し，電子顕微鏡的にその生成部 位を検出した．ラット肝から分離した無傷のミト コンドリアをパラコートとNADHを組み合わせて反 応させたところ，ミトコンドリア外膜の外側表面に 電子密度の高い非結晶性沈殿が生じた（図5）[17]． この沈殿反応はベンゾキノンやカタラーゼ，シトク ロム c などで抑制され，沈殿物はおもにセリウム元 素からなることがエネルギーフィルター型透過電子 顕微鏡分析で確認された（図6）．これらの結果か ら，パラコートによる活性酸素生成はミトコンドリ ア外膜で起こることが確かとなった．

c. 分離ミトコンドリア外膜

Shimadaら[18]は，ラット肝から分離したミトコ ンドリアを低張処理し，ショ糖密度不連続勾配遠心 法で内膜の混入が少ない外膜画分を得，パラコート を電子受容体とするロテノン非感受性のNADH酸 化活性の存在を確認した（図7）．この反応は NADHに特異的であり，パラコートの代わりにビ タミン K_3 を電子受容体にすることができ，好気的 条件下に $O_2^{\cdot-}$ を生成してNBT（ニトロブルーテト ラゾリウムクロリド）色素を還元した．ミトコンド リア外膜にはNADH-シトクロム b_5 レダクターゼ が局在しており，シトクロム c を電子受容体とする NADH酸化反応は抗シトクロム b_5 レダクターゼ抗 体で抑制される[18]．しかし，パラコートの場合は同 抗体で抑制されないので，NADH依存性にキノン レダクターゼ活性をもつ別の酵素の存在が示唆され る．シトクロム b_5 レダクターゼの阻害剤 p-ヒドロ キシメルクリ安息香酸（pHMB）もミトコンドリア のパラコート還元を阻害しなかった．

5. NADH-キノンオキシドレダクターゼ

補酵素を基質にしてキノン類を還元する酵素で

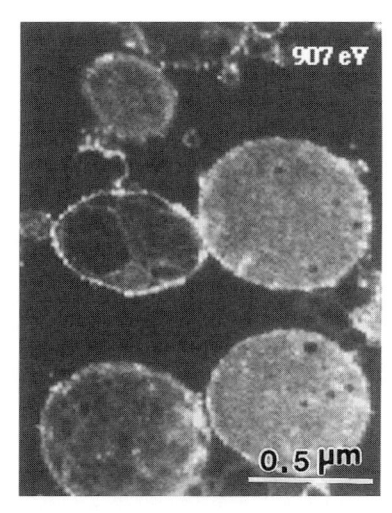

図6 エネルギーフィルター型透過電子顕 微鏡解析[17]による，図5と同様のミト コンドリアのセリウム元素の分布像

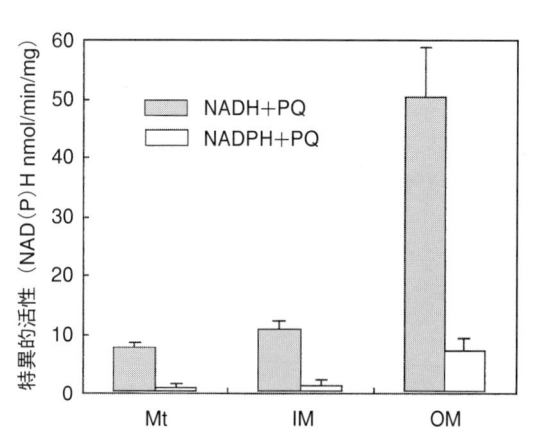

図7 パラコートによるロテノン非感受性 NADH 酸化活性の局在
0.2 mM NAD(P)H，10 mM パラコートを用い，紫外吸 収でNAD(P)Hの酸化速度を測定した．Mt：無傷ミト コンドリア，IM：ミトコンドリア内膜画分，OM：外 膜画分

DT-ジアフォラーゼと呼称される NAD(P)H-キノンオキシドレダクターゼ1（NQO1 : EC 1.6.99.2）が細胞質とミトコンドリアマトリックスに存在している[20]．NQO1 は NADH または NADPH を基質とし，キノン類以外にもニトロベンゼンやアゾ色素などを2電子還元してヒドロキシル化し，おもに化学物質の phase II 薬物代謝解毒系酵素の役割を果たしている．ミトコンドリア外膜でパラコートを還元する酵素活性が NADH 特異的に1電子還元する点では NQO1 と若干異なるが，NQO1 の阻害剤ジクマロールによって阻害されるなど，ミトコンドリアの NADH-キノンオキシドレダクターゼm（NQOm）は NQO ファミリーに属する可能性が高い．

ミトコンドリア外膜を Triton X-100 およびデオキシコール酸で処理しても，酵素活性を示すタンパク質は抽出されずに膜沈渣に残るので，本態は膜構造に強く結合した因子と思われる[18]．最近，Triton X-100 およびデオキシコール酸で前処理した外膜から SDS と界面活性剤 IGEPAL CA-630 を用いて，パラコートと NADH から活性酸素を生成するタンパク成分が抽出された（図8）．このタンパクは native-PAGE と SDS-PAGE から約 400 kDa の複合体タンパク質であり，少なくとも 45 kDa のサブユニットなどから構成されることが明らかになってきた（Shimadaら，準備中）．ラットの腎や副腎細胞のミトコンドリア外膜に，NADH に特異的な NADH-セミデヒドロアスコルビン酸レダクターゼ活性の存在が報告されているが[21]，それとの関係は今のところ不明である．

図8 ミトコンドリア外膜の NADH-パラコートによる NBT 還元反応
Triton X-100/デオキシコール酸抽出沈渣（OM-ppt）から SDS/IGEPAL CA-630 による抽出物の 105,000×g, 60 分間遠心の上清（SI-ext）と沈渣（SI-ppt）を得た．

6. パラコート毒性発現におけるミトコンドリアの重要性

1992年に筆者らは，パラコート毒性発現機構としてミトコンドリアでの活性酸素生成の重要性を指摘した[9]．その後 Amanov ら[22]はパラコート投与ラットの肺や腎のモノアミンオキシダーゼ（ミトコンドリア膜間隙酵素）の脱アミノ反応の低下と膜脂質過酸化の亢進を報告した．Costantini ら[23]は，パラコートが Ca^{2+} 依存性の membrane permeability transition pore（PTP）を開口させてミトコンドリア膜の脱分極とマトリックスの膨化を誘起することを報告している．このとき，ゲート電位をマイナスに荷電する必要があり，筆者らの実験結果を支持する所見である．

最近，ミトコンドリアの Mn-SOD が酸化ストレスによる細胞傷害を抑制する証拠が網膜上皮や肝細胞などで得られている．ヒト Mn-SOD の cDNA を導入して発現させた CHO 細胞が有意なパラコート耐性を示した[24]．このように，パラコート毒性とミトコンドリアとの関係が重視されるようになる一方，豊富なミトコンドリアをもち，呼吸機能の高い心筋に対しては傷害を与えないことは不思議である．これに対する興味ある知見が Yamada と Fukushima[25]によって得られている．それによると，ロテノン耐性の NADH 依存性パラコート還元による $O_2^{\cdot-}$ 生成が，ラットの肺などでは起こるが，心筋ではみられないという．

7. 滑面小胞体の phase I 薬物代謝酵素系の役割

パラコート毒性に対するミトコンドリアの重要性が明らかにされたが，試験管内でミクロソームによるパラコート還元が起こることも事実である．もし小胞体の phase I 薬物代謝酵素系がパラコート毒性の主要ルートであるとすれば，それを過剰に発現したときはパラコートに対する生存率は低下するは

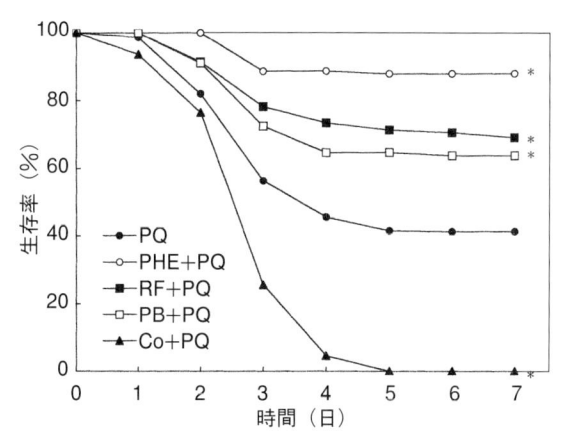

図9 CYP 誘導剤前処置（2日間）ラットのパラコートに対する生存曲線
PQ：40 mg/kg パラコート, PHE：フェニトイン, RF：リファンピシン, PB：フェノバルビタール, Co：CoCl₂

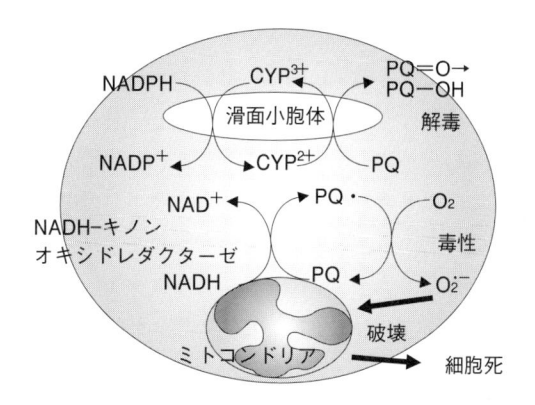

図10 パラコートのミトコンドリアによる毒性発現代謝と小胞体による解毒代謝の仮説

表2 マウス肝細胞画分におけるパラコートモノピリドンの生成[7]

画分	モノピリドン nmol/mg タンパク質
全ホモジネート	0.017
ミクロソーム（105,000 × g）	n.d.
ミクロソーム上清	1.38
ミクロソーム上清（-NADPH）[a]	n.d.

反応液：3mM パラコート塩酸塩，3mM NADP⁺，イソクエン酸脱水素酵素，イソクエン酸ナトリウム，リン緩衝液（pH 7.4）．37℃，20時間反応後，パラコートモノピリドンを SepPAKC18 カラムで抽出し HPLC クロマトグラフィーで定量した．n.d.：検出不能．
a) NADPH 生成系を省いてある．

ずである．しかし実際には，フェノバルビタール前投与ラットのパラコート生存率が有意に上昇した[9]．しかも，シトクロム P-450（CYP）系の合成阻害剤 CoCl₂ を前投与するか，あるいはパラコート投与後に CYP の活性阻害剤 SKF525-A を追加投与することにより，強いパラコート毒性が出現した．これらの結果は，CYP 系がパラコートを解毒的に代謝することを示唆している．すなわち，試験管内の好気的な人工環境下でミクロソームを用いる実験では，細胞内区画が破壊された条件下で活性酸素が生じたと考えられる．しかし生体内では，パラコートは小胞体系によってむしろ酸化されてパラコートモノピリドンに代謝され排泄されるといわれている[26]．

マウスをフェニトインやリファンピシン，フェノバルビタールで前処理しておくと，肝の CYP3A や CYP2B と NADPH-シトクロム P-450 レダクターゼが誘導され，パラコートに対する生存率が大幅に改善された（図9）[7]．これらのことから phase I 薬物代謝酵素系がパラコートの解毒代謝に強く関与していることが示唆された．

最近 Nakajima ら[8]は，パラコート耐性ラット肝のパラコート代謝活性を有する細胞画分は，105,000×g の遠心で沈殿物として回収されるミクロソームではなくその上清に増加していることを示し

た．筆者らもマウス肝ミクロソーム画分には活性がなく，その上清にパラコートをパラコートモノピリドンに代謝する活性があることを見い出した（表2）[7]．このことはミクロソーム画分がおもに粗面小胞体を含むのに対し，その上清が滑面小胞体から構成されることと符合している．したがって，従来から汎用されたミクロソーム画分には滑面小胞体が混在していた可能性があり，実際 CYP 系誘導剤によって滑面小胞体系のみが増生することは既定の事実である．

8. パラコート中毒の治療と予防

パラコート毒性の発現が活性酸素を介することは以前から知られており，治療目的で活性酸素のスカ

ベンジャーであるカタラーゼ，SOD などの投与が試みられたが，効果に関しては賛否両論がある．その原因のひとつは，細胞内のパラコート作用部位にこれらの膜不透過性高分子が到達しにくい点にあった．この点を重視して治療効果が期待される物質を検索したところ，スカベンジャー活性を有する静脈麻酔剤プロポホール，α-トコフェロール，抗酸化食品 AOB® の抽出物などがパラコート投与マウスや培養細胞の生存率を有意に回復することが観察された[27]．これらの物質は標的細胞内に取り込まれ，ミトコンドリア周辺で効果的にスカベンジ活性を発揮するものと考えられる．

● おわりに

図10に示すように，パラコートの毒性発現と代謝において，従来とまったく異なる系が考えられる．毒性発現機構としてミトコンドリア外膜の NADH-キノンオキシドレダクターゼ$_m$が，解毒機構として phase I 薬物代謝酵素系の滑面小胞体 CYP3A などの関与が明らかにされれば，パラコート中毒の治療法の開発が進むことが期待される．世界的規模で発生している取扱い従事者のパラコート事故に対する予防の観点から興味がもたれる．

さらに，2000年の北米における疫学調査から，パラコートの散布とジチオカルバメート殺菌剤（マンネブ）の散布が一致した地域では，そうでない地域に比べパーキンソン病の発症が有意に増加しているという報告がなされ，その可能性は動物実験でも指摘されている[4]．東京都立衛生研究所によるとマンネブは内分泌撹乱作用物質（環境ホルモン）と疑われており[28]，マンネブとパラコートとの混合暴露がパーキンソン病発症のリスクファクターとなることが注目される．

平成13年度文部科学省科研費13770861，平成13年度金沢医大奨励研究1．S2000-3の助成による．

● 文　献

1) 名取　博，野村直弘，大道光秀ら：救急医学，**11**，941-948 (1987)
2) 若杉長英：救急医学，**11**，935-940 (1987)
3) 篠崎正博，徳永尚登，加来信雄，無敵剛介：救急医学，**11**，951-956 (1987)
4) Thiruchelvam, M., Brockel, B. J., Richfield, E. K., et al.: *Brain Res.*, **873**, 225-234 (2000)
5) Hirai, K.-I., Witschi, H., Côté, M. G.: *Exp. Mol. Pathol.*, **43**, 242-252 (1985)
6) Bus, J. S., Cagen, S. Z., Olgaard, M., gibson, J. E.: *Toxicol. Appl. Pharmacol.*, **35**, 501-513 (1976)
7) Shimada, H., Hirai, K.-I., Koyama, J.: *Arch. Biochem. Biophys.*, in press
8) Nakajima, M., Nagao, M., Iwasa, M., et al.: *Toxicology*, **154**, 55-66 (2000)
9) Hirai, K.-I., Ikeda, K., Wang, G.-Y.: *Toxicology*, **72**, 1-16 (1992)
10) Modé, J., Ivemark, B. I., Robertson, B.: *Acta Pathol. Microbiol. Scand.*, **80**, 54-60 (1972)
11) Smith, L. L., Nemery, B.: Target Organ Toxicity, Vol. II, pp. 45-80, CRC Press, Florida (1986)
12) Foth, H.: *Crit. Rev. Toxicol.*, **25**, 165-205 (1995)
13) Wang, G.-Y., Hirai, K.-I., Shimada, H., et al.: *J. Electron Microsc.*, **41**, 181-184 (1992)
14) Gage, J. C.: *Biochem. J.*, **109**, 757-761 (1968)
15) 平井圭一，伊野木清三：救急医学，**11**，927-934 (1987)
16) 平井圭一，青野　允：金沢医大誌，**20**，492-498 (1995)
17) Hirai, K.-I., Pan, J., Shimada, H., et al.: *J. Electron Microsc.*, **48**, 289-296 (1999)
18) Shimada, H., Hirai, K.-I., Simamura, E., Pan, J.: *Arch. Biochem. Biophys.*, **351**, 75-81 (1998)
19) Borgese, N., Pierini, G.: *Biochem. J.*, **239**, 393-403 (1986)
20) Chen, S., Knox, R., Wu, K., et al.: *J. Biol. Chem.*, **272**, 1437-1439 (1997)
21) Diliberto, E. J. Jr., Dean, G., Carter, C., Allen, P. l.: *J. Neurochem.*, **39**, 563-568 (1984)
22) Amanov, K., Mamadiev, M., Khyzhamberdiev, M. A., Gorkin, V.: *Vopr. Med. Khim.*, **40**, 22-28 (1994)
23) Costantini, P., Petronilli, V., Colonna, R., Bernardi, P.: *Toxicology*, **99**, 77-88 (1995)
24) Warner, B., Papes, R., Heile, R., et al.: *Am. J. Physiol.*, **246**, 605 (1993)
25) Yamada, K., Fukushima, T.: *Exp. Toxicol. Pathol.*, **45**, 375-380 (1993)
26) 福家千昭，飴野　清，飴野節子ら：日法医誌，**47**，33-45 (1993)
27) Ariyama, J., Shimada, H., Aono, M., et al.: *Intensive Care Med.*, **26**, 981-987 (2000)
28) 内分泌かく乱作用が疑われる化学物質の生体影響データー集，B-2-2マンネブ (Maneb)，東京都立衛生研究所毒性部病理研究科編 (2000)

環境物質とミトコンドリア代謝

吉塚 光明

●はじめに

われわれのまわりの大気中，水中，土壌中にはさまざまな有害物質が存在している．これらの物質は空気，飲み水，あるいは食物とともにヒトの体内にはいり，ときには皮膚を通じても吸収される．体内に吸収された物質は諸臓器に集積し，ときとしてヒトに重篤な障害をひき起こす．

一般に，環境中に存在する化学物質は生物の体内に濃縮されて高い濃度を示すことが多い．これを生物学的濃縮とよぶ．ヒトは食物連鎖の頂点に位置するために，水中や土壌中の濃度が比較的低い場合でも影響を受ける危険性がある．わが国において，環境汚染物質による疾病として，古くは足尾銅山の鉱毒事件，カドミウム汚染が原因と考えられる富山県神通川流域のイタイイタイ病，有機水銀による水俣病の発生などが知られている．近年，環境中にさまざまな種類の食物アレルギー抗原やきわめて低濃度で生物に影響を与える内分泌撹乱物質の存在が指摘されている．

環境汚染物質による細胞傷害の機序は，原因物質の種類によりさまざまである．本稿では，内分泌撹乱物質のひとつとして注目されている有機スズ化合物，およびミトコンドリアに親和性を有する重金属のカドミウムを取り上げる．

1. 有機スズの細胞毒性

a. 環境中の有機スズ化合物

無機スズは古くからヒトに知られた金属であり，銅との合金である青銅は鉄器が実用化される以前に青銅器時代を築いた．現代でも，ブリキやハンダの原料として，またガラス製造や美術工芸品の素材として広く使われている．

これとは異なり，有機スズ化合物は19世紀半ばに有機合成化学によって作り出された人工産物である．塩化ビニル樹脂の安定剤としての使用が確立された第二次世界大戦以降に需要が急増し，1960年代からは殺カビ剤や殺菌剤として製紙工業や皮革の加工に，さらに殺虫剤や駆虫剤として広く世界中で使用されてきた．その中でも，トリブチルスズ（TBT）化合物は海藻や貝類に強い毒性を有することから，塗料に混入して船底に塗布し，海藻，カキ，フジツボなどの付着を防止する目的で広く使用された．また，養殖漁業においては，生簀の漁網に塗布して海藻や貝類の付着による目詰まりを防ぐために使われた．汚染防止用塗料に含まれるTBT化合物は次第に海水中に拡散していくが，速やかに分解して毒性が低下するためにヒトに対する影響はないと考えられていた．しかし，1980年代後半に養殖魚の側彎症の成因である可能性が指摘された．さらにその後，沿岸の貝類や魚類のみならず，海鳥や海棲哺乳類の体内にも蓄積することが報告され，食物連鎖によるヒトの健康への影響が懸念されるに至った．

わが国では，有機スズ化合物を含有する船底塗料の使用は1990年に規制され，さらに1997年には国内向けの塗料の生産は中止された．国連も2003年から，有機スズ含有船底塗料の使用禁止を決定している．しかし，現時点では経済効率の面から使用を継続している国々もあり，沿岸海水の汚染はなお注意を要する問題である．

b. TBT化合物の急性毒性

本稿では，TBT化合物の中で船底塗料としてもっとも広く使用されたビス(トリブチル)スズオキシド（TBTO）について述べる．

TBTOは $(C_4H_9)_3Sn-O-Sn(C_4H_9)_3$ という化学式をもつ黄色液状の脂溶性物質であり，皮膚に触れると接触部位に有痛性の膿疱を生じる．一般に化学物質の急性毒性発現量は，動物の種，性差，年齢，投与方法などによって異なる．ラットのLD_{50}値は，経口投与では112〜194 mg/kg，経皮投与では605 mg/kg，腹腔内投与で5〜20 mg/kgと報告されている[1]．

筆者らが実験に使用したWistar系成熟雄ラットの急性毒性は，経口投与でのLD_{50}値が234 mg/kg，筋注では2340 mg/kgであった．以下の実験では，すべてLD_{50}値の1/4量を投与量とした．

c. TBTOの細胞毒性

(i) 角膜浮腫[2]

ラットの殿筋にTBTOを投与すると，約6時間

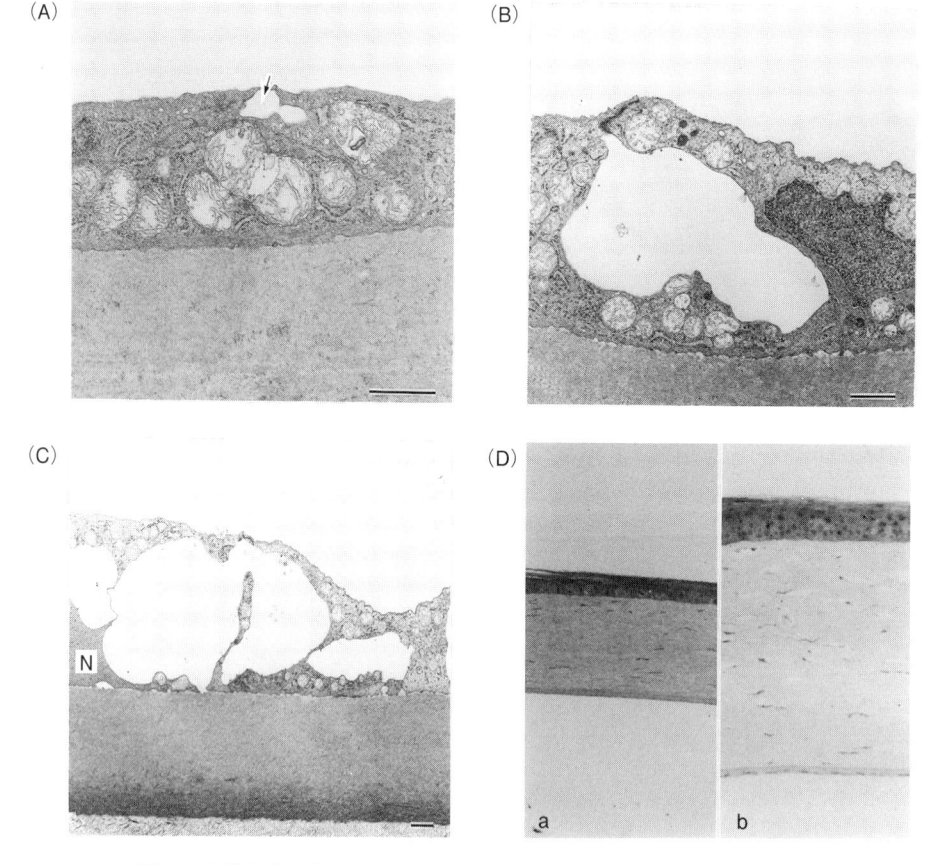

図1　角膜内皮細胞ミトコンドリアの膨化と隣接する内皮細胞間隙の離開
(A) TBTO筋注4時間後，離開（矢印）が生じる．スケールバー：1 μm．(B) TBTO筋注6時間後，内皮細胞間隙はさらに開大する．スケールバー：1 μm．(C) TBTO筋注12時間後，細胞内空胞の拡大により内皮細胞の細胞質は菲薄化する．N：核，スケールバー：1 μm．(D a) 対照群角膜の光学顕微鏡像．×170，(D b) TBTO筋注12時間後の光顕像．角膜は全層にわたって膨潤する．×170

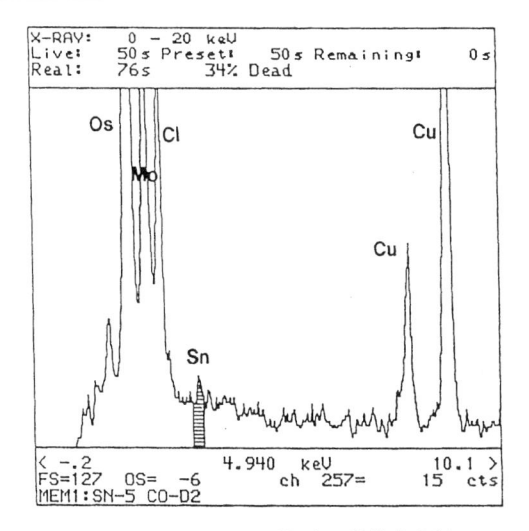

図2 エネルギー分散型X線微小分析
図1の膨化したミトコンドリアから検出されたスズのLαピーク（3.44 keV）を示す．

皮細胞のミトコンドリアの膨化とクリスタの破綻である（図1A）．次いで内皮細胞層の浮腫が生じる．内皮細胞間隙は開大し（図1B），眼房水の流入に起因する内皮細胞質内の空胞が拡大する（図1C）．時間経過とともに，浮腫は固有質から角膜全層にまで波及し，肉眼的に角膜混濁として認められるようになる（図1D）．X線微小分析を行うと，膨化したミトコンドリアの内膜に一致してスズのLαピーク（3.44 keV）が得られる（図2）．

筋肉内投与したTBTOが角膜内皮細胞のミトコンドリアに集積してエネルギー産生を障害し，内皮細胞の機能が破綻して角膜浮腫を生じると考えられる．

後から角膜混濁が肉眼的に認められるようになる．

角膜は，眼球外膜の前方1/6を占める透明無血管組織であり，前方から角膜上皮細胞層，固有質，デスメ膜，および1層の角膜内皮細胞層に分けられる．角膜の透明性は，主として角膜固有質のコラーゲン線維束の規則正しい配列に由来し，コラーゲン線維束配列の規則性は角膜内皮細胞のもつポンプ機能と柵機能（barrier function）とによって維持されている．したがって，何らかの原因により内皮細胞の機能が障害されると，眼房水が固有質へ流入して角膜浮腫を生じ，コラーゲン線維配列の規則性は失われて角膜が混濁する．

最初に出現する電子顕微鏡的形態変化は，角膜内

(ii) ミトコンドリア機能障害[3]

TBTOのミトコンドリア機能障害を示す指標として，肝細胞のミトコンドリア呼吸能をポーラログラフで測定した．対照群と比較すると，TBTO投与群ではstate3呼吸は正常に保たれるのに対し，state4呼吸は著明に障害された（表1）．TBTOが肝細胞のミトコンドリアに集積し，ミトコンドリア内膜内外の電気化学的プロトン勾配形成を障害し，ATP合成酵素を介するATP産生を阻害することを示している．

(iii) 膵におけるチモーゲン顆粒の合成，分泌阻害[4]

膵は内分泌器官であるとともに，消化酵素を合成，分泌する外分泌臓器でもある．外分泌部腺房細胞の細胞質基底部にはきわめてよく発達した粗面小胞体

表1 肝細胞ミトコンドリアの呼吸鎖機能に対するTBTO筋注の影響

	state3 呼吸	state4 呼吸	呼吸調節率（RCR）
対照群（$n=3$）	97.27±6.35	17.27±2.43	5.75±0.77
TOBO 4時間（$n=3$）	101.06±3.00	36.10[a]±5.27	2.69[a]±0.61
TOBO 8時間（$n=3$）	90.00±8.25	35.34[a]±4.10	2.55[a]±0.16
TOBO 4日（$n=3$）	88.20±6.82	16.12±2.79	5.38±0.12

呼吸基質：グルタミン酸＋リンゴ酸．
呼吸(酸素消費量)：nanoatoms O/mg タンパク質 min，数値は平均値±SE
a) $p<0.01$で有意差あり．

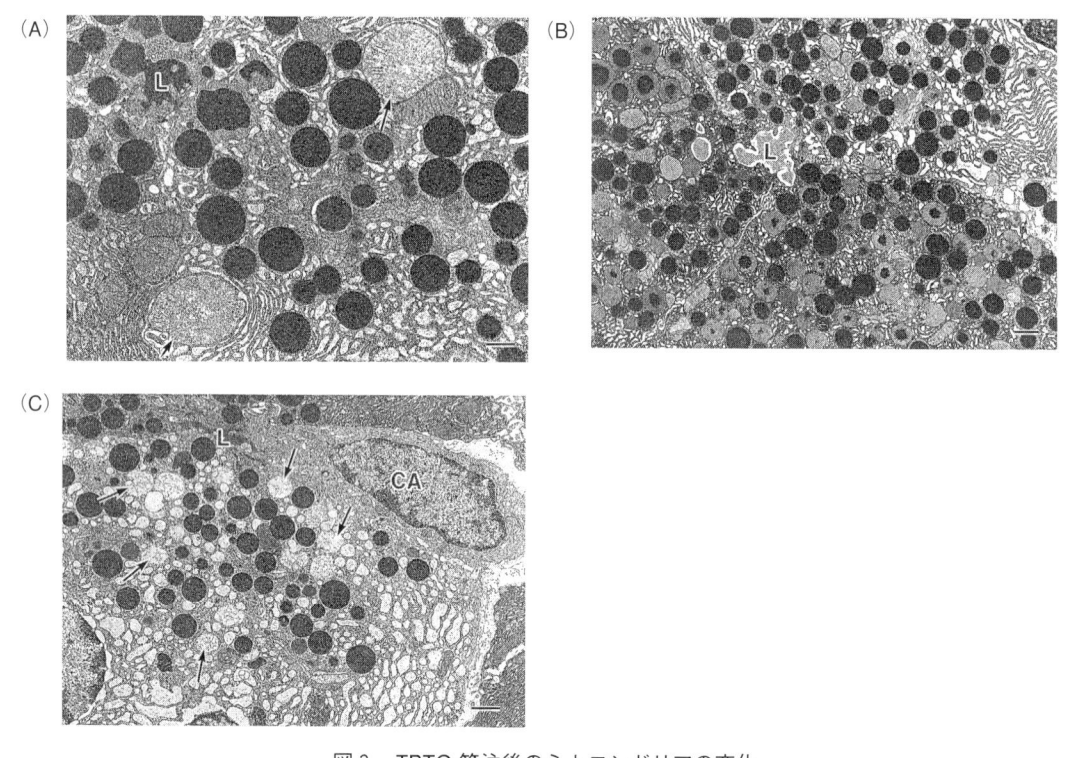

図3　TBTO筋注後のミトコンドリアの変化
(A) 筋注2時間後，膵外分泌部腺房細胞のミトコンドリアの膨化（矢印）と粗面小胞体腔の拡張が生じる．(B) 筋注2時間後，腺房細胞に暗調の中心部と明調の周辺部をもつ分泌顆粒が出現する．(C) 筋注後4〜8時間にかけて，顆粒内容が空虚となった顆粒（矢印）の出現が認められる．CA：腺房中心細胞，L：腺腔，スケールバー：1μm．

が層状に配列し，細胞頂部には多数の分泌顆粒（チモーゲン顆粒）が密集しており，この細胞の旺盛なタンパク合成能を示している．ゴルジ装置近傍の未成熟な分泌顆粒は比較的明調であるが，成熟するにつれて暗調となり，細胞頂部には均質に濃染する成熟した分泌顆粒が並ぶ．

　TBTOを筋注すると，投与2時間後には腺房細胞のミトコンドリアの膨化とクリスタの崩壊，および粗面小胞体腔の拡張が観察される（図3A）．分泌顆粒の中に，濃染する中心部と明調な周辺部を示す2層構造が出現する（図3B）．X線微小分析を行うと，膨化したミトコンドリアに一致してスズのLαピークが得られる．投与後4〜8時間にかけて粗面小胞体腔の拡張は進行し，顆粒内容が空虚となった分泌顆粒が現れ，濃染する成熟分泌顆粒の数は減少する（図3C）．

　粗面小胞体腔の拡張は，タンパク合成を阻害するシクロヘキシミド（cycloheximide）などの投与の際に見られることが知られている．ミトコンドリアの膨化は，この細胞小器官の機能障害の形態学的表象である．X線微小分析によってスズがミトコンドリアに局在することが示されたことから，TBTOが膵外分泌部腺房細胞のミトコンドリアに集積してATP産生を障害し，粗面小胞体でのタンパク合成が阻害されたと考えられる．未成熟な2相性の分泌顆粒の出現はタンパク合成阻害に起因する顆粒内容の成熟障害を示すものと考えられる．

　チモーゲン顆粒の合成と分泌に及ぼすTBTOの影響を明らかにするために，膵の消化酵素の分泌を促進するパンクレオザイミン（CCK-PZ，コレシストキニン）と同様のはたらきをもつセルレイン（caerulein：Cn）を用い，顆粒の分泌と分泌後の合成能を検討した．体重1kg当たりに1μgのCnを腹腔内投与すると，投与15分後には顆粒は腺腔内に分泌されて著明に減少する．しかし，TBTO投与6時間後にCnを投与すると，顆粒の数はほと

表2 チモーゲン顆粒分泌に対する TBTO の影響（腺房細胞1個当たりのチモーゲン顆粒数）

	対照群の顆粒数	Cn 投与 15 分後の顆粒数
TOBO（−）	82.000 ± 4.025 ($n=160$)	19.400[a] ± 2.046 ($n=160$)
TOBO（＋）	72.525 ± 2.828 ($n=160$)	68.575 ± 2.157 ($n=160$)

n は計測した腺房細胞数．数値は平均値 ± SE
[a] $p<0.001$ で有意差あり．

表3 チモーゲン顆粒合成に対する TBTO の影響（腺房細胞1個当たりのチモーゲン顆粒数）

Cn 投与 15 分後の顆粒数	Cn 投与 6 時間後の顆粒数	
（対照群）($n=160$)	TOBO（−）($n=160$)	TOBO（＋）($n=160$)
19.375 ± 3.490	65.900[a] ± 2.187	23.900 ± 2.054

n は計測した腺房細胞数．数値は平均値 ± SE
[a] $p<0.001$ で有意差あり．

んど減少しなかった（表2）．Cn 投与によって減少した顆粒数は，対照群では6時間後にはほぼ回復するが，TBTO 投与群では明らかな顆粒の増加が認められなかった（表3）．これらのことは，TBTO によるミトコンドリアの機能障害によって腺房細胞のエネルギーが涸渇し，チモーゲン顆粒の分泌と合成が阻害されたことを示している．

しかし，このような形態学的変化は一過性であり，TBTO の排泄により血中濃度が低下すると次第に回復する．

(iv) TBTO の排泄[5]

体内に吸収された TBTO は血中から肝や腎に移行し，胆汁や尿中に排泄される．一方，カドミウムや鉛，水銀などの重金属は胆汁や尿中に排泄されるとともに，唾液へも排泄されるため，唾液中の濃度はこれらの重金属の慢性曝露の指標のひとつとされている．

TBTO の唾液への排泄動態を知る目的で，筋注後に顎下腺の導管開口部から唾液を経時的に採取し，同時に血液を採取して原子吸光分光光度計により分析した．血中濃度の上昇にわずかに遅れて唾液

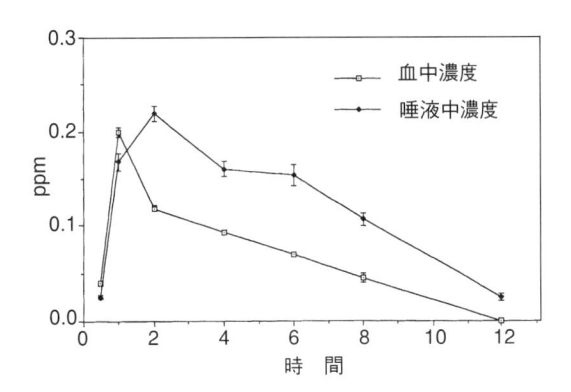

図4 TBTO 筋注後のスズの血中濃度と唾液中濃度の推移

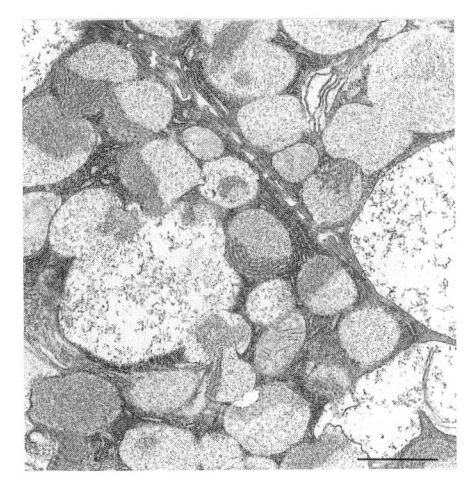

図5 顎下腺終末部腺細胞の変化
TBTO 筋注後 4〜8 時間にかけて，顎下腺終末部腺細胞の分泌顆粒内に高電子密度の層板状構造が現れる．スケールバー：1μm．

中のスズ濃度も上昇し，その後は緩やかに低下していくが，その間は常に血中濃度より高値を示した（図4）．

ラット顎下腺は漿粘液腺であり，腺房細胞はほぼ均質な明るい分泌顆粒をもつが，TBTO 投与により顆粒内に電子密度の高い層板構造あるいは同心円状の構造が出現する（図5）．このような顎下腺分泌顆粒の構造は唾液分泌促進に伴って出現することが知られており，明調の多糖類と暗調のタンパク成分との融合が不十分なために生じると考えられている．X 線微小分析により，腺房細胞内の顆粒および腺腔内に放出された原唾液中の顆粒の電子密度の高い構造に一致して，スズの局在が認められた．血

中のTBTOは顎下腺腺房細胞の分泌顆粒に取り込まれて唾液中に排泄されると考えられる．顆粒構造の変化はTBTO排泄のための唾液分泌促進を反映したものであろう．

TBTO投与後，線条部導管上皮細胞に一過性に細胞浮腫が生じ，X線微小分析により，上皮細胞の膨化したミトコンドリアにスズの局在が認められた．線条部導管は原唾液中の電解質を再吸収するので，原唾液中に排泄されたTBTOも再吸収され，一時的に導管上皮細胞を傷害すると思われる．腺房細胞の分泌顆粒と線条部導管上皮細胞の形態変化は，血中スズ濃度の低下に伴い正常に復帰する．

先に述べた膵外分泌部の腺房細胞の場合には，ミトコンドリアの膨化，粗面小胞体腔の拡張，分泌顆粒の合成，分泌障害などがみられた．膵と同様の形態学的特徴をもつ顎下腺の腺房細胞では，ミトコンドリアの膨化も粗面小胞体の変化も見られず，むしろ分泌顆粒の合成と分泌が促進されていた．このことは，本化合物の細胞毒性の臓器特異性を示すとともに，唾液腺がTBTOの排泄機構として重要な役割を担っていることを示唆する．

2. カドミウムの細胞毒性

a. 環境中のカドミウム

カドミウムは亜鉛や水銀と同じく周期表のIIb族に属し，主として亜鉛鉱に含まれている．工業には塩化ビニルの安定剤やメッキの材料として使用されている．また，家庭用電化製品やパーソナルコンピュータの普及につれて，アルカリ蓄電池の原料としての需要が著しく増加し，環境中に放出されるカドミウムの量も増加している．水中や土壌中のカドミウムは生物学的濃縮によって藻類やイネなどの植物，プランクトン，貝類，魚類の体内に蓄積し，さらに食物連鎖によって水棲，陸棲動物の体内に移行する．

ヒトが食物として摂取する際に問題となるのは，わが国においてはコメのカドミウム汚染が第一とされているが，動物の肝や腎などの内臓に高濃度存在することも注意すべきであろう．また，タバコに含まれるカドミウムの摂取により，喫煙者が高い血中カドミウム値を示すことから，高血圧症の発症や妊婦の喫煙と胎児の発育遅延との関連も指摘されている．

b. カドミウムの急性毒性

イタイイタイ病の病因としてカドミウムが取り上げられて以来，この重金属の毒性についても多数の報告がなされた．ヒトの職業性急性曝露で呼吸器系と腎に障害を生じることが報告され，動物実験でも肝障害や腎障害とともに睾丸壊死が起こることが注目された．

筆者らは，イタイイタイ病が高齢の経産婦に好発したことに着目し，カドミウムが妊娠中の動物に与える影響について検討した．Wistar系ラットの実験では，カドミウムの急性毒性発現に明らかな性差が認められ，オスに比較してメスでより強い毒性が発現した．妊娠中にはこれがさらに増強される．実験動物の繁殖地の土壌中のカドミウム濃度が低い場合には，その動物がより高い感受性を示すことも経験した．これはあらかじめ少量のカドミウムを投与して動物を感作すると，亜鉛結合タンパク質であるメタロチオネインが誘導合成され，その後に投与されたカドミウムの毒性発現が抑制されるとの報告と一致する．

(i) 角膜浮腫[6]

妊娠ラットにLD$_{50}$値の1/4量の硫酸カドミウムを腹腔内投与すると，肉眼的に認められる角膜混濁を生じる．

最初に出現する電子顕微鏡的形態変化は，有機スズ化合物の場合と同様に，角膜内皮細胞のミトコンドリアの膨化とクリスタの崩壊である．X線微小分析により，膨化したミトコンドリアに一致してカドミウムの局在が見られる．次いで，内皮細胞間隙が開大し，眼房水が固有質に流入して角膜全層に及ぶ浮腫が生じ，角膜の透明性は失われる．鉛や水銀による角膜浮腫の際にも内皮細胞ミトコンドリアの膨化が形態変化の初期反応である．X線微小分析により重金属の集積部位がミトコンドリアであることが証明され，ミトコンドリアが各種重金属の第1

標的であると考えられる(未発表データ).眼組織に対する重金属毒性に関しては,これまであまり報告がないが,肉眼的確認が容易な角膜浮腫は重金属毒性の指標となりうると考えている.

カドミウムの細胞毒性が特異な点は,妊娠時にきわめて強い毒性を発現することであり,非妊娠時に同量のカドミウムを投与しても形態学的変化はみられない.妊娠中のホルモン環境の変化が毒性発現に影響していると考えられる.

(ii) 甲状腺毒性[7]

甲状腺ホルモンは胎児の発育,ことに神経系の発育などに重要な役割を果たすため,妊娠時の母体の甲状腺機能は亢進している.甲状腺濾胞上皮細胞の基底部にはよく発達した粗面小胞体と多数のミトコンドリアが,細胞頂部にはチログロブリンを含む分泌顆粒や再吸収されたコロイド滴,およびコロイドを加水分解してチロキシン(T_4)やトリヨードチロニン(T_3)をつくる水解小体が充満している(図6).

カドミウムの腹腔内投与により,濾胞上皮細胞のミトコンドリアは膨化変性し,粗面小胞体は断裂して空胞化する.X線微小分析の結果,膨化したミトコンドリアにカドミウムの集積が認められた.対照群の細胞頂部に見られた高電子密度の分泌顆粒や

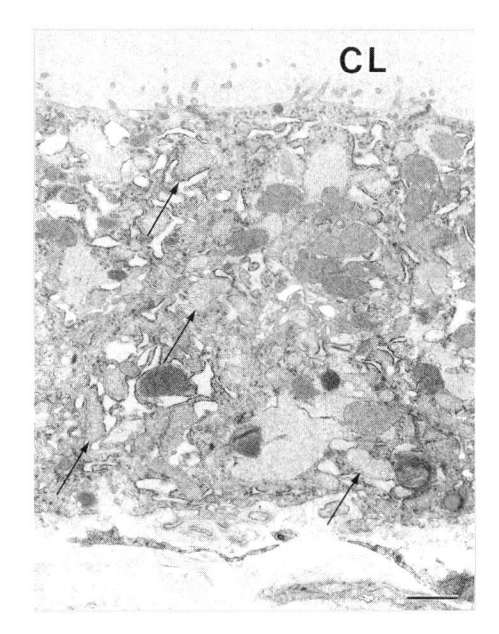

図7 甲状腺濾胞上皮細胞の変化
硫酸カドミウムの腹腔内投与により,甲状腺濾胞上皮細胞のミトコンドリアの膨化(矢印)と,粗面小胞体の断裂が生じる.スケールバー:$1\mu m$.

表4 血清中 T_3, T_4

	対照群 ($n=5$)	カドミウム投与群 ($n=5$)
T_3 (ng/mL)	0.80 ± 0.055	$0.42^{a)} \pm 0.03$
T_4 (μg/dL)	1.66 ± 0.133	$0.82^{a)} \pm 0.198$

数値は平均値±SE
a) $p<0.001$ で有意差あり.

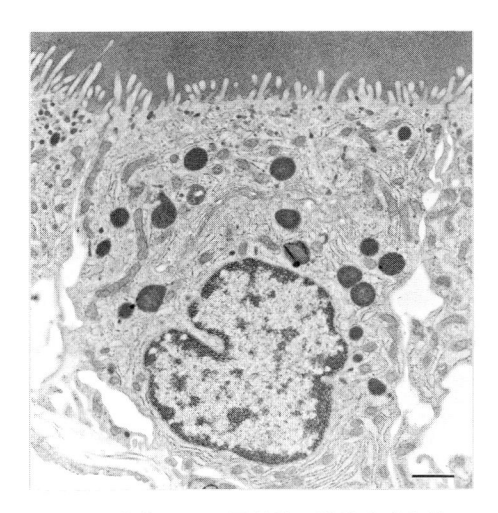

図6 妊娠ラット甲状腺の濾胞上皮細胞
細胞頂部に大小不同の分泌顆粒,再吸収コロイド滴,水解小体が並ぶ.スケールバー:$1\mu m$.

再吸収コロイド滴は著明に減少する(図7).血中の T_3 や T_4 の値はカドミウム投与によって有意に低下する(表4).

この場合も濾胞上皮細胞のミトコンドリアにカドミウムが集積して機能を障害したため,粗面小胞体におけるタンパク合成が阻害されて小胞体腔の断裂や空胞化が生じ,エネルギーの涸渇により甲状腺ホルモンの再吸収と血中への放出が障害されたと考えられる.カドミウムによる胎児発育遅延の原因として胎盤機能不全が重要視されているが,母体の内分泌機能全般にわたる検討が必要と考えている.

● おわりに

環境汚染物質のうち,ミトコンドリアを標的とす

る有機スズ化合物とカドミウムの細胞毒性発現機序を簡略に述べた．これらの汚染物質は現在もなお環境中に広く存在し，ヒトの健康への危険性が懸念される．ことに家電製品やコンピュータに使用されているアルカリ蓄電池中のカドミウムは，老朽化した製品が廃棄される際に環境中に流出する恐れがあり，適切な処理が重要である．

最近，きわめて微量の有機スズ化合物が貝類の内分泌系に作用する可能性が示された．ヒトへの影響については不明であるが，次世代の安全のために，さらに詳細な検討が望まれる．

● 文　献

1) WHO : Environmental Health Criteria, vol.116, World Health Organization, Geneva (1990)
2) Yoshizuka, M., Haramaki, N., Yokoyama, M., et al.: *Arch. Toxicol.*, **65**, 651–655 (1991)
3) Yoshizuka, M., Hara, K., Haramaki, N., et al.: *Arch. Toxicol.*, **66**, 182–187 (1992)
4) Hara, K., Yoshizuka, M., Fujimoto, S.: *Arch. Histol. Cytol.*, **57**, 201–212 (1994)
5) Yoshizuka, M., Hara, K., Nagata, N., et al.: *Tissue Cell*, **24**, 725–733 (1992)
6) Yoshizuka, M., McCarthy, K.J., Kaye, G.I., Fujimoto, S.: *Anat. Rec.*, **227**, 138–143 (1990)
7) Yoshizuka, M., Mori, N., Hamasaki, K., et al.: *Exp. Mol. Pathol.*, **55**, 97–104 (1991)

第6章

ミトコンドリア関連病態

ミトコンドリア病の病態特性と臨床診断

後藤 雄一

● はじめに

　ミトコンドリア病はミトコンドリアの機能障害によって生じる病気であり，その障害はエネルギー産生障害を招来させる．ミトコンドリアに存在する代謝酵素は多種存在することから，病因となる酵素異常の種類も多い．また，電子伝達系酵素複合体のようにミトコンドリアDNA（mtDNA）由来のタンパク質サブユニットを構成要素にもつものがあるため，病因となる遺伝子変異も複雑である．したがって，一口にミトコンドリア病とよばれている疾患群には，きわめて多種類のものが含まれている．

　本稿では，このように多様なミトコンドリア病の全体像を紹介するとともに，mtDNAの異常に由来する疾患の病態特性を解説する．

1. ミトコンドリア病研究の流れ

　1962年，甲状腺機能は正常であるにもかかわらず基礎代謝亢進を示す35歳の女性をLuftが報告したのが最初の症例である[1]．この報告では，骨格筋ミトコンドリアの形態異常と機能異常（酸化的リン酸化の共役障害）が記載されている．その後のミトコンドリアミオパチーに関する研究は，形態学と生化学を駆使して行われ，特徴的な中枢神経症状による疾患単位が分類され，いわゆる三大病型が提唱された．慢性進行性外眼筋麻痺症候群（chronic progressive external ophthalmoplegia : CPEO），MELAS（mitochondrial myopathy, encephalopathy, lactic acidosis and stroke-like episodes），MERRF（myoclonus epilepsy associated with ragged-red fibers）である．

　ミトコンドリアが独自のDNAをもつことが1960年代に明らかにされ，1981年にSangerらのグループがヒトのmtDNAの全塩基配列を決定した．これによりmtDNA上には電子伝達系酵素の一部のサブユニット（13個のタンパク質）および2個のrRNA遺伝子，22個のtRNA遺伝子をコードしていることが明らかになった．そして，電子伝達系酵素異常症の中にmtDNAの異常によって起こる疾患のあることが，1988年のHoltらの欠失mtDNAの発見により明らかになった[2]．その後の約10年間にmtDNA異常を中心とするミトコンドリア病の分子病態の研究が大きく展開した．

2. ミトコンドリア異常の検査法と臨床診断

　ミトコンドリアは遺伝情報をもつmtDNAを有し，エネルギー産生を主たる機能としている．このようなミトコンドリアに核DNAやmtDNAの変異を基盤とする障害が起こると，細胞の機能障害や細胞死をもたらすと考えられる．細胞レベルでのこのような障害が組織や器官のレベルに及ぶと臨床症状として現れてくる．また，患者個人のみならず，家族や血族のミトコンドリア異常として，メンデル遺伝や母系遺伝などの遺伝様式がみられる（図1）．

　ミトコンドリア異常は分子遺伝学，病理学，生化

図1 ミトコンドリア異常のレベルと検査法

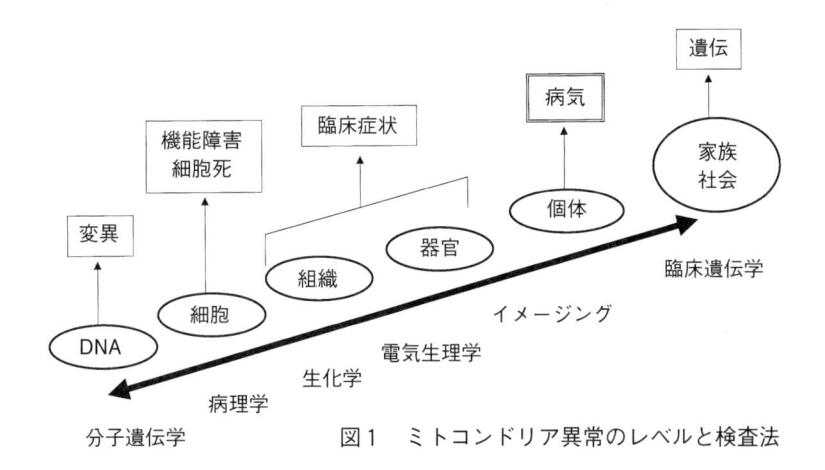

学，電気生理学，画像診断学（イメージング），臨床遺伝学など，さまざまな方法でとらえることができる．ミトコンドリア病においては，DNA や細胞レベルでの異常が必ずしも病的状態を示すとは限らないので，対象とする障害のレベルを意識して診断や研究を進めなければならない．得られた検査や研究の結果がどのレベルの異常を現しているかを常に確認することが重要である．

ミトコンドリア病においては，おもに病理学，生化学，分子遺伝学的手法を用いて診断や研究が行われている．しかし，各方法による検査結果の整合性は低く，遺伝子型と表現型との関係が一対一に対応しないことが多いため，これがミトコンドリア病の診断や研究を複雑にしている．

a. ミトコンドリア異常の病理学

ミトコンドリアの病理学的異常は，骨格筋でよく観察できる．光学顕微鏡では，Gomori トリクロム変法染色（modified Gomori trichrome：mGT），コハク酸脱水素酵素（succinate dehydrogenase：SDH）とシトクロム c 酸化酵素（cytochrome c oxidase：COX）の活性染色などが用いられる．

ミトコンドリアミオパチー患者の筋では，mGT染色における赤色ぼろ線維（ragged-red fiber：RRF）は診断的価値の高い病理変化であり，その線維は SDH 染色にて濃染する．その理由は，SDH がミトコンドリアに局在する酵素であり，核 DNA にコードされているために mtDNA の異常に影響されにくいからである．SDH 染色では筋内小動脈の異常も検出でき，血管内皮細胞や平滑筋細胞内でもミトコンドリアが増加しているために SDH 高反応性の血管となる．

COX 染色はミトコンドリア病における病理学的異常をもっともよく検出できる検査法であり，その異常は表1のように分類できる．その部分欠損では，正常な筋線維の中にまったく活性のない筋線維が混在しており，"focal"な欠損である．この場合は，ある量の検体からミトコンドリアを分画して生化学的に活性を調べても，正常な筋線維の活性にかくされて異常が見つからないことがある．このような部分欠損像は，ミトコンドリア病のなかでもmtDNAに異常を有する患者でよく認められるため，この病理像が見られた場合は mtDNA の検査を積極的に進める必要がある．一方，骨格筋のCOX 活性がびまん性に低下する場合には2種類の病態がある．そのひとつは骨格筋のみが COX の活性低下を示し，筋組織内の小動脈や筋紡錘内筋線維（発生学的に骨格筋と異なる）のCOX 活性は保たれている組織特異的 COX 欠損であり，他は骨格筋，血管，錘内線維などの COX 活性がすべて低下している非特異的な COX 欠損である．これらびまん性の COX 欠損を示す患者は，臨床的には乳児重症型，乳児良性型，Leigh 脳症，その他の病型に分類される．最近，組織非特異的な COX 欠損症を示す Leigh 脳症患者で *SURF1* 遺伝子の異常が，また心筋症状の強い乳児重症型 COX 欠損症患者で *SCO2* 遺伝子の異常が報告された．これらは，COX が複

表1　ミトコンドリア異常の分類

I. 病理学的異常
　1. 光学顕微鏡レベル
　　a）Gomoriトリクロム変法染色：RRF
　　b）コハク酸脱水素酵素活性染色：RRF, SSV
　　c）oil red O 染色：脂肪滴の大型化, 増加
　　d）シトクロム c 酸化酵素活性染色：
　　　　・部分欠損
　　　　・びまん性欠損（組織特異的, 非組織特異的）
　2. 電子顕微鏡レベル
　　a）数の変化（増加, 減少）
　　b）大きさの変化（巨大化）
　　c）内部構造の変化

II. 生化学的異常
　1. 基質の転送障害
　　a）カルニチンパルミトイルトランスフェラーゼ欠損症
　　b）カルニチン欠乏症
　2. 基質の利用障害
　　a）ピルビン酸カルボキシラーゼ欠損症
　　b）PDHC 欠損症
　　c）β酸化の障害
　3. TCA回路の障害
　　a）フマラーゼ欠損症
　　b）α-ケトグルタル酸デヒドロゲナーゼ欠損症
　4. 酸化的リン酸化共役の障害
　　　Luft 病
　5. 電子伝達系酵素の障害
　　a）複合体 I 欠損症
　　b）複合体 II 欠損症
　　c）複合体 III 欠損症
　　d）複合体 IV 欠損症
　　e）複合体 V 欠損症
　　f）複数の複合体欠損症

III. 臨床症状による分類
　1. 三大病型
　　a）慢性進行性外眼筋麻痺（Kearns-Sayre 症候群を含む）
　　b）ミオクローヌスを伴うミトコンドリア病：MERRF
　　c）卒中様症状を伴うミトコンドリア病：MELAS
　2. その他の病型
　　a）Leber 遺伝性視神経萎縮症
　　b）Leigh 脳症
　　c）Pearson 病
　　d）NARP
　　e）MNGIE
　　f）その他（パーキンソン病, アルツハイマー病？など）

IV. DNA 異常
　1. 核 DNA 異常
　2. ミトコンドリア DNA 異常
　　a）欠失, 重複
　　b）点変異
　　c）欠乏状態

RRF：ragged-red fiber, SSV：strongly SDH-reactive blood vessel, MERRF：myoclonus epilepsy associated with ragged-red fibers, MELAS：mitochondrial myopathy, encephalopathy, lactic acidosis, and stroke-like episodes, NARP：neuropathy, ataxia and retinitis pigmentosa, MEGIE：mitochondrial neurogastrointestinal encephalomyopathy.

合体を形成する際に機能するタンパク質をコードしているらしい．いずれも，呼吸鎖の酵素活性を低下させた酵母変異株の遺伝子の解析により見い出されたものである．今後も，同様の方法で新しい病因遺伝子の解明が期待できる．

電子顕微鏡レベルでの病理学的解析では，ミトコンドリアの異常はその数の増減，大きさの変化（とくに巨大化），および内部構造の変化（クリスタの増加，空胞化，封入体形成など）などが組み合わさった所見が認められる．たとえば，RRFでは筋鞘膜下に巨大なミトコンドリアが多数存在し，内部に渦巻き状のクリスタや封入体をもつものが出現する．また，セレン欠乏患者では，筋線維中心部のミトコンドリアが消失し，周辺部に巨大なミトコンドリアが存在する特異な所見が認められる．ただし，ミトコンドリアの空胞化は組織固定が悪い場合にも認められるので注意を要する．ミトコンドリアの数の異常については，それが正常範囲か否かの判断が困難な場合がある．

診断学的観点からすると，ミトコンドリアの病理学的異常所見は必ずしも臨床所見を反映するものではない．実際，ミトコンドリアのDNA異常があるLeber病やLeigh脳症患者の骨格筋では，上記の形態異常が検出されないことが知られている．骨格筋以外の組織でのミトコンドリアの病理学的研究もあまり進んでいない．血液細胞や膵β細胞などでは，ミトコンドリアの機能異常がある細胞は死滅してしまうために病理学的変化としてとらえられないこともありうる．ミトコンドリア病では，従来の病理学的異常所見の有無による診断学的意義は変化しつつ

あり，生化学的検査や分子遺伝学的検査の結果を合わせた総合的アプローチが必要となっている．

b. ミトコンドリア異常の生化学

ミトコンドリアの生化学的異常は表1のように分類され，すべてエネルギー代謝異常をひき起こす．基質の転送障害，利用障害，TCA回路の障害，酸化的リン酸化の共役障害などの場合は，比較的均一な臨床症状を示す．一方，もっとも頻度の高い電子伝達系酵素異常症の場合は，臨床症状が多様であり，核DNAとmtDNAの二重支配（とくに後者）がその特徴の原因と考えられる．上述した生化学的異常を正確にとらえることはむずかしく，疑いのある患者についてすべての生化学的検査を行うことはできない．このため，生化学的異常を基に病名を決めることは理論的ではあるが，あまり実用的ではない．後述するように，mtDNAのATP6サブユニットの点変異をもつLeigh脳症が報告されている．この場合，生化学的にはATP合成酵素（複合体V）の活性低下が想定されているが，実際の患者でそれが証明できる例はまれである．ミトコンドリアが，単なるエネルギー産生だけでなく，他の機能にも重要な役割を担うことが明らかになりつつあり，それに関する生化学的検査法の開発も必要である．

c. 臨床病型

ミトコンドリア病で認める症状は多彩である（表2）．しかしながら，現在，もっとも実用性の高いミトコンドリア病の分類は臨床症状によるものである（表1）．1985年にDiMauroらにより，中枢神経症状を基準にして三大病型が提唱された[3]．それらは病理学的あるいは生化学的にミトコンドリアの異常を証明できる．しかも，各疾患に特異的なmtDNAの異常が発見されている．しかし，実際にはそれほど単純ではなく，三大病型に分類できない症例や典型的な症状を示しながらmtDNAに異常がみられない症例などが多数存在している．

三大病型以外にも，Leber視神経萎縮症，Leigh脳症，Pearson病などが著明なミトコンドリア異常を有する疾患として認識されてきた．一方，ほかに明らかな原因がある疾患でも，病態にミトコンドリア異常が関与するものもある．たとえば，アルツハイマー病やパーキンソン病などにおいて，ミトコンドリアの機能低下やmtDNA異常の存在が報告されている．これらの疾患では，たとえミトコンドリア機能低下があるにしても，それがどの程度病態に関与しているかは不明である．

表2 ミトコンドリア病で認められる症状

中枢神経：	痙攣, ミオクローヌス, 失調, 脳卒中症状, 知能低下, 片頭痛, 精神症状, ジストニア, ミエロパチー, 精神運動発達遅延など
骨格筋：	筋力低下, 易疲労性, 高CK血症,
心：	伝導障害, WPW症候群, 心筋症
眼：	視神経萎縮, 外眼筋麻痺, 網膜色素変性
肝：	肝機能障害
腎：	Fanconi症候群, Bartter症候群, 糸球体病変, ミオグロビン尿
膵：	糖尿病, 外分泌不全
血液：	鉄芽球貧血, 汎血球減少
内耳：	感音性難聴
大腸・小腸：	下痢, 便秘
皮膚：	発汗低下, 多毛
内分泌腺：	低身長, 低カルシウム血症
その他：	不妊症

CK：クレアチンキナーゼ，WPW症候群：Wolff-Parkinson-White syndrome

3. 遺伝子異常と病態

a. mtDNA異常の種類と病態（表1，図2）

最初に発見されたmtDNA異常は単一の大欠失であったが，その後の数年で重要な異常のほとんどが報告された．Leber遺伝性視神経萎縮症患者でのmtDNAのタンパク質領域の点変異（1988年）[4]，CPEO患者での多重欠失（1989年）[5]と部分重複（1989年）[6]，MERRFとMELASにおけるtRNA領域の点変異（1990年）[7,8]，あるいはmtDNAの欠乏状態（1991年）[9]などがその例である．

その後の症例の蓄積によりCPEOやKearns-Sayre症候群（CPEO，心伝導障害，網膜色素変性を三徴とする）にはmtDNAの構造異常（単一欠失，多重欠失，重複），MELASにはtRNA-Leu(UUR)領域の点変異，MERRFにはtRNA-Lys領域の点変異，そしてLeber病には複合体Iサブユニットの点変異が対応することが判明した．一方，

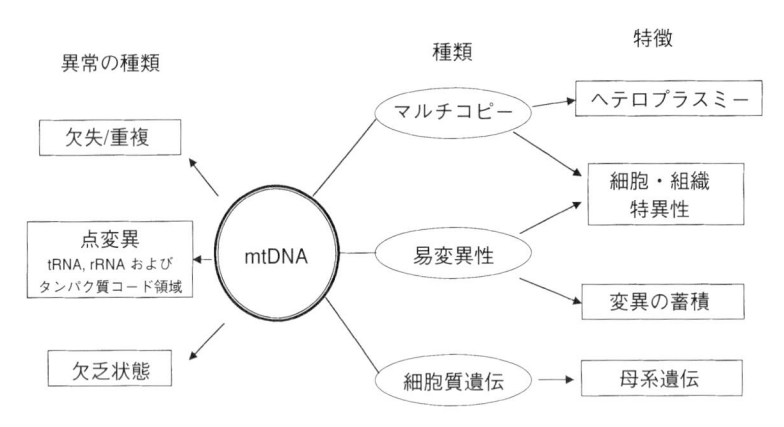

図2　ミトコンドリアDNA異常の種類と特徴

これらの代表的病型に分類できない数多くの症例が存在すること，および糖尿病や難聴の患者にもmtDNA異常をもつケースがあることも明らかになった．このように，mtDNA異常の遺伝子型と表現型との関係は複雑である．

このような遺伝子型と表現型との関係が複雑な理由は，mtDNAの生物学的特徴と密接に関係する．そのひとつはマルチコピー性である．1つの細胞には数百個のミトコンドリアが存在し，各ミトコンドリア内には5～10個のmtDNAが存在するので，各細胞内には数千個のmtDNAが存在する．これほど多くのmtDNAが1細胞内に存在する理由は不明である．ミトコンドリア病患者においては，変異mtDNAが正常mtDNAと共存している状態（ヘテロプラスミー）が観察される．このヘテロプラスミーの状態は，mtDNA中で構造領域の変異とtRNA領域の変異を有する患者などで認められ，その代表がいわゆる三大病型である．彼らの示すヘテロプラスミーは，各臓器，組織，さらに細胞のレベルでも確認され，各細胞が，異なった比率で変異mtDNAをもっている．また，培養細胞を用いた研究で，変異mtDNAの比率が高くなり，ある閾値を超えると細胞機能が障害されること(閾値効果)が判明した．したがって，ヘテロプラスミーをもつ患者では組織や細胞により障害度が異なることが予想され，それが症状の多様性の背景となっている（表3）．

一方，タンパク質領域の点変異に関しては変異mtDNAがホモプラスミーの状態で検出されること

表3　点変異の存在部位による相違点

点変異の部位	タンパク質/rRNA	tRNA
存在様式	ホモプラスミー	ヘテロプラスミー
異常病理所見	まれ	いつも
細胞・組織ごとの多様性	低い	高い
個体間の多様性	低い	高い

がほとんどである．複合体Ⅰサブユニット領域の異常が多いLeber病やATP6領域の異常を認めるLeigh脳症は比較的均一な臨床病型として表現され，ヘテロプラスミーを示す病型とは対照的である（表3）．

mtDNAの2つめの特徴は，易変異性である．mtDNAにはヌクレオソーム構造がなく，ミトコンドリア内で生成される活性酵素の影響を強く受ける．このために点変異や欠失が起こりやすく，変異mtDNAの割合は年齢とともに増加する．分裂能を有する細胞（血球や肝など）と分裂能を失った細胞（神経や筋など）では，変異mtDNAの蓄積の影響は大きく異なり，後者では病態へのかかわりが大きくなる可能性が高い．

mtDNAの3つめの特徴は細胞質遺伝形式である．この細胞質遺伝の典型的な例が受精卵で観察できる．精子のミトコンドリアは受精の際にほとんど排除されてしまう．このため，受精卵のミトコンドリアとmtDNAはすべて母親由来であり，母系遺伝が成立する．mtDNAの点変異を有する患者では，

母親でも同じ変異が確認できる．しかし，単一欠失に関しては母系遺伝が確認できる例は少なく，突然変異によるものが多いと考えられる．重複は突然変異によることが多いが，一部の患者では母親にも同じ重複が認められ，母系遺伝を示唆する症例が存在する．多重欠失では mtDNA の維持や複製にかかわる核因子の異常が想定され，メンデル遺伝（優性または劣性）形式をとる．

b. 核 DNA の異常によるミトコンドリア病

核 DNA 上の遺伝子変異がミトコンドリア病の病因となることが次々と明らかにされてきた．その背景には，ミトコンドリアのエネルギー代謝にかかわる酵素についての基礎研究の進展がある．たとえば，コハク酸脱水素酵素欠損症におけるフラボプロテインの遺伝子変異，COX 欠損症における *SURF1* 遺伝子と *SCO2* 遺伝子の変異，複合体 I 欠損症における *NDUFS 4*，*NDUFS 7*，*NDUFS 8*，*NDUFV1* などのサブユニットの異常，あるいはジストニアや難聴症候群におけるミトコンドリア輸送タンパク質 *DFN1* の遺伝子変異などの発見がその例である．これらの発見は基礎研究の着実な成果を病因究明に応用したものであり，ヒトゲノム情報の完全解読に伴い，このような研究は今後ますます盛んになると考えられる．

メンデル遺伝する mtDNA 異常の家系に関する報告は以前からあった．とくに，mtDNA の多重欠失や欠乏状態を惹起する核因子の異常がいくつか発見されていた．たとえば，多重欠失を伴う常染色体優性遺伝の家系を用いた連鎖解析から，染色体の 10q23.3-q24.3，3p14.1-21.2 にその原因遺伝子が存在することが強く示唆されていた．最近，10q23.3 の遺伝子座に変異があるとされていた家系が実は 4q34-35 の変異であることが判明し，その原因遺伝子としてアデニンヌクレオチドトランスロケーター（*ANT1*）が同定された[10]．また，常染色体劣性遺伝で消化管症状の強い MNGIE（mitochondrial neurogastrointestinal encephalomyopathy）はチミジンホスホリラーゼ遺伝子の機能喪失変異であることが明らかにされた[11]．さらに，mtDNA の複製や転写に関係する転写因子 *Tfam*（mitochondrial transcription factor A）の異常により mtDNA 欠乏状態が惹起されること，および *Tfam* の発現を組織特異的に阻止するとミトコンドリア病患者に認められる心筋症や糖尿病ときわめて類似した病態が誘起される[12,13]．このような mtDNA の維持や複製にかかわる核因子の研究により，病態の理解と mtDNA を操作する新しい方法論が確立される可能性があり，たいへん興味深い．

●おわりに

エネルギー産生工場としての役割を中心に研究されてきたミトコンドリアが，アポトーシスにも重要な役割を演じていることが判明した．この新機能の研究は緒についたばかりであり，今後のミトコンドリア病研究に重大な影響を与える可能性がある．ミトコンドリアにはカルシウムイオンのリザーバーとしての役割もあり，この機能との関係でも病因や病態の研究が進展することが予想される．

●文　献

1) Luft, R., Ikkos, D., Palmieri, G., et al. : *J. Clin. Invest.*, **41**, 1776-1804 (1962)
2) Holt, I.J., Harding, A.E., Morgan-Hughes, J.A. : *Nature*, **331**, 717-719 (1988)
3) DiMauro, S., Bonilla, E., Zeviani, M., et al. : *Ann. Neurol.*, **17**, 521-528 (1985)
4) Wallace, D.C., Singh, M.T., Lott, J.A., et al. : *Science*, **242**, 1427-1430 (1988)
5) Zeviani, M., Servidei, S., Gellera, C., et al. : *Nature*, **339**, 309-311 (1989)
6) Poulton, J., Deadman, M.E., Gardiner, R.M. : *Lancet*, i, 236-240 (1989)
7) Shoffner, J.M., Lott, M.T., Lezza, A.M.S., et al. : *Cell*, **61**, 931-937 (1990)
8) Goto, Y., Nonaka, I., Horai, S. : *Nature*, **348**, 651-653 (1990)
9) Moraes, C.T., Shanske, S., Trtschler, H.-J., et al. : *Am. J. Hum. Genet.*, **48**, 492-501 (1991)
10) Kaukonen, J., Juselius, J.K., Tiranti, V., et al. : *Science*, **289**, 782-785 (2000)
11) Nishino, I., Spinazzola, A., Hirano, M. : *Science*, **283**, 689-692 (1999)
12) Larsson, N.G., Wang, J., Wilhelmsson, H., et al. : *Nat. Genet.*, **18**, 231-236 (1998)
13) Wang, J., Wilhelmsson, H., Graff, C., et al. : *Nat. Genet.*, **21**, 133-137 (1999)

ミトコンドリア脳筋症と DNA 変異

太田 成男

● はじめに

　ミトコンドリア DNA（mtDNA）の変異によって症状が現れやすい組織は，エネルギー需要が大きい骨格筋や中枢神経である．ミトコンドリア異常によって筋と中枢神経におもに症状が現れる疾患を総称して，ミトコンドリア脳筋症とよぶ．また，全身に症状が現れるときは，ミトコンドリアサイトパチーとして区別する．ミトコンドリア脳筋症では，筋力が低下し，疲れやすく，小脳の制御が正常に機能しないために運動機能が低下し，子供の場合は身長が低くなる．さらに，痙攣，頭痛，神経性難聴，痴呆などの症状を表すことが多い．しかし，必ずしもすべての症状がすべての患者に同様に現れるわけではない．酸化的リン酸化の障害を補償するために解糖系が亢進し，乳酸が高濃度になり，血液が酸性になる．ここでは，mtDNA の変異による特徴的な症状とその分子基盤について述べることにする．

1. ミトコンドリア脳筋症の分類と遺伝子変異

　ミトコンドリア脳筋症は，複数の症状を総合して

表 1　ミトコンドリア脳筋症の分類とそれぞれの特徴

	CPEO（KSS）	MERRF	MELAS
家族歴	±	+	+
外眼筋麻痺	+	−	−
網膜色素変性	+	−	−
心伝導障害	+	−	−
髄液タンパク質＞100 mg/dL	+	−	−
小脳失調	+	+	−
ミオクローヌス	−	+	−
痙攣	−	+	+
周期性嘔吐	−	−	+
皮質盲	−	−	+
片麻痺，半側盲	−	−	+
筋力低下	+	+	+
知能低下	+	+	+
低身長	+	+	+
感音性難聴	+	+	+
高乳酸血症	+	+	+
ragged-red fibers	+	+	+
ミトコンドリア遺伝子異常	大欠失	tRNA^{Lys} 内の点変異	tRNA$^{Leu(UUR)}$ 内の点変異

KSS は外眼麻痺，網膜色素変性，心伝導障害の 3 つの症状を伴う場合

診断され，臨床症状にもとづき分類されている．すなわち，この分類は酵素活性低下の種類などによって分類されたものではなく，臨床的特徴によって分類されていた．その後，mtDNAの解析によって，遺伝子変異の場所によって症状が規定されていることが判明した．臨床医の観察は，mtDNA変異の場所まで見通していたわけである．ミトコンドリア脳筋症の三大病型は，それぞれ臨床症状の特徴の頭文字をとって命名されている．すなわち，外眼筋麻痺を特徴とするCPEO (chronic progressive external ophthalmoplegia)，筋肉の痙攣（ミオクローヌスてんかん）を特徴とするMERRF (myoclonic epilepsy associated with ragged-red fibers)，脳卒中様症状が特徴のMELAS (mitochondrial myopathy, encephalopathy, lactic acidosis and stroke-like episodes) である．網膜色素変性と心伝導障害を伴うCPEOはとくにKearns-Sayre症候群（KSS）として分類される．表1にそれぞれの特徴を記載する[1]．

2. mtDNA変異の種類

mtDNAの変異は，欠失変異，重複変異，点変異，挿入変異に分類される．これらの変異については，病因となる変異から民族や個人的な差に至るまで，インターネットのホームページで検索することができ（http://www.gen.emory.edu/mitomap.html を参照），mtDNAの変異に関する新しいデータが常に更新されている．このホームページでは，遺伝子変異ごとに分類され，症状も含めて記載されている．

(1) mtDNA base substitution diseases, Coding region point mutation（タンパク質コード領域の点変異）
(2) mtDNA base substitution diseases rRNA/tRNA point mutations（rRNAとtRNAの遺伝子点変異）
(3) mtDNA somatic mutations（体細胞変異）
(4) mtDNA deletions（欠失変異）
(5) multiple mtDNA deletions within individuals（多重欠失）
(6) mtDNA simple insertion（挿入変異）
(7) mtDNA complex rearrangement（重複変異などの複雑な置換変異）

mtDNAの変異について調べるには，引用文献も整備されているこのホームページが最適である．本稿では，変異をもつmtDNAの性質とその特徴について，代表的なものを述べる．

a. 欠失変異

欠失変異の場合，数百から数千塩基にわたって塩基が欠失する孤発例（散発性の発症）が多い．この欠失変異mtDNAは，母親から遺伝する場合はまれであり，母親の卵細胞内でmtDNA欠失が起こり，それが増加したものと考えられる．図1に欠失部位の例を示す[2]．もっとも頻度が高いのはcommon deletionとよばれる約5kbpの欠失変異であり，欠失部の両端には13塩基の反復配列がある．通常，欠失変異では正常mtDNAと短い変異mtDNAが混在する（ヘテロプラスミー）．

図1 CPEOにおけるmtDNAの欠失の場所と長さ
ひとりひとりの患者の欠失部を破線で示した．mtDNAは環状DNAであるが塩基番号1から棒状に示している．12S, 16SはrRNA遺伝子，NDは複合体I，CYTBは複合体III，COは複合体IV，ATPaseは複合体Vのサブユニット遺伝子を示す．番号はそれぞれのサブユニット番号である．

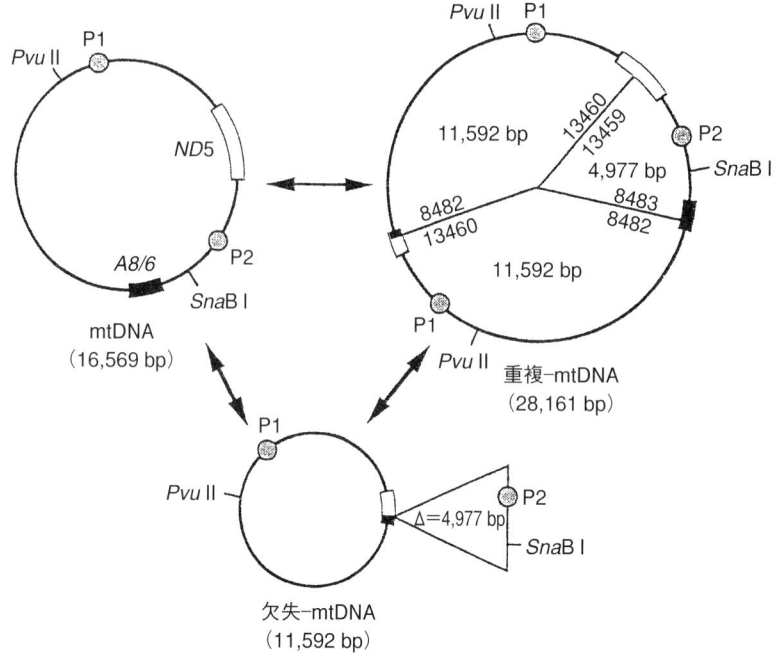

図2　mtDNA の重複と欠失
mtDNA の重複と欠失の関係．欠失や重複の境界には反復配列がみられる．ここに示した欠失変異はもっとも頻度が高い重複変異であるので例としてあげた．

欠失変異 mtDNA は全身に均一に分布するのではない．たとえば，CPEO では，骨格筋に欠失変異があっても血液細胞に検出されない場合が多い．Pearason-Marrow 症候群という血液の病気では，血液細胞に欠失 mtDNA が局在する．

b. 多重欠失

欠失変異の場合，変異 mtDNA（短くなった mtDNA）が単一のときと複数のときがある．複数のときは多重欠失とよび，サザンブロットでは短い mtDNA が複数のバンドとして検出される場合とスメアになる場合がある．これらの例はきわめてまれであり，患者数も少ない．多重欠失の場合は，常染色体優性遺伝あるいは常染色体劣性遺伝が多い[3]．mtDNA の遺伝は母系遺伝であるが，mtDNA の変異しやすい性質は常染色体遺伝をする場合もある．核には mtDNA を安定化させる因子が存在し，その因子の遺伝子に変異が起こるために mtDNA が不安定になり，多重欠失が生じると考えられている．現在までに，核に存在する変異遺伝子は同定されていない．

c. 重複変異

重複変異は，mtDNA の一部が重複する変異であり，mtDNA は正常よりも長くなる．重複変異自体は病的変異ではないが，重複遺伝子変異は母系遺伝し，この重複変異を経て欠失変異が生じると考えられる[4]．mtDNA の欠失変異をもつトランスジェニックマウスを作製する場合，重複遺伝子が母系遺伝し，欠失が生じてはじめて表現型に影響を及ぼす[5]．重複変異の場合，PCR で変異を検出する際に欠失変異と区別がつかなくなるので注意が必要である．図2に重複変異の例を示す．

d. 点変異

点変異は1塩基置換した変異である．この場合，変異 mtDNA と正常 mtDNA が混在するヘテロプラスミーと変異 mtDNA のみが存在するホモプラスミーがある．tRNA 遺伝子変異の場合はヘテロプラスミーが多く，その塩基置換が病因である可能性が高い．変異 mtDNA のみが存在するホモプラスミーでは，タンパク質の遺伝子に変異がみられることが多い．Leber 病[6]や Holt 病[7]などがタンパク

質遺伝子変異の例である．しかし，ホモプラスミーと思われる場合でも，正常 mtDNA が少量混在している場合が少なくない．

核遺伝子と異なり，mtDNA はマルチコピーなので，ヘテロプラスミーや変異 mtDNA の分布が臓器ごとに片寄っていることが多い．この特徴がミトコンドリア病の症状の複雑さをまねいている．

3. tRNA 遺伝子変異の種類と症状

a. CPEO

CPEO は mtDNA の大欠失により発症する．その欠失の長さ（0.5～8 kbp）や場所はさまざまであるが，必ずいずれかの tRNA 遺伝子部分を欠失している（図1参照）．眼瞼下垂が特徴である病気でも，まぶたの筋に欠失 mtDNA が多いわけではない．その原因は不明である．

b. MELAS

MELAS は脳卒中様症状を示す重篤な疾患である．MELAS は小児期に発症することが多いので，患者の子孫はほとんど存在しえない．そのため，遺伝様式が明らかではなく，mtDNA の変異によって発症するか否かが予測できなかった．mtDNA の塩基配列は個人差が大きく，たとえ mtDNA に塩基置換があっても，それが病因であるか否かを結論できない．筆者らは，MELAS 患者の筋生検試料から細胞を培養し，SV40 DNA で形質転換して増殖能を増進させた細胞をクローン化した．そのクローンの中には，呼吸鎖活性がある細胞とない細胞が存在した．すなわち，同一患者の同じ組織から得られた細胞にもかかわらず，呼吸鎖酵素活性が欠損したものと正常なクローンが株化できた．両細胞系は同一のヒトに由来するので，その mtDNA 塩基配列の違いは個人差ではない．それぞれの mtDNA の全塩基配列を決定したところ，1塩基のみが異なっていたので，その塩基置換が個人差（遺伝子多型）ではなく病因であると結論した[8]．

この塩基変異は tRNA$^{\text{Leu(UUR)}}$ 遺伝子上の点変異（塩基番号3243）であった．MELAS 患者の約80%に塩基番号3243の塩基置換が認められ，10%の患者には塩基番号3271に変異が見られ，塩基番号3252や3291に変異のある患者もいた．いずれにしても，ミトコンドリア tRNA$^{\text{Leu(UUR)}}$ 遺伝子上に変異があるのが特徴である．tRNA$^{\text{Leu(UUR)}}$ 遺伝子の変異が臨床的特徴を示す理由は不明である．図3Aに tRNA$^{\text{Leu(UUR)}}$ 遺伝子上の変異の位置を示す．

c. MERRF

MERRF はミオクローヌスてんかんを特徴とし，比較的高齢になって発症する．その遺伝様式は母系遺伝であるため，mtDNA の変異が原因であることが疑われた．実際，MERRF からミトコンドリア tRNA^{Lys} 遺伝子の点変異が同定された[9]．興味深いことに，MERRF 患者の tRNA^{Lys} の変異は，塩基番号8344だけでなく，8356や8363にも認められ，tRNA^{Lys} 遺伝子の変異が MEERF の原因である．ただし，8344変異が患者の大多数を占める．MERRF の変異 tRNA 遺伝子と変異の場所を図3Bに示す．tRNA^{Lys} の変異によって特徴的な痙攣（ミオクローヌス）が現れる理由は不明である．

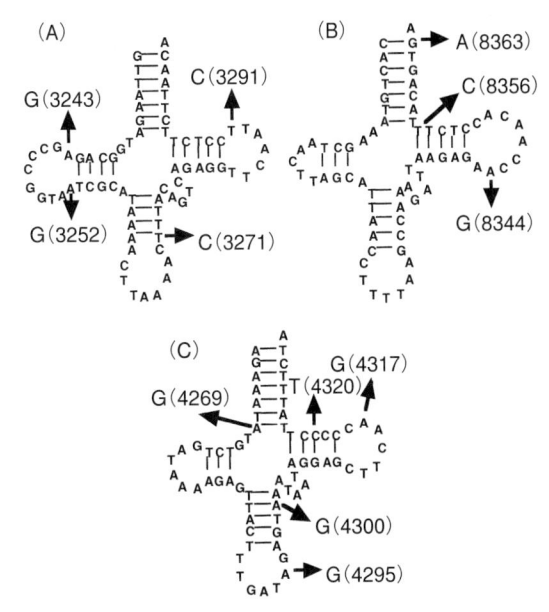

図3 MELAS，MERRF，心筋症の原因のミトコンドリア tRNA 遺伝子の点変異

(A) tRNA$^{\text{Leu(UUR)}}$，(B) tRNA^{Lys}，(C) tRNA^{Ile} 遺伝子の点変異の場所を塩基番号とともに示した．いずれかのひとつの矢印の元の塩基が矢印の先の塩基に変化すると　それぞれ MELAS，MERRF，心筋症の発症につながる．

d. その他

MELASやMERRF以外の症状を示すミトコンドリア病において，さまざまなtRNA遺伝子の変異が見つかっている．心筋症では図3Cに示すように塩基番号4269，4295，4300，4320のtRNA^{Ile}遺伝子上に点変異が多く発見されている．

4. タンパク質遺伝子の変異

タンパク質の変異は点変異でホモプラズミーの場合が多く，ミトコンドリアが蓄積することによって生じるragged-red fibers（赤色ぼろ線維）は見られないのが特徴である．ragged-red fibersはGomoriトリクロム染色の変法によって検出される筋線維であり，蓄積したミトコンドリアが赤く染色されることから命名された．複合体Ⅰのサブユニットを中心とするタンパク質の点変異ではLeber病[6]となり，視神経が萎縮してほぼ20歳で失明する場合が多い．ATP合成酵素サブユニット6の遺伝子点変異ではNARP（神経性筋力低下，運動失調，網膜変性）となる．NARPは発見者にちなんでHolt病とよばれることもあり[7]，Leigh脳症という乳児期に始まる重篤な疾患の患者の一部にも同じ変異が認められる．

5. 病的変異と個人差の区別

mtDNAには多くの多型（個人差）が存在する．この個人差や民族差を利用し，人類の進化や民族の移動が論じられてきた．mtDNAの場合，変異が個人差なのか病因となるのかは単純に決められず，mtDNAが標準的配列でない場合も病因とは限らない．

配列の異なるmtDNAが混在しているヘテロプラズミーの場合，その塩基変化が病因と考えたほうがよい．とくに，tRNA遺伝子の点変異の場合はその可能性が高い．塩基変化を伴う細胞と伴わない細胞を分離し，それぞれの表現型を比較することによって，その遺伝子変異が病因であるか否かを確定できる．それぞれの細胞株を分離するには，細胞を形質転換（癌化）してクローニングし，塩基変化のある細胞株とないものを分離する場合と，サイブリッド（7・10節参照）を作製する場合がある．ヘテロプラズミーによって呼吸鎖酵素活性がある筋線維とない筋線維がモザイク状になっている場合は，その筋線維を取り出してmtDNAをPCRで増幅して比較する．

6. mtDNAの補償効果と閾値効果

mtDNAの変異がヘテロプラズミーの場合は，ミトコンドリア病特有の特徴が現れる．欠失変異の場合，変異mtDNAが少量の場合は正常mtDNAによって補償され，変異mtDNAの影響は顕著でない．正常mtDNAと変異mtDNAはひとつのミトコンドリア内でも共存しており，欠失変異によって失われたtRNAを正常mtDNAから転写されたtRNAが補償する．そのため，欠失変異の場合，ある一定量まで変異mtDNAが蓄積しないと顕在化しない．しかし，変異mtDNAがある閾値を超えると，正常mtDNAによって補償できなくなり，タンパク合成が急激に低下する．これを閾値効果とよぶ．この効果は，培養細胞と欠失変異をもつトランスジェニックマウスで証明された[10,11]．

7. アンチコドンの塩基修飾の欠損とミトコンドリア tRNA wobbling

MELASの原因変異をもつサイブリッドでは，タンパク合成の低下と呼吸鎖酵素活性の低下は一致しない．また，呼吸鎖酵素は不安定で分解されやすい．一方，MELASの変異mtDNAをもつサイブリッド細胞は，高濃度の酸素に暴露すると活性酸素を多く放出する．1本の筋線維を活性染色した場合も，欠失変異の場合と比べ，呼吸鎖酵素活性が陽性と陰性の領域の境は明瞭ではない．このような結果は，変

異 tRNA によって正常でないタンパク質が生じていることを伺わせる.

tRNA の塩基は転写後に修飾されて修飾塩基に変化することがある. 修飾塩基は tRNA の 3 次構造の維持や各種酵素の認識にかかわっており, とくにアンチコドンの修飾塩基はコドンの正確な読み分けに必須である. 正常ミトコンドリア tRNA$^{Leu(UUR)}$, tRNA^{Lys}, および 3243 変異または 3271 変異をもつ tRNA$^{Leu(UUR)}$, 8344 変異をもつ tRNA^{Lys} を精製し, 修飾塩基を含む塩基配列を決定した. その結果, tRNA$^{Leu(UUR)}$ と tRNA^{Lys} のアンチコドンの第 1 文字の U (ウリジン) にはタウリンが結合しているが, 3243, 3271, 8344 変異をもつ tRNA$^{Leu(UUR)}$ と tRNA^{Lys} のアンチコドン第 1 文字は未修飾 U であり, タウリンが結合するような修飾は認められなかった[12].

mRNA のコドンの第 3 文字が A か G のときは, tRNA のアンチコドンの第 1 文字の塩基は修飾されている. 一方, mRNA のコドン第 3 文字 (A, G, U, C の 4 種類) をすべて認識するのは tRNA のアンチコドンの第 1 文字 U である. この塩基認識は, ミトコンドリア wobble ルールとよばれている. このことは, アンチコドンの第 1 文字が修飾されていない場合は A, G, C, U はすべての塩基を認識することが可能であり, ここで翻訳が停止したり, Leu や Lys 以外のアミノ酸も取り込まれることが示唆された. しかし, ミトコンドリア内での翻訳ではアンチコドンが修飾されていない変異 tRNA は mRNA に結合しないことが判明した[13]. 欠失変異と異なる点である (図 4).

● おわりに

以上のように, mtDNA の変異によってミトコンドリア病が発症することが明確になったり, この変異 mtDNA の挙動を明らかにすることで, ミトコンドリアの挙動そのものを明らかにすることができるようになってきた. ミトコンドリア脳筋症は上記のようなミトコンドリア独特の特徴があるために患者ごとに症状や進行の様子が異なるなるので, 対処が困難であり, 患者や家族の負担が大きい. 今後, これらの基礎知識を基盤にして治療法の開発が望まれる.

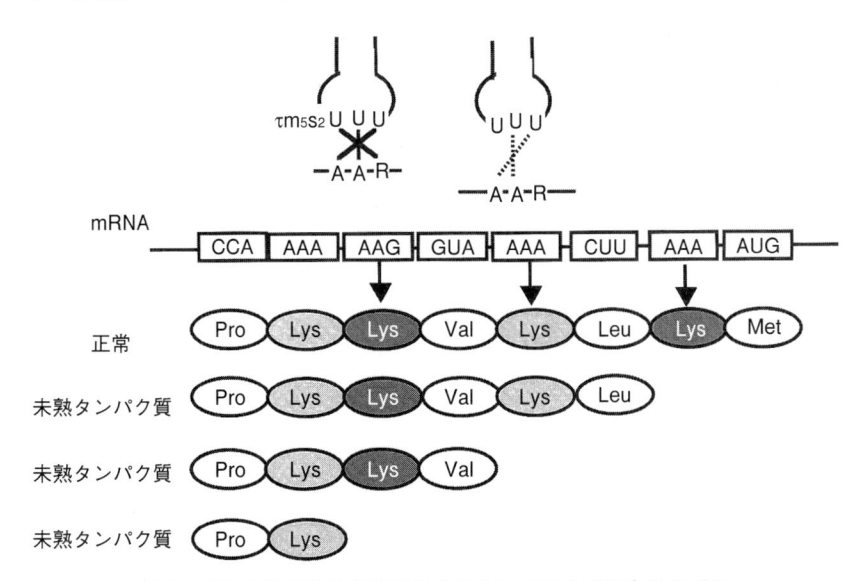

図 4 tRNA 遺伝子の点変異によるタンパク合成異常のモデル
tRNA^{Lys} の塩基番号 8344 変異, tRNA$^{Leu(UUR)}$ の塩基番号 3243 や 3271 変異によって, アンチコドンの第 1 文字の塩基のタウリン修飾ができなくなる[12,13]. タウリンが失われた U (ウリジン) はコドンの A や G とは結合できなくなり, タンパク合成が停止する. 変異 tRNA と正常 tRNA が混在しているヘテロプラスミー状態では未熟な短いタンパク質が合成される可能性を示した.

●文　献

1) 太田成男：生化学（日本生化学学会誌）**67**, 15–32 (1995) ; Schon, E.A., Bonilla, E., DiMauro, S., *et al.*: *J. Bioenerg. Biomembr.*, **29**, 131–149 (1997)
2) Moraes, C.T. DiMauro, S.. Zeviani, M., *et al.*: *N. Engl. J. Med.*, **320**, 1293–1299 (1989)
3) Zeviani, M., Servidei, S., Gellera, C., *et al.*: *Nature*, **339**, 309–311 (1989)
4) Chen, X., Prosser, R., Simonetti, S., *et al.*: *Am. Hum. Genet.*, 27239–247 (1995)
5) Inoue, K., Nakada, K., Ogura, A., *et al.*: *Nat. Genet.*, **26**, 176–181 (2000)
6) Wallace, D.C., Singh, G., Lott, M.T., *et al.*: *Science*, **242**, 1427–1430 (1988)
7) Holt, I.J., Harding, A.E., Petty, R.K., *et al.*: *Am. J. Hum. Genet.*, **46**, 428–433 (1990)
8) Kobayashi, Y., Momoi, M. Y., Tominaga, K., *et al.*: *Am. J. Hum. Genet.*, **49**, 590–599 (1991)
9) Shoffner, J. M., Lott, M. T., Lezza, A.M., *et al.*: *Cell*, **61**, 931–937 (1990)
10) Hayashi, J.-I., Ohta, S., Kikuchi, A., *et al.*: *Proc. Natl. Acad. Sci. USA*, **88**, 10614–10618 (1991)
11) Nakada, K., Inoue, K., Ono, T., *et al.*: *Nature Med.*, **7**, 934–940 (2001)
12) Yasukawa, T., Suzuki, T., Ueda, T., *et al.*: *J. Biol. Chem.*, **275**, 4251–4257 (2000)
13) Yasukawa, T., Suzuki, T., Ishii, N., *et al.*: *EMBO J.*, **20**, 1–9 (2001)

ミトコンドリア電子伝達系の分子異常

埜中 征哉・井出口 博・後藤 雄一

●はじめに

疾患に特異的なミトコンドリアのDNA変異が次々に明らかにされ，電子伝達系酵素欠損と報告されていた多くの症例はいわゆるミトコンドリア病（脳筋症）の3大病型のいずれかに属することが判明しつつある．たとえば，複合体I欠損と診断された多くはMELAS（mitochondrial myopathy, encephalopathy, lactic acidosis, and stroke-like episodes）である．チトクロームc酸化酵素（複合体IV）の欠損はMERRF（myoclonus epilepsy associated with ragged-red fibers）や慢性進行性外眼筋麻痺症候群（chronic progressive external ophthalmoplegia：CPEO）と密接に関係することが明らかにされている．

しかし，チトクロームc酸化酵素欠損乳児重症型，良性型，Leigh脳症に代表されるように，"電子伝達系酵素欠損による確固たる疾患"との概念が確立したものもある．これらの疾患では，核遺伝子の変異が次々と明らかにされている．これらの疾患には核DNAとミトコンドリア機能との関係を知るための重要なヒントが隠されている．

1. 概念と分類

ミトコンドリアでのエネルギー産生の場は電子伝達系（呼吸鎖）である（図1, 2）．TCA回路で産生されたH^+は電子伝達系に渡されて膜間腔に蓄積

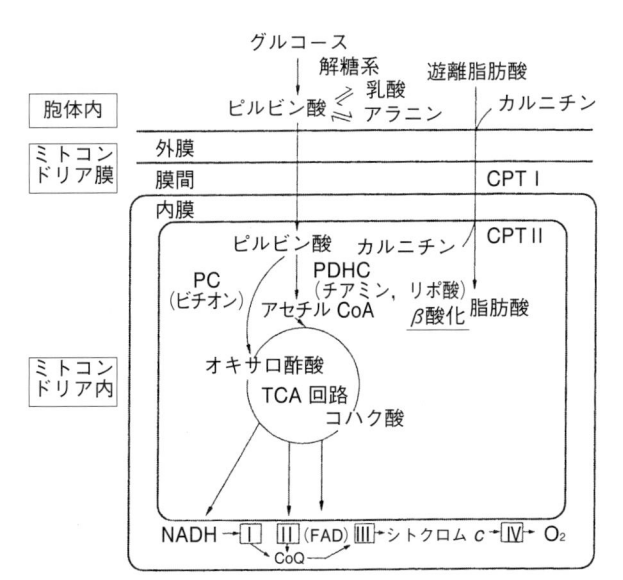

PC：ピルビン酸カルボキシラーゼ
PDHC：ピルビン酸デヒドロゲナーゼ複合体
CPT：カルニチンパルミチルトランスフェラーゼ
　（電子伝達系）
　I：複合体I（NADH-CoQ還元酵素）
　II：複合体II（コハク酸-CoQ還元酵素）
　III：複合体III（CoQ-チトクロームc酸化還元酵素）
　IV：複合体IV（チトクロームc酸化酵素）
FMN：フラビンモノヌクレオチド
FAD：フラビンアデニンジヌクレオチド

図1　ミトコンドリアの代謝経路

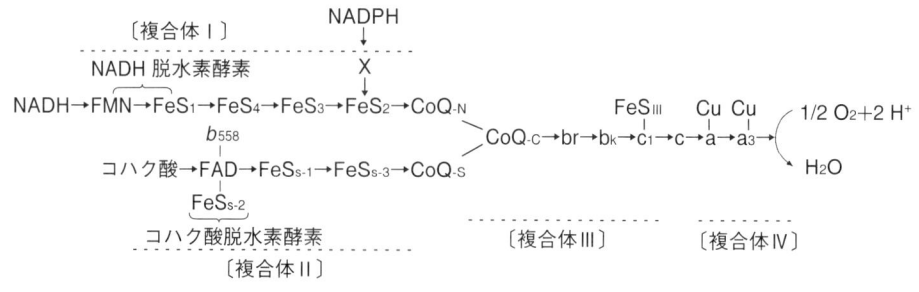

$$\begin{array}{l}
 \overbrace{\phantom{\text{NADH 脱水素酵素}}}^{\text{[複合体 I]}} \overset{\text{NADPH}}{\underset{X}{\downarrow}} \\
 \text{NADH 脱水素酵素} \\
\text{NADH} \rightarrow \text{FMN} \rightarrow \text{FeS}_1 \rightarrow \text{FeS}_4 \rightarrow \text{FeS}_3 \rightarrow \text{FeS}_2 \rightarrow \text{CoQ-N} \text{FeS}_{\text{III}} \text{Cu} \text{Cu} 1/2\,O_2 + 2\,H^+ \\
 b_{558} \text{CoQ-C} \rightarrow b_T \rightarrow b_K \rightarrow c_1 \rightarrow c \rightarrow a \rightarrow a_3 \\
\text{コハク酸} \rightarrow \text{FAD} \rightarrow \text{FeS}_{s-1} \rightarrow \text{FeS}_{s-3} \rightarrow \text{CoQ-S} H_2O \\
 \text{FeS}_{s-2} \\
 \underbrace{\phantom{\text{コハク酸脱水素酵素}}}_{\text{[複合体 II]}} \text{[複合体 III]} \text{[複合体 IV]} \\
 \text{コハク酸脱水素酵素}
\end{array}$$

図2 ミトコンドリアの電子伝達系

され，このプロトン勾配を利用して ATP 合成酵素により ATP が合成される．電子伝達系は5個のタンパク質複合体（複合体 I～V）からなっている（図1）．複合体 I は NADH-CoQ（補酵素 Q，ユビキノン）還元酵素，II はコハク酸-CoQ 還元酵素，III は還元 CoQ チトクローム c 還元酵素（チトクローム b），IV はチトクローム c 酸化酵素，V は ATP 合成酵素である．

ミトコンドリア病の分類は臨床的特徴によるもの（慢性進行性外眼筋麻痺症候群，MELAS，MERRF）と生化学的異常によるものに2大別されている．生化学的異常の中でもっとも多いのが，電子伝達系酵素欠損である（表1)[1]．

2. 各 論

a. NADH-CoQ 還元酵素欠損

NADH-CoQ 還元酵素（NADH-CoQ reductase）（複合体 I）の酵素活性の測定はサンプルの保存状態や測定条件などで左右されやすいので，本酵素欠損と診断するには臨床像と病理像を加味して慎重に行わなければならない．たとえば，長期臥床したままの患者の剖検筋では，複合体 I の活性は低い．正

表1 ミトコンドリア病の分類

A. 臨床的特徴からの分類	1. 慢性進行性外眼筋麻痺症候群（CPEO：chronic progressive external ophthalmoplegia）			
	2. MERRF（myoclonus epilepsy associated with ragged-red fibers）または福原病			
	3. MELAS（mitochondrial myopathy, encephalopathy, lactic acidosis, and stroke-like episodes）			
B. 生化学的異常による分類	1. 基質の転送障害	カルニチンパルミトイルトランスフェラーゼ（CPT）欠損 カルニチン欠損		
	2. 基質の利用障害	ピルビン酸カルボキシラーゼ欠損 ピルビン酸脱水素酵素複合体（PDHC）欠損 β 酸化の障害		
	3. TCA 回路の障害	フマラーゼ欠損 α-ケトグルタル酸デヒドロゲナーゼ欠損		
	4. 酸化的リン酸化共役の障害	Luft 病		
	5. 電子伝達系の障害	複合体 I 欠損　（表2参照）		
		複合体 II 欠損　（表3参照）		
		複合体 III 欠損		
		複合体 IV（チトクローム c 酸化酵素）欠損	1) 重症乳児型（fatal infantile form） 2) 良性乳児型（benign infantile form） 3) Leigh 脳症	4) 部分欠損（focal deficiency） 5) その他
		複合体 V 欠損		
		複数の複合体欠損		
C. その他	Alpers 病，Leber 病，Pearson 病，家族性ミオグロビン尿症			

表2 複合体Ⅰ欠損の分類[4]

1. 複合体Ⅰ単独欠損（培養皮膚線維芽細胞）
   1) Leigh 脳症および Leigh 様脳症
   2) 進行性白質ジストロフィーを伴う巨脳症
   3) 高乳酸血症を伴う新生児心筋症
   4) 非特異的脳筋症
2. 筋組織におけるⅠおよびⅣ欠損を伴い皮膚線維芽細胞における複合体Ⅰ欠損
   1) 重症乳児型高乳酸血症

確な診断には，筋から分離したミトコンドリアの酵素活性のみならず，培養皮膚線維芽細胞の酵素活性も測定しなければならない[2~4]．

複合体Ⅰの欠損は種々のミトコンドリア DNA（mtDNA）の変異（とくに MELAS における A3243G 変異）でみられる．ミトコンドリア脳筋症に限らず，パーキンソン病の黒質や血小板，ハンチントン病やジストニア患者血小板中の複合体Ⅰの活性低下が報告されている[5,6]．すなわち，複合体Ⅰの欠損は多くの神経変性疾患の原因や病態と関係している．

上記のような神経変性疾患に伴うものではなく，複合体Ⅰ欠損が一義的病因と考えられる疾患（isolated complex Ⅰ deficiency）も報告されている[4,7]．その症状は多岐にわたり，もっとも重症な例では著しい高乳酸血症を伴い，数週以内に死亡する．また，単に筋の易疲労性症状のみのこともある．その中でもっとも頻度が高いのは Leigh 脳症である[7,8]．最近，複合体Ⅰのサブユニットをコードする核 DNA の変異が Leigh 脳症[9,10]，白質脳症を伴うミオクローヌスてんかん[11]，中枢神経症状をとるフロッピーインファント[12] などで見い出されて注目されている．

Loeffen ら[4] は，1次的複合体Ⅰ欠損の自験例と文献例をまとめ，その頻度の順から表2のように分類している．その中でもっとも多いのは Leigh 脳症である．

(i) Leigh 脳症

Leigh 脳症は，視床，脳基底核，中脳，橋などに左右対称性の壊死性病変をみる中枢神経系の変性疾患であり，本来は神経病理学的診断名であった．しかし，最近の画像診断の進歩により，病変部が生前に確認でき，臨床診断名ともなっている（図3）．

Leigh 脳症患者の中には複合体Ⅰの欠損例が多く存在する．Morris らは，検索した25例中9例に複合体Ⅰの欠損をみている[8]．特筆すべきことは，Leigh 脳症で核の遺伝子変異が見い出されつつあることである．すなわち，複合体Ⅰのサブユニット NDUFS7[9] や NDUFS8[10] をコードする核 DNA 部位に変異が見い出されている．最近では上記以外のサブユニットにも変量が見い出されている．NDUFS は N2 (4Fe-4S) 鉄–硫黄クラスターの形成に関係のあるタンパク質と考えられている．

血中や髄液の乳酸値は上昇し，乳酸/ピルビン酸比は増大する．しかし，核遺伝子 NDUS7 に変異を認める兄弟例では，乳酸値の上昇は見られなかった[9]．筋生検でも特異的診断所見は見られなかった．いずれの症例でも，ragged-red fibers は認められていないが，電子顕微鏡的レベルでのミトコンドリア形態異常は観察されている．

(ii) 重症乳児型

重症乳児型（fatal infantile lactic acidosis）に関しては，現在までに十数例の報告がなされている[1]．この中には複合体Ⅰ+Ⅳの欠損例も含まれている．

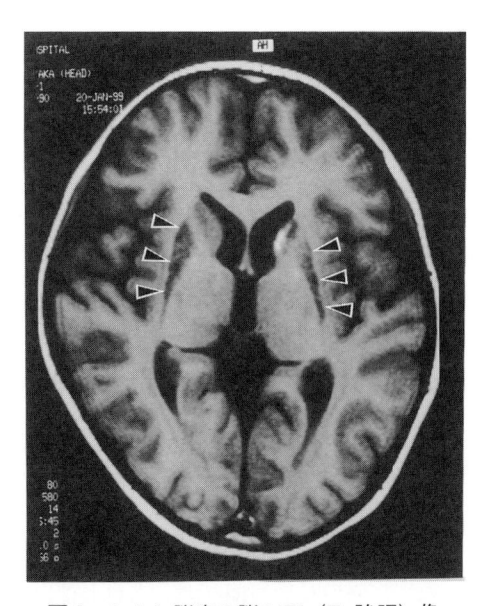

図3 Leigh 脳症の脳 MRI（T_1 強調）像
両側基底核に対称性の低吸収域（▶で示す）を認める．

表 3　複合体Ⅱ欠損症の分類と病因

	症例数	文献
1. 複合体Ⅱ単独欠損		17〜21)
1）SDH 欠損のあるもの（Fp の異常？）	5家系7例	
2）SDH 欠損のないもの	4家系5例	
3）SDH 欠損が不明	1例	
4）ポーラログラフィーのみで異常が証明されたもの	1例	
2. 他の複合体欠損を伴う複合体Ⅱ欠損		
1）複合体Ⅰ欠損を伴うもの（CoQ の異常？）	1例	
2）複合体Ⅰ,Ⅲ欠損を伴うもの（Ip の異常？）	2例	
3）複合体Ⅰ,Ⅲ,Ⅴ欠損を伴うもの（移送障害？）	1例	
3. 他の疾患に続発するもの		
1）フマラーゼ欠損に伴うもの		
2）Zellweger 症候群に伴うもの		
3）Friedreich 失調症に伴うもの		

（文献16) を一部改変）

後述する複合体Ⅳ欠損も進行すると複合体Ⅰ欠損を伴うので，重複例が存在する．そのような場合，いずれが1次的欠損かを決定することは難しい．線維芽細胞では複合体Ⅰの欠損が，筋では複合体Ⅰ+Ⅳの欠損が報告されている[3]．すなわち，複合体Ⅰが1次的欠損であると診断するには，生検筋や培養線維芽細胞から分離したミトコンドリアの酵素活性を測定するなど，慎重な検討が必要である．

これらの多くは，常染色体劣性遺伝と考えられている．1例ではすでに複合体Ⅰの18 kDa（AQDQ）サブユニットをコードする核遺伝子に変異が見い出されている[12]．複合体の会合が悪く，核の関与を強く示唆した論文もある[13]．また，mtDNA の変異をもつ例も報告されているので，本症は多因性であろう．

本症では，生直後から数週以内に呼吸不全，哺乳力低下，筋緊張低下，意識障害などがみられる[12〜15]．しばしば，肥大性心筋症，肝腫大，痙攣を伴い，生後1歳までに呼吸不全で死亡する．この症状は複合体Ⅳ欠損重症乳児型に似るが，より重症例が多い．

本症では，著明なアシドーシスをきたし，血中乳酸値は全例で上昇する．測定した例では，髄液の乳酸値も著明に上昇していた．ただし，核遺伝子に変異を見い出した例では，血中や髄液の乳酸値は正常であった[12]．脳の CT/MRI では，しばしば白質病変がみられる．筋生検では ragged-red fibers が認められた例もあるが，複合体Ⅳ欠損重症乳児型のように著明ではない．電子顕微鏡レベルでミトコンドリアの増加が記載された報告もある．

(iii) その他

複合体Ⅰ欠損と診断された症例中には，筋と中枢神経の症状以外に，肝病変，心筋症，腎障害を合併するものなど，症状は多岐にわたる．その症状も，単なる易疲労性から重症なものまで，幅が広い．

b. コハク酸-CoQ 還元酵素欠損

コハク酸-CoQ 還元酵素（succinate-ubiquinone reductase）（複合体Ⅱ）欠損は次のようである．

ミトコンドリア脳筋症患者の電子伝達系酵素活性を測定すると，複合体Ⅰ,Ⅳの活性は変動していても複合体Ⅱの活性は安定している．ただし本酵素複合体のみが選択的に欠損している例が10数例ほど報告されている（表3)[16]．

ミトコンドリア電子伝達系の酵素活性を測定した例では方法に疑問の残る例もあり，本症の位置づけにはまだ多くの症例の蓄積が必要である．表3 1.1）に示した複合体の主成分であるコハク酸脱水素酵素（succinate dehydrogenase：SDH）の欠損が生化学的，組織化学的に証明されたものは，確実に本症と診断できる[17〜21]．

複合体Ⅱはすべて核 DNA でコードされているので，常染色体劣性遺伝をとると考えらる．Leigh 脳症の症状を示した姉妹例では，染色体5q15上で，コハク酸脱水素酵素のフラボプロテインをコードする部位に変異（C1684T 変異）が見い出されてい

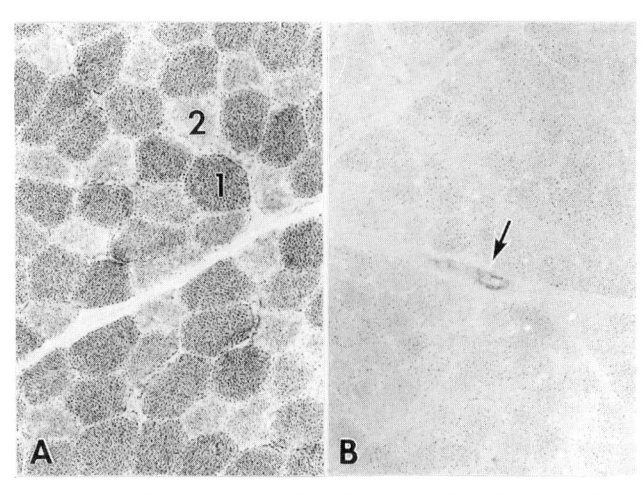

図4 複合体II（コハク酸脱水酵素：SDH）欠損の筋組織像
正常筋（A）ではすべての筋線維に酵素活性があり，タイプ1（1）線維のほうがタイプ2（2）線維より活性が高い．乳児期発症の重症例（B）では筋線維に活性がなく，血管壁（矢印）に活性を認め，組織特異性を認める．×240．

る[17]．

症状は多岐にわたり，一定していない．もっとも重症な例では，乳児期にすでに筋緊張低下，成長障害，高乳酸血症，細尿管障害などを示し，生後8カ月で死亡している[22]．そのほか，Leigh脳症を示したもの，小児期から易疲労性やMERRFに似た中枢神経症状を示した兄弟の例，CPEOの臨床症状を示すもの，成人発症の視神経萎縮と失調を示した例などが報告されている．

高乳酸血症は全例に見られ，Leigh脳症を示した例では髄液の乳酸値も上昇している．

重症乳児例の筋生検ではragged-red fibersが認められないものも報告されているが，多くの症例で認められている．SDHの欠損が組織化学的にも生化学的にも観察されている（図4）．

c. チトクローム b 欠損

従来から報告されてきたチトクローム b（複合体III）欠損では，症状は多岐にわたり，外眼筋麻痺を示すものから脳卒中様症状を示すものまである．また，電子伝達系酵素の活性が2次的に低下することなどから，複合体IIIの欠損が1次的なものか否か，疾患単位として位置づけられうるか否かが疑問であった．事実，多くの例でミトコンドリアDNAの欠失やMELASの変異（A3243G）などが見い出されている．

しかし，チトクローム b 遺伝子に変異をもつ複合体IIIの欠損が最近見い出され，本症が一疾患単位であることが確認された．

(i) 易疲労性を主症状とするミトコンドリア病

最近，易疲労性（exercise intolerance）を主症状とする患者のなかに，mtDNAのチトクローム b 遺伝子に変異をもつ報告例[23〜26]が注目されており，現在までに9例が報告されている[26]．この場合，mtDNAの変異の大半は点変異であるが，欠失もあり，一定していない．

発症時期には，小児から成人まで幅がある．おもな症状は運動負荷によりすぐ疲れることであり，過激な運動でミオグロビン尿を示す例もある．軽度ではあるが，近位筋の筋力低下がみられ，筋痛も合併する．

血中の乳酸値は一例を除いて高値を示し，筋生検ではragged-red fiberが認められ，チトクローム c 酸化酵素の活性が高いことが特徴的である．生化学的には複合体III（チトクローム b；CoQ-チトクローム c 酸化還元酵素）の活性低下が認められる[26]．

(ii) パーキンソン症候群とMELASの合併

チトクローム b 遺伝子に4塩基対の欠失のある20歳の複合体III欠損症患者が報告されている．本

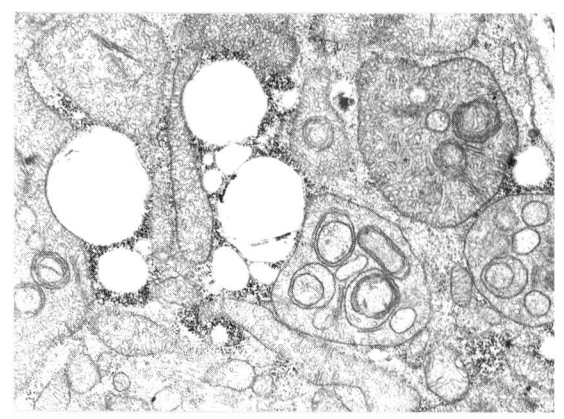

図5 チトクローム c 酸化酵素欠損重症乳児型の生検筋の電子顕微鏡像
複雑に増殖した内膜をもつ巨大なミトコンドリアが集積している．空胞は脂肪滴．筋原線維は消失している．

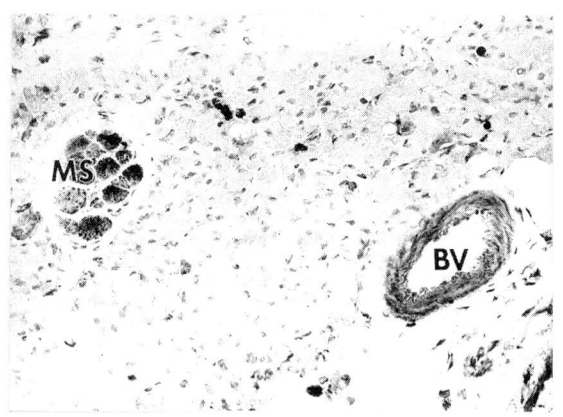

図6 チトクローム c 酸化酵素欠損重症乳児型の筋組織像
正常筋ではすべての筋線維に酵素活性がある（図8A参照）が，本症では骨格線維には酵素活性はなく，血管（blood vessel：BV）壁と筋紡錘内線維（MS）には酵素活性があって濃染している．すなわち組織特異性が示されている．チトクローム c 酸化酵素染色，×140．

患者では，6歳から神経症状が出現し，パーキンソン様症状とMELASに特徴的な脳卒中様症状を伴っていた[27]．

d. チトクローム c 酸化酵素欠損

チトクローム c 酸化酵素（cytochrome c oxidase：COX）（複合体Ⅳ）の欠損は，生検筋のミトコンドリアを生化学的に分析する以外に，酵素組織化学的にも診断できる．電子伝達系酵素欠損のなかでもっとも確定診断例が多く，組織特異性などの研究も進んでいる．常染色体劣性遺伝を示すCOX欠損では，核DNAの変異が多く見い出されている．

（ⅰ）重症乳児型

重症乳児型（fatal infantile form）の多くは常染色体劣性遺伝と考えられている．肥大型心筋症を伴う例では常染色体22番に局在するCOX assembly gene（*SCO2*）に変異が見い出されている[28]．本症の変異様式は一定しないが，G1541AやC1391Tが多く見い出されている[29, 30]．生後1歳半で発症し，失調などの中枢神経症状で数歳で死亡した姉弟の報告例がある．この症例は核のヘムA（ファルネシルトランスフェラーゼ，*COX10*）遺伝子に変異を有することが報告されている[30]．ただし，多くの例で遺伝子座は明らかでない．

出生直後から強い呼吸不全やアシドーシスがみられ，新生児期に死亡した重症例の報告もある．多くの患児は，出生数週〜数カ月後より全身の筋力低下や筋緊張低下のために元気がなくなることで発症する．哺乳力は低下し，強いアシドーシスのために，次第に意識が低下する．呼吸不全や痙攣などの中枢神経症状を伴い，多くは，るいそう，心不全，腎不全などで1歳以下で死亡する[1]．

全例で高乳酸血症とアシドーシスがみられ，髄液の乳酸も高値を示す．約半数例でde Toni-Fanconi-Debré症候群（汎アミノ酸尿，糖尿，タンパク尿を示す）が認められている．また，血中カルニチンも低値を示す．

筋生検では多くのragged-red fiberが認められる．病気の進行に伴い，ragged-red fiberの数は増加し，筋線維内の脂肪滴も増加する（図5）．筋線維は細くなり次第に消失していく．剖検例では骨格筋は結合組織と脂肪組織で完全に置換されていた．

筋線維では組織化学的にも生化学的にもCOX活性は完全に欠損しているが，筋紡錘内の錘内線維，血管壁，線維芽細胞のミトコンドリアには活性が残存している（図6）．本症では，このように特定の組織のみが侵される．これを組織特異性（tissue specificity）とよぶ．皮膚の線維芽細胞を培養して酵素活性を測定すると，正常な値を示す．

（ⅱ）ミトコンドリアDNA欠乏症

ミトコンドリアDNA欠乏症（mitochondrial

DNA depletion）では，COX 欠損乳児致死型と同じ臨床症状を示し，筋組織の COX 欠損を伴う症例のなかに，mtDNA の著明な減少（depletion）を示す 4 症例が報告された[31]．そのなかの 2 例は de Toni-Fanconi-Debré 症候群を伴っていた．重症型の患者では，筋組織の mtDNA 量を検査する必要がある．

Tritschler らは，DNA の減少が軽度であり，その症状が DNA の減少度と並行する症例を報告している[32]．Vu らも本症の症状の多様性を記載している[33]．

(iii) 良性乳児型

1983 年に DiMauro らは，乳児期に筋力低下と筋緊張低下を示し，発育と発達の遅れがある（フロッピーインファント）が，1 歳を過ぎると臨床的にも生化学的にも急速に回復する症例を報告した[34]．この良性乳児型（benign infantile form）は常染色体劣性遺伝と考えられる．現在までに十数例が報告されている[1]が，mtDNA に変異は見い出されていない．

生下時ないし乳児期の早期から発育と発達の遅れ，筋力と筋緊張の低下がおもな症状であり，先天性ミオパチー，乳児脊髄性筋萎縮症（Werdnig-Hoffmann 病）に類似している．重篤な例では呼吸不全のために人工呼吸器が，哺乳障害のために経管栄養が必要となる．

臨床症状は 1 歳を過ぎると急速に回復し，人工換気は不要となり，1.5〜4 歳には歩行可能となる．長期追跡した報告はないが，大半は正常に発達すると考えられる．

血中の乳酸とピルビン酸の値は上昇する．筋生検では，筋線維の大小不同と多数の ragged-red fibers が見られる（図 7）．筋線維内（とくに ragged-red fibers 内）には多くの脂肪滴やグリコーゲン顆粒が存在し，いわゆる mitochondria-lipid-glycogen（MLG）disease として報告された像と一致する．この病名で 2 例が報告されているが，そのなかの 1 例は後に，COX 欠損良性型と診断された．筋の病理所見も臨床症状の軽減に伴い改善する．

(iv) Leigh 脳症

Leigh 脳症は，脳基底核，視床，視床下部，中脳などに左右対称性の壊死性病変をきたす疾患である．その原因として，ミトコンドリア複合体 I や IV の欠損，ピルビン酸脱水素酵素複合体（pyruvate dehydrogenase complex：PDHC）の欠損などが

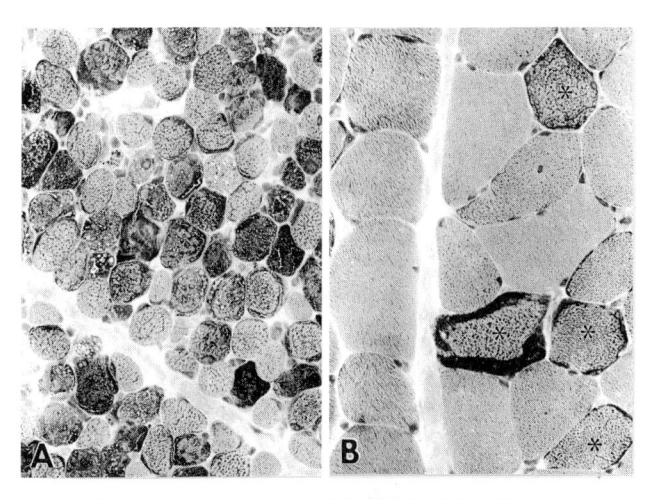

図7 チトクローム c 酸化酵素欠損良性乳児型
生後 8 月の筋生検ではほとんどすべての筋線維は ragged-red fibers であった（A）．4 歳 5 月時には筋線維は増大し，ragged-red fibers（＊）は著明に減少し改善している（B）．A，B：Gomori トリクロム変法染色，×210.

知られている．そのなかで，もっとも頻度が高いのは複合体Ⅳ（COX）の欠損であり，Leigh脳症の約10％を占める．しかし，Leigh脳症の患者の大半は原因と考えられる酵素欠損が見い出されていない．一部の症例（次ページd項参照）を除き，大多数のLeigh脳症は常染色体劣性遺伝と考えられている．

COX欠損のLeigh脳症の中には，かなりの頻度で第9染色体長腕（9q34）の*SURF-1*遺伝子に変異が見い出されている[35〜39]．Tirantiは，24例中15例（75％）に点変異や欠失などが認められたことを報告している[39]．*SURF-1*遺伝子はCOX活性の維持と呼吸に関係するといわれている．

乳児期後半（生後6〜12カ月）に，発育・発達の停止に続き，筋力や筋緊張低下を伴う知的退行がみられる．随伴する神経症状は，嘔吐，呼吸障害，嚥下障害，小脳失調，企図振戦，ジストニア，錘体路障害，痙攣，眼振など，多彩である．肥大性心筋症やFanconi症候群と腎不全を伴った症例もある．筋力低下と知的退行が進行し，多くは呼吸不全や感染などで発症後数年で死亡する．

血中だけでなく，髄液の乳酸やピルビン酸値の上昇，およびCTやMRIで基底核と脳幹部に左右対称性の病変が認められる．

筋生検では，ragged-red fibersは認められず，筋線維の大小不同（タイプ2線維の萎縮）以外に特別な変化はみられない．COX染色では筋線維に酵素活性はまったくみられず，組織特異性に欠けることが多い（図8）．剖検例では，COX活性は組織間で異なり，線維芽細胞や肝組織では活性が正常だったとの報告もある．

（v）部分欠損

COX部分欠損（focal COX deficiency）は診断名ではなく，病態を表している．生検筋を組織化学的にみると，酵素欠損線維が散在性に存在する（図9）．この部分欠損は，慢性進行性外眼筋麻痺症候群（CPEO）とragged-red fibersを伴うミオクローヌスてんかん（MERRF）でほとんど例外なくみられる．ragged-red fibersのみならず，一見正常にみえる線維でも酵素が欠損しているので，この2疾患ではCOX酵素欠損が一義的病因と考えられている．

COXの部分欠損は，慢性に経過する筋ジストロフィー，筋強直性ジストロフィー，多発筋炎でもみられ，50歳以上の高齢者ではragged-red fibersとともに出現してくる．すなわち，ragged-red fibersの出現は非特異的にも起こるが，ミトコンドリア病に比べれば頻度ははるかに低い．

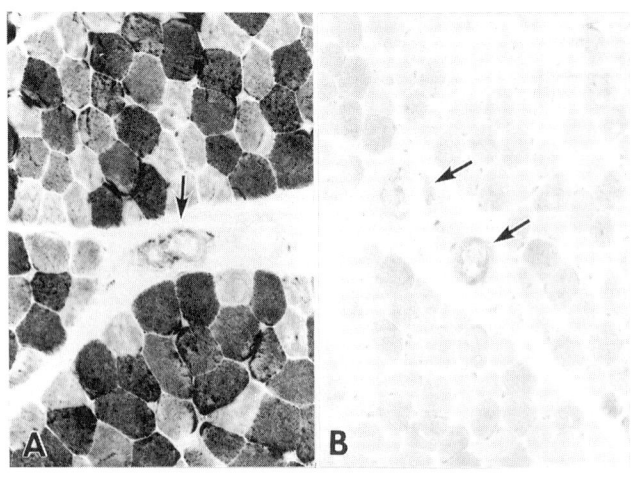

図8 Leigh脳症（チトクローム*c*酸化酵素欠損）
正常筋（A）ではすべての筋線維，血管壁（矢印）に酵素活性があり，濃染している．Leigh脳症の患者（B）では筋線維，血管壁（矢印）すべてに酵素活性がない．チトクローム*c*酸化酵素染色，×170．

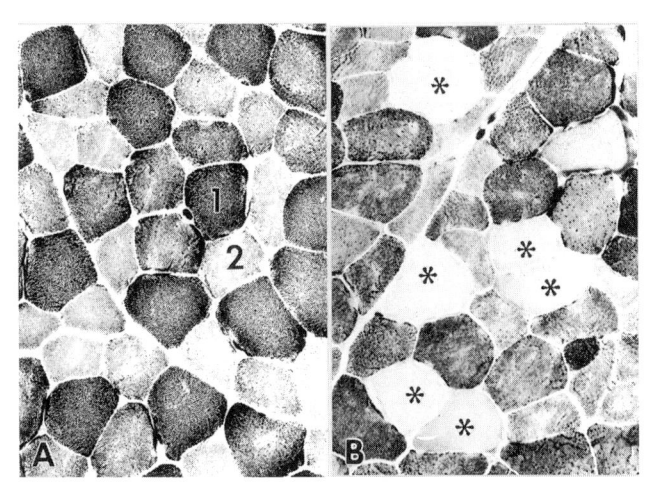

図9 チトクロームc酸化酵素部分欠損
正常筋（A）ではすべての筋線維に酵素活性があるが，タイプ1（1）線維に強く，タイプ2（2）線維には低い．部分欠損（B）では，活性がまったくない筋線維（＊印）が散在している．A，B：チトクロームc酸化酵素染色，×210.

d．ATP合成酵素（複合体V）欠損

本酵素の活性測定が難しいので，酵素欠損が確認された例はないが，その遺伝子の変異は種々の神経症状を伴うことが知られている．

(i) Neurogenic weakness, ataxia, retinitis pigmentosa (NARP)

Holtらは，発達の遅れ，網膜色素変性，知的発達遅滞，痙攣，失調，神経原性の筋力低下，感覚性ニューロパチーを症状とする一家系4症例を検索し，mtDNAのATPase6コード領域のT8993G変異を見い出した[40]．その後も同様の症例が報告されているが，本遺伝子変異はLeigh脳症に多くみられる．

(ii) Leigh脳症

Tatuchらは，NARPと同じ変異をもつ患者でも，変異DNAの割合が90％以上を占める重症型はLeigh脳症の特徴を示すことを報告した[41]．さらに，同じATPase6のコード領域のT9176C変異もLeigh脳症をきたすことが明らかとされた[42,43]．すなわち，Leigh脳症では，mtDNAに変異を有し，母系遺伝する例が示された．Makinoらは，100例のLeigh脳症患者を検討し，10例でT8993G変異，3例でT8993C変異，および5例でT9176C変異を認めている[44]．すなわち，Leigh脳症の18％はmtDNAの変異による．mtDNAに変異がある例では母親にも変異があり，母系遺伝する．筋生検ではragged-red fibersはなく，診断的所見に欠ける．

●おわりに

電子伝達系の酵素活性は，ミトコンドリア病に限らず，神経・筋疾患の進行により2次的にも低下することから，電子伝達系酵素欠損の原因や症状は多様である．しかし，電子伝達系の酵素複合体サブユニットをコードする遺伝子の変異が次々と見い出され，病態が明らかにされつつある．とくに，核の遺伝子変異が見い出されたことは，核遺伝子とミトコンドリアの関係を明らかにする糸口になり，ミトコンドリア研究の大きな発展に結びつくと考えられる．

原因が不明とされてきたLeigh脳症は複合体I，IV，Vなどの電子伝達系異常が関与していることが明らかにされたことも意義深い．さらに，核の遺伝子変異が見い出されたミトコンドリア病の多くはLeigh脳症である．しかし，依然としてLeigh脳症の大半は原因不明である．

●文 献

1) 埜中征哉:『ミトコンドリア病』(埜中征哉, 後藤雄一編), pp.132-148, 医学書院 (1997)
2) Pitkänen, S., Raha, S., Robinson, B.H. : *Biochem. Mol. Med.*, **59**, 134-137 (1996)
3) Bentlage, H.A.C.M., Wendel, U., Schägger, H., et al. : *Neurology*, **47**, 243-248 (1996)
4) Loeffen, J.L.C.M., Smeitink, J.A.M., Trijbels, A.J.M., et al. : *Hum. Mutat.*, **15**, 123-134 (2000)
5) Mizuno, Y., Yoshino, H., Ikebe, S., et al. : *Ann. Neurol.*, **44**(3 Suppl 1), S99-109 (1998)
6) Shapira, A.H. : *Biochim. Biophys. Acta*, **1366**, 225-233 (1998)
7) Robinson, B.H. : *Biochim. Biophys. Acta*, **1364**, 271-286 (1998)
8) Morris, A.A.M., Leonard, J.V., Brown, G.K., et al. : *Ann. Neurol.*, **40**, 25-30 (1996)
9) Tripels., R.H., van den Heuvel, L.P., Loeffen, J.L., et al. : *Ann. Neurol.*, **45**, 787-790 (1999)
10) Loeffen, J., Smeitink, J., Triepels, R., et al. : *Am. J. Hum. Genet.*, **63**, 1598-1608 (1998)
11) Shuelke, M., Smeitink, J., Mariman, E., et al. : *Nat. Genet.*, **21**, 260-261 (1999)
12) Van den Huevel, L., Ruitenbeek, W., Smeets, R., et al. : *Am. J. Hum. Genet.*, **62**, 262-268 (1998)
13) Procaccio, V., Mousson, B., Beugnot, R., et al. : *J. Clin. Invest.*, **104**, 83-92 (1999)
14) Rubio-Gozalbo, M.E., Ruitenbeek, W., et al. : *Neuropediatrics*, **29**, 43-45 (1998)
15) Dionisi-Vici, C., Ruitenbeek, W., Fariello, G., et al. : *Ann. Neurol.*, **42**, 661-665 (1997)
16) 後藤雄一:日本臨床 別刷 先天代謝症候群 (下), 491-493 (1998)
17) Bourgeron, T., Rustin, P., Chretien, D., et al. : *Nat. Genet.*, **11**, 144-148 (1995)
18) Linderholm, H., Essen-Gustavasson, B., Thornell, L.E. : *J. Intern. Med.*, **228**, 43-52 (1990)
19) Burgeois, M., Goutieres, F., Chretien, D., et al. : *Brain Dev.*, **14**, 404-408 (1992)
20) Taylow, R.W., Birch-Machin, M.A., Schaefer, J., et al. : *Ann. Neurol.*, **39**, 224-232 (1996)
21) Sugimoto, J., Shimohira, M., Osawa, Y., et al. : *Brain Dev.*, **22**, 158-162 (2000)
22) Behbehani, A.W., Goebel, H.H., Osse, G., et al. : *Eur. J. Pediatr.*, **143**, 67-61 (1984)
23) Andreu, A.L., Bruno, C., Shanske, S., et al. : *Neurology*, **51**, 1444-1447 (1998)
24) Andreu, A.L., Bruno, C., Dunne, T.C., et al. : *Ann. Neurol.*, **45**, 127-130 (1999)
25) Valnot, I., Kassis, J., Chretien, D., et al. : *Hum. Genet.*, **104**, 460-466 (1999)
26) Andreu, A.L., Hanna, M.G., Reichmann, H., et al. : *N. Engl. J. Med.*, **341**, 1037-1044 (1999)
27) De Coo, I.F.M., Renier, W.O., et al. : *Ann. Neurol.*, **45**, 130-133 (1999)
28) Papadopoulou, L.C., Sue, C.M., Davidson, M.M., et al. : *Nat. Genet.*, **23**, 333-337 (1999)
29) Jacksch, M., Ogilvie, I., Yao, J., et al. : *Hum. Mol. Genet.*, **9**, 795-801 (2000)
30) Valnot, I., von Kleist-Retzow, J.-C., Barrientos, A., et al. : *Hum. Mol. Genet.*, **9**, 1245-1249 (2000)
31) Moraes, C.T., Shanske, S., Tritschler, H.J., et al. : *Am. J. Hum. Genet.*, **48**, 492-501 (1991)
32) Tritschler, H.J., Andreetta, F., Moraes, C.T., et al. : *Neurology*, **42**, 209-217 (1992)
33) Vu, T.H., Sciacco, M., Tanji, K., et al. : *Neurology*, **50**, 1783-1790 (1998)
34) DiMauro, S., Nicholson, J.F., Hays, A.P., et al. : *Ann. Neurol.*, **14**, 226-234 (1983)
35) Zhu, Z., Yao, J., Johns, T., et al. : *Nat. Genet.*, **20**, 337-343 (1998)
36) Tiranti, V., Hoertnagel, K., Carrozzo, R., et al. : *Am. J. Hum. Genet.*, **63**, 1609-1621 (1988)
37) Teraoka, M., Yokoyama, Y., Ninomiya, S., et al. : *Hum. Genet.*, **105**, 560-563 (1999)
38) Poyau, A., Buchet, K., Bouzidi, M.F., et al. : *Hum. Genet.*, **106**, 194-205 (2000)
39) Tiranti, V., Jaksch, M., Hofmann, S., et al. : *Ann. Neurol.*, **46**, 161-166 (1999)
40) Holt, I.J., Harding, A.E., Petty, R.K.H., Morgan-Hughes, J.A. : *Am. J. Hum. Genet.*, **46**, 428-433 (1990)
41) Tatuch, Y., Christodoulou, J., Feigenbaum, A., et al. : *Am. J. Hum. Genet.*, **50**, 852-858 (1992)
42) Campos, Y., Martin, M.A., Rubio, J.C., et al. : *Neurology*, **49**, 595-597 (1997)
43) Makino, M., Horai, S., Goto, Y., Nonaka, I. : *Neuromuscul. Disord.* **8**, 149-151 (1998)
44) Makino, M., Horai, S., Goto, Y., Nonaka, I. : *J. Hum. Genet.*, **45**, 69-75 (2000)

ATP合成酵素と病態

新垣 尚捷・樋口 富彦

●はじめに

従来，ATP合成酵素の機能異常に関連した疾患としては，ミトコンドリアDNA（mtDNA）の変異やATP合成酵素のサブユニットの発現調節異常などが知られていた．最近，ミトコンドリアATP合成酵素の新しい生理機能を示唆する2つの重要な報告がなされた．その一つは，血管新生阻害物質アンギオスタチンの血管内皮細胞における受容体がミトコンドリアのATP合成酵素αサブユニットであることを示した論文であり[1]，他は，SHR（spontaneously hypertensive rat）の心抽出物中に存在するプロスタサイクリンの生合成阻害物質がミトコンドリアATP合成酵素サブユニットのcoupling factor 6（CF6）であることを示した論文である[2]．これらの発見は，ATP合成酵素が血管内皮細胞の細胞膜表面にも存在し，細胞膜のATP合成酵素，あるいはそのサブユニットが血管内皮細胞機能に重要な役割を担う可能性を示唆している．また，ATP合成酵素と病態との関連性を理解するうえでも重要な発見である．

本稿では，従来から知られているATP合成酵素異常に関連した疾患に加え，上述の2つの論文を中心に概説する．

1. セロイドリポフスチン症

セロイドリポフスチン症〔ceroid-lipofuscinosis（Batten病）〕は，神経系をはじめとする多くの組織のリソソーム中に自己蛍光をもつ脂肪色素（autofluorescent lipopigment）が蓄積する神経変性疾患の総称である．もっとも一般的なものは，学童期に発症し，網膜の色素変性を伴い，神経症状や痙攣がみられるBatten病である．

Palmerら[3]により，Batten病においてリソソームに蓄積した色素がミトコンドリアATP合成酵素のサブユニットcであることが証明された．サブユニットcは，ATP合成酵素複合体におけるエネルギー変換に必須の役割を果たしている．ヒトでは2つの異なる核遺伝子（P1とP2）でコードされ，両遺伝子の発現レベルは臓器によって異なり，異なる発現調節を受けることが知られている[4,5]．江崎ら[6]は，健常人と患者から得た線維芽細胞を使い，リソソームへのサブユニットcの蓄積はその遺伝子の過剰発現によるものではないこと，患者由来の細胞ではミトコンドリア内でのサブユニットcの半減期が異常に長くなっていること，サブユニットcはミトコンドリアに蓄積した後にリソソーム内に蓄積することを明らかにした．リソソーム内でのサブユニットcの分解障害の可能性も残されているが，Batten病患者ではミトコンドリアが根本的な障害部位である．この発見は，ミトコンドリア内でのサブユニットcの代謝回転を理解するうえで重要であり，今後の進展が期待される．Batten病の原因遺伝子（*CLIN3*）は，第16染色体の短腕16p12付近に存在するが[7]，CLIN3の機能は不明である．

2. 血管新生と細胞膜表面のATP合成酵素

血管新生は，癌細胞の増殖のみならず，癌細胞の浸潤や転移にも深く関与する．血管新生を阻害して癌細胞を兵糧攻めにするというアイデアは，癌細胞の種類を問わずに攻撃できるという魅力的で実用的な治療法と期待されている．

最近，Moserら[1]により，血管新生阻害物質であるアンギオスタチンの血管内皮細胞（HUVEC）膜表面における受容体がミトコンドリアATP合成酵素のαサブユニットであることが明らかにされた．さらに，HUVECに対するアンギオスタチンの増殖抑制効果がATP合成酵素のαサブユニットに対する抗体によりほぼ完全に回復された．

血管内皮細胞は酸素分圧の高いところで生きているが，酸素分圧の低い状況でも生存に必要なATPを合成維持できるため，他の細胞に比べて酸素欠乏に抵抗性が高いと考えられている．Moserらの結果から，細胞膜上にATP合成酵素が存在し，細胞膜の内外にプロトン濃度勾配が存在すれば，酸素分圧の低い状況でもATPを産生することができ，細胞の生存に重要な役割を果たすと考えられる．したがって，アンギオスタチンによりATP合成酵素が阻害されれば，内皮細胞は酸素欠乏に感受性となり，血管新生が阻害されて癌細胞の増殖も阻害されることになる．

ある種の癌細胞では細胞膜表面にATP合成酵素のβサブユニットが存在することも示されており[8]，細胞膜ATP合成酵素と癌病態についても新しい展開が期待される．さらに，血管新生異常が認められる他の病態（創傷治癒や炎症など）を細胞膜ATP合成酵素との関連で考えることも必要と思われる．

3. 生理的条件の変化とATP合成酵素の機能調節

a. F_1-ATPaseインヒビター（IF_1）と病態

IF_1はATP合成酵素の活性抑制因子としてよく知られている．その生理機能は，虚血状態や酸素欠乏状態における組織で浪費的なATP分解を防ぐことであると考えられている[9]．寒川らは，組織中におけるmRNAの絶対量測定方法を開発し[10]，ラット組織における9種のATP合成酵素サブユニットのmRNA量を定量し，P2とIF_1を除く7種のサブユニットの発現パターンは多くの組織で変わらず，その量は心＞筋＞腎≒脳＞肝の順になっているが，IF_1の転写量は脳で一番高く，次いで腎，心，筋，肝の順になってることを明らかにした．これらの事実は，浪費的なATP分解を阻止するIF_1の生理的必要性が臓器によって異なること示唆している．心筋細胞では虚血状態や酸素欠乏状態になるとATPase活性が低下するが，この低下はミトコンドリア膜におけるIF_1の量的変化と相関することが示されている[11]．

Luft病の患者では，ミトコンドリアの電子伝達系とATP産生系が正常に共役しておらず，呼吸は脱共役状態であり，ミトコンドリアのATPase活性は正常の7倍にも上昇していることが示されている．患者の培養線維芽細胞を用いた解析から，Luft病ではミトコンドリアのATPase阻害タンパク質（Pullman-Monroyインヒビター：PMI）が欠損していることが示されている[12]．

b. サブユニットeと病態

古くから，心筋細胞で電気刺激や薬物により細胞質のCa^{2+}濃度を上昇させるとATP合成活性が2〜4倍も増大することが知られていた．この際，ADP/ATP比や$\Delta\mu H^+$値はほとんど変わらないことから，細胞質のCa^{2+}は何らかの方法でATP合成酵素に作用し，その活性を可逆的に増強している可能性が示唆されていた．Yamadaら[13]は，Ca^{2+}に依存したATP合成活性の増強に関与する因子としてCa^{2+}結合ATPaseインヒビター（CaBI）を見い出している．筆者ら[14]は，ATP合成酵素のF_o部分を構成するサブユニットeのC末端側34-65残基のアミノ酸配列（Ca^{2+}関連保存配列）が，トロポニンTのCa^{2+}依存性トロポミオシン結合部位の共通配列と高いホモロジーを示すことを見い出した．34-65残基のペプチドに対する抗体を用いた

解析から，このCa^{2+}関連保存配列を含むC末端側が膜間腔側に存在し，Ca^{2+}センサーとして，Ca^{2+}依存性にATP合成活性を調節していることを示唆した[15]．サブユニットeのmRNA発現量は，食事中の脂肪量，食事後の経過時間に依存し，低酸素下にさらした骨格筋および新生ラット心筋細胞で顕著に減少する．これらの報告は，Ca^{2+}代謝異常症や肥満などと関連してATP合成酵素の活性が制御されている可能性を示唆し，ミトコンドリア病の病態解明につながる可能性がある．

c. coupling factor 6（CF6）と病態

長内ら[2]は，SHRの心抽出物中からプロスタサイクリン合成阻害物を精製してその部分アミノ酸配列を決定し，それがミトコンドリアのATP合成酵素F_oサブユニットのcoupling factor 6（CF6）であることを明らかにしている．さらに，組換えCF6がHUVECにおける基底レベルとブラジキニン誘導性のプロスタサイクリン合成，およびCa^{2+}-dependent cytosolic phospholipase A2の活性を阻害することを明らかにしている．

CF6の作用機作，生理的役割，および高血圧発症や他の病態との関連性は不明であるが，ATP合成酵素（サブユニット）の新たな役割を示唆しており，今後の進展が期待される．

4. その他

mtDNAの点突然変異によるATP合成酵素の機能異常によって起こる疾患としてはLeigh症候群（MILS：maternally-inherited leigh syndrome），NARP（neuropathy, ataxia, and retinitis pigmentosa），FBSN（familial bilateral striatal necrosis）などが知られている[16]．いずれの疾患も，ATP合成酵素F_o部分のサブユニットであるATPase 6遺伝子における変異である．Leigh症候群とNARPは，ATPase 6塩基8993の変異（T→GあるいはT→C変異）に基づく疾患であり，FBSNではATPase 6遺伝子中の塩基8851あるいは9176の変異（T→CあるいはT-C変異）の2種が報告されている．これらの疾患で共通にみられる臨床症状は，神経障害，視力障害，運動発達遅滞などである．Leigh症候群とNARPで認められたT8993→G変異に関する生化学的な解析から，90％以上の変異をもつ線維芽細胞あるいはリンパ球ではATP合成が約50％に減少していることが示されている．

●おわりに

ATP合成酵素のサブユニットが細胞膜に存在するという結果や，CF6がHUVECのプロスタサイクリン合成を阻害するという結果は，ATP合成酵素の新しい生理機能を示唆する重要な発見である．ATP合成酵素と病態との関連性を理解するためには，mtDNAの点突然変異によるATP合成酵素の機能異常と病態との関連性に加えて，細胞膜ATP合成酵素の生理的役割の解明と，ATP合成酵素を構成する多数のサブユニットの機能およびそれらの発現調節機構の解明がこれからの重要な研究課題である．

●文　献

1) Moser, T.L., Stack, M.S., Asplin, I., et al. : Proc. Natl. Acad. Sci. USA, **96**, 2811-2816 (1999)
2) Osanai, T., Kamada, T., Fujiwara, N., et al. : J. Biol. Chem., **273**, 31778-31783 (1998)
3) Palmer, D.N., Martinus, R.D., Cooper, S.M., et al. : J. Biol. Chem., **264**, 5736-5740 (1989)
4) Higuti, T., Kawamura, Y., Kuroiwa, K., et al. : Biochim. Biophys. Acta, **1173**, 87-90 (1993)
5) Andersson, U., Houstek, J., Cannon, B. : Biochem. J., **323**, 379-385 (1997)
6) Ezaki, J., Wolfe, L.S., Higuti, T., et al. : J. Neurochem., **64**, 733-741 (1995)
7) Gardiner, R.M. : Am. J. Med. Genet., **42**, 539-541 (1992)
8) Das, B., Mondragon, M.O., Sadeghian. M., et al. : J. Exp. Med., **180**, 273-281 (1994)
9) 樋口富彦：エネルギー変換システム（猪飼　篤ら編），生体超分子システム-生命理解のかなめ-pp.1117-1132, 共立出版（1995）
10) Sangawa, H., Himeda, T., Shibata, H., et al. : J. Biol. Chem., **28**, 6034-6037 (1997)
11) Rouslin, W., Pullman, M. E. : J. Mol. Cell. Cardiol., **19**, 661-668 (1987)
12) Yamada, E.W., Huzel, N.J. : Biochim. Biophys. Acta, **1139**, 143-147 (1992)

13) Yamada, E.W., Huzel, N.J. : *J. Biol. Chem.*, **263**, 11498–11503 (1988)
14) Higuti, T., Kuroiwa, K., Kawamura, Y., Yoshihara, Y. : *Biochemistry*, **31**, 12451–12454 (1992)
15) Arakaki, N., Hirose, M., Ueyama, Y., *et al.* : *Biochim. Biophys. Acta*, **1504**, 220–228 (2001)
16) Wallace, D.C. : *Trends Genet.*, **9**, 128–133 (1993)

糖尿病とミトコンドリア病態

岡 芳知

●はじめに

 グルコースによるインスリン分泌にとって,膵β細胞内のミトコンドリアの機能が重要であることは従来から認識されていた.しかし,本当に糖尿病を生じるほどの重要性をもつことが認識されたのは,ミトコンドリア遺伝子異常による糖尿病患者の発見からであろう.1990年前後より始まったミトコンドリア脳筋症における遺伝子異常の発見に引き続き,1992年にはミトコンドリア遺伝子の10.4 kbの欠失が認められるインスリン依存型糖尿病と難聴の家系[1]が,続いて3243番塩基のアデニンからグアニンへの点変異(3243変異)を認めるインスリン非依存型糖尿病と難聴の家系[2]が欧米から報告された.これらの患者ではインスリン分泌に障害があるものが多く,ミトコンドリア機能がインスリン分泌に重要であるとの考えと合致し,大きな注目を浴びた.また,膵β細胞のインスリン分泌機構におけるミトコンドリアの役割についての研究をも刺激した.

 本稿では,糖尿病とミトコンドリア病態に焦点を当て,インスリン分泌におけるミトコンドリア代謝の役割を概説し,この機能を障害しうる遺伝子異常と糖尿病について述べる.わが国からの発表,とくに筆者がかかわった研究成果を多く取り上げたが,この分野でのわが国の貢献はたいへん大きく,全体像をほぼカバーしうると考える.

1. 膵β細胞インスリン分泌機構におけるミトコンドリアの役割

 インスリン分泌機構については,グルコースが膵β細胞で代謝され,これがインスリン分泌をひき起こすシグナルとなる代謝説が広く受け入れられている.これ以外の機構も存在するが,グルコース代謝による機構がおもなものであり,ミトコンドリアはきわめて重要な位置を占めている(図1).

 グルコースは膵β細胞の細胞膜に存在するGLUT2とよばれる糖輸送担体を介して細胞内へ取り込まれる.次いで,グルコキナーゼによりリン酸化されてグルコース6-リン酸となって解糖系にはいり,ピルビン酸にまで分解される.ピルビン酸はミトコンドリア内にはいり,アセチルCoAを経てTCA回路で代謝される.解糖系での代謝によってもATPが産生されるが,ATP産生のおもな場はミトコンドリアである.すなわち,TCA回路で産生された水素イオン(H^+,プロトン)はNADHの形でミトコンドリア内膜の電子伝達系に渡され,シトクロムc酸化酵素により酸化される.この過程で産生されたエネルギーを用いてATP合成酵素により産生されたATPは輸送タンパク質を介してミトコンドリア外に出る.以上のような機構で上昇した細胞内(細胞質)ATPは,Kir6.2とよばれるKイオンチャンネルとスルホニル尿素受容体からなる複合体(膵β細胞のATP依存性Kチャンネル)に作用し,このKチャンネルを閉じて細胞膜の脱分極をひき起こす.脱分極により電位依存性のCaチャ

図1 膵β細胞のインスリン分泌機構

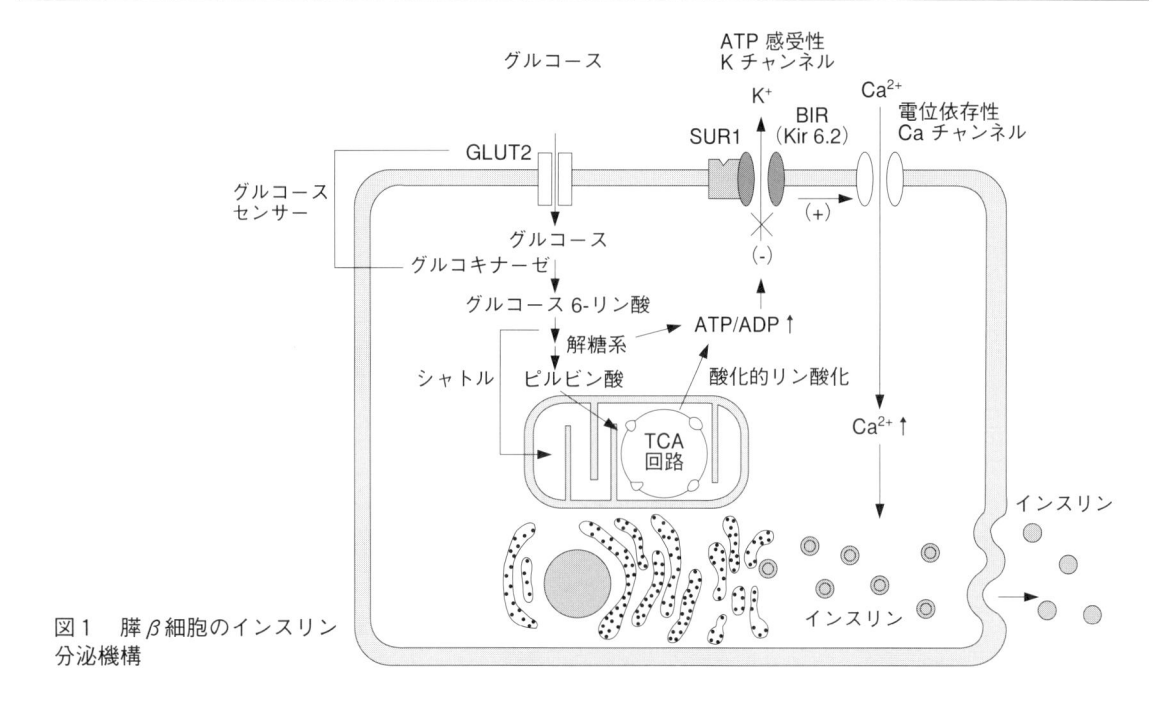

ネルが開き，細胞外のCaが流入し，インスリンを含む細胞内小胞と細胞膜との融合と開口が起こり，インスリンが分泌される．

すなわち，ミトコンドリアでの酸化的リン酸化で生じたATPがインスリン分泌にきわめて重要である．このため，膵β細胞ミトコンドリアの機能低下はインスリン分泌障害をきたすと考えられる．

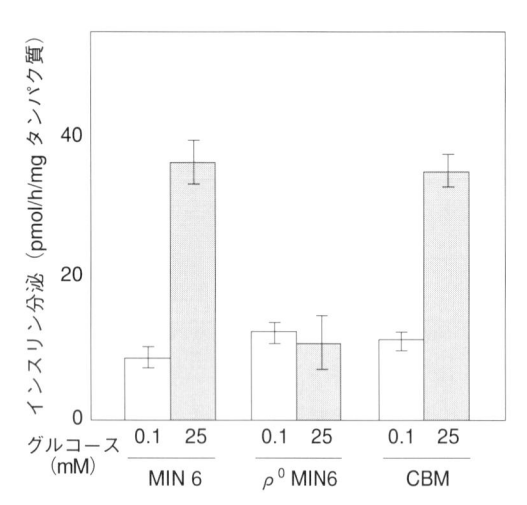

2. ミトコンドリア遺伝子を除いた膵β細胞でのインスリン分泌障害

膵β細胞のミトコンドリア遺伝子に異常があれば，インスリン分泌異常をきたすであろうか．これに関しては，ミトコンドリア遺伝子を膵β細胞から除去した研究がある．

ミトコンドリア遺伝子を除去した細胞をρ^0という．この除去方法については，7章[3]を参照されたい．わが国で樹立されたMIN6インスリン分泌細胞株は，グルコース刺激によるインスリン分泌が正常の膵β細胞に類似していることでよく知られている．MIN6からミトコンドリア遺伝子を除去して，ρ^0MIN6細胞にすると，グルコースで刺激してもインスリンが分泌されない（図2の中央のカラム，ρ^0MIN6細胞）．なお，この細胞にもう一度正常のミトコンドリア遺伝子を戻してやると（図2の右のカラム，CBM細胞），グルコース刺激でインスリンが分泌されるようになる[4]．この実験は，血糖値が上昇したときのインスリン分泌増加には膵β細

図2 ミトコンドリア遺伝子を除いた膵β細胞でのインスリン分泌
ミトコンドリア遺伝子を除いたρ^0MIN6細胞では，グルコース刺激によるインスリンが生じないが，この細胞に正常のミトコンドリア遺伝子を戻すと（CBM細胞），グルコース刺激によるインスリン分泌が回復する．

胞のミトコンドリア遺伝子が必要なことを示唆している．ρ^0MIN6 細胞では，核遺伝子がコードするコハク酸脱水素酵素（SDH）の活性は正常であるが，ミトコンドリア遺伝子がかかわるシトクロム c 酸化酵素（COX）の活性は消失している．臭化エチジウム存在下でミトコンドリア DNA（mtDNA）由来の RNA を激減させた膵 β 細胞株でも，グルコース刺激によるインスリン分泌が障害される．ρ^0MIN6 細胞に異常な mtDNA（たとえば，患者で認められる異常遺伝子）を戻したときに，インスリン分泌がどうなるかは興味深い．ただ，核遺伝子と mtDNA の組合せは同じ種間で行う必要がある．今のところ，ヒト由来の膵 β 細胞株がなく，また逆に，患者と同じ変異をもつマウス mtDNA の作製も困難であることから，このような実験はまだ成功していない．

3. ミトコンドリアの遺伝子異常による糖尿病 ―その臨床的特徴と病態

ミトコンドリア遺伝子の 3243 位の点変異を伴う糖尿病の多くは，糖尿病発症時はインスリンが枯渇していないタイプである．しかし，スルホニル尿素薬（上述の膵 β 細胞 ATP 依存性 K チャンネルに結合して閉鎖することによりインスリン分泌を刺激し，血糖値を低下させる）が当初は有効であるが，徐々にインスリン分泌が低下し，数年内にインスリン治療に切り替えざるをえない症例が比較的多い．このように，スルホニル尿素薬の 2 次的無効例や，インスリン分泌能が徐々に低下してインスリン依存性になる（緩徐進行型インスリン依存型糖尿病）タイプに属する症例が多い．すなわち，その特徴は進行性のインスリン分泌低下である（表1）[5〜8]．ミトコンドリア遺伝子の異常は膵 β 細胞のみに存在するわけではないので，ミトコンドリア異常に基づく他の疾患と同様に，種々の臓器障害を呈しうることも特徴である．そのなかでもっとも顕著なのは感音性難聴でる．ミトコンドリア遺伝子 3243 位の点変異による糖尿病は糖尿病患者の 1% を占めるといわれ

表1 ミトコンドリア遺伝子 3243 位変異による糖尿病の特徴

1. インスリン非依存型からインスリン依存型までの多彩な病型をとりうる
2. インスリン分泌の進行性の低下に伴い，病状が進行することが多い
3. 母系遺伝であり，発症年代が世代を下るごとに若年化することが多い
4. 感音性難聴を高率に合併する
5. 合併症が多い
6. 肥満が少ない
7. わが国の糖尿病患者の約 0.5〜1%

ているが，自験例では，母親も糖尿病（ミトコンドリア遺伝子は母系遺伝）である患者に限れば 0.8〜1.3% の頻度であり，全糖尿病の 0.5% くらいと考えるのが妥当であろう．いずれにせよ，頻度が高く，わが国には数万人の患者がいると推定される．わが国で糖尿病の専門外来と称するところであれば数百人の患者を診療していることが多く，その中にこのような患者がいる確率は高い．難聴の存在が本疾患を見い出す契機となることが多い．難聴の特徴や組織所見についても詳しく記載されている[9]．

ミトコンドリア遺伝子の 3243 位の点変異はロイシンの tRNA の異常をきたし，ロイシンを含むタンパク質の合成が低下すると考えられる．ミトコンドリア内ではたらくタンパク質の相当数は核遺伝子由来であるが，3243 変異はロイシンを含むタンパク質のミトコンドリア内合成を低下させ，ミトコンドリア機能低下や ATP 産生低下によるインスリン分泌障害をきたすと考えられる．すなわち，ミトコンドリアの異常は ATP 産生を低下させ，グルコースからインスリン分泌へのシグナルの障害によりインスリン分泌が低下する．

患者の剖検例では，膵 β 細胞の数が著明に減少していることが認められている[3]．膵の病理像は，機能異常のミトコンドリアをもつ β 細胞が死滅する可能性を示している．したがって，グルコースからインスリン分泌までの情報伝達障害とミトコンドリア機能異常による膵 β 細胞数の減少が，インスリン分泌低下に関与していると考えられる[10]．

A3243G 変異は MELAS（mitochondrial myopathy, encephalopathy, lactic acidosis and stroke-

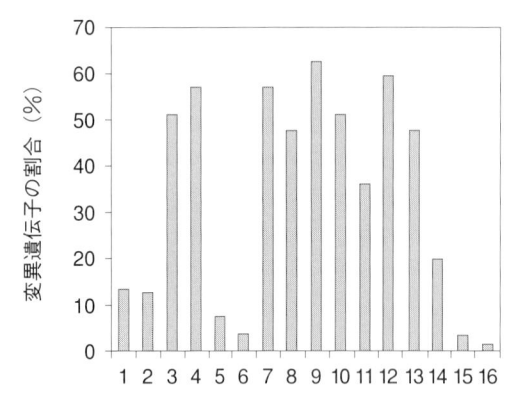

図3 ミトコンドリア DNA 3243 変異糖尿病患者剖検時の諸臓器でのヘテロプラスミー
レーン1：膵，2：肝，3：左心室，4：後頭葉，5：脾，6：脊髄，7：大腸，8：皮膚，9：胃粘膜，10：小脳，11：大動脈，12：副腎，13：大腿四頭筋，14：腎，15：肺，16：白血球

like episodes）で見い出された遺伝子変異である．本変異による糖尿病では，難聴のほか，心刺激伝導障害，心不全，尿細管障害など，種々の臓器障害を合併することもあり，ミトコンドリア病として理解できる．また，経過中に脳梗塞を生じ，MELASと診断される症例もある．しかし，A3243G変異を有する糖尿病患者がミトコンドリア脳筋症を呈することは少ない．患者での3243変異はヘテロプラスミーであるから，変異DNAが脳筋と膵β細胞のいずれで多いかにより，MELASと糖尿病という臨床像の違いになると説明されている．しかし，そのようなヘテロプラスミーの偏りができる理由は現在のところ不明である．もし，異常mtDNAの多い細胞が死滅するならば，障害の強い組織でも検出される異常DNAは必ずしも多くない可能性がある．同じ変異が異なる臨床像を示す理由は今後の研究に期待したい．

糖尿病患者でのミトコンドリア遺伝子の異常は末梢白血球を用いて検索されているが，白血球の異常ミトコンドリア遺伝子の割合と臨床像との関係についても興味がもたれている．ミトコンドリア3243変異を有する23例の糖尿病患者で検討した結果，ヘテロプラスミーの程度と糖尿病発症年齢との間には弱い逆相関（$r=-0.623$）が認められた．しかし，末梢白血球のヘテロプラスミーは年齢とともに低下

するとの報告も考慮すると，有意の逆相関は認められなくなる（$r=-0.292$）．患者の諸臓器でのヘテロプラスミーについての詳細な報告もある．スルホニル尿素薬で8年間良好に血糖をコントロールされていた65歳の男性糖尿病患者であるが，難聴（外来でも大声では会話は可能）があり，母も糖尿病であることから検索した結果，末梢白血球で3243変異が見い出された．この患者に下肢脱力が突然生じ，2週後に細菌性肺炎で死亡した．剖検では橋の急性梗塞が認められ，下肢脱力もこれで説明され，MELASという範疇にいれてよい症例と思われた．ただ，最後のエピソードまではまったく神経筋症状を訴えたことはなく，電気機器の設計という仕事に長年従事しており，一般のMELASとは大いに異なる印象を受ける．諸臓器での3243変異のヘテロプラスミーを剖検で検討すると，筋，脳，小腸では異常DNAが50%を超えるが，膵では13.2%であり，末梢白血球では1.4%ともっとも低い値であった（図3）[11]．これらの結果も考慮すると，末梢白血球でのヘテロプラスミーの程度から，糖尿病の発症時期，難聴，脳筋症を個々の患者で予知することは困難と考えられる．

4. 膵β細胞のミトコンドリア電子伝達系への電子受け渡しシャトルとインスリン分泌

解糖系で産生されたピルビン酸はミトコンドリアにはいる．このほかに解糖系とミトコンドリア代謝を結ぶものとして，グリセロールリン酸シャトルと

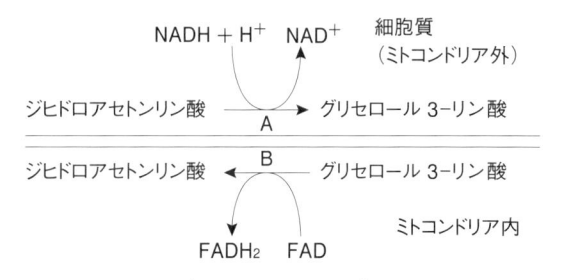

図4 グリセロールリン酸シャトル
A：NAD-linked グリセロリン酸脱水素酸素
B：FAD-linked グリセロリン酸脱水素酸素

よばれる経路が存在する．このシャトル経路により，解糖で生じた電子がミトコンドリアの電子伝達系に渡される．このシャトル活性は膵β細胞で非常に高く，その障害が糖尿病におけるインスリン分泌障害に関与することが推測されてきた．このシャトルの律速段階は，ミトコンドリア内でグリセロール3-リン酸からジヒドロキシアセトンリン酸への反応を触媒する過程であり，核遺伝子によってコードされているFAD-linkedグリセロリン酸デヒドロゲナーゼ（GPDH）が触媒する（図4）．

そこで，膵β細胞株MIN6に本酵素を過剰発現させたが，グルコースによるインスリン分泌は増強されなかった[12]．その理由として，すでに十分存在する酵素をさらに増加させても効果がみられなかった可能性も考えられた．2型糖尿病モデルであるGKラットの膵島では本酵素活性が減少しているので，過剰発現により酵素活性を正常化させてみたが，GKラット膵島に見られるインスリン分泌障害は改善されなかった[13]．糖尿病患者で遺伝子変異は見い出されたが，約100人の解析では本遺伝子変異が糖尿病発症に寄与している証拠は得られなかった[14]．以上の結果より，糖尿病でのインスリン分泌障害にかかわると推測されてきたFAD-GPDHについて，その遺伝子異常が糖尿病の主因ではないと結論された．

しかし，グルコースによるインスリン分泌にとって，ミトコンドリア電子伝達系への電子受け渡しシャトルは必須である．FAD-GPDH遺伝子をノックアウトしたマウスでは，グルコースによるインスリン分泌に障害はなく，FAD-GPDHに関する上記の結果が支持された．しかし，解糖系からの電子受け渡しシャトルには，グリセロールリン酸シャトルに加え，リンゴ酸-アスパラギン酸シャトルもあることに着目し，FAD-GPDHノックアウトマウス膵島のシャトル機能をアミノオキシ酢酸（リンゴ酸-アスパラギン酸シャトルの阻害剤）により完全に阻害すると，インスリン分泌能がほぼ完全に抑制された[15]．すなわち，このシャトルはグルコースによるインスリン分泌に必須であるが，グリセロールリン酸シャトルの障害のみではリンゴ酸-アスパラギン酸シャトルで代償されてインスリン分泌は障害されないと考えられた．

●おわりに

ミトコンドリア遺伝子異常を伴う糖尿病は頻度の高さの点で注目されているが，インスリン分泌機構におけるミトコンドリアの役割を考えるうえでも貴重な示唆を与えてくれた．ミトコンドリア異常はインスリンが作用する臓器（たとえば骨格筋）での糖代謝にも関与しうる．事実，ミトコンドリア遺伝子異常による糖尿病患者では，インスリン作用が低下している（インスリン抵抗性）こともある．このように，ミトコンドリアはインスリン分泌障害，膵β細胞の生存，インスリン抵抗性など，さまざまな面で糖尿病に関与していることが推測される．

●文　献

1) Ballinger, S.W., Shoffner, J.M., Hedaya, H.V., et al.: Nat. Genet., **1**, 11-15 (1992)
2) van der Ouweland, J.M.W., Lemkes, H., Ruitenbeek, K., et al.: Nat. Genet., **1**, 368-371 (1992)
3) Kobayashi, T., Nakanishi, K., Nakase, H., et al.: Diabetes, **46**, 1567-1571 (1997)
4) Soejima, A., Inoue, K., Takai, D., et al.: J. Biol. Chem., **271**, 26194-26199 (1996)
5) Oka, Y., Katagiri, H., Yazaki, Y., et al.: Lancet, **342**, 527-528 (1993)
6) Kadowaki, T., Kadowaki, H., Mori, Y., et al.: New Engl. J. Med., **330**, 962-968 (1994)
7) Katagiri, H., Asano, T., Ishihara, H., et al.: Diabetologia, **37**, 504-510 (1994)
8) Suzuki, S., Hinokio, Y., Hirai, S., et al.: Diabetologia, **37**, 818-825 (1994)
9) Yamasoba, T., Tsukuda, K., Oka, Y., et al.: Neurology, **52**, 1705-1707 (1999)
10) Oka, Y., Katagiri, H., Ishihara, H., et al.: Muscle Nerve, suppl 3, 131-136 (1995)
11) Asano, T., Tsukuda, K., Katagiri, H., et al.: Diabetologia, **42**, 1439-1440 (1999)
12) Ishihara, H., Nakazaki, M., Kanegae, Y., et al.: Diabetes, **45**, 1238-1244 (1996)
13) Takeuchi, Y., Matsutani, A., Oka, Y.: Diabetologia, **40**, 339-343 (1997)
14) Ueda, K., Tanizawa, Y., Ishihara, H., et al.: Diabetologia, **41**, 649-653 (1998)
15) Eto, K., Tsubamoto, Y., Terauchi, Y., et al.: Science, **283**, 981-985 (1999)

パーキンソン病とミトコンドリア障害

池邊 紳一郎・水野 美邦

● はじめに

振戦，固縮，無動，姿勢反射障害を主訴とするパーキンソン病は，黒質の選択的細胞変性によりドーパミンが枯渇して発症する．このような神経細胞の局所的な減少によってひき起こされる疾患を総称して変性疾患とよんでいる．そのなかでもパーキンソン病は発症頻度が高く，原因究明が待たれている．

パーキンソン病の原因については多くの研究がなされてきたが，近年注目されているものとしてミトコンドリア機能障害説があげられる．この研究の契機になったのは，1989年の1-メチル-4-フェニル-1,2,3,6-テトラヒドロピリジン（MPTP）の発見である．合成麻薬の副産物であるMPTPの細胞毒性を解析する過程で，これまで不明であった選択的細胞変性の機序が明らかにされ，ミトコンドリアの障害が細胞死をひき起こすことが見い出された．

1. MPTPの代謝と酸化的リン酸化の障害

MPTPは血液脳関門を通過した後，グリア細胞内のモノアミン酸化酵素により1-メチル-4-フェニルピリジニウムイオン（MPP^+）となり，ドーパミン含有細胞の末端からドーパミン再取込み機構により選択的に取り込まれる（図1）．その細胞毒性機構としては，試験管内でMPP^+がミトコンドリア内の酸化的リン酸化を抑制することが見い出されている．Mizunoらは，MPP^+がどの段階で障害をきたすのかをさぐるため，ミトコンドリア内の電子伝達系における酸化的リン酸化の抑制を観察し，NADH還元酵素（複合体I）の著明な活性低下を見い出した[1]．また，肝のミトコンドリアを用いた実験で，MPP^+がエネルギーとpHに依存してミトコンドリア内に能動的に取り込まれて蓄積することが確認された．計算によれば，MPP^+はミトコンドリア膜内に膜外の約72倍もの高濃度で蓄積される．MPP^+はミトコンドリアの呼吸抑制剤であるロテノンと同じ作用部位に結合して障害することも報告された．以上の研究から，MPP^+は電子伝達系をタンパク質レベルで阻害すると理解されていた．近年，MPP^+がミトコンドリアDNA（mtDNA）の複製を阻害することにより，複合体Iの障害をひき起こす可能性も報告されている．2000年にはUmedaらが，mtDNAの複製に不可欠な領域であるDループの構造をMPP^+が不安定化することにより複製を阻害することを報告した[2]．これはmtDNAの異常がパーキンソン病の原因とする説とも合致する発見として注目されている．

2. パーキンソン病における酸化的リン酸化の障害

1989年，Schapiraらはパーキンソン病患者の剖検脳より大脳皮質と黒質を切り出し，その電子伝達系の活性を測定した．その結果，複合体Iの活性が選択的に低下していることが判明した[3]．さらに

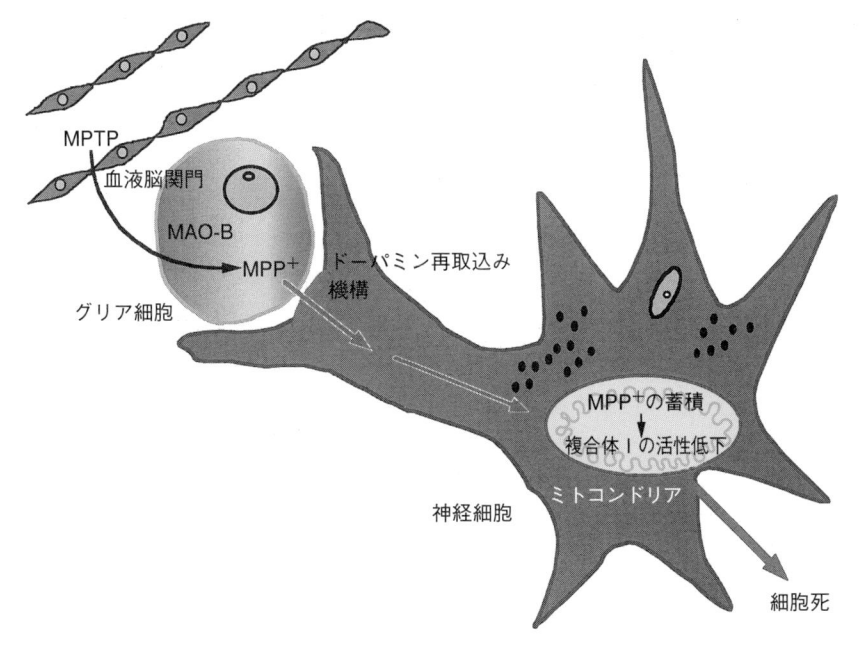

図1　MPTPの代謝とミトコンドリアの呼吸障害
MPTPは血液脳関門を通過してグリア細胞内のMAO-B（モノアミン酸化酵素B）によりMPP$^+$に酸化された後，ドーパミン輸送機構により神経細胞内に取り込まれる．取り込まれたMPP$^+$はpH依存性にミトコンドリア内に蓄積されて電子伝達系の複合体Iを阻害し，エネルギー不足に陥った神経細胞は最終的に死に至る．

1990年には，健常対照群，パーキンソン病群，多系統萎縮症（multiple system atrophy：MSA）患者の黒質とそれ以外の部位の複合体Iの活性を測定し，パーキンソン病の黒質における特異的な活性低下を確認している．この報告と前後して，ParkerらもパーキンソンN病患者の血小板で複合体Iの活性が低下していることを報告した[4]．さらに，パーキンソン病患者の骨格筋では複合体I，II，IVの活性が低下していることが報告されている．後者の報告はSchapiraらによる黒質の複合体Iの活性が選択的に低下しているとの所見とは異なる．つまり，パーキンソン病では酸化的リン酸化の障害が血液細胞をも含め全身の臓器に広く起こっており，本症がsystemic disorderであることを示唆している．この後，パーキンソン病における酸化的リン酸化の障害について，脳組織，骨格筋，血液などで多数の研究が報告された．それらは黒質線条体系での活性低下に関しては意見の一致をみているが，それ以外の組織については低下あるいは正常と報告するグループもあり，結論は出ていない．しかし，少なくとも黒質における酸化的リン酸化の活性低下はほぼ間違いのない現象と思われる．1990年，パーキンソン病患者における酸化的リン酸化障害の原因をさらに詳しく検討するため，Mizunoらは剖検脳の線条体よりミトコンドリアを抽出し，呼吸鎖構成タンパク質についてウェスタンブロット法を用い検討した[5]．複合体IからIVに対するポリクローナル抗体を用いて調べたところ，複合体Iにのみ24〜30 kDaのサブユニットに部分欠損を見い出し，パーキンソン病における複合体Iの活性低下はそのサブユニットの欠損が原因である可能性を提唱した．さらに，黒質における電子伝達系の活性を細胞レベルで見るため，Hattoriらは免疫組織化学的に各複合体の活性を調べた．対照者の黒質では複合体I，II，III，IVの各抗体により染色性の違いは認められなかったが，パーキンソン病患者の黒質では複合体Iのみに染色性が著しく悪い細胞が混入しており，これがパーキンソン病の黒質に特徴的な変化と考えている[6]．

3. パーキンソン病における mtDNA の欠失

このように，パーキンソン病患者における複合体Ⅰサブユニットの部分欠損を起こす原因としてmtDNAの変異が注目されている．mtDNAは全長16,569塩基からなる環状構造をとり，複合体Ⅰを構成するサブユニットのうち7種，複合体Ⅲの1種，複合体Ⅳの3種をコードする．このmtDNAは核DNAのように保護タンパク質も存在せず（2・1節参照），修復機構も簡素であるために変異が核の約10倍高い頻度で起こるといわれている．1990年，筆者らは剖検脳の大脳皮質と線条体のDNAをPCR法で解析し，正常のDNAバンドとともに，大脳皮質にはほとんど認められない約5kbの欠失を含むDNAバンドを5例のパーキンソン病患者線条体で見い出した[7]．つまり，パーキンソン病では局所的に欠失mtDNAが混在していることが明らかになった．しかし，この欠失は疾患に特異的な変異ではなく，高齢健常対照患者でも増加していたために，単に老化現象を反映している現象であり，パーキンソン病の細胞変性と直接関連があるか否かは不明であると問題になった．そこでラジオアイソトープを用いた欠失の定量的評価が行われたが，パーキンソン病では対照の約10倍も多く欠失が蓄積していることが判明し，疾患との関連性が示唆された．しかし，同様の方法でパーキンソン病患者の黒質で定量評価した解析で，疾患群と対照群とで差は認められなかったとの報告もある．血小板を使った欠失の定量においても差はないとする報告もあり，局所的な欠失の蓄積と変性との関連性を疑問視する声も多い．最終的な結論は今後の研究を待たねばならない．

4. パーキンソン病における mtDNA の点変異

mtDNAの変異では，欠失のみでなく1塩基置換も起こりやすい．ミトコンドリア脳筋症であるMELAS（mitochondrial encephalomyopathy, lactic acidosis, and stroke-like episodes），MERRF（myoclonus epilepsy associated with ragged-red fibers），Leber病なども点変異によってひき起こされることが判明している．1990年にSchapiraらが，また1991年にはShoffnerらがパーキンソン病における点変異を解析したが，症例数が不十分なこともあり，疾患に結びつく変異は見い出せなかった．1993年，Shoffnerらは症例数を増やした結果，パーキンソン病患者ではtRNA-Gln内のA4336G変異が有意に高いことを見い出し，これが発症因子のひとつである可能性を報告した．筆者らは，mtDNAの全塩基配列を5例のパーキンソン病患者において決定し，点変異の有無を確認した[8]．疾患に共通する点変異は見い出せなかったが，30例の対照群と比較した結果，正常群では出現頻度の低い変異が患者におけるタンパク質翻訳領域，tRNA領域，rRNA領域に認められた．さらに，SchnoppらはND2内のG5460Aのヘテロプラスミー変異を報告している[9]．また，Mayr-WohlfartらはtRNA領域内の2カ所（塩基15927/8番）の変異を見い出し，本変異がパーキンソン病患者で有意に高いことを報告した[10]．しかし，これらの点変異が電子伝達系の活性低下を直接誘起して細胞を変性させることを証明したデータはない．2000年，Simonらは28例のパーキンソン病患者と8例の対照群について複合体Ⅰのサブユニットと tRNA の全塩基配列を決定し，それぞれの変異の出現率を243例の患者および209例の対照群において求めた[11]．その結果，パーキンソン病患者の複合体Ⅰのサブユニット中に15カ所，tRNA中に9カ所の変異を見い出したが，対照群との有意差を認めえず，疾患との関連性は否定している．さらに，4336，5460，15927/8番の変異についても調査したが，これらについても有意差は認めていない．

5. サイブリッド技術を使った研究

パーキンソン病の原因がmtDNAにあるならば，患者のもつmtDNAは電子伝達系の活性を低下さ

せ，細胞死を誘起する可能性がある．この仮説に基づき，1996年にSwerdlowらは培養細胞を用いて解析した[12]．彼らは，mtDNAを人工的に排除したヒト神経芽細胞腫の細胞（ρ^0細胞）にパーキンソン病患者血小板のmtDNAを導入した培養系を確立し（図2），複合体Ⅰの活性が20％低下し，フリーラジカルの産生も増加することを見い出した．1998年には別のグループが同様の方法を用い，やはり複合体Ⅰの25％低下，複合体Ⅳの20％活性低下を見い出している．これらの結果は，mtDNAの変異がパーキンソン病の原因になりうる可能性を示唆している．しかし，ρ^0細胞に形質転換された患者ミトコンドリアのDNAにおける具体的な変異についてはいまだ報告されていない．

6. 母系遺伝

核の遺伝子とは異なり，mtDNAはすべて卵母細胞（つまり母親）から譲り受けられる．もし，mtDNAの変異がパーキンソン病の原因になりうるならば，患者の中には他のミトコンドリア病と同じく母系遺伝を呈する家系が存在する可能性がある．1997年，265人のパーキンソン病患者の家系内発症を調べた調査では，少なくとも5家系では母親由来の遺伝を呈することが報告された．しかし，それ以外にははっきりと母系遺伝を呈する家系の報告はない．

7. ケトグルタル酸デヒドロゲナーゼ複合体 (KGDHC) の障害

MPTPの代謝と神経細胞死を研究するなかで，複合体Ⅰの活性低下以外にミトコンドリアの機能障害をひき起こす酵素としてKGDHCが注目されている．KGDHCはα-ケトグルタル酸デカルボキシラーゼ，ジヒドロリポアミドスクシニルトランスフェラーゼ，ジヒドロリポアミドデヒドロゲナーゼより構成され，TCA回路のなかでα-ケトグルタル酸をコハク酸に酸化する（図3）．この酵素はNADHを複合体Ⅰに供給するほか，複合体Ⅱの基質であるコハク酸を供給することから，エネルギー産生に重要な役割を担っている．1987年，MizunoらはMPP$^+$がこの酵素を阻害することを実験モデルにおいて見い出した．さらに，その抗体を用いてパーキンソン病患者の黒質を免疫組織化学的に調べたところ，対照群に比べて染色性が著明に低下していることを見い出した[13]．パーキンソン病において複合体Ⅰだけでなく KGDHC も障害されると，電子伝達系のはたらきはさらに障害され，細胞死を増強する可能性が考えられる．酸化的ストレスとの関連では，H_2O_2がα-ケトグルタル酸デヒドロゲナーゼの活性を低下させ，複合体ⅠへのNADH供給が障害され，これがエネルギー産生を障害する可能性も報告されている．

8. 核にコードされるミトコンドリアタンパク質遺伝子の関与

Mizunoらが行ったウェスタンブロット法による解析では，パーキンソン病患者の黒質では複合体Ⅰの24 kDa サブユニットが欠損していた．これら

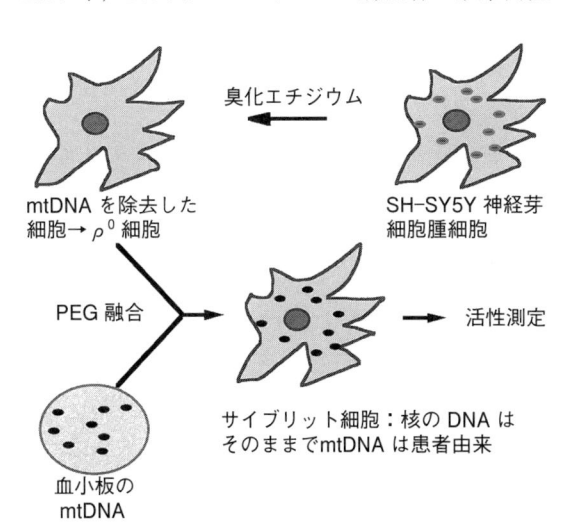

図2 サイブリッドを用いたモデル
神経芽細胞腫の培養細胞を臭化エチジウムで処理し，mtDNAを除いたρ^0細胞を作製する．これに患者（パーキンソン病，健常対照）の血小板から抽出しmtDNAを融合させ，それぞれの系において活性測定を行った．

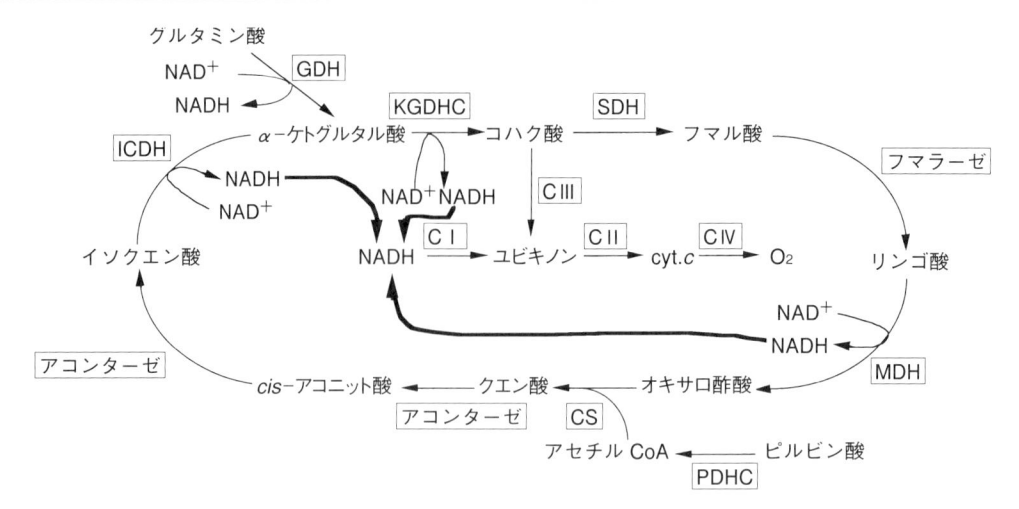

図3 α-ケトグルタル酸デヒドロゲナーゼ複合体と電子伝達系の関係
PDHC：ピルビン酸デヒドロゲナーゼ複合体，CS：クエン酸シンターゼ，ICDH：イソクエン酸デヒドロゲナーゼ，GDH：グルタミン酸デヒドロゲナーゼ，KGDHC：α-ケトグルタル酸デヒドロゲナーゼ複合体，SDH：コハク酸デヒドロゲナーゼ，MDH：リンゴ酸デヒドロゲナーゼ，CI：複合体I，CII：複合体II，CIII：複合体III，CIV：複合体IV，cyt.c：シトクロム c
パーキンソン病では複合体Iの活性が低下している．さらに，KGDHC が低下するとコハク酸の供給も減少し，複合体IIを介する電子伝達系まで機能不全に陥る可能性がある．

のサブユニットは核の遺伝子でコードされている．Hattori らは 24 kDa サブユニットの遺伝子構造を決定し，パーキンソン病におけるその変異について調査した．彼らは，シグナルペプチド中の Ala を Val へ置換させる C→T 変異を見い出し，パーキンソン病においてはこの変異をホモに有する率が有意に高いことを示唆した．このアミノ酸置換はタンパク質2次構造の α ヘリックスを β シートに変化させることから，mtDNA でコードされるタンパク質のプロセッシングにも影響し，複合体Iの機能不全を誘起する可能性が考えられる．

9. 酸化ストレスと電子伝達系

パーキンソン病の発症原因として酸化ストレスの関与が議論されている．元来，電子伝達系は供給される酸素の90%を用いて ATP を合成しているが，この際にフリーラジカルも産生される．ドーパミンや鉄が存在するとラジカルの局所的生成が助長されるとの報告もある．ミトコンドリアの機能障害により電子伝達系のはたらきが障害されれば，電子の流れに支障をきたしてラジカルの発生も増加する．このように，フリーラジカルの発生と電子伝達系の障害は密接な関係にある．

パーキンソン病患者の黒質において，1988年に Marttila らが Cu, Zn-スーパーオキシドジスムターゼ（SOD）の活性増加を，1989年には Saggu らが Mn-SOD の活性増加を報告した．これらの所見は，パーキンソン病患者の黒質においてスーパーオキシドアニオンの形成が増加している可能性を示唆する．脂質過酸化反応も増強するという報告もあり，パーキンソン病の発症に酸化的ストレスが重要な役割を果たしていることが予想された．モノアミン酸化酵素（MAO）により神経伝達物質であるドーパミンやノルアドレナリンから過酸化水素が生じることから，黒質の神経細胞は酸化ストレスを受けやすい．パーキンソン病患者の黒質では鉄が増加しているとの報告もあり，細胞変性過程にフリーラジカルの役割が重要と思われる．2価鉄は Fenton 反応により，3価鉄も Haber-Weiss 反応により過酸化水素と反応してヒドロキシルラジカルを生じる．ヒドロキシルラジカルは脂質過酸化や細胞死を誘起する可能性があり，DNA も損傷して2次的に細胞傷害

また還元型グルタチオン（GSH）は過酸化水素や脂質過酸化物のはたらきを抑制する．細胞膜を過酸化物から守るグルタチオンペルオキシダーゼの基質でもある．パーキンソン病におけるフリーラジカルの関与を検討した結果，本酵素活性が著明に低下していることが判明した．

mtDNAの欠失あるいは点変異についてもフリーラジカルの関与を裏付ける研究が報告されている．ヒドロキシルラジカルはDNAのグアニン残基と反応して8-ヒドロキシデオキシグアノシン（8-OHdG）を生成し，G:CからA:Tへの変異をひき起こすことが知られている．Alamらは，パーキンソン病患者の黒質において8-OHdGが有意に上昇していることを見い出し，フリーラジカルによるDNA局所的変異が高率に生じていることを報告している[14]．Shimura-Miuraらは，損傷DNAを修復する8-オキソ-7,8-ジヒドロキシグアノシントリホスファターゼ（8-oxo-dGTPase）がパーキンソン病患者の黒質において増加していることを見い出し，フリーラジカルがミトコンドリアのDNA変異を誘起し，本疾患を発症させる可能性を示唆している[15]．

●おわりに：ミトコンドリア異常はパーキンソン病の1次的原因か？

Jennerらは，incidental Lewy body disease（パーキンソン病の発症以前に偶発的に病理学的な異常が見い出された症例で，黒質にLewy小体が認められるがパーキンソン症状はまったくない）においてGSHと複合体Iの活性を測定した．その結果，GSHはかなり低下していたが，複合体Iの活性はほぼ正常であったことから，パーキンソン病の発症ではGSHの低下が最初に起こる変化であると考えた．しかし，その後の研究により，これは治療目的で投与されたL-ドーパの影響である可能性が強く，GSH低下のみでは黒質の細胞は変性しないとの報告も相次いでいる．しかし，サイブリッドを用いた最近の研究などから，mtDNAの変異が1次的な原因とする説は有力である．いずれにしても，これまでの点変異と病因との関係に関しては結論が得られていない．複合体Iの活性低下は，パーキンソン病のみに特異的な現象ではなく，アルツハイマー病，核の原因遺伝子が判明しているハンチントン病，フリードライヒ病などでも報告されている．ミトコンドリアにおける電子伝達系の機能障害は細胞の変性にかかわる一般的な現象である可能性があり，これがパーキンソン病の原因であるとする確定的証拠はない．

●文　献

1) Mizuno, Y., Sone, N., Saitoh, T.: *J. Neurochem.*, **48**, 1787-1793 (1987)
2) Umeda, S., Muta, T., Ohsato, T., et al.: *Eur. J. Biochem.*, **267**, 200-206 (2000)
3) Schapira, A.H.V., Cooper, J.M., Dexter, D., et al.: *Lancet*, **1**, 1269 (1989)
4) Parker, W.D.,Jr., Boyson, S.J., Parks, J.K..: *Ann. Neurol.*, **26**, 719-723 (1989)
5) Mizuno, Y., Ohta, S., Tanaka, M., et al.: *Biochem. Biophys. Res. Commun.*, **163**, 1450-1455 (1989)
6) Hattori, N., Tanaka, M., Ozawa, T., et al.: *Ann. Neurol.*, **30**, 563-571 (1991)
7) Ikebe, S., Tanaka, M., Ohno, K., et al.: *Biochem. Biophys. Res. Commun.*, **170**, 1044-1048 (1990)
8) Ikebe, S., Tanaka, M., Ozawa, T.: *Molec. Brain Res.*, **28**, 281-295 (1995)
9) Schnopp, N.M., Kosel, S., Egensperger, R., et al.: *Clin. Neuropathol.*, **15**, 348-352 (1996)
10) Mayr-Wohlfart, U., Rodel, G., Hennesberg, A.: *Eur. J. Med. Res.*, **2**, 111-113 (1997)
11) Simon, D.K., Mayeux, R., Marder, K., et al.: *Neurology*, **54**, 703-9 (2000)
12) Swerdlow, R., Parks, J.K., Miller, S.W., et al.: *Ann. Neurol.*, **40**, 663-671 (1996)
13) Mizuno, Y., Matsuda, S., Yoshino, H., et al.: *Ann. Neurol.*, **35**, 204-210 (1994)
14) Alam, Z.I., Susan, E.D., Lees, A.J., et al.: *J. Neurochem.*, **69**, 1326-1329 (1997)
15) Shimura-Miura, H., Hattori, N., Kang, D., et al.: *Ann. Neurol.*, **46**, 920-924 (1999)

ミトコンドリア特性と長寿者

田中 雅嗣

● はじめに

　加齢に伴い，癌，成人発症性疾患，生活習慣病などの頻度が上昇する．これらの発症に関し，動脈硬化などの血管病変形成における脂質過酸化反応，発癌過程における活性酸素種（reactive oxygen species）による核DNAの傷害など，酸化的損傷が注目されている．ミトコンドリアは細胞内における活性酸素種や過酸化脂質の主要な産生の場である．体重当たりの代謝速度が大きい動物ほど寿命が短いことは，ミトコンドリア呼吸が活発であれば，酸化的損傷も増大し，細胞の老化が促進されることを示唆する．ミトコンドリアDNA（mtDNA）の進化速度は大きく，アミノ酸配列も種間で大きく異なる．アミノ酸配列の種差の一部はミトコンドリアの呼吸速度に適応したものと考えられる．筆者らは，ヒトの種内変異であるミトコンドリア遺伝子多型が，個体間のミトコンドリア機能の多様性に関与し，ひいては成人発症性疾患に対する感受性にも影響しているとの仮説に基づき，長寿者群と疾患群のミトコンドリア遺伝子型を比較した．

1. 老化に関するミトコンドリア仮説

　ミトコンドリア脳筋症，心筋症，糖尿病などにおいて，mtDNAの多様な変異が報告されている．病的変異によってミトコンドリア機能障害が生じると，ミトコンドリアからの活性酸素種の漏出が増大する[1]．その結果，酸化的損傷によるmtDNA自身の2次的変異が起こること[2]，脂質過酸化反応の副産物である4-ヒドロキシノネナールなどによって修飾されたタンパク質[3]がミトコンドリアで増加することなどが明らかになった．

　これらの疾患の病因となる変異に関する知見を加齢性ミトコンドリア機能障害に外挿したものが老化のミトコンドリア仮説である．筆者らは，体細胞におけるmtDNA変異の蓄積が加齢と変性疾患に関与していることを1989年に提唱した[4]．この仮説を検証した結果，多様な病態においてmtDNAの欠失あるいは点変異が蓄積することが判明した[2, 5〜7]．

　mtDNAの進化速度は核DNAの進化速度の5〜10倍も速く，mtDNAの塩基配列の多様性は個体間で顕著である．ミトコンドリアが老化に重要な役割を演じていることを示すには，ミトコンドリアからのラジカル産生量がmtDNA多型の相違によって異なり，それが成人発症性疾患の罹患率や寿命に影響することを検証する必要がある．多様なミトコンドリア遺伝子多型を解析することにより，その老化過程への影響や生活習慣病における危険因子としての意義が明らかになる可能性が高い．

2. 長寿に関連するミトコンドリア遺伝子多型

a. ミトコンドリアゲノムの一塩基多型

　ミトコンドリアゲノムはSangerらが1981年に全塩基配列を決定しており，ヒトゲノム計画のさき

がけである．筆者らは，パーキンソン病や特発性心筋症患者のmtDNAの全塩基配列を決定した．それぞれの患者で見い出された塩基置換が病態に関与しているか否かを知るには，疾患群と健常者の一塩基多型（single nucleotide polymorphism：SNP）の頻度を比較する必要がある．しかし，中高年で発症する疾患について考えると，健常者の定義が難しい．同年齢の個体を対照群としても，数年後にその疾患を発症する可能性は否定できない．そこで，長寿者の代表である百寿者（100歳以上）を疾患群に対する対照群として選択した．

b. 長寿と母性遺伝

冠動脈異常に基づく心臓病の疫学研究（Framingham study）によれば，長寿は父親の死亡年齢よりも母親の死亡年齢によって強く影響されるという[8]．母性遺伝によって伝えられたミトコンドリア遺伝子型が，mtDNAの酸化的損傷，変異mtDNAの蓄積速度，変性疾患への罹患率，さらには寿命に影響している可能性がある．この仮説を検証するために，37例の日本人百寿者のmtDNAを分析した[9]．

c. 百寿者のミトコンドリア遺伝子の解析

11例の百寿者において，2種のrRNA遺伝子，22種のtRNA遺伝子，および13種のタンパク質をコードするmtDNAの全塩基配列を解析した．mtDNAの全塩基配列がすでに決定されていた43例の対照群と比較し，これらの百寿者においては多様な塩基置換が存在したが，とくに数個の塩基置換がより高頻度で検出された（表1）．

百寿者群では，アミノ酸置換を伴う2カ所の塩基置換がより高い頻度で観察された．第1の塩基置換（Mt5178A）はNADH脱水素酵素の第2サブユニットの遺伝子（ND2）領域内の塩基番号C5178Aトランスバージョンであり，Leu237Met置換を伴う．Mt5178Aは百寿者の11例中9例で検出されたのに対し，対照群では43例中12例にのみ検出された．この頻度の差は危険率0.01以下で統計学的に有意であった．

第2の塩基置換（Mt8414T）はATP合成酵素の第8サブユニットの遺伝子（ATP8）領域内の

表1 百寿者において高頻度で検出された塩基置換

塩基置換	遺伝子	アミノ酸置換	百寿者群	対照群
C5178A	ND2	Leu→Met	9/11	12/43
C8414T	ATP8	Leu→Phe	7/11	11/43
G3010A	16S rRNA	—	7/11	11/42

C8414Tトランジションであり，Leu17Phe置換を伴う．Mt8414Tは百寿者の11例中7例で検出されたのに対し，対照群では43例中11例にのみ検出された．この頻度の差は$p<0.05$で有意である．

第3の塩基置換（Mt3010A）は16S rRNA遺伝子領域内のG3010Aトランジションであった．Mt3010Aは百寿者の11例中7例で検出されたのに対し，対照群では42例中11例にのみ検出された．この頻度の差は$p<0.05$で有意である．

Mt8414TとMt3010Aの両者を有する百寿者7例は，Mt5178Aを有する百寿者9例に含まれていたので，これらの塩基置換の大部分は連鎖していることが示唆された．

d. ミトコンドリア遺伝子型の頻度比較

これらの塩基置換の中からMt5178Aに注目し，37例の百寿者と252例の愛知県内の健康な献血者の試料をPCR-RFLP法によってスクリーニングした．百寿者におけるMt5178Aの頻度（23/37，62％）は，献血者における頻度（114/252，45％）より有意に高かった（$p=0.04$，オッズ比＝1.99）．このことは，Mt5178Aが長寿に関連していることを示唆している．

これらのmtDNAの塩基置換が疾患の発生に及ぼす影響を評価するために，無作為抽出した大学病院の入院患者および外来患者338例においてMt5178AとMt5178Cの頻度を調べた．Mt5178AまたはMt5178Cを有する患者の年齢分布から，若い患者におけるMt5178Cの頻度はMt5178Aの頻度とほぼ等しかったのに対し（46歳未満の患者でのMt5178 A：C比 46：40），高齢患者におけるMt5178Cの頻度はMt5178Aより顕著に増加しており（46歳以上の患者でのMt5178 A：C比 86：166），46歳において明瞭な屈折点を示した．高齢患者におけるMt5178 A：C比（86：166）は，百

寿者（23：14, $p=0.001$）および健常人対照における比（114：138, $p=0.01$）と比較して有意に低かった．この結果は，Mt5178C を有する個体が Mt5178A を有する個体よりも成人発症性疾患に罹患しやすいことを示唆している．

e．ミトコンドリア遺伝子型間の機能的相違

ミトコンドリア遺伝子型の相違によって呼吸活性や活性酸素種の発生量に相違があるか否かを明らかにするために，新生児臍帯血の血小板を単離して骨肉腫由来の ρ^0 細胞と融合し，Mt5178A あるいは Mt5178C 型のミトコンドリアを有する細胞株を多数樹立した．しかし，細胞株間の呼吸活性や活性酸素発生量の差が大きいため，遺伝子型間で有意な差を示すことはできなかった．

C5178A によってアミノ酸が置換する残基 Leu237 は哺乳類では保存されておらず，ヒトでは Leu，ラット，マウス，ウシでは Thr である．水生哺乳類のアザラシおよびシロナガスクジラでは Met である．この Met 残基が長時間潜水することができるクジラのミトコンドリア機能とどのような関連があるかは不明である．

Met は硫黄を含むアミノ酸であり，この硫黄がスーパーオキシドアニオン（$O_2^{\cdot-}$）やペルオキシナイトライト（$ONOO^-$）と反応し，メチオニンスルホキシドとなりうる[10]．一方，形成されたスルホキシドを Met に修復する機構が存在すると考えられている．すなわち，タンパク質の表面にある Met 残基は活性酸素種を捕捉するスカベンジャーである可能性が提唱されている．ヒトの mtDNA によってコードされている 13 種のタンパク質の Met 含量は 5.4％ であり，*ND2* 遺伝子産物の Met 含量は 6.9％ であった．この値は一般のタンパク質の Met 含量（2.2％）の 2.2〜3.1 倍高い．もし，ミトコンドリアに対する酸化的ストレスが加齢に重要であるならば，長寿に関連する ND2 サブユニットの Leu237Met 置換はミトコンドリアを保護する作用を有している可能性がある[11]．

3．ミトコンドリア遺伝子多型と成人発症性疾患

前述のように無作為抽出した大学病院の患者で遺伝子頻度に有意差がみられたことは，ミトコンドリア遺伝子多型の影響が広範な成人発症性疾患に関与していることを示唆している．心筋梗塞，脳血管障害，パーキンソン病，閉経，骨粗鬆症などについて Mt5178A/C 型の影響が検討されているが，以下に糖尿病との関連について紹介する．

a．ミトコンドリア遺伝子型と 1 型糖尿病の腎症との関連

糖尿病は白内障，網膜症，神経障害などを惹起するとともに，動脈硬化を促進して心筋梗塞や腎障害をもたらす．糖尿病患者では家族歴を有するものが多く，遺伝的要因と環境要因が発症に関与していると考えられている．

10 年以上の罹患歴を有する 1 型糖尿病患者において，ミトコンドリア遺伝子型と網膜症および腎症の重症度との関連を検討した結果，網膜症と遺伝子型との関連は認められなかったが，腎症の重症化は Mt5178A 型と比較して Mt5178C 型の患者で著しいことが明らかになった[12]．網膜症の進行は血糖値のコントロールに大きく依存するのに対し，腎症の進行は遺伝的影響が大きいと考えられている．したがって，Mt5178C 型は糖尿病性腎症の重症化に影響する遺伝的要因であると考えられる．

b．ミトコンドリア遺伝子型と 2 型糖尿病の動脈硬化病変との関連

2 型糖尿病患者群と健常対照群との間では Mt5178A/C の遺伝子頻度に有意差はなかったが，超音波エコーによって検出される動脈壁プラークの出現頻度は Mt5178A 型より Mt5178C 型の患者において有意に高いことが明らかになった[13]．また，頸動脈の内膜中膜厚（intimal plus medial thickness：IMT）は Mt5178A 型より Mt5178C 型の患者のほうで有意に大きかった．IMT は年齢依存性に増大するが，Mt5178A 型の糖尿病患者においては頸動脈の肥厚が 8〜9 年遅い．一方，糖代謝が正

常である群では，Mt5178C 型より Mt5178A 型のほうが動脈硬化の進行が約 3 年遅い傾向がみられたが，両群間での有意差はなかった（未発表）．このように，Mt5178A 型は糖尿病の発症を抑制しないが，糖尿病患者における動脈硬化の進行を抑制する効果を有すると考えられる．

Nishikawa ら[14]は，高グルコース濃度下で培養された血管内皮細胞ではミトコンドリアがスーパーオキシドの産生部位であることを報告している．すなわち，コハク酸脱水素酵素阻害剤や脱共役剤の添加，あるいは脱共役タンパク質や Mn-SOD（スーパーオキシドジスムターゼ）の過剰発現によって，高血糖によって惹起される活性酸素産生を抑制することができる．ミトコンドリア遺伝子型によってミトコンドリアの活性酸素産生量が部分的に規定されると仮定すると，高血糖や加齢に伴う動脈硬化の進行はミトコンドリア遺伝子型により異なると考えられる．

4. 長寿に関連する遺伝子型の世界的分布

Cann らは，ヒトの進化に関する研究で世界中から集めた 147 例の試料中でわずか 5 例のアジア人と 1 例のヨーロッパ人が Mt5178A を有していたと報告した[15]．この観察は，Mt5178A が世界では比較的まれであることを示唆している．Mt5178A の頻度が日本人集団の中で 45% と高いことは，日本の平均寿命（女性 84.62 歳，男性 77.64 歳；2000 年）が世界最高であることと関連している可能性がある．

a. AFLP 法による多型分析

最近，日本，韓国，中国の 10 地点で得られた各 100 人以上の DNA 試料（合計約 1100 人）について，AFLP (amplified fragment length polymorphism) 分析法により mtDNA の SNP が詳細に分析されている．AFLP は，1 塩基の相違によって PCR 産物の長さが約 5 塩基対だけ異なるように，また遺伝子座によって PCR 産物が約 10 塩基対だけ異なるようにプライマーを設計し，複数のプライマー対を同時に添加して，1 回の PCR 増幅で複数の SNP を同時分析する系である．PCR-RFLP 分析と異なり，AFLP 分析では制限酵素による消化が不要であり，PCR 産物をポリアクリルアミドゲル電気泳動で分離し，ゲルを染色するだけで結果が得られる．

b. 長寿関連ミトコンドリア遺伝子多型の東アジアにおける分布

長寿に関連する遺伝子型 Mt5178A は，日本ばかりでなく，韓国，中国でも検出されたが，ドイツでは検出されなかった．ミトコンドリアの 16S rRNA 遺伝子の多型である Mt3010G→A に注目し，Mt5178A 型を有する群を Mt3010A を有する A2 型と Mt3010G を有する A1 型に細分した．A2 型は，五島 (44%)，新潟 (43%)，沖縄 (39%) で頻度が高く，奄美 (34%)，対馬 (33%)，鳥取 (29%) で頻度が低かった．中国では華北 (24%) で A2 型の頻度が高く，韓国 (24%) と同じ頻度であったが，中国東北部 (17%)，華中 (14%)，華南 (11%) では頻度が低下した．これに対し，A1 型は中国東北部 (12%)，対馬 (11%)，韓国 (10%) に多く，華中で 6% および華南では 4% であった．A1 型は，韓国と日本の間にある対馬 (11%) で高頻度であったが，五島と沖縄では検出されず，新潟 (3%) と奄美 (2%) で低頻度であった．

NADH 脱水素酵素の第 3 サブユニットの多型である Mt10398A→G (Leu114Phe) に注目し，成人発症性疾患に罹患しやすいと考えられる Mt5178C 型の群を Mt10398G 型を有する B 型 (B1～B6 型に細分) と Mt10398A 型を有する C 型 (C1～C7 型に細分) に分類した．その結果，B1 型が華南 (44%) で主要な型であること，B2 型が沖縄 (22%) で頻度が高いこと，C1 型がドイツ (70%) で主要な型であることなどが明らかになった．このように，ミトコンドリア遺伝子型を SNP に基づいて細分類すると，異なった多型を有する集団が一定の傾斜をもって東アジアに分布していることが明らかになった．

c. ミトコンドリア多型分析から長寿社会へ

これらの結果は，日本人およびアジア人の起源を

考えるうえで興味あるデータではあり，医学的観点からも重要である．アジア人と欧米人の間でミトコンドリア遺伝子型に大きな差があることは，欧米人のアルツハイマー病やパーキンソン病患者で報告されたmtDNA変異の多くが欧米人に固有のものであり，日本や東アジアにおける疾患の解明にはアジア人を対象にした独自の研究が必要であることを示している．また，日本と近隣諸国の間で遺伝子頻度に差はあるが基本的な多型の種類が同じであることは，日本においてミトコンドリア遺伝子型の成人発症性疾患への影響を研究することによって東アジア諸国の人々の健康づくりにも貢献できることを意味する．

●おわりに

現在，百寿者，パーキンソン病患者，糖尿病患者，高度血管病変を有する糖尿病患者，高度肥満者について約100例ずつmtDNAの全塩基配列を決定し，長寿あるいは疾患に関連する新規の遺伝子多型を探索する計画を進めている．これは科学技術振興事業団のデータベース構築支援事業に基づくものであり，平成15年春にデータベースとして公開される予定である．これによって日本人のミトコンドリアゲノムにおけるSNPの全貌が明らかになる．これにより発見された各SNPの頻度を多数の症例において分析することにより，長寿の遺伝的要因や各疾患に関連する危険因子が明らかになると期待される．また，長期縦断研究と連携することにより，生活習慣と遺伝因子の交絡関係が明らかになると思われる．各人のミトコンドリア遺伝子多型に応じて栄養指導，運動処方，薬剤選択を行い，健康で豊かな長寿社会を築くことができるものと期待している．

●文　献

1) Zhang, J., Yoneda, M., Naruse, K., *et al.* : *Biochem. Mol. Biol. Int.*, **46**, 71–79 (1998)
2) Kovalenko, S.A., Tanaka, M., Yoneda, M., *et al.* : *Biochem. Biophys. Res. Commun.*, **222**, 201–207 (1996)
3) Yoritaka, A., Hattori, N., Uchida, K., *et al.* : *Proc. Natl. Acad. Sci. USA*, **93**, 2696–2701 (1996)
4) Linnane, A.W., Marzuki, S., Ozawa, T., Tanaka, M. : *Lancet. i*, 642–645 (1989)
5) Ikebe, S., Tanaka, M., Ohno, K., *et al.* : *Biochem. Biophys. Res. Commun.*, **170**, 1044–1048 (1990)
6) Hattori, K., Tanaka, M., Sugiyama, S., *et al.* : *Am. Heart. J.*, **121**, 1735–1742 (1991)
7) Nakamura, N., Hattori, N., Tanaka, M., Mizuno, Y. : *Biochim. Biophys. Acta*, **1308**, 215–221 (1996)
8) Brand, F., Kiely, D., Kannel, W.B., Myers, R.H. : *J. Clin. Epidemiol.*, **45**, 169–174 (1992)
9) Tanaka, M., Gong, J.S., Zhang, J., *et al.* : *Lancet*, **351**, 185–186 (1998)
10) Levine, R.L., Mosoni, L., Berlett, B.S., Stadtman, E.R. : *Proc. Natl. Acad. Sci. USA*, **93**, 15036–15040 (1996)
11) Tanaka, M., Gong, J., Zhang, J., *et al.* : *Mech. Ageing Dev.*, **116**, 65–76 (2000)
12) Miura, J., Uchigata, Y., *et al.* : *in* "Diabetes Mellitus: Recent Advances for the 21st Century" (Shichiri, M., Shinn, S., Hotta, N., eds.), pp.271–274, Elsevier Science, Tokyo (2000)
13) Matsunaga, H., Tanaka, Y., Tanaka, M., *et al.* : *Diabetes Care*, **24**, 500–503 (2000)
14) Nishikawa, T., Edelstein, D., Du, X.L., *et al.* : *Nature*, **404**, 787–790 (2000)
15) Cann, R.L., Stoneking, M., Wilson, A.C. : *Nature*, **325**, 31–36 (1987)

ミトコンドリア病の遺伝子治療

田中 雅嗣

● はじめに

　NARP（neuronal muscle weakness, ataxia, and retinitis pigmentosa，神経原性筋萎縮・小脳失調・網膜色素変性）病あるいはLeigh症候群を惹起する変異のひとつにMt8993T→Gがある．Mt8993T→GはミトコンドリアDNA（mtDNA）の8993番の塩基チミン（T）がグアニン（G）に置換される変異であり，これによってATP合成酵素（F_oF_1-ATPase）のaサブユニットの156番目のロイシン（Leu）がアルギニン（Arg）に置換される．このLeu156Arg置換によってATP合成酵素のプロトン輸送能が失われ，ATP合成が不能になる．制限酵素 Sma I を用いて Mt8993T→G 変異の有無を分析できるので，本酵素は NARP 病あるいは Leigh 症候群の遺伝子診断に用いられてきた．同時に，本疾患に対する遺伝子治療に Sma I を利用できる可能性がある．それは，変異型 mtDNA と野生型 mtDNA は患者の細胞内で混在しており（ヘテロプラスミー），変異型 mtDNA のみが Sma I によって選択的に切断されるためである．

　この目的のために，Sma I をミトコンドリア移行シグナルペプチドと融合させ，それを変異型 mtDNA を有するサイブリッドに一過性に発現させた．その結果，ミトコンドリアを標的とした Sma I が変異型 mtDNA を特異的に排除することが判明した．変異型 mtDNA の排除に続いて野生型 mtDNA が増殖し，ミトコンドリア膜電位が正常化して，細胞内ATPレベルが回復した．ミトコンドリアを標的とした EcoR I を発現するプラスミドを生体電気穿孔法によってハムスター骨格筋に遺伝子導入することにより，シトクロム酸化酵素の活性を低下させることができた．このように，制限酵素をミトコンドリアにターゲッティングする方法は，ミトコンドリア病に対する遺伝子治療に利用できる可能性がある．

1. ミトコンドリア病に対する従来の治療法

　mtDNA はヒトにおいて唯一の核外遺伝子である．mtDNA は 16,569 塩基対からなる小さなゲノムであり[1]，酸化的リン酸化系の酵素を構成する 13 種のポリペプチドならびに 2 種の rRNA と 22 種の tRNA を規定している．このゲノムの点変異や再配置（欠失や重複）は，多様な疾患の重要な病因であることが認められている．現在のところ，mtDNA 変異を有する患者に対する有効な治療法はない．

　Holt ら[2] は mtDNA のヘテロプラスミー（細胞における変異型 mtDNA と野生型 mtDNA の混在）を伴うミトコンドリア病を報告している．この疾患は NARP 病と呼ばれ，Mt8993T→G あるいは Mt8993T→C によって惹起される．これらの変異はミトコンドリア ATP 合成酵素の a サブユニットにアミノ酸置換（Leu156Arg あるいは Leu156Pro）をもたらす．これらの変異は Leigh 症候群（亜急性壊死性脳脊髄症）の患者でも検出される[3]．

　ミトコンドリアではヘテロプラスミーが存在するので，生化学的あるいは臨床的に疾患が顕在化

には，変異型 mtDNA のレベルがある閾値を超える必要がある．ヘテロプラスミーに加え，これらの変異は劣性を示すので，変異型 mtDNA を選択的に破壊するか，その複製を阻止して野生型 mtDNA だけを増殖させることにより，これらの患者を治療することが可能かもしれない．

Taylor ら[4]は，変異型 mtDNA の複製を阻止するためにペプチド結合を有する核酸（peptide nucleic acid：PNA）を利用した．抗ゲノム PNA は，野生型 mtDNA の複製を阻害せず，変異型 mtDNA の複製のみを選択的に阻害することが可能である．しかし，このアプローチが生体でも効果を示すか否かは不明である．

Clark ら[5]は，患者の骨格筋に局所麻酔剤を注射して壊死を起こすと，変異型 mtDNA を含まない衛星細胞（休眠している筋芽細胞）から筋線維が再生することを報告している．Taivassalo ら[6]は，強い運動訓練を短期間行うことにより，筋の変異型 mtDNA に対する野生型 mtDNA の比が顕著に増加することを報告した．これは，変異型 mtDNA をもたない衛星細胞が筋の成長や修復にかかわるシグナルに反応して，細胞分裂を再開し，すでに存在している筋線維と融合することに依存している．一方，Andrews ら[7]は mtDNA の欠失を有する患者の眼瞼下垂を治療するためにブピバカインによって誘導される筋の再生を試みた．しかし，これにより治療された患者では機能的回復が観察できなかった．

制限酵素はその標的配列に高い特異性を示すので，その特異性をミトコンドリア病の遺伝子治療に利用することが可能と考えられる．本稿では，ミトコンドリアを標的とした制限酵素が変異型 mtDNA を特異的に破壊し，それにより野生型 mtDNA の増殖を促すことができることを示す．

2. NARP サイブリッドへの Sma I の送入

まず，最初に，mtDNA を有しない骨肉腫細胞株 $\rho^0 206$ に細胞質融合によって Leigh 症候群患者の線維芽細胞ミトコンドリアを導入し，サイブリッド細胞株 NARP3-1 を確立した．このサイブリッド NARP3-1 は変異型 mtDNA の割合が高く（約 98%），その ATP 含量は野生型 mtDNA を有する 143B 細胞の 70% であった．サイブリッド NARP3-1 のミトコンドリア膜電位は 143B 細胞のそれよりも顕著に低かった（69%）．このミトコンドリア膜電位の低値は，解糖系から供給される ATP がミトコンドリア膜電位の生成に利用できないためである．これは，F_0F_1-ATPase の第6サブユニットのアミノ酸置換（Leu156Arg）によってプロトン

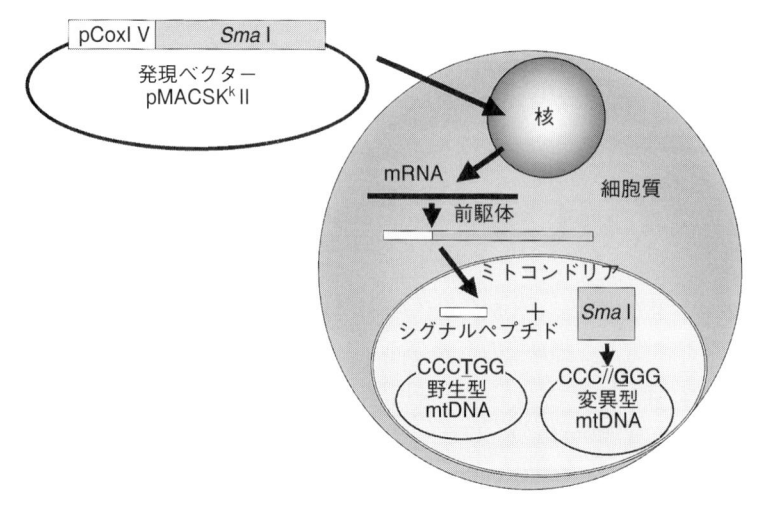

図1 Mt8993T→G 変異によって惹起される NARP 病に対する遺伝子治療戦略

6・8 ミトコンドリア病の遺伝子治療

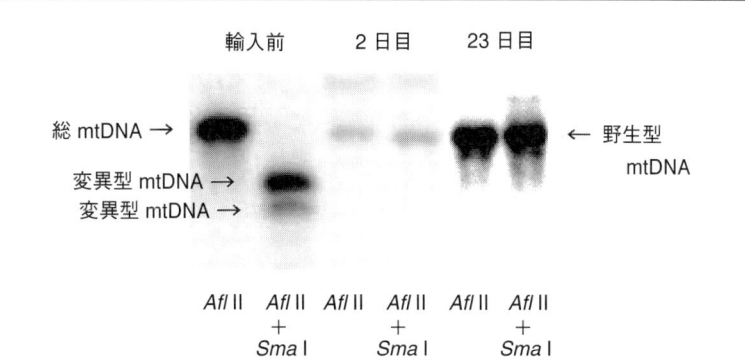

図2 ミトコンドリアへ *Sma* I を輸入した後の変異型 mtDNA の排除と野生型 mtDNA の再増殖

サイブリッド NARP3-1 にプラスミド pMACSK^{k}II-pCox IV-*Sma* I を導入し，遺伝子導入された細胞を MACSelect システムを用いて選択した．遺伝子導入と選択のサイクルを5回繰り返した．*Sma* I のミトコンドリアへの輸入前，2日後および23日後にサイブリッドから総 DNA を抽出した．DNA サンプルを *Afl* II のみあるいは *Afl* II と *Sma* I の両者を用いて消化し，サザンブロット分析に供した．正常型 mtDNA (16,569 塩基対) は制限酵素 *Afl* II によって直線化されるのに対して，Mt8993T → G 変異を有する変異型 mtDNA は *Sma* I によってさらに2本の断片 (7586 塩基対および 8983 塩基対) に切断された．

チャンネルがブロックされていることによる．

Sma I をミトコンドリアに送入するために，シトクロム酸化酵素第4サブユニットのシグナルペプチドをコードする塩基配列と *Sma* I 遺伝子を融合し (図1)，この融合遺伝子を哺乳類発現ベクター (pMACSK^{k}II) に挿入した．サイブリッド NARP3-1 に融合遺伝子を含むプラスミドを用いて遺伝子導入を行うと，変異型 mtDNA が完全に排除され，痕跡程度の野生型 mtDNA のみが検出された (図2，第2日)．この段階で，遺伝子導入されたサイブリッド NARP3-1 は $\rho^0$206 細胞に類似していた．すなわち，サイブリッド NARP3-1 は低いミトコンドリア膜電位を示した (図3)．これは野生型の mtDNA が欠乏しているためである．変異型 mtDNA の割合が低いサイブリッド NARP3-2 に遺伝子導入を行った場合には，サイブリッド NARP3-1 に遺伝子導入を行ったときに観察されたミトコンドリア膜電位の一過性低下を示さずに，逆に膜電位の上昇が観察された．

変異型 mtDNA の破壊後に野生型 mtDNA が増殖するか否かを調べるために，遺伝子導入されたサイブリッド NARP3-1 を3週間培養したところ，野生型 mtDNA は第23日までに顕著に増殖した (図2)．

この野生型 mtDNA の増殖は，ミトコンドリア膜電位 (図3) と細胞の ATP 含量 (図4) の正常化を伴っていた．融合遺伝子を挿入していない対照プラスミド pMACSK^{k}II を用いた場合には，変異型/

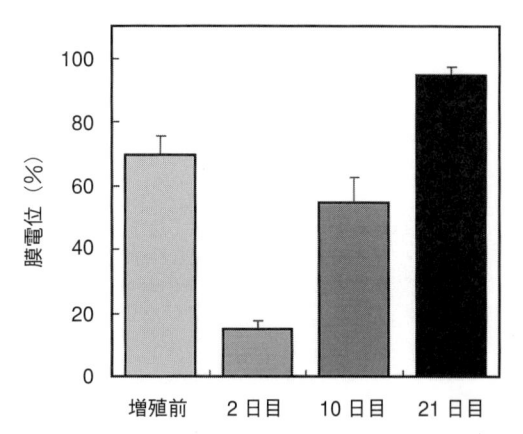

図3 変異型 mtDNA 排除後における野生型 mtDNA の再増殖によるミトコンドリア膜電位の正常化

ミトコンドリア膜電位を MitoTracker Orange CMTMRos を用いてフローサイトメトリーにより測定した．10^4 個のサイブリッドの平均蛍光強度を決定した．遺伝子導入された NARP3-1 細胞のミトコンドリア膜電位を対照 143B 細胞の蛍光強度 (任意の単位で 110-138) のパーセントで表示した．3回の異なる測定結果の平均をその標準偏差とともに示した．

野生型 mtDNA の割合，ATP レベル，およびミトコンドリア膜電位に有意な変化は観察されなかった．

3. ミトコンドリアへの EcoRI 送入

他の制限酵素が核 DNA と mtDNA に及ぼす影響を検討するために，EcoRI をミトコンドリアに送入した．第1回目の遺伝子導入と選択のサイクルの後に，選択されたサイブリッド（図5の＋，細胞表面の H-2K^k 分子に対するモノクローナル抗体結合マイクロビーズによって磁気カラムに保持される）では，選択されなかったサイブリッド（図5の−）と比較して mtDNA の量が減少していた．第2回目の遺伝子導入と選択のサイクルの後では，保持されたサイブリッド（＋）と保持されなかった細胞の両方で mtDNA が枯渇していた．このことは，第2回目の遺伝子導入の後にサイブリッド NARP3-2 が ρ^0 状態に転換されたことを示唆している．アポトーシス小体や DNA ラダーなどの形成は検出できなかった．これらの結果は，ミトコンドリアの中に運び込まれた制限酵素がマトリックス内に安全に隔離され，このような細胞培養条件下では核 DNA を攻撃しないことを示唆する．

興味深いことに，第1回の遺伝子導入と選択の後に EcoRI によって切断された中間段階の mtDNA 断片は検出されず，mtDNA 量の低下のみが検出された（図5，レーン＋）．この所見は，mtDNA の破壊が all-or-none（すべて破壊されるか，あるいはまったく破壊されないか）の過程で起こることを示している．制限酵素によって切断された mtDNA 断片の一部は，ミトコンドリアに局在するリガーゼによって修復される可能性もあるが，結局はミトコンドリア内のエクソヌクレアーゼによって消化されていると推定される．制限酵素によって切断された mtDNA は，酸化的損傷からミトコンドリアゲノムを保護する生理的過程の一部として，速やかに消去されていると考えられる．

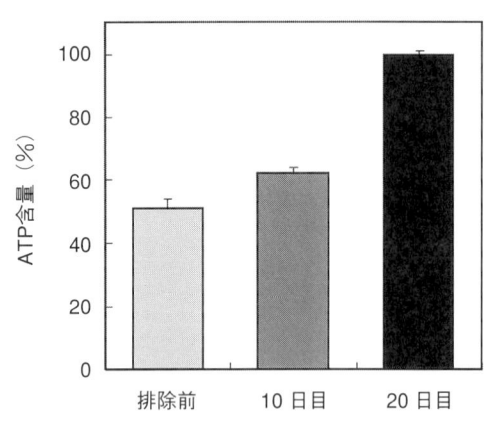

図4 変異型 mtDNA 排除後の ATP 含量の正常化
サイブリッド NARP3-1 を5回の遺伝子導入と選択の後に3週間培養した．細胞の総タンパク質当たりの ATP 含量を，遺伝子導入前，選択終了後10日目，および20日目に測定した．遺伝子導入された細胞の ATP 含量を対照143B 細胞の ATP 含量（平均84 nmol/mg タンパク質）のパーセントとして表示した．3回の異なる測定結果の平均をその標準偏差とともに示した．

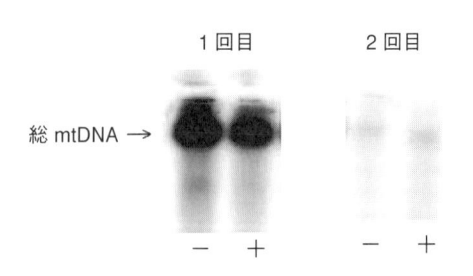

図5 ミトコンドリアを標的とした EcoRI による総 mtDNA の枯渇
NARP3-2 細胞に pMACSK^{k}II-pCox IV-EcoRI を2回（1回目を第1日に，2回目を第3日に）遺伝子導入し，MACSelect システムを用いて2回（1回目を第2日に，2回目を第4日に）選択した．総 DNA をサイブリッドから抽出し，制限酵素 AflII を用いて消化し，サザンブロット法によって mtDNA を分析した．マイナス（−）は遺伝子導入されなかったサイブリッド（磁性カラムを素通りした細胞）を示し，プラス（＋）は選択されたサイブリッド（抗 H-2K^k 抗体を付着させたマイクロビーズによって磁性カラムに結合した細胞）を示す．1回目の遺伝子導入後，カラムに結合したサイブリッドの mtDNA の量（第1回目選択の＋）は，カラムを素通りした画分のサイブリッド（第1回目選択の−）よりもわずかに少なかった．第2回目の遺伝子導入後，素通り画分のサイブリッド（−）と磁気カラムに結合したサイブリッド（＋）のいずれもが，わずかに痕跡程度の mtDNA を含んでいた．

4. 骨格筋への生体電気穿孔法による遺伝子導入

　ミトコンドリアを標的とした制限酵素の一過性発現が生体の治療法として安全に適用できるか否かを検討するために，同じプラスミドを生体電気穿孔法によってハムスターの骨格筋に導入した．pCox IV-*Sma* I と共発現された LacZ 遺伝子の発現によってβガラクトシダーゼ活性を示す筋線維（図6A）では，1回の注射と生体電気穿孔法を行った1カ月後にシトクロム c 酸化酵素の活性が低下していた（図6B）．ミトコンドリアを標的とした *Sma* I あるいは *Eco*R I を発現させるプラスミド DNA を生体電気穿孔法によってハムスターの骨格筋に導入した場合にも，核での変性所見は観察されなかった．

　Mt8993T→G 変異は F_0F_1-ATPase のプロトン輸送活性のみに影響するので[8〜10]，サイブリッド NARP3-1 細胞は呼吸鎖の異常を示さない．この呼吸鎖はミトコンドリア膜電位の形成に主要な役割を果たしている．サイブリッド NARP3-1 の場合には，遺伝子導入によって変異型 mtDNA が急速に排除されるのに伴い，ミトコンドリアの膜電位が顕著に低下した．これとは対照的に，同じプラスミドを生体電気穿孔に用いた場合には，その効果はハムスターの骨格筋においては穏やかであり，遺伝子導入の1カ月後にシトクロム c 酸化酵素活性のわずかな低下を検出できたのみであった．これは，骨格筋における本酵素サブユニットの代謝回転が緩徐であるためと推定される．

●おわりに

　ここに示した結果は，変異型 mtDNA を特異的に認識する制限酵素をミトコンドリアに送り込む方法がミトコンドリア病遺伝子治療の新しい戦略となりうることを示している．この特長は，制限酵素の一過性発現によって変異型 mtDNA を十分に排除できる点である．ひとたび変異型 mtDNA が排除されると，野生型 mtDNA が細胞内の主要な集団となり，ミトコンドリアゲノムが変異型から野生型に完全に転換されうる．

　培養サイブリッドとハムスター骨格筋の両者において，ミトコンドリアに運び込まれた外来性エクソヌクレアーゼが核 DNA には毒性を示さないことも確認している．この現象は，ミトコンドリアのマトリックスあるいは膜間腔に存在する内在性エクソヌ

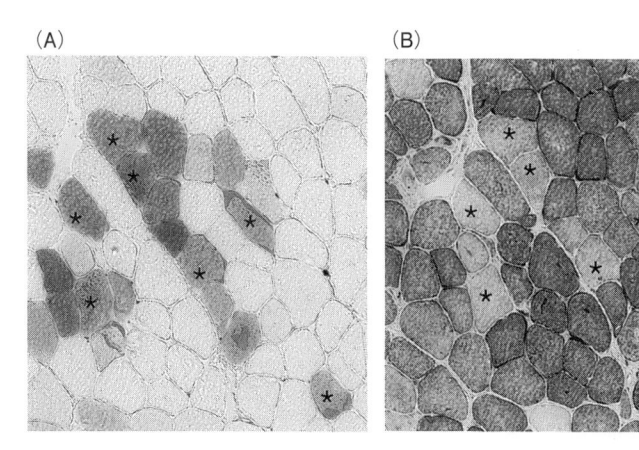

図6　ミトコンドリア標的 *Eco*R I 発現プラスミド導入後におけるシトクロム c 酸化酵素活性の減少
生体電気穿孔法によってプラスミド pMACSK^k II-pCox IV-*Eco*R I と pCAGGS-LacZ を 3.5 週齢ハムスターの前脛骨筋に遺伝子導入した．筋組織を生体電気穿孔の 1 カ月後に取り出し，凍結切片（8 μm）を作製した．組織切片についてβ-ガラクトシダーゼ活性染色（A）あるいはシトクロム c 酸化酵素活性染色（B）を行った．星印（★）はシトクロム c 酸化酵素活性が減少したβ-ガラクトシダーゼ陽性筋線維を示す．（口絵 12 参照）

クレアーゼあるいはプロテアーゼが病的な条件以外では核DNAや細胞のタンパク質を攻撃しないという事実と関連していると思われる.

ミトコンドリア内に制限酵素を運び込むことは，mtDNAの修復や複製にかかわる因子を同定するために有用な実験手段を提供する．葉緑体も核外DNAをもっているので，この技法はクロロプラストDNAの遺伝子操作にも拡大適用することができる.

現時点では，ある遺伝的異常を有する患者の全細胞に遺伝子を転送する安全で効率的な方法はない．とくに，ある遺伝子を脳に転送することはきわめて困難である．しかし，プラスミドDNAを繰り返し注入して生体電気穿孔法を併用すれば，骨格筋から変異型mtDNAを排除することが可能であろう．これによって，高乳酸血症のような全身的代謝異常を改善することができると期待される．骨格筋代謝の正常化によって神経症状が改善される可能性もある．局所的遺伝子治療は心筋症患者にも有用かもしれない[11].

付録：本研究における方法論

a. ヒトρ^0細胞への患者線維芽細胞mtDNAの導入法

Mt8993T→G変異を有するLeigh症候群の患者から皮膚線維芽細胞を得る．線維芽細胞の脱核操作と脱核されたサイトプラストをヒトρ^0骨肉腫細胞に融合させる操作は既報[11,12]に従って行う．10%ウシ胎仔血清，高グルコース（4.5 g/mL），ピルビン酸ナトリウム（0.11 mg/mL）およびウリジン（0.1 mg/mL）を含むDulbecco's modified Eagle's medium（DMEM）でサイブリッドを維持する．この培地では呼吸機能を欠如させたρ^0細胞も生育できる.

b. ミトコンドリアに制限酵素を送り込むプラスミドの構築法

酵母のシトクロムc酸化酵素の第4サブユニットのプレシークエンス（pCoxIV）を規定するcDNAを，プラスミドpAK1（遠藤斗志也氏から恵与）から増幅する．この増幅には，プライマーecoRI-pCoxIV-U（5′-gga tcc GCA TAC AAA TAG ATA ACA A-3′）およびapaI-xhoI-pCoxIV-L（5′-ggg ccc ctc gag GAG ATC TAG AGC TAC ACA AA-3′）を用いる．SmaI遺伝子[13]をセラチア菌（Serratia marcescens）から単離した総DNAからプライマーapaI-xhoI-SmaI-U（5′-ggg ccc ctc gag CAA GCA GGG ATG ACC AAC TC-3′）およびbamHI-SmaI-L（5′-gga tcc ATT GGG CCC GAG GCG GCG GTA GAA TAA AA-3′）を用いて増幅する．EcoRI遺伝子[14]（小林一三氏から恵与）をプライマーapaI-xhoI-EcoRI-U（5′-ggg ccc ctc gag CAT CTA ATA AAA AAC AGT CA-3′）およびbamHI-EcoRI-L（5′-gga tcc ATT GGG CCC GCT TAG ATG TAA GCT GTT CA-3′）を用いて増幅する．融合した遺伝子をPCR法で増幅し，プラスミドpCR2.1-TOPO（Invitrogen社, Carlsbad, CA）あるいはpBluescript SK−（Stratagene社, Heidelberg, Germany）にサブクローニングする．作製した融合遺伝子を最終的に哺乳類発現ベクターpMACSK^{k}II（Miltenyi Biotec社, Bergisch Gladbach, Germany）のEcoRI-BamHIサイトに挿入する．このベクターpMACSK^{k}IIにおいて，挿入された遺伝子は，遺伝子導入された細胞を選択するためにマウスの短縮されたMHCクラスI分子H-2K^{k}とともに発現される．こうして，融合遺伝子を発現するプラスミドpMACSK^{k}II-pCoxIV-SmaIおよびpMACSK^{k}II-pCoxIV-EcoRIを構築する.

c. 遺伝子導入法と遺伝子導入された細胞の選択

直径10 cmのディッシュに12 mLの培養液を入れ，37℃で5% CO_2と95%空気下で細胞を培養する．細胞がディッシュ上で90〜95%の面積を占めるようになったときに，リン酸緩衝生理食塩水（PBS）で2回洗い，3 mLのopti-MEM I低血清培養液に溶解したプラスミド（ディッシュ当たり

30 μg) と 30 μL の Lipofectamine™ 2000 試薬 (Life Technologies, Rockville, MD) を用いて 37 ℃ で遺伝子導入を行う．24〜48 時間保温した後に，遺伝子導入された細胞をトリプシン処理によってディッシュから剥がし，抗マウス H-2K^k モノクローナル抗体をコートした磁気マイクロビーズ (ディッシュ当たり 80 μL) と磁気細胞分離装置 (MiniMACS 分離ユニット，Miltenyi Biotec 社) を用いて選択する．

d. サザンブロット解析

細胞から抽出した総 DNA (2〜3 μg) を制限酵素 *Afl* II または *Sma* I によって消化する．切断された断片を 1% アガロースゲルで分離し，ナイロン膜に移し，フルオレセイン-dUTP でラベルしたヒト mtDNA プローブを用いてハイブリダイゼーションを行う．ナイロン膜を洗浄し，Gene Images Random-Prime Labelling and Detection System (Amersham Pharmacia Biotec 社，Backinghamshire, England) を用いて製造者の指示に従って検出する．断片の化学発光をバイオイメージアナライザ Fujix LAS 1000 (フジ写真フィルム，東京) を用いて分析する．

e. フローサイトメーター FACS-Calibur によるミトコンドリア膜電位の測定

直径 60 mm の培養ディッシュ上で生育している培養細胞を 100 nM の陽電荷親油性色素 MitoTracker Orange CMTMRos[15] (Molecular Probes 社，Eugene, OR) を用いて 37 ℃ で 30 分間 5% CO_2 下で保温する．細胞の中に取り込まれた蛍光色素の量はミトコンドリア膜電位に依存する[16,17]．色素で染めた後，サイブリッドを洗浄し，トリプシン処理によって回収して，フローサイトメトリーに供する．

f. 生体電気穿孔法によるミトコンドリア標的 *Eco*R I 発現プラスミドの遺伝子導入

全身麻酔下の 3.5 週齢ハムスターの前脛骨筋に発現プラスミド pMACSK^k II-pCox IV-*Eco*R I (15 μg) をレポータープラスミド pCAGGS-LacZ (15 μg) とともに注射する．BEX 社 (東京) の CUY645 ハンマーヘッド型電極 (3×5 mm) およびパルス発生器 CUY21 を用いて電気パルス (電圧 60 V，電流 0.02〜0.04 A，電極間距離 6 mm，6 回) を与える．筋組織を生体電気穿孔の 1 カ月後に取り出し，凍結切片 (8 μm) を作製する．組織切片に対して β-ガラクトシダーゼあるいはシトクロム *c* 酸化酵素の活性染色を行う．

●文 献

1) Anderson, S., Bankier, A.T., Barrell, B.G., *et al.*: *Nature*, **290**, 457-465 (1981)
2) Holt, I.J., Harding, A.E., Petty, R.K., Morgan-Hughes, J.A.: *Am. J. Hum. Genet.*, **46**, 428-433 (1990)
3) Sakuta, R., Goto, Y., Horai, S., *et al.*: *Ann. Neurol.*, **32**, 597-598 (1992)
4) Taylor, R.W., Chinnery, P.F., Turnbull, D.M., Lightowlers, R.N.: *Nat. Genet.*, **15**, 212-215 (1997)
5) Clark, K.M., Bindoff, L.A., Lightowlers, R.N., *et al.*: *Nat. Genet.*, **16**, 222-224 (1997)
6) Taivassalo, T., Fu, K., Johns, T., *et al.*: *Hum. Mol. Genet.*, **8**, 1047-1052 (1999)
7) Andrews, R.M., Griffiths, P.G., Chinnery, P.F., Turnbull, D.M.: *Eye*, **13**, 769-772 (1999)
8) Trounce, I., Neill, S., Wallace, D.C.: *Proc. Natl. Acad. Sci. USA*, **91**, 8334-8338 (1994)
9) Baracca, A., Barogi, S., Carelli, V., *et al.*: *J. Biol. Chem.*, **275**, 4177-4182 (2000)
10) Garcia, J.J., Ogilvie, I., Robinson, B.H., Capaldi, R.A.: *J. Biol. Chem.*, **275**, 11075-11081 (2000)
11) King, M.P., Attardi, G.: Methods in Enzymology, vol. 264, pp. 304-313, Academic Press, New York (1996)
12) King, M.P., Attadi, G.: Methods in Enzymology, vol. 264, pp. 313-334, Academic Press, New York (1996)
13) Heidmann, S., Seifert, W., Kessler, C., Domdey, H.: *Nucl. Acid. Res.*, **17**, 9783-9796 (1989)
14) Naito, T., Kusano, K., Kobayashi, I.: *Science*, **267**, 897-899 (1995)
15) Petit, P.X., O'Connor, J.E., Grunwald, D., Brown, S.C.: *Eur. J. Biochem.*, **194**, 389-397 (1990)
16) Ackermann, E.J., Taylor, J.K., Narayana, R., Bennett, C.F.: *J. Biol. Chem.*, **274**, 11245-11252 (1999)
17) Finucane, D.M., Bossy-Wetzel, E., Waterhouse, N.J., *et al.*: *J. Biol. Chem.*, **274**, 2225-2233 (1999)

ミトコンドリア病の治療

後藤 雄一

●はじめに

ミトコンドリア病の本態はミトコンドリアのエネルギー代謝障害である．代謝障害に対する治療法としては，病気の原因となる遺伝子の治療，酵素を補充する方法，障害酵素の基質制限や中毒物質の無毒化，あるいは不足物質の補充などが考えられる（表1）．しかし，これらの治療法を応用できるのは，原因となる酵素がはっきりしている場合である．

エネルギー代謝にかかわるミトコンドリアの酵素は数十種類もあり（図1），そのどこに1次的原因があるのか，さらにどの酵素活性が2次的に影響を受けるかを把握することが望ましいが，すべての酵素活性を測定することは不可能である．さらに，変異ミトコンドリアDNA（mtDNA）のヘテロプラスミーによる組織ごとの機能障害の相違などもあるため，個々の患者におけるエネルギー代謝障害の全体像を把握することが困難なことが多い．

ピルビン酸脱水素酵素と電子伝達系酵素は欠損酵素を確定しやすいので，ここではおもに電子伝達系酵素異常症について，病態に対応した治療法と今後の研究の方向性を述べる．

1. 治療の考え方

a. 多臓器障害の症状把握と対処法

電子伝達系酵素異常症ではさまざまな臨床症状が認められる．その中で，糖尿病，心伝導障害，消化器症状などは，インスリンやペースメーカーなど，薬物や医療器具によりかなりの程度治療が可能である．このように対症療法の可能な臓器症状を早期に発見して治療することは，予後に重大な影響を与える．したがって，ミトコンドリア病患者の経過観察や治療は，各臓器の専門家によるチーム医療が重要である．

b. 複数の酵素複合体障害と多剤併用

mtDNAのtRNA領域に変異をもつ電子伝達系酵素異常症では，いくつもの酵素にまたがる機能異常が認められる．たとえば，3243変異をもつものは，複合体Ⅰや複合体Ⅳの活性低下を示すことが多く，

表1 代謝異常に対する治療法

	DNA	酵素	タンパク質	
			基質	反応物
異常の種類	変異	酵素欠損	基質蓄積 中毒	反応物不足
	↓	↓	↓	↓
治療法	遺伝子治療	酵素補充 阻害抑制	基質制限 無毒化	反応物補充

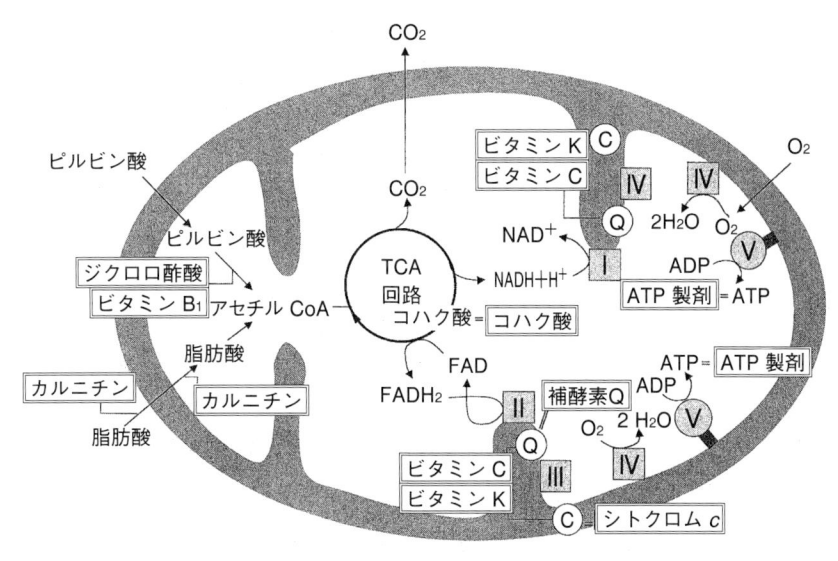

図1 ミトコンドリア内のエネルギー代謝経路と薬剤

重症例ではすべての複合体の活性が低下する．したがって，基質利用障害を起こすピルビン酸脱水素酵素欠損症などのように，障害酵素の活性化剤や基質を補充しても症状の改善が望めないことが多い．3243変異をもつ例でも，同一組織内でも，ある細胞では複合体Ⅰの活性が下がり，他の細胞では複合体Ⅳがより強く障害されていることがあり，単一酵素異常の場合とは性格が大きく異なる．したがって，効果的な多剤併用が必要である．

その際，どの酵素複合体がおもに障害されており，他の代謝系が2次的に障害されているか否かを知ることが望ましい．したがって，骨格筋を用いた組織化学や生化学的検査が重要になる．そのような例として，乳児良性型や乳児致死型のシトクロムc酸化酵素欠損症，重症の MELAS (mitochondrial myopathy, encephalopathy, lactic acidosis and stroke-like episodes：脳卒中様症状を特徴とするミトコンドリア脳筋症)，あるいは MERRF (myoclonus epilepsy associated with ragged-red fibers：ミオクローヌスてんかんと ragged-red fibers を伴う) のときに認められる2次性カルニチン欠乏症が挙げられる．骨格筋の組織化学的検査では大型の脂肪滴が増量している像が得られ，生化学的にも組織のカルニチン量が減少していることから診断できる．このような状態の患者にカルニチンを投与すると臨床症状が劇的に改善することがある．また，代謝性アシドーシスが強く，それが他臓器に悪影響を与えているときには，ピルビン酸脱水素酵素の活性増強剤であるジクロロ酢酸を投与することも必要である．このように，随伴する他の代謝異常をも把握しておくことが大切である．しかし，著明な高乳酸血症があり，ミトコンドリア病が強く疑われるときでも，生化学的に明確な異常が認められないことも多い．

c. ミトコンドリア代謝に悪影響を与える薬物

ミトコンドリア病患者はてんかんを合併することが多い．その際，種々の抗痙攣薬が用いられるが，その中でバルプロ酸はカルニチン代謝に影響してミトコンドリア内へのエネルギー産生基質の運搬を低下させる可能性があるので，慎重に用いることが必要である．また，アシドーシスが強い患者には乳酸を含む輸液を大量に用いることは避けたほうがよい．

2. 治療薬とその特徴

a. 補酵素 Q_{10}

慢性進行性外眼筋麻痺症候群 (CPEO) や Kearns-Sayre 症候群 (KSS) では，本剤の有効例が認めら

れる[1]．とくに，補酵素 Q10 が極端に減少した KSS 患者に大量を長期投与（150 mg/日）し，臨床症状や検査所見が改善されたことが報告されている[2]．末梢神経症状と 3243 変異を有する糖尿病患者で，補酵素 Q10 投与後に臨床症状が著明に改善した症例報告もある．また，MELAS 患者に同剤を使用後，脳卒中発作の頻度が明らかに減少したとの報告もある．

b．ビタミン類

ビタミン B_1，B_2 は呼吸鎖酵素の補酵素であり，その大量療法が有効との報告がある．

ビタミン C とビタミン K については，複合体Ⅲ欠損症に有効と報告されている．複合体Ⅲ活性の低下が生化学的に証明されれば，治療薬としての適用が考えられる．

c．シトクロム製剤

シトクロム c とビタミン B_1，B_2 の合剤であるカルジオクロム® が MELAS，MERRF，CPEO などに有効との報告がある[3]．本剤はもっとも障害頻度の高いシトクロム c 酸化酵素の基質補充を期待されたものであるが，本酵素の残存活性が低いと有効性が低く，実際に末期の MERRF 患者ではほとんど効果がないと報告されている．

カルジオクロム中のシトクロム c はウシの心筋からつくられているので，アナフィラキシーショックを起こす可能性があるので，過敏性試験を行うとともに，できれば入院患者に用いるべきである．また，1 年以上長期投与した例で，臨床症状は部分的に改善したものの，他の症状は明らかに進行した患者症例も報告されている[4]．現在のところ，本剤は発病早期に短期間用いることが望ましいと思われる．

また，チトレスト® などの経口用シトクロム c 製剤もあるが，その効果は不明である．経口投与では十分量がミトコンドリア内へ移行できない可能性がある．

最近，シトクロム c を細胞内に投与するとアポトーシスが誘発されるという細胞レベルの実験結果が報告されており，この種の薬剤の使用には注意を要する．

d．コハク酸

MELAS で多く認められる複合体Ⅰ欠損症の場合には，複合体Ⅱからの電子流が代償性に亢進することが認められている．そのような場合，複合体Ⅱの基質であるコハク酸はその活性を上昇させるはたらきがある．実際，コハク酸投与により臨床症状の改善した MELAS 患者の報告例もある．

e．ジクロロ酢酸

本化合物は，ピルビン酸脱水素酵素の E_1 複合体の活性を高め，アシドーシスを改善する．血液の pH はこの薬物により確実に上昇するので，ピルビン酸脱水素酵素欠損症ばかりでなく，各病型でアシドーシスが悪影響を与えている患者にも用いられる．

最近，本剤を使用した有効例の報告が相次いでいる[5]．これに関しては，徳島大学小児科のプロトコールに従い，血中濃度をモニターしながら使用することが肝心である．投与量が多い場合に意識障害が生じた例が散見される．長期投与ではビタミン B_1 が不足してくるので，ビタミン B_1 と併用することが必要である．

f．カルニチン

電子伝達系酵素異常症に合併してカルニチン欠乏が起こることがある．その場合，脂肪酸の利用が障害され，脂肪が細胞内に過剰に蓄積される．L-カルニチンを経口投与することにより，臨床症状が劇的に改善する場合がある．

g．ATP 製剤

ATP 製剤は，細胞内の ATP を補充する目的で使われるが，その効果は不明である．

h．ステロイド

MELAS の患者に使用した例で効果がみられたとの報告がある．しかし，副作用の出現などを考えると，その作用機序とミトコンドリア病の本態との関係が不明な状況で積極的に勧めることはできない．

i．クレアチン

筋肉細胞内の ATP はクレアチンキナーゼの作用によりホスホクレアチンの形で蓄積され，必要に応じて種々の細胞活動に使用される．このため，クレアチンを補充することにより，ホスホクレアチンを

増加させる試みがある．まだ臨床応用の報告は少ないが，興味深い治療薬である．

3. 新しい治療戦略とその可能性

　最近の遺伝子診断例の増加により，mtDNA に変異を有する患者が多数存在することが明らかになっている．このような病因が明確な疾患に対し，いくつかの新治療法が考えられている．そのひとつは細胞レベルでの治療であり，他はミトコンドリアレベルでの治療や DNA レベルでの遺伝子治療である．

　mtDNA の特徴の一つとしてヘテロプラスミーがある．これは正常な mtDNA と異常な mtDNA が1つの細胞に共存している状態である．正常な mtDNA と異常な mtDNA の比率を変化させることができれば，機能異常をもつ細胞を正常化させることが理論的には可能である．

　また，個々のミトコンドリアや細胞でヘテロプラスミーの度合いが異なることも重要である．正常ミトコンドリア（mtDNA）の多い細胞と異常ミトコンドリア（mtDNA）の多い細胞が混在している．この点は，核の DNA 異常による細胞障害ではすべての細胞の DNA が異常であることと対照的である．

a. 細胞を操作する治療法

　細胞移入法とよばれる方法と移植がこの治療法に含まれる．正常な細胞や臓器を患部に移植することになる．しかし，多臓器障害を特徴とするミトコンドリア遺伝子異常症に対して，この方法が効率的か否かは疑問が残る．

　最近の胚性幹（ES）細胞や神経幹細胞の基礎的研究成果から，再生医療の可能性が期待されている．正常な mtDNA をもつ幹細胞を移植することにより，中枢神経系や心などの機能を改善する治療法が可能になることを期待したい．

b. ミトコンドリアを操作する治療法

　これは細胞内のミトコンドリアを直接操作する方法である（図2）．その際，試験管内での操作は容易であるが，操作した細胞を生体に戻すことが大きな課題になる．一方，生体内でミトコンドリアを操作するには，ミトコンドリアの生合成にかかわる因子の同定とその操作が必要になる．たとえば，細胞内のミトコンドリア数を一定に保つ機構やミトコンドリアの増殖因子などが解明されると，それらの因子を操作する治療法が可能になるかもしれない．

c. mtDNA を操作する治療法

　mtDNA を直接操作する方法は，ミトコンドリア遺伝子治療といえるものである．現在のところ，ミトコンドリア局在化シグナルを付けた mtDNA を含むリポソームを細胞内に入れる試みとタングステンなどの金属粒子に正常 mtDNA を付着させて空気銃で細胞内に打ち込む試みがある（図3）．空気銃を用いた方法により，機能不全に陥っていた酵母細胞の呼吸能が回復したという報告がある．しかし，いずれの方法も効率の問題や細胞破壊の問題など，多くの解決すべき課題をもっている．

　一方，内在性の mtDNA を変化させる内在性 mtDNA 治療法は，実現する可能性がある．その基本的考え方は，異常型 mtDNA の選択的消滅，正常型 mtDNA の選択的増殖，および異常型から正常型への変換の3つである（図3）．

　異常型の選択的消滅法は，点変異をもった異常 mtDNA だけを制限酵素で切断する方法などである．一方，正常型を選択的に増殖させる方法や異常型を正常型に変える方法はまだ見い出されていない．細胞増殖，細胞死，細胞分化，細胞分裂などの基礎研究が進み，それが可能になることを期待したい．

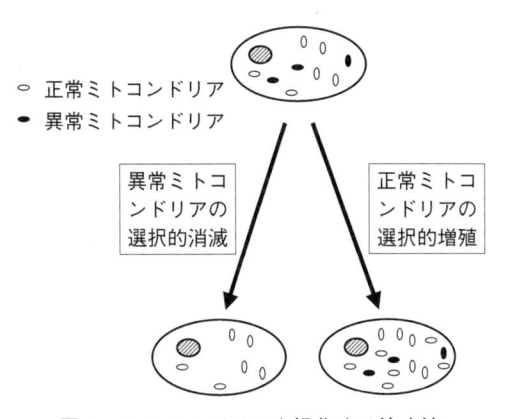

図2　ミトコンドリアを操作する治療法
○ 正常ミトコンドリア
● 異常ミトコンドリア
異常ミトコンドリアの選択的消滅
正常ミトコンドリアの選択的増殖

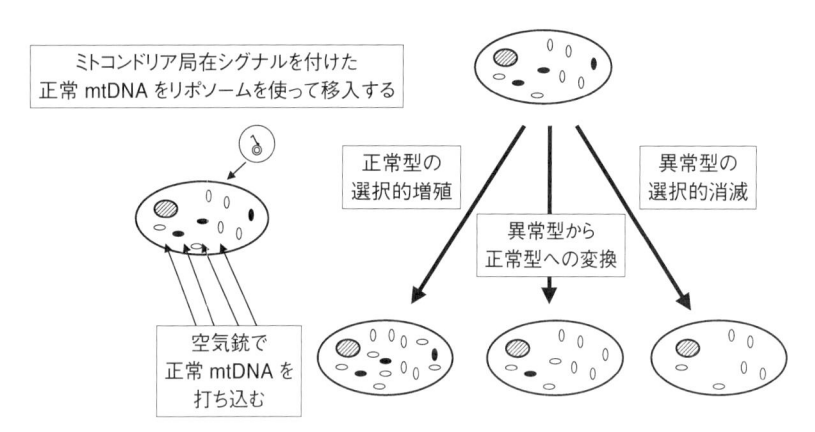

図3 ミトコンドリアDNAを操作する治療法

● おわりに

現在のところ決め手となる治療法や治療薬はなく，臨床医や患者にとってはたいへんきびしい現実がある．しかし，病態の解明は確実に進んでおり，それらに対応しうる新治療法が開発されるものと確信している．

● 文　献

1) Nishikawa, Y., Takahashi, M., Yorifuji, S., et al. : Neurology, **39**, 399-403 (1989)
2) Suzuki, Y., Kadowaki, T., Atsumi, Y., et al. : Endocr. J., **42**, 141-145 (1995)
3) Tanaka, J., Nagai, T., Arai, H., et al. : Brain Dev., **19**, 262-267 (1997)
4) Nakagawa, E., Osari, S., Yamanouchi, H., et al. : Brain Dev., **18**, 68-70 (1996)
5) Kuroda, Y., Ito, M., Naito, E., et al. : J. Pediatr., **131**, 450-452 (1997)

第7章

ミトコンドリア研究法

7·1
ラット肝ミトコンドリア分離法

竹原 良記

ラット肝ミトコンドリアの分離法に関しては数多くの成書があるが,筆者はHogeboomの調整法[1]を修飾した方法で分離している.

1. 材料,試薬,器具
材料:Wistar系雄性ラット(200〜300 g)1匹
試薬:A液:0.25 Mスクロース,10 mM Tris-HCl緩衝液,0.1 mM EDTA(pH 7.4)
　　　　B液:0.35 Mスクロース,10 mM Tris-HCl緩衝液 0.1 mM EDTA(pH 7.4)
　　　　C液:0.25 Mスクロース,10 mM Tris-HCl緩衝液(pH 7.4)
器具:ハサミ(大,小),シャーレ,ビーカー(100 mL,300 mL),手術用手袋,シリンジ(30 mL),いぼ付きガラスホモジナイザー(50 mL容,ルーズなもの),テフロンホモジナイザー(50 mL容,ルーズなもの),10 mL駒込ピペット,50 mL遠心管8本,冷凍遠心器($10,000 \times g$の遠心力をもつもの)

2. 方 法(図1)
a) 前日より断食させたラットを断頭・放血して速やかに開腹し,肝を痛めないように摘出して氷冷A液を満たしたシャーレに入れる.
b) 肝を手のひらに乗せ,大きく見える血管口から後大静脈に沿ってはさみで切り開き,各肝小葉への血管の入り口が見えるようにする.
c) シリンジを用いて氷冷A液を血管内腔側より各肝小葉周辺に向けて注入し,血液を洗い出す.肝は赤みの抜けた白っぽい色になる.
d) よく脱血された部分を切り出し,氷冷A液のはいったビーカー中でハサミで細切する(以下,氷水中で操作).
e) A液で2回洗浄し,最終的にA液を肝組織の約9倍量とする.
f) ルーズなガラスホモジナイザーで上下2回ホモジナイズする(200〜400 rpm).
g) ホモジネートをテフロンホモジナイザーに入れ,400 rpmで上下2回ホモジナイズする.
h) ホモジネートを遠心管に分注し,$80 \times g$で7分間遠心分離する.
i) 約20 mLの上清を20 mLのB液の上に重層し,$700 \times g$で10分間遠心する.
j) 上層を回収し,これを$7,000 \times g$で10分間遠心する.
k) 上清を取り除き,少量のA液を加えてゆるやかに回転させてフラッフィー層(ミクロソーム

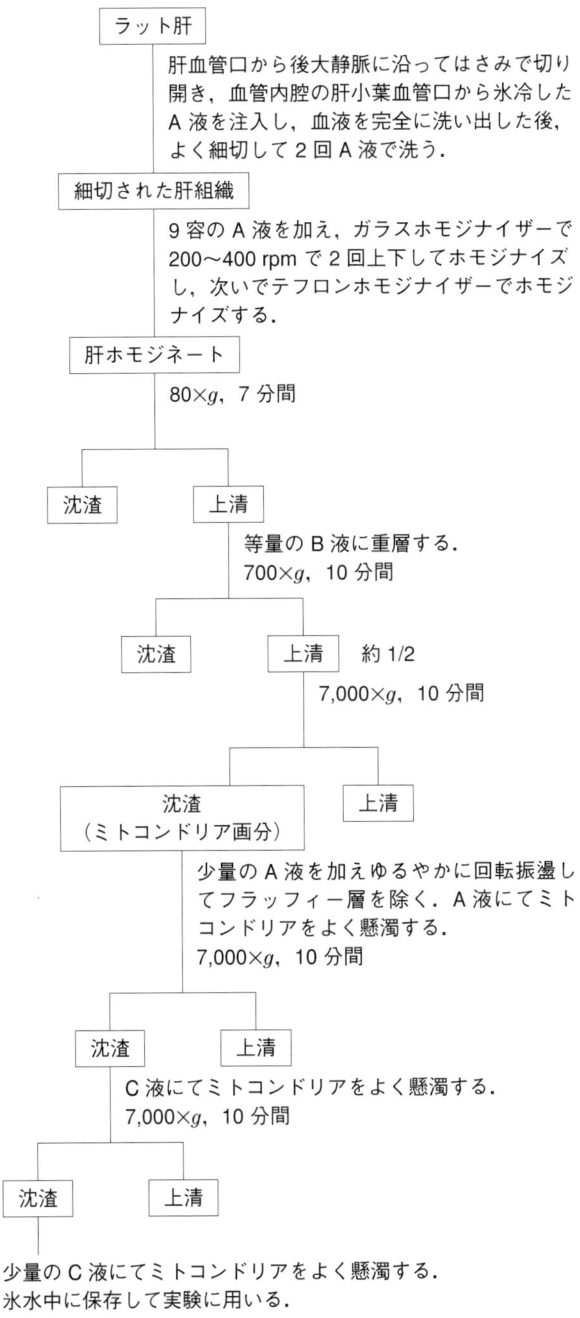

とミトコンドリアの断片で，柔らかく巻き上がりやすい層）を沈渣のミトコンドリアから分離する．遠心管を倒立させてフラッフィー層を完全に除去し，遠心管内壁に付いている白い脂肪をペーパータオルでふき取る．

l) A液を加え，遠心管底にへばりついている黒い顆粒を巻き上げないように注意して駒込ピペットで懸濁し，別の遠心管に移し，$7,000 \times g$ で10分間遠心する．

m) 上清を取り除き，残ったミトコンドリア沈渣でC液を添加して駒込ピペットでよく撹拌懸濁し，$7,000 \times g$ で10分間遠心する．

n) 上清を取り除き，少量のC液に懸濁して氷水中に保存し，実験に供する．良質のミトコンドリアが得られれば，長時間呼吸活性を測定できる．

● 文　献

1) Hogeboom, G.H. : Methods in Enzymology, vol. I (Colowick, S.P., et al. eds.), pp.16-19, Academic Press, New York (1955)

```
ラット肝
 │ 肝血管口から後大静脈に沿ってはさみで切り
 │ 開き，血管内腔の肝小葉血管口から氷冷した
 │ A液を注入し，血液を完全に洗い出した後，
 │ よく細切して2回A液で洗う．
細切された肝組織
 │ 9容のA液を加え，ガラスホモジナイザーで
 │ 200～400 rpmで2回上下してホモジナイズ
 │ し，次いでテフロンホモジナイザーでホモジ
 │ ナイズする．
肝ホモジネート
 │ 80×g, 7分間
 ├──────┐
沈渣      上清
         │ 等量のB液に重層する．
         │ 700×g, 10分間
         ├──────┐
         沈渣    上清　約1/2
                  │ 7,000×g, 10分間
                  ├──────┐
            沈渣（ミトコンドリア画分）  上清
                  │ 少量のA液を加えゆるやかに回転振盪
                  │ してフラッフィー層を除く．A液にてミト
                  │ コンドリアをよく懸濁する．
                  │ 7,000×g, 10分間
                  ├──────┐
                 沈渣     上清
                  │ C液にてミトコンドリアをよく懸濁する．
                  │ 7,000×g, 10分間
                  ├──────┐
                 沈渣     上清
                  │
少量のC液にてミトコンドリアをよく懸濁する．
氷水中に保存して実験に用いる．
```

図1　ラット肝ミトコンドリアの分離法

ラット脳ミトコンドリア分離法

前田 好正・樋口 富彦

　ラット脳ミトコンドリアの調整では，グリア細胞の構成成分であるミエリンがミトコンドリア画分に混入しやすいことや細胞破砕の際に形成されるシナプトソームに神経終末のミトコンドリアが取り込まれやすいことなどから，高純度の標品を得ることは容易でない．また，脳の神経細胞は虚血や低酸素に対して脆弱なため，数分間の断頭虚血後は，ミトコンドリアの呼吸活性を維持することは難しい．現在，脳ミトコンドリアの調製では高純度の標品を得るよりも機能を損なわないことが重視され，Ozawaら[1]の方法やClark[2]の方法が広く用いられている．前者は，操作が簡便で電子伝達系とATP合成系の共役状態の指標となる呼吸調節率(RCI)が高いが，呼吸活性(state3)はラット肝ミトコンドリア標品に比べて低い．後者は，フィコールによる密度勾配遠心分離で他の細胞内成分の除去に努めているが，いく分脱共役されており，呼吸調節率が低い．そこで，筆者らは高い呼吸活性を保持した下記のミトコンドリアの調製法を開発した[3]．

　氷冷下でB液を用いてラット脳ミトコンドリアを調製する．この調製ミトコンドリアは，呼吸活性が高く(コハク酸を呼吸基質として用いたときの呼吸調節率は5〜6)，収量は1.5 mg/g脳で，5匹のラットから1.5時間で約7.5 mgのミトコンドリア標品を得ることができる．

1. 材料，試薬，器具

材料：ラット(Wistar系，8〜12週齢雄性，150〜200 g)

試薬：B液：2.5 mM HEPES/NaOH, 300 mM マンニトール, 0.5 mg/mL BSA (ウシ血清アルブミン；Sigma, fraction V, A4503) (pH 7.4)

器具：ハサミ(イウチ，NO.9, 3本)，断頭器(夏目製作所，KN-698-L，またはハサミ)，金網手袋(Chainex, France)，マルチスターラー(イウチ)，Potter-Elvehjemテフロンホモジナイザー(シリンダー(ガラス)とペッスル間がルーズな50 mL容)，懸濁用テフロン棒(またはガラス棒)，天秤，10 mL駒込ピペット，ペーパータオル，50 mL遠心管8本，冷却遠心機

2. 方法

a) ラットを断頭後，よく切れるはさみですみやかに皮膚と頭蓋正中部を切り開く．脳を取り出し，氷冷したB液中に浸し，小脳と脳幹を取り除いた後(図1参照)に秤量．

b) よく切れるはさみを左右両手の親指と人指し指で3本を並列に持ち細切する．脳半球1個(約

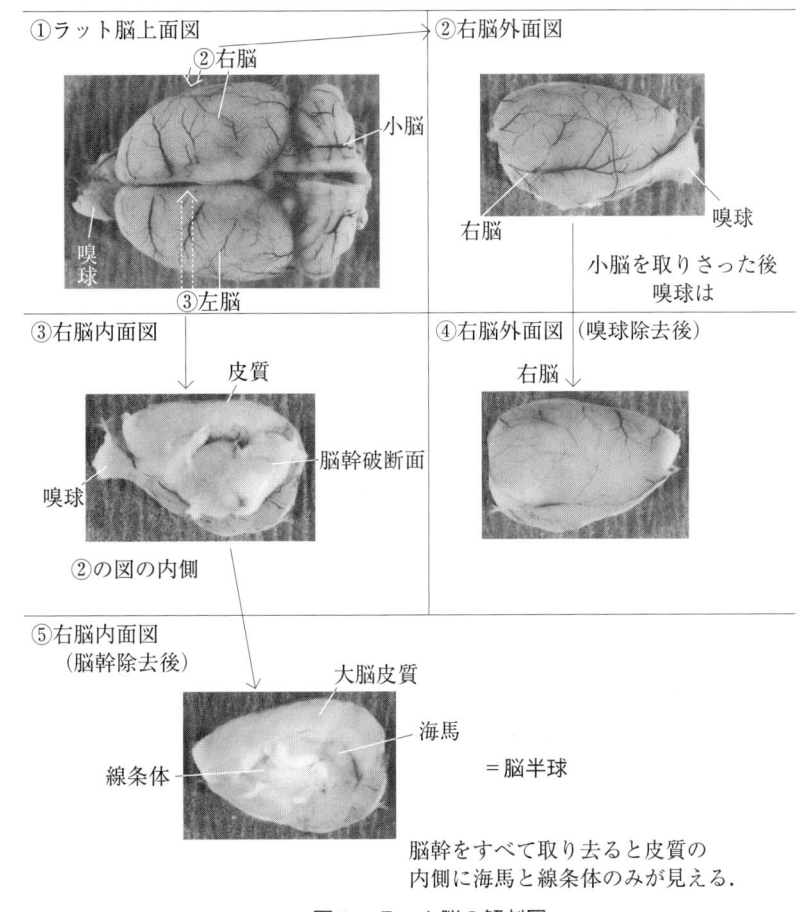

図1 ラット脳の解剖図

1 g）に対して 10 mL の B 液を加える．

c) 細切した脳を 50 mL 容のホモジナイザーに移し，氷水の入ったプラスチックの試薬瓶で冷却しながら回転数 300 rpm で上下 1 回ホモナイズする．
 このステップがもっとも大切で，処理が激しすぎると呼吸活性や呼吸調節率が低いミトコンドリアとなるので，過度の加圧や陰圧をかけず，慎重にゆっくり行う．

d) 得られたホモジネードを $500 \times g$ で，3 分間遠心分離する．

e) 10 mL 容の駒込ピペットで上清の約 2/3 を静かに分取し，$10,000 \times g$ で 10 分間遠心分離する．

f) 傾斜して上清を静かに捨て，遠心管に付着した沈渣を反対側に傾け，崩れてくる上部沈殿層と底に残る下部沈殿層を分けて取り出し，別の遠心管に移す．沈殿の最下層にできた赤黒い部分（主として赤血球）を遠心チューブに残し，その他の沈殿部分を懸濁棒で B 液中に懸濁後，パスツールピペットを使ってゆっくりと吸排水懸濁し，同条件にて再度遠心する．

g) 上部沈殿層と下部沈殿層を遠心して得た各遠心管の下部沈殿層として採取したものを合わせ，同様に懸濁して，$17,500 \times g$ で 10 分間遠心する．この沈渣に B 液を加えて穏やかに振盪し，浮遊してくる表面の白色層をパスツールピペットで取り除いた後，少量の B 液を加えて懸濁し，ミトコンドリア標品として用いる．ミトコンドリアのタンパク質量は Lowry 法により測定する[4]．

上記 f) で得たミトコンドリア標品をさらにパーコールによる密度勾配遠心分離すると，純度の高いミ

トコンドリア標品を得ることができる．

h) 上記f)で調製したミトコンドリア画分を，10〜50%のパーコール溶液（2.5 mM HEPES, 0.3 M マンニトール，0.1% BSA, pH 7.4）からなる密度勾配上に重層し，25,000×g で90分間遠心分離する．ミトコンドリアのバンドを取り出した後，約10倍量の分離溶液を懸濁し，17,500×g で10分間遠心してパーコールを洗浄する．得られた沈殿を少量のB液で懸濁し，ミトコンドリア標品として用いる．

● 文 献

1) Ozawa, K. : *J. Biochem.*, **59**, 501-510 (1966)
2) Clark, J.B. : *J.Biol. Chem.*, **245**, 4724-4731 (1970)
3) 前田好正，樋口富彦：印刷準備中
4) Lowry, O.H., Rosebrough, N.J., Farr, A. L., Randall, R. J. : *J. Biol. Chem.*, **193**, 265-275 (1951)

ラットとマウスの心筋ミトコンドリア分離法

樋口 富彦

1. 材料, 試薬, 器具

材料：ラット（Wistar系，12～16週齢雄性，200～250 g）またはマウス（C57BL/6J，6～12週齢雌性，15～25 g）

試薬：MSB液：225 mM マンニトール，5 mM スクロース，0.2% BSA（Sigma, fraction V, A4503）（pH 7.4）

MSB液：MSB液に最終濃度1 mMとなるようにEGTAを加える（pH 7.4）

コラゲナーゼ（Wako，034-10533）

オキシグラフ測定用液：250 mM スクロース，5 mM KH_2PO_4，2 mM HEPES，10 mM EGTA（pH 7.4）

器具：7・2節と同じ．

2. 方　法

単離操作は0～4℃ですばやく行い，サンプル溶液を手で暖めないよう注意する．

単離操作の開始前に，あらかじめビーカー，遠心チューブなどの使用する器具はMSB液で洗い，氷水中に置いて十分冷却しておく．

器具の洗浄には洗剤は用いず，ブラシで水洗いする．

a) エーテル麻酔下のマウスを頸椎脱臼させた後に断頭し，心を摘出してMSB液中に移す．このとき，脂肪組織をできるだけハサミで取り除く．

b) MSB液中で組織をゆすり洗いして脱血し，余分な液をペーパータオルで吸い取り，湿重量を測定する．

c) 新しいMSB液中に移し，ハサミで細切する．

d) 細切した組織をMSB液30～40 mLで洗浄する．（液が無色透明になるまで3～4回続ける．）

e) MSB液を湿重量の10倍量，コラゲナーゼを0.07%（w/v）となるように加えて混和し，0℃で15分間インキュベートする．この間，2～3回ガラス棒でかき混ぜる．

f) 50 mL容のホモジナイザーに移し，300 rpm，0℃で断続的に上下3回ホモジナイズする．

g) 0℃で，10分間インキュベートした後，最終濃度が1 mMとなるようにEGTAを加える．

h) 遠心チューブに移し，$960 \times g$，0℃で7分間遠心する．

i) 底から1/4を残した上清を新しい遠心チューブに移し，$8,540 \times g$で0℃で11分間遠心する．

j) ペレットをMSBE液中で懸濁した後，手で上下2回ホモジナイズし，$17,400 \times g$で0℃で12

分間遠心する．

k) ペレットをMSB液に懸濁した後，手で上下2回ホモジナイズし，17,400×gで0℃で12分間遠心する．

l) ペレットにオキシグラフ測定用液を5 mL加え，ペレットが剥がれないようにチューブを軽く振り，溶液をデカントする．これをもう一度繰り返した後，少量のオキシグラフ測定用液を加えて懸濁し，ミトコンドリア標品とする．

m) Lowry法[1]によりタンパク量を測定する．

● 文　献

1) Lowry, O.H., Rosebrough, N.J., Farr, A.L., Randall, R.J. : *J. Biol. Chem.*, **193**, 265-275 (1951)

ラット肝マイトプラスト,亜ミトコンドリア粒子,および巨大マイトプラストの調製法

樋口 富彦

1. 材料,試薬,器具

材料:ラット(Wistar 系,12〜16 週齢雄性,200〜250 g)

試薬:H液:70 mM スクロース,220 mM D-マンニトール,2.5 mM HEPES(Sigma),0.05%(w/v)BSA(Sigma, fraction V, A4503)(pH 7.4)

低 pH(pH 6.5)の H 液:H 液作製時に,pH を 6.5 に調整する.

カルシウム溶液:20 mM $CaCl_2$,5 mM HEPES/KOH(pH 6.5)

パッチクランプ用溶液:33 mM KCl,67 mM NaCl,7.5 mM Na-3-(N-モルホリノ)-プロパンスルホン酸(Na-MOPS),2 mM EGTA(pH 7.2)

2. 方法

A. ラット肝マイトプラストの調製法

Williams ら[1]の方法に基づき,氷冷下でラット肝ミトコンドリアから外膜をはずしたマイトプラスト(内膜+マトリックス)を調製する.

a) ラット肝ミトコンドリア(100 mg タンパク質/mL)約 40 mL に,ジギトニン溶液(12 mg/mL H 液*1 を同量加え,20 分間穏やかに撹拌する.

b) 反応液に 3 倍容量の H 液を加え,反応を止める.

c) 10,000×g で 10 分間遠心分離する.

d) 沈殿を H 液に懸濁し,もとの半分の容量とする.

e) 10,000×g で 10 分間遠心分離する.

f) 沈殿を最小量の H 液に懸濁し,マイトプラスト標品として用いる.

g) Lowry 法によりタンパク量を測定する.

*1 ジギトニンの精製[2]:4%(w/v)ジギトニン水溶液を加温しながら撹拌した後,12,000×g で 10 分間遠心分離する.この上清を水蒸気浴上で蒸発乾固する.これを乳鉢で粉砕し,精製ジギトニンとして用いる.真空ポンプで脱水し,デシケーター中で保存する.

B. 亜ミトコンドリア粒子の調製[3]

ミトコンドリアの内膜が反転した亜ミトコンドリア粒子の調製は,上記マイトプラストの調製法 e)における遠心操作の後,次のようにして行う.

a) 沈殿を最小量の冷脱イオン水に懸濁し,タンパク量が 50 mg/mL となるように冷脱イオン水

を加える．
b) 懸濁液に24倍容量の冷脱イオン水を加える．
c) 10,000×gで15分間遠心分離する．
d) 沈殿を最小量の冷脱イオン水に懸濁し，タンパク量が30 mg/mLとなるように冷脱イオン水を加える．
e) 15秒の間隔をあけ，15秒間の超音波処理（Kubota Insonator 200M 180W）を6回繰り返す．
f) 10,000×gで10分間遠心分離する．
g) 上清をさらに105,000×gで30分間遠心分離する．
h) 沈殿を最小量のH液に懸濁し，タンパク量を50 mg/mLとする．
i) 急速冷凍後，－85℃で保存する．

C. 巨大マイトプラストの調製法

巨大マイトプラストの調製は，Chazotteら[3]の方法に従い行う[4]．

a) A.で調製したラット肝ミトコンドリア（100 mgタンパク質/mL）に精製ジギトニン[2]（12 mg/mL H液）を同量加え，10分間撹拌する．
b) 反応液に3倍容量の7.5倍に希釈したH液を加えて反応を止める．
c) 10,000×gで10分間遠心分離する．
d) 沈殿を7.5倍に希釈したH液に懸濁し，もとの半分の容量とする．
e) 10,000×gで10分間遠心分離する．
f) 沈殿を最小量の7.5倍に希釈したH液に懸濁し，マイトプラスト標品として用いる．
g) 得られたマイトプラスト標品を低pH（pH 6.5）のH液で懸濁する（0.4 mgタンパク質/mL）．
h) これにカルシウム溶液を同量加えて混合する．
i) この懸濁液（2 mL）をあらかじめ3,4個のカバーグラスを入れたシャーレ（Falcon 1006, NJ, U.S.A., 60×15mm）に入れ，37℃で30分間インキュベートする．
j) シャーレ中の溶液をパッチクランプ用溶液と交換することによって反応を止める．

●文 献

1) Williams, N., Amzel, L. H., Pedersen, P.L. : *Anal. Biochem.*, **140**, 581–588 (1984)
2) Higuti, T., Arakaki, R., Kotera, Y., *et al.*: *Biochim. Biophys. Acta*, **725**, 1–9 (1983)
3) Chazotte, B., Wu, E. S., Hochli, M., Hackenbrock, C. R. : *Biochim. Biophys. Acta*, **818**, 87–95 (1985)
4) Inoue, I., Nagase, H., Kishi, K., Higuti, T. : *Nature*, **352**, 244–247 (1991)

ρ^0細胞の作製法

米田 誠

1. 材料, 資料, 器具

材料:骨肉腫培養細胞(143B.TK-), Dullbecco's modified Eagle's medium (DMEM):4.5 g/L の高グルコース含有.

ウリジン:10 mg/mL 保存液(滅菌蒸留水で溶解後,フィルターで濾過,-20℃保存).

ピルビン酸:100 mM 保存液(滅菌蒸留水で溶解後,フィルターで濾過,-20℃保存).

臭化エチジウム(EtBr):10 mg/mL 保存液(滅菌蒸留水で溶解後,フィルターで濾過,4℃保存).

透析処理ウシ胎仔血清(FBS):FBSを透析チューブ(分子量3500以下をカットオフ)を用い,0.137 M NaCl, 5 mM KCl, 25 mM Tris-HCl, pH 7.5 の透析液中で4℃,10〜12時間透析し,-80℃で保存.

器具:10 cm 径ディッシュ

2. 方法

a) 骨肉腫培養細胞(143B.TK-)を,$1\sim2\times10^6$ の細胞密度でDMEM(4.5 g/L の高グルコース[*1], 5% 透析処理 FBS[*2], 50 ng/mL BrdU[*3], 1 mM ピルビン酸, 50 μg/mL ウリジン含有)を用い 10 cm 径ディッシュに培養.2〜3日に一度,培溶液を交換.

b) 5〜7日目より,死滅した細胞が浮遊し始める.

c) 数週間から1月間細胞を維持していると増殖するコロニー(ρ^0細胞)が出現し始める.この時点で,ガラスリングを用いてコロニーを単離する.

[*1] 細胞の種類によっては,ρ^0細胞を得るためにより低いグルコース濃度を用いる必要がある.
[*2] 透析が必ずしも必要でない場合もある.
[*3] BrdU(ブロモデオキシウリジン)の最適濃度は細胞株によって幅がある.

サイブリッドの作製法と大量培養法

安川 武宏・太田 成男

ミトコンドリアに存在するタンパク質のうち，ミトコンドリア DNA（mtDNA）にコードされているのは呼吸鎖酵素複合体のうちのわずか 13 種類のサブユニットタンパク質のみであり，残りはすべて核ゲノムにコードされていて細胞質で合成され，移入されている．このため，たとえミトコンドリア病患者が mtDNA 上に点変異や大欠失などの変異をもっていたとしてもミトコンドリアの機能異常の原因は核遺伝子の変異によるものか，mtDNA の変異によるのかはわからない．これを直接的に検証するためには患者 mtDNA と正常の核をもつ細胞質融合細胞（サイブリッド）を作製する必要がある．患者は一般に変異 mtDNA と正常 mtDNA が混在する状態（ヘテロプラスミー）であるが，サイブリッドでは変異 mtDNA のみをもつものを作製することができる．このサイブリッドがミトコンドリア機能異常を示せば，患者由来の mtDNA 変異がその原因であることを明確にできる．核は HeLa 細胞由来のものを用いるので増殖能が高く，分裂限界もない．ミトコンドリア tRNA は細胞内に微量にしかないが，mtDNA 上の tRNA 遺伝子内にミトコンドリア病の原因点変異をもつサイブリッドを大量に培養して変異 tRNA を十分量単離精製することが可能となった．

1. 材料，試薬，器具

材料：ρ^0HeLa 細胞：HeLa 細胞を RNA ポリメラーゼ阻害剤である臭化エチジウム（EtBr）で処理することにより，mtDNA の複製を阻害して完全に欠失させた細胞．

患者由来の細胞：生検で得られる線維芽細胞や筋肉細胞．

試薬：細胞培養液：Dulbecco's modified Eagle's medium : Nutrient Mixture F-12（D-MEM/F12）にウシ胎仔血清（FBS）を 10% 加えた溶液（ペニシリン 100 unit/mL，ストレプトマイシン 100 μg/mL を含む）．

サイブリッド選択培地：RPMI1640（D-グルコース不含，L-グルタミン含）に 1 g/L の D-ガラクトースと，1 g/L の 8-アザグアニンを加えたもの（10% FBS，100 unit/mL ペニシリン，100 μg/mL ストレプトマイシンを含む）．

Hanks' 緩衝液

トリプシン-EDTA 溶液（0.005% トリプシン，0.53 mM EDTA）

サイトカラシン B（1 mg/mL）：1 mg の凍結乾燥品を DMSO（ジメチルスルホキシド）1 mL で溶解．

Hoechist 33342（1 mg/mL）：1 mg を H_2O 1 mL に溶解．

ポリエチレングリコール液：ポリエチレングリコール 4000 を 5 g と H_2O を 5 mL 混合して

オートクレーブする．冷めてから500 μLのDMSOを加えてよく混ぜる．
器具：CO_2インキュベーター，培養チューブ，ペトリディッシュ（半径90または150 mm），96穴プレート，15 mL遠心チューブ

2. 方 法（図1）
A. 患者由来線維芽細胞の脱核
a) ミトコンドリア病患者由来の線維芽細胞を培養チューブで3 mLの培養液中で培養し，これに30 μLのサイトカラシンBを加えてアクチンの重合を阻害して脱核しやすくする．同時に，30 μLのHoechst 33342を加え，37℃のCO_2インキュベータ中に30分おく．

b) 蛍光顕微鏡で核の染色を確認して37℃，$23,000 \times g$で15分間遠心して脱核する．培地中には遠心後にチューブ壁から剥がれ落ちた細胞が浮遊してるので別のチューブにとっておく．

c) 培地を除いた後にチューブの壁に付着している細胞を3 mLのHanks' 緩衝液で洗浄後，3 mLのトリプシン溶液を加えてチューブをタッピングしてチューブから剥がし，先にとっておいた培地とあわせる（洗浄に用いたHanks' 緩衝液もあわせる）．蛍光顕微鏡で観察すると核のない細胞（細胞質）が観察される．

d) この液を1400 rpmで10分間遠心して細胞を得る．ペレットとなった脱核された細胞質と一部脱核されなかった細胞の混在物を3 mLの細胞培養液（FBS不含）に懸濁し，ふたたび1400 rpmで10分間遠心して上清を捨て，細胞を氷上に置く．

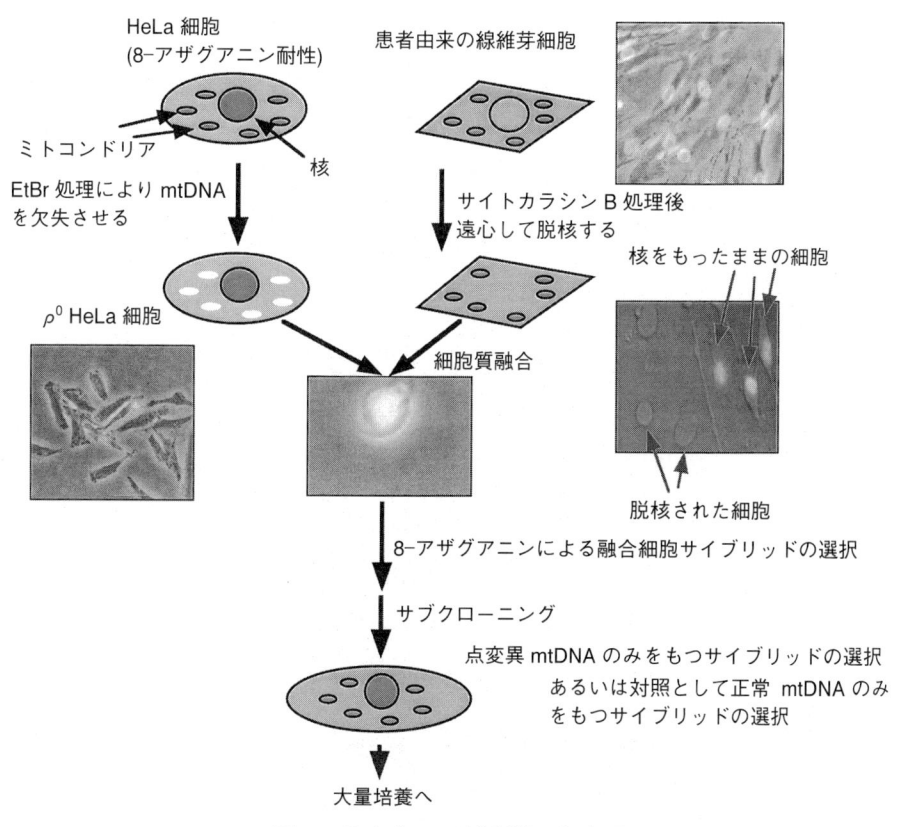

図1 サイブリッド作製法の概念図
Hoechst 33342で核を染色し，蛍光顕微鏡下で撮影．

B. 脱核した患者由来細胞質と ρ^0 HeLa 細胞の融合

a) 90 mm のペトリディッシュに培養した ρ^0 HeLa 細胞を 5 mL の Hanks' 緩衝液で洗浄し，3 mL のトリプシン溶液を加えてディッシュから剥がし（トリプシン処理），11 mL の培養液（FCS 不含）を加えて懸濁する．その 4 mL をチューブに移して 1400 rpm で 10 分間遠心し，10 mL の培養液（FCS 不含）で細胞を再懸濁する．

b) 懸濁した ρ^0 HeLa 細胞 10 mL を患者由来細胞質のペレットに加えて懸濁した後 1400 rpm で 6 分間遠心し（両方の細胞は血清を含まない培地で 2 回洗ったことになる），注意深く上清を捨て，再度軽く遠心した後に完全に培地を除く．チューブの底をタッピングしてペレットをゆるめる．核がある ρ^0 HeLa 細胞は重いので下にたまり，患者由来の細胞質は軽く上にたまるので，これらを混合する．

c) ポリエチレングリコール液を 4 滴/10 秒の割合で加え，チューブの底を試験管立てなどの凹凸表面で強く擦って混合する．30 秒間かけて 0.25 mL を加えて混合する．細胞質の融合なのでこれをサイブリッドとよぶ．

d) 室温に 30 秒間放置し，10 mL の細胞培養液（FCS 不含）を静かに加えて軽く揺すり 10 分間静置する．これに 30 mL の細胞培養液を加えて穏やかに混合し，10 mL を 90 mm のペトリディッシュに移して CO_2 インキュベーターで一晩培養する．

C. サイブリッドのサブクローニング

患者の mtDNA はたいていヘテロプラスミーであり，変異 mtDNA の割合は細胞ごとにばらつきがあるので，上の段階ではサイブリッドの mtDNA はヘテロプラスミーであり，そのサイブリッドはいろいろな割合で変異 mtDNA もっている．そこで，サブクローニングを行い，変異 mtDNA の割合が 100%，50%，0% など，さまざまな割合のサイブリッドクローンを得る．

a) 翌日から培地をサイブリッド選択培地に変え，サイブリッドの選択的培養を行う．脱核されずに残っている患者由来の細胞やこれが ρ^0 HeLa 細胞と核融合したハイブリッドは 8-アザグアニン耐性でないので，この培地下では生きられない．また，ガラクトースが唯一の糖源なので，解糖系しかもたない ρ^0 HeLa 細胞は生育できず，サイブリッドのみが生育できる．以後 2 日おきに培地を新しくするが，グルコース不含培地で長く培養し過ぎると，野生型 mtDNA の割合が高くなったりそのサイブリッドがよく増殖したりするので，途中からサイブリッド選択培地に細胞培養液を 1/100，1/50，1/10，1/2 の量で徐々に加えていき，約 2 週間後には細胞培養液で培養する．

b) 90 mm のペトリディッシュに培養されたサイブリッドをトリプシン処理により懸濁し，培地中の細胞数を計測する．10 cell/mL になるよう，細胞を培養液で希釈して 0.1 mL ずつ 96 穴プレートに分注する（1 穴に 1 cell）．

c) 10～14 日後にコロニーがはっきりと確認されるので，1 コロニー/1 穴であるものを選択し，底面に 7 割程度増殖したところでトリプシン処理して 24 穴プレートに継代する．その一部の細胞を回収し，点変異なら DNA を抽出して PCR と制限酵素処理を組み合わせた方法でサイブリッド中の mtDNA の変異率を調べる．このようにして目的の変異率のクローンを得る．

D. サイブリッドの大量培養

とくに普通の培養と変わるところはない．ここでは 150 mm のペトリディッシュを用いた．CO_2 インキュベーターは，1 度に 100～200 枚の 150 mm ペトリディッシュが納まるくらいの大きさのものがよい．継代培養していくときは over growth にならないように気をつけ，mtDNA の変異などが継代培養中に変化していないかを随時確認しながら培養する．

ミトコンドリア DNA の分離法

平安 一成

1. 材料, 試薬, 器具

材料：buffy coat などの白血球画分（沈渣），培養細胞（沈渣）．あるいは，白血球，培養細胞，組織片から得られるミトコンドリア画分（沈渣）

試薬：A 液：10 mM Tris-HCl（pH 8.0），10 mM EDTA，0.15 M 塩化ナトリウム

B 液：0.36 M 水酸化ナトリウム，2.0% SDS（ドデシル硫酸ナトリウム）

C 液：3.0 M 酢酸カリウム（pH 5.6）

D 液：7.62 M ヨウ化ナトリウム，40 mM Tris-HCl（pH 8.0），20 mM EDTA，50 μg/mL グリコーゲン

E 液：10 mM Tris-HCl（pH 8.0），1 mM EDTA

その他：イソプロピルアルコール，70% エタノール，RNase

器具：1.5 mL ポリプロピレン製テストチューブ，20〜200 μL マイクロピペット，200〜1000 μL マイクロピペット，Vortex ミキサー，冷却式微量高速遠心機，減圧乾燥器，37℃ インキュベーター

2. 方 法（図 1）

a) 試料（沈渣）に 50 μL の A 液を加え，チューブをタッピングして懸濁する．

b) 100 μL の B 液を加え，Vortex ミキサーで 2〜3 回軽く混合した後，5 分間氷中に置く．

c) 75 μL の氷冷した C 液を加え，Vortex ミキサーで混合した後，5 分間氷中に置く．

d) 12,000×g で 5 分間（4℃）遠心し，上清（約 200 μL）を新しいチューブに移す．

e) 300 μL の D 液を加えて混合する．

f) 500 μL のイソプロピルアルコールを加えて混合する．

g) 12,000×g で 10 分間（室温）遠心し，上清を取り除く．

h) 1 mL の 70% エタノールを加えて撹拌混合する．

i) 12,000×g で 5 分間（室温）遠心し，上清を取り除く．

j) 沈渣を減圧乾燥させた後，200 μL の E 液に懸濁する．

k) 最終濃度 10 μg/mL になるように 1〜2 μL の RNase を加え，室温（または 37℃）で 1 時間，RNA 分解処理を行う．

l) ステップ e)〜i) を繰り返す．

m) 再度，1 mL の 70% エタノールを加えて撹拌混合する．

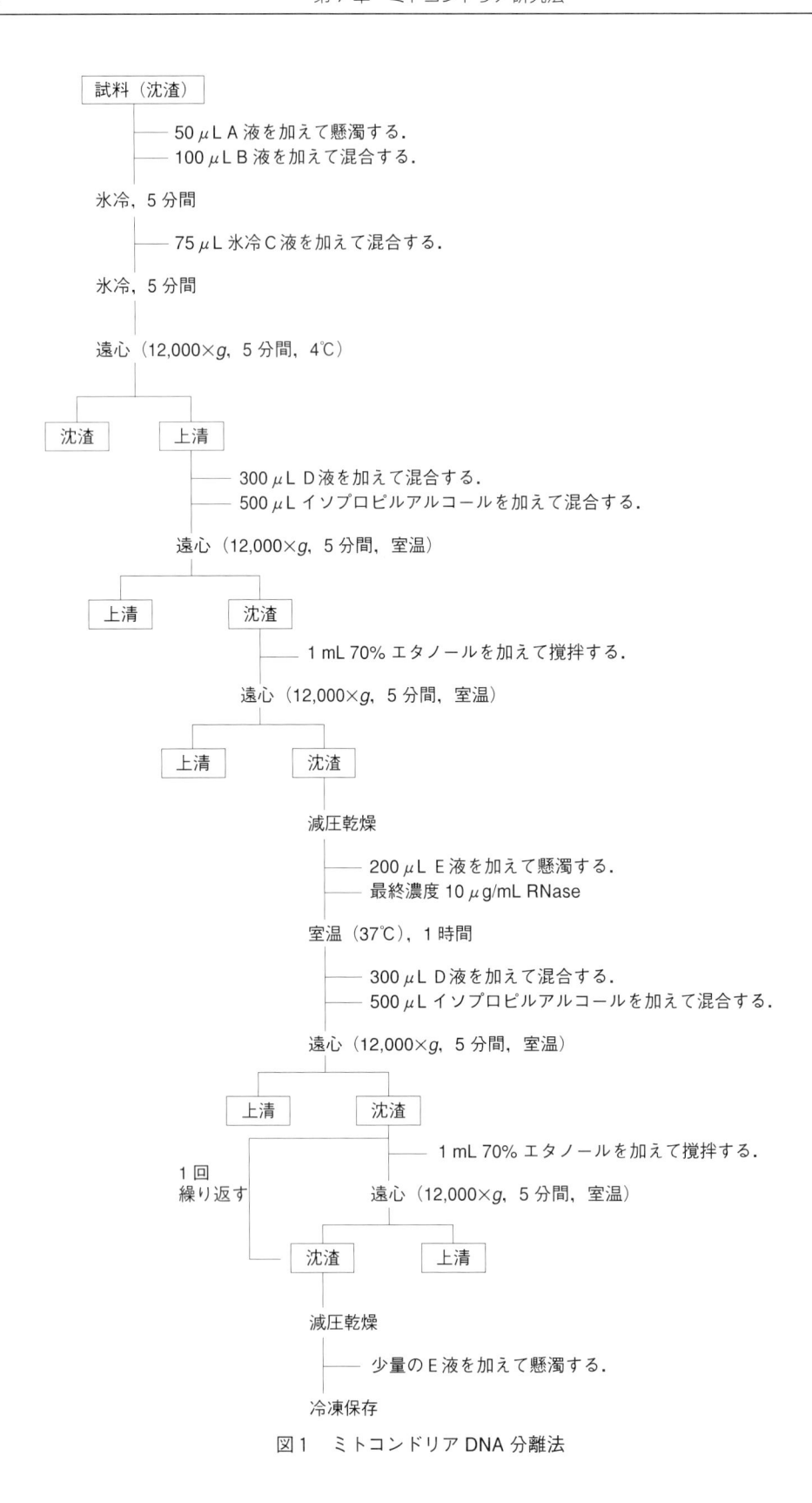

```
試料（沈渣）
  ├─ 50 μL A液を加えて懸濁する．
  ├─ 100 μL B液を加えて混合する．
氷冷，5分間
  ├─ 75 μL 氷冷C液を加えて混合する．
氷冷，5分間
遠心（12,000×g, 5分間, 4℃）
  ├─ 沈渣
  └─ 上清
       ├─ 300 μL D液を加えて混合する．
       ├─ 500 μL イソプロピルアルコールを加えて混合する．
      遠心（12,000×g, 5分間, 室温）
       ├─ 上清
       └─ 沈渣
            ├─ 1 mL 70%エタノールを加えて撹拌する．
           遠心（12,000×g, 5分間, 室温）
            ├─ 上清
            └─ 沈渣
                 減圧乾燥
                  ├─ 200 μL E液を加えて懸濁する．
                  ├─ 最終濃度 10 μg/mL RNase
                 室温（37℃），1時間
                  ├─ 300 μL D液を加えて混合する．
                  ├─ 500 μL イソプロピルアルコールを加えて混合する．
                 遠心（12,000×g, 5分間, 室温）
                  ├─ 上清
                  └─ 沈渣
         1回          ├─ 1 mL 70%エタノールを加えて撹拌する．
         繰り返す    遠心（12,000×g, 5分間, 室温）
                       ├─ 沈渣
                       └─ 上清
                      減圧乾燥
                       ├─ 少量のE液を加えて懸濁する．
                      冷凍保存
```

図1　ミトコンドリアDNA分離法

n) 12,000×g で5分間（室温）遠心し、上清を取り除く．
o) 沈渣を減圧乾燥させた後，少量のE液に懸濁し，−20℃で冷凍保存する．

　通常，1～5 mLのヒト血液，あるいは10^6～10^7個の培養細胞，50～250 mgの組織片から，アガロースゲル電気泳動で検出できる程度のmtDNAが取得できる．細胞から直接取得する方法では若干の細胞核DNAの混入が認められるが，ミトコンドリア画分から始めると純度の高いmtDNAが取得できる．

　mtDNA抽出専用試薬として，mtDNAエキストラクターWBキット（血液対象），mtDNAエキストラクターCTキット（組織対象）が和光純薬工業（株）から市販されている．

ミトコンドリア DNA 酸化産物の検出法

川西 正祐・井上 純子

ミトコンドリア DNA 中の 8-ヒドロキシデオキシグアノシン（8-OHdG）の検出法を示す．

A. 筆者らの方法
1. 試 薬
1 M 酢酸ナトリウム緩衝液（pH 4.8），ヌクレアーゼ P_1，1 M Tris-HCl 緩衝液（pH 7.5），大腸菌アルカリホスファターゼ，8-OHdG 標準液，デオキシグアノシン（dG）標準液

2. 方 法（図1）
a) 抽出したミトコンドリア DNA（5〜10 μg）を純水 50 μL に溶かす．
b) 95℃で5分間加熱後氷水で急冷する．
c) 2 μL の 1 M 酢酸ナトリウム緩衝液（pH 4.8）および 0.1 U のヌクレアーゼ P_1 を加え，37℃で 60 分反応させる．

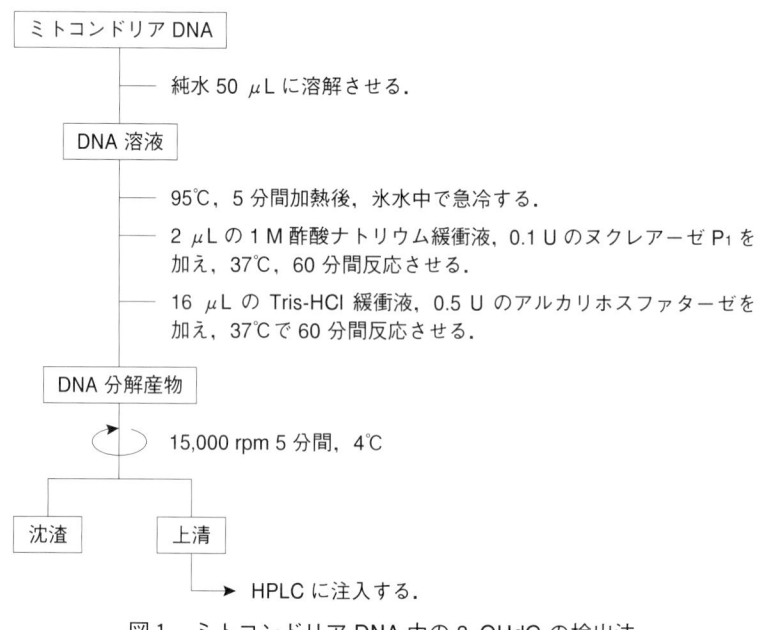

```
┌──────────────────┐
│ ミトコンドリア DNA │
└──────────────────┘
        │── 純水 50 μL に溶解させる．
┌──────────┐
│ DNA 溶液 │
└──────────┘
        │── 95℃，5分間加熱後，氷水中で急冷する．
        │── 2 μL の 1 M 酢酸ナトリウム緩衝液，0.1 U のヌクレアーゼ $P_1$ を
        │   加え，37℃，60 分間反応させる．
        │── 16 μL の Tris-HCl 緩衝液，0.5 U のアルカリホスファターゼを
        │   加え，37℃で 60 分間反応させる．
┌───────────────┐
│ DNA 分解産物  │
└───────────────┘
        │○ 15,000 rpm 5 分間，4℃
   ┌────┴────┐
┌──────┐ ┌──────┐
│ 沈渣 │ │ 上清 │
└──────┘ └──────┘
              └──→ HPLC に注入する．
```

図1 ミトコンドリア DNA 中の 8-OHdG の検出法

d) 16 μL の 1 M Tris-HCl 緩衝液（pH 7.5）および 0.5 U の大腸菌アルカリホスファターゼを加え，37℃で 60 分反応させる．
e) 分解物を 4℃，15,000 rpm で 5 分間遠心分離後，上清を速やかに ECD-HPLC に注入して 8-OHdG を分析する．

［HPLC 条件］ポンプ：Shimadzu LC10AD，カラム：TOSOH TSK-GEL ODS-80TS（4.4 mm×15 cm），溶出液：10 mM NaH_2PO_4，8% メタノール，流速：1 mL/min，ECD：ESA，Coulochem Model 5200，高感度セル（Model 5011, detectorI：0.1 V, detectorII：0.3 V），ガードセル：0.35 V

f) ECD により 8-OHdG，UV により dG の量を標準液のピーク高と比して計算し，8-OHdG/10^5 dG の値を求める．

B. 別法[1]（図 2）

1. 試 薬

A 液（10 mM Tris-HCl 緩衝液（pH 7.5），10 mM $MgCl_2$，0.1 mM $CaCl_2$），DNase I，1 M 酢酸ナトリウム緩衝液，ヌクレアーゼ P_1，1 M Tris 溶液，ヘビ毒ホスホジエステラーゼ，大腸菌アルカリホスファターゼ

2. 方 法

a) 5～10 μg のミトコンドリア DNA を 150 μL の A 液に溶かし 3 U の DNase I を加えて 37℃で 30 分反応させる．
b) 4.8 μL の 1 M 酢酸ナトリウム緩衝液および 0.9 U のヌクレアーゼ P_1 を加えて 37℃で 60 分反応させる．

```
ミトコンドリア DNA（5～10 μg）
    │── 150 μL の A 液に溶かす．
DNA 溶液
    │── 3 U の DNase I を加えて 37℃で 30 分間反応させる．
    │── 4.8 μL の 1 M 酢酸ナトリウム緩衝液および 0.9 U のヌクレアーゼ $P_1$ を加え 37℃で 60 分間反応させる．
    │── 1 M Tris 溶液で pH を 8.0 に調節する．
    │── 0.5 U のホスホジエステラーゼおよび 1.45 U のアルカリホスファターゼを加え，37℃で 60 分間反応させる．
DNA 分解産物
    │ 15,000 rpm，5 分間，4℃
  ┌─┴─┐
 沈渣  上清
        └─→ HPLC に注入する．
```

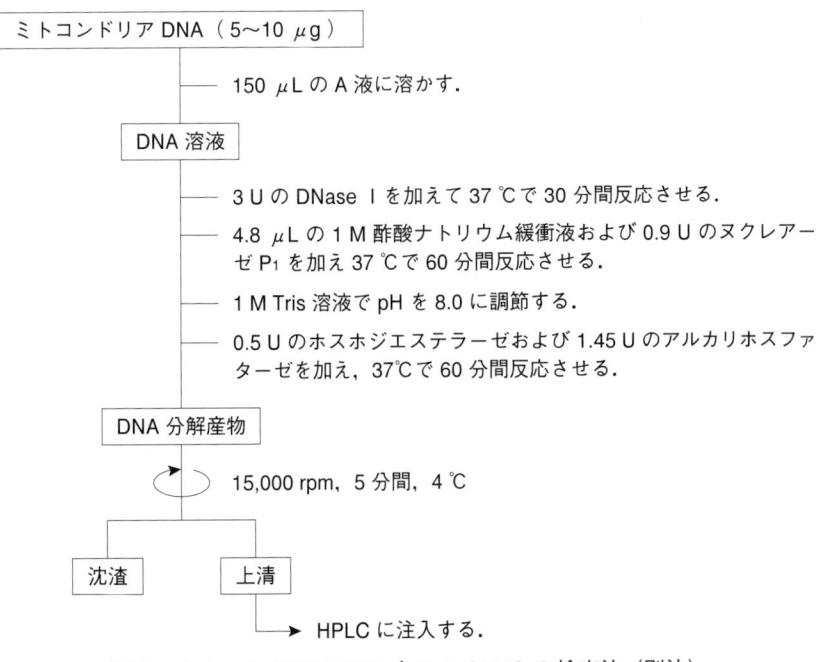

図 2 ミトコンドリア DNA 中の 8-OHdG の検出法（別法）

c) 1M Tris 溶液で pH を 8.0 に合わせた後，0.5 U のヘビ毒ホスホジエステラーゼおよび 1.45 U の大腸菌アルカリホスファターゼを加えて 37℃で 30 分反応させる．

d) ミトコンドリア DNA の分解物は分析に供するまで -20℃で保存する．

[HPLC 条件]：Water Associates model 625 HPLC solvent delivery system，カラム：3 μm Supelco LC-180DB Supelcosil（4.6 mm × 15 cm）（LC-180DB プレカラム付き），溶出液：50 mM KH_2PO_4（pH 5.5），2.5～6.25%メタノール（gradient），流速：1 mL/min.，ECD：ESA，Coulochem Model 5100，高感度セル（Model 5011, detectorI：0.1 V, detectorII：0.4 V）

e) ECD により 8-OHdG，UV により dG の量を標準液のピーク高と比して計算し，8-OHdG/10^5dG の値を求める．

注意：

1. 他の酸化的 DNA 損傷を検出するうえで簡便な方法として，酸による加水分解，トリメチルシリル化後，GC/MS で分析する方法があるが，測定値がかなり高く出ることが指摘されているのでここでは省いた．

2. ミトコンドリア DNA 中 8-OHdG の測定値はアーチファクトの危険性が大きいといわれる．とくに DNA 量が少量であれば誤差は大きくなる．生体試料からの DNA 抽出過程を含めてアーチファクトの値の増加を抑えるためには，

    a) サンプル DNA 量は 5 μg を確保することが望ましい．
    b) 必要な場合（酵素反応など）以外は温度を低く保つ．
    c) 必要な場合（酵素反応など）以外は操作の時間をできるだけ短くする．
    d) 空気または酸素にできるだけさらさない．
    e) 微量金属の影響を防ぐ．（緩衝液などを Chelex resin で前処理する．デスフェリオキサミンなど有効なキレート剤を使う．）

    などが提唱されている．

● 文　献

1) Higuchi, Y., Linn, S. : *J. Biol. Chem.*, **270**, 7950-7956 (1995)

ミトコンドリアの活性酸素産生測定法

竹重 公一朗・甲斐 陽一郎

A. ミトコンドリアによる $O_2^{\cdot-}$ 生成の測定

ミトコンドリア電子伝達系の複合体Ⅰおよび Ⅲ から $O_2^{\cdot-}$ が発生する．スーパーオキシドジスムターゼ（SOD）感受性シトクロム c 還元で測定するのが一般的である．ミトコンドリアはシトクロム c を還元する電子伝達系をもつので，化学修飾したアセチル化シトクロム c を作製し，電子伝達系による直接的還元を阻害する必要がある．アセチル化により，電子伝達系による直接的還元は 90% 以上阻害される．

1. 材料，試薬，器具

材料：ミトコンドリア亜粒子．ミトコンドリアマトリックスは Mn-SOD を含んでいるので，ミトコンドリア亜粒子を用いる．

試薬：アセチル化シトクロム c：室温飽和酢酸ナトリウム 2.5 mL と水 2.5 mL を混和した後，4 ℃で粉末 50 mg ウマ心シトクロム c（Sigma 社）を加えて撹拌しながら溶かす．次に，64 μL 無水酢酸をゆっくり撹拌しながら加え，60 分間反応させる．反応後，4 L 水に対して透析し，-20 ℃で保存する．作製したアセチル化シトクロム c の濃度は，100 mM HEPES-NaOH（pH 7.5）で適当に希釈した後，少量の粉末ジチオナイト（$Na_2S_2O_4$）を加えて還元し，550 nm の吸光度変化により測定する．

スーパーオキシドジスムターゼ（Cu, Zn-SOD）（1 mg/mL 10 mM リン酸緩衝液；Sigma 社）

器具：分光光度計

2. 方 法

a) 分光光度計用キュベットに，50 mM HEPES-NaOH（pH 7.5），0.25 M スクロース，60 μM アセチル化シトクロム c，電子伝達系阻害剤（0.5 μM ロテノンや 0.5 μM アンチマイシン A）および約 0.5 mg/mL ミトコンドリア亜粒子を入れる．

b) 37 ℃で 5 分間放置する．

c) 200 μM NADH または 10 mM コハク酸を加えて反応を開始し，アセチル化シトクロム c の還元を経時的に測定する．

d) 適当な時に，10 μg/mL SOD を加えて反応を停止する．

e) SOD 感受性アセチル化シトクロム c 還元から $O_2^{\cdot-}$ 生成量を算出する（ウシ心筋ミトコンドリ

ア亜粒子の場合，約 5〜10 nmol/min/mg タンパク質の $O_2^{\cdot -}$ が産生する）．

B. ミトコンドリアによる H_2O_2 生成の測定

ミトコンドリアによる H_2O_2 生成は，生成した $O_2^{\cdot -}$ から2次的にできると考えられている．測定法として次の2つがよく用いられている．

(1) 酵母シトクロム c ペルオキシダーゼ法：これはペルオキシダーゼ-H_2O_2 複合体の形成を分光学的に測定する方法である[1]．
(2) スコポレチン法：本法は，蛍光をもつスコポレチンが，生成した H_2O_2 と加えたペルオキシダーゼにより酸化されて非蛍光物質になるのを蛍光分光光度計を用いて測定する方法である．酵母シトクロム c ペルオキシダーゼは市販されていないので，ここでは容易に入手可能なスコポレチンを用いた方法について述べる．ただし，スコポレチン法は励起および蛍光波長が NADH のそれらと重なるため，NADH を電子供与体としては使えない．また，あらかじめ既知量の H_2O_2 で検量線を作成する必要がある．

1. 材料，試薬，器具

材料：ミトコンドリアまたはミトコンドリア亜粒子
試薬：スコポレチン（エタノールで溶解）．西洋ワサビペルオキシダーゼ（Sigma 社）
器具：蛍光分光光度計

2. 方　法

a) 蛍光分光光度計用のキュベットに，30 mM Tris-MOPS（3-モルフォリノプロパンスルホン酸）（pH 7.4），0.23 M マンニトール，70 mM スクロース，1 μM 西洋ワサビペルオキシダーゼ，2 mg/mL ミトコンドリア，1 μM スコポレチン，1 μM アンチマイシン A を入れよく混ぜる．
b) 37℃で5分間放置する．
c) 蛍光の経時的測定を開始する（励起光 365 nm，蛍光 450 nm）．
d) 10 mM コハク酸を加え反応を開始し，蛍光強度の変化を測定する．
e) 作成した検量線を用いて H_2O_2 の生成量を算出する．

●文　献

[1] Boveris, A. : Method in Enzymology, vol.105, pp.429-435, Academic Press, New York (1984)

細胞内および単離ミトコンドリアの膜電位測定

小渕 浩嗣

　ミトコンドリアの膜電位は，内膜の電子伝達系によるプロトンのくみ出しや他のイオンチャンネルで生じる全イオンの濃度勾配よりなっている．外膜はイオン透過性が高いことから，その電位差は内膜をはさんだ内（マトリックス側）と外（細胞質側）で生じ，通常はマトリックス側が負に荷電している．脂溶性カチオンの蛍光色素は荷電に応じて移動するため，単離ミトコンドリアだけでなく，細胞内のミトコンドリアに対しても膜電位測定のプローブとして頻用される．しかし，細胞に用いる場合は生体膜の膜電位変化による影響を考慮する必要がある．JC-1は，細胞に用いた場合でもミトコンドリアの膜電位変化に対して利用可能である[1]．単離ミトコンドリアにおいては，diS-C$_3$-(5) およびテトラフェニルホスホニウムカチオン（TPP$^+$）を用いた TPP$^+$電極による測定法を示す．

A. 細胞内ミトコンドリアの膜電位測定法（図1）

1. 材料，試薬，器具

材料：培養細胞
試薬：PBS（リン酸緩衝化生理食塩水）：JC-1（Molecular Probes 社）をジメチルスルホキシドで 1 mg/mL に溶解し，保存液とする．
　　　　トリプシン溶液：0.05%トリプシン/0.1 mM EDTA を含む PBS 溶液
機器・器具：フローサイトメーター（Becton-Dickinson 社），15 mL ポリスチレン製遠心チューブ，フローサイトメーター用チューブ（FALCON 2052）

2. 方法

a) 細胞を適切な濃度（～1×10^6 cells/検体）に調整し培養する．
b) 刺激物を添加し，細胞を処理する．
c) 全細胞を回収する（付着細胞の場合は，トリプシン溶液などを用いて回収する）．
d) 細胞を PBS で洗浄する．
e) あらかじめ PBS で希釈した JC-1 溶液（5 μg/mL，用時調製）1 mL にて細胞を懸濁後，遮光して 37℃で 15 分間静置する．
f) 遠心後，沈渣を PBS で再懸濁し，フローサイトメーター用のチューブに移す．
g) フローサイトメーターにて解析する．

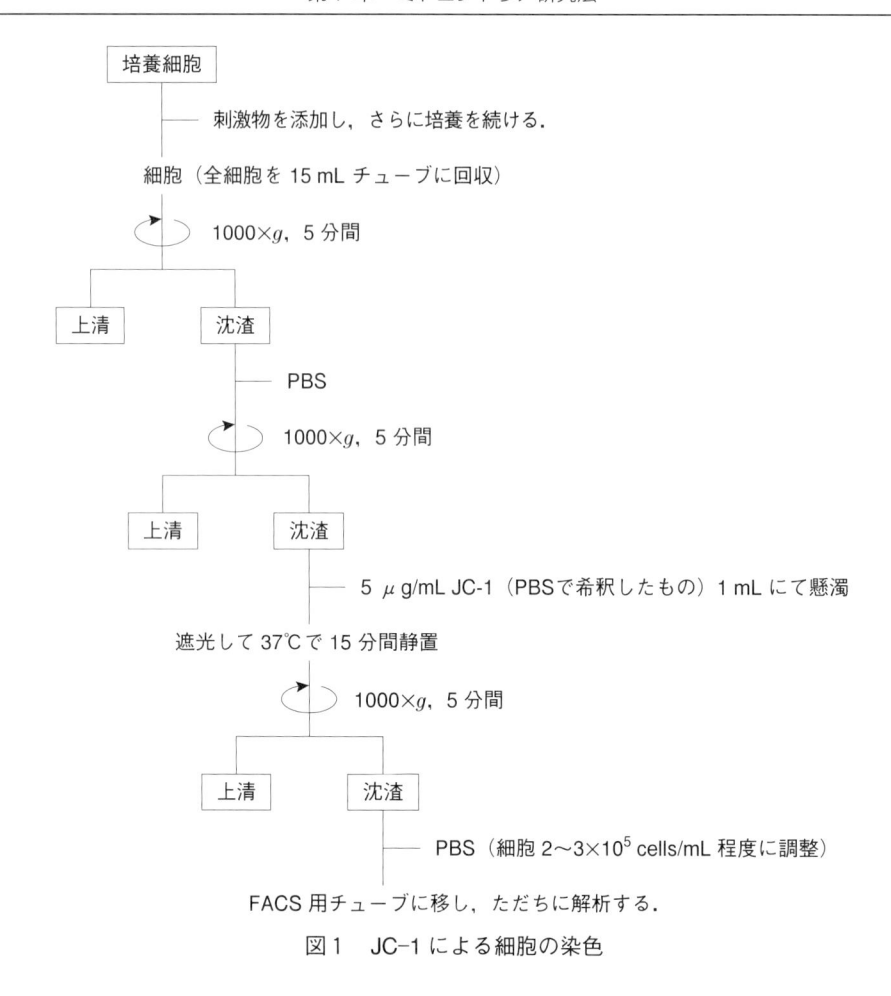

```
                    ┌──────────┐
                    │ 培養細胞 │
                    └─────┬────┘
                          │── 刺激物を添加し,さらに培養を続ける.
                 細胞(全細胞を 15 mL チューブに回収)
                          │
                         (↻) 1000×g, 5 分間
                      ┌───┴───┐
                  ┌───┴──┐ ┌──┴──┐
                  │ 上清 │ │沈渣 │
                  └──────┘ └──┬──┘
                              │── PBS
                             (↻) 1000×g, 5 分間
                          ┌───┴───┐
                      ┌───┴──┐ ┌──┴──┐
                      │ 上清 │ │沈渣 │
                      └──────┘ └──┬──┘
                                  │── 5 μg/mL JC-1(PBSで希釈したもの)1 mL にて懸濁
               遮光して 37℃ で 15 分間静置
                                 (↻) 1000×g, 5 分間
                              ┌───┴───┐
                          ┌───┴──┐ ┌──┴──┐
                          │ 上清 │ │沈渣 │
                          └──────┘ └──┬──┘
                                      │── PBS(細胞 2〜3×10⁵ cells/mL 程度に調整)
                        FACS 用チューブに移し,ただちに解析する.
```

図 1　JC-1 による細胞の染色

注意:① JC-1 は水溶液中で集塊をつくりやすいので,PBS 希釈液を調製する際はピペッティングなどで集塊をつくらせない工夫をする.② JC-1 は高い膜電位下では集合体を形成し,488 nm の励起光により 590 nm(FL2)付近の赤色蛍光を発する(図 2 A).逆に,低い膜電位下では単量体で存在し,530 nm(FL1)付近の緑色蛍光が強くなる(図 2 B).③ 蛍光顕微鏡での観察にも応用できるが,溶液中に残った JC-1 集塊を除去する必要がある.④ JC-1 などの蛍光色素を用いた測定法は,あくまで相対的であり無刺激の細胞と比較して解析する.

B. 単離ミトコンドリアの膜電位測定法

a. diS-C_3-(5) を用いた測定法(図 3 A,図 4)

1. 材料,試薬,器具

材料:ラット肝ミトコンドリア

試薬:diS-C_3-(5)(日本感光色素社,0.1 mg/mL のエタノール溶液を調製)
　　　　反応液(150 mM スクロース,20 mM KCl,5 mM $MgCl_2$),500 mM コハク酸ナトリウム,200 mM リン酸ナトリウム(pH 7.4)(リン酸一ナトリウムとリン酸二ナトリウムより調製)

機器・器具:蛍光光度計(測定キュベット内の撹拌,温度調節可能なもの),蛍光用キュベット,回転子

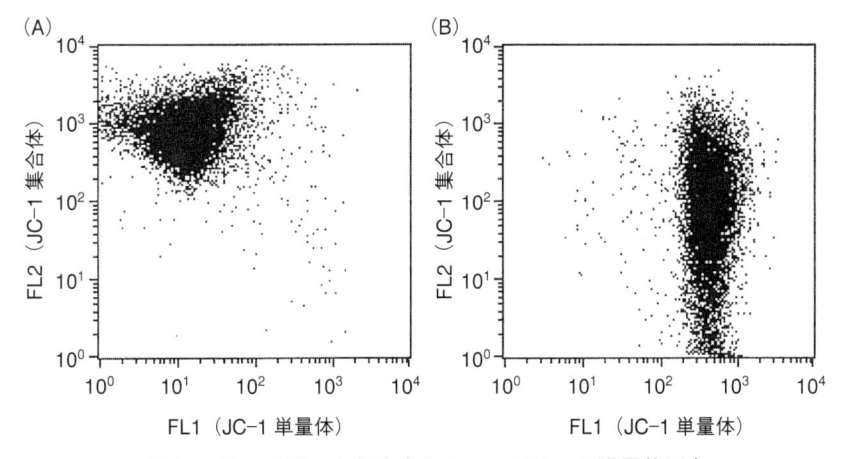

図2　JC-1を用いた細胞内ミトコンドリアの膜電位測定
(A) J774マクロファージ（無処理），(B) J774マクロファージ（FCCP 25 μM，30分処理）
FCCP：カルボニルシアニドトリフルオロメトキシフェニルヒドラゾン

(A) diS-C_3-(5)による測定法
蛍光用キュベット
― 反応液 2 mL 25℃
― 蛍光強度変化の記録開始
― ミトコンドリア（最終濃度 30〜100 μg タンパク質/mL）
― diS-C_3-(5)（最終濃度 0.1 μg/mL）
― リン酸ナトリウム（最終濃度 2 mM）を添加
― コハク酸ナトリウム（最終濃度 5 mM）を添加
― 刺激物を添加後，10分程度記録する

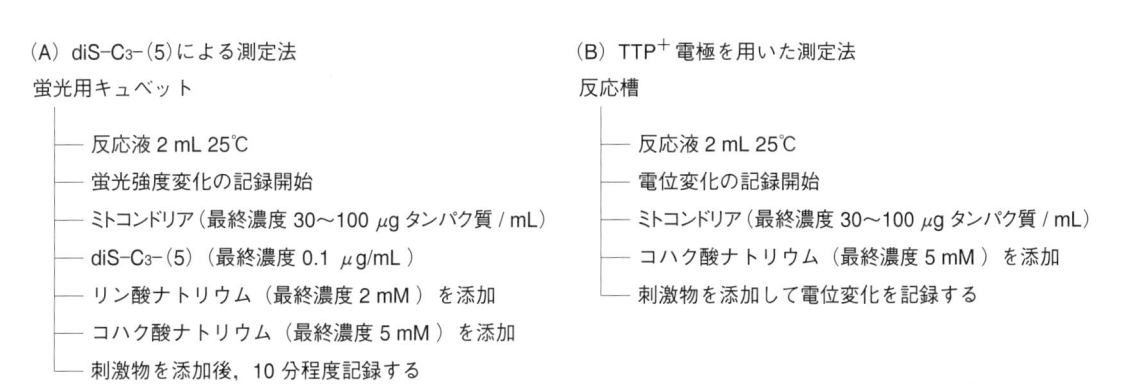

(B) TPP^+電極を用いた測定法
反応槽
― 反応液 2 mL 25℃
― 電位変化の記録開始
― ミトコンドリア（最終濃度 30〜100 μg タンパク質/mL）
― コハク酸ナトリウム（最終濃度 5 mM）を添加
― 刺激物を添加して電位変化を記録する

図3　単離ミトコンドリアの膜電位測定

2. 方法

a) 反応液，キュベットホルダーを25℃に保つ．
b) 励起光 622 nm，蛍光 670 nm における蛍光強度変化の記録を開始する．
c) 反応液にミトコンドリア（最終濃度 30〜100 μg タンパク質/mL）を添加する．
d) diS-C_3-(5)（最終濃度 0.1 μg/mL）を添加する．
e) リン酸ナトリウム（最終濃度 2 mM）を添加する．
f) コハク酸ナトリウム（最終濃度 5 mM）を添加する．
g) 安定したベースラインが得られた後，刺激物を添加する．

b. TPP^+電極法（図3B，図5）
TPP^+電極の作製（Kamoらの方法[3]）

1. 材料，試薬，器具

材料：60 cm^2 ガラスシャーレ，塩化ビニル管（直径 0.5 cm，長さ 8 cm），銀-塩化銀電極
試薬：テトラフェニルホスホニウムクロリド，ポリ塩化ビニル，テトラヒドロフラン，テトラフェニルホウ酸Na塩，ジオクチルフタレート（これらはすべてWako社）

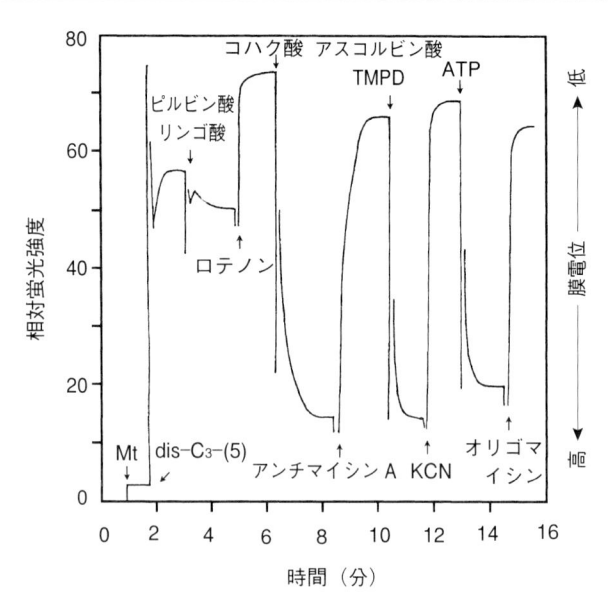

図4 diS-C$_3$-(5)を用いた単離ミトコンドリアの膜電位測定(文献2)より改変)
5 mM ピルビン酸, 1 mM リンゴ酸, 5 μM ロテノン, 5 mM コハク酸ナトリウム, 3 mg/mL アンチマイシン A, 2.5 mM アスコルビン酸, 0.25 mM TMPD, 1 mM KCN, 150 μM ATP, 150 ng/mL オリゴマイシン, Mt：ラット肝ミトコンドリア, TMPD：テトラメチルフェニレンジアミン.
膜電位が低下すると, ミトコンドリアからdiS-C$_3$-(5)が漏出し, 蛍光強度が増大する.

器具：pHメーター(電位計としての機能を備えたもの), レコーダー

2. 方 法

a) ポリ塩化ビニルの5%(w/v)溶液をテトラヒドロフラン(THF)にて調製する(A液).
b) テトラフェニルホウ酸(イオン交換体)の10 mM溶液をTHFにて調製する(B液).
c) A液10 mLとB液3 mLの混合液にジオクチルフタレートを1.5 mL添加して混合(C液).
d) C液全量を60 cm^2 ガラスシャーレに広げ室温で溶剤を蒸発させ, 薄膜(0.15～0.2 mm)を作製する.
e) 塩化ビニル管の一端にd)で作製した薄膜をTHFで接着させる.
f) 塩化ビニル管に10 mMテトラフェニルホスホニウムクロリド(TPP$^+$Cl$^-$)溶液を入れ, 銀-塩化銀電極を挿入, 固定してTPP$^+$電極とする.
g) TPP$^+$電極の薄膜部を10 mM TPP$^+$Cl$^-$溶液に一晩浸す.
h) TPP$^+$電極とカロメル電極(参照電極)を電位計およびレコーダーに接続し, 電位変化をトレースできるようにする.

C. TPP$^+$電極を用いた測定法

1. 材料, 試薬, 器具

材料：ラット肝ミトコンドリア
試薬：反応液(150 mM スクロース, 20 mM KCl, 5 mM MgCl$_2$, 5 mM リン酸ナトリウム(pH 7.4), 0.01 mM TPP$^+$Cl$^-$), 500 mM コハク酸ナトリウム

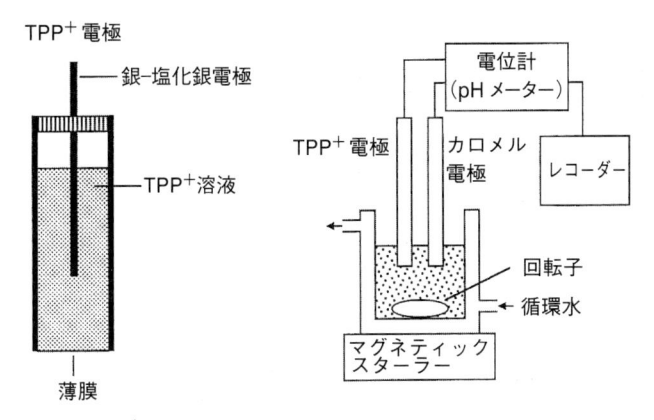

図5 TTP$^+$電極および測定システムの模式図（文献 4）より改変）

機器・器具：TPP$^+$電極，カロメル電極，pH メーター（電位測定が可能なもの），レコーダー，反応槽（スターラーによる撹拌，温度調節が可能なもの）

2. 方法

a) 反応液，反応槽を25℃に保つ．
b) TPP$^+$電極とカロメル電極を反応液中に入れ，電位変化の記録を開始する．
c) ミトコンドリア（最終濃度30～100 μg タンパク質/mL）を添加する．
d) コハク酸ナトリウム（最終濃度5 mM）などの呼吸基質を添加する．
e) 安定したベースラインが得られた後，刺激物などを添加し電極電位値（ΔE）を記録する．

膜電位は，次の式により求められる．

$$\Delta \psi = 2.3 \frac{RT}{F} \log\left(\frac{v}{V}\right) - 2.3 \frac{RT}{F} \log[10^{F\Delta E/2.3RT} - 1]$$

ここでFはファラデー定数，Rは気体定数，Tは絶対温度，Vは反応液の容積，vはミトコンドリアマトリックスの容積，ΔEは電極電位（電極内部と反応液中のTPP$^+$の濃度差より求められる電位）を示す．なお，v値は，1.4 μL/mg タンパク質として計算される[3]．

●文 献

1) Salvioli, S., Ardizzoni, A., Franceschi, C., et al. : FEBS Lett., **411**, 77–82 (1997)
2) Takaki, M., Nakahara, H., Kawatani, Y., et al. : Jpn. J. Physiol., **47**, 87–92 (1997)
3) Kamo, N., Muratsugu, M., Hongoh, R., et al. : J. Membr. Biol., **49**, 105–121 (1979)
4) Kamo, N., Kobatake, Y. : Methods in Enzymology, vol. 125, pp.46–58, Academic Press, New York (1986)

ミトコンドリアの膨潤と MPT の解析法

菅野 智子・石坂 瑠美・内海 耕慥

　ミトコンドリアの膨潤（swelling）には，呼吸や ATP 合成に共役した比較的弱いものと脱共役剤や Pi–Ca^{2+} などによる強い large amplitude swelling とよばれるものがあり，いずれも membrane permeability transition（MPT）やイオン透過に関係して起こる．前者はおもに光散乱変化により，後者は吸光度変化により測定される．ミトコンドリアの膨潤と MPT は，無機リン酸，Ca^{2+}，脂肪酸，チロキシン，Fe^{2+} などにより誘起され，MPT 阻害剤，シクロスポリン A 感受性[*1]により検討できる．MPT の関与するミトコンドリアの膨潤は膜電位低下（7・10 節）が同時にみられる．ここでは，ミトコンドリア膨潤の吸光度変化による測定法を述べる．

1. 材料，試薬，器具

材料：ラット肝ミトコンドリア
試薬：反応液：150 mM KCl，10 mM Tris–HCl（pH 7.4）
　　　　呼吸基質：コハク酸ナトリウムなど
　　　　膨潤を誘起する試薬：Pi–Ca^{2+} など
器具：吸光光度計（測定キュベット内を撹拌，温度調節可能なもの）

2. 方　法（図 1）

a) 反応液，反応槽を 25℃に保つ[*2]．
b) 540 nm の吸光度変化を経時的に記録しながら，
c) 反応液にミトコンドリアを 0.1〜0.5 mg タンパク質/mL になるように加える[*3]．
d) 呼吸基質，膨潤を誘起する試薬などを添加する．

　マイクロプレートリーダーを使用し，上記の 1/5 量の反応液を調製し，ミトコンドリアを加えて 1〜2 分ごとに測定しても同様の結果が得られる．

[*1] はげしく膨潤する条件下では MPT 阻害剤は効きにくい．
[*2] ミトコンドリア機能は 37℃よりも 25℃のほうが安定に保たれる．
[*3] ミトコンドリアを高濃度にすると，膨潤の誘導剤も高濃度必要になるので，適度な条件を検討する．

図1

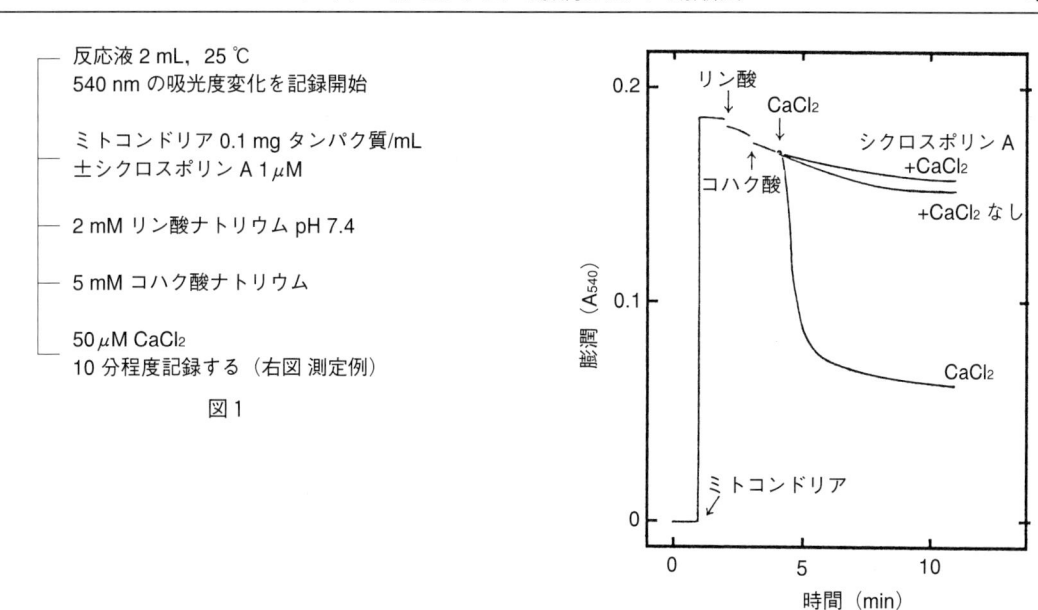

- 反応液 2 mL，25 ℃
  540 nm の吸光度変化を記録開始
- ミトコンドリア 0.1 mg タンパク質/mL
  ±シクロスポリン A 1 μM
- 2 mM リン酸ナトリウム pH 7.4
- 5 mM コハク酸ナトリウム
- 50 μM $CaCl_2$
  10 分程度記録する（右図 測定例）

図2 測定例

この条件で10分インキュベートしたミトコンドリア懸濁液の上清（750×g, 10分間）に1/2量のSDS-PAGE試料緩衝液を加えて100 ℃で5分処理し，SDS-PAGE試料とする．これを20 μL/レーンでSDS-PAGEおよびイムノブロットに供し，シトクロム c 遊離を検出できる（5・2節，図4 A 参照）．

●参考文献

1) Pastorino, J.G., Tafani, M., Rothman, R. J., *et al*: *J. Biol. Chem.*, **274**, 31734-31739 (1999)

電位依存性アニオンチャンネルの解析法

清水 重臣・辻本 賀英

1. 材料，試薬，器具

材料：ラット1匹

試薬：ミトコンドリア採取用緩衝液

VDAC（電位依存性アニオンチャンネル）緩衝液：10 mM Tris-HCl（pH 7.4），1 mM EDTA，3% TritonX-100

リポソーム緩衝液：30 mM Na_2SO_4, 20 mM トリシン-NaOH（pH 7.4）

カラム：ヒドロキシアパタイト，Celite，Cation（monoS），ホスファチジルコリン，液体窒素

器具：ソニケーター，恒温漕，超遠心機，FPLC，シンチレーションカウンター

2. 方法

A. VDACを精製（図1）

本稿ではミトコンドリアからの精製を記すが，大腸菌で発現させた組換え体から作製してもよい．

a) ラット肝からミトコンドリアを採取する．
b) ミトコンドリアを2回凍結-解凍する．
c) 3 mLのVDAC緩衝液に懸濁し，0℃で30分撹拌する．
d) 32,000×gで1時間超遠心し，上清を回収する．
e) ヒドロキシアパタイト：Celite = 10：1のカラム（6 g）に上清を通し，未結合分画を回収する．
f) SDS-PAGEにて夾雑物が確認される場合は，さらにカチオン交換カラム（monoS；1 mL）に通し，未結合分画を回収する．

B. VDACリポソームを作製

本稿ではリポソームを用いる方法を記すが，電気生理学的に解析してもよい．

g) ホスファチジルコリン 100 mgを500 μLのリポソーム緩衝液に懸濁する．
h) 超音波処理を1分7回かける（脂質が透明になる）．
i) 精製したVDAC（50 μg）を脂質200 μLに加え，よく撹拌した後，液体窒素にて急速凍結する（10分）．その後，37℃，30分で解凍，これを2回行う．
j) 最後に音波を10秒4回かける（脂質がふたたび透明になる）．

C. VDACリポソームへのスクロース取込み量の測定

本稿ではアイソトープを用いる方法を記載するが，スクロース取込みによるリポソームの腫化を測定してもよい．

k) VDACリポソーム（20 μL）にリポソーム緩衝液（80 μL）を加えた後，^{14}C-スクロース（5 μL）を添加する．

l) 経時的にサンプルを限外濾過チューブ（分子量2万）に入れ$1.5×10^4$ rpmで30分遠心し，リポソームと緩衝液を分離する．

m) リポソームに取り込まれたスクロースと緩衝液中に残ったスクロースをそれぞれシンチレーションカウンターで測定する．

n) それぞれの比を算出し，これをVDAC活性とする．

注意：上記の各量はおよその目安であり，実験目的により適宜変える．スクロースはリポソームに非特異的に付着するため，VDACリポソームの対照としてmockリポソームあるいは熱処理で不活性化したVDACで作製したリポソームを用いて同時に実験する必要がある．

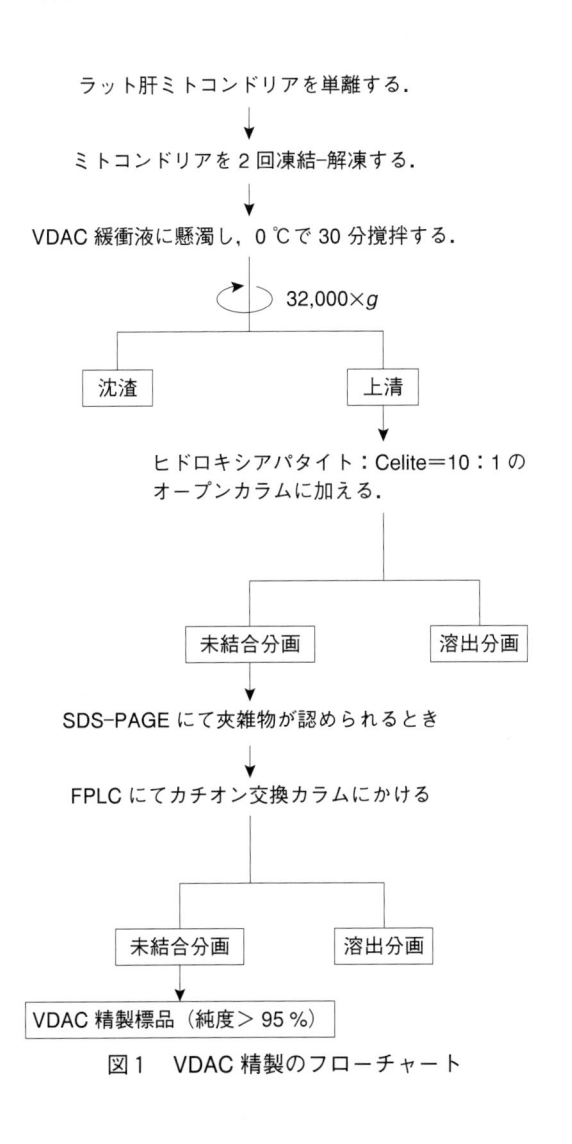

```
ラット肝ミトコンドリアを単離する．
        ↓
ミトコンドリアを2回凍結-解凍する．
        ↓
VDAC緩衝液に懸濁し，0℃で30分撹拌する．
        ↓
     32,000×g
    ┌────┴────┐
  沈渣       上清
             ↓
    ヒドロキシアパタイト：Celite＝10：1の
    オープンカラムに加える．
    ┌────┴────┐
 未結合分画   溶出分画
    ↓
SDS-PAGEにて夾雑物が認められるとき
    ↓
FPLCにてカチオン交換カラムにかける
    ┌────┴────┐
 未結合分画   溶出分画
    ↓
VDAC精製標品（純度＞95%）
```

図1　VDAC精製のフローチャート

細胞質へのシトクロム c 遊離の測定

石坂 瑠美

　ミトコンドリアからのシトクロム c の遊離は，アポトーシスの過程で重要な役割を果たす[1]．ミトコンドリアの membrane permeability transition (MPT)[2]，または外膜に存在するシトクロム c 放出チャンネルの開口[3] により細胞質に遊離したシトクロム c は，dATP の存在下，細胞質に存在する Apaf-1，Apaf-3（カスパーゼ-9）と複合体を形成し，カスパーゼ-9 の活性化を介してカスパーゼ-3 を活性化する[4]．アポトーシスの過程で重要な役割を果たすミトコンドリアからのシトクロム c の遊離は，アポトーシス実験でしばしば測定される[5]．以下にその方法を述べる．

1. 材料，試薬，器具

材料：細胞（アポトーシスを誘導したもの）約 1×10^7 個

試薬：PBS（リン酸緩衝化生理食塩水）：137 mM NaCl，8.1 mM $Na_2HPO_4 \cdot 12 H_2O$，2.68 mM KCl，1.47 mM KH_2PO_4

　　　A液：250 mM スクロース，20 mM HEPES（pH 7.5），10 mM KCl，1.5 mM $MgCl_2$，1 mM EDTA，1 mM EGTA，1 mM DTT（ジチオトレイトール），0.1 mM PMSF（フェニルメチルスルホニルフルオリド）

器具：15 mL コニカルチューブ，1.5 mL マイクロチューブ，ペレットミキサー（ポリプロピレン製，Treff 社），遠心機，冷却マイクロ遠心機（$10,000 \times g$ 遠心可能なもの），超遠心機

2. 方法（図1）

a) アポトーシスを誘導した細胞（約 1×10^7 個）を 15 mL コニカルチューブに回収する．

b) PBS で 2 回洗浄した後，細胞沈渣を 1.5 mL マイクロチューブに回収する．

c) 回収した細胞沈渣を 50 μL の A 液に懸濁する．

d) ポリプロピレン製ペレットミキサーを用い，850 回転で 3 分間ホモジナイズする．（この方法は，HL-60 細胞のような比較的破砕されやすい細胞のための方法であり，使用する細胞によって破砕方法を検討する必要がある．）

e) 冷却マイクロ遠心機で，$750 \times g$，10 分間遠心する．

f) 上清を回収し，これを $10,000 \times g$ で 15 分間遠心する．

g) 得られた沈渣を 50 μL の A 液に懸濁したものをミトコンドリア分画として用いる．

h) 一方，上清を $105,000 \times g$ で 60 分間超遠心し，得られた上清を細胞質分画として用いる．

i) 得られたミトコンドリア分画，細胞質分画のタンパク量をそれぞれ定量する．

```
アポトーシスを誘導した細胞（約 1×10⁷ 個）
    │── 15 mL コニカルチューブに回収する
    │── PBS で 2 回洗浄する
細胞沈渣（1.5 mL マイクロチューブ中）
    │── 50 μL の A 液に懸濁する
    │── ポリプロピレン製ペレットミキサーを用い，
    │   850 回転で 3 分間ホモジナイズする
細胞ホモジネート
    │── 750×g, 10 分間
  ┌─┴─┐
 沈渣  上清
        │── 10,000×g, 15 分間
      ┌─┴─┐
     沈渣  上清
            │── 105,000×g, 60 分間
          ┌─┴─┐
         沈渣  上清
  50 μL の A 液に懸濁する
ミトコンドリア分画    細胞質分画
        └──┬──┘
      各分画について
           ↓
      タンパク質定量
           ↓
     12.5% SDS-PAGE
           ↓
  抗シトクロム c 抗体を用いたイムノブロット
```

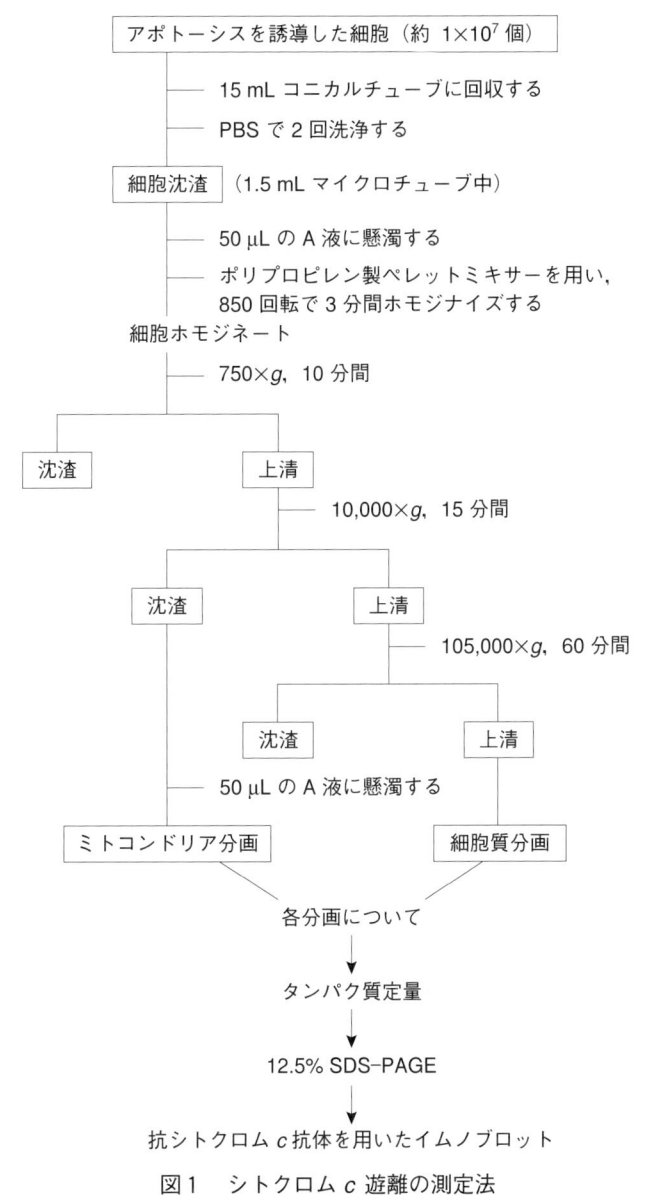

図1　シトクロム c 遊離の測定法

j) SDS化溶液と混合して100℃で5分間加熱する．
k) SDS化試料の一部を12.5% SDS-PAGEに供与する．
l) 抗シトクロム c 抗体を用いたイムノブロットにより，ミトコンドリア分画，および細胞質分画のシトクロム c を検出する．

●文　献

1) Reed, J.C. : *Cell*, **91**, 559-562 (1997)
2) Yang, J.C., Cortopassi, G.A. : *Free Rad. Biol. Med.*, **24**, 624-631 (1998)
3) Shimizu, S., Narita, M., Tsujimoto, Y. : *Nature*, **399**, 483-487 (1999)
4) Li, P., Nijhawan, D., Budihardjo, I., *et al*. : *Cell*, **91**, 479-489 (1997)
5) Yabuki, M., Tsutsui, K., Horton, A. A., *et al*. : *Free Rad. Res.*, **32**, 507-514 (2000)

細胞質タンパク質のミトコンドリア膜結合解析法

吉良 幸美・井上 正康

I. ラット肝よりミトコンドリアを分離 (図1)

1. 材料, 試薬, 器具

材料: Wistar系雄性ラット (200〜300 g) 1匹

試薬: 7・1節で使用したものと密度勾配遠心用ナイコデンツ (Nycodenz, 第一化学薬品)

A液 (×2ナイコデンツ溶液調整用): 0.25 M スクロース, 1 mM EDTA, 0.1%エタノール, 0.1 M Hepes-KOH (pH 7.4)

[ナイコデンツ溶液 (遮光保存)]

1.15 g/mL (50 mL) 溶液: ナイコデンツ 11.25 g, A液 25 mL, 0.1 M HEPES-KOH (pH 7.4) 2.5 mL を溶解し, 50 mL までメスアップ.

1.25 g/mL (50 mL) 溶液: ナイコデンツ 20.5 g, A液 25 mL, 0.1 M HEPES-KOH (pH 7.4) 2.5 mL を溶解し, 50 mL までメスアップ.

1.30 g/mL (25 mL) 溶液: ナイコデンツ 13.0 g, A液 12.5 mL, 0.1 M HEPES-KOH (pH 7.4) 1.25 mL を溶解し, 25 mL までメスアップ.

器具: 7・1節で使用のものと密度勾配遠心用の超遠心機 (50,000 rpm 遠心可能なもの) 超遠心用チューブ〔シールチューブ (HITACHI) を使用〕

```
ラット (Wistar系, 雄性, 200〜300 g)
  │
  ├── 腹部大動脈より生理食塩水にて灌流
  │
粗ミトコンドリア画分を分離 (7・1節の方法にて)
  │
ナイコデンツ密度勾配遠心によりミトコンドリアを分離する
  │
  ├── あらかじめ用意しておいた密度勾配溶液の上
  │    層にミトコンドリア画分 0.5 mL を重層する.
  │
遠心 (50,000 rpm, 90分間)
  │
最上部にあるミトコンドリアを抽出する.
これを膜結合実験のミトコンドリアとする.
```

密度勾配 ρ＝g/mL
ρ 1.15〜1.25 5.4 mL × 2
ρ 1.3 1.0 mL
試料 0.5 mL
で作製.

超遠心
HITACHI 55VF バーティカルローターで 50,000 rpm, 90分間

図1 ラット肝よりミトコンドリアの分離

2. 方　法

a) Wistar 系ラット雄の肝より Hogeboom 法（7・1 節参照）用いてミトコンドリア画分を分離する．（脱血は開腹後，腹部大動脈よりの全身灌流を行っている．）

b) 密度勾配遠心によるミトコンドリアの分離：ミトコンドリア画分にはペルオキシソームやリソームなどの他のオルガネラが混じっているためこれらのオルガネラをナイコデンツを用いた密度勾配遠心により分離する．

1) ナイコデンツ密度勾配は日立超遠心用シールチューブに底から 1.3 g/mL を 1.0 mL，その上に 1.25 g/mL を 5.4 mL，さらに，1.15 g/mL を 5.4 mL 重層する（使用前 30 以内に作製）．
2) a) により分離した粗ミトコンドリア画分 0.5 mL を 1) の上層に重層する．
3) HITACHI 55VF バーティカルローターにて 50,000 rpm で 1.5 時間遠心する．
4) ミトコンドリアバンド（緑色）をシリンジで抽出し，ミトコンドリア膜として用いる．

II. 膜結合実験（図 2）

1. 材料，試薬，器具

材料：ミトコンドリア（I で分離したもの），ミトコンドリアに結合させる精製タンパク質

試薬：反応溶液：10 mM KPB（リン酸カリウム緩衝液）(pH 7.4)　0.15 M KCl

器具：超遠心機（Optima TLX ultra centrifuge, BECKMAN 社），ローターは，TLA120.4

2. 反応条件

ミトコンドリア 100 μg および，細胞質タンパク質（例　ヒト SOD）10 μg は 100 μL の反応溶液中で混ぜ，室温で 10 分間反応させる（図 3）．

注：ミトコンドリアの呼吸能や膜電位が保たれた状態で結合させることが望ましいため 15 分以上放置は好ましくない．

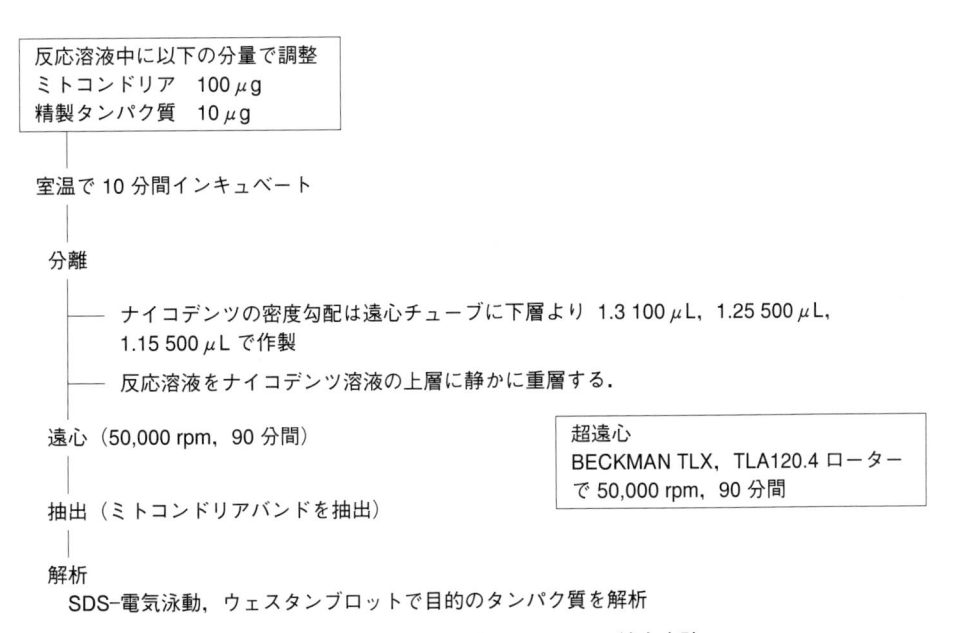

```
反応溶液中に以下の分量で調整
ミトコンドリア　100 μg
精製タンパク質　10 μg
          │
室温で 10 分間インキュベート
          │
        分離
          ├── ナイコデンツの密度勾配は遠心チューブに下層より 1.3 100 μL，1.25 500 μL，
          │   1.15 500 μL で作製
          └── 反応溶液をナイコデンツ溶液の上層に静かに重層する．
          │
遠心（50,000 rpm，90 分間）       超遠心
          │                       BECKMAN TLX，TLA120.4 ローター
抽出（ミトコンドリアバンドを抽出）  で 50,000 rpm，90 分間
          │
        解析
    SDS-電気泳動，ウェスタンブロットで目的のタンパク質を解析
```

図 2　ミトコンドリア膜へのタンパク結合実験

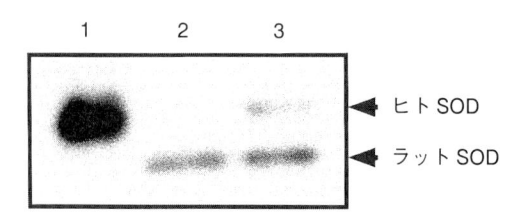

図3 ラット肝ミトコンドリア膜とヒト型 Cu, Zn-SOD 結合
レーン 1：ミトコンドリア，レーン 2：ヒト SOD，
レーン 3：ミトコンドリア＋SOD

3. 分離，検出

a) ナイコデンツ溶液（密度勾配 1.15〜1.25 g/mL）の上層に反応溶液を重層し，50 K，90 min の超遠心で分離を行う．

b) ミトコンドリアバンド（緑）をピペットで抽出し，SDS-PAGE により分離後，抗ヒト SOD 抗体を用いたウェスタンブロット法で検出する．

注：ミトコンドリアは用時調製し，呼吸能と膜電位を十分に保っているものを調製後数時間以内に使用する．

ミトコンドリアは密度勾配法により調製したもの（7・1節）でも可能であるが，ペルオキシソームやリソソームの混入をさけたい場合は本法が有効である．

ミトコンドリア外膜に結合しているのか，もしくは内外膜間に取り込まれたのかを確認するには，プロテアーゼやジギトニンを用いて消化するとよい．

ミトコンドリアタンパク輸送の解析法

寺田 和豊

1. 材料, 試薬, 器具

材料：in vitro 転写した RNA, [^{35}S]メチオニン（細胞標識用 [^{35}S]アミノ酸でも可），ウサギ網状赤血球ライセート，単離ミトコンドリア（ラット肝，培養細胞などより単離．十分な呼吸活性を保持したもの.）

試薬：A 液：28 mM HEPES-KOH（pH 7.4），120 mM 酢酸カリウム，2 mM 酢酸マグネシウム，1 mM ATP，5 mM NADH，2.2 mM DTT，10 mM クレアチンリン酸，2.6 IU クレアチンホスホキナーゼ，1 mg/mL BSA（ウシ血清アルブミン）

B 液：ミトコンドリア調製用溶液［210 mM マンニトール，70 mM スクロース，0.2 mM EGTA，3 mM HEPES-KOH（pH 7.4）］＋0.1 mM ジニトロフェノール（脱共役剤）

器具：恒温槽（25℃，95℃），微量冷却遠心分離機，SDS-ポリアクリルアミドゲル電気泳動装置，ゲル乾燥装置，RI 用イメージプレートアナライザーまたはデンシトメーター

2. 方法（図1）

a) ウサギ網状赤血球ライセート（プロメガ社などより入手可能，添付のプロトコールに従う）に in vitro 転写した RNA，[^{35}S]メチオニン，メチオニン以外の 19 種類のアミノ酸溶液を加え 25℃で1時間，前駆体タンパク質の in vitro 翻訳を行う（−80℃で保存可能．ただし解凍は氷上で行う）．

b) 氷上で in vitro 翻訳した前駆体を含むライセート 10 μL，ミトコンドリア懸濁液（20〜100 μg タンパク質相当）を A 液に加えて全量を 50 μL とし，25℃で一定時間反応後，4℃の B 液を 1 mL 加えて反応を停止し，氷中に保つ．

c) ミトコンドリアを微量遠心分離機（1.2×10^4 rpm，10 分間程度）でふたたび単離し，沈殿を乱さないように注意深く上清を取り除く．4％の SDS を含む SDS 試料緩衝液 20〜30 μL に完全に溶かす．95℃で3分間加熱後，全量を通常の SDS-ポリアクリルアミドゲルにかける．このとき in vitro 翻訳した前駆体を含むライセート 1〜3 μL（用いた前駆体の 10〜30% 相当）も泳動する．

d) 泳動終了後，ゲルを 10 倍容以上の 30% メタノール-10% 酢酸溶液で 15 分間以上固定し，ゲルを乾燥させる．フルオログラフィーをとるときは固定後に増感剤（Enlightning®，Enhance® など）に 15 分間以上浸してから乾燥させる．乾燥させたゲルをイメージングプレートあるいは X 線フィルムに露光し，アナライザーまたはデンシトメーターで定量する．

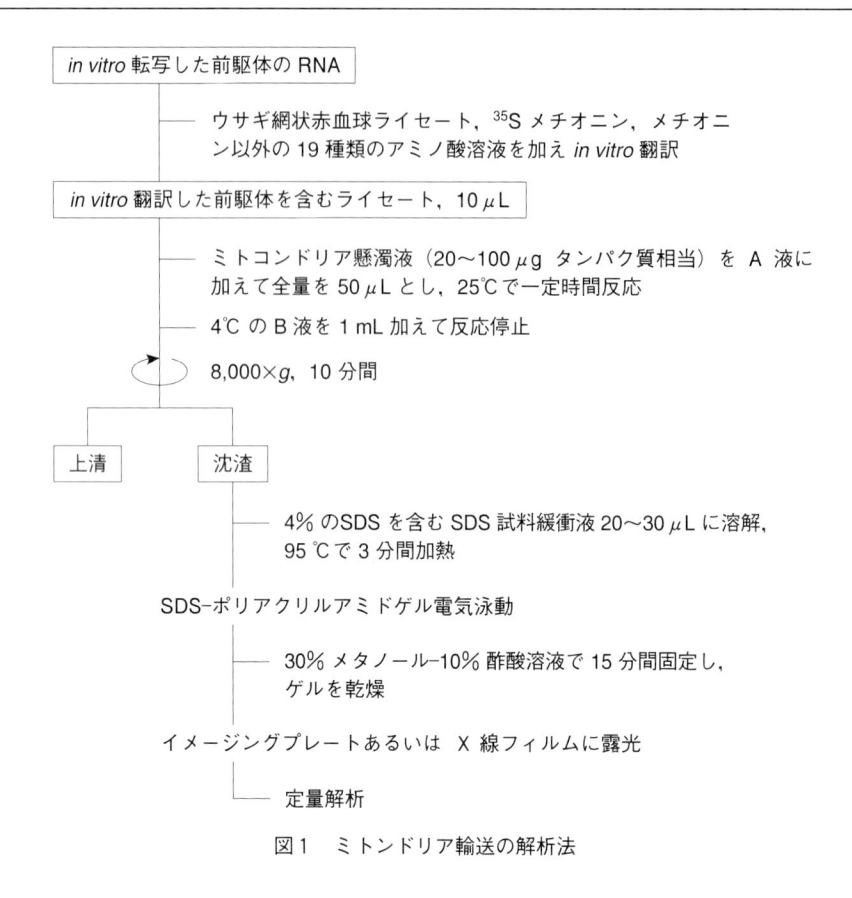

```
┌─────────────────────────┐
│ in vitro 転写した前駆体の RNA │
└─────────────────────────┘
      │── ウサギ網状赤血球ライセート，$^{35}S$ メチオニン，メチオニ
      │   ン以外の19種類のアミノ酸溶液を加え in vitro 翻訳
┌──────────────────────────────┐
│ in vitro 翻訳した前駆体を含むライセート，10 μL │
└──────────────────────────────┘
      │── ミトコンドリア懸濁液（20～100 μg タンパク質相当）を A 液に
      │   加えて全量を 50 μL とし，25℃で一定時間反応
      │── 4℃の B 液を 1 mL 加えて反応停止
      │⟲  8,000×g，10 分間
   ┌──┴──┐
 ┌───┐ ┌───┐
 │上清│ │沈渣│
 └───┘ └───┘
         │── 4％のSDS を含む SDS 試料緩衝液 20～30 μL に溶解，
         │   95℃で 3 分間加熱
         │ SDS-ポリアクリルアミドゲル電気泳動
         │── 30％ メタノール-10％ 酢酸溶液で 15 分間固定し，
         │   ゲルを乾燥
         │ イメージングプレートあるいは X 線フィルムに露光
         │── 定量解析
```

図1 ミトンドリア輸送の解析法

注：前駆体タンパク質によって取込み効率は異なり 10～50％ 程度である．取込みがプラトーに達する時間も 10～60 分間と前駆体によって異なる．また in vitro 翻訳した前駆体の状態（輸送に適した構造に保たれている度合い）と単離したミトコンドリアの質によって左右される．

in vitro 翻訳したライセート中の前駆体は，氷上で数時間は一定の取込み効率を保つが，その後徐々に低下する．すぐに輸送実験を行わない場合はドライアイスで急速凍結後 −80℃で保存し，融解も氷上で行う．動物のミトコンドリアは用時調製し，単離後数時間以内に使用する．一般に不連続密度勾配法により調製したミトコンドリア（heavy mitochondria fraction，7・1節参照）で十分である．培養細胞から調製する場合は細胞の破砕の際にプロテアーゼ（ナガーゼなど）を用いることができない．

取り込ませるタンパク質が切断されるシグナル配列をもつ場合は，プロセシングによって分子量が減少する．シグナル配列をもたない場合は，反応停止後プロテアーゼKなどでミトコンドリア外膜に付着した標識タンパク質を消化する必要がある．外膜に局在するタンパク質の場合は，正しく組み込まれたタンパク質を非特異的に会合したタンパク質と区別する必要がある．

マイトトラッカーと抗体による細胞内ミトコンドリアの解析

吉良 幸美・井上 正康

1. 材料，試薬，器具

材料：ヒト肝癌細胞（HepG2）
　培養液：Dulbecco's modified Eagle's medium（DMEM；GIBCO BRL 社）に 10% FBS を添加したもの．
　抗体およびプローブ：マイトトラッカー（MitoTracker Red CM-H2Xros；Molecular probe 社）抗体はミトコンドリア型の酵素 Mn-SOD に対する抗体を用いた．抗ヒト Mn-SOD 抗体は Stress Gen 社より購入．

試薬：マイトトラッカー溶液（A 溶液）：マイトトラッカーは 100 μM になるように培養液に溶解する．（100% メタノールに溶解してある．）

2. 方法（図 1）

接着細胞の場合は，スライドガラスにチャンバーがついたタイプのもの（Lab-Tek 社の chamber slide などを使用）に培養し，スライドガラスに接着させる．以下の抗体反応などはすべてこの中で行う．浮遊細胞の場合は染色後にスライドに固定，接着させる．

a) マイトトラッカーによるミトコンドリアの染色
　1) 培養液を取り除き，A 溶液 2 mL を加える．
　2) 37 ℃で 30 分間反応させる．
　3) A 溶液を取り除き，PBS で 2〜3 回洗浄して過剰のマイトトラッカーを除く．
　4) カバーガラスをかけ，周囲を無蛍光のトップコートなどで密封する．

b) 抗体（Mn-SOD）を用いたミトコンドリアの染色
　1) 細胞の調整は a) と同様．
　2) 細胞を 4% パラホルムアルデヒドにて 37 ℃，10 分間で固定する．
　3) PBS（リン酸緩衝化生理食塩水）（−）で 2〜3 回洗浄する．
　4) 0.1〜0.2% TritonX-100 溶液で処理（室温，2 分間）して細胞膜に孔をあける．
　5) PBS で 2〜3 回洗浄する．
　6) 1 次抗体と室温で，1 時間反応させる（3% スキムミルクに溶解）．
　7) PBS で 2〜3 回洗浄する．
　8) 2 次抗体と室温で 30 分間反応させる（3% スキムミルクに溶解）．この際，反応は遮光して行う．

```
細胞（スライドに密着させたもの）
  ├── 100 μM マイトトラッカーを培養液に溶解し
  │    チャンバーに加え 37 ℃ 30 分間培養する．
  ├── 過剰のマイトトラッカーを除くために PBS (−) で 2～3 回洗浄する
固定
  ├── 4% パラホルムアルデヒド溶液（室温*で 10 分間）
  │    *染色目的のタンパク質により固定温度条件の検討が必要であるが，まずは
  │    室温で行う．
膜透過処理
  ├── 0.2% TritonX-100 溶液で 2 分間
  ├── PBS で 2～3 回洗浄
1 次抗体との反応
  ├── 3% スキムミルク/PBS (−) に 1 次抗体 (1/500) を溶解し，湿潤箱中で反応
  │    させる（室温，1 時間）．
  ├── PBS で 2～3 回洗浄
2 次抗体との反応
  ├── 3% スキムミルク/PBS (−) に 2 次抗体を溶解し，湿潤箱中で反応させる（室
  │    温，30 分間）．
  ├── PBS で 2～3 回洗浄
  ├── 蛍光退色防止用の Fluoro Guard（Bio RAD社）を 1 滴たらしてカバーガラス
  │    をかけ，無蛍光のトップコートで封入する．
検鏡
```

図1　マイトトラッカーと抗体を用いた 2 重染色

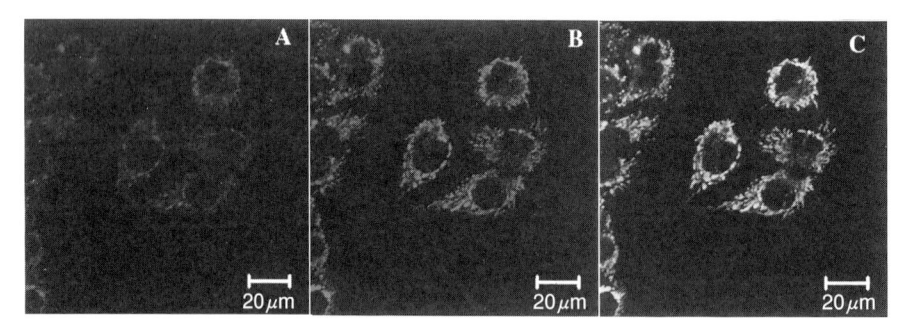

図2　マイトトラッカーおよび抗 Mn-SOD 抗体を用いたヒト肝癌細胞（HepG2）のミトコンドリア染色
(A) マイトトラッカーにより染色したミトコンドリア像，(B) 同領域をミトコンドリア型 Mn-SOD 抗体により染色した像，(C) (A) と (B) の重ね合わせ像．（口絵 13 参照）

9) PBS で 2～3 回洗浄する．
10) カバーガラスをかけ，周囲を無蛍光のトップコートなどで密封する．この際，カバーガラスとの間に蛍光退色防止用の Fluoro Guard（Bio RAD 社）などを用いるとよい．

c) 2 重染色

マイトトラッカーおよび抗体を用いた 2 重染色を行う場合は，まずマイトトラッツカーにより細胞を処理し，固定後に抗体で染色する（図2）．

シグナルペプチド含有 GFP による
細胞内ミトコンドリア解析法

矢野 正人・森 正敬

　GFP（グリーン蛍光タンパク質）は目的のタンパク質と融合させることにより，生きた細胞内におけるその挙動を観察できる利点をもつ．最近では，多重染色を目的として蛍光波長をシフトさせた変異型や細胞内の各コンパートメントへの局在化シグナルを融合したものなど，多くのバリエーションが CLONTECH 社などから発売されている．ここでは，ミトコンドリア局在型 GFP を COS-7 細胞内に発現させてミトコンドリアを観察し，さらに Cy3® による免疫染色で他のタンパク質の局在を検出する方法を紹介する．

1. 材料，試薬，器具

材料：COS-7 細胞，ミトコンドリア局在型 GFP 発現プラスミド（哺乳類細胞用）

試薬：培養用液〔Dulbecco's modified Eagle's medium（DMEM），10% ウシ胎仔血清（FBS）〕，トランスフェクション試薬（Mirus 社製 Trans It），リン酸緩衝化生理食塩水（PBS），4% ホルムアルデヒドを含む PBS，1% Triton-X-100 を含む PBS，目的タンパク質に対する 1 次抗体，Cy3 標識 2 次抗体，マウント剤（1 mg/mL p-フェニレンジアミン，50% グリセロールを含む PBS）

器具：蛍光顕微鏡（FITC，Cy3 用フィルター装着），35 mm 培養細胞用シャーレ，カバーガラス，スライドガラス，マニキュア（透明）

2. 方法

a) カバーガラスを入れた 35 mm 培養細胞用シャーレに培養用液を加え，COS-7 細胞を播く．37℃，5% CO_2 下で 1～2 日培養する．

b) 細胞がコンフルエントになる前に，トランスフェクション試薬によりプラスミド（2 μg）を導入する．ミトコンドリアの形態への影響をみるために他のプラスミドを共導入する場合には，あらかじめプラスミドを混合しておく．

c) 培養用液中で細胞を 37℃，5% CO_2 下で 24 時間程度培養する．できれば倒立型顕微鏡で経時的に GFP の蛍光を確認しておくことが望ましい．

d) 細胞の付着したカバーガラスを PBS で 3 回洗浄し，4% ホルムアルデヒド中で 20～40 分間細胞を固定する．あまり長時間処理すると蛍光が減衰する可能性があるので注意する．

e) PBS で 3 回洗浄し，1% TritonX-100 を含む PBS 中に 5～20 分間浸す．以下の免疫染色で染まりにくい場合にはこの時間を調整する．

f) PBSで3回洗浄し，PBSで希釈した1次抗体で2時間処理する．
g) PBSで3回洗浄し，PBSで希釈したCy3標識2次抗体で遮光下2時間処理する．
h) PBSで3回洗浄し，ペーパータオルで余分な水分を除く．一方で，スライドガラス上にマニキュアで円を描き，マウント剤を中心に滴下する．その上にカバーガラスを細胞付着面を下にしてのせ，余分なマウント剤をふき取った後に周囲をマニキュアで固定する．
i) 目的タンパク質の発現をCy3の蛍光で，ミトコンドリアをGFPの蛍光で観察する．

ここでは本研究室で構築したミトコンドリア局在型GFPを利用した例を示したが，現在ではpEYFP-Mito vetcorプラスミドなどがCLONTECH社から入手可能であり，蛍光顕微鏡用のフィルターを交換すれば同様の観察が可能と思われる．

蛍光タンパク質ベクターによる細胞内ミトコンドリア観察法

末永 みどり・大脇 浩幸・新垣 尚捷・樋口 富彦

1. 材料，試薬，器具

材料：C2C12 細胞（Mouse skeletal myoblast cells）
　　　Living Colors® Red fluorescent Protein（CLONTECH 社）

試薬：FuGENE 6（Roche 社）

器具：ガラスボトムディッシュ（ポリリジンコート；YSI 社）

2. 方法

FuGENE 6 Transfection Reagent Instruction Manual に準ずる．

a) 10% FBS，0.01% KM（カナマイシン）を含む DMEM（+FBS，+KM）を含むガラスボトムディッシュに 24 時間培養後に 50% コンフルエンスになるように細胞を播く．

b) CO_2 インキュベーター（5% CO_2，37 ℃）で 24 時間培養する．

c) エッペンドルフチューブに DMEM（-FBS，-KM）と FuGENE 6 を入れ，タッピングして混和する．このとき，FuGENE 6 をチューブの壁に触れないようにする．

d) Living Colors® Red fluorescent Protein を加え，タッピングして混和する．このとき，Living Colors® Red fluorescent Protein と，FuGENE 6 の混合比は，6：1 とする．

e) 混液を室温で 15 分間インキュベートする．

f) インキュベート中に細胞を PBS（-）で 2 回洗浄し，DMEM（+FBS，-KM，フェノールレッド無添加）に培地交換する．

g) ディッシュに FuGENE 6-Living Colors® Red fluorescent Protein complex を全量加える．

h) CO_2 インキュベーターで 24 時間培養する．

i) 蛍光顕微鏡で観察する．

3. トランスフェクションの条件

ディッシュ：50 mm ガラスボトムディッシュ（ポリリジンコート；YSI 社）

細胞濃度：$3.3×10^4$ cell/mL，c) の DMEM（-FBS，-KM）：91 μL，c) の FuGENE 6：9 μL，d) の Living Colors® Red fluorescent Protein：1.5 μL

注：ディッシュは顕微鏡観察時に自己蛍光のないものを使用．同様の理由で培地もフェノールレッド無添加のものを使用．トランスフェクション前までは細胞を DMEM（+FBS，+KM）で培養．上記に示した条件で 50～70% のトランスフェクション効率が得られる．

ミトコンドリアのエネルギー転換研究に用いられる阻害剤一覧

内海 耕慥

 ミトコンドリア研究に使用される阻害剤にはさまざまなものがある．ここでは，よく使用される呼吸や酸化的リン酸化の阻害剤と脱共役剤とよばれるものに限り列記する．

1. 電子伝達阻害剤（表1）

 一般に，ミトコンドリアの呼吸は酸素電極（オキシメーター）で測定される．4つの呼吸酵素複合体（複合体 I, II, III, IV）からなる呼吸鎖（図1）には，それぞれに特有な阻害剤がある．電子伝達阻害剤の阻害部位特異性は，オキシメーターにより解析できる（図2）．

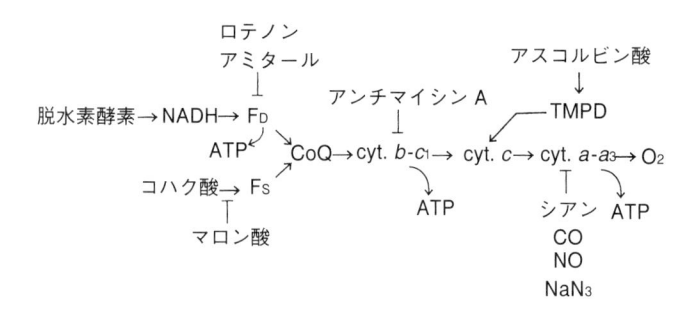

図1 呼吸酵素複合体
F_D：酸抽出性フラビン，F_S：酸非抽出性フラビン

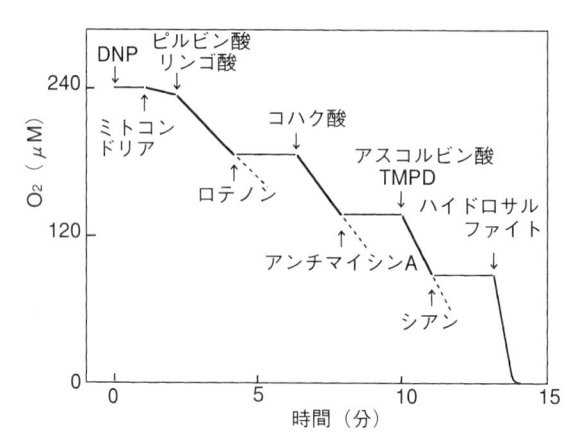

図2 オキシメーターによる阻害部位特異性の解析
TMPD：N, N, N', N'-テトラメチルフェニレンジアミン

表 1 電子伝達阻害剤

阻害部位	阻害剤	性質	阻害濃度
NAD–FDP 間 （複合体Ⅰ）	アミタール	分子量 226.27 脂溶性	$10^{-3 \sim 2}$ M
	ロテノン	分子量 394.41 脂溶性	$10^{-7 \sim 6}$ M
コハク酸脱水素酵素 （複合体Ⅱ）	マロン酸	分子量 104.06	10^{-3} M
	オキサロ酢酸	分子量 132.07	10^{-4} M

（このほかに，o-オキシキノリン，o-フェナントロリン，α, α'-ジピリジル，ヘマチン，テトラエチルジチオカルバミ二リン酸，3 価ヒ素化合物など）

阻害部位	阻害剤	性質	阻害濃度
シトクロム $b-c$ の間 （複合体Ⅲ）	アンチマイシン A	分子量 548.62 脂溶性	$10^{-8 \sim 7}$ M
	ブラストマイシン	抗生物質，脂溶性	1 mg/mL

（このほかに，2-ヘプチル-4-ヒドロキシキノリン-N-オキシド，ヒドロラパコール，2,3-ジメルカプト-1-プロピルアルコール，α-トコフェリルリン酸，ベンゾキノン，コルチコステロンなど）

阻害部位	阻害剤	性質	阻害濃度
シトクロム 酸化酵素 （複合体Ⅳ）	KCN	分子量 65.11	10^{-4} M
	CO	ヘム a に配位	
	NO	ヘム a に配位	10^{-5} M
	NaN_3	分子量 65.02 ヘム a に配位，O_2 拮抗	10^{-3} M

表 2 脱共役剤

阻害部位	阻害剤	性質	阻害濃度
プロトン コンダクター	ジニトロフェノール （DNP）	分子量 184.11 有機溶媒，アルカリ可溶	$10^{-5 \sim 4}$ M
	p-ニトロフェノール	分子量 139.11 脂溶性	10^{-4} M
	FCCP	分子量 254.2 脂溶性 よく使用される脱共役剤	10^{-8} M
	SF6847	分子量 282.39 脂溶性 もっとも低濃度で脱共役させる	10^{-8} M
イオノフォア	グラミシジン D	分子量約 2,000 脂溶性	10^{-5} M
	バリノマイシン	分子量 740.87 脂溶性，K イオン透過	$10^{-7 \sim 6}$ M
	ナイジェラシン	分子量 724.98 脂溶性，H, K イオン透過	$2 \sim 50$ μ/mL
不飽和脂肪酸	オレイン酸	分子量 282.45	10^{-5} M
	リノール酸，リノレイン酸，アラキドン酸	脂溶性	10^{-5} M
その他	ジクマロール	分子量 336.29 水溶性	10^{-5} M
	サリチル酸	分子量 138.12 水，アルコール可溶	10^{-3} M
	アロキサン	分子量 142.07 脂溶性	10^{-5} M

（このほか，p-ニトロフェノール，2,4-ジニトロ-α-ナフトール，ペンタクロロフェノール，ペンタフルオロフェノール，2,4-ジブロモフェノール，デスアスピジン，トリシアノアミノプロピレン，テトラクロロベンゾトリアゾール，4-ニトロ-5-クロロベンゾトリアゾール，5-ニトロベンゾトリアゾール，3,5-ジハロゲン-4-ヒドロキシベンゾニトリル，n-ブチル-3,5-ジヨード-4-ヒドロキシ安息香酸，ヒ酸など）

FCCP：カルボニルシアニド p-トリフルオロメトキシフェニルヒドラゾン

2. 脱共役剤（表2）

電子伝達反応によりミトコンドリア内膜の内外に形成されたプロトン勾配はエネルギー転換反応の源である．プロトノホアあるいはプロトンコンダクター（脱共役剤）は，内膜のプロトン透過性を亢進させ，プロトン勾配を低下させてエネルギー転換反応を阻害する．このほか，陽イオンの透過を促進するイオノフォアもある（図3）．

3. エネルギー転換阻害剤（表3）

ミトコンドリア内膜内外のプロトン勾配とプロトンATPaseによりATPが合成される．したがって，プロトンATPaseを阻害すればATP合成のための酸素消費も抑制される．図4に示すように，呼吸基質および無機リン存在下に添加したADPに依存した酸素消費（リン酸化呼吸）はオリゴマイシンで完全に阻害される．

表3 エネルギー転換阻害剤

阻害部位	阻害剤	性質	阻害濃度
siteⅠ, Ⅱ, Ⅲ	オリゴマイシンA	分子量790 脂溶性	$2\ \mu g/mL$
	アトラクチロシド	分子量900 水，アルコール可溶 アデニンヌクレオチドトランスポーターに結合	$10^{-5}\ M$
	塩化トリブチルスズ	分子量325.3 水，アルコール可溶	$10^{-5}\ M$

このほかに
siteⅠに特異的なものには
　　グアニジン，ヘキシルグアニジン，4-メチル-3-ブテニルグアニジン，オクチルグアニジンなどがある．
siteⅡに特異的なものには
　　1-フェネチルビグアニドが知られている

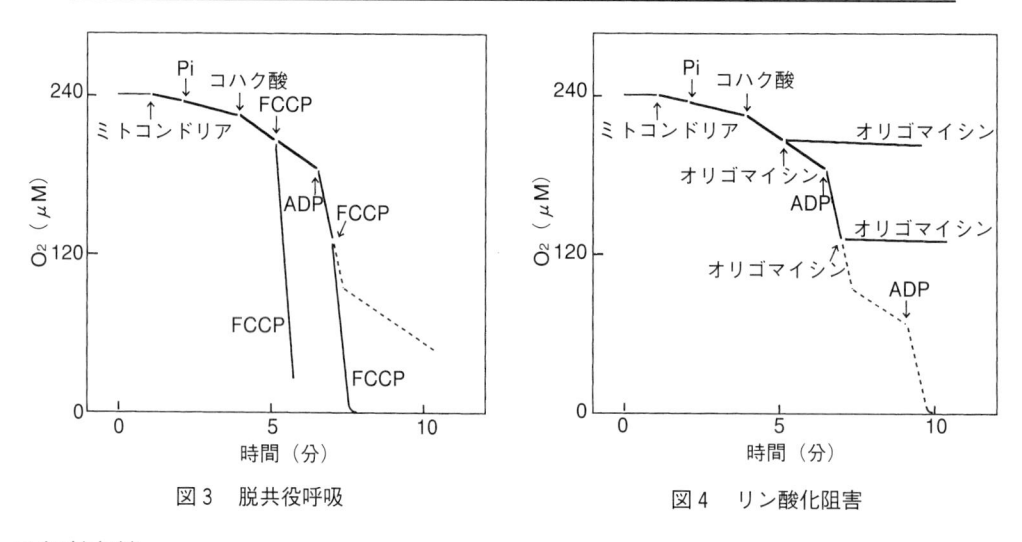

図3　脱共役呼吸

図4　リン酸化阻害

●参考文献

1) 小林茂保，田川邦夫：蛋白質 核酸 酵素，**10**, 1596-1609 (1965)
2) Terada, H., Kumazawa, N., Ju-Ich, M., Yoshikawa, K. : *Biochim. Biophys. Acta*, **767**, 192-199 (1984)
3) Terada, H. : *Envir. Health Persp.*, **87**, 213-218 (1990)

索　引

■あ

アイヌ　115
アオサ　192
赤の女王仮説　185
アカパンカビ　139
悪性高熱　266
アクチノマイシン　303
アクチノマイシンD　305
アクチン　145, 171, 174
アシルカルニチン　248
アスコルビン酸　239
アスパラギナーゼ　306
アスパラギンエンドペプチダーゼ　150
アスパラギン酸/グルタミン酸キャリヤー　71
アスピリン　256, 258
アセチル-L-カルニチン　254
N-アセチルシステイン　205
アデニンヌクレオチドトランスロケーター　280, 293
アデニンヌクレオチド輸送体　259
アトラクチロシド　69, 229, 294, 426
アドリアマイシン　303, 305
アドレナリンβ受容体　209
アドレノドキシン　59
アニオンチャンネル　45, 294
アピコプラスト　132
アフリカ睡眠病　130
アフリカツメガエル　183
アポトーシス　4, 196, 197, 199, 203, 221, 225, 228, 229, 234, 254, 255, 258, 278, 279, 283, 289, 293, 299, 304, 305, 306, 412
アポトーシス小体　278
アポトーシス誘導因子　254
アポヘムタンパク質　53

網状赤芽球　53
アミタール　425
亜ミトコンドリア粒子　16, 214, 389
δ-アミノレブリン酸　48
アルカロイド　246
アルギニノコハク酸合成酵素　251
アルキル化剤　303, 304, 306
アルコール性肝障害　238
アルツハイマー病　165, 166, 259, 283, 363
アルドステロン　57
アルブミン　250
アロキサン　425
アンジオスタチン　350
アンチコドンループ　105
アンチマイシン　215
アンチマイシンA　141, 150, 237, 425
アントラキノン　305
アントラサイクリン　305

■い

異種間交配　189
イタイイタイ病　317, 322
一塩基多型　365
一酸化窒素　285
遺伝子
　──の進化速度　135
遺伝性視神経萎縮症　328
遺伝性鉄芽球性貧血　50
イリノテカン　306
インスリン　353, 376
インプリンティング　200
インポート受容体　29

■う

ウラシルDNAグリコシラーゼ　271
運動神経変性疾患　219

■え

H鎖転写プロモーター　86
H鎖複製開始点　85, 91
栄養外胚葉　199
栄養生殖　185
エクソヌクレアーゼ　373
エストラジオール　57
エトポシド　228, 305, 306
N末端アンカータンパク質　31
L鎖転写プロモーター　86
L鎖複製開始点　85, 93, 271
L鎖プロモーター　102
塩基除去修復系　89

■お

オオハネモ　191
8-オキソグアニン　88, 274
8-オキソグアニンDNAグリコシラーゼ　275
オキソグルタル酸キャリヤー　70
オシロイバナ　191
オリゴマイシン　12, 124
オリゴマイシンA　426
オルガネラ核　192
オルニチンキャリヤー　71

■か

外眼筋麻痺　333, 343
回虫　128
海馬　63

化学浸透圧説　8, 148
核DNA　81
核DNA異常　328
核ハイブリッド　164
角膜上皮細胞層　319
角膜内皮細胞　319
角膜浮腫　318
カサノリ　191
過酸化脂質　310
過酸化水素　156, 214, 215, 225, 231, 232, 309
カスパーゼ　229, 278, 289, 306, 416
カスパーゼ-3　205, 278, 293
カスパーゼ-8　278
カスパーゼ-9　278, 412
カスパーゼカスケード　256
家族性筋萎縮性側索硬化症　219, 235
カタラーゼ　157, 202, 205, 231, 301, 313
褐色脂肪細胞　70, 209
褐色脂肪組織　123, 207
活性酸素　156, 214
カテコールアミン　209
カドミウム　317, 321
Kチャンネル　353
カリオプラスト　197
顆粒膜細胞　272
カルシウムアパタイト　258
カルジオクロム　378
カルジオリピン　6, 229, 243, 254
カルニチン　210, 248, 249, 254, 256, 258, 259, 307
カルニチン-アシルカルニチントランスロカーゼ　248, 254
カルニチン-アシルトランスフェラーゼ　254
カルニチンキャリヤー　70
カルニチン欠乏　252, 378
カルニチン欠乏症　99, 248, 249, 328, 377
カルニチン欠乏マウス　248
カルニチン交換輸送　70
カルニチンパルミトイルトランスフェラーゼI　210, 248
カルニチンパルミトイルトランスフェラーゼ欠損症　328
カルニチン輸送体　249
カルニチン輸送タンパク質　248

カルバモイルリン酸合成酵素　251
カルボプラチン　306
加齢性疾患　259
β-カロチン　231
肝造血細胞　203
肝ミトコンドリア分離法　382

■き

キサンチンオキシダーゼ　232
キサンチンデヒドロゲナーゼ　232
基礎代謝亢進　326
キッコウグサ　191
キネシン　65, 97, 171
キネシンスーパーファミリー　171
キネトプラスト　79, 131
キメラハイブリッド　107
キメラマウス　199
逆行性輸送　65
吸虫　127
共生説　134
極顆粒　180
極細胞　179
巨大化遺伝子　144
巨大化阻止遺伝子　142
巨大マイトプラスト　389
巨大ミトコンドリア　137, 141, 143, 145, 170, 173, 175
筋萎縮性側索硬化症　283
筋ジストロフィー症　170

■く

クエン酸キャリヤー　70
組換え修復系　89
クラーク型酸素電極　123
グラミシジンD　425
クラミドモナス　187, 191, 193
グリコソーム　130
グリセロールキナーゼ　46
グリーン蛍光タンパク質　37, 156
グルタチオン　202, 203, 218, 223, 225, 231, 236, 363
グルタチオンS-トランスフェラーゼ　220
グルタチオン還元酵素　203, 222
グルタチオンジスルフィド還元酵素　236
グルタチオンペルオキシダーゼ　

202, 203, 216, 218, 225, 231, 236
グルタチオンレダクターゼ　203, 222
γ-グルタミルサイクル　240
γ-グルタミルシステイン合成酵素　236
γ-グルタミルトランスペプチダーゼ　203
グルタミンキャリヤー　71
グルタレドキシン　239
クロラムフェニコール　167
クロロプラスト　51, 374
クローンウシ　198
クローンヒツジ　195

■け

克山病　221
血液脳関門　238
欠失変異　333
α-ケトグルタル酸デヒドロゲナーゼ欠損症　328
原真核生物　134
原発性鉄芽球性貧血　54

■こ

高アンモニア血症　248, 250
抗酸化酵素　202, 218
抗酸化ビタミン　231
抗酸化物　218
抗酸化防御系　214
鉱質コルチコイド　57
甲状腺ホルモン　209
交代結合説　16
高乳酸血症　341
酵母のポーリン　44
酵母ミトコンドリア　141
5界説　133, 189
呼吸欠損株　142
呼吸調節能　123
呼吸調節率　204, 262
黒質神経細胞　276
骨芽細胞　155
骨髄性運動失調症　54
コハク酸-CoQ還元酵素欠損　10, 342
コハク酸脱水素酵素複合体　130
コハク酸-ユビキノン酸化還元酵素

10, 342
コルチゾン　57
コレステロール　56
コンジェニックマウス　111

■さ

サイクリン　305
再興感染症　131
サイトカラシンB　76, 137, 159
サイトキネシス　136
サイトプラスト　159, 374
サイブリッド　108, 110, 154, 158, 160, 161, 163, 164, 165, 166, 167, 176, 336, 363, 370, 372, 374
　——の作製法　392
細胞間モザイク　276
細胞質遺伝　191
細胞性粘菌　133
サナダムシ　127
サーモゲニン　125, 207
サリチル酸　425
三核性花粉　192
酸化ストレス　203, 205, 217

■し

シアン耐性酸化酵素　131
ジカルボン酸キャリヤー　71
ジギトニン　235
ジクマロール　314, 425
シクロスポリンA　222, 255, 280, 291, 293, 304, 408
シクロフィリン　222, 280
シクロフィリンD　293
シクロヘキシミド　320
シクロホスファミド　303, 304
始原生殖細胞　195
脂質アルデヒド　273
脂質過酸化　245
子実体　138, 189
脂質ヒドロペルオキシド　225
システイン　203, 205
システインプロテアーゼ　289
シスプラチン　303, 306, 307
シトクロム　52
シトクロムb欠損　343
シトクロムc　3, 8, 229, 278
シトクロムc酸化酵素　11, 164

シトクロムc酸化酵素欠損　339, 344, 377
シトクロムc製剤　378
シトクロムc遊離　280, 412
シトクロムP-450　52, 56
シトクロムオキシダーゼ　22, 52
シトクロム酸化酵素　22, 52
シトシンアラビノシド　305
シナプトソーム　165, 384
ジニトロフェノール　262, 425
ジブカイン　281
脂肪肝　250
脂肪酸β酸化系　35
脂肪酸結合タンパク質　211
脂肪酸代謝異常　250
C末端アンカータンパク質　31
シャーガス病　131
シャペロン　38, 291
臭化エチジウム　76
周産期　202
重症乳児型　341
出芽酵母　138, 187
腫瘍壊死因子　256
小胞体ターゲティングシグナル　28
縄文人　114
食物アレルギー　317
真核生物　134
進化生態学　185
心筋ミトコンドリア分離法　387
神経芽細胞腫　155
神経原性筋萎縮・小脳失調・網膜色素変性　369
神経細胞傷害　66
真正細菌　134
真正粘菌　74, 133, 138, 189
心肥大　252

■す

水銀　321
錐体細胞　63
膵β細胞　354
数理生物学　185
スタウロスポリン　228
ステロイド代謝　56
ステロイドホルモン　56
スーパーオキシド　156, 214, 215, 219, 231, 235, 284, 309

スーパーオキシドジスムターゼ　202, 205, 225, 231
スルホニル尿素受容体　353
スルホニル尿素薬　355

■せ

性決定因子　140
制限酵素断片多形　190
成熟卵母細胞　195
生殖細胞　179, 183, 195, 200
性腺刺激ホルモン　56
精祖細胞　195
赤芽球　53
赤色ぼろ線維　327
赤痢アメーバ　127
セファランチン　246
セミキノンラジカル　305
ゼラニウム　191
セラミダーゼ　238
セラミド　228, 238
セリンデヒドラターゼ　250
セルレイン　320
セレノシステイン　220, 226
セレン欠乏　221, 328
セロイドリポフスチン症　349
全身麻酔薬　262
先祖返り　270
線虫　127, 183
先天性鉄芽球性貧血　53
先天性ミオパチー　345
セントロメア　137

■そ

造血細胞　203
側彎症　317

■た

代謝性アシドーシス　377
ダイナミン　144, 172, 174
ダイニン　65, 97, 171
ダカルバジン　306
タキソール　306
多重欠失　334
脱アミノ化　271
脱アミノ反応　272
脱核未受精卵　197, 199

索引

脱共役剤　123, 148, 264, 408
脱共役タンパク質　70, 207
脱分極　258
タマホコリカビ　133
単位生殖　185

■ち

6-チオグアニン　155
チオバルビツール酸　243
チオレドキシン　217, 222, 225
チオレドキシン依存性ペルオキシダーゼ　218
チオレドキシン還元酵素系　223, 226
チオレドキシンレダクターゼ　223, 226
腟トリコモナス　130
チトクローム→シトクローム
チモーゲン顆粒　320
中間径フィラメント　97, 145, 171, 174
チューブリン　65, 97
重複変異　334
チラコイド膜　16
チロキシン　256, 258, 323, 408
チログロブリン　323
チロシンアミノトランスフェラーゼ　250

■て

Dループ　89, 94, 105, 115, 199, 271
Dループ領域　270
テストステロン　57
デスメ膜　319
鉄-硫黄タンパク質　276
鉄芽球性貧血　49
鉄含有タンパク質　52
鉄欠乏　52
テトラサイクリン　305
テトラフェニルホスホニウム　264
デヒドロアスコルビン酸　239
デヒドロアスコルビン酸還元酵素　239
転移RNA　81
電位依存性アニオンチャンネル　43, 280, 289, 410
転位変異　272, 275

転換変異　272, 275
電気化学ポテンシャル　2, 9, 14, 122, 148
電子伝達系酵素欠損　340
転写終結因子　105
転写プロモーター　91
点変異　334

■と

透過性遷移　3
糖化タンパク質　216
銅欠乏　53
糖質コルチコイド　57
糖尿病　215
α-トコフェロール　202
トポイソメラーゼ　137, 304, 306
トランジション変異　272, 275
トランスバージョン変異　272, 275
トランスフェリン受容体　53
トランスポゾン　187
トリカルボン酸キャリヤー　70
トリパノソーマ　127
トリブチルスズ　317, 426
トリヨードチロニン　256

■な

内因性脱共役作用　265
内在性脱共役剤　259
内在性脱共役物質　256
ナイジェラシン　425
内臓型脂肪　207
内部細胞塊　199
内膜挿入シグナル　33
内膜輸送系　32
ナフタレン　310
鉛　321
鉛中毒　51

■に

ニトロソウレア　303
ニトロソチオール　221
乳児脊髄性筋萎縮症　345
尿素サイクル　250, 251
妊娠中毒症　276

■ぬ〜の

ヌクレオチド除去修復系　89
ヌクレオチド輸送担体　3

ネクローシス　228, 278, 283
熱産生器官　208

脳虚血　63
脳ミトコンドリア分離法　384
ノルエピネフリン　209

■は

胚性幹細胞　195, 199
胚性生殖細胞　199
ハイブリッド　158
排卵　196
パーキンソン症候群　343
パーキンソン病　259, 273, 276, 283, 341, 358, 362, 366
白色脂肪細胞　71
白色脂肪組織　207
白内障　238
パラコート　298, 309, 312
パラコート耐性　314
パラサイト　185, 188
バリノマイシン　124, 425
ハロセン　262, 310
ハロセン肝炎　265
ハロセン麻酔　265
パンクレオザイミン　320
ハンチントン病　341, 363

■ひ

被子植物　192
微小管　146, 171
肥大性心筋症　342
ビタミンC　231
ビタミンD_3　56
ビタミンE　231
ビタミンT　254
2-ヒドロキシアデニン　95
8-ヒドロキシデオキシグアノシン　273, 363, 398
4-ヒドロキシノネナール　220, 275, 364
β-ヒドロキシ酪酸　311

ヒドロキシルラジカル 156, 214, 310
ヒドロゲノソーム 127
ビトロジェニン 299
ヒドロペルオキシド 217, 228
皮膚線維芽細胞 155
非ヘム鉄タンパク質 52
ヒポキサンチン 271
ビメンチン 145
非メンデル遺伝 191
百寿者 365
ピリドキシン反応性鉄芽球性貧血 49
ピルビン酸カルボキシラーゼ欠損症 328
ピルビン酸キャリヤー 71
ビンクリスチン 303, 306
ビンデシン 306
ビンブラスチン 306

■ふ

フェニトイン 315
フェノバルビタール 310
フェロケラターゼ 48, 51, 53
フォン・シーボルト 114
複合体Ⅰ 10, 81, 215, 232
複合体Ⅰ欠損 328, 331, 342
複合体Ⅱ 10, 129, 216, 299
複合体Ⅱ欠損 328
複合体Ⅲ 11, 81, 215, 232
複合体Ⅲ欠損 328
複合体Ⅳ 11, 81, 164
複合体Ⅳ欠損 328, 342
複合体Ⅴ 81
複合体Ⅴ欠損 328, 347
複合体欠損症 328
副腎皮質刺激ホルモン 56
腹水肝癌細胞 214
ブスルファン 304
ブチオニンスルホキシミン 237
フマラーゼ欠損症 328
フューソジェン 99
ブラストマイシン 425
プラスミド 138, 150, 187
フラタキシン 54
フラボノイド 246
フリードライヒ病 363
5-フルオロウラシル 305

ブレオマイシン 303
プレグネノロン 57
プレ配列 37
プレ配列特異的因子 39
プロカスパーゼ 278
プロカスパーゼ-9 255, 278
プロテアーゼ阻害剤 150
プロテアソーム 190
プロトクチスタ 133
プロトノフォア 124
プロトン ATPase 426
プロトン局在化説 148
プロトンポンプ 14, 25
プロピオン酸血症 248
プロポフォール 262, 266
ブロモデオキシウリジン 155
ブロモベンゼン 310
分子シャペロン 35, 38
分子モーター 14

■へ

ヘキソキナーゼ 45
β酸化 210, 232, 248
ヘテロプラスミー 82, 88, 89, 158, 159, 160, 176, 330, 334, 336, 356, 369, 376, 379
ヘテロプラスミックマウス 197
ヘパラン硫酸 219
ヘム合成 49
ヘム合成障害 53
ヘムタンパク質 52
ヘモグロビン 202
ペルオキシソーム 231, 233, 415
ペルオキシナイトライト 275
ペルオキシレドキシン 217, 220, 222
変異ポテンシャル 272
ベンゾキノン 313
ベンゾジアゼピン 304

■ほ

母性遺伝 188
ホモプラスミー 82, 89, 330, 334
ポリトピック膜タンパク質 31
ポーリン 2, 4, 31, 43, 67
　酵母の―― 44
ボンクレキン酸 69, 150, 229, 293

■ま

マイクロフィラメント 171
マイトトラッカー 419
マイトプラスト 99, 389
マイトマイシンC 306
膜電位 371, 403, 408
膜透過チャンネル 30
マスタードガス 303
マトリックスタンパク質 35
マトリックスタンパク質輸送 36
マラリア 135, 246
マラリア原虫 127
マロンジアルデヒド 243, 275
慢性進行性外眼筋麻痺症候群 326, 339, 340

■み

ミオクローヌスてんかん 333, 335, 341, 377
ミオグロビン尿 343
ミオシン 171
ミスマッチ修復系 89
ミトコンドリア
　――の遺伝様式 189
　――のサイズ 2
　――の分裂 135
ミトコンドリア移行シグナル 37, 101, 223
ミトコンドリア核 74, 136
ミトコンドリア核分裂 136
ミトコンドリア仮説 66
ミトコンドリア関連死 283
ミトコンドリアキネシス 75, 137
ミトコンドリア局在化シグナル 379
ミトコンドリア欠損細胞 285
ミトコンドリアゲノム 270
ミトコンドリア心筋症 273
ミトコンドリアターゲッティングシグナル 37
ミトコンドリア DNA 81, 107, 270
　――の遺伝暗号 83
ミトコンドリア DNA 異常 328
ミトコンドリア DNA 欠乏症 344
ミトコンドリア脳筋症 158, 332, 341, 356, 360, 377
ミトコンドリア病 88, 326, 376

■ミ (続き)

ミトコンドリアプラスミド 139
ミトコンドリア膜結合解析 414
ミトコンドリア膜電位 279
ミトコンドリアミオパチー 326
ミトコンドリア融合因子 173
ミトコンドリア輸送シグナル 28

■む, め

無性生殖 185
ムラサキイガイ 193

メタロチオネイン 322
メチルグリオキサール 221
メチルビオロゲン 298, 309
メチルマロン酸血症 248
メナキノン 129
メナジオン 275
メルファラン 305

■も

網膜色素変性 333
モータータンパク質 65, 97
モノアミン酸化酵素 362

■や 行

薬剤感受性 189
薬剤耐性 189
弥生人 114

U 因子 256, 259
有機酸血症 250
有機水銀 317
有機スズ 317
融合因子 98
有性生殖 185
雄性配偶子 192
誘導型 NO 合成酵素 214
ユビキチン 175, 190
ユビキチンサイクル 216
ユビキノール-シトクロム c 酸化還
　元酵素 11
ユビキノン 8, 297, 300

溶質輸送担体 67

■ら

ライディッヒ細胞 60
ラジカル開始剤 279
裸子植物 192
ラビリンチュラ 133
卵原細胞 195
卵細胞質融合 198
卵子間競争 196
ランブル鞭毛虫 130
卵胞 196
卵胞閉鎖 196
卵母細胞 196, 272

■り

利己的遺伝子 188
利己的 DNA 187
リソソーム 190, 415
リーダー配列 37
リファンピシン 315
リボザイム 182
リボソーム RNA 81
リポフスチン 298, 301
琉球人 115
リン酸化能 123
リン酸キャリヤー 69
リン脂質ヒドロペルオキシドグルタ
　チオンペルオキシダーゼ 225

■れ, ろ

レクリノモナス 135
レチノイド 209
レチノイン酸 209, 211
レドックスサイクル 236, 305
レドックス制御 203
ロイシンジッパー構造 150
老化 283
老化促進マウス 245
ρ^0 細胞 88, 107, 154, 155, 156, 159,
　161, 163, 164, 165, 166, 277, 285,
　361, 374
　——の作製法 391
ロテノン 123, 215, 312, 425
ロドキノン 129
濾胞上皮 196

■数字, 欧文

8-oxoG 88, 274
ACTH 56
adenine nucleotide translocator
　229
ADP/ATP キャリヤー 3, 69, 125
AGC 71
age-1 301
AIF 284
ALA 48
ALAS 48, 49
ALA 合成酵素 48, 49
AH-SOD 307
Apaf-1 278
apoptosis-inducing factor 284
apoptotic protease activating
　factor 255
AP サイト 275
AP エンドヌクレアーゼ 90
ATP/ADP 交換体阻害剤 150
ATPase インヒビター 147, 152
ATPase 阻害タンパク質 147
ATP ⇌ Pi 交換反応 124
ATP 合成酵素 12, 14
ATP 合成酵素欠損 347
Batten 病 249, 349
bax 46
Bax 280, 292
Bax 欠損マウス 196
Bcl-2 280, 291, 292, 294, 305, 306
Bcl-2 欠損マウス 196
Bcl-2 ファミリー 289, 292
Bcl-x 305
Bcl-x_L 280, 292, 294
Bid 292
bNOS 216
BrdU 155
BSO 237
CA1 細胞 63
CAC 70
C. elegans 297
CIC 70
clk-1 299
CO I 遺伝子 272
coupling factor 6 351
COX 164
COX 欠損症 327, 331

索　引

CPEO　326, 333, 335, 339
Cu, Zn-SOD　218, 229, 233, 285, 301
Cu, Zn-スーパーオキシドジスムターゼ → Cu, Zn-SOD
CYP11A　57
daf-2　301
DCCD　12, 46
DIC　71
DNA
　　——の水平伝播　135
DNA グリコシラーゼ　90
DNA 修復系　89
DNA ポリメラーゼ　139
DNA ポリメラーゼ γ　90, 271
DNA リガーゼ　91
DT-ジアフォラーゼ　314
EC-SOD　219
EG 細胞　199
Ehrlich 腹水癌細胞　214, 307
eNOS　216
ES 細胞　199
F プラスミド　140
F_1-ATPase
　　——の結晶構造　16
F_1-ATPase インヒビター　350
Fas 抗原　229
FCCP　425
FECH　48, 51
Fenton 反応　237
F_oF_1-ATPase　12, 16
F_oF_1 合成酵素　15
frd オペロン　129
Friedrich 失調症　54
gas-1　298
GC ボックス　226
GFP　156
GNC　71
Gomori トリクロム変法染色　327
GPx　216, 218, 225, 231, 236
GSH　202, 218, 225, 231, 236, 363
GSH S-トランスフェラーゼ　239
GSH 合成酵素　236
GSH ペルオキシダーゼ　236
GSH 輸送　238
GSH 輸送体　241
H^+ ポンプ → プロトンポンプ
HeLa 細胞　155
heme regulatory motif　49

Hogeboom 法　382, 415
HRM　49
HSP　86
Hsp60　291
Hsp70　38
hypoxia responsive element　203
ICM　199
iNOS　214, 216
JVS マウス　248, 250
Kearn-Sayre 症候群　333
Leber 視神経萎縮症　329
Leber 病　328
Leigh 症候群　369
Leigh 脳症　274, 327, 328, 339, 341, 345, 347
Lewy 小体　363
LSP　86, 91, 102
Luft 病　328
matrix-targeting signal　28
MELAS　88, 273, 326, 328, 333, 335, 339, 340, 343, 360, 377
membrane permeability transition　204, 255, 412
MERRF　326, 328, 333, 335, 339, 340, 360, 377
mev-1　298, 300
mF プラスミド　139
MIP　54
mitochondrial transcription factor A　86, 92
Mn-SOD　218, 225, 275, 283, 286, 299, 314
Mn-スーパーオキシドジスムターゼ → Mn-SOD
MPP^+　361, 358
MPT　204, 255, 408, 410
MPTP　358
mRNA
　　——の合成　103
mtDNA → ミトコンドリア DNA
MTS　28, 37
mtTFA　86, 92, 102
mtTRR　105
NADH　81
NADH-フマル酸還元系　129
NADH-ユビキノン酸化還元酵素　10
NARP　369
ND6 遺伝子　272

nNOS　216
NO 合成酵素　216
OGC　70
O_H　85
O_L　85
ORC　71
organic cation transporter　254
OriL　271, 272
Oxa1 複合体　33
PDHC 欠損症　328
PDKR モチーフ　68
Pearson 症候群　54
Pearson 病　328
PEPCK-コハク酸経路　128
permeability transition　3
P/O 比　123, 148
positive inside rule　34
PYC　71
RCI　123, 262
RCR　204
respiratory control index　123
Reye 症候群　248, 250
RNA 編集　127
RNA ポリメラーゼ　102, 140
rRNA　81
　　——の合成　104
SDH　130
sdh オペロン　130
SNP　365
SOD → スーパーオキシドジスムターゼ
Sod2 遺伝子　275
SOD アイソザイム　232
StAR　60
StAR 遺伝子　60
state3　123, 148, 204
state3 呼吸　244, 262, 266, 319
state4　123, 148, 204, 215
state4 呼吸　244, 262, 266, 319
steroidogenic acute regulatory protein　60
Tim　28
Tim 複合体　28, 32, 41
TNF-α　256
Tom　28
Tom 複合体　28, 29, 40
TPP^+　403
translocator of outer membrane　28

tRNA 81
TΨG ループ 105

UCP 70, 207
uncoupling protein 70, 207

VDAC 31, 43, 229, 280, 289, 410
XLSA 50

監修者紹介

内海耕慥（うつみ　こうぞう）
1951年　広島文理科大学理科　卒業
現　在　㈶倉敷成人病センター　医科学研究所　所長，高知医科大学名誉教授，医学博士
専　攻　生化学・細胞生物学
主　著　『ミトコンドリア』南江堂（1971），『細胞生理学実験』朝倉書店（1971），『細胞表層の糖質と機能』学会出版センター（1976），『医科生物学』理工学社（1981），『アポトーシスの分子機構と病態』日本アクセル・シュプリンガー（1995），『酸素ストレス』真興交易医書出版部（1996），『生命誕生と生物の生存戦略』日本アクセル・シュプリンガー（1998），"The Role of Intracellular Calcium-Binding Proteins" CRC Press（1990），"Novel Calcium-Binding Proteins" Springer-Verlag（1991），"Understanding the Process of Aging" Marcel Dekker（1999），"Free Radicals in Chemistry, Biology and Medicine" OICA International（2000）
趣　味　旅行

井上正康（いのうえ　まさやす）
1974年　岡山大学医学部大学院修了
現　在　大阪市立大学大学院医学研究科　分子病態学教室　教授，医学博士
専　攻　生化学・分子病態学
主　著　『活性酸素と疾患』学会出版センター（1987），『活性酸素と病態』学会出版センター（1992），『ＮＯとスーパーオキシド』日本アクセル・シュプリンガー（1995），『アポトーシスの分子機構と病態』日本アクセル・シュプリンガー（1996），『活性酸素とシグナル伝達』講談社サイエンティフィク（1996），『活性酸素と医食同源』共立出版（1996），『生命誕生と生物の生存戦略』日本アクセル・シュプリンガー（1998），『肝癌の治療戦略』医薬ジャーナル社（1999），『活性酸素と運動』共立出版（1999），『活性酸素と老化制御』共立出版（2001），"Glutathione" John Wiley & Sons（1989），"Antioxidants in Therapy and Preventive Medicine" Plenum（1989），"Biothiols in Health and Disease" Marcel Dekker（1995），"Free Radicals in Brain Physiology and Disorder" Academic Press（1996），"Understanding the Process of Aging" Marcel Dekker（1999），"The Liver: Biology and Pathobiology" Raven Press（2001）
趣　味　試す・読む・観る・聴く・釣る・飛ぶ・潜る・撮る

NDC 464, 491.4, 491.31　　　　　　　　　　　　　　　　　　　　　　　　検印廃止 © 2001

新ミトコンドリア学

2001年11月10日　初版1刷発行
2002年 9月20日　初版2刷発行

監修者　内海耕慥・井上正康
発行者　南條光章
発行所　**共立出版株式会社**
　　　　東京都文京区小日向4丁目6番19号
　　　　電話 東京（03）3947-2511番（代表）
　　　　〒112-8700/振替口座 00110-2-57035番
　　　　URL　http://www.kyoritsu-pub.co.jp/
印刷所　日経印刷
製本所　関山製本

Printed in Japan

ISBN 4-320-05581-0

社団法人
自然科学書協会
会員

JCLS ＜㈱日本著作出版権管理システム委託出版物＞
本書の無断複写は著作権法上での例外を除き禁じられています．複写される場合は，そのつど事前に
㈱日本著作出版権管理システム（電話03-3817-5670，FAX 03-3815-8199）の許諾を得てください．

日本生化学会編集
シリーズ・バイオサイエンスの新世紀
全15巻

　本シリーズは，躍動するバイオサイエンスの現状を生化学，分子生物学を通して若い世代へ啓蒙することを主目的に企画された。
　エキスパートである著者が研究の流れ，未解決の問題にも触れ，研究の興奮を伝えるものとした。各著者の哲学がにじみ出，若者に語りかけるような本であるよう願った。また，病気，身体のはたらき，社会との関連など広く興味をひく事柄に触れ，内容を身近なものとすることも心がけた。
　こうして生まれた「シリーズ・バイオサイエンスの新世紀」がわが国のバイオサイエンスの進展に大きく寄与する道標となることを願っている。　　　　　　　　　　　〈刊行にあたって〉より抜粋

❶ 遺伝子の構造と機能 ……………………………………山本雅之編／192頁・本体3700円

❷ タンパク質の一生 ─タンパク質の誕生，成熟から死まで─ ………中野明彦・遠藤斗志也編／212頁・本体3700円

❸ タンパク質の分子設計 ……………………………後藤祐児・谷澤克行編／214頁・本体3700円

❹ 糖と脂質の生物学 ………………………………………川嵜敏祐・井上圭三編／230頁・本体3900円

❺ 酸化ストレス・レドックスの生化学 …………谷口直之・淀井淳司編／208頁・本体3700円

❻ 細胞の誕生と死 …………………………………………長田重一・山本　雅編／208頁・本体3700円

❼ 生体膜のエネルギー装置 ………………………………吉田賢右・茂木立志編／224頁・本体3700円

❽ 多細胞体の構築と細胞接着システム …………関口清俊・鈴木信太郎編／224頁・本体3700円

❾ シグナル伝達 ─細胞運命と細胞機能を制御する仕組み─ …………西田栄介・大野茂男編／208頁・本体3700円

❿ 生物のボディープラン ………………………………………上野直人・黒岩　厚編／続　刊

⓫ 脳の発生・分化・可塑性 ……………………御子柴克彦・清水孝雄編／216頁・本体3700円

⓬ 感覚器官と脳内情報処理 ……………………御子柴克彦・清水孝雄編／274頁・本体4300円

⓭ 生体防御 ─免疫と感染症─ …………………………谷口　克・谷口維紹編／248頁・本体3900円

⓮ 病気の分子医学 ………………………………………春日雅人・平井久丸編／228頁・本体3700円

⓯ 生命工学 ─新しい生命へのアプローチ─ …………浅島　誠・山村研一編／312頁・本体4300円

【各巻】菊判・並製本・192～312頁・2色刷

■刊行委員会：石村　巽・関口清俊・中澤　淳・西田栄介・御子柴克彦・村松　喬（委員長）■

共立出版